2003

中国煤炭工业年鉴

国家煤矿安全监察局　编

煤炭信息研究院　主办

《中国煤炭工业年鉴》编审委员会

吴　吟　国家发展改革委员会能源局副局长
杨　富　国家煤矿安全监察局规划科技司司长
杨　中　开滦集团公司董事长
伊　烈　煤炭信息研究院副院长
易光景　江西煤炭集团公司总经理
张崇惠　山西煤炭工业管理局局长
张明元　铁法煤业（集团）公司董事长
赵铁锤　国家煤矿安全监察局副局长
支同祥　国家煤矿安全监察局调度中心主任
朱德仁　中国煤炭工业协会副会长
朱义长　国家煤矿安全监察局政策法规司副司长

《中国煤炭工业年鉴》出版工作人员

主　　编：黄盛初　窦庆峰
常务副主编：王捷帆
执行副主编：刘新建
责任编辑：刘新建　王国慧　田 园
编　　务：智 毅

封面设计：安德馨
版式设计：严　岩
责任校对：尤丽云　米淑荣
国外广告工作人员：德国国际市场咨询公司经理 G·林克

《中国煤炭工业年鉴》编写组成员

（按姓氏汉语拼音为序）

白　晶　辽宁省煤炭工业局
曹宗理　国家煤矿安全监察局
陈　展　福建省经贸委煤炭行业管理办公室
高雪梅　煤炭科学研究总院
郭　黎　中国煤炭工业协会
何振琪　河北省煤炭工业局
江克莹　国家煤矿安全监察局
金永祥　新疆维吾尔自治区煤矿安全监察局
荆大勤　甘肃省煤炭工业局
黎　坚　宁夏回族自治区煤炭工业局
李才全　湖南省煤炭工业局
李传新　陕西省煤炭工业局
李廷辉　四川省经贸委
李文忠　黑龙江省煤矿安全监察局
鲁晓敏　湖北省煤炭行业管理协会
马全林　云南省煤炭安全监察局
倪克祥　安徽煤矿安全监察局
任衷平　山东省煤炭工业局
宋旭东　江苏省经贸委
童春平　江苏省经贸委
万战伟　河南省煤炭工业管理局
王隆平　国家煤矿安全监察局调度中心
王便文　中国煤炭工业协会
王崇林　山西省煤炭工业局
韦会武　贵州省煤矿安全监察局
翁发春　江西省煤炭行业管理办公室
徐贺成　北京京煤集团公司
胥家庭　国家煤矿安全监察局调度中心
许升阳　煤炭科学研究总院
杨春库　吉林省煤炭工业局
杨乃发　安徽煤矿安全监察局
张　跃　四川省经贸委
周金忠　内蒙古自治区煤矿安全监察局

Compiling Committee of China Coal Industry Yearbook

Chairman: Wang Xianzheng Fan Weitang

Executive Chairman: Zhao Tiechui Liang Jiakun

Vice-chairman: Huang Yi Geng Jiahuai Wu Rongkang
Huang Shengchu Dou Qingfeng

Members of the Compiling Committee:

(Arranged in the Order of Chinese Phonetic Alphabet)

Dou Qingfeng	Fan Weitang	Fu Jianhua	Gao Guoan
Gao Guangwei	Geng Jiahuai	Guo Yuntao	Huang Shengchu
Huang Yi	Huang Yuzhi	Jin Kening	Jing Tianliang
Jiang Guangjie	Li Shuqing	Li Wenjun	Liang Jiakun
Liu Yuzhong	Peng Jianxun	Song Congshu	Sun Maoyuan
Tian Yuzhang	Wang Jinhua	Wang Jinrong	Wang Shuhe
Wang Xianzheng	Wu Yin	Yang Fu	Yang Zhong
Yi Lie	Yi Guangjing	Zhang Chonghui	Zhang Mingyuan
Zhao Tiechui	Zhi Tongxiang	Zhu Deren	Zhu Yichang

Editorial and Publishing Personnel of China Coal Industry Yearbook

Editors-in-chief:	Huang Shengchu	Dou Qingfeng	
Vice-editor-in-chief:	Wang Jiefan		
Executive Editor-in-chief:	Liu Xinjian		
Editors:	Liu Xinjian	Wang Guohui	Tian Yuan
Designers:	An Dexin	Yan Yan	
Proof-readers:	You Liyun	Mi Shurong	

潞安矿业集团公司

加快发展步伐

公司董事长、总经理任润厚(左)、党委书记王安民(右)

潞安矿业(集团)有限责任公司于2000年8月在原潞安矿务局的基础上改制成立，属国家重要的优质动力煤和化工原料煤生产基地，是山西省五大煤炭集团公司和12户国有资产授权经营单位之一，全国500家大型工业企业之一。有控股和参股企业20余家，是一个以煤—焦—化、煤—电—化为主线，焦化、发电、机制、化工、建材、建筑、汽修、林业、印刷等多种经营综合发展的现代化经营联合体。现控股经营和生产经营煤炭规模为1800万吨/年，其中95%以上为控股经营。煤炭产品品种齐全，煤质优良，在国内17个省市拥有500多家常年用户，并出口日本等国。所产动力煤为山西省名牌产品。职工总数4.5万余名，可控资产总量110亿元，年销售收入近50亿元。先后获得国家、部省级荣誉和奖励100多项。1986年建成"中国煤炭工业现代化矿区"，1987年以来，荣获全国"五一"劳动奖状、国家企业管理优秀奖——"金马奖"、国家级企业科技进步奖、全国质量效益型企业特别奖等荣誉称号。在全行业中首家整体通过了ISO9000国际质量体系认证，是AAA级信用企业。

潞安矿业集团公司领导集团

2003年，潞安矿业集团公司的广大职工在董事长、总经理任润厚的带领下，以党的十六大和十六届三中全会精神为指针，坚持科学的发展观，紧紧抓住国民经济快速发展、煤炭市场持续向好的有利机遇，深入开展"战略管理年"活动，务实创新，大干快上，夺取了生产经营、改革发展和文明创建的全面胜利，主要取得了以下六个方面的历史性成就：

一、主要经济指标实现历史性跨越。原煤产量1753万吨，商品煤销量1690万吨，总销售收入39.01亿元，其中煤炭销售收入26.51亿元，实现利税总额4.96亿元。

二、企业核心竞争力显著增强。全年安全生产无死亡事故。完成国家重点技术创新项目2项、省重点创新项目4项，公司技术中心在评估中，列全国301户国家级企业技术中心的第158位。

三、经营和发展模式全面创新。

四、企业改革取得了实质性的进展。

五、潞安新文化建塑初见成效。

六、职工生活质量不断提高。

地址：山西省襄垣侯堡
邮编：046204

潞安矿业集团公司总部办公楼

KAITUOJINQUDEJIANGSUXUZHOUSHIMAZHUANGMEIKUANG

开拓进取的江苏徐州市马庄煤矿

矿长　刘明志

党委书记　吴作平

徐州市马庄煤矿

马庄煤矿柳泉井

马庄煤矿坐落在江苏省境内素有"五省通衢"之称的历史文化名城徐州市西郊10公里处，毗邻巍巍的白头山和悠悠的闸河水，环境优雅，交通便捷。1970年10月1日投产，建矿30多年来，勤劳勇敢的马庄人以其聪明和智慧创造了许多辉煌的业绩，曾多次被授予徐州市行业排头兵、省级先进企业、原煤炭工业部质量标准化矿井等光荣称号。

2003年，原煤产量完成年计划的185%，煤炭销量完成计划的115.6%，营业收入提高14.6%，利润提高14.9%。2003年9月，在江苏省煤矿监察局的验收评估中，矿井达到A类矿井的标准，位居省地方国有煤矿的前列。非煤产业发展势头强劲，2002年初投资开发的汉王泉矿泉水投放市场后，深受广大消费者的欢迎，现正在研制的银杏茶、山楂果茶等十多个饮品即将投放市场。马庄煤矿连续8年被市工商局评为重合同守信用先进单位，连续2年被评为省及天能集团公司安全生产先进单位，连续4年被公司评为文明单位。

好风凭借力，携手展宏图。站在新的发展平台上，矿党政一班人决心牢牢把握新世纪的发展机遇，以"三个代表"重要思想为指导，以提高经济效益为中心，以改革创新为动力，以打造本质安全型企业为重点，以创建企业文化为底蕴，大力推进结构优化调整，逐步形成以煤炭为先导、非煤产业为支撑的产业格局，为马庄煤矿构建更加广阔的发展平台，以强劲的发展势头向明星企业迈进。

地址：江苏省徐州市西郊
邮编：221148

肥城矿业集团白庄煤矿

矿级领导班子

白庄煤矿是肥城矿业集团公司的骨干矿井，位于五岳之首泰山西麓的肥城市境内，1979年建成投产，现在册职工3900余人，是年产120万吨、洗选能力90万吨的大型现代化矿井。近年来，该矿始终坚持以创建“优质、高效、安全、文明”的现代化矿井为目标，以“诚信为本、实干创新”为企业理念，深化改革，强化管理，拼搏实干，呈现出年年上台阶的新局面。特别是2003年，取得了“全面胜利满堂红，全面提升创水平”的良好成绩，原煤产量、掘进进尺、煤炭销量、销售收入、上缴利润、全员工效、非煤产业、职工收入“八创历史新水平”，人均产值、人均创利、人均收入均在全集团公司处于领先地位，而且在全省同类矿井中处于先进水平。

现代化调度监测监控中心

2003年，该矿以强化责任制落实为重点，大力开展双基建设、安全评估和精品工程创建活动，以改革的精神创造性地开展工作，连续多年实现安全生产，被评为煤矿安全程度评估A级矿井；以市场为导向，及时调整营销策略，强化煤质管理，加大洗选加工力度，实现了产销平衡；以效益为中心，大力实施精细化管理，经济效益大幅度攀升，实现利润7517万元；立足当前，规划长远，大力调整产业结构，不断发展非煤项目，积极建设3×24兆瓦矸石热电厂，逐步构建“煤电一体”以及以焊条、电线和服装加工为骨干支柱型厂点的可持续发展的多元化格局。2003年，非煤产业三项指标均创历史最好水平。白庄煤矿先后被评为“全国煤炭工业现代化矿井”、“质量标准化矿井”、“全国婚育新风进万家先进单位”、“全国煤炭系统质量信得过单位”、“重合同守信用单位”、“山东省先进基层党组织”、“省级文明单位”和“山东省双十佳煤矿”等30多项荣誉称号。2003年被中煤政研会评为“全国文明煤矿”。

办公大楼

面对市场经济的新形势，白庄煤矿只争朝夕，着眼未来。以“创新再造、超越进取”的理念，掀起了新一轮发展热潮，沿着“稳定主业、壮大非煤、煤电一体、兴矿富民、持续发展”的发展思路，把白庄煤矿全面推向快速发展、全面提升的新阶段。

升旗仪式

地址：山东省肥城市湖屯镇
邮编：271613

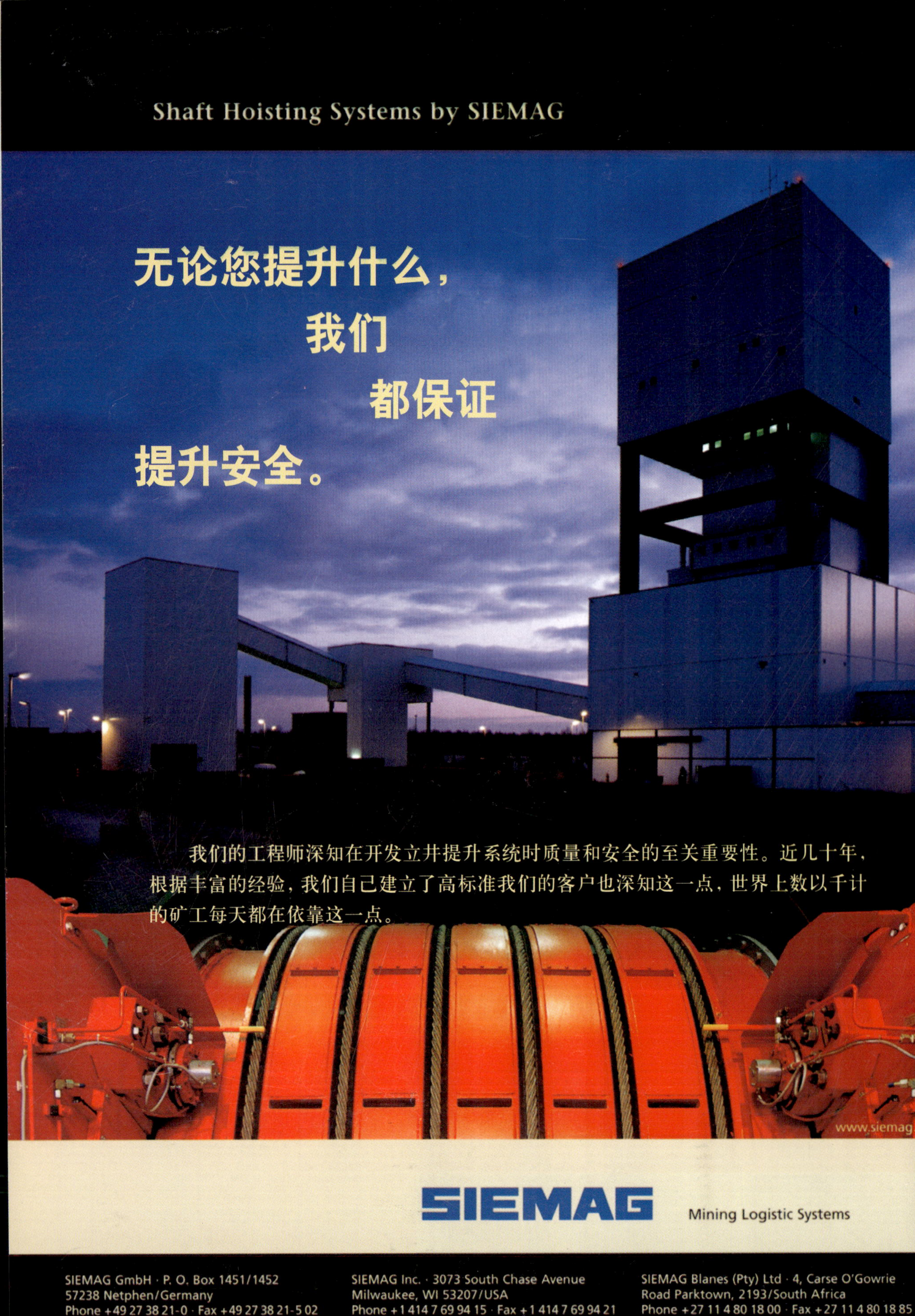

Shaft Hoisting Systems by SIEMAG
无论您提升什么，
我们
都保证
提升安全。
我们的工程师深知在开发立井提升系统时质量和安全的至关重要性。近几十年，根据丰富的经验，我们自己建立了高标准我们的客户也深知这一点，世界上数以千计的矿工每天都在依靠这一点。
SIEMAG
Mining Logistic Systems
SIEMAG GmbH · P. O. Box 1451/1452
57238 Netphen/Germany
Phone +49 27 38 21-0 · Fax +49 27 38 21-5 02
SIEMAG Inc. · 3073 South Chase Avenue
Milwaukee, WI 53207/USA
Phone +1 414 7 69 94 15 · Fax +1 414 7 69 94 21
SIEMAG Blanes (Pty) Ltd · 4, Carse O'Gowrie
Road Parktown, 2193/South Africa
Phone +27 11 4 80 18 00 · Fax +27 11 4 80 18 85

YANKUANGJITUANXINGLONGZHUANGMEIKUANG

兖矿集团兴隆庄煤矿

地址：山东省兖州市
邮编：272102
传真：3877988

1. 矿长来存良、党委书记李昭贵在研究安全生产工作
2. 矿长来存良与中国工程院院士钱鸣高在“十五”攻关自动采煤工作面研究设备运行
3. 团结奋进的领导班子
4. 风景如画的矿区公园——兴盛园
5. 环境优雅的矿貌

兖矿集团兴隆庄煤矿是国家“六五”期间自行设计和建设的第一座年设计生产能力300万吨的大型现代化矿井，自1981年投产以来，兴隆庄煤矿始终坚持“安全第一”方针，以创建“中国第一、世界一流”的高产高效矿井为目标，以经济效益为中心，以科技进步为依托，大力实施“大规模、低成本、高效益和品牌制胜”的发展战略，积极推进技术创新和管理创新，实现了矿井的跨越式发展，并创出了安全生产8周年的国际井工开采好水平。特别是2003年，矿井安全产煤702万吨；完成利润3亿元，在实现行业八连冠的高起点上，经济效益继续保持了全行业领先水平。被评为“煤炭工业科技创新型矿井”，获得“AA级创建学习型企业单位”，被同行业誉为“中国最具创新力煤矿”。截至2003年，矿井共生产原煤8634万吨，累计上缴利润31亿元，先后获得“中国矿井排头兵”、“全国精神文明建设先进单位”等130多项省部级以上荣誉称号，兴隆庄煤矿始终引领着煤炭工业的发展方向，成为中国煤炭工业一颗璀璨的明珠。

中国煤矿全面发展的典范

——山西潞安矿业集团公司王庄煤矿

矿长　郭金刚

2003年，山西潞安矿业集团公司王庄煤矿先后克服了"非典"、气候变化异常、雨水较多、矿井地质条件复杂多变、煤炭产量两次调增等诸多困难，圆满实现了"高产高效、安全文明年"的各项奋斗目标，并创造了八项新纪录：一是矿井年产量首次突破了600万吨，实际达到605万吨。二是单产单进创造了建矿历史最高水平和全国先进水平，其中，综采二队年单产达到463.3358万吨，最高月产达到56.0188万吨，最高日产达2.55万吨；综掘二队年单进实际进尺达9019米，折合进尺达13078米。三是全员工效达到了15.687吨/工，同比提高了3.351吨/工。四是再一次实现了百万吨死亡率为"零"的奋斗目标，各类机电事故、生产事故、无计划停风停电事故均降低到了建矿历史最低点。五是主业销售收入和利润创建矿历史最好水平。全年销售收入实际达到了8.5亿元，利润达到了1.98亿元。六是多种经营销售收入创造了建矿历史最高水平，全年销售收入达到2.4亿元。七是职工人均收入创建矿历史最高水平，其中，主业职工人均收入达到2.4万元以上，多种经营职工人均收入10946元。八是立功授奖多，获得荣誉多，历史空前，先后荣获全国"煤炭工业科技创新型矿井"、"全国安康杯竞赛优胜企业"、"全国模范职工之家"等荣誉称号，入选"全国十大功勋矿井"，再次被山西省劳动竞赛委员会荣记集体一等功，综采二队、综掘二队双双荣获"山西省五一劳动奖状"，14级混煤和11级洗精块荣获"全国质量信得过产品"，"煤矸石山生态重建模式及其效应"入选"煤炭工业十大科技成果"，先后有20余项科技成果、管理成果及各类单项成果荣获省部级以上奖励。一年来，王庄煤矿着眼于企业的长远发展，上马了52万吨的世纪焦化项目；在山西省长治县买断经营了该县原化肥厂，组建了世纪化工有限公司；在长治市建成了"世纪春天"职工家属住宅区，新开辟了"世纪家园"住宅区，矿区内新建了"永安"、"永乐"两个休闲文化广场，开通了昌盛路。在对旧俱乐部大修基础上，建成了康年宫。新建了第二小学教学楼，对矿区外围旧309国道进行了大修。如今，全矿职工群众的生活条件和生活环境已发生了翻天覆地的变化，初步展现了一个"大而强、富而美、集约高效、安全文明新型工业化王庄煤矿"的新形象，被中国能源化学工会主席赵永金誉为"中国煤矿全面发展的典范"。

新建永安广场

永乐广场

庆功大会会场

康年宫

世纪焦化有限公司

世纪化工有限公司

ZIBOKUANGYEJITUANYOUXIANZERENGONGSI

淄博矿业集团有限责任公司

中国企业500强之一的淄博矿业集团有限责任公司（简称淄矿集团），是以煤为主、多种经营、综合发展的大型现代化企业集团。公司横跨山东、陕西两省，分布于淄博、济南、济宁、咸阳四市，总面积920平方公里，总部坐落在世界短篇小说之王蒲松龄的故里——淄博市淄川区。淄博矿区历史悠久，淄矿集团公司及其前身淄博矿务局（1953年2月建局）至今已经走过了50年的光辉历程。截至2003年底，淄矿集团资产总额70.62亿元，在册职工30014人，拥有全资、控股、参股和在建企业35家。煤炭生产能力达到1200万吨；非煤产业能够生产17大系列、230余种产品，品种规格多达3000余种。2003年，实现销售收入40.75亿元，非煤产品销售收入15.84亿元。50年来，共生产煤炭2.8亿吨，为国民经济的发展作出了重要贡献。"九五"以来，面对外部市场竞争激烈和内部煤炭资源日趋枯竭的沉重压力，集团公司秉承企业优良传统，不断更新观念，与时俱进，通过深化企业改革、转换经营机制、强化基础管理、实施"科教人才兴企"战略等一系列举措，使企业赢得了生存和发展的空间。一方面大力发展替代产业，努力实施老矿区转产，以高科技含量、高附加值、高效益项目带动非煤产业发展，构建起了以精细化工、新材料、煤炭资源综合利用为主导的产业格局，另一方面加快济（宁）北新矿区开发，分别用28个月、24个月和23个月建成了年设计生产能力分别为150万吨、150万吨和60万吨的3个现代化矿井，已经形成了年产800万吨优质煤炭的规模。近年来，企业先后荣获全国质量管理先进企业、全国煤炭工业优秀企业、全国"五一"劳动奖状、全国思想政治工作先进企业、全省思想政治工作先进单位、省级文明单位、山东省首批"AAA"级信誉企业等荣誉称号。2002年企业整体改制以后，淄矿集团确定了第三次创业的发展战略：对内做强煤炭主业，调优非煤产业，构建煤、电、化、材四大板块；对外进军陕西，逐鹿中原，南下贵州，拓展发展空间，综合竞争力跨入行业前10名。淄矿人正以只争朝夕的精神和敢为人先的发展魄力，在第三次创业的征程上大踏步迈进，为把淄矿集团建设成实力更加雄厚、结构更加优化、制度更加完善、管理更加科学、优势更加突出、职工更加富裕的大型现代化企业集团而努力奋斗。

地址：山东省淄博市淄川区般阳东路215号
邮编：255120

我们用于煤矿及铁矿开采的钻井设备和泵是：

- 成功的
- 有力的
- 可信的
- 创新的

SB Ⅶ型立井钻井机
钻井直径6.5–8.5米

水井钻井及立井下沉L25型
气压钻井单元
钻井直径2.1米

T3.20型掘进机
掘进部宽8.96米，
高7.96米

H4.30型薄煤层掘进机
掘进部宽3.57米，
高2.85米

用于硬煤开采截割的
MTM方案
(4.5×4.5米至7.6×7.6米)

铁矿石泥浆用振动膜

HG–380–SP提升式钻井机
钻井直径6米

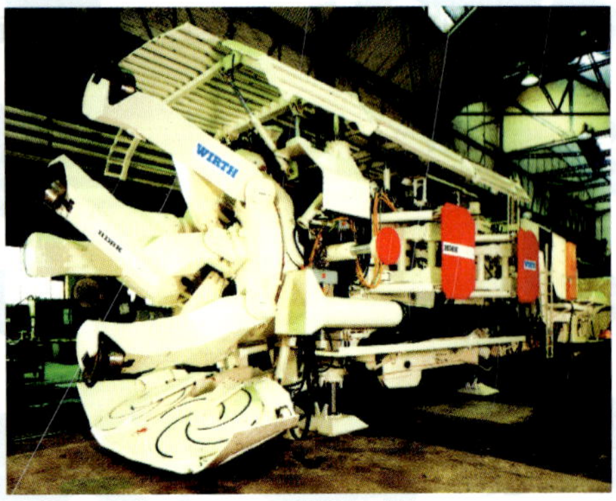

由WIRTH与PAURAT设计的产品正
广泛应用于世界各地
欢迎垂询！

WIRTH

WIRTH Maschinen-und Bohrgeräte-Fabrik GmbH
P.O.Box 1660 · D-41806 Erkelenz
Phone+492431-830 · Fax+492431-83267 · http://www.wirth-europe.com
WIRTH Beijing Office:
No.2,Bei San Huan East Road · China Travel Service Tower,Room 1820 · 100028 Beijing · P.R.China
Phone+861064647737 · Fax+861064647747

富而思进　创新图强

——济宁市太平煤矿

矿长　王砚和

济宁市太平煤矿系市属国有企业。矿井坐落在山东济宁邹城市太平镇境内。井田面积22平方公里，地质储量9500万吨，可采储量5890万吨，其中低硫三层煤1300万吨。企业现有职工2872人，其中大中专毕业生393人，技校生326人，高级职称8人，中级职称56人，初级职称285人。

矿井始建于1988年3月，经过三次创业，完成"四大工程"，由一个年产30万吨的小型矿井，一举发展成为技术先进、管理科学、综合配套、安全可靠、效益一流的百万吨现代化高产高效双文明矿井。原煤产量自1999年以来，连续5年保持在百万吨以上。2003年，企业实现销售收入2.09亿元，利税7000万元，人均年收入2.2万元。煤炭产品走俏国内外市场，供不应求，洗选精煤在山东省地方煤矿率先实现了出口。连年被列为济宁市经济效益支柱企业。

目前，太平煤矿矿井技术装备水平已达到国内同类矿井先进水平。企业物资管理成果荣获山东省煤炭工业1998年度企业管理现代化优秀成果二等奖。1998年被原煤炭部命名为"国有重点煤矿部级质量标准化矿井"，连续5年被济宁市命名为"市级文明单位"，并先后荣获全国煤炭工业优秀企业、全国煤炭工业双十佳煤矿、山东省煤炭工业十佳煤矿、中国优秀企业等荣誉称号。矿长王砚和先后荣获山东省煤炭局优秀技术干部、山东省煤炭工业劳动模范、山东省"富民兴鲁"劳动奖章、山东省煤炭系统十佳矿长、全国煤炭系统"双十佳"矿长等荣誉称号，并于2003年4月被中华全国总工会授予全国"五一"劳动奖章。《人民日报》、《经济日报》、《工人日报》、《中国企业报》、《大众日报》、《中国煤炭报》、《济宁日报》、《党建》、《中国经贸导刊》、山东电视台、济宁电视台等新闻媒体先后对企业的发展变化进行了跟踪宣传报道。矿长、党委书记王砚和同志撰写的文章《太平煤矿由弱变强靠什么》在2002年第一期《求是》杂志上专题刊发。

陪同领导视察

王矿长井下指挥

山西省阳泉荫营煤矿

党委书记、矿长　张怀柱

山西省阳泉荫营煤矿始建于1952年6月，50年来，荫营煤矿从无到有，从小到大，从一个年产原煤不到10万吨的小煤矿，发展成了"中国行业100强"、"部级质量标准化矿井"、"山西省文明单位"、"山西省模范单位"，是全国监狱系统井工生产中的一座大型煤矿。

建矿50年来，荫营煤矿始终坚持科学管理兴业的发展战略，矿山建设、煤炭经济和干部职工的文化生活取得了有目共睹的巨大成就。特别是1985年，经国家计委批准，投资6亿元人民币，对生产矿井和地面配套系统进行了大规模的改扩建，该工程被列为国家"七五"、"八五"期间重点工程之一。经过10年励精图治，主干工程于1996年10月竣工投产，后续工程也先后于上世纪末投入使用，全矿煤炭生产的技术品位、科技含量、矿井质量档次得到根本性提高，采掘工作实现了综采、综掘，运输方式实现了皮带网和机车线，支护方式实现了液压支柱和综采支架，机电、通风、地测、调度、矿山救护等煤矿生产要素实现了现代化装备和现代化管理，年生产设计能力和销售、洗选能力达到了240万吨，煤炭生产走上了集约化的轨道。同时，煤矿的生活条件和工作环境得到进一步改善，全矿绿地面积达到53000多平方米，人均占有绿地近13平方米，实现了交通路面硬化、文化场所美化、空闲场地绿化、活动区域净化，为职工创建了一个干净、整洁、文明、卫生的工作、生活场所。

综采支架

在50年的光辉历程中，荫营煤矿生产了近8000万吨优质煤炭，上缴了10亿多元的利税，有8亿多元的固定资产和数千万元的流动资产，为国家经济建设作出了应有的贡献。更为重要的是，经过50年的奋斗拼搏，锻炼造就了一支热爱矿山、热爱岗位、热爱煤炭事业的干部职工队伍，形成了团结实干、开拓奉献的企业精神，艰苦奋斗、励精图治的创业精神，与时俱进、勇于探索的拼搏精神，爱岗敬业、任劳任怨的奉献精神和自强不息、奋发图强的进取精神，成为荫营煤矿最可宝贵的精神财富和继续前进的伟大动力。

矿区全景

攀枝花龙洞焦化有限责任公司

攀枝花龙洞焦化有限责任公司位于攀枝花市西区，川滇两省的交界处，是滇西北地区通往四川的重要通道和必经之地。背靠"龙洞石林"风景区，坐落在金沙江畔，西距云南华坪县城30公里，东距格里坪火车站14公里，川滇等级公路纵贯厂区，厂区内有环形公路与生产车间及主要工业厂房相通，交通十分方便。

公司由原攀枝花沿江煤矿龙洞煤焦厂破产改制而建，2003年5月12日在西区注册成立，按照"产权清晰、权责明确、管理科学、利益共享、风险共担"的原则建立了企业经营新机制。公司设有董事会办公室、总经理办公室、人力资源部、财务部、生产部、党群工作部、营销部、质检部、焦化车间、洗煤车间等10个基层单位。公司现有人员290人，中高级管理人员18人。公司秉承"以人为本、诚信经营、管理创新、团结奉献"的企业精神，坚持科学管理、依法经营、守法经营的企业宗旨，为社会创造财富，报效国家。

公司生产规模：机焦生产线W-85型焦炉两座四组；具有跳汰、浮选联合工艺流程的洗煤生产线设备一套；焦油深加工生产系统一套。

公司主要产品：三级冶金焦炭、焦油、十二级1/3焦精煤、主焦精煤。

公司质量承诺：坚持质量第一、顾客至上的方针。全员参与持续改进质量管理体系，稳定提高产品质量；确保生产符合国家标准的焦炭产品，不断满足顾客的需求和期望。

公司法人代表：李春艳

业务联系电话：0812-5998166
0812-5998195
地　　址：四川省攀枝花市西区龙洞二村
邮　　编：617016

华蓥山广能(集团)有限责任公司

广能集团公司董事长　周运成(中)
党委书记、副董事长　蒋　静(左)
副董事长、总 经 理　刘万波(右)

四川华蓥山广能(集团)有限责任公司坐落在广安市,前身是原国家煤炭工业部直属的国有大型骨干企业华蓥山矿务局,始建于1970年,2001年改制为国有控股公司。矿区南北长70公里,总面积565.5平方公里,是一个集煤炭开采和洗选加工、发电、建材、机械制造、煤矿工程设计等为一体的国有控股综合型企业集团。公司下属绿水洞煤业公司、李子垭煤业公司、李子垭南煤业公司、蓥峰特种水泥公司、四方电力公司等14个子(分)公司和控股的龙滩煤电公司、思源投资有限公司,拥有总资产5.59亿元,员工近5000人。矿区地质储量6.1亿吨,总体规划7对矿井,设计生产能力345万吨/年,现已形成年产原煤165万吨、发电1.2亿千瓦·时、生产水泥30万吨的规模。

广能集团发扬"追求卓越,奉献光热"的企业精神,坚定不移地走"以煤为主,多业并举,科技兴业"的改革发展道路,先后荣获原煤炭工业部质量标准化矿务局、全国煤炭工业100强企业、四川省先进企业、四川企业集团科技综合实力100强、四川企业集团资产规模100强、四川省优秀政工企业、四川省"重合同、守信用"先进单位、全国煤炭系统优秀企业等荣誉称号,是全省"采煤机械化矿务局"。大倾角综合机械化采煤技术全国领先,并达到国际先进水平,在全国煤炭生产技术进步评价中排名第12位,在全国煤炭100强最新企业中排名第74位,成为全国煤炭工业优秀企业。2003年,企业经济总量、总产值、工业增加值、营业总收入、盈利水平、安全生产均创历史最好水平,煤炭主业总产量从全省国有重点煤炭企业原来的最低跃居到第2位,成为全省能源工业骨干企业。

"雄关漫道真如铁,而今迈步从头越"。西部大开发,四川新跨越,广能集团迎来了前所未有的发展机遇。广能集团正掀起"二次创业"的热潮,为把企业建成四川最大的动力煤生产基地而努力奋斗!

广能集团公司总部部分夜景

巾帼风采文艺晚会

年入洗能力90万吨的绿水洞煤业公司洗选厂

年生产能力30万吨的蓥峰特种水泥公司

地址:四川省华蓥市滨河东路1号
电话:0826－4442386
邮编:638600

DATONGMEIKUANGJITUANZHONGYANGJICHANG TEZHONGGANGCHANG

大同煤矿集团中央机厂特种钢厂

大同煤矿集团中央机厂特种钢厂是一个专业铸造厂，以生产高档耐磨铸钢件为主，年生产能力可达800～1000吨铸件。主要生产方法为离心铸造、砂模铸造、消失模铸造。主要产品为煤炭行业用破碎机齿滚、齿条、运输机刮煤板、耐磨管等电力行业、金属镁行业用物料输送管及耐磨件。主要技术支持单位为：清华大学贝氏体研究及推广中心。现已成为该中心的示范基地。

我厂1997年从清华大学贝氏体钢研究及推广中心引进“新型锰系空冷贝氏体耐磨钢”技术。此钢种系列具有优异的特色和性能，被学术界和同行誉为跨世纪的新材料和新技术，已获得中、美、澳、新西兰等国8项专利、国家发明二等奖、教委科技进步一等奖、中国专利发明创造奖及14项部委省市级成果鉴定，已被国家科委列为国家级重点推广项目。

新型锰系空冷贝氏体耐磨钢的特点是：空冷自硬，整体硬化，强度高，韧性好，硬度高，既解决了加工性能和耐磨性能的矛盾，又解决了硬度和韧性的矛盾，而且现场切割和焊接的工艺性能也非常好。极大地拓宽了耐磨铸钢件的应用范围，显著地降低了生产成本，极具市场竞争力。

经过近8年的技术消化和生产应用，我厂已成功地生产出了耐磨铸件系列产品和耐磨管系列产品。

1. 连续5年为大同煤矿集团公司四台矿洗煤厂提供破碎机齿滚，很好地替代了进口配件（照片1）。

2. 连续4年为大中公司马脊梁洗煤厂提供MMD型破碎机齿板，很好地替代了进口配件（照片2）。最近又为其提供混料桶耐磨板（照片3）。

3. 连续3年为山西太原、清徐等地金属镁厂提供石料输送耐磨管道（照片4）。

4. 为大同煤矿集团公司云岗矿洗煤厂、神东公司大柳塔洗煤厂、平朔洗煤厂等提供破碎机齿条、齿帽等（照片5）。

5. 生产铲齿、斗齿、刮板、锤头、衬板、耐磨板等近40余种耐磨铸件。

地址：大同市矿区新泉街
电话：0352–7037264
传真：0352–4096492
邮箱地址：TMJTTZGC@Tom, com
联系人：纪英兰 13623528799
刘玉宝 13803426608

照片 3

照片 1

照片 1

照片 5

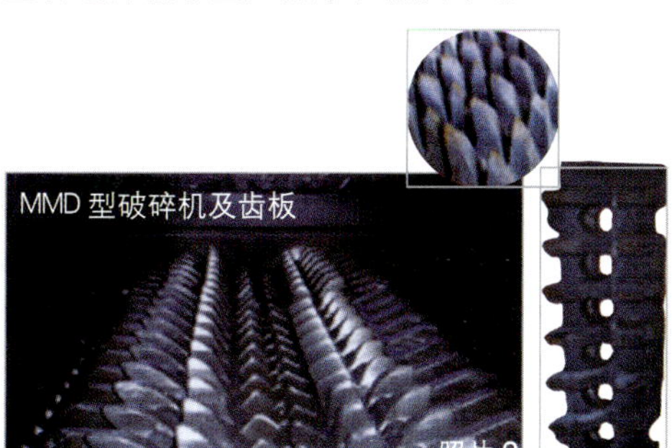

照片 2

照片 4

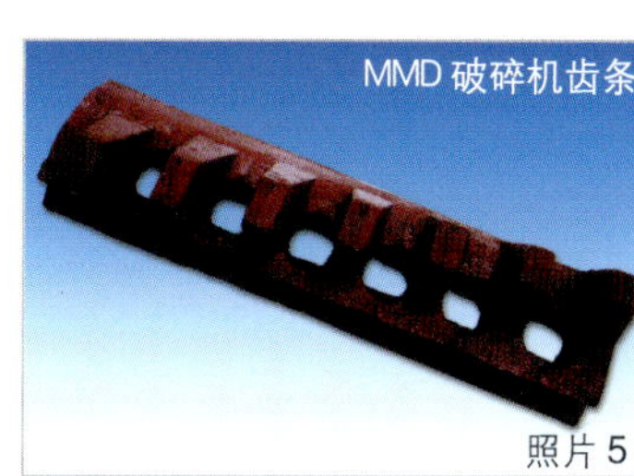

照片 5

大同煤矿集团有限责任公司同家梁煤矿

矿长　马胜

矿党委书记　李文广

大同煤矿集团有限责任公司同家梁煤矿位于山西大同盆地西南口泉沟内，距大同市20公里，井田面积为28.87平方公里，是一座有着60多年开采历史的老矿，现有员工7200多人。

同家梁矿矿井始建于1938年，1949年～2003年累计生产原煤1亿多吨，上缴利润10亿余元，为国家经济建设作出了积极的贡献。同时，还涌现出了马六孩、连万禄、李满仓等一批全国劳动模范和曾创造月进煤巷全国纪录的马连掘进组、曾4次蝉联全国综采甲级队冠军、被原煤炭部命名为"特别能战斗的队伍"、连续23年年产突破百万吨的综采一队等先进集体。

近年来，面对矿井地质条件变化、设备陈旧老化、资金吃紧等重重困难，矿领导坚持立足企业实际，牢固树立全面协调、可持续的发展观，大力实施老矿挖潜、技术创新的发展战略，不断深化企业改革，创新和强化以人为本的各项管理工作，逐步探索出一条资源衰减型矿井发展的新路子。2003年，同家梁矿各项工作再创佳绩，生产原煤319万吨，超计划33万吨，提前41天完成了计划任务；实现利润3831.9万元，比计划增盈40.9万元，位居同煤集团首位；外运煤炭315万吨，创历史最好水平；安全实现了低控；员工人均年收入达到13022元。获得了山西省"文明单位标兵"和"模范单位"等多项荣誉。

同家梁矿生产的煤炭有大块、中块、末煤等多个品种，煤质以低硫、低灰、发热量高（平均25916千焦／千克）而著称，属优质动力煤，行销国内外，深受用户欢迎。同时，同家梁矿还十分注重发展非煤产业，拥有漆包线厂、锚杆（索）钻机维修中心、油泵马达厂等一批骨干企业。特别是漆包线厂生产的0.5～2.2毫米等20多个规格、多种型号的产品，已取得ISO9001：2000国际标准质量管理体系认证，远销西北、东北、京津等地，受到了用户好评。

地址：山西省大同市
邮编：037025

DATONGMEIKUANGJITUANXUANGANGMEIDIANYOUXIANZERENGONGSI

大同煤矿集团轩岗煤电有限责任公司

董事长　胡耀庭

总经理　卢国梁

党委书记　黄世龙

大同煤矿集团轩岗煤电有限责任公司位于山西省原平市西北部，矿区井田面积91平方公里，地质储量6.5亿吨。主要商品煤种为1/3焦煤、气煤，是优质的动力煤和炼焦煤。现有4对生产矿井，年设计生产能力306万吨，并拥有年入洗能力30万吨的洗煤厂。

公司自2002年7月改制重组以来，紧紧围绕秩序稳定是前提、挖掘利用是基础、发展壮大是根本的指导思想，解放思想、求真务实、抢抓机遇、顽强拼搏，扎扎实实抓管理，不遗余力谋发展，取得了可喜的成绩。矿井产量逐月递增，经营管理步入正轨，党的建设不断加强，精神文明建设蓬勃开展，企业整体实力逐步增强。目前，已形成了以煤炭生产为主导产业，火力发电、化工生产、汽车货运、机电修理、建筑安装、水泥、印刷、林业等多业并举、综合配套、协调发展的格局。

与此同时，立足于企业的长远发展，积极实施企业发展规划。矿区扩区建设、宁武侏罗纪煤矿开发、朔南煤田开发、铝钒土资源开发及2×600兆瓦电厂筹建等项目都取得了突破性进展。

新时期、新机遇。轩岗煤电公司上下将以创新的精神和高昂的斗志，认真实践“三个代表”重要思想，以十六届三中全会精神为指导，认真审视自我，大胆超越自我，进一步更新观念、图强求变，深化改革、创新机制，以人为本、严细管理，着眼长远、谋求发展，为建设一个实力雄厚、欣欣向荣的现代化企业奋力拼搏。

1. 公司办公大楼
2. 现代化工业广场
3. 公司员工健身操大赛

地址：山西省原平市
邮编：034114

大同煤矿集团煤峪口煤矿

煤峪口矿具有80多年的开采历史，是大同煤矿集团公司开采年代较早的一个大型矿井。

井田位于大同煤田的东北端，井田东部以煤层露头为界，北接忻州窑矿井田，南临永安庄矿井田，西北与云岗矿井田和四台矿井田相邻。东西长约10.5公里，南北宽1.8公里，总面积17.96平方公里。地质储量12969.7万吨，可采储量8288.5万吨。煤种属弱粘结煤。产品品种有大块、中块、大末、大友、大友1#。矿井设计能力为150万吨/年，核定能力为169万吨/年。自1981年起，实际年生产能力达到200万吨以上。产品具有低硫、低灰、高热、挥发分适中等特点，是良好的优质动力煤，并获得煤炭出口许可证。四级混末煤曾被评为省优产品，三级混块煤为省质量信得过产品。产品远销美国、日本、韩国等多个国家和地区。建矿50多年来，全矿共累计生产原煤8230多万吨，上缴利税超过5亿元，为国家建设作出了突出贡献。全矿现有职工5981人，其中原煤生产人员4158人。全矿管理人员703人，其中副总以上17人。年产值26429.3万元。矿井综采机械化和掘进装载机械化都达到100%，建成特级质量标准化矿井、现代化矿井，达到煤炭工业一级企业标准，荣获首届中国煤炭工业优秀企业管理奖，涌现出一大批全国著名的先进人物和劳动模范。

该矿年年超额完成主要经济指标。近年来，大力倡导"工作讲责任"和"有情的工作、无情的制度"的管理思想，原煤产量连创新高，百万吨死亡率保持为零，实现了安全生产2周年，质量标准化工作保持部级水平，员工收入逐年增加，企业改革有了突破性进展，科技兴矿取得了辉煌成就，党建及精神文明也得到进一步加强，企业的三个文明建设始终保持一种朝气蓬勃、积极向上的发展势头。

1 矿长贺海泉
2 党委书记高峰
3 煤峪口矿全貌
4 矿山不夜天

地址：山西省大同市矿区煤峪口
邮编：037041
电话：0352-7061898　7061828

大同煤矿集团忻州窑煤矿

矿长　李平

党委书记　王宏

大同煤矿集团忻州窑煤矿位于大同市西南20公里处，是一座具有90多年开采历史的稳定型矿井。井田面积18.024平方公里，核定生产能力180万吨，截止到2003年底，矿井可采储量7881.7万吨，拥有固定资产原值24613.2万元，职工总数5375人。现任矿长李平，党委书记王宏。

忻州窑矿办公楼

忻州窑矿井田开拓方式为立井石门盘区，通风方式为全负压抽出式，现开采二水平的11#、12#、14#三个煤层，采掘机械化程度达100%。商品煤品种主要有大块、中块和末煤（大友1号），灰分低、含矸率低、发热量高，畅销华北、东北等国内十几个省市，并有部分出口，主要用于发电、冶金、建材、取暖、动力、化工等行业。该矿从1957年正式恢复生产到2003年间，原煤总产量累计完成近7000万吨，上缴国家利润3亿多元，为国家经济建设作出了积极贡献。近年来，被中国煤炭工业协会授予行业级质量标准化矿井；山西省煤炭局（厅）、山西省安全生产委员会授予安全生产先进单位；大同市委、市政府授予模范单位；大同市人民政府授予安全生产红旗单位，矿井质量标准化连续8年达部级标准，连续6年名列同煤集团公司各矿首位。

矿选煤楼

矿培训中心和文化苑一角

忻州窑矿在坚持以煤为主、狠抓煤炭生产的同时，进一步优化产业和产品结构，认真发展非煤产业，大力发展职工的文化福利事业，矿内设有医院、街心公园、文体活动广场、老年活动中心等文化娱乐设施。在上级部门的正确领导和全矿职工的共同努力下，忻州窑矿围绕企业改制，坚持不懈地贯彻实施可持续发展战略，认真探索并建立了以"五大管理体系、42个管理方法"为主要内容的科学创新体系，大张旗鼓地开展学习型企业创建活动，积极构筑企业文化，使全矿的安全质量、生产经营、后勤服务及精神文明建设均取得了长足进步，管理水平再上新台阶，总体工作及各项指标完成情况均列集团公司各矿前茅，企业发展前景看好。目前，忻州窑矿党政正与全矿职工同心协力，改革脱困。内强管理，外闯市场，励精图治，拼搏进取，积极调整产品结构，努力提高产品质量，为建立现代企业制度，创建企业美好未来而不懈努力。

大同煤矿集团有限责任公司四老沟煤矿

大同煤矿集团有限责任公司四老沟煤矿是一个有半个多世纪建矿史的大矿、老矿。2003年以来，四老沟矿人在各级党政的正确领导下，深入贯彻党的十六大和十六届三中全会精神，紧紧围绕同煤公司大集团发展战略和做优做强做大的目标，牢牢把握住煤炭市场行情看好、集团公司改革进一步深化以及代表国际一流水平的“大采高”项目上马的历史性机遇，克服了“非典”和井下地质条件变化大等一系列难以想象的困难，以实际行动向世人展示了煤炭职工特别能吃苦、特别能战斗的职业精神风貌，使四老沟这个老矿再次焕发了青春与活力。四老沟煤矿以“大采高”为龙头，以建设高产高效现代化矿井为目标，始终坚持管理创新与科技创新、转变观念与转变机制相结合，引进先进的管理理念，在管理上精雕细刻，在技术上精益求精，在基础工作建设上稳扎稳打，在干部员工队伍建设上打破传统，不拘一格，使全矿各项工作取得了历史性突破。2003年，全矿共生产原煤300.68万吨，创历史同期最好水平。其中，“大采高”工作面以年产原煤突破200万吨、最高月产31.55万吨、最高日产1.5万吨的优异成绩，刷新了集团公司三项综采生产纪录。同时，作为两硬条件下大采高项目的一个试验基地，被有关科研机构鉴定为具有国际国内先进水平。全年利润实现975.21万元，平均直接工效达到122.6吨／工，员工收入在2002年的基础上提高了18.86%，全矿的整体素质得到了根本的提高，取得了质的飞跃。

矿长　张有喜

矿党委书记　吴建明

大同煤矿集团有限责任公司晋华宫煤矿

矿长　吴永平

党委书记　刘珂

晋华宫煤矿

晋华宫煤矿位于大同市西12.5公里处，与举世闻名的云冈石窟隔河相望。矿井成立于1956年，经改扩建，年生产能力达300万吨。矿井井田位于大同煤田东北边缘，总面积41平方公里，煤炭总储量4.7亿吨，截至2002年底，可采储量1.5亿吨，预计服务年限35年。

矿井开采历史悠久，资源丰富，盛产低灰、低硫、高发热量的优质动力煤，畅销国内27个大中城市。洗精煤作为国际品牌，远销欧亚美等国家和地区。

建矿48年来，晋华宫矿煤炭生产快速发展，经济效益不断提高。截至2003年，累计生产原煤10458万吨，实现利润8.5亿元，成为大同煤矿集团公司的产煤大户、盈利大户。2001年全矿产量、进尺、外运、利润及员工收入大幅增长，跃上新台阶。2002年全矿提前71天率先在集团公司完成全年生产任务，各项经济指标及员工收入均创历史最好水平。2003年，全年生产煤炭443万吨，超计划128万吨，同比增产83万吨，提前118天再次率先在集团公司完成了全年生产任务，物质文明、政治文明、精神文明实现了协调发展，同步推进。在发展生产的同时，该矿还发挥优势，抢抓机遇，开发了国内第一条井下旅游专线，并经国家有关部门验收，确定为中国工业旅游示范区，吸引了中外游客，创造了较好的经济效益和社会效益。

近年来，晋华宫矿先后荣获“全国双十佳煤矿”、“全国文明煤矿”、山西省“五一”表彰集体二等功、山西省煤炭系统“先进集体”、山西省企工委“文明单位”、大同市“模范单位”、集团公司“先进集体”、“先进党委”、“文明单位”等荣誉称号。矿党委书记刘珂荣获山西省“五一”表彰个人二等功、山西省煤炭系统特级劳模、山西省企工委、大同市优秀党务工作者等荣誉称号；矿长吴永平荣获山西省“五一”劳动奖章、劳动模范、山西省优秀企业家等荣誉称号。

晋华宫矿在集团公司的正确领导下，与时俱进，求真务实，正朝着建设“绿色煤矿、科技煤矿、诚信煤矿、小康煤矿”，实现更高、更新、更美、更具特色现代化矿井的宏伟目标，努力奋斗，阔步前进。

地址：山西省大同市矿区晋华宫街
邮编：037016

前进中的晋华宫矿新风貌

现代化的综采工作面

阔步新世纪的燕子山矿

矿长　徐成

作为国家“七五”重点建设工程的燕子山矿，坐落于塞外古城大同向西35公里处。这座设计能力年产400万吨的特大型矿井位于大同煤田西北部，矿井机械化程度高达100%，生产通风系统全部采用先进的电子计算机自动监控，确保了矿井的长治久安和稳产高产，是大同煤矿集团公司极具发展潜力的发展型矿井。

该矿自1988年12月20日投产以来，以骄人的业绩屡将世人目光聚焦，仅用5年时间（提前一年）达设计能力，并实现达产当年即盈利目标，在我国煤炭史上留下了光辉的一页。之后，又连续4年产量破400万吨，连续3年利润超亿元。生产加工的低灰、低硫、高发热量系列精品全质优，利用畅通的运输条件和得天独厚的优势，俏销国内国际主要煤炭市场。建矿以来，已生产优质动力煤4000多万吨，出口精煤逾千万吨，成为同煤集团的生产效益大户和重点出口煤基地，率先跻身于全国首批28座“双高”矿井行列，成为全国煤矿中的一颗璀璨明珠。

进入新世纪，该矿新一届领导班子审时度势，坚信“事在人为”和“发展是硬道理”的治企理念，努力践行“三个代表”重要思想和“让用户满意，让员工高兴”的办矿宗旨，全力实施“打好翻身仗，追求新突破，奋力展宏图”的三年发展战略，使全矿各项工作得以蓬勃发展。政治文明建设稳步推进，企业改革改制成效卓著，现场管理水平整体提升，安全长效机制全面形成，精品战略意识深入人心，科技贡献率逐年提高，非煤产业效益大幅增长。

倾心打造新型矿山是燕子山人的共同追求。该矿推行文明创建办实事工程，全面硬化、绿化、美化、亮化了矿山。3年来，共办40多件好事实事，建成市级园林化达标单位6处、同煤集团公司级文明示范区3处、矿级文明示范区47处，全矿绿化覆盖率超过36%，有线电视入户率和程控电话安装率达到了95%，满足了员工家属物质文化需求，极大地催发了广大员工投身矿山建设的积极性和创造性，为企业长远发展注入了不竭动力。

3年来，该矿以良好的经济运行质量和强有力的发展后劲，再度挺立于市场经济潮头，三年迈出三大步，实现了矿井建设跨越式发展。2001年生产总量、超产幅度、提前完成任务时间均创集团公司之首，年入洗量、年出口量等六项指标创建矿之最，2002年再度取得建矿史上“三创”、“三超”、“三提升”的好成绩，2003年更是提前71天完成任务，创出矿井产量4202003吨、掘进进尺27400米、出口量2345382吨、员工年收入16524元4项历史纪录。3年累计超产150多万吨，相当于一座大型矿井年产量。

3年艰苦奋战，燕子山矿实现了“三个改善”（干群关系明显改善、后勤保障明显改善、工作与生活环境明显改善）和“五大提高”（生产能力大提高、企业管理水平大提高、矿井经济运行质量大提高、员工收入大提高、员工生活质量大提高）的巨变，跻身于省管国有企业文明单位行列，并连摘“行业级高产高效矿井”和“双十佳矿井”两项全煤桂冠。

山西同煤集团燕子山矿景

山西同煤集团燕子山矿

中国矿业大学是一所以工科为主，理、工、文、管、法、经学科门类相结合的教育部直属全国重点大学，是国家"211工程"重点建设的高校之一，于2000年6月试办研究生院，在北京设有校区。

学校已有近百年的办学历史。自1909年的焦作路矿学堂，到建国初期的中国矿业大学，到20世纪50年代的北京矿业学院，再到70年代的四川矿业学校，学校经过10余次的搬迁，历尽沧桑。1978年在徐州建新校，恢复中国矿业学院校名，1988年更名为中国矿业大学，邓小平同志亲笔题写了校名。2000年由原隶属煤炭工业局划归教育部管理。

党委书记罗承选陪同上级领导参观校园

中国矿业大学徐州校本部文昌校区面积1800亩，校舍建筑面积76万平方米。学校南湖新校区正在建设中，新校区占地2858亩，规划建筑面积约78万平方米，按照超前性、开发性、全局性、特色性的指导原则，建设成一个布局合理、基础设施齐全、建筑新颖、校园信息化、环境生态化、景观园林化、符合21世纪高等教育发展方向和具有鲜明特色的现代化一流大学的校园。主体工程将于2005年完工。一期工程2004年9月完成，2004级新生将在新校区开始学习生活。学校图书馆藏书169万余册，仪器实验设备总值超过2亿元。

校长王悦汉会见外宾

学校经国务院授权可审批教授副教授任职资格，可自批增列博士生导师，具有博士和硕士学位授予权。目前，校本部设有19个学院、56个本科专业。有专任教师近1200人，其中中国工程院院士5人，博士生导师137人，教授220人，副教授500多人。教师中有1人获首届"中国青年科学家奖"，2人被评为"全国首届高等学校教学名师"，9人获"中国青年科技奖"，10人获国家有突出贡献的中青年专家称号，5人列入国家"百千万人才工程"第一、二层次培养对象，7人列入教育部"跨世纪优秀人才培养计划"，9人获国家杰出青年科学基金，200多人次先后获国家、省部级各类学术荣誉称号。学校先后有10项教学成果获得国家级奖，7部教材获国家级优秀教材奖，39项教学成果获省部级奖，45部教材和专著获省部级优秀教材（论著）奖；已建成国家级精品课程1门，省级优秀课程37门，省级品牌与特色专业13个。

中国矿业大学主楼

中国矿业大学南湖校区奠基仪式

学校有各类在校生31000余人，其中普通本专科生约21000人，硕士、博士研究生约2500人，形成了多层次、多形式的办学体系。近几年，在国际、国内各类竞赛中学生获得奖励200多项，其中在全国首届MBA学生征文竞赛中，我校学生获得一等奖。在国内外许多大学生学术科技竞赛中，我校学生先后获得全国大学生周培源力学竞赛一等奖、国际大学生数学建模竞赛一等奖、全国大学生数学建模竞赛一等奖、首届中国大学生电脑大赛优秀奖、第八届"挑战杯"全国大学生课外学术科技作品竞赛特等奖等多项奖励。研究生教育成绩显著，在全国百篇优秀博士论文评选中，有7篇获奖；有2人分获2000年、2001年"中国十佳博士后"。

学校有5个具有博士、硕士学位整体授予权的一级学科，31个博士点，70个硕士点，2个专业学位授权点。学校现有7个国家级重点学科，5个省部级重点学科，7个"长江学者奖励计划特聘教授"岗位设置学科，9个博士后科研流动站。"九五"以来，学校先后有25项成果获国家级三大奖励，约500项成果获省部级奖励，反映学校科研情况的多项指标居全国理工科高校前列。"九五"以来，学校先后承担各类科研项目7000多项，其中国家级项目600多项。"九五"期间通过"211工程"的建设，学校形成了12项标志性成果，其中3项理论成果、5项技术成果在国际上有重要影响，处于领先或先进水平。目前，学校"十五"、"211工程" 正在建设当中。

源深流之远，行键天同工。中国矿业大学有光荣的过去，更有美好的未来。面向21世纪，学校制定了总体发展战略及"三个规划"，将通过10年左右的努力，把中国矿业大学建设成为一所以理工为主，理、工、文、管、法、经等多学科协调发展，在学科建设、人才培养、科学研究、社会服务和学校管理等方面居于国内先进行列，矿业工程学科达到世界先进水平，在能源科技与工程技术方面特色鲜明、优势明显，若干新兴交叉学科方向取得重大突破，国内外有重要影响的多科性、研究型的高水平大学。

大同煤矿集团有限责任公司四台煤矿

党委书记李福仁、矿长刘纯贵一起研究工作

地址：山西省大同市
邮编：037007
电话：0352–7087999

大同煤矿集团公司四台矿位于享誉中外的云岗石窟以西12公里处，是大同煤矿集团公司最年轻的发展型矿井。矿井井田面积约65.4平方公里，矿井地质储量6.26亿吨，可采储量3.6亿吨。井田内赋存两大煤系，以开采侏罗纪煤系为主。矿井煤质属低变质的弱粘结煤，热量平均7000大卡／千克，是低灰、低磷、高挥发的优质动力煤。矿井投产至今已累计生产原煤达3300多万吨，出口煤炭1500多万吨。产品远销全国20多个省、市、自治区及日本、韩国、香港等国家和地区。

近年来，四台矿审时度势，确立了“公正、敬业、求实、创新”的企业作风和“以人为本、按律治矿”的理念，大力推进企业文化建设和实施精细化管理，使企业步入了发展的快车道。2003年，煤炭产量创建矿以来最高水平，达430万吨，其他各项经济指标均创历史最好的成绩。

四台矿大力加强三个文明建设，使企业员工精神面貌、文化生活、矿山环境等方面发生了巨大的变化。多次荣获省、市、集团公司“文明单位”和“先进党委”等荣誉称号。2004年初，被中煤政研会授予“文明煤矿”

四台矿办公楼广场

大屯煤电（集团）有限责任公司龙东煤矿

地址：江苏省沛县
邮编：221613

龙东煤矿矿长　李北光

龙东煤矿位于苏鲁交界处的微山湖畔，年设计生产能力90万吨，实际年生产120万吨。1987年11月20日建成投产。全矿现有员工3665人，矿井采煤机械化程度和掘进装载机械化程度达100%。产品品种主要有洗混中块、混煤、末煤和洗后副产品。该矿认真践行“三个代表”重要思想，牢记“两个”务必，以创建“双高”矿井和“行业级文明单位”为主线，以建设“学习型”企业为方向，积极开展管理创新、机械创新和技术创新，不断提高矿井装备水平，始终坚持“一矿一队一面年产100万吨”矿井生产模式。截止到2003年底，矿井已连续11年保持了高产高效矿井荣誉称号，综采队实现了年产百万吨“12连冠”，质量标准化连续16年达行业级标准。龙东矿先后荣获中煤公司安全生产先进单位、江苏省优秀基层党组织、江苏省文明单位、上海市“模范职工之家”、现代化矿井、质量标准化矿井、全煤“双十佳”煤矿、全国首批文明煤矿、全国“五一”劳动奖状等称号。矿长李北光也多次受到上级表彰。2002年被授予全煤“双十佳”矿长称号。2003年被评为上海市员工信赖的好厂长，并当选为徐州市人大代表。

李北光矿长与孩子们在一起

中国煤矿工人泰山疗养院

地　址：山东省泰安市虎山路202号　　邮　编：271000　　电　话：0538-8202007

中国煤矿工人泰山疗养院位于雄伟壮丽的泰山脚下，是一所集医疗、预防、教学、科研、保健、康复为一体的现代化综合医院。医院始建于1965年，建筑面积5万平方米，开设病床500张，全院职工319人，其中医护人员210人，高级卫生技术人员33人，中级卫生技术人员88人。设有心内科、神经内科、呼吸内科、消化内科、内分泌科、肾内科、血液病科、普外科、胸外科、骨创伤与矫形外科、神经外科、泌尿外科、妇产科、手术麻醉科、小儿科、中医科、五官科、急诊科及康复疗养科等临床科室以及影像科、超声科、检验科、病理科、特检科、理疗科、药剂科等10多个医技科室。近年来，先后有12项科研成果分别获得国家省、部级科技进步奖和山东省煤炭工业科技进步奖。有2人享受政府特殊津贴，2人获煤炭部劳动模范荣誉称号。

建院近40年来，该院在疑难、危重疾病诊断治疗上积累了丰富的临床经验，特别在诊断治疗常见病、慢性病、职业病等方面拥有一批学有专长的专业技术人才。

在完善医院常规配套设备的同时，引进多种先进的诊疗设备。并与北京、上海、济南等国内十余家国家及省部级医院有密切的协作关系，有知名专家定期或不定期来院指导工作和进行学术交流。

医院坚持“以病人为中心，以质量为核心”的指导思想，大力实施人才战略，走科技兴院的道路。该院连续7年被泰安市命名为“市级文明单位”，被山东省煤炭工业管理局评为“医院标准化管理先进单位”和“思想政治工作先进集体”，被山东省命名为“省级卫生先进单位”、“省级花园式单位”和“省级绿化先进单位”。

团结奋进的领导班子

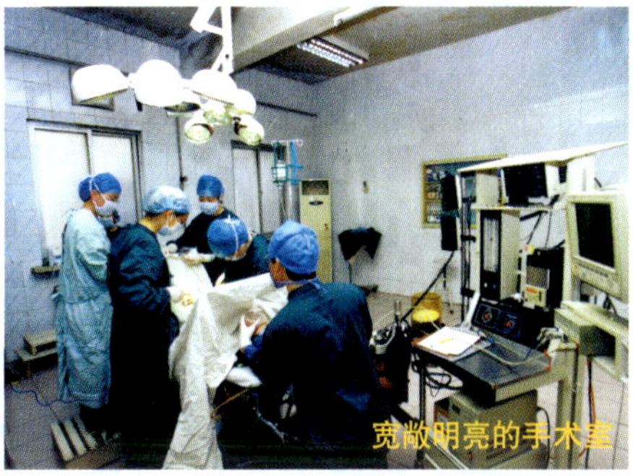

宽敞明亮的手术室

门诊综合楼

地　址：河北省磁县黄沙镇　　法人代表、矿长：王俊杰　　邮　编：056500　　电　话：0310-2496008　2496168

河北省磁县申家庄煤矿

煤矿大门口

王俊杰矿长在办公

煤矿矸石电厂

磁县申家庄煤矿位于河北省邯郸市黄沙镇境内，属地方国有中型企业，矿井年生产能力60万吨，还建有年入洗能力60万t的洗煤厂、1.2万千瓦的坑口矸石发电厂，企业总资产1.85亿元，现有职工2116人。

申家庄煤矿领导班子认真贯彻落实“三个代表”重要思想，坚持“安全第一”，克服“非典”的影响，在井下地质条件特殊复杂的情况下，带领全矿干部职工同舟共济，与时俱进，奋力拼搏，延伸产业链，不断开拓市场。所产原煤全部入洗，加工增值，洗精后的中煤和矸石发电取得了较好的经济效益。2003年，原煤产量51.6万吨，洗精煤37.6万吨，发电上网3895万千瓦·时，实现销售收入18101万元，实现利税7629万元，上缴利税5209万元，实现了全年安全生产无事故，职工人均年收入21000元。

新年新气象，更上一层楼。2004年，坑口矸石电厂二期技改扩建工程已动工兴建，新上一台1.2万千瓦的发电机组，使矸石电厂形成2.4万千瓦的机组发电能力。把洗精煤后的中煤、煤泥、矸石全部发电，进一步把企业做大做强，全年销售收入突破2亿元，实现利税力争上亿元，为国家再作新贡献。

江苏天能集团公司

集团公司总经理　李乃钊

上级领导深入综采工作面视察工作

地址：江苏省徐州市淮海西路182号
邮编：221002

江苏天能集团公司是在徐州市地方国有煤矿基础上发展起来的省级企业集团，前身为徐州地区矿务局、徐州市煤炭工业公司。1994年经江苏省体改委批准为江苏天能集团公司，1998年经江苏省现代企业制度建设领导小组批准为国有独资公司。1999年3月，集团公司获自营进出口经营权。

江苏天能集团公司为国家大型二档企业，1970年建矿，现有13个矿井、12个非煤企业、3个合资企业。拥有员工14600余人，其中各类专业技术人员1400余人，现为中国100家大型煤炭采选企业之一、徐州市大企业集团前20家。2003年，全公司共产原煤212万吨，实现工业总产值5.9亿元、销售收入6.4亿元、利税5883万元，利润1623万元。

集团公司在巩固煤炭生产的同时，大力进行结构调整，发展多种经营，现有热电厂两座及白水泥厂、复混肥厂、服装厂、刺绣厂等一批非煤企业。已形成以煤炭为依托，集电力、化工、建材、建筑安装、物资流通、餐饮娱乐于一体的多产品、多产业、多元化的发展格局。

经过几年努力，集团公司发展方向、发展目标已经明确。集团公司与香港协鑫(集团)控股公司合资建设的龙固坑口电厂项目已经开工建设，该项目总投资12亿元，预计年内可建成投产，建成后年发电量可达16亿千瓦·时，年销售收入6亿元，利润近亿元。

集团公司为部质量标准化公司、徐州市精神文明单位，集团公司党委书记兼总经理李乃钊被评为江苏省优秀企业经营者、煤炭部优秀企业家。

与时俱进　腾飞发展的常村煤矿

山西潞安矿业(集团)有限责任公司常村煤矿是我国首次部分利用世界银行贷款建设的年设计生产能力400万吨、服务年限120年的特大型现代化矿井。常村煤矿位于山西省屯留县境内，矿区地势平坦，环境优美，交通便利。与矿井配套建有一座年处理能力400万吨、入洗能力210万吨的大型现代化选煤厂。

常村煤矿可采储量94399.2万吨，主采3#煤层平均厚度6.02米。该矿煤种为中灰、特低硫磷、特高发热量之优质贫煤，是发电、冶金、化工等行业的首选用煤。矿井主要产品为14级混煤，80～50毫米、50～25毫米、25～13毫米大中小块，13～50mm混块，－13mm末煤，在满足广大用户需要的同时，还可生产高炉喷吹用煤及灰分10%～13%的低硫、低灰、高发热量优质动力煤。常村煤矿产品质量稳定可靠，14级混煤出口日本，并受到外商好评。

常村煤矿采掘、运输、主副提升等设备均为国际招标、国外引进。1998年实现"两步"达产，14级混煤获省优产品，"双高"矿井建设步入行业特级；1999年，锚固支护成套技术经鉴定达国际水平，部分处于国际领先水平；2002年顺利通过产品质量、环境保护、职业健康综合认证。2003年，首次达到并大幅超过设计能力，安全生产商品煤471万吨，销售收入突破6.5亿元大关，实现利润登上亿元台阶，矿井安全集约高效生产取得了飞速发展，创造了特大型高瓦斯矿井持续稳产高产新辉煌。同时，企业在精神文明建设、社区服务、绿色环保等方面也取得了令人瞩目的成绩，该矿生产的混煤、喷吹煤和洗块煤被中国质量协会评为连续检测合格产品，2004年1月，14级混煤被山西省质量技术监督局评为名牌产品。常村煤矿将成为潞安集团、潞安环能股份公司的窗口矿、主力矿、明星矿。

附：常村煤矿主要产品质量技术指标

质量指标 / 产品名称	灰分 Ad%	全水 Mt%	挥发分 Vdaf%	发热量 Qnet ar MJ/kg	硫分 St d%
混　块	< 12.00	< 6.00	14.00	> 27.60	0.29
14级混煤	< 18.00	< 7.00	15.00	> 26.50	0.29
高炉喷吹用煤	< 11.00	< 7.00	13.50	> 27.60	0.29

地　址：山西省屯留县北渔泽　　电　话：(0355)5945331　　邮　编：046102

BINXIANMEITANYOUXIANZERENGONGSI

彬县煤炭有限责任公司

彬县煤炭有限责任公司属国有地方煤矿，国家中二型企业，资产总额3.26亿元，现有职工2300名，拥有百子沟四矿、百子沟五矿和下沟矿3对生产矿井。2003年生产原煤210.1万吨，实现销售收入19277万元，上缴国家税费3450.8万元。曾获第八届中国煤炭工业优秀企业(金石奖)、部特级质量标准化矿井、中国煤炭工业优秀企业、全国高产高效矿井、陕西省煤炭工业十大科技成果奖，省级先进企业、文明单位等50多项荣誉称号，进入全国煤炭企业100强之列，董事长兼总经理何万盈同志获全国煤炭工业优秀企业家称号。

近年来，公司以邓小平理论和“三个代表”重要思想为指导，以人为本，以发展为主题，以科技进步为动力，以经济效益为中心，深化改革、强化管理、艰苦创业，于1997年10月投资1.4亿元建成了一座年产45万吨的现代化矿井——下沟矿，2001年，与煤科总院北京开采研究所进行经济技术合作，投资3319.4万元，完成了下沟矿综合机械化放顶煤技术项目，使产量由45万吨提高到90万吨。2002年4月，与煤科总院上海分院合作改造了下沟矿主提升系统，改8吨箕斗提升为30°大倾角皮带提升，生产能力提高到150万吨。这种企院合作、改造传统产业的做法被全国煤炭科技大会誉为“陕西彬县模式”。投资规模超过2亿元、被列入第八批国债建设项目的下沟矿300万吨技改工程，2003年开工建设，2004年竣工投产，其洗选设备全部从美国进口，综采综掘选用国内先进的成套设备，安全生产技术水平和产品的科技含量大幅度提高。

公司总部夜景

下沟矿全貌

下沟矿综合机械化工作面

地 址：陕西省彬县姜嫄街5号

邮 编：713500

中国煤矿工人昆明疗养院

国家安全生产监督管理局
国家煤矿安全监察局

昆明安全培训中心

云南昆明

院长 魏光宁

中国煤矿工人昆明疗养院(昆明安全培训中心)为国家安全生产监督管理局(国家煤矿安全监察局)直属事业单位，地处四季如春、风景如画的昆明滇池国家旅游度假区怡景路，环境优美、交通便利。院区占地120亩，拥有高档花园别墅式疗(休)养楼共450床位和与之配套的水上餐厅、医疗中心、会务中心，集健身房、网球场、迷你高尔夫球场、歌舞厅、室内外游泳池、桑拿浴、斯诺克、棋艺厅等为一体的康体娱乐中心，是疗(休)养、举办会议、旅游度假、健康休闲的理想之地。

在改革开放的大潮中，中国煤矿工人昆明疗养院坚持“以满足宾客需求为中心”的服务宗旨，树立“信誉第一、宾客至上、奉献社会”的服务意识，发扬“团结、务实、自强、奉献”的企业精神，十余年来，承办了国务院各部委、省委、省人大、省政府、省政协、省属各部委办厅局和保险、电信、金融等公司的各类会议、培训；接待了全国煤炭、民航、电信、航运等系统的职工疗养，走出了一条求真务实的发展之路，赢得了市场，赢得了顾客。

我院(培训中心)竭诚欢迎您的惠临！

地 址：云南省昆明市
昆明滇池国家旅游度假区怡景路

邮 编：650228

服务热线：0871－4311123(24小时开通)

传 真：0871－4313761

网 址：http://www.kmlyy.com
(网络实名：昆明疗养院)

讲政治、顾大局、同心协力抗非典
讲科学、抓管理、医疗质量创一流

煤炭总医院

2003年春天，非典疫情肆虐北京，严重威胁着人民群众的身体健康和生命安全，首都的稳定与发展都受到了严重的干扰。值此危难时刻，煤炭总医院挺身而出，成为全市首批承担防非典任务的6家医院之一，义不容辞地走上了抗击非典的战场。在2个多月的时间里，医院共收治非典患者151例，密切接触者29例，合计180例，并且创造了高治愈率、低病死率、就诊病人和医院工作人员"零感染"的可喜成绩，得到了北京防治非典型肺炎联合工作小组的充分肯定，国内各主流媒体对医院防治非典工作给予了较大篇幅的宣传报道，日本《朝日新闻》也介绍了我院的防治经验。

非典疫情突发而至，发病机理和传播途径尚未明确，其强传染性和高病死率对人类构成了严重的威胁，站在"讲政治、讲大局、讲科学、讲稳定"的高度，努力提高治愈率、降低病死率是践行"三个代表"重要思想的具体体现。

煤炭总医院在接受防非典任务之初，即成立了以院长王明晓和党委书记王翔洲为组长的SARS病防治领导小组，并且根据工作需要，打破原部门界限，分设了综合协调组、病房改造与物资供应组、医疗组、后勤保障组、思想政治工作组5个分小组。全院上下团结一心，和衷共济，共同抗击非典，医院资源达到了有效整合与利用。

为提高医护人员的认知程度和防治能力，在非典疫情爆发早期，医院就制订出台了一整套科学严谨的工作预案、管理制度、工作流程和诊疗规范，并且多次举办防非典知识讲座，对全院职工进行认真的上岗前培训，所有工作人员经考核合格后方可上岗。

医院坚持科学管理，全方位、多渠道采取有效措施，始终把提高治愈率、降低病死率作为医疗工作的重中之重，具体举措有：(1)遵循分层管理的原则，设置总主检医师和病区主检医师岗位，选派具有丰富临床经验的内科高年资医师担此重任，严格执行"总主检医师—病区主检医师—主管医师"三级查房制度，确保每一名非典病人在医院都能得到有效的诊治；(2)倡导"专家治院"的理念，成立了由院长、内科学专家王明晓亲自挂帅担任组长的SARS病防治专家小组，负责具体指导医疗护理工作，并且委派中医专家深入一线，探索出一条行之有效的中西医结合治疗非典之路；(3)采取集中优势兵力歼灭顽敌的战术，抽调素质高、技术强的医护人员，配备呼吸机、监护仪等高精尖医疗设备，组建了危重症加强医疗病区，集中人力、物力，确保危重症患者的救治质量，创造了病区零病死率的奇迹。经统计，医院被政府征用为非典定点医院后，收治确诊和疑似非典患者122人次，其中危重症患者53人次，占收治总人数的43.4%，排除疑似病例4人次，治愈出院92人次，治愈率92.3%，高于全市平均水平，死亡8人，病死率3.97%，低于全市平均水平。

医院高度重视防护工作，明确提出医护人员"零感染"的目标，并且做了大量卓有成效的工作：(1)严格遵循传染病医院建筑设计规范，在非典病区内清晰地划分出互不交叉的"三区两道"，最大限度地阻断医护人员和病人之间、确诊病人和疑似病人之间的交叉感染途径；(2)设置专岗、专人全程监督检查每一名进入非典病区工作人员的自身防护情况，确保各项消毒隔离工作制度和隔离区工作流程切实落到实处；(3)加大人、财、物力投入，以高度负责的态度对待自身防护用品的购置与配备工作，确保防护用品件件过关，不限时、不限量地保证供给；(4)清洁区安装静电空气消毒器持续进行空气过滤，半污染区和污染区安装反向紫外线灯定时进行空气消毒，隔离区内分段设置电风扇持续定向排风，消除了病毒的生存环境；(5)为每一名患者配置了单独使用的可降解粪便的单体厕所，避免了共用卫生间可能引发的患者间交叉感染以及对医院排水系统的污染；(6)为危重症患者定制了隔离头罩，医护人员实施近距离治疗时，给病人佩戴头罩以避免直接接触其呼出的飞沫。通过严谨务实的工作，全院700余名职工无一例感染非典，而且经CDC调查证实，无一例患者在我院交叉感染，创造了"零感染"的佳绩，是全市首批承担防非典任务的6家医院中惟一一家"零感染"医院。

在抗击非典这场没有硝烟的战斗中，煤炭总医院全体职工视疫情为命令，视病房为战场，恪尽职守，忘我工作，充分表现出顾全大局、置个人安危于不顾的大无畏精神和舍小家顾大家、视病人如亲人的无私奉献精神。被授予全国卫生系统抗击非典先进集体、全国三八红旗集体、中央国家机关工委抗击非典先进基层党组织、国家安全生产监督管理局(国家煤矿安全监察局)抗击非典先进基层党组织、国家安全生产监督管理局(国家煤矿安全监察局)抗击非典先进集体、北京市抗击非典先进集体等荣誉称号。正如院长王明晓同志所言："作为首都卫生事业单位，煤炭总医院责无旁贷地肩负着非典防治工作任务，我们一定要站在'讲政治'的高度，坚决贯彻落实党中央、国务院的要求，把非典防治工作作为医院当前工作的重中之重，采取科学有效的措施，积极控制疫情蔓延，保障人民群众工作与生活的正常进行，维护首都的稳定与发展。"

地址：北京市朝阳区西坝河南里29号　　邮编：100028

与时俱进、开拓创新的辽宁工程技术大学

辽宁工程技术大学是一所具有50余年悠久历史的国家重点大学，始创于新中国诞生前夕。1978年被国务院确定为全国首批88所重点院校之一，1981年被批准为首批硕士学位授予单位，1993年获准为博士学位授予单位、全国200所有条件接收留学生单位之一，1999年被批准设立博士后科研流动站。

经过半个多世纪的建设，学校的办学规模不断扩大，办学层次与办学水平日益提高，办学实力显著增强，已成为集人才培养、科学研究、社会服务于一体，拥有工、理、文、管、经、法、农等多学科，办学设施完善，师资力量雄厚的著名高等学府。现设有18个院系、81个本科与高职专业。目前，在册学生2.5万余人，其中全日制在校研究生、本科生、高职生、留学生2.2万余人。学校拥有一支实力雄厚的师资队伍，现有专任教师1349名，拥有双聘院士2人，教授153人、副教授306人；148人具有或正在攻读博士学位；1名教师荣获全国百名优秀教学名师，一批教师被分别确定为省部跨世纪学术带头人和拔尖人才。学校不仅拥有一批基础厚、实力强的传统学科，也拥有一批生机勃勃的新兴学科，建有矿业工程、力学博士后科研流动站，拥有2个一级学科博士学位授权点、8个二级学科博士学位授权点、29个硕士学位授权点、5个工程硕士学位授权领域、5个省级重点学科、4个省级重点建设实验室，形成了适应国家经济建设和我省经济发展需要的学科体系。

学校始终将人才培养质量视为生命，大力推进素质教育和创新教育，人才培养质量不断提高，毕业生就业率达96%以上，居全省高校前列，广大毕业生以思想文化素养较高、基础专业知识扎实、埋头苦干富于创新的特点，赢得了国家机关和企事业单位的欢迎，受到了社会的好评。目前，学校在矿山灾害治理、安全工程、测绘科学与工程、管理科学与工程、计算机集成制造系统、机械制造等研究领域具有明显优势和突出特色，在矿区开采沉陷治理、"三下"采煤、冲击地压的预测与防治、地质动力区划、石油开采等许多研究领域已达国际先进水平。学校始终坚持走国际化、开放式办学道路，对外学术交流与合作日益扩大，先后与德国、澳大利亚、南非、美国、日本、越南等10多个国家的许多高等院校、科研单位建立了校际联系和学术交流关系，与澳大利亚昆士兰大学、南非比陀利亚大学、德国柏林工业大学、日本秋田大学等国外高校签订合作办学协议，互派专家、学者、留学人员进行学术交流，开展科研合作，聘请世界知名学者担任学校名誉教授。学校聘请了一大批外籍教师和专家为学生上课，培养了一大批外国留学生，与国外科研院所合作承担了数十项科研课题。学校与澳大利亚伍伦贡大学共同开办了"2+2"联合培养人才模式，与德国克劳斯达尔技术大学签订了联合培养人才协议。

栉风沐雨，春华秋实。学校以其优良的学风和校风，被辽宁省政府、省教育厅授予"文明单位"、"文明校园"、"优良学风校"荣誉称号。1999年、2000年，校教务处、学生处、团委先后被国家教育部评为全国普通高校优秀教务处、全国普通高校毕业生就业工作先进集体、全国五四红旗团委。建校半个多世纪以来，已向国家输送了6万余名各类人才，广大毕业生遍布国家经济建设各条战线，涌现出了一大批卓越的管理人才和著名的专家、学者。

在充满希望与挑战的新世纪，新一届党政领导班子正以昂扬的斗志、豪迈的情怀、创新的精神，带领全校师生员工，努力把学校办成优势学科特色鲜明、多学科协调发展、教学科研水平高、综合实力强、社会贡献大、在国际上具有一定影响、国内一流的教学研究型大学，为推进我省建设高教强省、全面建设小康社会作出新的更大贡献。

地址：辽宁省阜新市中华路47号	邮编：123000

华北煤炭医学院

华北煤炭医学院位于河北省唐山市，是原中国煤炭工业部所属的一所本科高等医学院校，学校前身为开滦高级护士职业学校，创办于1926年。1998年9月，实行中央与地方共建、以河北省管理为主的办学模式。经过几十年的建设与发展，目前已形成多层次、多科类、多种形式的办学体系。

学校现有教职工1722人(含隶属附属医院877人)，其中教授、主任医师108人，副教授、副主任医师315人。有25人荣获国家"政府特殊津贴"。学院还聘请了中国工程院院士何凤生、日本国山形大学医学部土居胜彦等13名国内外专家学者担任名誉教授。近年来获国家和省部级教学、科研成果奖36项，国家专利14项。在煤炭职业病防治等领域取得了引人瞩目的成绩。

学院现有党政管理机构14个，设有14个教学系部和2个实验中心，另外还设有成人教育学院、秦皇岛分院和一个二级学院。学院面向全国招生，目前在校日制生10300余人，其中研究生324人，同等学历申请硕士学位研究生224人。另有成人教育学生近1万人。二级学院现在校生规模1200余人。

学院院本部占地面积50.2万平方米，建筑面积27.5万平方米。设有21个本专科专业，10个硕士授予学科，24个硕士学位授予权。预防医学为国家管理重点专业；流行病学、外科学为省部级重点学科；职业卫生与安全实验室为部级重点实验室。学院有附属医院6所，教学和实习医院32所。设有创伤、医药、预防医学、计划生育、肾病等5个研究所和医学分子生物学研究中心。学院主办、承办的《中国综合临床》、《华北煤炭医学院学报》、《中国煤炭工业医学》、《健康心理学》等杂志在全国公开发行。

近年来，学院先后与日、美、德等国家的医学院校、科研机构建立了友好校际关系和学术交流关系，选派中青年教师出国进修，选送优秀学生出国实习，接收外国留学生实习，较为广泛地开展国际间的医学学术交流与合作。

贵州水城矿业(集团)有限责任公司矿山救护大队

贵州水城矿业(集团)有限责任公司矿山救护大队位于六盘水市市中心城区，成立于"三线"建设时期，在几代救护队员的努力下，已建设成为集抢险救援、培训、演习训练、仪器仪表维修等为一体的矿山救护大队，是本矿区的救护指挥中心和演习训练、培训中心。现大队本部设有战训科、装备科、后勤科、财劳科、党政办公室、政工科、工会、武装保卫、计生办等科室。在集团公司矿区设有直属、大湾、汪家寨、那罗寨、鑫源、中岭等六个片区救护中队，共有16个救护小队。现有救护指挥员19人，工程技术人员6人，救护队员150人(包括正、副小队长)，驾驶员16人，维修工1人，化验人员2人，其他人员12人，全队合计共有人员206人。

贵州水城矿业(集团)有限责任公司矿山救护大队主要服务于本企业所属的8个煤矿(公司)；同时，六盘水市辖区约有280个地方矿井，毕节地区的部分辖区约有270个地方矿井，一旦发生灾害事故，均由水矿救护大队对其实施抢险救援，是六盘水市矿区灾害事故紧急救援工作的主力军。

近年来，救护大队先后对木冲沟煤矿2000年9·27特大瓦斯爆炸事故、汪家寨煤矿2001年3·11瓦斯爆炸事故、木冲沟煤矿2003年2·24特大瓦斯爆炸事故、毕节地区威宁县结里煤矿2001年2·9特大瓦斯爆炸事故、六盘水市水城县底母落煤矿2001年10·13特大瓦斯爆炸事故、毕节地区威宁县观风海煤矿2002年4·18重大瓦斯爆炸事故、六盘水市钟山尹家地煤矿2004年2·11特大瓦斯爆炸等多起地方矿井各类事故实施了抢险救援，对鑫源公司老鹰山竖井2001年1·9火灾事故实施了封闭、启封侦察、缩封、成功启封工作。多次受到省、市和集团公司领导的表扬和嘉奖，充分体现了矿山救护队在煤矿安全生产工作中的作用。

湖北省黄石煤炭矿务局

黄石矿务局地处长江南岸湖北省黄石市，是湖北省主要煤炭生产基地。该局始建于1909年，迄今已有95年开采历史。目前，该局省内、省外共有9个煤矿，年生产能力达到120万t以上，已构筑出重振煤业辉煌的框架。

与此同时，该局坚持以经济效益为中心，以市场为导向发展非煤产业。发挥黄石地区特钢、水泥生产技术优势，生产特殊钢材、水泥；利用矿区地处城市的优越条件，开发房地产业、建筑安装业；面向黄石原材料工业城市矿山企业市场需要，发展电气、机械修理、加工与制造业。该局已形成以煤为主、多种经营、综合发展的经济格局。

2003年，该局省内煤矿原煤产量603254t，销售收入1.94亿元，其中原煤销售收入1.1亿元，多种经营销售收入0.84亿元；实现利税2000万元。均创近11年最好水平。

该局煤质优良，被中国质量检验协会检测鉴定为"全国质量稳定合格产品"。被湖北省评为"最畅销地产品"和"湖北省煤炭开采行业状元"。

目前，该局正在改革改制，行将组建为黄石工矿(集团)公司。

地　址：湖北省黄石市湖滨大道569号　　邮编：435000
电　话：0714-6312901　　电传：0714-6311300
电子信箱：office@hsmt.com.cn　　主页：http/www.hsmt.com.cn

新疆乌鲁木齐矿业集团有限责任公司

新疆乌鲁木齐矿业(集团)有限责任公司(简称新矿集团)是一个以煤炭开采加工为主业，兼营发电、供电、城市供热建材、机械制造、汽车运输、工程设计施工、房地产开发等产业的跨地区、跨行业的国有控股企业集团，其前身是1979年建立的乌鲁木齐矿务局，系国有大型一类企业。集团总部位于新疆维吾尔自治区首府乌鲁木齐市东山区。新矿集团是新疆区域内骨干发电企业煤炭燃料的主要供应商。集团公司所属井田煤炭资源丰富，开采条件较好，煤炭具有低灰、低硫、高发热量等优点，是优质动力煤和化工原料，兰新铁路从矿区中部通过，312、216国道从矿区附近通过，交通极为便利。

截至2002年底，新矿集团拥有资产总额20亿元，员工10062人，现有主要生产矿井7对，生产能力600万吨/年，技改、新建矿井7对，预计到2007年，生产能力可达1000万吨。下辖20余家多种经营企业，已成为一个集煤、电、建材、五金、塑料、农副产品等为一体的大型综合经济实体。2003年，新矿集团共生产原煤416万吨，完成原煤销量403.2万吨。

科技创新，强大煤炭主业。新矿集团十分注重科学管理和科技进步，所属各矿均装备有先进的设备，机械化程度和科技含量较高。多年来，新矿集团全面实施科技兴煤战略，逐步对老矿井进行了一系列大规模的扩建改造，从而大幅度地提高了煤炭生产能力和采、掘、运输机械化水平及安全技术水平。主要生产工艺采用全国先进的综合机械化放顶煤生产工艺，综合机械化掘进采用氮气防灭火。目前，新矿集团所属生产矿井机械化采煤率达81.2%，煤炭资源回收率达80%，7对生产矿井全部实现了安全生产监测微机控制管理。新矿集团拥有一座正规化矿井——六道湾煤矿，拥有全疆现代化程度高、单井规模最大的库尔勒金川煤矿，所属的六道湾煤矿、碱沟煤矿、大洪沟煤矿、小红沟煤矿已建成全国高产高效矿井。新矿集团所属矿井获得"全国民族团结进步先进集体"、"全国煤炭系统思想政治工作优秀企业"、"高产高效矿井"、"自治区现场管理先进单位"、"自治区级文明单位"、"质量标准化矿井"等多项荣誉。

调结构、抓转化，提升优化非煤。近年来，在大力发展煤炭产业的同时，非煤产业也取得了长足发展。先后新建了陶瓷厂、水泥厂、汽车运输公司、煤矿机械厂、煤矿建设工程公司、房地产开发公司、煤矸石热电厂、金属制品厂、纸箱厂、乙炔气厂等一批多种经营企业，兼并了新疆煤矿机械厂，初步形成了以煤为主、多种经营、全面发展的新的产业格局。

新疆乌鲁木齐矿业(集团)有限责任公司坚持弘扬"诚信为本、求实创新、负重奋进、勇争一流"的企业精神，在国家实施西部大开发的伟大战略中，有着广阔的发展前景。到2007年，新矿集团将建成以乌鲁木齐本部为中心，以南疆巴州库尔勒塔什店金川煤矿、北疆昌吉硫磺沟屯宝煤矿、呼图壁宽沟煤矿、玛纳斯涝坝湾煤矿为两翼的三大煤炭基地，实现煤炭产量和销售收入两个翻番，成为新疆境内最大的煤炭供应商。拥有一家上市公司，通过融资形成煤—电/热—耗能产业链和煤—煤液化/气化—煤化工产业链，发展成为对新疆经济有较大贡献的现代控股投资集团公司。

地址：新疆乌鲁木齐市东山区乌奇公路50号　电话：0991-6809280　6808777　传真：6809248　邮编：830027

神华乌达矿业有限责任公司

神华乌达矿业有限责任公司的前身是乌达矿务局，组建于1958年。建局46年来，累计生产煤炭1.48亿吨，上缴利税4.35亿元，为国家，特别是为内蒙古自治区的经济建设作出了贡献。1998年9月，经国务院批准，划归神华集团公司统一运营。

乌达矿区位于内蒙古西部乌海市境内，地处贺兰山北端、乌兰布和沙漠南缘，东临黄河。已探明的含煤面积约35平方公里。含煤地层属石炭二叠纪，共含煤27层，可采煤层14层。公司现有3个生产矿井，设计生产能力为390万吨。核定生产能力为460万吨；3个坑口洗煤厂，年入洗能力285万吨／年。煤种主要有肥煤、1/3焦煤、焦煤，发热量在22.44～30.80兆焦／千克之间。主要产品有混煤、精煤。

目前，乌达矿业公司拥有固定资产8.42亿元，资产总额113015万元，职工总人数24037人(全民单位职工13860人，集体单位职工3631人，离退休人员6546人)。经营范围涉及洗精煤、焦炭、电力、建材、建筑安装、机械制造、种植、养殖、食品加工等诸多领域，并形成了以水泥、发电、小口径无缝钢管、番茄酱等产品为主的一批多经三产企业。

2003年，乌达矿业公司生产原煤407.63万吨，精煤产量158.85万吨，创历史最好水平。外运销售煤炭366.18万吨，创近10年来煤炭销售最好水平。其中销售精煤174.49万吨，实现商品煤销售收入43105.69万元。全年原煤生产百万吨死亡率为零，创建局46年以来最好水平。

在今后的发展过程中，公司将紧紧围绕煤炭市场的需求，通过调整煤炭产品结构，提高产品质量，以优质的产品赢取市场。同时，积极培育新的经济增长点，提高企业经济效益，拓宽企业的发展渠道，为神华事业以及内蒙古自治区和乌海地区的经济发展作出更大的贡献。

地址：内蒙古乌海市乌达区　　邮编：016040　　神华乌达矿业有限责任公司

《中国煤炭工业年鉴》

《中国煤炭工业年鉴》创刊于1982年，是一部记载中国煤炭工业发展全貌的大型文献资料工具书。

《中国煤炭工业年鉴》刊载党和国家有关煤炭工业的法律、法规、大事纪要和重要文件，提供煤炭系统全面的最新统计资料和发展动态，具有权威性、政策性、资料性和可读性，是各级领导必备的决策参考书，是各行各业了解煤炭工业的一个重要窗口。

为了加大对外宣传力度，形象、生动地展现煤炭工业所取得的成就，再现煤炭职工自力更生、艰苦奋斗、乐于奉献的精神风貌，本《年鉴》设有“先进单位”、“先进个人”以及“煤炭企事业单位介绍”等栏目，以配合各单位宣传煤炭工业优秀企业、优秀企业家。希望获奖的优秀企业、优秀企业家及十佳矿长及时与我们联系。

地　　址：北京市朝阳区芍药居35号
邮政编码：100029
电　　话：010—84657831
联 系 人：刘新建　王国慧　田 园
E—mail：wgh@cciph.cn

编 辑 说 明

《中国煤炭工业年鉴》是经新闻出版总署批准，国家煤矿安全监察局主管煤炭信息研究院主办的大型年鉴类期刊，创刊于1982年。每年向国内外公开发行。

“全面、准确、权威”是《中国煤炭工业年鉴》的办刊宗旨。2003年版《中国煤炭工业年鉴》继续贯彻国家煤矿安全监察局确定的编纂方针，在编审委员会的领导下，紧紧围绕国家局和行业主管部门的中心工作，全方位、多层次地记载了一年来中国煤炭工业所发生的巨大变化，真实反映了煤矿安全生产工作取得的成绩，为煤炭工业的安全健康发展贡献我们一份力量。2003年版《中国煤炭工业年鉴》继续坚持面向市场、服务基层的办刊特色。

2003年版《中国煤炭工业年鉴》在栏目基本保持不变的前提下，根据读者反馈的信息，增加了统计资料的内容，目的是更加全面地反映全行业的发展情况。为了对新世纪煤炭工业的发展方向有一个总体把握，我们邀请了部分行业领导，专家学者对中国煤炭工业的长远发展战略进行了专门分析，体现了我们为读者服务的办刊思想。

煤炭在我国能源发展格局中的基础地位是稳固的，前景非常广阔。2002年，中国煤炭工业在国家一系列政策措施的支持下，通过关井压产、关闭破产和安全专项整治，保证了煤炭供需的基本平衡，促进了经济运行持续好转，各方面成效显著。为了准确记录煤炭工业的发展现状，我们力争做到重点突出，全面均衡。2003年版《中国煤炭工业年鉴》对世界煤炭资源及中国煤炭资源状况进行了重点关注，并对全行业经营状况增加了不少篇幅。

2003年版《中国煤炭工业年鉴》的“统计资料”栏目，是煤炭行业2002年的重要统计数据。在“省（市、区）煤炭工业概况”栏目中，也列举了一些统计数据。由于统计的口径不尽相同，某些数据可能略有出入。凡统计数据不一致之处，均以“统计资料”栏目中所列数据为准。

2003年版《中国煤炭工业年鉴》中的全国性数据，不包括我国台湾省的数据。

谨向为2003年版《中国煤炭工业年鉴》撰文、提供资料和核稿的单位及有关同志表示衷心的感谢，并祈望继续予以关心和大力支持。

由于编辑人员少，在《中国煤炭工业年鉴》的编辑和出版中出现一些错误和不足之处，敬请广大读者批评指正。

《中国煤炭工业年鉴》编辑部

2003年12月18日

目 录

领导人重要讲话

煤矿安全

省（市、区）煤炭工业概况

人事、机构、体制

对外经济贸易合作

科研成果

先进单位和个人

煤矿事故案例分析

中国煤炭工业发展战略

世界煤炭工业前景和安全生产发展趋势

中国煤炭工业和煤矿安全生产

国家煤矿安全监察局局长　**王显政**

一、煤炭在我国能源发展格局中的基础地位是稳固的，前景是广阔的

能源是我国经济和社会发展的重要战略资源，也是实现全面建设小康社会战略目标的基础保障。建国50多年来，煤炭作为我国的主要能源，在一次能源消费结构中一直占70%以上。2002年国内煤炭消费13亿t，占国内一次能源消费量的66%。专家预测，这种格局在今后50年内不会有根本性的变化。煤炭在我国能源发展格局中的基础地位，主要是由以下因素决定的。

（1）我国资源赋存特点，决定了能源必须以煤炭为主。我国的资源赋存是缺油、少气、富煤。全国石油、天然气探明储量仅占化石能源探明储量的6%，其余94%均为煤炭。煤炭1000m以浅保有储量约1万亿t，其中探明可采储量1145亿t。煤层气储量35万亿m^3。按目前的生产和消费水平，可以开采使用100年以上。而石油可采储量只有38亿t，可采年限仅20年；天然气总资源量为38万m^3，探明剩余可采储量可开采37年。

（2）煤炭具有可洁净性，具有价格低廉的优势。煤炭是可以洁净生产和使用的能源。通过煤电转化，煤层气抽放利用，大力发展煤炭洗选加工、水煤浆、煤炭液化、型煤等洁净煤技术，以及对燃煤锅炉进行技术改造，可以有效控制煤炭生产和使用过程中对环境的污染。同时，煤炭又是低廉的能源，与石油、天然气、核能、水电等相比，勘探、开发和运输等成本都比较低。

（3）国民经济的持续快速发展，对煤炭的消费需求不断增加。经济的发展是建立在能源消耗基础之上的。近几年，国家通过实行积极的财政政策，扩大内需，促进了国民经济的快速发展，也拉动了煤炭需求。2002年全国煤炭产量达到13.9亿t，创历史最高水平。今年上半年全国煤炭产量7.33亿t，同比增加1.2亿t。按照这个水平，今年煤炭产量可能达到15亿t。按照国民经济年均增长7%～8%的发展速度，专家预测到2005年、2010年、2015年的煤炭需求将分别是15亿t、16.5亿t和20亿t；在一次能源中的比重将分别为65%、62%和60%左右。根据这个预测，2005年将出现供应偏紧；2010年将出现供应明显不足。即使煤炭产量保持一定的增幅，届时也可能出现0.5～1亿t的缺口。

（4）全球煤炭消费保持增长态势，促进了我国煤炭出口。尽管联合国和世界各国出台了众多的环境管制政策，如1979年的《联合国大气污染公约》，1992年的《联合国气候变化框架公约》，1997年的京都议定书等，但是并没有因此导致煤炭生产和消费的萎缩。统计资料表明，在过去30年里，全球煤炭消费增长了60%。据美国能源部预测，今后20年全球范围特别是美国、日本、亚洲发展中国家的煤炭消费将进一步增长。2020年全球煤炭消费量，大约比2000年增长40%左右。近年来我国煤炭出口量迅猛增长也证明了这一点。今年上半年全国出口4500万t，同比增加496万t，增幅高达12.4%。

（5）保持煤炭的基础地位，有利于保障我国能源战略安全。从1993年开始，中国成为能源

净进口国，石油进口呈逐年增加的趋势。2000年我国进口石油7000多万t，耗资200亿美元。预测2005年石油进口将高达1亿t。但国际石油市场并不太平，中等主要产油地区形势很不稳定，石油进口和供应的不确定因素增加。过分依赖进口石油，将增加经济发展的风险性。要解决好中国的能源问题，保障我国经济的持续稳步发展，必须重视和发展煤炭工业，这是确保我国能源安全战略的必然选择。

二、正确把握煤炭工业的形势，坚持走新型工业化发展道路

近年来，煤炭行业在国家一系列政策措施的支持下，以提高经济效益为中心任务，以结构调整为主线，通过实施关井压产、关闭破产和安全专项整治，促使煤炭供需总量基本平衡，经济运行持续好转，恢复性增长的势头强劲。今年上半年，产量结构调整进一步见到成效，库存下降，拖欠下降，煤价上升，煤炭经济形势继续向好的方向发展。但是，当前煤炭经济状况的好转只是恢复性的，尚没有根本性好转。煤炭工业存在的一些深层次矛盾和问题，远未从根本上得到解决。突出表现为“四低”：

一是产业集中化程度低。2002年全国各类煤矿为27500户，平均每户生产煤炭5万t。其中，原94户国有重点煤矿产煤7亿t，平均每户76万t；2400户国有地方煤矿，平均每户10万t；25000户乡镇煤矿，平均每户1.8万t。

二是技术和装备水平低。经过这些年的整顿，小煤矿的技术面貌虽然有所改善，但总体上看差距仍然很大。为数相当多的小煤矿，开采方式落后，设施设备简陋，从业人员素质低下，安全没有保证。目前全国58%的小煤矿仍采用巷采方式，资源浪费严重。一些小煤矿井下仍使用三轮车和畜力运输。一些国有大矿生产安全欠账严重，设备老化，监测、监控系统不健全，事故隐患很多。

三是产品附加值和科技含量低。煤炭产品深加工、精加工远远不够。多数煤矿只能生产和销售原煤，全国煤炭洗选率多年来一直在30%左右徘徊。煤化工、煤矿办电、煤层气开发利用、煤炭液化等战略性起步工程进展较慢。煤炭生产和使用过程中对环境的污染问题，还没有得到很好解决。

四是安全管理水平低。煤矿依然是事故高发行业。目前我国煤矿事故年死亡人数，远远超过世界其他产煤国家煤矿事故死亡总数。今年上半年煤矿事故死亡2798人，占工矿企业事故死亡总人数的43%。其中一次死亡10人以上的特大事故26起，死亡577人，分别占全国特大事故起数和死亡人数的33%和43%。煤矿的职业病危害严重，尘肺病患者每年约增加2000多人。

“四低”集中反映了我国煤炭工业的传统弊端，与先进生产力发展要求和人民群众的根本利益相背离。这些问题的长期存在，严重影响和制约着煤炭工业的持续健康发展，必须引起高度重视，尽快加以解决。党的十六大报告提出，要“走出一条科技含量高、经济效益好、资源消耗低、人力资源优势得到充分发挥的新型工业化路子”。胡锦涛总书记在“七一”重要讲话中要求我们，要以“三个代表”重要思想推动实践创新，研究如何走新型工业化道路。联系煤炭工业的实际，我感到应当抓好以下几个环节。

第一，提高产业集中度，增强煤炭行业整体竞争力。煤炭工业目前这种分散的格局，既不利于长远发展，也不利于市场竞争。要本着“抓大放小”的原则，进一步调整优化煤炭企业结构布局。继续关闭整顿那些质量低劣、技术落后、浪费资源、污染环境和不具备安全生产条件的小煤矿。对全国现有的23500多处小煤矿，要取缔关闭一批，整顿规范一批，改造提高一批。通过深

入整治，解决小煤矿无序开采、过多过滥的问题，并采取必要的政策导向，推动小煤矿实现规模经营。同时，要继续深化企业改革，探索实施大集团、大公司战略，引导国有煤炭企业进行联合，增强在国内、国际两个市场上的竞争能力。

第二，调整优化煤炭产业结构，拉长产业链，增加煤炭附加值。要通过结构调整和技术创新，实现“两个转变”，拉长“两条产业链”。“两个转变”是：由数量型向质量效益型转变，由生产销售初级产品向综合开发利用转变。“两条产业链”是：煤、电、高能耗产品产业链，煤、焦、化工产品产业链。特别是第二条产业链，发展前景很广阔。可以以煤焦油加工为重点，发展第一代产品，提供化工原料；以乙炔化工为重点，发展第二代产品；以一氧化碳和氢合成甲醇、优质液体燃料为重点，发展第三代化工产品。

第三，大力发展煤炭洁净生产和使用，促进洁净煤技术的产业化。发展洁净煤技术，实现煤炭的清洁生产和清洁使用，是实施可持续发展战略的需要，也是煤炭工业走新型工业化发展道路的必然选择。要利用国家扶持政策，在大力推广洗选加工、水煤浆、型煤等传统洁净煤技术的同时，学习借鉴国外成熟技术，加强推进煤炭气化、液化的示范工程，争取早日进入工业化生产，实现洁净煤技术的重大突破。

第四，加快实施“科教兴煤”战略，依靠科技进步提升传统产业。要从根本上改变煤矿的面貌，提升煤炭工业的整体素质，必须依靠科学技术，提高科技贡献率。要搞好矿井技术改造和技术装备的更新换代，加快现代化矿井建设步伐；要瞄准煤炭发展的主攻方向，搞好科技攻关，解决煤矿在高产高效、安全生产、综合利用等方面的技术难题，提高煤矿经济增长的质量和效益；要加强技术、安全教育和培训工作，提高煤矿职工队伍的科学文化技术素质。

第五，加快煤炭综合信息化技术的发展，以信息化带动工业化。信息技术在国民经济各个领域的普遍应用，极大地提高了劳动生产率，降低了资源消耗和生产成本，减少了环境污染，已经成为社会生产力和人类文明进步的新的强大动力。要充分认识和高度重视信息化在煤炭工业现代化发展中的倍增作用和催化作用，积极推进煤炭信息化建设。比如，加快煤矿信息网络化研究、信息化煤炭企业研究、信息经济和网络经济与煤炭工业经济增长方式研究、煤炭电子商务和电化服务的研究、煤炭企业实时综合信息网络集成化研究、煤炭工业数字化技术的研究、煤炭企业管理和安全管理分类模型的研究等等。

三、坚持技术、装备和管理并重的原则，通过加强基础建设，改善煤矿安全状况

煤矿安全工作坚持技术、装备和管理并重，是被实践证明了的一条正确原则，反映了煤矿安全生产工作的规律。

技术是先导。科学技术是第一生产力。只有先进的科学技术，才能引导煤炭企业走一条经济增长质量比较高、经济效益比较好、安全比较有保障的发展路子。在煤矿安全生产科学技术方面：一是要加强基础研究。在继续对煤矿事故致因理论，灾害发生机理和控制理论等技术基础理论进行深入系统研究的同时，还要认真研究煤矿安全心理学、社会学、管理学等方面的基础理论。二是要抓好应用研究。要结合建立安全生产技术保障体系，整合科研资源，发挥专家和群众两个积极性，围绕着煤矿安全的共性技术、关键技术和实用性技术，包括瓦斯煤尘爆炸动态监测预警技术、瓦斯抽放和开发利用技术、煤与瓦斯突出预测与控制技术等 20 个重点课题，组织开展一系列研究和攻关。尘肺病的预防和治疗也要作为一个重点课题来抓，加强现场防尘、早期检查和鉴定、灌洗治疗等技术的研究。三是要加强新技术推广工作。组织开展煤矿安全新技术 40 推活动，

引导煤矿企业采用安全性能可靠的新技术、新工艺、新设备、新材料和科学先进的管理手段。

装备是基础。由于前些年煤炭经济运行比较困难，资金短缺，煤矿安全装备欠账较多。一些高瓦斯矿井没有监测监控设施或系统不健全，瓦斯便携仪、检测仪、自救器配置不全，运输提升设备老化，隐患严重。要利用煤炭市场好转和企业扭亏为盈的时机，补还安全欠账，该上的设施设备特别是瓦斯防治必需的设施和设备，一定要上齐上全，在这方面要舍得投入。已经过时、失效的设施设备，要及时更换。高瓦斯乡镇煤矿和高瓦斯矿井相对较多的县市，要安装监测监控设施和区域性控制系统。

管理是关键。管理是企业永恒的主题。管理出效率、出效益、出安全。一个时期来发生重特大事故的煤矿中，既有技术落后、设施简陋的小煤矿，也有技术比较先进、设施比较齐全的国有大矿。导致事故的原因，大部分是由于现场管理松弛，违章指挥和违章作业，以及质量标准化滑坡，事故隐患增加所造成。可见管理是煤矿安全生产工作中的关键环节。严格的管理，可以在一定程度上弥补技术装备方面的不足；反之，管理松弛，质量低劣，再新的技术、再好的设备也可能出现事故。因此，必须在加强管理上狠下功夫，严格落实各项规章制度和操作规程，严防违章指挥和违章作业。做好安全生产统计、报表、台账、记录等基础性工作。继续下大力量抓好煤矿质量标准化建设，通过提高采掘工程质量、井下作业质量、设备维护质量、技术服务质量等来保证安全生产。

四、当前搞好煤矿安全生产的4项重点工作

一是认真学习好、贯彻好国办58号文件精神。58号文件是一个力度很大的文件。文件中所提出的加强煤矿安全生产工作的措施，针对性、指导性、操作性都很强，是非常过硬的措施，也是近几年国务院关于煤矿整治工作一系列政策措施的继续和深化，对解决目前煤矿安全生产工作中的一些老大难问题，可以说切中要害。各地区、各部门、各煤炭企业，一定要认真学习领会国办58号文件的精神，掌握政策界限，紧密结合自己的实际情况，逐条逐项地贯彻落实。

二是抓紧研究细化煤矿安全整治方案，落实责任。各级地方政府要切实加强对煤矿安全生产工作和专项整治的领导，建立健全责任制，明确各有关部门和有关方面的职责。研究和制定深化煤矿安全整治工作方案，明确本地区深入整治的重点和方法步骤，精心组织，认真实施，狠抓落实。特别是今年以来发生重特大事故的地市、县区、乡镇，要作为整顿的重点地区，拿出切实可行的整治方案。煤炭行业管理等有关部门要认真履行职责，加强配合协作。要继续坚持两年来各部门协同动作、联合执法的成功经验，充分发挥煤炭管理、国土资源、工商行政管理、公安、监察、环保等部门和煤矿安全监察机构等方面的积极性，形成合力，相互支持，相互配合，齐心协力做好工作。

三是认真搞好煤炭企业的安全评估工作。按照国办58号文件的要求，各地所有煤矿都要对照国家局发布的《煤矿安全生产基本条件》，逐个进行审核评估。凡有一项基本条件达不到的，一律停产整顿，限期达标。逾期未能达标的，由地方人民政府强制关闭。通过评估，推动煤矿的安全基础工作，落实《安全生产法》关于生产经营单位安全生产保障的各项规定，切实加强安全管理。要严格各级安全生产责任制。对安全投入欠账较多的煤矿，要加大安全生产投入。各地要尽快制定煤矿安全生产投入标准和监督保证措施。国有煤矿要在确保达到安全生产基本条件的基础上，以深入整治为契机，加大“一通三防”工作力度，推动企业安全工作上一个新台阶。

四是各级煤矿安全监察机构要进一步强化责任意识，加大监督执法的工作力度。搞好煤矿安全生产，是各级煤矿安全监察机构义不容辞的职责，要以对党对人民高度负责的精神做好工作。继续抓好“三件大事”，创新工作思路，转变工作作风，依法履行职责，关口前移，重心下移，把监察工作做实。要及时向地方人民政府提出深化整治和加强煤矿安全生产的建议，协助地方人民政府抓好工作。要加大监察执法力度，密切配合地方政府及其相关部门，严厉打击非法开采和死灰复燃现象；加强对各类煤矿的安全监察，依法惩处违法违规现象，做到有法必依，执法必严，违法必究。通过严格执法，公正执法，推动深入整治和煤矿安全生产工作。

大事纪要

2002年

1 月

△7日　“《矿山安全法》知识竞赛活动”颁奖、抽奖仪式在北京西郊宾馆举行。

△26日　9时50分，河北省承德市所属暖儿河煤矿（年产21万t）413采煤工作面发生瓦斯爆炸事故，造成18人死亡，1人下落不明。1月27日12时30分，在事故抢险救灾过程中发生二次爆炸。至28日15时30分，事故共造成29人死亡（其中1人系在医院经抢救无效死亡）。

△28日　11时，湖南省衡阳市祁东县步云桥镇山塘冲煤矿（乡镇煤矿，未经省级验收）发生瓦斯爆炸事故，造成2人死亡，6人受伤，11人下落不明。

2 月

△2日　国家局发出关于加强春节期间安全生产工作的通知。

3 月

△1～10日　国务院安委会办公室通报对8省市进行安全生产督查的情况。

4 月

△8～9日　国家局在京召开煤矿安全整治会议。

△上旬　江苏省安全生产管理协会日前在南京成立。

△22日　国家安全生产监督管理局、国家煤矿安全监察局印发了《关于印发〈国家安全生产监督管理局（国家煤矿安全监察局）2002年立法计划〉的通知》（安监管政法字［2002］33号）。

△24日　湖南省郴州市一石墨矿发生透水事故，造成与之相邻的一国有地方煤矿15人被困井下。

△25日　国务院安委会办公室印发了《关于印发〈小煤矿安全生产基本条件〉的通知》（安委办字［2002］6号）。

5 月

中共中央宣传部、国家安全生产监督管理局、全国总工会、共青团中央共同研究决定，从2002年起，将每年5月开展的全国“安全生产周”活动改为“全国安全生产月”，时间在每年6月进行。2002年“全国安全生产月”活动主题为：安全责任重于泰山。“全国安全生产月”期间，共青团中央、全国总工会和国家安全生产监督管理局将共同命名表彰100个全国青年安全示范岗。

6 月

△9日　中宣部、国家安全监管局、全国总工会、共青团中央、广电总局在北京中华世纪广场联合举办的“安全生产万里行”活动启动仪式。

△20日　上午9时45分，黑龙江省鸡西矿务局城子河煤矿西二采区发生瓦斯爆炸事故，波及2个回采工作面、2个掘进工作面。截止20日23时，已发现104人死亡，另有11人生死不明。

△25日　国务院安全生产委员会印发了《关于变更国务院安全生产委员会成员的通知》（安委字［2002］4号）。任命欧新黔副主任为国务院安全生产委员会副主任，王显政为国务院安全生产委员会副主任兼国务院安全生产委员会办公室主任。

7 月

△1日　国家安全生产监督管理局印发了《关于印发〈安全生产法〉宣传提纲的通知》（安监管政法字［2002］51号）。

△4日　2时12分，吉林省白山市江源县松树镇富强煤矿（个体矿）发生瓦斯爆炸事故，造成39人下落不明。

△8日　14时50分，黑龙江省鹤岗市鼎盛煤矿（原南山区第七煤矿）发生瓦斯爆炸事故，当时井下共有44人作业，截止7月9日上午7时，已确认44人死亡，遇难者遗体均已运至井上。

△9～10日　国家局定于在北京召开安全生产工作座谈会。

△24日　国家煤矿安全监察局印发了《关于加强煤矿安全监察行政执法工作的意见》（煤安监办字

[2002] 75 号)。

△25 日～8 月 10 日　国家煤矿安全监察局通报国有大矿"一通三防"专项监察情况。《通报》指出，国家煤矿安全监察局组织 6 个煤矿安全专项督查组分赴湖南、河南、陕西等 9 个省（市)，对 15 个矿务局（公司）的 57 个国有大矿进行了以"一通三防"为重点的煤矿安全专项监察，共查出不安全隐患 371 条，当场下达处理决定书 37 份，对 3 处矿井下达了停产整顿指令。肯定了辽宁铁法煤业（集团）公司、山西阳泉煤业(集团)公司和四川芙蓉矿业集团公司在"一通三防"方面的做法和经验，指出了专项监察中发现的 16 种问题。

8 月

△26 日　山西省安全生产监督管理局举行成立大会，并举行揭仪式。

△28～30 日　国家煤矿安全监察局和中国煤炭工业协会定在辽宁铁法煤业(集团)公司召开煤矿瓦斯治理现场会。

10 月

△15 日　孙越崎同志诞辰 110 周年暨孙越崎科技教育基金建立十周年纪念座谈会在人民大会堂举行。

△18 日　国家煤矿安全监察局印发了《关于印发〈煤矿安全监察执法统计报告办法〉的通知》(煤安监政法字 [2002] 119 号)。

△20 日～11 月 2 日　国家局组织 12 个督查组分赴 22 个省（区、市）督促检查安全生产工作。

△23 日　16 时 40 分，山西省吕梁地区朱家店煤矿（国有地方矿，在中阳县境内）发生瓦斯爆炸事故，当班作业人员 65 人，其中 13 人脱险，另外 52 人下落不明。经多方抢救，截止 23 日 22 时，又有 8 人获救，其余 44 人下落不明。

△29 日　凌晨 4 时许，南宁市矿务局二塘煤矿（国有地方矿）井下采区变电所变压器着火，并引燃相邻木支架。截至 30 日上午 7 时 20 分，抢救工作已基本结束，事故共造成 30 人死亡。

11 月

△5 日　国家安全生产监督管理局印发了《关于印发〈安全生产监督检查行政执法文书〉(式样）的通知》(安监管政法字 [2002] 114 号)。

△6 日　国家煤矿安全监察局印发了《关于加强国有地方煤矿安全工作的通知》（煤安监监一字 [2002] 145 号)。

同日　10 时 30 分，吉林省白城市万宝煤矿（省属国有地方煤矿）井下暗绞车房发生火灾事故，30 名作业人员被困井下。截至 9 日 17 时，已发现 27 具遇难者尸体，其余 3 人下落不明。

△8 日　13 时 45 分，山西省阳泉市盂县西潘乡乡办煤矿（乡镇有证）发生瓦斯爆炸事故，共造成 26 人死亡。

△10 日　13 时 30 分左右，晋中市灵石县两渡镇太西煤矿（乡镇、无证、非法生产矿井）发生瓦斯爆炸事故，至 11 日 17 时，已造成 26 人死亡，另有 9 人下落不明。

△18 日　国家煤矿安全监察局印发了《关于加强煤矿安全监控系统监察工作的通知》(煤安监监一字 [2002] 137 号)。

同日　国家安全生产监督管理局、国家煤矿安全监察局党组印发了《关于印发〈国家安全生产监督管理局（国家煤矿安全监察局）固定资产管理暂行办法〉的通知》(安监管财字 [2002] 102 号)。

同日　国务院安全生产委员会办公室召开安全生产电话会议。会议内容：以党的十六大精神为指针，贯彻落实国务院领导同志批示精神，通报当前安全生产形势和近期连续发生的几起特大事故，部署 2002 年年底前的安全生产工作。

△19 日　国家煤矿安全监察局印发了《关于印发〈国家煤矿安全监察局特聘煤矿安全监督员管理办法〉的通知》(煤安监监一字 [2002] 138 号)。

12 月

△30 日　上午，王显政、闪淳昌、赵铁锤，赵岸青同志在局出席国家安全生产监督管理局（国家煤矿安全监察局）宣传教育中心成立大会暨揭牌仪式，王显政同志揭牌，闪淳昌同志讲话，有关部委部门负责人，国际劳工组织代表，局机关各司（室）主要负责人，安全监察专员和在京各直属事业单位主要负责人参加了会议。

同日　上午，国家安全生产监督管理局、国家煤矿安全监察局印发了《关于完善安全生产监督管理和煤矿安全监察工作机制的意见》(安监管政法字 [2002] 129 号)。

统计资料

2002年中国煤炭工业发展综述

2002年中国煤炭工业继续保持恢复性增长的态势，经济效益总体水平提高，产品销售收入快速增长，煤炭生产保持强劲的增长趋势，煤炭市场行情持续好转，煤炭经济步入良性循环。全国主要经济指标综述如下。

一、原煤产量大幅度增长

2002年，全国生产原煤139335万t，同比增加28776万t，上升26.0%。其中，国有重点煤矿生产71163万t，增加9305万t，增长15.0%；国有地方煤矿生产26345万t，增加4029万t，增长18.1%；乡镇煤矿生产41827万t，增加15442万t，增长58.5%。全国29个产煤单位中，原煤产量同比增加的有24个，合计增产29307万t。其中，增产1000万t以上的有10个：山西、内蒙古、黑龙江、安徽、山东、河南、湖南、贵州、陕西和神华集团，合计增加25148万t，占全国增产量的85.8%。原煤产量同比减少的单位有5个，合计减少531万t。其中减量最多、降幅最大的是广西，减少223万t，下降39.3%。

国有重点煤矿原煤产量增量占全国原煤总增量的32.3%。在有国有重点煤矿的24个单位中，原煤产量同比增加的有20个，合计增产9535万t。其中，增产500万t以上的单位有6个：山西、黑龙江、安徽、山东、河南和神华集团，共增产7251万t，占国有重点煤矿增产量的76.1%；增幅高于国有重点煤矿增幅平均水平15%的有4个：山西、山东、陕西和神华集团。原煤产量同比减少的单位4个，合计减产230万t。其中甘肃减量最多，减少85万t；云南降幅最大，下降10.1%。

国有地方煤矿原煤产量增量占全国原煤总增量的14.0%。在有国有地方煤矿的26个省（区、市）中，原煤产量同比增加的有18个，合计增产4523万t。其中，增产500万t以上的有山西和内蒙古，合计增产2511万t，占国有地方煤矿增产量的55.5%。原煤产量同比减少的有8个，合计减产494万t。其中新疆减量最多，减少204万t；广东降幅最大，下降89.9%。

乡镇煤矿原煤产量增量占全国原煤总增量的53.7%。在有乡镇煤矿的26个省（区、市）中，原煤产量同比增加的有18个，合计增产16100万t。其中，增产500万t以上的8个分别是：山西、内蒙古、河南、湖南、四川、贵州、云南和陕西，共增产14260万t，占乡镇煤矿原煤产量增量的88.6%。原煤产量同比减少的单位有8个，合计减产658万t。其中河北减量最多，减少135万t；广西降幅最大，下降94.9%。

国有重点、国有地方和乡镇煤矿三大类煤矿原煤产量占全国原煤产量的比重为51∶19∶30，国有重点和国有地方的比重分别比1996年上升了12个和4个百分点，乡镇煤矿的比重比1996年下降了16个百分点。

2002年全国原煤产量创历史新高，比历史最高的1996年多0.2亿t。

二、煤矿百万吨死亡率、重大事故和瓦斯事故下降

2002年，国家深化煤矿安全生产专项整治，各级地方政府、煤矿安全监察机构和煤矿企业积极贯彻落实国家关于煤矿安全生产专项整治的各项政策和全国煤矿瓦斯治理会议精神，已取得一定成效。

1. 煤矿百万吨死亡率下降。2002年，全国煤矿百万吨死亡率4.64，同比下降0.656，下降12.4%。其中：国有重点煤矿1.26，同比下降0.323，下降20.4%；国有地方煤矿3.79，同比下降0.647，下降14.6%；乡镇煤矿11.73，同比下降5.89，下降33.4%。

2. 重大事故减少。2002年，全国煤矿一次死亡3～9人事故304起，死亡1286人，同比分别下降7.0%、17.8%。

3. 瓦斯事故减少。2002年，全国发生瓦斯事故592起，死亡2261人，同比分别下降5.7%、5.3%。

4. 部分地区煤矿特大瓦斯事故得到控制。2002年，有8个省（区、市）未发生一次死亡10人以上（含10人）特大事故。这些省（区、市）是：北京、江苏、浙江、福建、山东、青海、宁夏和新疆。

三、煤炭出口保持较高水平

2002年，全国出口煤炭8575万t，同比基本持平。四家煤炭出口公司中，中煤公司、五矿集团煤炭出口同比下降，其余两家公司煤炭出口增长。其中，中煤公司完成 4760 万 t，同比减少 324 万 t，下降 6.4%；山西地方完成 1503 万 t，同比增加 140 万 t，增长 10.3%；神华集团完成 2000 万 t，同比增加 194 万 t，增长 10.7%；五矿集团完成 312 万 t，同比减少 25 万 t，下降 7.4%。

煤炭出口下降的主要原因是国内煤炭需求旺盛，出口资源偏紧。同时，今年国际动力煤价格下降，而国内煤炭坑口价持续回升，部分国有重点煤矿企业增加了国内煤炭市场销售而减少了出口。

四、煤炭运量、销量持续增长

2002 年，我国国民经济持续快速增长。工业增加值同比增长 12.6%。全国火力发电量同比增长 12.8%；钢产量同比增长高达 20.3%；水泥产量同比增长 13.7%，平板玻璃产量同比增长 11.5%；合成氨产量同比增长 9.4%；焦炭产量同比增长 9.5%。工业生产的持续稳定增长特别是电力、冶金、建材和化工四大主要耗煤工业产品产量持续增加有力地拉动了国内煤炭市场需求，推动煤炭运量、销量大幅度增长。

1. 煤炭铁路运量和主要港口煤炭发运量增加，国有重点煤矿铁路运量增幅高于全国平均水平。本年度，全国煤炭铁路日均装车高达 36511 车，同比增长 6.4%。其中，国有重点煤矿装车 24000 车，同比增长 13.8%。全国煤炭铁路运量完成 81844 万 t，同比增长 6.8%。其中，国有重点煤矿煤炭铁路运量完成 53562 万 t，同比上升 13.8%。全国主要港口煤炭发运量累计完成 24044 万 t，同比增长 3.6%。

2. 全国煤炭销量增加，国有重点煤矿销量大幅度增长。本年度，全国商品煤销量完成 129488 万 t，同比增加 24783 万 t，增长 23.7%。其中，国有重点煤矿销量完成 67364 万 t，同比增加 8400 万 t，上升 14.2%。

全国煤炭工业 100 强企业名单

（按 2002 年销售收入排列）

名次	企　业　名　称	名次	企　业　名　称
1	神华集团有限责任公司	18	宁夏煤业集团有限责任公司
2	中国煤炭工业进出口集团公司	19	辽宁铁法煤业（集团）有限责任公司
3	山西省煤炭运销总公司	20	辽宁抚顺矿业集团有限责任公司
4	山东兖矿集团有限公司	21	山西晋城无烟煤矿业集团有限责任公司
5	山西焦煤集团有限责任公司	22	黑龙江双鸭山矿业集团有限公司
6	山西大同煤矿集团有限责任公司	23	福建省煤炭工业（集团）有限责任公司
7	安徽淮南矿业（集团）有限责任公司	24	中煤建设集团公司
8	河南平顶山煤业集团有限责任公司	25	河北峰峰矿务局
9	山东新汶矿业集团有限责任公司	26	山东肥城矿业集团有限责任公司
10	安徽淮北矿业（集团）有限责任公司	27	黑龙江鹤岗矿业集团有限责任公司
11	河北开滦（集团）有限责任公司	28	黑龙江七台河矿业精煤（集团）有限责任公司
12	江苏徐州矿务集团有限公司	29	河北邢台矿业（集团）有限责任公司
13	山西阳泉煤业（集团）有限责任公司	30	辽宁阜新矿业（集团）有限现任公司
14	山东枣庄矿业（集团）有限责任公司	31	河南义马煤业（集团）有限责任公司
15	山西潞安矿业（集团）有限责任公司	32	河南郑州煤炭工业（集团）有限责任公司
16	山东淄博矿业集团有限责任公司	33	河南焦作煤业（集团）有限责任公司
17	北京京煤集团有限责任公司	34	河南鹤壁煤业（集团）有限责任公司

续表

名次	企 业 名 称	名次	企 业 名 称
35	安徽省皖北煤电集团有限责任公司	68	山东裕隆矿业集团有限公司
36	江西萍乡矿业集团有限责任公司	69	辽宁南票矿务局
37	安徽国投新集能源股份有限公司	70	山东济宁市蔡园生建煤矿
38	辽宁沈阳煤业（集团）有限责任公司	71	安徽恒源煤电股份有限公司
39	河南永城煤电（集团）有限责任公司	72	重庆永荣矿业有限公司
40	黑龙江鸡西矿业（集团）有限责任公司	73	湖南省资兴矿业集团有限责任公司
41	贵州盘江煤电（集团）有限责任公司	74	四川华蓥山广能（集团）有限责任公司
42	甘肃靖远煤业有限责任公司	75	宁夏西北奔牛实业集团有限公司
43	浙江长广（集团）有限责任公司	76	北京煤矿机械厂
44	甘肃靖远煤业有限责任公司	77	河南郑州煤矿机械集团有限责任公司
45	内蒙古霍林河煤业集团有限责任公司	78	陕西蒲白矿务局
46	山东临沂矿务局	79	四川达竹煤电（集团）有限责任公司
47	甘肃窑街煤电有限责任公司	80	吉林通化矿务局
48	山东龙口矿业集团有限公司	81	陕西黄陵矿业有限责任公司
49	河南神火煤电股份有限公司	82	广西壮族自治区合山矿务局
50	甘肃华亭煤业集团有限责任公司	83	山东省三河口生建煤矿
51	河北邯郸矿业集团有限责任公司	84	江西丰城矿务局
52	新疆乌鲁木齐矿业（集团）有限责任公司	85	河北中达集团有限责任公司
53	陕西煤航（集团）实业发展有限公司	86	河南国投煤炭郑州能源开发有限公司
54	湖南省煤炭坝能源有限公司	87	山西大同市地方煤炭集团有限责任公司
55	湖南省涟邵矿业集团有限公司	88	江西乐平矿务局
56	四川攀枝花煤业（集团）有限责任公司	89	山东王晁煤电集团
57	陕西韩城矿务局	90	宁夏煤炭基本建设公司
58	河北井陉矿务局	91	河南禹州中锋（吕沟）企业集团公司
59	贵州六枝工矿（集团）有限责任公司	92	河北省邯郸市紫山特钢集团有限公司
60	重庆松藻煤电有限责任公司	93	内蒙宝日希勒煤业有限责任公司
61	湖南省白沙煤电集团有限责任公司	94	河南郑州新登企业集团有限公司
62	四川广旺能源发展（集团）有限责任公司	95	山东煤矿莱芜机械厂
63	内蒙大雁煤业有限责任公司	96	山西三元煤业股份有限公司
64	河北张家口煤矿机械有限公司	97	云南羊场煤矿
65	云南省小龙潭矿务局	98	煤炭科学研究总院重庆分院
66	内蒙扎赉诺尔煤业有限责任公司	99	河北省磁县申家庄煤矿
67	新疆哈密煤业（集团）有限责任公司	100	陕西省彬县煤矿有限责任公司

煤炭工业总产值（按1990年不变价格计算）

单位：万元

	2001年	2002年	2002年比2001年增（＋）减（－）
全国总计	8366812	10178385	＋1811573
国有重点煤矿	5270376	6029124	＋758748
地方煤矿	3096436	4149261	＋1052825
其中：集体所有制煤矿	1335623	2002816	＋667193
煤矿机械厂及其他工厂	292281	272336	－19945
按大中小型企业分			
大型企业	5359993	6132400	＋772407
中型企业	575373	687849	＋112476
小型企业	2431446	3358136	＋926690

注：本表系煤炭系统数字，下同。

煤炭工业主要产品产量

	计算单位	2001年	2002年	2002年比2001年增（＋）、减（－）
一、原煤产量	10^4t	110559	141530	＋30971
其中：国有重点煤矿	10^4t	61857	71458	＋10201
二、炼焦用洗精煤产量	10^4t	9550	11703	＋2153
其中：本系统	10^4t	7090	8875	＋1785
三、煤矿机械产品产量	10^4t			
四、多种经营综合利用产品产量				
电　力	10^8（kW·h）			
生　铁	10^4t			
钢　材	10^4t			
轧钢材	10^4t			
硫铁矿	10^4t			
焦　炭	10^4t			
水　泥	10^4t			
金属支架	万架			

原煤产量增长速度

	全　国	国有重点矿	地方煤矿	
			合　　计	其中：集体所有制煤矿
一、增长速度/%				
1985年比1980年	40.7	17.9	69.0	134.7
1990年比1985年	2.4	4.8	0.5	2.5
1991年比1990年	0.5	0.1	0.8	2.9
1992年比1991年	2.8	0.4	4.5	6.9
1995年比1994年	5.1	2.9	6.4	9.5
1996年比1995年	6.3	11.4	3.3	3.1
1997年比1996年	−3.6	−1.6	−5.6	−7.3
1998年比1997年	−7.0	−4.8	−8.4	−9.5
1999年比1998年	−15.3	1.8	−27.2	−38.5
2000年比1999年	−4.3	4.5	−12.7	−15.1
2001年比2000年	10.7	15.5	5.1	−2.0
2002年比2001年	28.0	15.5	43.8	61.0
二、增长数量/10^4t				
1985年比1980年	25215	6187	19028	15309
1990年比1985年	2515	2192	323	853
1991年比1990年	498	38	460	1013
1992年比1991年	3027	194	2833	2478
1995年比1994年	6265	1361	4909	4500
1996年比1995年	8190	4810	3380	1822
1997年比1996年	−4883	−809	−4614	−4435
1998年比1997年	−9274	−2567	−6707	−5425
1999年比1998年	−18888	922	−19810	−19917
2000年比1999年	−4446	2303	−6749	−4783
2001年比2000年	10642	8283	2359	−532
2002年比2001年	30971	9601	21370	16965

按经济类型分的原煤产量

单位：10^4t

	2001 年		2002 年		2002 年比 2001 年增（+）、减（—）
	产量	比重 /%	产量	比重 /%	
全国总计	110559	100	141530	100	+30971
国有重点煤矿	61857	55.9	71458	50.5	+9601
地方煤矿	48702	44.1	70072	49.5	+21370
其中：省营煤矿	4453	4.0	5656	4.0	+1203
专营煤矿	6598	6.0	7995	5.6	+1397
县营煤矿	11264	10.2	13071	9.2	+1807
集体所有制煤矿	26385	23.9	43350	30.6	+16965
其中：个体煤矿	1172	1.1	2517	1.8	+1345

按煤种牌号分的原煤产量

单位：10^4t

	2001 年		2000 年	
	产量	比重/%	产量	比重/%
全国总计	110559	100	141530	+30971
无烟煤	18975	17.16	24960	+ 5985
烟　煤	86802	78.51	111306	+24504
其中：炼焦烟煤	55090	49.83	67969	+12879
贫瘦煤	3449	3.12	3750	+ 301
瘦　煤	3408	3.08	4893	+ 1485
焦　煤	9677	8.75	12419	+ 2742
肥　煤	5537	5.01	6488	+ 951
1/3 焦煤	11725	10.61	11838	+ 113
气肥煤	5183	4.69	6801	+ 1618
气　煤	14247	12.89	18275	+ 4028
分不出牌号煤	1864	1.69	3505	+ 1641
一般烟煤	31712	28.68	43336	+11624
贫　煤	5061	4.58	6157	+ 1096
1/2 中粘煤	59	0.05	46	— 13
弱粘煤	6064	5.48	8282	+ 2218
不粘煤	5710	5.16	7425	+ 1715
长焰煤	9768	8.84	14041	+ 4273
分不出牌号煤	5051	4.57	7385	+ 2334
褐　煤	4782	4.33	5264	+ 482

按省、市、自治区分的原煤产量

单位：10^4t

	全国		国有重点煤矿		地方煤矿			
					合计		其中：集体所有制煤矿	
	2001 年	2002 年	2001 年	2002 年	2001 年	2002 年	2001 年	2002 年
全国总计	110559	141530	61857	71458	48702	70072	26385	43350
北京	832	1054	548	629	284	425	284	425
河北	5421	5758	4377	4780	1044	978	334	247
山西	26894	36261	11711	15801	13475	20460	8289	13920
内蒙古	10443	15288	7961	10309	2482	4979	1297	3405
辽宁	4374	5216	3669	4047	705	1169	527	939
吉林	1533	1412	854	878	679	534	353	132
黑龙江	5661	6716	3948	4450	1713	2266	859	1152
江苏	2490	2561	2079	2232	410	329	99	
浙江	76	71	65	64	8	7	1	
安徽	5401	6472	3801	4360	1600	2112	191	486
福建	1063	1204			1063	1204	618	667
江西	1519	1662	549	557	570	1105	687	762
山东	10897	12837	7646	9098	3251	3739	489	744
河南	8326	10052	5163	5916	3163	4136	1527	2265
湖北	555	782			555	782	351	538
湖南	2206	3691	438	479	1768	3212	1077	2471
广东	246	698			246	698	196	686
广西	593	437			593	437	134	37
四川	4397	5360	925	941	3472	4419	2441	3035
重庆	2071	2191	810	742	1261	1449	976	1125
贵州	3731	5001	1131	1206	2600	3795	2231	3377
云南	2427	3139	218	121	2209	3018	1295	1932
西藏								
陕西	2879	6103	1465	1892	1414	4211	817	3281
甘肃	1819	2366	855	769	964	1597	239	408
青海	251	282			251	282	53	56
宁夏	1636	1818	1283	1449	353	369	73	93
新疆	2820	3098	654	738	2166	2360	1047	1167
海南								

按构成分的国有重点煤矿原煤产量

单位：10^4t

	2001年		2002年		2002年比2001年增（+）、减（-）
	产量	比重/%	产量	比重/%	
总计	61857	100	71458	100	9601
一、矿井产量	52352	84.63	60312	84.4	7960
其中：回采	47262	76.40	53857	75.36	6595
掘进	3207	5.18	3845	5.38	638
其他	1883	3.04	2610	3.66	727
二、露天产量	4737	7.66	5529	7.73	792
三、其他产量	4768	7.71	5618	7.87	850

按省、市、自治区分的炼焦用洗精煤产量

单位：10^4t

	炼焦用洗精煤产量			其中：冶炼用炼焦精煤产量		
	2001年	2002年	2002年比2001年增（+）、减（-）	2001年	2002年	2002年比2001年增（+）、减（-）
全国总计	9550	11703	+2153	7274	9083	+1809
北京						
河北	957	1662	+705	957	1662	+705
山西	1825	1938	+113	1546	1452	-94
内蒙古	499	841	+342	499	841	+342
辽宁	307	299	-8	296	299	+3
吉林	13	-		12	-	-12
黑龙江	768	963	+195	619	848	+229
江苏	224	330	+106	198	310	+112
安徽	454	673	+219	454	673	+219
江西	76	73	-3	69	69	-
山东	2383	2732	+349	706	840	+134
河南	517	902	+385	517	864	+347
湖南	53	30	-23	53	30	-23
湖北						
广东						
四川	448	241	-207	433	241	-207
重庆	167	111	-56	152	109	-43
贵州	327	355	+28	308	355	+47
云南	210	245	+35	210	245	+35
陕西	78	72	-6	78	72	-6
宁夏	202	178	-24	125	116	-9
新疆	43	57	+14	43	57	+14

煤炭工业洗选煤产品产量

单位：10^4t

	2001年	2002年	2002年比2001年增（+）、减（-）
一、洗　煤			
炼焦用洗精煤	9550	11703	+2153
冶炼用洗精煤	7224	9083	+1859
其他用炼焦精煤	2276	2620	+344
洗混末煤	3196	2994	-202
中　煤	473	3248	+2775
洗块煤	333	467	+134
二、筛选块煤	3786	3297	-489
无烟块煤	1673	1005	-668
烟块煤	1752	2149	+397
褐块煤	361	143	-218

国有重点煤矿煤炭调出调入量

单位：10^4t

	2001年			2002年		
	调入量	调出量	净调出（+）、调入（-）量	调入量	调出量	净调出（+）、调入（-）量
全国总计	-32288.86	40324.78	8035.92	-38492.26	47171.13	8678.87
北　京	-1414.28	475.64	-938.64	-1415.21	449.36	-965.85
天　津	-1500.82		-1500.82	-1569.24	0	-1569.24
河　北	-3791.25	1061.97	-2729.28	-4090.34	1362.37	-2727.97
山　西	-0.01	19911.78	19911.77	-0.47	21449.92	21449.92
内蒙古	-147.47	3446.28	3298.81	-146.14	4079.30	3933.16
辽　宁	-2741.89	80.92	-2660.97	-3207.1	80.99	-3126.11
吉　林	-1054.61	254.30	-800.31	-1259.59	288.05	-971.54
黑龙江	-553.8	1580.06	1026.26	-712.77	1874.95	1162.18
上　海	-2521.95		-2521.95	-2911.95	0	-2911.95
江　苏	-3995.48	345.87	-3649.61	-4929.70	917.76	-4011.94
浙　江	-2779.74		-2779.74	-3283.88	0	-3283.88
安　徽	-559.74	1878.75	1319.01	-748.46	2144.67	1396.21
福　建	-603.7		-603.70	-832.06	0	-832.06
江　西	-518.53	81.78	-436.75	-1315.82	108.19	-1207.63

续表

	2001年			2002年		
	调入量	调出量	净调出(+)、调入(-)量	调入量	调出量	净调出(+)、调入(-)量
山　东	-3174.39	3428.17	253.78	-3803.58	3825.27	21.69
河　南	-628.08	2753.15	2125.07	-749.79	2989.24	2239.45
湖　北	-2192.76		-2192.76	-2229.79		-2229.79
湖　南	-512.18	186.65	-325.53	-632.69	166.96	-465.73
广　东	-2292.24		-2292.24	-2758.52		-2758.52
广　西	-358.36		-358.36	-336.20		-336.20
海　南	-81.24		-81.24	-98.51		-98.51
四　川	-195.94	125.87	-70.07	-235.86	125.02	-110.84
重　庆	-36.36	258.78	222.42	-38.55	212.38	173.83
贵　州	-1.90	480.82	478.92	-1.53	560.76	559.23
云　南	-35.76	9.23	-26.53	-49.34	45.96	-3.38
西　藏	-0.60		-0.60	-0.55		-0.55
陕　西	-84.92	3085.33	3000.41	-582.60	4847.81	4265.21
甘　肃	-388.58	97.24	-291.34	-364.71	853.07	488.36
青　海	-106.97		-106.97	-104.34		-104.34
宁　夏		496.24	496.24	-68.64	458.54	389.90
新　疆	-15.31	162.82	147.51	-14.33	195.83	181.50
其　他	123.13	8035.92	123.13		134.73	134.73

注：调出量与调入量差额即出口量。

煤炭工业国有重点煤矿主要经济技术指标

	计算单位	2001年	2002年	2002年比2001年增（+）、减（-）
一、主要产品产量				
原煤产量	10^4t	61857	71458	+9601
冶炼用洗精煤产量	10^4t	7274	9083	+1909
二、开拓进尺	10^4m	67	74	+7
三、质　量				
商品煤灰分	%			
商品煤含矸率	%			
冶炼用精煤灰分	%	9.55	9.64	+0.09
冶炼用精煤产率	%	54.57	54.69	+0.12

续表

	计算单位	2001年	2002年	2002年比2001年增（+）、减（-）
四、劳动生产率				
原煤全员效率	t/工	2.780	3.118	+0.338
回采工效率	t/工	12.134	13.126	+0.992
五、材料及电力消耗				
原煤生产坑木消耗	$m^3/10^4t$			
综合电力消耗	(kW·h)/t			
六、回采工作面平均月产量	t/(个·月)	29912	34887	+4975
七、掘进工作面平均月进度(开拓)	m/(个·月)	81.28	85.38	+4.1
八、采区回采率	%	—		
九、采煤机械化程度	%	75.43	77.78	+2.35
十、掘进装载机械化程度	%	72.65	79.85	+7.20

国有重点煤矿回采工作面利用指标

		计算单位	2001年	2002年	2002年比2001年增（+）、减（-）
回采产量		10^4t	47262	53857	+6595
年末工作面	个　数	个	1475	1596	+121
	总长度	m	170288	186973	+16685
平均工作面	个　数	个	1309	1323	+14
	总长度	m	143888	142756	-1132
	长　度	m	110	112	+2
	月进度	m	69.07	75.97	+6.93
	月产量	t/(个·月)	30086	33911	+3825
煤层生产能力		t/m^2	3.12	4.10	+0.98

国有重点煤矿掘进进尺及掘进工作面利用指标

		计算单位	2001年	2002年	2002年比2001年增（+）、减（-）
掘进进尺	全　部	10^4m	557	597	+40
	其中：开拓巷道	10^4m	67	74	+7
	煤　　巷	10^4m			
	半煤岩巷	10^4m			
	岩　　巷	10^4m			
掘进工作面平均个数	全　部	个	3211	3329	+118
	其中：开拓巷道	个	692	727	+35
	煤　　巷	个			
	半煤岩巷	个			
	岩　　巷	个			
掘进工作面平均月进度	全　部	m	144.45	149.35	+4.9
	其中：开拓巷道	m	81.28	85.38	+4.1
	煤　　巷	m			
	半煤岩巷	m			
	岩　　巷	m			

国有重点煤矿回采工作面采煤机械化程度及单产

	计算单位	2001年	2002年	2002年比2001年增（+）、减（-）
一、采煤机械化程度	%	75.43	77.78	+2.35
其中：综　　采	%	59.42	62.98	+3.56
高档普采	%	14.19	13.34	-0.85
普　　采	%	0.77	0.63	-0.14
水　　采	%	1.06	0.82	-0.24
二、工作面平均个数				
全部工作面	个	1307	1274	-33
1. 机采工作面	个	576	596	+20
其中：综　　采	个	298	326	+28
高档普采	个	233	232	-1
普　　采	个	26	24	-2
水　　采	个	19	14	-5
2. 非机采工作面	个	731	678	-53
三、工作面单产				
全部工作面	t/（个·月）	29912	34887	+4975
1. 机采工作面	t/（个·月）	51206	58013	+6807
其中：综　　采	t/（个·月）	78048	85946	+7898
高档普采	t/（个·月）	23805	25530	+1725
普　　采	t/（个·月）	11245	11527	+282
水　　采	t/（个·月）	22353	26904	+4551
2. 非机采工作面	t/（个·月）	13138	14564	+1426

煤炭工业基建矿井井巷工程主要经济指标

	计算单位	2001 年	2002 年	2001 年比 2002 年增（+）、减（-）
一、矿井成巷进尺	m	352895		
二、井巷平均月进度				
立　井	m/个	55.68	71.77	16.09
斜　井	m/个	64.53	74.78	10.25
岩石平巷	m/个	82.45	89.36	6.91
半煤岩巷	m/个	114.65	87.77	-26.88
煤　巷	m/个	159.20	145.64	-13.56
三、掘进工效率				
立　井	m^3/工	0.862	1.82	0.958
斜　井	m^3/工	0.724	0.7	-0.024
岩石平巷	m^3/工	0.904	0.7	-0.204
半煤岩巷	m^3/工	0.885	0.96	0.075
煤　巷	m^3/工	1.703	0.93	-0.773

煤炭工业基建施工主要经济指标

	计算单位	2001 年	2002 年	2001 年比 2002 年增（+）、减（-）
一、工 程 量				
井　巷	m	352900	368300	15400
土建竣工	m^2	3354416	3449300	94884
二、施工产值	10^4 元	1037000	1088000	51000
三、劳动生产率				
全　员	元/（人·年）	53045	61885	8840
矿建工人	元/（人·年）	75914	95345	19431
土建工人	元/（人·年）	90772	108708	17936
安装工人	元/（人·年）	75209	97433	22224
四、实物效率				
井　巷	m/（人·年）	14.10	17.29	3.19
土建竣工	m^2/（人·年）	50.11	59.45	9.34
五、机械设备				
完 好 率	%			
利 用 率	%			
六、三类工程优良率				
矿　建	%	72	71	-1
土　建	%	39	69	30
安　装	%	64	67	3

注：全员劳动生产率按施工产值计算。

全国统配煤矿销售情况

单位：10^4t

	2001 年	2002 年	2002 年比 2001 年 增（＋）、减（－）
合　　计	69377	78307	＋8930
中央部	31424	36001	＋4577
省、市、自治区	29907	33628	＋3721
出　口	8046	8678	＋632
其　他			

全国能源生产、消费构成

	计算单位	2001 年	2002 年
一、能源生产构成			
标准煤国内生产总量以能源生产			
总量为 100	10^4t	100	100
煤　炭	%	68.6	70.7
石　油	%	19.4	17.2
天然气	%	3.3	3.2
水力发电	%	8.7	8.9
二、能源消费构成			
标准煤料国内消费总量以能源消费			
总量为 100	10^4t	100	100
煤　炭	%	65.3	66.1
石　油	%	24.3	23.4
天然气	%	2.7	2.7
水力发电	%	7.7	7.8

24 户特大型煤炭企业全部从业人员平均人数

单位：人

企　业　名　称	2001 年	2002 年	增减/%
全国合计	1219101	1219950	0.07
河北	140201	138078	－1.51
开滦（集团）有限责任公司	84588	82691	－2.24
峰峰矿务局	55613	55387	－0.41
山西	277576	271944	－2.03
大同煤矿集团有限责任公司	102434	94056	－8.18
西山煤矿总公司	65019	66201	1.82
晋城无烟煤集团有限公司	27067	27762	2.57
阳泉煤业（集团）有限责任公司	48325	48037	－0.60
平朔煤炭工业公司	7615	7950	4.40
山西省潞安矿业集团公司	27116	27938	3.03
内蒙古	9706	9799	0.96
神华集团准格尔能源有限责任公司	9706	9799	0.96
辽宁	110516	108804	－1.55
铁法煤业（集团）有限责任公司	39384	39372	－0.03
阜新矿务局	41816	39346	－5.91
抚顺矿业集团有限责任公司	29316	30086	2.63
黑龙江	197503	187091	－5.27
鹤岗矿业集团有限责任公司	55148	50490	－8.45
黑龙江省双鸭山矿业集团公司	41234	38850	－5.78
鸡西矿业（集团）有限责任公司	52059	50340	－3.30
七台河矿业精煤（集团）有限责任公司	49062	47411	－3.37
江苏	64153	61303	－4.44
徐州矿务集团有限公司	64153	61303	－4.44
安徽	173841	174103	0.15
淮南矿业（集团）有限责任公司	92011	88867	－3.42
淮北矿业（集团）有限责任公司	81830	85236	4.16
山东	72280	93755	29.71
兖矿集团有限公司	72280	93755	29.71
河南	129148	130175	0.80
平顶山煤业（集团）有限责任公司	86272	89995	4.32
义马煤业（集团）有限责任公司	42876	40180	－6.29
陕西	5339	5283	－1.05
神华神府东胜煤炭有限责任公司	5339	5283	－1.05
宁夏	38838	39615	2.00
宁夏煤业集团	38838	39615	2.00

24 户特大型企业原煤产量

单位：10^4t

地　　区	2001 年	2002 年	增减/%
全国合计	37584.91	43127.86	14.75
河北	3248.93	3374.14	3.85
开滦（集团）有限责任公司	2233.82	2318.21	3.78
峰峰矿务局	1015.11	1055.93	4.02
山西	11151.51	13094.31	17.42
大同煤矿集团有限责任公司	3502.30	4008.03	14.44
西山煤矿总公司	1912.93	2365.3	23.65
晋城无烟煤集团有限公司	1370.29	1484.33	8.32
阳泉煤业（集团）有限责任公司	1399.13	868.59	33.55
平朔煤炭工业公司	1707.36	1975.78	15.72
山西省潞安矿业集团公司	1259.50	1392.28	10.54
内蒙古	795.78	1140.68	43.34
神华集团准格尔能源有限责任公司	795.78	1140.68	43.34
辽宁	2958.91	3181.64	7.53
铁法煤业（集团）有限责任公司	1555.53	1679.02	7.94
阜新矿务局	825.50	924.78	12.03
抚顺矿业集团有限责任公司	577.88	577.84	－0.01
黑龙江	3947.62	4450.19	12.73
鹤岗矿业集团有限责任公司	1235.93	1402.48	13.48
黑龙江省双鸭山矿业集团公司	843.52	939.19	11.34
鸡西矿业（集团）有限责任公司	768.17	808.52	5.25
七台河矿业精煤（集团）有限责任公司	1100.00	1300	18.18
江苏	1372.15	1526.43	11.24
徐州矿务集团有限公司	1372.15	1526.43	11.24
安徽	3801.47	4360.34	14.70
淮南矿业（集团）有限责任公司	1800.35	2367.49	31.50
淮北矿业（集团）有限责任公司	2001.12	1992.85	－0.41
山东	3608.98	4072.3	12.84
兖矿集团有限公司	3608.98	4072.3	12.84
河南	2936.72	3445.09	17.31
平顶山煤业（集团）有限责任公司	2099.40	2369.00	12.84
义马煤业（集团）有限责任公司	837.32	1076.09	28.52
陕西	2479.60	3033.30	22.33
神华神府东胜煤炭有限责任公司	2479.60	3033.30	22.33
宁夏	1283.25	1449.44	12.95
宁夏煤业集团	1283.25	1449.44	12.95

2002年煤炭工业规模以上企业主要经济指标

指标名称	单位	2001年	2002年	增长率/%
一、生产销售总值				
工业总产值（当年价格）	亿元	1531.28	1981.16	29.38
工业销售产值（当年价格）	亿元	1522.59	1939.85	27.40
工业增加值（当年价格）	亿元	698.65	851.90	21.94
全部从业人员平均人数	万人	375.31	374.00	−0.35
二、主要财务指标				
应收账款净额	亿元	453.68	409.78	−9.68
流动资产平均余额	亿元	1449.97	1621.94	11.86
固定资产净值平均余额	亿元	2072.13	2355.35	13.67
资产合计	亿元	4274.69	4705.93	10.09
负债合计	亿元	2711.09	2739.17	1.04
所有者权益	亿元	1552.79	1966.77	26.66
产品销售收入	亿元	1503.15	1970.44	31.09
产品销售成本	亿元	1054.20	1365.34	29.51
产品销售费用	亿元	131.32	150.82	14.85
产品销售税金及附加	亿元	22.34	27.84	24.62
管理费用	亿元	246.11	309.08	25.59
利息支出	亿元	44.68	55.08	23.28
利润总额（补贴后）	亿元	41.83	85.04	103.30

煤炭工业重点煤矿企业年末职工人数及工资情况（2002年）

	期末职工人数/人		职工工资总额/万元	
	合计	在岗职工	合计	在岗职工
全国总计	2688441	2218055	2701673.2	2536166
北京市	23167	21751	42318	42169
天津市				
河北省	219492	181659	255583	238000
山西省	350805	318276	401839	384806
内蒙自治区	83271	56908	48737	42118
辽宁省	173395	143301	168399	159355
吉林省	89189	56575	49025	41845
黑龙江省	278002	200127	144788	128517
上海市				
江苏省	72479	60520	89166.6	81010.2
浙江省	9403	7775	11201	10358
安徽省	188824	163039	219389	211459
福建省				
江西省	64838	44655	62694.09	54114.42
山东省	326330	275781	425974.2	398554.4
河南省	288911	260727	270269.7	261793.1
湖北省				
湖南省	56852	36714	34653.86	30679.68

续表

	期末职工人数/人		职工工资总额/万元	
	合　计	在岗职工	合　计	在岗职工
广　东　省				
广西壮族自治区				
海　南　省				
四　川　省	49978	44782	42486.2	41010.7
重　庆　市	38923	31209	32443.67	29907.39
贵　州　省	59907	53350	56269	54375
云　南　省	10116	9424	7278.9	7075
西藏自治区				
陕　西　省	74745	58479	61598.8	57646
甘　肃　省	41049	38338	41409.87	40475.59
青　海　省				
宁夏回族自治区	42200	41186	51159.61	50940.04
新疆维吾尔自治区	22299	19494	29764.5	27144.8
中 煤 公 司	49649	43129	75584	70541
神 华 集 团	74617	50856	79641.23	72271.56

▲2002 年全国煤炭统计数据排行榜

煤炭销售量排序

省市名称	单位：10^4t
1. 山西省	14649.7
2. 内蒙古	9936.0
3. 山东省	8295.4
4. 河南省	5068.4
5. 安徽省	4757.9
6. 黑龙江	4296.6
7. 河北省	4018.8
8. 辽宁省	3760.1
9. 江苏省	2169.6
10. 陕西省	1974.0
11. 宁夏区	1561.5
12. 贵州省	1196.5
13. 甘肃省	910.7
14. 吉林省	891.7
15. 四川省	790.0
16. 新疆区	695.5
17. 重庆市	687.3
18. 北京市	639.9
19. 江西省	457.1
20. 湖南省	424.5
21. 云南省	183.0
重点煤矿	
合　计	67364.2

▲2002 年全国煤炭统计数据排行榜

煤炭日均装车排序

省市名称	单位：车
1. 山西省	6454
2. 内蒙古	4023
3. 山东省	2191
4. 河南省	1738
5. 安徽省	1680
6. 黑龙江	1647
7. 河北省	1102
8. 辽宁省	1102
9. 陕西省	755
10. 贵州省	513
11. 江苏省	500
12. 宁夏区	470
13. 吉林省	327
14. 重庆市	286
15. 四川省	263
16. 甘肃省	245
17. 北京市	229
18. 新疆区	166
19. 江西省	142
20. 湖南省	97
21. 云南省	70
重点煤矿	
合　计	24000

国有煤矿原煤生产能力（3万t以上）

单位：处—10^4t

	全　国	国有重点矿	地方国有矿			
			合　计	省营煤矿	专营煤矿	县营煤矿
总　计	2143—83499	570—60500	1573—22999	203—4960	384—6797	986—11242
北京市	6—610	6—610				
河北省	96—4479	34—3755	62—724		28—363	34—361
山西省	383—19113	68—12657	315—6456	2—139	46—1645	267—4672
内蒙古	99—3276	20—2451	79—825	7—54	16—294	56—477
辽宁省	78—4004	30—3620	48—384		22—202	26—182
吉林省	56—1153	19—787	37—366	6—57	19—213	12—96
黑龙江	98—4019	39—3366	59—653		43—563	16—90
江苏省	29—1266	12—965	17—301		12—250	5—51
浙江省	7—110	5—100	2—10			2—10
安徽省	44—5689	19—4040	25—1649	5—740	10—844	10—65
福建省	57—542		57—542	29—383		28—159
江西省	61—879	14—480	47—399	12—174	8—78	27—147
山东省	113—7075	41—5425	72—1650	7—328	13—266	52—1056
河南省	111—6704	50—5145	61—1559		21—685	40—874
湖北省	38—267		38—267	5—45	12—102	21—120
湖南省	135—1194	31—505	104—689	15—212	37—255	52—222
广东省	5—21		5—21			5—21
广　西	24—235		24—235	9—88	10—126	5—21
四川省	165—2389	22—1042	143—1347	5—142	45—505	93—700
重庆市	84—1248	21—894	63—354		6—57	57—297
贵州省	61—1905	21—1584	40—321	15—195	1—6	24—120
云南省	61—1275	7—163	54—1112	12—765	15—132	27—215
陕西省	110—2800	28—1882	82—918	2—63	5—31	75—824
甘肃省	57—2060	15—814	42—1246	14—997	3—48	25—201
青海省						
宁　夏	30—1338	11—1033	19—305	5—185		14—120
新　疆	91—1504	13—838	78—666	53—393	12—132	13—141
神　华	34—5463	34—5463				
中　煤	9—2381	9—2381				
伊　敏	1—500	1—500				

注：本表未包括北京市和青海省国有地方煤矿资料。

国有煤矿矿井（露天）基本情况

	煤种	瓦斯等级	开拓方式	矿井可采储量 /10⁴t	现生产水平可采储量 /10⁴t	投产日期 /年.月	核定能力 /处—10⁴t	设计能力 /处—10⁴t	本年实际产量 /10⁴t	备注
全国总计				7318620	4419005		2473—83499	2503—85552	98179.91	
其中：有能力的矿井				6698294	4034423		2143—83499	2132—84194	87047.90	
国有重点合计				5159341	3150301		576—60500	581—60797	71458.20	
其中：有能力的矿井				4712871	2856995		570—60500	570—59995	63753.23	
国有地方合计				2159279	1268704		1897—22999	1922—24755	26721.71	
其中：有能力的矿井				1985423	1177428		1573—22999	1562—24199	23294.67	
省营合计				395539	220278		213—4960	214—5043	5655.58	
其中：有能力的矿井				384692	217794		203—4960	198—4935	5234.78	
专营合计				408989	241294		525—6797	540—7341	7995.33	
其中：有能力的矿井				392494	232683		384—6797	384—7218	6763.00	
县营合计				1354751	807132		1159—11242	1168—12371	13070.80	
其中：有能力的矿井				1208237	726951		986—11242	980—12046	11296.89	
北京市				27137	14278		6—610	6—390	629.11	
其中：有能力矿井				26318	14103		6—610	6—390	629.11	
国有重点煤矿（小计）				27137	14278		6—610	6—390	629.11	
其中：有能力的矿井				26318	14103		6—610	6—390	629.11	
北京京煤集团公司	无烟煤	低		27137	14278		6—610	6—390	629.11	
其中：有能力矿井	无烟煤	低		26318	14103		6—610	6—390	629.11	
房山煤矿平硐	无烟煤	低	平硐	381	359	1950.01			30.02	11月底破产
长沟峪煤矿平硐	无烟煤	低	平硐	3173	2073	1960.03	1—70	1—30	127.70	
木城涧煤矿平硐	无烟煤	低	平硐	9669	4965	1951.01	1—180	1—90	201.18	
门头沟煤矿立井	无烟煤	低	立井	819	175					
大台煤矿立井	无烟煤	低	立井	4727	3031	1958.06	1—120	1—60	95.32	
王平村煤矿立井	无烟煤	低	立井	3183	1701	1958.06	1—80	1—105	0.00	
杨坨煤矿斜井	无烟煤	低	斜井	375	215	1970.12	1—20	1—30	0.00	
大安山煤矿平硐	无烟煤	低	平硐	4810	1759	1975.10	1—140	1—75	174.89	

续表

	煤种	瓦斯等级	开拓方式	矿井可采储量 /10^4t	现生产水平可采储量 /10^4t	投产日期 /年．月	核定能力 /处－10^4t	设计能力 /处－10^4t	本年实际产量 /10^4t	备注
河北省				251390	118712		96—4479	96—4412	5510.32	
其中：有能力的矿井				251390	118712		96—4479	96—4412	4953.96	
1. 国有重点煤矿（小计）				228563	107374		34—3755	34—3573	4779.82	
其中：有能力的矿井				228563	107374		34—3755	34—3573	4247.55	
开滦集团公司				157916	66545		10—1925	10—1880	2318.21	
其中：有能力的矿井				157916	66545		10—1925	10—1880	2318.21	
赵各庄矿	1/3 焦煤	突	斜井	3714	1176	1911.04	1—160	1—230	192.10	
林 西 矿	肥煤	低	斜井	2961	1205	1891.06	1—120	1—230	142.05	
钱家营矿	肥煤	低	斜井	62417	12454	1988.12	1—400	1—400	541.01	
唐 山 矿	1/3 焦煤	高	斜井	13625	10857	1879.06	1—300	1—210	376.11	
马家沟矿	肥煤	突	斜井	3750	1288	1957.12	1—65	1—90	82.60	
范各庄矿	肥煤	低	斜井	22264	16630	1964.10	1—320	1—180	410.02	
吕家坨矿	肥煤	低	斜井	21820	7287	1968.06	1—230	1—150	222.70	
荆各庄矿	气煤	低	斜井	4520	2927	1978.10	1—170	1—120	187.16	
林南仓矿	气煤	低	斜井	10996	7258	1985.11	1—60	1—120	65.60	
东欢坨矿	气煤	低	立井	11849	5463	2001.07	1—100	1—150	98.86	
峰峰矿务局				23049	17502		7—670	7—651	1055.93	
其中：有能力的矿井				23049	17502		7—670	7—651	762.91	
牛儿庄矿立井	瘦煤	高	立井	775	775	1960.06	1—65	1—60	79.50	
小屯矿斜井	贫煤	高	斜井	1128	1128	1963.11	1—60	1—21	85.57	
羊渠河矿立井	瘦煤	高	立井	1841	1470	1959.04	1—100	1—135	121.27	
薛村矿立井	贫煤	高	立井	2944	2944	1959.11	1—130	1—90	146.20	
万年矿斜井	无烟	高	斜井	6799	6799	1977.10	1—150	1—180	114.02	
九龙口立井	焦煤	高	斜井	7669	3099	1991.04	1—120	1—120	143.54	
新三矿立井	肥煤	低	立井	1893	1287	1995.11	1—45	1—45	72.81	
局属小井	炼焦煤								293.02	

续表

	煤种	瓦斯等级	开拓方式	矿井可采储量 /10^4t	现生产水平可采储量 /10^4t	投产日期 /年.月	核定能力 /处—10^4t	设计能力 /处—10^4t	本年实际产量 /10^4t	备注
井径矿务局				5136	717		2—70	2—90	73.74	
其中：有能力的矿井				5136	717		2—70	2—90	54.02	
临城立井	气肥	高	立井	5100	681	1989.12	1—30	1—30	22.02	
三矿一号立井	焦煤	低	立井	36	36	1923.01	1—40	1—60	32.00	
局属小井									19.72	
兴隆矿务局				354	308		2—54	2—57	47.18	
其中：有能力的矿井				354	308		2—54	2—57	47.18	
汪庄矿立井	肥煤	高	立井	266	220	1958.03	1—45	1—45	36.09	
营子矿一斜井	肥煤	高	斜井	88	88	1958.03	1—9	1—12	11.09	
局属小井									0.00	
邢台矿业集团公司				31726	13972		7—685	7—565	744.61	
其中：有能力的矿井				31726	13972		7—685	7—565	744.61	
邢台矿立井	1/3焦煤	低	立井	3378	3378	1968.01	1—140	1—90	157.65	
东庞矿	1/3焦、气煤	低	立井	16313	4550		2—300	2—240	319.08	
葛泉矿立井	1/3焦煤	低	立井	891	713	1989.01	1—60	1—60	75.49	
章村矿				4622	2049		2—55	2—85	70.16	
显德汪矿井	无烟煤	低	立井	6522	3282	1982.11	1—30	1—90	122.23	
邯郸矿务局				10259	8207		5—330	5—315	331.28	
康城矿一坑	无烟煤	低	斜井	54	54	1958.06	1—50	1—30	35.52	
郭二庄矿斜井	无烟	低	斜井	2270	2270	1960.07	1—100	1—105	50.01	
云驾岭立井	无烟煤	低	斜井	3352	1394	1992.12	1—60	1—60	80.55	
陶一矿斜井	无烟	高	斜井	990	896	1976.10	1—30	1—30	55.20	
陶二矿立井	无烟	高	立井	3593	3593	1982.05	1—90	1—90	73.02	
盛源集团公司									79.20	
八宝山煤矿	弱粘煤	高	斜井	123	123	1964.12	1—20	1—15	26.32	
蔚州矿业集团										
蔚州矿业集团在建井	长焰煤								102.58	

续表

	煤种	瓦斯等级	开拓方式	矿井可采储量 /10^4t	现生产水平可采储量 /10^4t	投产日期 /年.月	核定能力 /处－10^4t	设计能力 /处－10^4t	本年实际产量 /10^4t	备注
2. 专营煤矿（小计）				12022	6850		28—363	28—437	358.70	
邯郸市沙果园煤矿	烟煤	低	斜井	50	50	1978.01	1—15	1—10		
邢台市				1453	1453		2—45	2—45	93.70	
伍仲煤矿	1/3 焦煤	低	立井	848	848	1973.11	1—15	1—15	4.70	
西庞煤矿	气肥煤	低	立井	605	605	1999.04	1—30	1—30	89.00	
保定市				962	429		3—21	3—39	21.16	
灵山煤矿				945	420		2—15	2—24	17.56	
涞水煤矿	无烟煤	低	斜井	17	9	1958.10	1—6	1—15	3.60	
张家口市				3410	3111		11—144	11—163	167.81	
老虎头煤矿	不粘煤、长焰煤、无烟煤、弱粘煤		斜井、立井	2917	2917		6—108	6—108	136.55	
涿鹿煤矿	长焰煤	低、高	斜井	216	145		3—24	3—40	19.24	
尚义煤矿	贫煤、弱粘煤	高、低	斜井	277	49		2—12	2—15	12.02	
承德市				1249	1249		3—51	3—66	25.80	
涝洼滩煤矿	肥煤	高	平硐	680	680	1962.02	1—21	1—30	14.40	
平安堡矿	气肥煤	低	斜井	457	457	1958.05	1—15	1—15	6.80	
暖儿河煤矿	焦煤	高	平硐	112	112	1987.05	1—15	1—21	4.60	
唐山市				4898	558		3—30	3—30	50.23	
鑫汇矿井	弱粘煤	低	斜井	122	122	1992.06	1—6	1—6		
毕各庄矿井	烟煤	低	斜井	4710	370	1993.04	1—21	1—21	50.23	
卫国矿井	烟煤	低	斜井	66	66	1970.08	1—3	1—3		
秦皇岛市							5—57	5—84		
柳江煤矿	无烟煤	低、高	斜井				5—57	5—84		

续表

	煤　种	瓦斯等级	开拓方式	矿井可采储量/10^4t	现生产水平可采储量/10^4t	投产日期/年．月	核定能力/处—10^4t	设计能力/处—10^4t	本年实际产量/10^4t	备　注
3. 县营煤矿（小计）				10805	4488		34—361	34—402	371.76	
其中：有能力的矿井				10805	4488		34—361	34—402	347.71	
邯郸市				5479	2235		8—151	8—192	166.05	
申家庄煤矿	焦煤	高	斜井	793	609	1980.01	1—25	1—21	58.71	
焦窑煤矿	无烟煤	低	斜井	516	516	1970.08	1—30	1—30	13.56	
成安煤矿	无烟煤	低	斜井	20	20	1971.09	1—12	1—21		
临漳煤矿	无烟煤	高	斜井	1436	161	1970.10	1—21	1—30		
鸡泽煤矿	无烟煤	高	斜井	54	54	1971.02	1—6	1—9		
周庄煤矿	无烟煤	低	斜井	1273	181	1987.07	1—15	1—21	2.51	
观台煤矿	焦煤	高	斜井	1158	503	1977.01	1—21	1—30	63.83	
姬庄煤矿	无烟煤	高	斜井	229	191	1972.02	1—21	1—30	27.44	
邢台市				1458	280		5—51	5—51	59.25	
岗头煤矿	烟煤、气煤	低、高	立井	1047	31	1995.09	1—15	1—15	10.70	
三王村煤矿	无烟煤	低	斜井	90	50	1975.12	1—15	1—15	10.40	
十里亭煤矿	无烟煤	低	立井	169	60	1970.06	1—6	1—6	3.70	
任县煤矿	气煤	低	斜井	74	74	1984.01	1—6	1—6	3.20	
许庄煤矿	无烟煤	低	斜井	78	65	1984.12	1—9	1—9	7.20	
亦城煤矿	气煤	低	斜井			1999.08			24.05	
石家庄市				110	70		2—6	2—9	30.41	
红星煤矿	焦煤	低	斜井	80	60	1997.07	1—3	1—6	22.20	
北沟煤矿	焦煤	低	斜井	30	10	1996.07	1—3	1—3	8.25	
张家口市				1119	698		5—81	5—78	79.40	
兴隆山矿	弱粘煤	高	斜井	133	26	1975.06	1—6	1—3	9.92	
前 山 矿	弱粘煤	突	斜井	32	32	1982.04	1—6	1—6	6.96	
水西煤矿	长焰煤	低	斜井	56	564	1996.06	1—45	1—45	27.50	

续表

	煤　种	瓦斯等级	开拓方式	矿井可采储　量 /10^4t	现生产水平可采储量 /10^4t	投产日期 /年．月	核定能力 /处－10^4t	设计能力 /处－10^4t	本年实际产　量 /10^4t	备　注
孟家堡煤矿	不粘煤	低	斜井			1987.07			13.42	
康保煤矿	气煤、弱粘煤	低	斜井	390	76		2－24	2－24	21.60	
承德市				1333	989		3－18	3－18	33.50	
杨树岭煤矿	气煤	低	斜井	1080	750	1962.02	1－6	1－6	25.00	
松树台煤矿	气肥煤	低	斜井	234	234	1979.11	1－6	1－6	4.00	
塌山煤矿	气煤	低	平硐	19	5	1971.07	1－6	1－6	4.50	
唐山市				1233	198		8－42	8－42		
古冶煤矿	烟煤	低	立井	132	17	1999.02	1－6	1－6		
红星煤矿	弱粘煤	低	立井	135	27	1972.01	1－6	1－6		
永宏煤矿	弱粘煤	低	立井	80	17	1992.02	1－6	1－6		
西么煤矿	弱粘煤	低	立井			1970.10	1－6	1－9		
乐亭煤矿	弱粘煤	低	立井	667	46	1976.10	1－3	1－3		
增盛煤矿	烟煤	低	立井	19	19	1981.01	1－3	1－3		
滦县煤矿	弱粘煤	低	立井	178	54	1971.05	1－6	1－6		
印子沟矿	焦煤	低	立井	22	18	1975.05	1－6	1－3		
秦皇岛市				73	18		3－12	3－12	3.15	
莱庄煤矿	无烟煤	低	斜井			2000.01	1－6	1－6		
青龙县煤矿	无烟煤	低	斜井	73	18	1974.10	1－3	1－3	3.15	
唐苏煤矿	无烟煤	低	斜井			1978.12	1－3	1－3		
山西省				2803709	1673128		410－19113	416－21062	20179.33	
其中：有能力的矿井				2494341	1542369		383－19113	383－20168	18352.30	
1. 国有重点煤矿（小计）				1525345	976603		68－12657	71－13457	13639.92	
其中：有能力的矿井				1307725	884356		68－12657	68－12857	12160.31	
大同煤矿集团公司				176678	175048		14－3115	14－3120	3828.01	
其中：有能力的矿井				176678	175048		14－3115	14－3120	3086.93	
煤峪口矿	弱粘煤	低	斜井	8022	6949	1957.12	1－180	1－50	235.89	

续表

	煤种	瓦斯等级	开拓方式	矿井可采储量 /10^4t	现生产水平可采储量 /10^4t	投产日期 /年.月	核定能力 /处－10^4t	设计能力 /处－10^4t	本年实际产量 /10^4t	备注
同家梁矿	弱粘煤	低	立井	10288	10288	1968.07	1—250	1—120	312.29	
四老沟矿	弱粘煤	低	斜井	10777	10777	1960.12	1—220	1—300	233.33	
忻州窑矿	弱粘煤	高	立井	8168	8168	1957.01	1—180	1—150	203.12	
雁崖矿	弱粘煤	低	斜井	1181	1181	1962.07	1—100	1—90	155.60	
挖金湾矿	弱粘煤	低	斜井	432	432	1960.07	1—150	1—90		
晋华宫矿	弱粘煤	高		29394	28961		2—315	2—315	360.03	
马脊梁矿	弱粘煤	高	斜井	14075	13951	1955.12	1—190	1—180	331.52	
大斗沟矿	弱粘煤	低	平硐	3376	3376	1961.01	1—100	1—45	170.80	
王村矿	弱粘煤	低	斜井	864	864	1958.01	1—130	1—180		
云岗矿	弱粘煤	高	立井	33505	33505	1973.08	1—400	1—600	368.34	
燕子山矿	弱粘煤	高	斜井	23149	23149	1988.12	1—400	1—400	360.27	
四台沟矿	弱粘煤	高	斜井	33447	33447	1991.12	1—500	1—500	355.74	
局属其他									741.08	
阳泉煤业集团公司				221252	138265		10—1370	10—1510	1868.59	
其中：有能力的矿井				153490	130204		10—1370	10—1510	1568.00	
一矿	无烟煤	高	平硐、斜井	54832	54832		3—350	3—240	473.87	
二矿	无烟煤	高	斜井	47766	47766	1965.11	1—400	1—45	406.56	
三矿	无烟煤	高	斜井、立井	12874	12874		3—300	3—255	355.46	
四矿	无烟煤	高	斜井	73	73	1958.12	1—110	1—90	79.01	
五矿（贵石沟）	无烟煤	高	斜井	37945	14659		2—210	2—490	253.10	
局属其他	贫煤	低	斜井	67762	8061				300.59	
西山煤电集团公司				398646	261782		10—2510	10—2580	2365.29	
其中：有能力的矿井				398646	261782		10—2510	10—2580	2365.29	
白家庄矿	贫瘦煤	低	斜井	4041	4041		2—60	2—90	71.93	
杜儿坪矿	瘦、贫瘦煤	高	平硐	54753	54753	1955.04	1—300	1—300	361.05	
西铭矿	瘦煤	高	平硐	22032	4213	1956.09	1—300	1—240	329.17	

续表

	煤种	瓦斯等级	开拓方式	矿井可采储量 /10^4t	现生产水平可采储量 /10^4t	投产日期 /年.月	核定能力 /处−10^4t	设计能力 /处−10^4t	本年实际产量 /10^4t	备注
官地矿	贫瘦煤	高	平硐	74248	11373	1960.03	1—300	1—300	337.66	
西曲矿	焦煤	低	平硐	29598	22717	1984.12	1—300	1—300	285.17	
镇城底矿	焦煤	低	斜井	15473	15473	1986.11	1—150	1—150	155.02	
马兰矿	肥煤	低	斜井	82085	82085	1990.06	1—300	1—400	343.89	
东曲矿	焦煤	低	斜井	53638	27109	1991.10	1—400	1—400	195.01	
屯兰矿	焦煤	高	斜井	62778	40018	1997.10	1—400	1—400	286.39	
汾西矿业集团公司				174537	80938		5—715	7—891	759.73	
其中:有能力的矿井				152679	64052		5—715	5—591	483.23	
南关矿									7.43	
张家庄矿									7.55	
两渡矿	焦煤	低	立、斜井	4104	1460		2—55	2—51	54.56	
柳湾矿	肥煤	低	斜井	98079	41315	1962.12	1—180	1—120	157.43	
水峪矿	肥煤	低	斜井	41152	17820	1966.01	1—300	1—300	135.44	
高阳矿	焦煤	低	立井	9344	3457	1973.05	1—180	1—120	135.80	
双柳矿	肥煤	高	斜井	11997	8998	2001.06		1—150	95.31	
贺西矿	焦煤	高	斜井	9861	7888	2000.12		1—150	116.59	
局属其他									49.62	
潞安矿业集团公司				113163	66267		5—1270	5—1120	1392.28	
其中:有能力的矿井				113163	66267		5—1270	5—1120	1392.28	
石圪节矿	瘦煤	低	斜井	145	145	1930.11	1—80	1—60	94.17	
王庄矿	贫瘦煤	低	立井	31807	11653	1958.08	1—420	1—360	482.20	
五阳矿	瘦煤	低	立井	13548	13548	1948.03	1—13	1—150	171.65	
漳村矿	贫瘦煤	低	斜井	8057	2364	1960.01	1—240	1—150	257.60	
常村矿	贫煤	高	立井	59606	38557	1995.09	1—400	1—400	386.66	
轩新煤业有限公司				202	202		4—276	4—306	180.02	
其中:有能力的矿井				202	202		4—276	4—306	122.83	

续表

	煤　种	瓦斯等级	开拓方式	矿井可采储量/10^4t	现生产水平可采储量/10^4t	投产日期/年.月	核定能力/处－10^4t	设计能力/处－10^4t	本年实际产量/10^4t	备　注
黄甲堡矿	1/3焦煤	高	平硐			1956.06				
六亩地矿	1/3焦煤	低	斜井	202	202	1993.12	1－21	1－21	21.01	
焦家寨矿	1/3焦煤	高	立井			1996.10	1－90	1－150	31.81	
刘家梁矿	1/3焦煤	高	立井			1983.12	1－120	1－90	35.06	
局属其他									57.19	
梨园河矿	1/3焦煤	低	平硐			2002.06	1－45	1－45	34.95	
晋城无烟煤集团公司				132168	69626		5－1710	5－1710	1484.33	
其中:有能力的矿井				132168	69626		5－1710	5－1710	1471.42	
古书院矿	无烟煤	低	斜井	6980	2883	1960.12	1－300	1－300	360.07	
王台铺矿	无烟煤	低	斜井	4802	1010	1964.08	1－210	1－210	140.09	
凤凰山矿	无烟煤	低	斜井	9481	4368	1970.01	1－400	1－400	336.52	
成庄矿	无烟煤	低	斜井	65887	35634	1997.09	1－400	1－400	435.11	
金驹集团	无烟煤	低							12.91	
华晋焦煤集团公司沙曲矿	焦煤	高	立井	128000	67300			1－300	91.34	
霍州煤电集团公司				97793	66875		7－660	7－870	803.16	
辛置矿	肥煤	高	平硐	11017	7517	1962.11	1－150	1－150	236.16	
煤化公司	肥煤	低	斜井	4526	4526	1970.07	1－90	1－90	80.00	
李雅庄矿	肥煤	高	斜井	12026	5589	1997.12	1－150	1－150	81.00	
团柏矿	焦煤	低	斜井	20331	20331	1980.12	1－75	1－90	87.00	
白龙矿	焦煤	低	平硐	14692	3539	1988.12	1－120	1－120	93.00	
洪焦公司	肥煤、焦煤	低	平硐	35201	25373		2－75	2－270	226.00	
东山煤矿	贫瘦煤	低	斜井	7817	4946		2－141	2－150	144.52	
王坪煤矿	气煤	低	平硐	19605	10902	1988.10	1－180	1－180	93.60	
小峪矿	气煤	低	斜井	33760	13175	1996.07	1－120	1－120	102.17	
荫营矿	无烟煤	高	斜井	12170	11896	1952.09	1－240	1－240	197.69	
固庄矿	无烟煤	高	平硐	1167	994	1970.09	1－150	1－150	114.17	

续表

	煤　种	瓦斯等级	开拓方式	矿井可采储　量 /10⁴t	现生产水平可采储量 /10⁴t	投产日期 /年．月	核定能力 /处－10⁴t	设计能力 /处－10⁴t	本年实际产　量 /10⁴t	备　注
南 庄 矿	无烟煤	高	斜井	3064	3064	1956.12	1—90	1—90	119.19	
西 峪 矿	贫瘦煤	高	平硐	5323	5323	1951.02	1—110	1—120	95.83	
寺 河 矿	无烟煤	低	斜井	45018	25731	2002.11	1—400	1—400	199.63	
2. 省营煤矿（小计）				12548	7420		2—139	2—151	103.77	
晋普山矿	无烟煤	突出	平硐	10318	6427	1975.07	1—130	1—130	91.30	
王 庄 矿	肥煤	低	斜井	2230	993	1988.01	1—9	1—21	12.47	
3. 专营煤矿（小计）				202996	96806		46—1645	47—1799	1660.45	
其中：有能力的矿井				198793	92603		46—1645	46—1769	1636.75	
太原市				5996	4000		2—18	2—30	17.34	
南峪煤矿	无烟煤、贫煤	高	斜井	5996	4000		2—18	2—30	17.34	
大同市				24158	17518		10—503	11—565	542.02	
姜家湾矿	弱粘煤	低	斜井	3107	654	1964.04	1—90	1—90	105.50	
青磁窑矿	弱粘煤	高	立井	4186	1698	1963.01	1—120	1—120	113.00	
杏儿沟矿	弱粘煤	低	斜井			1979.11	2—95	2—100	125.52	
吴官屯矿	弱粘煤	低	斜井	2238	730	1997.12	1—60	1—60	62.10	
焦 煤 矿	气煤	低	平硐	9836	9836	1979.09	1—45	1—45	30.50	
黑流水矿	弱粘煤	低	斜井	545	367	1969.09	1—9	1—9	3.00	
马 口 矿	弱粘煤	低	斜井			1988.10	2—78	2—105	76.70	
东周窑矿	弱粘煤	低	斜井	4203	4203			1—30	23.70	
乔村劳教所煤矿	弱粘煤	低	斜井	43	30	1974.06	1—6	1—6	2.00	
阳泉市				27576	9996		5—170	5—176	197.17	
燕龛集团公司	无烟煤、贫煤	高	斜井	9024	3131		2—65	2—65	90.09	
大阳泉矿	无烟煤	低	斜井	6253	6253	1993.01	1—60	1—60	55.02	
上 社 矿	贫煤	高	斜井	8908	292	1997.07	1—30	1—30	37.86	
上社二景煤炭公司	贫煤	高	斜井	3391	320	1999.11	1—15	1—21	14.20	

续表

	煤种	瓦斯等级	开拓方式	矿井可采储量/10^4t	现生产水平可采储量/10^4t	投产日期/年.月	核定能力/处—10^4t	设计能力/处—10^4t	本年实际产量/10^4t	备注
长治市				29457	14888		3—116	3—120	190.58	
慈林山矿	无烟煤	低	立井	4425	101	1995.12	1—50	1—45	64.07	
西旺矿	贫煤	低	斜井	50	40	1984.06	1—6	1—45	0.97	
三元公司	瘦煤	低	立井	24982	14747	1997.12	1—60	1—60	125.54	
晋城市				66617	21741		8—420	8—420	393.50	
北岩矿	无烟煤	低	斜井	2432	691	1961.07	1—60	1—60	30.86	
莒山矿	无烟煤	低	斜井	3787	20	1959.11	1—60	1—60	44.70	
望云矿	无烟煤	低	斜井	5890	2704	1962.08	1—60	1—60	62.48	
伯方矿	无烟煤	低	斜井	19159	925	1980.06	1—90	1—90	88.68	
大阳矿	无烟煤	低	斜井	22318	8181	1974.10	1—60	1—60	98.96	
唐安矿	无烟煤	低	斜井	13031	9220	1952.05	1—30	1—30	67.82	
东峰矿	无烟煤	低	斜井			1999.11	1—30	1—30		
大宁矿	无烟煤	低	斜井			1999.11	1—30	1—30		
朔州市				9200	7429		5—72	5—63	59.76	
白土窑矿	气煤	低	斜井	3909	2861	1984.02	1—21	1—15	20.90	
下梨园矿	气煤	低	斜井	2480	2480	1988.12	1—15	1—9		
大东沟矿	气煤	低	斜井	1492	769	1986.10	1—15	1—15	36.66	
天峰矿	气煤	低	斜井	609	609	1981.01	1—12	1—9	2.20	
芦北矿	气煤	低	斜井	710	710	1971.07	1—9	1—15		
忻州市				8803	6351		5—121	5—129	70.60	
阳方口矿				7612	5171		3—106	3—105	64.40	
暖水湾坑	气煤	低	斜井	14	14	1956.08	1—45	1—45	19.20	
程家沟坑	气煤	低	斜井	3957	3957	1980.12	1—40	1—30	31.20	
石湖坑	气煤	低	斜井	3641	1200	1968.08	1—21	1—30	14.00	
石门矿				1191	1180		2—15	2—24	6.20	
石门矿井	气肥煤	低	斜井	88	79	1983.10	1—9	1—9	5.00	

续表

	煤种	瓦斯等级	开拓方式	矿井可采储量 /10^4t	现生产水平可采储量 /10^4t	投产日期 /年.月	核定能力 /处－10^4t	设计能力 /处－10^4t	本年实际产量 /10^4t	备注
榆树底坑	气煤	低	斜井	1103	1101	1999.05	1—6	1—15	1.20	
吕梁区				20467	5286		4—171	4—201	123.67	
兑镇矿	焦煤	低	斜井	9400	3662	1988.11	1—90	1—120	84.26	
朱家店矿	焦煤	高	斜井	10755	1358	2000.11	1—45	1—45	9.41	
朱家店二坑	焦煤	高	立井	144	98	2000.01	1—21	1—21	18.00	
新民二矿	肥煤	低	立井	168	168	2001.09	1—15	1—15	12.00	
临汾市				2980	1855		2—30	2—56	45.85	
什林矿	肥煤	低	平硐	2900	1780	1958.03	1—21	1—35	8.85	
西郭矿	焦煤	高	斜井	80	75	1974.12	1—9	1—21	37.00	
运城市				7742	7742		2—24	2—39	19.96	
杜家沟矿	瘦煤	低	平硐	634	634	1983.12	1—15	1—30	16.54	
船窝矿	瘦煤	低	斜井	7108	7108	1996.06	1—9	1—9	3.42	
4. 县营煤矿（小计）				1062820	592299		294—4672	296—5655	4775.19	
其中：有能力的矿井				975275	557990		267—4672	267—5391	4451.47	
太原市				52959	17279		28—312	28—348	174.02	
平口矿	无烟煤	高	斜井	3450	2710	1959.03	1—15	1—15	2.90	
东于矿	贫煤	高	斜井	8640	1460	1975.10	1—6	1—30	8.92	
桑树洼矿	瘦煤	高	斜井	2830	280	1958.02	1—6	1—21	1.83	
矾石沟矿	瘦煤	低	平硐	2028	2028	1984.10	1—45	1—45	30.79	
石千峰矿	瘦煤	低	斜井	6802	2860	1995.12	1—30	1—15	35.30	
平口二坑	贫煤	高	斜井	1505	185	1994.11	1—9	1—3	2.50	
大川河矿	焦煤	高	斜井	861	861	1992.12	1—6	1—15	20.70	
贯中矿	贫煤	高	斜井	3190	580	1989.07	1—12	1—9		
源盛矿	贫煤	高	斜井			1994.05			1.48	
同亿矿	贫煤	高	斜井	680	350	1988.07	1—15	1—6	0.52	
桃园矿	贫瘦煤	低	斜井	380	380	1996.05	1—15	1—15	0.50	
白家沟矿	焦煤	低	斜井	1145	250	1997.12	1—21	1—21	8.12	

续表

	煤　种	瓦斯等级	开拓方式	矿井可采储量 /10^4t	现生产水平可采储量 /10^4t	投产日期 /年.月	核定能力 /处－10^4t	设计能力 /处－10^4t	本年实际产量 /10^4t	备　注
马家岩矿	气肥煤	低	斜井	10181	10	1985.11	1—9	1—21	6.00	
焦炭厂	贫煤	低	平硐	1500	3	1980.05	1—3	1—3	5.77	
西庄矿	焦煤	低	斜井	363	286	1972.05	1—6	1—9	4.68	
四达沟矿	贫煤	低	斜井	130	15	1991.06	1—6	1—6	2.34	
中梁沟矿	贫瘦煤	低	斜井			1992.10	1—6	1—6		
黄冶矿	贫煤	低	斜井	850	220	1988.06	1—6	1—9	3.50	
南凹矿	贫煤	低	斜井	37	7	1980.06	1—6	1—3	1.59	
屯川矿	焦煤	低	斜井	3267	561	1997.10	1—15	1—15	12.01	
黑山岔矿	气肥煤	低	斜井	800	800	1999.01	1—15	1—15	11.90	
九院沟矿	贫煤	低	斜井	225	21	1990.03	1—6	1—6	6.12	
赛庄矿	贫煤	低	斜井	61	8	1988.07	1—6	1—6	2.95	
五龙矿	贫煤	低	斜井	1380	1380	1999.03	1—21	1—21	3.60	
风峪矿	贫煤	低	斜井	400	400	1988.10	1—6	1—3		
蚕石矿	贫煤	高	斜井	570	280	2000.05	1—6	1—3		
桃坪矿	贫煤	高	斜井	650	310	1998.06	1—6	1—6		
石青洼矿	贫煤	低	斜井	265	265	1989.01	1—6	1—15		
寨沟矿	贫煤	低	斜井	769	769	1988.01	1—3	1—6		
大同市				59640	21723		40—654	42—709	617.63	
张家湾矿	弱粘煤	低	斜井	759	759	1992.11	1—30	1—30	20.80	
上深涧矿	弱粘煤	低	斜井	2173	549	1983.01	1—35	1—45	40.50	
狼儿沟矿	弱粘煤	低	斜井	325	260	1984.08	1—3	1—3	5.77	
常圈沟矿	弱粘煤	低	斜井	472	342	1990.02	1—21	1—21	26.11	
达子沟矿	弱粘煤	低	斜井	181	181	1984.09	1—21	1—21	34.15	
鹊儿山矿	弱粘煤	低	斜井	5160	2600	1989.11	1—90	1—90	85.02	
店湾矿	弱粘煤	低	立井	6880	300	1974.10	1—30	1—30	38.35	

续表

	煤种	瓦斯等级	开拓方式	矿井可采储量/10^4t	现生产水平可采储量/10^4t	投产日期/年.月	核定能力/处—10^4t	设计能力/处—10^4t	本年实际产量/10^4t	备注
黄土坡矿	弱粘煤	低	斜井	2306	1771	1992.11	1—30	1—30	4.90	
乔家湾矿	无烟煤	低	斜井	800	800		2—12	2—12	6.77	
果子园矿	长焰煤	低	斜井	242	242		2—12	2—12	4.45	
岭底矿	长焰煤	低	斜井	230	230	1971.01	1—3	1—3		
罗疃矿	长焰煤	低	斜井	146	310	1995.12	1—12	1—12	18.01	
板塔寺矿	长焰煤	低	平硐	468	365	1960.07	1—6	1—6	6.70	
南郊胡家湾矿	弱粘煤	低	斜井	61	61	1972.08	1—3	1—3	3.68	
银厂矿	长焰煤	高	斜井	40	40	1989.03	1—3	1—3	3.00	
蔡家口矿	弱粘煤	低	斜井	46	46	1974.11	1—3	1—3	0.50	
红星矿	弱粘煤	低	斜井	54	54	1988.01	1—9	1—9	3.35	
荣华矿	弱粘煤	低	斜井	127	127	1985.04	1—12	1—12	3.00	
云兴矿	弱粘煤	低	斜井	50	12	1987.01	1—15	1—15	15.00	
兴旺矿	弱粘煤	低	斜井	300	300	1986.06	1—12	1—12	15.00	
五九矿	弱粘煤	低	斜井	66	66	1981.11	1—12	1—12	39.50	
东坡矿	弱粘煤	低	斜井	8	8	1994.03	1—6	1—6	5.10	
张旺庄矿	弱粘煤	高	斜井	468	116	1989.07	1—25	1—25	33.60	
窑沟矿	弱粘煤	低	斜井	97	45	1988.10	1—9	1—9	5.66	
矿区胡家湾矿	弱粘煤	低	斜井	102	102	1989.12	1—3	1—3	1.50	
红沟梁矿	弱粘煤	低	斜井	1080	1080	1990.07	1—15	1—15	13.00	
庙梁矿	弱粘煤	低	斜井	260	260	1988.12	1—12	1—12	3.00	
小西沟矿	弱粘煤	低	斜井	488	488	1987.10	1—12	1—12	6.80	
胡泉沟矿	弱粘煤	低	斜井	280	280	1988.10	1—9	1—9	4.86	
高胜矿	弱粘煤	低	斜井	290	290	1970.05	1—9	1—9	3.20	
通胜矿	弱粘煤	低	斜井	250	190	1986.09	1—15	1—15	6.90	
东条涧矿	弱粘煤	低	斜井	75	60	1989.11	1—9	1—9		
大地沟矿	弱粘煤	低	斜井	41	32	1990.11	1—9	1—9	3.68	

续表

	煤种	瓦斯等级	开拓方式	矿井可采储量/10^4t	现生产水平可采储量/10^4t	投产日期/年.月	核定能力/处—10^4t	设计能力/处—10^4t	本年实际产量/10^4t	备注
甘庄矿	弱粘煤	低	斜井	5086	1620	1984.12	1—75	1—75	80.10	
建新矿	弱粘煤	低	斜井	70	15	1986.10	1—12	1—12	5.87	
唐山沟矿	弱粘煤	低	斜井	7957	2520	1971.10	1—45	1—45	66.80	
峰子涧矿	弱粘煤	低	斜井	180	180		1—45	1—15		
簸箕掌矿	气煤	低	斜井	20000	3000			1—30	3.00	
抢风岭矿	长焰煤	低	斜井	2022	2022			1—15		
高峰矿	不粘煤	低	斜井			1981.10				
阳泉市				39840	27690		12—165	12—165	92.86	
平定矿	无烟煤	低	斜井	12000	8000		2—30	2—30	13.82	
同意矿	无烟煤	低	斜井	3350	1340	1947.01	1—21	1—21	14.72	
华兴矿	无烟煤	高	斜井	450	450	1988.05	1—15	1—15	11.07	
振兴矿			斜井				2—27	2—27		
东坪矿	瘦煤	低	斜井	5700	5700		2—27	2—27	32.10	
阳胜矿	无烟煤	高	斜井	15800	11000	1998.08	1—21	1—21	4.76	
卫东矿	无烟煤	低	斜井	2540	1200		3—24	3—24	16.39	
长治市				90406	55572		24—362	24—396	554.81	
大阳沟矿	贫煤	低	斜井	12	12	1994.05				
经坊矿	贫煤	低	斜井	25866	4626	1989.06	1—60	1—60	93.16	
王庄矿	贫煤	低	斜井	9893	5620	1964.04	1—15	1—30	57.15	
后河矿	贫煤	低	立井	435	425	1996.01	1—3	1—6	3.40	
鼎昌公司	瘦煤	低	立井	1200	1157		2—21	2—21	13.98	
凌志达公司	无烟煤	低	斜井	9532	9352	1980.05	1—30	1—30	51.55	
冯坡矿	贫煤	低	立井	1361	201	1964.10	1—3	1—3	1.14	
襄垣矿	贫煤	低	斜井	3168	2946	1947.06	1—35	1—45	101.18	

续表

	煤　种	瓦斯等级	开拓方式	矿井可采储　量/10^4t	现生产水平可采储量/10^4t	投产日期/年．月	核定能力/处－10^4t	设计能力/处－10^4t	本年实际产　量/10^4t	备　注
金星矿	瘦煤	低	立井	568	15	1987.08	1—9	1—9	3.50	
东庄矿	焦煤	高	斜井	676	80	1986.09	1—9	1—9	16.20	
留神峪矿	焦煤	高	斜井	1106	1092	1958.07	1—9	1—9	8.91	
黄土坡矿	瘦煤、焦煤	高	斜井	4166	4137		2—12	2—12	20.69	
牛南头矿	无烟煤	低	斜井	1101	1101	1998.12	1—6	1—9		
沁新矿	焦煤	高	斜井	2117	2037	2001.09	1—45	1—45	72.20	
马军峪矿	焦煤	高	斜井	16156	16121	1991.12	1—3	1—3	22.84	
王和矿	瘦煤	高	斜井	1442	1440	1983.12			0.76	
南村矿	焦煤	低	斜井	95	90	1992.03	1—6	1—9	2.10	
反坡矿	贫煤	低	斜井	597	590	1990.07	1—6	1—6	7.10	
郭庄矿	贫煤	高	立井	4615	4500	2000.10	1—60	1—60	48.76	
马堡矿	焦煤	高	斜井	6300	30	2001.12	1—30	1—30	30.19	
晋城市				83733	43595		25—774	25—774	734.25	
上孔矿	无烟煤	低	斜井	1026	45		2—33	2—33	5.43	
岳南矿	无烟煤	低	斜井	4925	1460	1987.12	1—30	1—30	74.62	
新庄矿	无烟煤	低	斜井	15213	8019	1986.07	1—45	1—45	49.87	
申家庄矿	无烟煤	低	平硐			1952.05	1—60	1—60	66.06	
祥和矿	无烟煤	低	斜井			1999.10				
赵庄矿	无烟煤	低	斜井	6144	2912	1983.03	1—60	1—60	54.75	
卧庄矿	无烟煤	低	斜井				2—30	2—30		
关岭山矿	无烟煤	低	斜井	836	836	1958.07	1—9	1—15	4.90	
永红矿	无烟煤	高	斜井	10161	7112	1979.01	1—60	1—45	107.51	
永安矿	无烟煤	高	斜井	4918	2554	1954.12	1—30	1—30	54.28	
中村矿	无烟煤	低	斜井	2878		1976.07	1—30	1—15	10.20	
三八矿	无烟煤	低	斜井	8142	2819	1987.12	1—30	1—30	24.76	
皇城矿	无烟煤	高	斜井	980	27	1990.06	1—30	1—30	25.52	

续表

	煤种	瓦斯等级	开拓方式	矿井可采储量/10^4t	现生产水平可采储量/10^4t	投产日期/年．月	核定能力/处－10^4t	设计能力/处－10^4t	本年实际产量/10^4t	备注
郊北矿	无烟煤	高	立井			1986.07	1—6	1—6		
候村矿	无烟煤	高	斜井	8744	6038	1996.12	1—60	1—60	76.37	
北关矿	无烟煤	低	斜井	1124	1124	1959.09	1—15	1—15	8.30	
西冯街矿	无烟煤	高	斜井	873	800	1995.10	1—15	1—15	16.47	
屯城矿	无烟煤	高	斜井	3319	1261	1995.12	1—45	1—45	30.60	
晋阳矿	无烟煤	低	斜井	0	0	1990.11	1—6	1—6		
竹林山矿	无烟煤	低	立井	8628	4473	1998.12	1—60	1—60	40.22	
王坡矿	无烟煤	低	斜井			1999.11	1—30	1—30		
义城矿	无烟煤	低	斜井	3400	1800	1995.12	1—21	1—45	18.90	
东上庄矿	无烟煤	低	立井	70	35	1990.03	1—9	1—9	21.99	
晶鑫矿	无烟煤	低	斜井	2352	2280	1992.10	1—60	1—60	43.50	
朔州市				230507	162645		34—694	34—957	721.72	
玉井矿	长焰煤	低	斜井	10200	3460	1982.05	1—15	1—30	25.00	
杨涧矿	气煤	低	斜井	13769	7650	1954.02	1—45	1—45	63.00	
峙峪矿	气煤	低	斜井	1743	1419	1958.06	1—12	1—30	12.40	
刘家口矿	气煤	低	斜井	1200	400	1983.10	1—15	1—15	2.10	
二铺一矿	气煤	低	斜井	4507	4045	1953.11	1—21	1—30	71.63	
二铺二矿	气煤	低	斜井	10523	9466	1984.05	1—45	1—45	28.30	
木瓜界矿	气煤	低	斜井	9748	9758	1958.02	1—35	1—45	66.57	
大兴矿	气煤	低	斜井	5236	4709	1980.11	1—15	1—15	21.00	
峙峰山矿	气煤	低	斜井	13370	12775	1951.10	1—60	1—30	61.80	
芦子沟矿	气煤	低	平硐	26020	24950	1963.10	1—70	1—150	61.75	
石井矿	气煤	低	斜井	1244	805	1986.09	1—30	1—21	30.06	
元堡子矿	气肥煤	低	斜井	2926	757	1958.10	1—15	1—21	24.50	
山阴南阳坡	长焰煤	低	斜井	4950	2200	1990.03	1—45	1—45	2.10	
增子坊矿	气肥煤	低	斜井	9774	6808	1993.05	1—6	1—21	0.45	

续表

	煤种	瓦斯等级	开拓方式	矿井可采储量/10^4t	现生产水平可采储量/10^4t	投产日期/年.月	核定能力/处－10^4t	设计能力/处－10^4t	本年实际产量/10^4t	备注
宝峰矿	长焰煤	低	斜井	2360	1800	1994.03	1—15	1—21	6.00	
高山矿	长焰煤	低	斜井	10580	2070	1991.08	1—15	1—15	8.00	
安平矿	长焰煤	低	斜井	12980	3140	1994.06	1—6	1—15	12.80	
昌平矿	长焰煤	低	斜井	8300	8240	1994.05	1—15	1—15	12.60	
东升矿	长焰煤	低	斜井	1100	350	1994.07	1—15	1—9	6.14	
虎龙沟矿	气煤	高	斜井	3573	3432	1997.01	1—40	1—45	35.17	
王卞庄矿	气煤	高	斜井	8235	8019	1991.03		1—30	28.32	
银洞山矿	气煤	低	斜井	800	600	1989.10		1—15	3.00	
芦家窑矿	气煤	低	斜井	1928	1732	1986.07		1—30	25.53	
韩佐沟矿	气煤	低	斜井	1214	1091	1984.10		1—15	10.00	
寺儿沟矿	气煤	低	斜井	7504	6730	1984.11		1—15	30.00	
周花板矿	气煤	低	斜井	566	536	1984.03		1—15	15.00	
芍药沟矿	长焰煤	低	斜井	13380	4750	1985.10		1—15	12.50	
腰寨矿	长焰煤	低	斜井	11400	3460	2001.09	1—45	1—45	5.00	
柴沟矿	气煤	高	斜井	6400	5975	1997.10	1—30	1—30		
砂石矿	气煤	低	斜井	10100	9495	1964.09	1—30	1—30	34.90	
右玉南阳坡	气肥煤	低	斜井	10560	10451	1998.11	1—15	1—15	2.70	
苑家沟矿	气肥煤	低	斜井	834	296	1989.05	1—15	1—15	3.40	
黄石湾矿	气煤	低	斜井	843	456	1992.05	1—9	1—9		
李大矿	气煤	低	斜井	2640	820	1983.09	1—15	1—15		
忻州市				149843	24298		30—620	30—944	407.89	
龙宫矿	1/3焦煤	低	平硐	2300	497	1991.01	1—30	1—30	8.10	
石豹沟矿	气肥煤	低	斜井、平硐	559	559		3—71	3—81	22.29	
栖凤矿	气肥煤	低	平硐	1791		1992.10	1—21	1—21	17.50	
西梁矿	气肥煤	低	斜井	1980		1977.06	1—9	1—21	3.04	
后洞矿	1/3焦煤	低	平硐	301	301	1977.01	1—9	1—9	5.56	

续表

	煤种	瓦斯等级	开拓方式	矿井可采储量/10^4t	现生产水平可采储量/10^4t	投产日期/年.月	核定能力/处—10^4t	设计能力/处—10^4t	本年实际产量/10^4t	备注
天和矿	气肥煤	低	平硐	302	120	1996.12	1—9	1—9	7.82	
西头矿	气肥煤	低	斜井	70	25	1972.01	1—6	1—6	1.50	
尧头矿	气肥煤	低	斜井	38	25	1971.10	1—3	1—3	0.80	
七厘洼矿	气肥煤	低	斜井	60		1996.04	1—9	1—30	10.03	
东汾矿	气肥煤	低	平硐	2637	1114	1995.12	1—21	1—21	11.68	
梁家碛矿	长焰煤	低	斜井	10070	2950	1987.07	1—9	1—15	4.62	
河曲磁窑沟矿	长焰煤	低	平硐	9876	1830	1987.07	1—9	1—15	20.00	
阳坡泉矿	长焰煤	低	平硐	5430	2930	1987.07	1—6	1—9	15.00	
火山矿	长焰煤	低	平硐	13250	7800	1987.05	1—12	1—21		
芦子沟矿	气煤	低	平硐	2310		1996.12	1—12	1—15	6.00	
桥头矿	气煤	低	斜井	69312		2000.07	1—300	1—500	179.00	
孙家沟矿	气煤	低	平硐	5246		1959.12	1—6	1—9	4.00	
偏关磁窑沟矿	气煤	低	斜井	6089	6089		2—21	2—21	4.50	
杜家村矿	气肥煤	低	斜井	4300		1959.03	1—6	1—9	6.20	
斗沟矿	气煤	低	斜井	2680	23	1980.05	1—12	1—21	13.90	
北窑沟矿	气煤	低	斜井	328	16	1986.01	1—9	1—9	15.50	
忻州市露天矿	气肥煤	低	露天	649		1993.12	1—15	1—21	12.75	
前村矿	气煤	低	斜井	1780	19	1986.10	1—6	1—9		
小斗沟矿	气肥煤	低	斜井	400		1994.01	1—6	1—6		
邢家沟矿	气肥煤	低	斜井	3170		1992.11	1—3	1—3	0.10	
陈半沟矿	气肥煤	高	斜井	1040		1999.01	1—	1—21	28.00	
扒楼沟矿	气肥煤	低	平硐	3875		1958.10	1—	1—9	10.00	
晋中市				216157	151951		38—494	38—657	539.06	
盘城岭矿	贫煤	高	斜井	2503	28	1986.09	1—	1—21	0.45	
永佛寺矿	焦煤	低	斜井	2700	1080	1986.07	1—15	1—21	19.08	
红旗公司	贫煤	低	斜井				1—	1—	7.00	

续表

	煤种	瓦斯等级	开拓方式	矿井可采储量/10^4t	现生产水平可采储量/10^4t	投产日期/年.月	核定能力/处－10^4t	设计能力/处－10^4t	本年实际产量/10^4t	备注
汪沟矿	瘦煤	低	斜井			1984.03	1—6	1—6		
松树坪矿	瘦煤	低	斜井	354	25		2—9	2—9	5.96	
温城矿	瘦煤	低	斜井	470	55		2—15	2—15	23.33	
石港矿	贫煤	高	斜井	3116	18	1975.05	1—9	1—21	18.57	
五里垢矿	瘦煤	低	斜井	8842	1340	2002.01	1—21	1—21	9.50	
李夫峪矿	无烟煤	低	斜井	1715	1715	1958.07	1—15	1—18	19.31	
黄岩汇矿	无烟煤	低	斜井	11454	11454	1956.07	1—12	1—15	19.17	
富东煤业公司	贫煤	高	斜井	2889	2889	1954.12	1—12	1—15	16.13	
段王矿	贫煤	高	斜井	17420	17420	1992.04	1—45	1—60	65.74	
亨元煤化公司	贫煤	高	斜井	74607	74607	1998.03	1—30	1—45	48.00	
长榆河矿	贫煤	低	斜井	1284	1284	1979.12	1—15	1—15	14.32	
杨桃岭矿	焦煤	低	斜井	245	245	1982.11	1—3	1—3	4.88	
富阳公司	贫煤	高	斜井	17876			1—	1—15	7.30	
南王中矿	焦煤	低	斜井				2—18	2—15	12.31	
兴安矿	贫煤	低	斜井	780	429	1987.11	1—12	1—9	7.20	
平遥一矿	焦煤	低	斜井	451	70	1960.08	1—8	1—15	21.82	
平遥二矿	焦煤	低	斜井	1016	502	1948.03	1—9	1—15	12.32	
北山矿	贫煤	低	斜井	3440	1141		2—30	2—30	27.70	
长沟矿	无烟煤	低	斜井	5265		1963.10	1—9	1—6	8.00	
金庄矿	焦煤	低	斜井	3939	3939	1985.01	1—6	1—30	6.80	
温家沟矿	焦煤	低	斜井	5521	1768	1968.12	1—15	1—15	24.50	
河西矿	焦煤	低	平硐	1500	650	1983.06	1—3	1—15	10.05	
隆华公司	贫煤	低	斜井	8600			2—15	2—21	25.00	
天池公司	贫煤	高	斜井	4875			2—15	2—15	18.50	
义棠矿	焦煤	低	斜井	23379	22342	1982.08	1—60	1—60	43.25	

续表

	煤种	瓦斯等级	开拓方式	矿井可采储量/10^4t	现生产水平可采储量/10^4t	投产日期/年.月	核定能力/处—10^4t	设计能力/处—10^4t	本年实际产量/10^4t	备注
灵石矿	瘦煤	低	平硐	2500	2500	1958.02	1—35	1—45	19.57	
夏门矿	肥煤	低	斜井	6422	6422	1984.10	1—6	1—30	10.70	
路家河矿	贫煤	高	斜井			1980.11	1—15	1—15		
丈八矿	瘦煤	低	斜井	2994	28	2000.07	1—21	1—21	12.60	
吕梁区				74929	49620		27—300	27—354	275.55	
火山矿（交城）	贫煤	高	平硐、斜井	9000	2300	1956.12	3—36	3—30	13.57	
靛头煤矿	焦煤	高	斜井	1235	1235	1967.11	3—9	3—15	0.60	
汾阳矿	焦煤	低	立井	6000	2832	1956.06	1—18	1—15	14.44	
七里滩矿	焦煤	高	立井	6020	3010	1960.05	1—12	1—21	2.22	
乔家沟矿	焦煤	低	立井	3850	1248	1960.09	1—6	1—6		
兴无矿	焦煤	高	斜井	6125	6125	1995.07	1—60	1—60	65.40	
裕民矿	肥煤	低	斜井	7840	7840	1953.10	1—9	1—9	7.18	
黄家沟矿	瘦煤	低	斜井	3824	3824	1967.07	1—9	1—9	12.00	
胜利矿	肥煤	低	斜井	482	482	1953.10	1—6	1—6	5.00	
庞庞塔矿	气肥煤	低	立井	4425	4425	1975.07	1—21	1—15	6.71	
梁家沟矿	肥煤	低	斜井	3370	971	1984.10	1—6	1—9	6.90	
高家垣矿	肥煤	低	斜井	430	430	1997.12	1—9	1—9	10.22	
裕丰矿	肥煤	低	立井	692	692	1954.10	1—3	1—3	0.94	
侯家岩矿	肥煤	低	斜井	3682	3682	1962.11	1—9	1—9	8.20	
车家庄矿	气煤	低	立井	1923	561	1987.10	1—12	1—9	5.10	
斜沟矿	肥煤	低	斜井	1800	1800	1969.10	1—12	1—6		
矾水沟矿	焦煤	高	立井	4094	440	1994.12	1—18	1—60	39.50	
柳林矿	焦煤	低	斜井	2220	2220	1984.10	1—15	1—15	37.70	
巨财塔矿	焦煤	低	斜井	230	230	1984.11	1—6	1—15	15.00	
大庄矿	肥煤	低	立井	1630	1630	1949.11	1—3	1—3	5.20	
新民矿	焦煤	低	立井	3851	1437	1999.09	1—21	1—21	13.21	

续表

	煤种	瓦斯等级	开拓方式	矿井可采储量/10^4t	现生产水平可采储量/10^4t	投产日期/年.月	核定能力/处－10^4t	设计能力/处－10^4t	本年实际产量/10^4t	备注
关家崖矿	气煤	低	斜井	1650	1650	1958.08	1—	1—9	3.74	
离石矿	焦煤	高	立井	556	556		1—	1—	2.72	
临汾市				60800	35230		30—258	30—290	560.86	
许村矿	肥煤	低	平硐	12965	8440	1981.12	1—15	1—30	20.00	
瓦窑圪塔矿	肥煤	低	立井	1035	875	1978.09	1—	1—	2.15	
加楼矿	肥煤	低	斜井	185	120	1982.05	1—	1—	2.60	
席家沟矿	肥煤	低	斜井	1300	810	1982.01	1—	1—	10.28	
宝丰矿	焦煤	低	平硐	570	340	1970.06	1—3	1—3	17.30	
古阳矿	焦煤	低	斜井	4760	2460	1970.10	1—3	1—3	14.70	
南湾矿	肥煤	低	平硐	555	380	1980.07	1—3	1—5	12.39	
碾子沟矿	肥煤	突出	平硐	345	160	1993.11	1—6	1—6	13.69	
毛则渠矿	焦煤	突出	斜井	1230	860	1950.01	2—30	2—30	90.09	
台头煤矿	焦煤	高	平硐	2550	1250	1951.03	3—51	3—60	100.00	
水地庄矿	无烟煤	低	立井	4530	90	1965.11	1—15	1—15	11.79	
申南凹矿	瘦煤	高	平硐	920	400	1959.04	1—15	1—30	45.10	
沙坪矿	瘦煤	高	斜井	2430	1220	1972.01	1—21	1—21	23.74	
大宁矿	焦煤	高	斜井	1860	970	1974.09	1—18	1—21	22.00	
张家沟矿	无烟煤	高	斜井	2390	1990	1986.12	1—6	1—6	4.05	
殿儿垣矿	贫煤	高	斜井	730	350	1967.09	1—9	1—9	17.08	
岭底矿	焦煤	低	斜井	540	370	1971.10	1—6	1—9	10.00	
牢寨矿	贫煤	低	斜井	7310	5270	1983.08	1—15	1—21	25.05	
豁口矿	肥煤	低	斜井	6940	4160	1970.01	1—30	1—9	35.20	
加盖矿	焦煤	高	斜井				1—	1—	22.30	
金沟矿	肥煤	低	斜井				1—	1—	5.30	
多沟矿	焦煤	低	斜井	2300	1190	1980.12	1—3	1—3	13.70	
黑龙关矿	肥煤	低	平硐	1200	685	1957.02	1—3	1—3	4.65	

	煤　种	瓦斯等级	开拓方式	矿井可采储量 /10^4t	现生产水平可采储量 /10^4t	投产日期 /年．月	核定能力 /处－10^4t	设计能力 /处－10^4t	本年实际产量 /10^4t	备　注
红光矿	肥煤	低	斜井	210	50	1992.08	1—3	1—3	8.60	
青洼矿	无烟煤	低	斜井	3945	2790	1970.01	1—3	1—3	6.10	
梨树园矿	1/3 焦煤	低	斜井				1—	1—	3.00	
赤峪矿	1/3 焦煤	低	斜井				1—	1—	20.00	
运城市				4006	2696		6—39	6—61	29.05	
杨洼矿	贫煤	低	斜井	422	338	1990.05	1—	1—9	1.80	
老窑头矿	瘦煤	低	斜井	50	15	1968.09	1—15	1—30	13.00	
窑头矿	焦煤	低	斜井			1960.11	1—9	1—4		
关窑矿	焦煤	低	斜井	270	210	1958.12	1—3	1—3	3.50	
薛虎沟矿	瘦煤	低	斜井	2064	1273	1991.01	1—9	1—6	4.84	
柏崖底矿	焦煤	高	斜井	1200	860	1970.12	1—3	1—9	5.91	
内蒙古				430758	333635		119—3276	119—3297	3939.67	
其中：有能力的矿井				293459	196336		99—3276	99—3297	2968.64	
1. 国有重点煤矿（小计）				410417	311282		20—2451	20—2472	2364.71	
其中：有能力的矿井				273118	173983		20—2451	20—2472	2123.22	
平庄煤业集团公司				76002	60525		8—487	8—485	802.31	
其中：有能力的矿井				36011	20534		8—487	8—485	560.82	
元宝山矿	褐煤	低	斜井	962	962	1959.12	1—30	1—45	28.17	
古山矿	长焰煤、褐煤	低	斜井	2074	2315		3—72	3—90	127.00	
红庙矿	褐煤	低	平硐、斜井	18839	3121		2—175	2—110	226.39	
平庄西露天矿	褐煤	低	露天	5109	5109	1965.12	1—120	1—150	100.75	
六家矿	褐煤	低	立井	9027	9027	2001.07	1—90	1—90	78.51	
平庄元宝山露天矿	褐煤	低	露天	38686	38686				166.53	
局属小井			立井	1305	1305				74.96	
局属集体小井			立井							
大雁煤业公司				25302	9000		3—295	3—285	265.30	
其中：有能力的矿井				25302	9000		3—295	3—285	265.30	

续表

	煤种	瓦斯等级	开拓方式	矿井可采储量/10^4t	现生产水平可采储量/10^4t	投产日期/年.月	核定能力/处—10^4t	设计能力/处—10^4t	本年实际产量/10^4t	备注
大雁一矿	褐煤	低	斜井	10063	2296		1—100	1—90	111.84	
大雁二矿	褐煤	低	斜井	14772	6257	1973.11	1—150	1—150	123.89	
三矿一斜井	褐煤	低	斜井	467	447	1986.01	1—45	1—45	29.57	
扎赉诺尔煤业公司				96403	29953		6—564	6—597	350.20	
其中：有能力的矿井				96403	29953		6—564	6—597	350.20	
西山矿	褐煤	低	斜井	1997	1880		1—21	1—21		
灵泉矿	褐煤	低	斜井	50242	7053	1991.12	1—180	1—180	97.23	
灵北矿	褐煤	低	斜井	3970	7377		2—63	2—66	58.33	
铁北矿	褐煤	低	斜井	32369	5818		1—150	1—150	73.78	
扎赉诺尔灵泉露天矿	褐煤	低	露天	7825	7825	1966.05	1—150	1—180	120.86	
宝日希勒煤业公司	褐煤	低		1028	122		2—105	2—105	210.00	
其中：有能力的矿井				1028	122		2—105	2—105	210.00	
宝日希勒一井	褐煤	低	斜井	1028	122		1—45	1—45	162.48	
宝日希勒露天矿	褐煤	低	露天			2001.03	1—60	1—60	47.52	
霍林河煤业集团公司				211682	211682		1—1000	1—1000	736.90	
其中：有能力的矿井				114374	114374		1—1000	1—1000	736.90	
霍林河南露天矿	褐煤	低	露天	114374	114374	1992.01	1—1000	1—1000	736.90	
霍林河珠斯花小露天	褐煤	低	露天	97308	97308					
2. 省营煤矿（小计）							7—54	7—54	22.21	
其中：有能力的矿井							7—54	7—54	22.21	
内蒙劳改局老窝铺煤矿	瘦煤	高	平硐、斜井				4—15	4—15		
李家塔煤矿井	不粘煤	低	斜井				1—30	1—30	14.00	

	煤种	瓦斯等级	开拓方式	矿井可采储量/10^4t	现生产水平可采储量/10^4t	投产日期/年.月	核定能力/处—10^4t	设计能力/处—10^4t	本年实际产量/10^4t	备注
大兴煤矿	长烟煤	低	斜井				2—9	2—9	8.21	
3. 专营煤矿（小计）				3602	3064		19—294	19—294	234.01	
其中：有能力的矿井				3602	3064		16—294	16—294	207.01	
包头市杨圪楞煤矿			斜井、平硐	1763	1225		2—27	2—27	19.81	
乌海市摩尔沟井			斜井	870	870	1979	1—6	1—6		
呼盟宝二井			斜井				1—15	1—15		
锡盟				59	59		2—45	2—45	73.70	
乌兰图嘎露天井	褐煤		露天	59	59	1980.01	1—30	1—30	56.20	
锡林浩特煤矿	长焰煤	低	斜井			1976	1—15	1—15	17.50	
伊盟				450	450		6—150	6—150	40.50	
唐公塔煤矿	长焰煤	低	斜井			1995	2—75	2—75	40.50	
那林庙煤矿	长焰煤	低	斜井			1956	3—45	3—45		
后补连煤矿井	不粘煤	低	露天	450	450	1992	1—30	1—30		
阿盟				460	460		7—51	7—51	100.00	
古拉本一矿井	无烟煤	高	斜井	370	370	1957	1—18	1—18	20.00	
别立贡煤矿井	无烟煤	高	斜井			1975	1—6	1—6	18.00	
古拉本二矿井	无烟煤	高	斜井			1993	1—21	1—21	25.00	
炭窑山二矿	无烟煤	高	斜井	90	90	1988	1—6	1—6	10.00	
其他国有地方煤矿	无烟煤	高					3—	3—	27.00	
4. 县营煤矿（小计）				16739	19289		73—477	73—477	1318.74	
其中：有能力的矿井				16739	19289		56—477	56—477	616.20	
呼和浩特市				1062	1062		3—12	3—12		
清水河煤矿	长焰煤	低	斜井	1062	1062	1985	2—6	2—6		
武川县露天井	褐煤	低	露天			1958	1—6	1—6		
包头市					2550		4—15	4—15	4.00	
包头郊区煤矿井	气煤	低	斜井		800	1976	1—3	1—3	1.00	

续表

	煤　种	瓦斯等级	开拓方式	矿井可采储　量/10^4t	现生产水平可采储量/10^4t	投产日期/年．月	核定能力/处－10^4t	设计能力/处－10^4t	本年实际产　量/10^4t	备　注
野马兔煤矿井	无烟煤	高	斜井		450	2002.08	1—3	1—3	1.00	
小东沟煤矿井	瘦煤	高	斜井		800	1992.04	1—6	1—6	2.00	
锐来窑煤矿	瘦煤	高	斜井		500	1995.08	1—3	1—3		
乌海市				315	315		8—42	8—42		
巴音赛沟井	焦煤	低	斜井	47	47	1971	1—3	1—3		
东山煤矿	焦煤	低	斜井			1981	1—6	1—6		
五一农场煤矿	焦煤	低	斜井				2—12	2—12		
开拓公司	焦煤	低	斜井	28	28	1987	1—3	1—3		
东风农场煤矿	焦煤	低	斜井			1970	2—12	2—12		
巴音陶亥	焦煤	低	斜井	240	240	1972	1—6	1—6		
巴盟				1300	1300		5—36	5—36	35.00	
乌中旗煤矿	弱粘煤	低	斜井	1300	1300		1—12	1—12	15.00	
乌前旗煤矿井	褐煤	高	斜井			1971	1—9	1—9	10.00	
乌兰布和矿	1/3 焦煤	低	斜井、露天				3—15	3—15	10.00	
赤峰市国有地方煤矿			斜井	3400	3400		7—105	7—105	100.00	
呼盟				3273	3273		8—72	8—72	203.17	
满洲里市地方煤	褐煤	低	斜井	595	595	2000.10	1—15	1—15	22.10	
拉布大林井	褐煤	低	斜井	251	251	1989.08	1—9	1—9	26.00	
五九煤矿	长焰煤	低	斜井	1247	1247		3—33	3—33	86.10	
牙克石煤矿井	长焰煤	低	露天	1180	1180	1990	1—15	1—15	24.00	
其他国有煤矿							2—	2—	44.97	
兴安盟忙牛海煤矿			斜井	390	390	1991	1—3	1—3	8.00	
通辽市							2—9	2—9		
塔拉营子井			斜井				1—6	1—6		
霍林河市煤矿井							1—3	1—3		
锡盟				399	399		8—27	8—27	70.57	
乌尼特煤矿井	褐煤	低	斜井			1996.09	1—6	1—6	4.00	

	煤种	瓦斯等级	开拓方式	矿井可采储量/10^4t	现生产水平可采储量/10^4t	投产日期/年．月	核定能力/处－10^4t	设计能力/处－10^4t	本年实际产量/10^4t	备注
多伦煤矿井	褐煤	低	斜井			1991.01	1—6	1—6	3.40	
白音华露天矿井	褐煤		露天	399	399	1992.12	1—15	1—15	13.60	
其他国有煤矿							5—	5—	49.57	
伊盟				6200	6200		23—141	23—141	836.00	
昌汉沟井			平硐				1—6	1—6		
酸刺沟井	褐煤	低	斜井	800	800	1990	1—6	1—6		
罕台川煤矿	长焰煤	低	平硐			1984	1—9	1—9		
东山井	长焰煤	低	平硐				1—9	1—9		
高头窑煤矿							1—9	1—9		
一号井			斜井				1—9	1—9		
达旗纳林沟煤矿							1—6	1—6		
麻地沟井			斜井				1—6	1—6		
乌素沟煤矿井	不粘煤	低	平硐	250	250	1972	1—3	1—3	10.00	
城坡煤矿滑石窑井	贫瘦煤	突出	平硐	750	750	1956	1—15	1—15	30.00	
准旗纳林沟煤矿	长焰煤	低	斜井				2—30	2—30	42.00	
伊旗煤炭公司			露天、平硐	4400	4400		4—57	4—57	146.00	
其他国有煤矿		低							608.00	
阿盟				400	400		4—15	4—15	62.00	
长山煤矿井	无烟煤	高	斜井	50	50	1979	1—3	1—3	6.00	
百灵煤矿	焦煤	低	斜井			1983	1—3	1—3	46.00	
金鑫煤矿井	长焰煤	低	斜井				1—3	1—3	5.00	
希热哈达井	肥煤	低	斜井	350	350	1989	1—6	1—6	5.00	
辽宁省				36899	23790		80—4004	80—4049	4276.67	
其中：有能力的矿井				36899	23790		78—4004	78—4049	4197.10	
1. 国有重点煤矿（小计）				36899	13032		30—3620	30—3552	4047.10	
其中：有能力的矿井				36899	13032		30—3620	30—3552	3971.57	

续表

	煤种	瓦斯等级	开拓方式	矿井可采储量/10^4t	现生产水平可采储量/10^4t	投产日期/年.月	核定能力/处—10^4t	设计能力/处—10^4t	本年实际产量/10^4t	备注
抚顺矿务局							2—600	2—600	577.84	
其中：有能力的矿井							2—600	2—600	577.84	
西露天煤矿	长焰煤		露天			1914.02	1—280	1—280	264.81	设计能力—200
老虎台矿斜井	气煤	突	斜井			1907.11	1—320	1—320	313.03	设计能力+20
阜新矿务局				27111	8545		9—965	9—900	904.61	
其中：有能力的矿井				27111	8545		9—965	9—900	904.61	
海州露天	长焰煤	高	露天	735	271	1953.07	1—400	1—300	220.85	
清河门煤矿	长焰煤	低、高	立井、斜井	5682	1913		2—90	2—105	160.47	
艾友矿	长焰煤	高、低	立井、斜井	5279	2265		2—135	2—120	193.81	
东梁煤矿立井	长焰煤	高	立井	5767	1439	1957.06	1—150	1—180	130.10	
高德（孙家湾）矿							1—15	1—30	62.34	
王家营立井	长焰煤	高	立井	7795	1986	1987.10	1—120	1—120	67.74	
八道壕煤矿				1853	671		1—55	1—45	69.30	
一坑箕斗斜井	长焰煤	高	斜井	1853	671	1975.07	1—55	1—45	69.30	
铁法矿务局				3617	1173		8—1360	8—1215	1679.02	
其中：有能力的矿井				3617	1173		8—1360	8—1215	1645.26	
大明一矿三斜井	长焰煤	高	斜井	3617	1173	1960.07	1—110	1—90	145.10	
大明二矿四立井	长焰煤	高	立井			1965.08	1—60	1—90	32.23	
晓明矿立井	长焰煤	高	立井			1968.12	1—150	1—135	193.60	
大隆矿立井	长焰煤	高	立井			1972.12	1—200	1—180	264.21	
晓南矿立井	长焰煤	高	立井			1980.09	1—170	1—150	248.88	
小青矿立井	长焰煤	高	立井			1984.12	1—160	1—120	230.00	
大兴立井	长焰煤	高	立井			1990.11	1—350	1—300	325.04	
小康立井	长焰煤	高	立井			1990.11	1—160	1—150	206.20	
大平立井	长焰煤	高	立井						33.76	试生产
南票矿务局				6171	1312		4—180	4—195	189.46	

续表

	煤种	瓦斯等级	开拓方式	矿井可采储量/10^4t	现生产水平可采储量/10^4t	投产日期/年．月	核定能力/处—10^4t	设计能力/处—10^4t	本年实际产量/10^4t	备注
三家子矿斜井	气、弱粘煤	高	斜井	3597	541	1960.02	1—60	1—60	39.40	
邱皮沟矿立井	气煤	低	立井	938	271	1959.11	1—30	1—45	47.54	
大窑沟矿立井	气煤	低	立井	315	315	1963.10	1—30	1—30	52.22	
小凌河矿斜井	气煤	高	斜井	1321	185	1970.10	1—60	1—60	50.30	
沈阳矿务局					2002		7—515	7—642	654.40	
蒲河矿立井	褐煤	高	立井			1969.02	1—30	1—60	53.80	
前屯矿	褐煤	低	斜井			1965.11	1—30	1—42	40.00	
红菱矿立井	焦煤	突	立井		2002	1976.03	1—90	1—150	98.00	
林盛矿立井	肥煤	高	立井			1981.12	1—60	1—90	92.50	
大桥矿立井	褐煤	高	立井			1987.09	1—75	1—75		
红阳矿四井（西马）	无烟煤	高	立井			1989.12	1—80	1—75	120.00	
红阳三矿	瘦煤	突出	立井			2001.12	1—150	1—150	250.10	
2. 专营煤矿					7142		24—202	24—301	103.16	
其中：有能力的矿井					7142		22—202	22—301	99.12	
沈阳市					3277		2—36	2—66	16.90	
马古斜井	褐煤	高	斜井		2688	1973.01	1—15	1—45	5.10	
进步煤矿	褐煤	高	斜井		589	1994.01	1—21	1—21	11.80	
抚顺市					1250		3—42	3—48	14.64	
四平煤矿	焦煤	高	斜井		200	1985.12	1—15	1—21	2.05	
孟家沟矿	焦煤	高	斜井		120	1986.12	1—6	1—6	6.14	
徐家大沟煤矿	焦煤	高	斜井		930	1998.01	1—21	1—21	6.45	
本溪市泉山煤矿	无烟煤	低	斜井		6	1979.08	1—6	1—6	8.65	
丹东市					488		5—33	5—55	29.66	
新开煤矿	无烟煤	高	平硐		81	1986.12	2—9	2—16	8.43	
梨树煤矿	焦煤	高	斜井		282	1970.03	1—12	1—21	7.02	
顾家煤矿	无烟煤	高	斜井		125	1978.01	2—12	2—18	14.21	

续表

	煤　种	瓦斯等级	开拓方式	矿井可采储　量/10^4t	现生产水平可采储量/10^4t	投产日期/年．月	核定能力/处－10^4t	设计能力/处－10^4t	本年实际产　量/10^4t	备　注
葫芦岛市哈蟆山煤矿	贫煤	高	斜井		30	1970.08	1—22	1—22	4.50	
阜新市双山斜井	长焰煤	高	斜井		137	1985.12	1—6	1—6	3.10	
铁岭市铁岭振兴煤矿	长焰煤	高	斜井		240	1987.12	1—15	1—15	4.99	
朝阳市					1714		10—42	10—83	16.68	
和尚沟煤矿	长焰煤	低	斜井		1066		6—21	6—26	10.72	
朝阳煤矿	气煤	高	斜井		648	1957.07	2—9	2—36	5.96	
二十家子煤矿	气煤	高	斜井			1969.06	2—12	2—21		
3. 县营煤矿					3616		26—182	26—196	126.41	
沈阳市					2261		3—75	3—75	67.97	
法库长发矿斜井	长焰煤	高	斜井		722	1986.12	1—21	1—21	22.50	
柏家沟斜井	长焰煤	高	斜井		188	1978.12	1—9	1—9	11.82	
康平三台子斜井	长焰煤	低	斜井		1351	1978.11	1—45	1—45	33.65	
抚顺市					123		2—6	2—11	1.75	
新宾兴盛矿	瘦煤	突出	斜井		103	1992.06	1—3	1—6	1.44	
抚顺县章党矿	长焰煤	高	斜井		20	1981.09	1—3	1—5	0.31	
锦州市					376		2—7	2—7	4.75	
义县煤矿	长焰煤	低	斜井			1963.01	1—4	1—4	4.00	
凌海市煤矿	烟煤	高	斜井		376	1985.08	1—3	1—3	0.75	
葫芦岛市					70		2—12	2—12	8.00	
连山一矿	贫瘦煤	高	斜井		10	1988.09	1—3	1—3		
冰沟煤矿	长焰煤	低	斜井		60	1956.12	1—9	1—9	8.00	
阜新市					269		5—23	5—26	12.74	
伊马图东部井	长焰煤	低	立井		18	1998.08	1—2	1—3	3.24	
清河门区二矿	长焰煤	低	斜井		29	1993.03	1—6	1—6	0.40	
伊马图西部井	长焰煤	低	立井		29	1998.08	1—3	1—3	2.10	
五道桥斜井	长焰煤	高	斜井		63	1983.03	1—6	1—9		

续表

	煤种	瓦斯等级	开拓方式	矿井可采储量/10^4t	现生产水平可采储量/10^4t	投产日期/年.月	核定能力/处—10^4t	设计能力/处—10^4t	本年实际产量/10^4t	备注
新兴化工公司矿	长焰煤	低	斜井		130	1994.04	1—6	1—5	7.00	
辽阳市					34		6—14	6—20	4.00	
大槽煤矿	无烟煤	高	斜井		5	1994.03	2—2	2—2	1.00	
灯塔市煤矿	无烟煤	高	斜井		14	1982.12	3—9	3—15	2.00	
烟台煤矿新兴井	无烟煤	高	斜井		15	1994.03	1—3	1—3	1.00	
铁岭市					322		3—30	3—30	25.22	
高家斜井	长焰煤	高	斜井		104	1979.12	1—15	1—15	14.60	
铁法顾家房斜井	长焰煤	高	斜井		217	1986.12	1—9	1—9	7.17	
西丰五道沟斜井	长焰煤	高	斜井		1	1986.12	1—6	1—6	3.45	
朝阳市					161		3—15	3—15	1.98	
边杖子煤矿	气煤	低	斜井		134		2—12	2—12	1.90	
杨树沟矿	气煤	低	斜井		27	1956.12	1—3	1—3	0.08	
吉林省				31785	24452		56—1153	66—1377	1280.01	
其中：有能力的矿井	贫瘦煤	高	斜井	31086	24115	1977.07	56—1153	56—1335	1042.02	
1. 国有重点煤矿（小计）				23691	21300		19—787	19—870	878.26	
其中：有能力的矿井				23508	21117		19—787	19—870	713.32	
辽源矿务局				5610	3219		7—234	7—264	408.10	
其中：有能力的矿井				5427	3036		7—234	7—264	352.72	
西安煤矿	气煤	高	斜井	590	590		1—45	1—90	156.81	
梅河煤矿	长烟煤	高	斜井	5020	2629		6—189	6—174	251.29	
通化矿务局							5—238	5—315	210.60	
其中：有能力的矿井							5—238	5—315	158.72	
砟子煤矿四立井	焦煤	高	立井			1958.09	1—120	1—120	50.67	
八道江煤矿三立井	瘦煤	高	立井				1—15	1—30		
松树镇煤矿二斜井	1/3 焦煤	高	斜井			1965.12	1—60	1—120	51.01	
道清煤矿北斜井	焦煤	高	斜井			1967.12	1—18	1—15	36.20	

续表

	煤种	瓦斯等级	开拓方式	矿井可采储量 /10^4t	现生产水平可采储量 /10^4t	投产日期 /年.月	核定能力 /处－10^4t	设计能力 /处－10^4t	本年实际产量 /10^4t	备注
苇塘煤矿	1/3 焦煤	高	平硐			1959.09	1－15	1－30	20.84	
局属其他	焦煤	高	斜井						13.00	
舒兰矿务局				4497	4497		4－150	4－126	148.16	
其中：有能力的矿井				4497	4497		4－150	4－126	104.51	
吉舒煤矿	褐煤	低	斜井	835	835	1962.09	1－30	1－15	43.17	
丰广煤矿	褐煤	低	斜井	920	920	1983.05	1－45	1－45	50.65	
东富煤矿	褐煤	低	斜井	1434	1434	1968.09	1－45	1－36	33.60	
舒兰街煤矿一斜井	褐煤	低	斜井	1308	1308	1977.06	1－30	1－30	20.74	
珲春矿务局				13584	13584		3－165	3－165	111.40	
其中：有能力的矿井				13584	13584		3－165	3－165	97.37	
英安矿	长焰煤	低	斜井	5517	5517	1986.12	1－75	1－75	70.66	
三道岭矿	长焰煤	低	斜井	1005	1005	1977.06	1－15	1－15	3.21	
城西矿	褐煤	低	立井	7062	7062	1990.07	1－75	1－75	23.50	
局属其他	褐煤	低	斜井						14.03	
2. 省营煤矿小计				323	58		6－57	8－120	46.45	
其中：有能力的矿井				323	58		6－57	6－102	28.07	
杉松岗煤矿	焦煤、弱粘煤	高、低		323	58		3－30	3－45	18.96	
天亿公司	长焰煤	低	斜井	282	17	1984.07	1－15	1－15	1.78	
万宝煤矿	贫瘦煤	高	斜井			1977.07	3－27	5－75	27.49	
3. 专营煤矿小计				5823	2772		19－213	23－277	282.05	
其中：有能力的矿井				5547	2648		19－213	19－268	234.55	
长春市				1709	217		4－69	4－100	75.62	
石碑岭煤矿	长焰煤	高	斜井	89	13	1994.09			10.45	
新立城矿	长焰煤	低	斜井			1982.10	1－9	1－10		
羊草沟煤矿	长焰煤	低	斜井	1593	188		2－45	2－60	49.10	
双顶煤矿	长焰煤	高	斜井	27	16	2001.09	1－15	1－30	16.07	

续表

	煤种	瓦斯等级	开拓方式	矿井可采储量 /10^4t	现生产水平可采储量 /10^4t	投产日期 /年.月	核定能力 /处—10^4t	设计能力 /处—10^4t	本年实际产量 /10^4t	备注
吉林市				164	1		2—15	2—18	22.64	
缸窑煤矿	褐煤	低		164	1		2—15	2—18	22.64	
四平市刘房子煤矿	褐煤	高	斜井	316	316		2—42	2—42	44.99	
辽源市大水缸煤矿	气煤	高	斜井	64	64	1983.03	1—9	1—6	14.50	
通化市头道沟煤矿	贫煤	低	斜井	151	4		1—9	1—9	8.63	
浑江市新宇煤矿	气煤	高	斜井	969	13	1962.01	1—6	1—15	19.61	
延边朝鲜族自治州				2450	2157		8—63	12—87	96.06	
延边煤矿	长焰煤	低、高	斜井	522	229		3—18	7—33	34.78	
和龙煤矿	长焰煤	高	斜井、平硐	534	534		3—27	3—36	23.28	
凉水煤矿	褐煤	低	斜井	1394	1394	1986.06	2—18	2—18	38.00	
4. 县营煤矿小计				1948	322		12—96	16—110	73.25	
其中：有能力的矿井				1708	292		12—96	12—95	66.08	
长春市（县营）				937	252		5—30	9—45	36.07	
放牛沟矿三井	长焰煤	高	斜井			1991.12	1—6	1—6	5.20	
二道煤矿	长焰煤、1/3焦煤	低	斜井	420			1—6	4—18	4.51	
长岭煤矿	长焰煤、无烟煤	低	斜井	151	9		2—9	2—9	12.23	
八面石煤矿	无烟	低	斜井	366	243		1—9	2—12	14.13	
浑江市				997	56		5—54	5—47	22.57	
长白煤矿	无烟煤	低	斜井	196	3	1993.02	1—9	1—9	0.41	
抚松县大安煤矿	焦煤	高	斜井	61	3	1958.06	1—6	1—5	1.91	
靖宇县龙马煤矿	气肥煤	低	斜井	692	40	1974.06	2—30	2—4	13.50	
红旗煤矿	瘦煤	低	斜井	13	7	1987.12			5.16	
城西煤矿	瘦煤	低	斜井	35	3	1992.04	1—9	1—9	1.59	
延边朝鲜族自治州				14	14		2—12	2—18	14.61	
三道煤矿	长焰煤	高	斜井	14	14		2—12	2—18	14.61	

续表

	煤种	瓦斯等级	开拓方式	矿井可采储量/10⁴t	现生产水平可采储量/10⁴t	投产日期/年.月	核定能力/处－10⁴t	设计能力/处－10⁴t	本年实际产量/10⁴t	备注
黑龙江				345076	147596		242－4019	242－4333	5563.92	
其中：有能力的矿井				287450	126373		98－4019	98－4333	4593.99	
1. 国有重点煤矿（小计）				300878	113026		39－3366	39－3630	4450.19	
其中：有能力的矿井				252320	95127		39－3366	39－3630	3967.52	
鸡西矿务局				97394	50833		15－965	15－1071	808.52	
其中：有能力的矿井				79508	39901		15－965	15－1071	808.52	
滴道矿	焦煤、肥煤	突、高、低	立井、斜井	9910	4813	1935	4－111	4－135	108.90	
麻山矿	1/3 焦煤	高	立井、斜井	13324	4238	1939	1－120	1－120	152.30	
城子河矿	1/3 焦煤	突、高	斜井、立井	16880	12771	1938	2－169	2－270	87.54	
二道河矿	1/3 焦煤	高	立井	6499	2526	1959	1－110	1－78	101.08	
正阳矿	1/3 焦煤	高	斜井	6945	6945	1960	1－130	1－130	130.12	
张新矿	1/3 焦煤	高	立井	3549	1645		1－45	1－45	24.95	
东海矿	1/3 焦煤	突	斜井	5419	2952	1958	1－90	1－90	86.94	
平岗矿	1/3 焦煤	高	斜井	10211	1513	1972	1－70	1－72	40.11	
荣华矿			斜井	975	975		1－30	1－30		
新发矿	焦煤	高	立井	5971	2036		1－60	1－60	36.01	
鹤矿集团				93685	29577		6－940	6－1038	1402.48	
其中：有能力的矿井				69048	23936		6－940	6－1038	1249.11	
兴山煤矿	1/3 焦煤	低	斜井	4250	2071	1969.06			145.41	
岭北矿	1/3 焦煤		露天	1367	937	1966.01	1－50	1－60	68.01	
南山煤矿	1/3 焦煤	高	立井	7765	3138	1970.01	1－220	1－240	276.96	
益新公司	1/3 焦煤	高	立井	23814	5454	1956.01			121.37	
兴安煤矿	气煤	高	立井	27701	10121	1956.04	1－300	1－450	271.69	
富力矿	1/3 焦煤	低	斜井	5583	3310	1959.01	1－140	1－108	201.05	
大陆矿	1/3 焦煤	低	斜井	2004	1230	1957.01	1－80	1－30	98.25	
竣德矿	气煤	低	立井	20378	3129	1981.01	1－150	1－150	187.74	

续表

	煤　种	瓦斯等级	开拓方式	矿井可采储量 /10^4t	现生产水平可采储量 /10^4t	投产日期 /年．月	核定能力 /处－10^4t	设计能力 /处－10^4t	本年实际产量 /10^4t	备　注
振 兴 矿	1/3 焦煤	低	斜井	823	187				32.00	
双鸭山矿务局				62718	20216	1947.12	9—880	9—888	939.19	
其中：有能力的矿井				62718	20099		9—880	9—888	838.00	
四方台矿	气煤	低	斜井	1093	114	1959.09	1—60	1—81	42.00	
宝山煤矿	1/3 焦煤	高	斜井	2915	1591		1—60	1—57		
七 星 矿	气煤	低	斜井	4818	1980		1—150	1—120	149.00	
集 贤 矿	1/3 焦煤	低	立井	10243	2382	1989.12	1—120	1—120	151.00	
双 阳 矿	长焰煤	低	斜井	9749	2470	1980.11	1—100	1—120	146.00	
新 安 矿	长焰煤	低	斜井	11782	2008	1984.10	1—150	1—150	142.00	
东保卫矿二斜井	1/3 焦煤	低	斜井	7076	1215	1988.06	1—60	1—60	75.00	
长 山 井	1/3 焦煤		斜井	1508	971		1—30	1—30		
东荣二矿	气煤	低	立井	13534	7485	1995.12	1—150	1—150	133.00	
东荣三矿	气煤	低	立井						101.19	
七煤（集团）公司				47081	12400		9—581	9—633	1300.00	
其中：有能力的矿井				41046	11191		9—581	9—633	1071.89	
新建煤矿	1/3 焦煤	高	斜井	5290	561	1959.12	1—120	1—120	214.02	
新兴煤矿	1/3 焦煤	低	斜井	3939	1416	1960.12	1—120	1—120	166.00	
桃山煤矿	1/3 焦煤	高	斜井	2207	306	1959.12	1—65	1—105	117.00	
东风煤矿	1/3 焦煤	高	斜井	562	74	1968.12	1—30	1—21	56.01	
新立煤矿	1/3 焦煤	高	斜井	139	139	1975.12	1—30	1—21	100.20	
富 强 矿	焦煤	低	立井	5482	3160	1986.12	1—60	1—90	105.07	
铁 东 矿	焦煤	低	斜井	7485	2359	1991.06	1—120	1—120	111.05	
龙 湖 矿	焦煤	高	斜井	15736	3160	1991.10	1—30	1—30	160.50	
新富矿富强小井	焦煤	低	斜井	206	16	1991.12	1—6	1—6	42.04	
局属二矿	焦煤	低	斜井	5091	265	1980.12			201.05	
局属其他				944	944				27.06	

续表

	煤种	瓦斯等级	开拓方式	矿井可采储量 /10^4t	现生产水平可采储量 /10^4t	投产日期 /年．月	核定能力 /处－10^4t	设计能力 /处－10^4t	本年实际产量 /10^4t	备注
2. 省营煤矿（小计）							1—	1—	91.00	
3. 专营煤矿（小计）				36100	28611		172—563	172—622	897.22	
其中：有能力的矿井				29382	26487		43—563	43—622	566.44	
哈尔滨市				7976	5313		5—100	5—130	222.23	
依兰矿	长焰煤		露天	5173	6173	1989.10	4—100	4—130	209.71	
依兰二矿二井	长焰煤	高	斜井	2803	140	1974.04	1—	1—	12.52	
鸡西市				15293	15293		133—240	133—252	336.29	
跃进煤矿	1/3 焦煤	低	斜井	270	270		2—12	2—15	9.20	
鸡东煤矿	气煤	高	斜井	8949	8949	1957.09	1—45	1—45	36.78	
立新煤矿	肥煤、长焰煤、气肥煤	高、低	斜井	2588	2588		3—54	3—63	24.20	
碱场煤矿	气煤	高、低	斜井	1466	1466		2—30	2—30	11.74	
密山煤矿	气煤	低	斜井				1—9	1—9		
鸡东三八矿	焦煤	低	斜井				3—18	3—12		
联营矿			斜井				3—	3—	15.78	
其他			斜井				108—	108—	186.20	
兴华煤矿	焦煤	高	斜井	583	583		2—15	2—21	13.43	
新民矿	焦煤、气煤	低	斜井	1166	1166		3—30	3—30	23.20	
老达矿	焦煤	低、高	斜井	203	203		3—18	3—15	9.37	
鸡兴矿	气煤、焦煤	高、低	斜井	68	68		2—9	2—12	6.39	
鹤岗市				224	224		7—12	7—12	50.00	
老山头二斜井	气肥煤	低	立井	42	42	1985.07	1—6	1—6	4.50	
群英山矿斜井	气肥煤	高	斜井	164	164	1987.03	1—6	1—6	5.40	
建兴煤矿	气肥煤	低	斜井	18	18	1994.02	5—	5—	40.10	
双鸭山市				3452	2879		5—53	5—72	39.55	
桦川煤矿	气肥煤	低	斜井	307	307	1986.01	1—3	1—6	1.20	

续表

	煤种	瓦斯等级	开拓方式	矿井可采储量/10^4t	现生产水平可采储量/10^4t	投产日期/年.月	核定能力/处—10^4t	设计能力/处—10^4t	本年实际产量/10^4t	备注
三合矿	弱粘煤	高	斜井	675	102		2—15	2—12	21.05	
升平二斜井	1/3 焦煤	低	斜井	2470	2470	1971.01	1—35	1—54	15.50	
企营煤矿							1—	1—	1.80	
双桦二斜井	1/3 焦煤	高	斜井							
七台河市				3518	1196		16—63	16—63	91.66	
七市煤矿	气煤、焦煤	高	斜井	513	285		4—27	4—27	30.62	
北岗矿	焦煤	低	斜井	2100	40		3—24	3—24	23.47	
茄子河矿	焦煤、1/3 焦煤	低、高	斜井	100	66		3—12	3—12	15.30	
同心煤矿	1/3 焦煤	低	斜井	50	50	1985.01	1—	1—	8.52	
鹿山煤矿				755	755		5—	5—	13.75	
黑河地区				5637	3706		6—95	6—93	143.63	
宋集屯矿斜井	褐煤		露天	961	961	1968.10	1—30	1—30	40.60	
西岗子矿斜井	褐煤		露天	776	776	1951.03	1—	1—	9.53	
黑宝山煤矿	长焰煤	低	露天、斜井	1784	1784		2—65	2—63	71.00	
一五一煤矿	褐煤	低	斜井	1931		1993.06	1—	1—	15.80	
小井	长焰煤	低	斜井	1931			1—	1—	15.80	
东方红煤矿	褐煤	低	斜井	185	185	2001.11	1—	1—	6.70	
4. 县营煤矿（小计）				8098	5959		30—90	30—81	125.51	
其中：有能力的矿井				5748	4759		16—90	16—81	60.03	
鸡西市				1707	1624		8—39	8—36	59.64	
永丰煤矿	肥煤	低	斜井	200	186	2000.01	1—6	1—6	2.80	
四海矿	气肥煤、肥煤	低	斜井	590	538		4—18	4—15	11.20	
地煤公司	焦煤	低	斜井				2—	2—	28.64	
宝泉煤矿	无烟煤	低	斜井	917	900	1975.05	1—15	1—15	17.00	
双鸭山市				2444	2444		2—12	2—12	4.20	
宝清三井	弱粘煤	低	斜井	907	907	1960.01	1—9	1—9	1.40	

续表

	煤　种	瓦斯等级	开拓方式	矿井可采储　量/10^4t	现生产水平可采储量/10^4t	投产日期/年．月	核定能力/处－10^4t	设计能力/处－10^4t	本年实际产　量/10^4t	备　注
岚峰斜井	气煤	低	斜井	1537	1537	1960.01	1—3	1—3	2.80	
佳木斯市							4—3	4—3	9.56	
桦南石头河子矿	气肥煤	低	斜井				1—3	1—3	1.56	
其　他							3—	3—	8.00	
七台河市				1509	15		9—9	9—3	37.56	
勃利煤矿	焦煤	低	斜井	1509	15		9—9	9—3	37.56	
牡丹江市				2402	1874		6—21	6—21	9.45	
青山煤矿	1/3焦、焦煤	高、低	斜井	1482	1482		3—6	3—6	4.12	
光义煤矿	长焰煤、气煤	低、高	斜井	920	392		3—15	3—15	5.33	
大兴安岭地区	褐煤	低	斜井	36	2		1—6	1—6	5.10	
江苏省				76187	22944		29—1266	29—1352	1854.95	
其中：有能力的矿井				76187	22944		29—1266	29—1352	1746.72	
1. 国有重点煤矿（小计）				67846	18264		12—965	12—1020	1526.44	
其中：有能力的矿井				67846	18264		12—965	12—1020	1422.71	
徐州矿务局				67846	18264		12—965	12—1020	1526.44	
其中：有能力的矿井				67846	18264		12—965	12—1020	1422.71	
韩桥矿	气肥煤	低	立井	695	337		1—30	1—30	66.13	
权台矿立井	1/3焦煤	低	立井	2620	543	1959.12	1—110	1—90	182.69	
旗山矿立井	气煤	低	立井	6209	3166	1959.12	1—120	1—150	175.62	
庞庄矿	气煤	低	立井	11217	2084		2—165	2—165	273.70	
夹河矿（桃园）立井	气煤	低	立井	7555	1574	1968.08	1—100	1—120	164.38	
义安矿（张井）立井	气煤	高	立井	743	743	1971.12	1—40	1—60	45.51	

续表

	煤　种	瓦斯等级	开拓方式	矿井可采储量 /10^4t	现生产水平可采储量 /10^4t	投产日期 /年．月	核定能力 /处—10^4t	设计能力 /处—10^4t	本年实际产量 /10^4t	备　注
坨城矿	气煤	低	立井	4802	1329		2—70	2—75	76.24	
张集矿立井	1/3 焦煤	高	立井	7606	552	1978.12	1—90	1—90	92.97	
三河尖立井	气煤	低	立井	11480	5131	1988.08	1—120	1—120	168.11	
张双楼立井	气煤	低	立井	14919	2805	1986.12	1—120	1—120	177.36	
新河矿井	气煤	低	立井			1960.12			22.70	
卧牛山矿井	气煤	低	立井			1962.03			15.32	
青山泉矿井	气煤	低	斜井						6.89	
矿业公司									58.82	联采分成煤
2. 专营煤矿（小计）				6854	3650		12—250	12—283	275.32	
其中：有能力的矿井				6854	3650		12—250	12—283	270.82	
徐州市	气煤、气肥煤、烟煤	低	斜井、立井	4392	2446		8—160	8—193	169.22	
连云港市白集矿	气肥煤	低	斜井	535	525	1980.12	1—21	1—21	19.09	
盐城市	无烟煤、气肥煤	低	斜井、立井	1116	184		2—39	2—39	53.10	
扬州市王庄矿	气肥煤	低	立井	811	495	1975.08	1—30	1—30	33.91	
3. 县营煤矿（小计）				1487	1030		5—51	5—49	53.19	
其中：有能力的矿井				1487	1030		5—51	5—49	53.19	
连云港市赣榆县	肥煤、气肥煤	低	斜井、立井	435	269		3—33	3—27	31.35	
淮安市洪泽县九里山矿	气煤	低	立井	20	20	1982.11	1—6	1—10	5.10	
扬州市宝应县拾屯矿	气煤	低	立井	1032	741	1992.08	1—12	1—12	16.74	
浙江省				194	55		7—110	7—110	70.87	
1. 国重点煤矿（小计）				194	55		5—100	5—100	63.50	
长广煤矿公司	气肥煤	突		194	55		5—100	5—100	63.50	
2. 县营煤矿（小计）	无烟煤	低					2—10	2—10	7.37	

续表

	煤种	瓦斯等级	开拓方式	矿井可采储量/10^4t	现生产水平可采储量/10^4t	投产日期/年．月	核定能力/处－10^4t	设计能力/处－10^4t	本年实际产量/10^4t	备注
安徽省				390072	195010		46—5689	46—4654	5986.07	
其中：有能力矿井				373777	185038		44—5689	44—4594	5464.21	
1. 国有重点煤矿（小计）				308003	149274		19—4040	19—3260	4360.34	
其中：有能力矿井				292333	139685		19—4040	19—3260	3906.86	
淮南矿业集团				207767	80369		6—2040	6—1760	2367.50	
其中：有能力矿井				192097	70780		6—2040	6—1760	1919.26	
谢家集一矿斜井	1/3 焦煤	突	斜井	2926	2510	1952.01	1—200	1—90	174.19	
新庄孜煤矿斜井	1/3 焦煤	突	斜井	15847	3111	1947.07	1—240	1—270	261.60	
潘一矿立井	气煤	突	立井	41821	6399	1983.12	1—350	1—300	286.32	
潘三矿立井	气煤	突	立井	38917	16358	1992.12	1—350	1—300	285.69	
谢桥煤矿立井	气煤	突	立井	42999	22690	1997.05	1—500	1—400	409.99	
张集煤矿立井	气煤	突出	立井	49587	19712	2001.11	1—400	1—400	501.47	
局属其他		高	立井						150.00	
淮北矿业集团				100236	68905		13—2000	13—1500	1992.85	
其中：有能力矿井				100236	68905		13—2000	13—1500	1987.59	
袁庄煤矿立井	1/3 焦煤	高	立井	630	630	1959.12	1—70	1—45	65.21	
朱庄煤矿立井	瘦煤	高	立井	3004	3004	1961.10	1—200	1—75	205.20	
相城煤矿立井	瘦煤	高	立井			1962.03				
岱河煤矿立井	焦煤	高	立井	895	895	1965.12	1—140	1—60	141.34	
杨庄煤矿立井	瘦煤	高	立井	5263	5263	1966.05	1—180	1—90	163.65	
芦岭煤矿立井	1/3 焦煤	突	立井	9109	5267	1970.12	1—230	1—240	226.20	
朔里煤矿立井	贫瘦煤	高	立井	1641	1641	1971.07	1—190	1—60	203.17	
石台煤矿立井	焦煤	高	立井	1504	1504	1975.12	1—150	1—60	133.57	
朱仙庄煤矿立井	1/3 焦煤	突	立井	9091	4239	1983.04	1—180	1—180	161.37	
临涣煤矿立井	肥煤	高	立井	14706	12575	1985.12	1—180	1—180	142.10	
海孜煤矿立井	焦煤	高	立井	9059	7491	1987.10	1—90	1—150	114.59	

续表

	煤种	瓦斯等级	开拓方式	矿井可采储量/10^4t	现生产水平可采储量/10^4t	投产日期/年．月	核定能力/处－10^4t	设计能力/处－10^4t	本年实际产量/10^4t	备注
童亭煤矿立井	肥煤	高	立井	6304	6304	1989.11	1－80	1－90	82.30	
桃园煤矿立井	气煤	高	立井	8961	4082	1995.11	1－130	1－90	134.77	
祁南煤矿立井	气煤	高	立井	30069	16010	2000.12	1－180	1－180	181.80	
2．省营煤矿（小计）				42916	20620		7－740	7－600	836.96	
其中：有能力矿井				42291	20237		5－740	5－540	782.27	
孟庄煤矿	焦煤	高	斜井	497	365	1975.10	1－	1－30	22.01	
百善煤矿	无烟煤	低	立井	761	761	1977.07	1－120	1－90	161.20	
毛郢孜煤矿	气肥煤	高	斜井	128	18	1977.12	1－	1－30	32.68	
刘桥一矿	贫瘦煤	高	立井	2313	1770	1981.05	1－110	1－90	127.20	
刘桥二矿	贫煤	低	立井	6779	2138	1993.12	1－150	1－60	168.20	
任楼煤矿	气肥煤	低	立井	12070	4061	1997.12	1－210	1－150	220.67	
祁东煤矿	气肥煤	高	立井	20368	11507	2002.05	1－150	1－150	105.00	
3．地营煤矿				37942	24568		10－844	10－729	735.73	
其中：有能力矿井				37942	24568		10－844	10－729	735.73	
港口一矿	肥煤	高	斜井			1975.01	1－6	1－12		
港口二矿	肥煤	高	斜井			1979.08	1－12	1－15		
新田煤矿	肥煤	高	斜井	18	10	1986.12	1－6	1－6	4.40	
武山煤矿	肥煤	高				1989.03	1－3	1－6		
柘山煤矿	无烟煤	低				1966.09	1－6	1－6		
立新煤矿	无烟煤	低	斜井	57	3	1960.12	1－12	1－15	10.20	
大通煤矿	无烟煤	突				1962.05	1－9	1－9		
新集煤矿	气煤	高	立井	20087	10081	1996.10	1－400	1－300	340.64	
花家湖煤矿	气煤、1/3焦煤	高	立井	15432	13608	1996.10	1－310	1－300	284.71	
八里塘煤矿	气煤	低	立井	2348	866	1996.10	1－80	1－60	95.79	
4．县营煤矿（小计）				1211	548		10－65	10－65	53.04	
其中：有能力矿井				1211	548		10－65	10－65	53.04	

续表

	煤种	瓦斯等级	开拓方式	矿井可采储量/10^4t	现生产水平可采储量/10^4t	投产日期/年.月	核定能力/处－10^4t	设计能力/处－10^4t	本年实际产量/10^4t	备注
杨村煤矿	瘦煤	高				1986.08	1－6	1－6		
摇头岭煤矿	肥煤	高				1971.01	1－3	1－3		
昆山煤矿	无烟煤	低	斜井	128	23	1991.05	1－6	1－6	3.00	
瑶山煤矿	无烟煤	低	斜井	315	57	1981.07	2－9	2－9	6.78	
后台孜矿	气肥煤	高	斜井	365	104	1995.05	1－15	1－15	15.71	
读山煤矿	无烟煤	高	斜井			1986.01	1－5	1－5		
郑腰庄矿	气煤	低	立井	361	361	1992.07	1－9	1－9	8.95	
省劳改局金宝煤矿	弱粘结煤	低	斜井	42	3	1990.09	2－12	2－12	4.90	
福建省				15516	5165		63－542	63－707	537.09	
其中：有能力的矿井				15221	5108		57－542	57－697	524.11	
1. 省营煤矿小计				8796	3725		29－383	29－538	424.01	
红炭山矿业有限公司				4131	2090		16－195	16－251	205.27	
坑柄平硐	无烟煤	低	其他	250	174	1969.10	1－15	1－21	13.89	
红炭山一号井	无烟煤	低	平硐	4	4	1970.12	1－3	1－21		
陆家地平硐	无烟煤	低	平硐	336	283	1974.04	1－6	1－15	7.46	
翠屏山平硐	无烟煤	低	平硐	469	334	1975.12	1－15	1－12	25.03	
虎坑山井	无烟煤	低	平硐	90		1973.08				
顶峰山矿	无烟煤	低	平硐	534	239	2000.01	1－12	1－9	13.88	
瓦窑平矿井	无烟煤	低	平硐	71	39	1973.12	1－15	1－15	13.59	
培丰矿井	无烟煤	低	平硐	115	57	1977.12	1－15	1－15	16.19	
牛栏山平硐	无烟煤	低	平硐	105		1985.09	1－3	1－20		
铜锣坪矿井	无烟煤	低	平硐	222	222	1988.07	1－12	1－15	14.01	
富岭二号井	无烟煤	低	平硐	156		1990.12	1－3	1－9		
龙潭矿井	无烟煤	低	平硐	627	244	1998.10	1－21	1－21	25.46	
永安煤业有限责任公司				3540	1347		8－129	8－185	139.42	
加福平硐	无烟煤	低	平硐	203	8	1975.07	1－6	1－30	13.27	

续表

	煤　种	瓦斯等级	开拓方式	矿井可采储量/10^4t	现生产水平可采储量/10^4t	投产日期/年．月	核定能力/处－10^4t	设计能力/处－10^4t	本年实际产量/10^4t	备　注
丰海平硐	无烟煤	低	平硐	604	285	1973.10	1—45	1—45	39.87	
东坑仔平硐	无烟煤	低	平硐	451	224	1970.12	1—15	1—45	19.49	
半罗山矿井	无烟煤	低	平硐	588	480	1987.11	1—15	1—15	14.65	
柯 坑 井	无烟煤	低	平硐	69	69	1970.07	1—15	1—12	10.86	
小华矿井	无烟煤	低	斜井	109	51	1976.12	1—6	1—3	8.76	
京东矿井	无烟煤	低	其他	29	20	1979.12	1—6	1—5	6.67	
仙亭矿井	无烟煤	低	斜井	1487	210	1989.11	1—21	1—30	25.85	
天湖山能源实业有限公司				815	262		4—38	4—42	49.74	
铅坑平硐	无烟煤	低	平硐	226	88	1960.06	1—20	1—6	20.03	
曲斗平硐	无烟煤	低	平硐	37	37	1973.11	1—6	1—9	8.11	
天湖岩井	无烟煤	低	平硐	72	19	1975.12	1—3	1—18	7.24	
含春平硐	无烟煤	低	平硐	480	118	1995.12	1—9	1—9	14.36	
邵武煤矿				310	26		1—21	1—60	29.58	
邵武矿井	无烟煤	低	平硐	310	26	1964.06	1—21	1—60	29.58	
苏 一 井	无烟煤	低	其他	303	105	1984.07	1—21	1—21	21.00	
苏二井、白沙南	无烟煤	低	斜井	530	229	1992.12	1—21	1—21	11.86	
大同沟井	无烟煤	低	平硐	48	30	1978.12	1—15	1—15	9.01	
东 斜 井	无烟煤	低	斜井	40	15	1975.10	1—3	1—6	7.43	
漳 平 矿	烟煤	低	其他	231	115	1963.12	1—15	1—15	26.46	
2. 专营煤矿（小计）										
其中：有能力的矿井										
3. 县营煤矿（小计）				6720	1440		34—159	34—169	113.08	
其中：有能力的矿井				6425	1383		28—159	28—159	100.10	
三明市				3919	787		11—62	11—62	48.83	
曹远矿井	无烟煤	低	其他	64	4	1978.07	1—3	1—3	4.30	
洪田矿井	无烟煤	低	斜井	278	20	1988.12	1—6	1—6	6.06	

续表

	煤种	瓦斯等级	开拓方式	矿井可采储量 /10^4t	现生产水平可采储量 /10^4t	投产日期 /年．月	核定能力 /处－10^4t	设计能力 /处－10^4t	本年实际产量 /10^4t	备注
罗口煤矿	无烟煤	低	斜井	603	61		2—19	2—19	8.92	
三明市联发	无烟煤	低	斜井、平硐	1371	39		2—9	2—9	9.98	
将乐矿井	无烟煤	低	平硐	874	606	1985.04	2—12	2—12	10.85	
明溪矿井	无烟煤	低	平硐	36	1	1970.08	1—1	1—1	3.22	
宁化煤矿（北）	无烟煤	低	斜井	94	36	1970.11	1—6	1—6	1.90	
大田丰源煤业	无烟煤	低	斜井	599	20	1995.09	1—6	1—6	3.60	
泉州市				275	11		7—21	7—21	11.77	
安溪县煤矿				76	8		2—10	2—10	1.84	
后井平硐	无烟煤	低	其他			1974.07	1—4	1—4		
大畲矿井	无烟煤	低	平硐	76	8	1990.10	1—6	1—6	1.84	
永春煤矿	无烟煤	低	平硐	184	1		3—8	3—8	8.19	
德化曾板井	无烟煤	低	斜井	7	1	1974.11	1—1	1—1	0.62	
德化山茶井	无烟煤	低	平硐	8	1	1992.10	1—2	1—2	1.12	
漳州市长塔矿	无烟煤	低	平硐	56	16	1978.12	1—3	1—3	0.35	
南平市				103	13		4—11	4—11	8.84	
梨山矿井	无烟煤	低	斜井	18	3	1974.04	1—3	1—3	2.97	
上樟垅井	无烟煤	低	斜井	30	10	1958.01	1—2	1—2	3.10	
武夷山煤矿	无烟煤	低	平硐	55			2—6	2—6	2.77	
龙岩市				2367	613		11—72	11—72	43.29	
黄坑矿井	无烟煤	低	平硐	22	13	1982.04	1—9	1—9	6.05	
洽溪矿井	无烟煤	低	平硐	395	33	1979.07	1—4	1—4	3.19	
西山矿井	无烟煤	低	平硐	36	36	1974.12	1—6	1—6	2.70	
北团矿井	无烟煤	低	平硐	520	0	1979.12	1—6	1—6	3.16	
武平矿井	无烟煤	低	平硐	191	43	1958.03	1—2	1—2	3.45	
黄坊矿井	无烟煤	低	斜井	63	6	1990.09	1—6	1—6	4.64	
罗厝山矿井	无烟煤	低	斜井	331	20	1991.01	1—9	1—9	6.22	

续表

	煤种	瓦斯等级	开拓方式	矿井可采储量/10^4t	现生产水平可采储量/10^4t	投产日期/年.月	核定能力/处—10^4t	设计能力/处—10^4t	本年实际产量/10^4t	备注
北山矿井	无烟煤	低	斜井	436	215	1999.01	1—15	1—15	10.16	
宁洋煤矿	无烟煤	低	斜井	264	138	1999.10	1—3	1—3	2.80	
东中煤矿	无烟煤	低	平硐	109	109	1958.09	1—3	1—3	0.92	
石板坑矿	无烟煤	低	平硐				1—9	1—9		
江西省	1/3焦煤	高	斜井	24674	10457		83—879	83—1005	900.10	
其中：有能力的矿井				21848	9031		61—879	61—1005	794.51	
1. 国有重点煤矿（小计）				14925	6879		14—480	14—544	556.70	
其中：有能力的矿井				14798	6810		14—480	14—544	526.75	
萍乡矿务局				5452	1954		5—213	5—300	219.76	
其中：有能力的矿井				5452	1954		5—213	5—300	219.76	
高坑煤矿	1/3焦煤	低	立井	451	244	1955.12	1—55	1—90	21.86	
安源矿平硐	1/3焦煤	低	平硐	1588	865	1958.12	1—60	1—90	83.92	
青山矿立井	无烟煤	高	立井	1526	153	1957.01	1—55	1—45	35.75	
巨源杉坡里斜井	贫瘦煤	高	斜井	608	166	1958.01			17.58	
杨桥礼堂斜井	无烟煤	低	斜井	702	191		1—25	1—30	22.10	
白源矿立井	1/3焦煤	低	立井	577	335	1990.01	1—18	1—45	38.55	
黄冲矿	焦煤	低	斜井							
丰城矿务局	炼焦煤	高	斜井	3596	3201	1958.12	2—125	2—105	152.65	
坪湖煤矿斜井	焦煤	突	斜井	1291	1259	1963.12	1—50	1—45	46.90	
建新煤矿斜井	焦煤	突	斜井	1044	1039	1959.12	1—75	1—60	66.00	
八一煤矿斜井	焦煤	突	斜井							
尚一煤矿斜井	焦煤	突	斜井	1261	903	1968.10			39.75	
局属其他	贫瘦煤	高	斜井							
英岗岭矿务局				318	318		3—36	3—34	55.64	
桥头矿二斜井	无烟煤	高	斜井	65	65				24.11	
东村矿斜井	无烟煤	高	斜井	215	215	1975.01	1—18	1—15	19.01	

续表

	煤　种	瓦斯等级	开拓方式	矿井可采储量/10^4t	现生产水平可采储量/10^4t	投产日期/年．月	核定能力/处－10^4t	设计能力/处－10^4t	本年实际产量/10^4t	备　注
伍家矿斜井	无烟煤	高	斜井	38	38	1982.07	1－9	1－10	8.50	
栗背山矿斜井	无烟煤	高	立井				1－9	1－9	4.02	
乐平矿务局				4890	737		3－76	3－75	71.77	
其中：有能力的矿井				4763	668		3－76	3－75	71.77	
鸣山矿立井	气煤	低	立井	662	190	1967.08	1－21	1－15	7.46	
桥头丘矿一斜井	焦煤	高	斜井	127	69					
沿沟矿平硐	贫煤	高	斜井	3128	119	1969.05	1－30	1－30	27.88	
涌山矿平硐	无烟煤	高	斜井	653	231	1975.01	1－25	1－30	21.44	
仙槎矿平硐	焦煤	高	斜井	320	128	1964.04			14.99	
文家背井	无烟煤	低	斜井							
洛市矿务局				669	669		1－30	1－30	35.51	
其中：有能力的矿井				669	669		1－30	1－30	26.93	
山西矿斜井	贫煤	低	斜井	669	669	1992.10	1－30	1－30	26.93	
流舍矿斜井	贫煤	低	斜井						8.58	
龙南东江煤矿	无烟煤									
2. 省营煤矿				3563	1725		12－174	12－196	115.64	
八景煤矿	瘦煤	低、高	斜井	1643	937		5－60	5－72	20.97	
花鼓山煤矿	无烟煤	低、高	立井	1062	489		2－39	2－39	29.52	
天河煤矿	气煤	低	立井	252	46	1990.05	1－45	1－24	29.69	
棠浦煤矿	气煤	低	斜井	110	77		2－15	2－24	12.80	
大光山煤矿	无烟煤	低	斜井	496	176		2－15	2－37	15.66	
3. 专营煤矿（小计）				1898	740		9－78	9－99	73.60	
其中：有能力的矿井				698	140		8－78	8－99	57.60	
萍乡市				1611	740		6－54	6－60	53.43	
跃进煤矿井	焦煤	低	斜井			1958.10	1－9	1－9	7.90	
上官岭煤矿井	贫瘦煤	高	斜井	45	45	1958	1－9	1－15	9.00	

续表

	煤种	瓦斯等级	开拓方式	矿井可采储量/10^4t	现生产水平可采储量/10^4t	投产日期/年.月	核定能力/处－10^4t	设计能力/处－10^4t	本年实际产量/10^4t	备注
焦宝煤矿井	无烟煤	高	斜井	6	45	1971.10	1—6	1—6	4.53	
五坡下煤矿井	焦煤	低	平硐		20	1969.10	1—15	1—15	13.00	
王坑煤矿	焦煤	低	平硐	1200	600	1957.08	1—	1—	16.00	
新岭煤矿井	无烟煤	高	斜井	360	30	1985.12	1—15	1—15	3.00	
赣州地区				287			3—24	3—39	20.17	
高桥煤矿	无烟煤	高	斜井	140		1974.07	1—9	1—21	9.16	
合成煤矿	无烟煤	高	斜井	80		2002.05	1—9	1—9	7.50	
金兴煤矿	无烟煤	高	斜井	67		2000.09	1—6	1—9	3.51	
4. 县营煤矿（小计）				4288	1113		48—147	48—166	154.16	
其中：有能力的矿井				2789	356		27—147	27—166	101.52	
萍乡市				1177	727		8—27	8—30	25.70	
长埠煤矿	无烟煤	低	斜井	50	6	1958.12	1—9	1—12	5.00	
界化龙煤矿	无烟煤	低	斜井	100	15	1974.01	1—6	1—6	1.50	
杨岐山煤矿	无烟煤	低	平硐			2000.08	1—6	1—6		
鸡冠山垦殖场煤矿	无烟煤	高	平硐	16	9	1977.01	1—	1—	5.60	
鸡冠山垦殖场黄冲煤矿	无烟煤	高	平硐	542	542	1958	1—	1—	0.10	
鸡冠山垦殖场南源煤矿	无烟煤	高	平硐	119	119	1958	1—	1—	1.00	
升华煤矿	焦煤	低	斜井	150	30		1—	1—	10.00	
西云山煤矿	无烟煤	低	斜井	200	6	1993.12	1—6	1—6	2.50	
赣州地区				661			11—24	11—23	36.49	
小垒煤矿	无烟煤		平硐	12			1—6	1—6	4.00	
于都煤矿	无烟煤	低	斜井	168			2—3	2—3	6.89	
梅告煤矿井	无烟煤	低	斜井	0		1958.04	1—3	1—2	0.27	
宁都县煤矿	无烟煤	低	平硐	14		1981.03	1—	1—	1.30	
王干煤矿井	无烟煤	低	斜井	131		1986.01	1—6	1—6	3.50	
龙南大田煤矿	无烟煤	低	斜井	50		1969.11	1—	1—	10.00	

续表

	煤种	瓦斯等级	开拓方式	矿井可采储量/10^4t	现生产水平可采储量/10^4t	投产日期/年.月	核定能力/处－10^4t	设计能力/处－10^4t	本年实际产量/10^4t	备注
崇义县煤矿	无烟煤	低	平硐	67		1969.10	1—	1—	1.63	
金南县煤矿	无烟煤	低	平硐			1969.10	1—	1—	0.50	
东江煤矿二井	无烟煤	低	斜井	188		1993.09	1—6	1—6	8.00	
上犹县煤矿	无烟煤	低	斜井	31			1—	1—	0.40	
宜春地区				472	151		5—18	5—18	25.97	
河西煤矿	瘦煤	高	斜井、立井	202	15		3—	3—	6.15	
河东煤矿井	贫瘦煤	低	斜井	230	121	1988.05	1—15	1—15	18.26	
万载煤矿井	无烟煤		斜井	40	15		1—3	1—3	1.56	
上饶地区				636			10—36	10—40	32.80	
铺前煤矿	贫瘦煤	低	斜井	408			2—15	2—15	13.76	
窑山煤矿井	无烟煤	低	平硐			1985.01				转制个体
刘源坑煤矿井	瘦煤	低	斜井	34		1971.01	1—3	1—6	3.50	
白马煤矿林岗山井	肥煤	高	斜井	7		2001.01	1—6	1—6	2.20	
洪门口矿	瘦煤、气肥煤	高	立井	66			2—6	2—7	6.04	
立新煤矿	瘦煤	高	斜井	28		1969.03	1—	1—	1.80	
五都煤矿	贫瘦煤	高	斜井	18		1972.09	1—	1—	2.00	
新湖煤矿	无烟煤	高	斜井			1982.01	1—	1—	1.50	
杨林煤矿	无烟煤	高	斜井	75		1994.10	1—6	1—6	2.00	
抚州地区				52	35		2—3	2—6	3.25	
刘家岭煤矿	焦煤	高	立井	30	30	1972	1—	1—	1.55	
中华山煤矿井	焦煤	高	斜井	22	5	1986	1—3	1—6	1.70	
吉安地区				355	8		6—27	6—27	18.07	
安塘煤矿井	气肥煤	低	斜井	8	8	1977.05	1—6	1—6	4.00	
北华山煤矿井	无烟煤	低	斜井	106			1—6	1—6	4.00	
杏严煤矿	无烟煤	低	斜井	29		2000.03	1—6	1—6	2.40	
石莲煤矿	无烟煤	低	斜井	120		1996.05	1—6	1—6	4.32	

续表

	煤　种	瓦斯等级	开拓方式	矿井可采储量/10^4t	现生产水平可采储量/10^4t	投产日期/年.月	核定能力/处—10^4t	设计能力/处—10^4t	本年实际产量/10^4t	备　注
白垦煤矿	无烟煤	低	斜井	31		1985.05	1—	1—	1.37	
螺田煤矿井	无烟煤	低	斜井	61		1988.08	1—3	1—3	1.98	
九江市				97	67		4—6	4—7	7.60	
武宁煤矿	焦煤、贫瘦煤	高	斜井、平硐	55	55		2—6	2—7	4.40	
罗坑煤矿	贫瘦煤	高	平硐	42	12	1985.10	1—	1—	3.00	
付山煤矿井			斜井				1—	1—	0.20	
吴家岩井		高	平硐			1980	1—	1—	0.20	
新余市				838	125		2—6	2—15	2.65	
西茶煤矿井	无烟煤	高	斜井	888	131		3—15	3—27	7.65	
山东省				462371	379602		132—7075	128—6258	12092.92	
其中：有能力的矿井				454232	371470		113—7075	113—6258	10455.20	
1. 国有重点煤矿小计				358300	275783		47—5425	43—4849	9097.72	
其中：有能力的矿井				350161	267651		41—5425	41—4849	7982.30	
淄博矿务局				14015	14015		3—210	3—141	1186.80	
其中：有能力的矿井				6526	6526		3—210	3—141	309.50	
西河煤矿	贫煤	高	斜井	318	318	1953.04	1—60	1—30	51.70	
岭子煤矿	贫煤	高	斜井	258	258	1959.11	1—60	1—21	92.90	
埠村煤矿	瘦煤	低		5950	5950	1964.08	1—90	1—90	164.90	
夏庄煤矿				392	392				44.40	
石谷煤矿				99	99				46.40	
双沟煤矿				39	39				24.00	
南定煤矿				74	74				51.50	
许厂煤矿				4356	4356				320.50	
岱庄煤矿				1683	1683				260.10	
葛亭煤矿				846	846				130.40	

续表

	煤种	瓦斯等级	开拓方式	矿井可采储量 /10^4t	现生产水平可采储量 /10^4t	投产日期 /年.月	核定能力 /处－10^4t	设计能力 /处－10^4t	本年实际产量 /10^4t	备注
新汶矿务局				40013	21833		11－935	11－810	1158.40	
其中：有能力的矿井				39753	21580		10－935	10－810	1148.10	
孙村煤矿	气煤	低	斜井	3210	1662	1948.04	1－90	1－60	123.70	
张庄煤矿	气肥煤	低	斜井	864	177	1957.12	1－90	1－75	86.30	
良庄煤矿	气煤	低	斜井	1876	1365	1957.07	1－120	1－120	129.40	
华丰煤矿	气煤	低	斜井	4837	2149	1958.10	1－110	1－90	112.60	
协庄煤矿	气煤	低	斜井	7402	2743	1962.12	1－180	1－180	191.00	
潘西煤矿	气肥煤	低	斜井	1727	1259	1960.07	1－45	1－30	89.70	
翟镇煤矿	气煤	低	立井	6054	6054	1993.12	1－120	1－120	199.50	
汶南煤矿	肥煤	低	斜井	6638	4845	1971.01	1－90	1－60	79.70	
南冶煤矿	肥煤	低	斜井	2711	597	1971.12	1－45	1－30	52.90	
鄂庄煤矿	气煤	低	立井	4434	729	1981.12	1－45	1－45	83.30	
泉沟煤矿				260	253	1958.01	1－	1－	10.30	
枣庄矿务局				62988	62988		10－760	6－750	1413.70	
其中：有能力的矿井				62725	62725		6－760	6－750	1230.90	
柴里煤矿	1/3 焦煤	低	立井	10415	10415	1971.12	1－210	1－210	273.10	
蒋庄煤矿	1/3 焦煤	低	立井	10538	10538	1989.04	1－160	1－150	257.40	
田陈煤矿	1/3 焦煤	低	立井	9906	9906	1989.12	1－120	1－120	157.50	
付村煤矿				9898	9898	2002.01	1－120	1－120	213.00	
高状煤矿				12304	12304	2002.01	1－90	1－90	161.10	
新安煤矿				9664	9664	2002.01	1－60	1－60	168.80	
山家林煤矿				16	16		1－		37.00	
陶庄煤矿				104	104		1－		81.50	
八一煤矿				122	122		1－		26.30	
井亭煤矿				21	21		1－		38.00	

续表

	煤种	瓦斯等级	开拓方式	矿井可采储量 /10^4t	现生产水平可采储量 /10^4t	投产日期 /年．月	核定能力 /处—10^4t	设计能力 /处—10^4t	本年实际产量 /10^4t	备注
肥城矿务局				23989	11937		7—405	7—336	682.80	
其中：有能力的矿井				23862	11810		6—405	6—336	638.00	
杨庄煤矿	气肥煤	低	立井	2703	2703	1960.12	1—70	1—51	95.30	
曹庄煤矿	气肥煤	低	斜井	3412	910	1964.12	1—70	1—60	120.70	
陶阳煤矿	气肥煤	低	立井	4354	1633	1965.12	1—90	1—90	107.70	
国庄煤矿	气煤	低	立井	2504	2504	1975.09	1—45	1—45	60.60	
查庄煤矿	气煤	低	立井	6623	975	1968	1—90	1—60	128.60	
白庄煤矿	气煤	低	立井	4266	3085	1978.12	1—40	1—30	125.10	
大丰煤矿				127	127	1960.12	1—	1—0	44.80	
兖州矿务局				191050	131893		8—2595	8—2275	4072.00	
其中：有能力的矿井				191050	131893		8—2595	8—2275	4072.00	
南屯煤矿	气煤	低	立井	13820	7557	1973.12	1—350	1—240	365.00	
北宿煤矿	气煤	低	立井	5640	987	1976.12	1—70	1—75	106.00	
兴隆庄煤矿	气煤	低	立井	23859	17396	1981.12	1—350	1—300	709.00	
鲍店煤矿	气煤	低	立井	27502	19912	1986.06	1—350	1—300	636.00	
杨村煤矿	气煤	低	立井	5113	3174	1989.06	1—75	1—60	122.00	
东滩煤矿	气煤	低	立井	31565	22517	1989.12	1—500	1—400	809.00	
济二煤矿	气煤		立井	39515	27881	1997.11	1—400	1—400	522.00	
济三煤矿	气煤	低	立井	44036	32469	2000.12	1—500	1—500	803.00	
龙口矿务局				24344	31263		3—370	3—360	370.50	
北皂煤矿	褐煤	低	立井	5829	16557	1983.12	1—100	1—90	147.30	
梁家煤矿	褐煤	低	立井	13075	13075	1992.12	1—180	1—180	183.20	
洼里煤矿	褐煤	低	立井	5440	1631	1974.12	1—90	1—90	40.00	
临沂矿务局				1901	1854		5—150	5—177	213.30	
草埠煤矿	肥煤	低	立井	55	55	1963.06	1—15	1—15	21.10	
褚墩煤矿	1/3 焦煤	低	立井	43	43	1984.09	1—15	1—30	20.80	

续表

	煤 种	瓦斯等级	开拓方式	矿井可采储量/10^4t	现生产水平可采储量/10^4t	投产日期/年.月	核定能力/处—10^4t	设计能力/处—10^4t	本年实际产量/10^4t	备 注
塘崖煤矿	焦煤	低	立井	75	75	1988.12	1—9	1—21	14.60	
株柏煤矿	1/3焦煤	低	立井	157	110	1992.12	1—21	1—21	19.20	
古城煤矿	气肥煤	低	立井	1571	1571	2000.12	1—90	1—90	137.60	
2. 省营煤矿小计				104071	103819		8—328	8—216	602.00	
其中：有能力的矿井				104071	103819		7—328	7—216	578.60	
三河口煤矿	气肥煤	低	立井	5816	5816	1984.01	1—60	1—60	105.10	
七五煤矿	气煤	低	立井	12655	12655	1979.01	1—70	1—21	104.90	
岱庄煤矿	气煤	低	立井	2675	2675	1982.01	1—60	1—21	113.70	
武所屯煤矿	肥煤	低	立井	44819	44819	1983.01	1—30	1—15	77.90	
里彦煤矿	气煤	低	立井	36745	36745	2001.09	1—60	1—60	82.20	
马坊煤矿	气肥煤	低	立井	271	20	1979.01	1—18	1—9	11.00	
田庄煤矿	气肥煤	低	立井	1090	1089	2001.07	1—30	1—30	83.80	
邱集煤矿							1—	1—0	23.30	
3. 地营煤矿小计							17—266	17—253	645.20	
其中：有能力的矿井							13—266	13—253	415.50	
枣庄市							2—39	2—39	66.80	
泉上煤矿	气煤	低	立井			1987.01	1—30	1—30	50.20	
魏庄煤矿	气煤	低	斜井			1981.01	1—9	1—9	16.60	
泰安市崖头煤矿	气煤	低	斜井			1979.01	1—25	1—21	27.00	
潍坊市							2—27	2—30	36.60	
五井煤矿	气煤	低	斜井			1959.01	1—12	1—15	14.60	
朱刘店煤矿	肥煤	低	斜井			1976.01	1—15	1—15	22.00	
临沂市							4—9	4—9	23.40	
小庄子煤矿						1976.01	1—6	1—6	11.10	
凤凰岭煤矿						1994.01	1—3	1—3	5.20	
东高都煤矿							1—0	1—0	2.00	
西高都煤矿							1—0	1—0	5.10	

续表

	煤种	瓦斯等级	开拓方式	矿井可采储量 /10^4t	现生产水平可采储量 /10^4t	投产日期 /年．月	核定能力 /处－10^4t	设计能力 /处－10^4t	本年实际产量 /10^4t	备注
莱芜市槲林煤矿						1987.01	1—21	1—15	16.30	
济宁市							5—115	5—115	433.00	
落陵煤矿	气煤	低	立井			1976.08	1—30	1—30	20.60	
莱园煤矿	气煤	低	立井			1982.09	1—55	1—55	78.80	
太平煤矿	气煤	低	立井			1997.01	1—30	1—30	111.00	
鹿洼煤矿							1—	1—0	111.30	
运河煤矿							1—	1—0	111.30	
滨州市						1976.01	1—15	1—15	26.80	
崇山煤矿	贫煤	低	斜井				1—15	1—15	26.80	
菏泽市							1—15	1—9	15.30	
茅庄煤矿	肥煤	低	立井			1972.03	1—15	1—9	15.30	
4. 县营煤矿小计							60—1056	60—940	1748.00	
其中：有能力的矿井							52—1056	52—940	1478.80	
济南市							5—81	5—66	87.70	
琅沟煤矿	贫瘦煤	低	立井			1970.01	1—21	1—15		
平阴煤矿	肥煤	低	立井			1978.01	1—30	1—21	37.30	
东风煤矿	焦煤	低	斜井			1984.01	2—30	2—30	35.90	
李福煤矿							1—	1—0	14.50	
淄博市							4—66	4—60	89.20	
鲁村煤矿	气煤	低	斜井			1983.01	1—15	1—15	16.00	
张店煤矿	无烟煤	低	立井			1991.04	1—15	1—15	12.70	
沣水煤矿	瘦煤	低	斜井			1975.01	1—15	1—9	22.50	
王庄煤矿	焦煤	低	立井			1994.05	1—21	1—21	38.00	
枣庄市							19—252	19—222	558.40	
张山子煤矿	无烟煤	低	斜井			1978.05	1—9	1—9	16.30	
薛城煤矿	气煤	低	斜井			1971.01	1—6	1—9	13.30	

续表

	煤种	瓦斯等级	开拓方式	矿井可采储量/10^4t	现生产水平可采储量/10^4t	投产日期/年.月	核定能力/处－10^4t	设计能力/处－10^4t	本年实际产量/10^4t	备注
郭庄煤矿	气煤	低	立井			1985.01	1—45	1—21	44.20	
级索煤矿	气煤	低	立井			1992.09	1—21	1—9	22.30	
赵坡煤矿	肥煤	低	立井			1994.01	1—30	1—30	145.10	
黄贝煤矿							1—6	1—9		
曹庄煤矿	气肥煤	低	立井			1995.01	1—30	1—30	43.00	
刘村煤矿	气肥煤	低	斜井			1995.01	1—9	1—9	4.80	
齐西煤矿	肥煤	低	立井			1995.01	1—6	1—6	12.40	
留庄煤矿	气肥煤	低	立井			1997.01	1—30	1—30	70.00	
王晁煤矿	气肥煤	低	立井			1997.01	1—30	1—30	58.60	
薛焦煤矿	无烟煤	低	斜井				1—3	1—3	9.40	
利民煤矿	肥煤	低	斜井				1—9	1—9	6.10	
庄里煤矿	气肥煤	低	立井			1997.01	1—15	1—15	22.70	
富园煤矿	气肥煤	低	立井			1993.12	1—3	1—3	4.80	
官地煤矿	气肥煤	低	立井				1—	1—0	12.70	
休城煤矿	气肥煤	低	斜井				1—	1—0	56.00	
闫布煤矿							1—	1—0	9.60	
官桥煤矿							1—	1—0	7.10	
泰安市							16—290	16—243	352.70	
小港煤矿	气肥煤	低	立井			1979.01	1—25	1—21	36.00	
四槐树煤矿	气肥煤	低	立井			1979.01	1—18	1—9	10.20	
保安煤矿	气肥煤	低	斜井			1964.01	1—25	1—21	37.60	
石屯煤矿	气肥煤	低	斜井			1971.01	1—18	1—15	0.00	
五理垢煤矿	气肥煤	低	立井			1971.01	1—21	1—15	17.00	
汶河煤矿	气肥煤	低	斜井			1984.01	1—15	1—9	18.10	
高佐煤矿	气肥煤	低	立井			1985.01	1—15	1—9	21.70	
红旗煤矿	气肥煤	低	立井			1971.01	1—9	1—15	11.00	

续表

	煤种	瓦斯等级	开拓方式	矿井可采储量/10^4t	现生产水平可采储量/10^4t	投产日期/年.月	核定能力/处—10^4t	设计能力/处—10^4t	本年实际产量/10^4t	备注
兴隆煤矿						1992.01	1—15	1—15	18.00	
光明煤矿						1995.01	1—12	1—9	11.50	
石集煤矿						1995.01	1—21	1—21	25.50	
羊泉煤矿						1995.01	1—15	1—15	15.40	
莲花山煤矿						1997.08	1—15	1—15	10.80	
韩庄煤矿						1997.01	1—21	1—9	22.30	
王家寨煤矿						1998.09	1—45	1—45	62.30	
正大煤业							1—	1—0	35.30	
潍坊市							2—24	2—24	20.20	
五图煤矿	褐煤	低	斜井			1984.01	1—12	1—12	8.00	
鲁光煤矿	弱粘煤	低	斜井			1978.07	1—12	1—12	12.20	
临沂市							2—24	2—18	17.80	
曹庄煤矿						1987.01	1—15	1—9	8.10	
黄山煤矿							1—9	1—9	9.70	
莱芜市							3—33	3—21	24.80	
北埠煤矿						1973.02	1—9	1—9	8.50	
辛庄煤矿						1960.08	1—18	1—9	15.10	
南下冶煤矿						1986.01	1—6	1—3	1.20	
济宁市							7—250	7—250	558.90	
单家村煤矿	气煤	低	立井			1989.01	1—65	1—65	77.90	
欢城煤矿	气煤	低	立井			1974.01	1—45	1—45	76.50	
杨庄煤矿	气煤	低	立井			1987.01	1—35	1—35	40.40	
横河煤矿	气煤	低	立井			1993.01	1—45	1—45	110.60	
崔庄煤矿						1997.01	1—60	1—60	119.50	
唐阳煤矿							1—	1—0	80.00	
金桥煤矿							1—	1—0	54.00	

续表

	煤种	瓦斯等级	开拓方式	矿井可采储量/10^4t	现生产水平可采储量/10^4t	投产日期/年.月	核定能力/处－10^4t	设计能力/处－10^4t	本年实际产量/10^4t	备注
烟台市							2－36	2－36	38.30	
洼东煤矿	褐煤	低	立井			1982.01	1－18	1－18	16.50	
桑园煤矿	褐煤	低	立井			1979.04	1－18	1－18	21.80	
河南省				384947	252687		111－6704	110－6754	7787.12	
其中：有能力的矿井				381166	243271		111－6704	107－6589	7387.19	
1. 国有重点煤矿（小计）				292043	206730		50－5145	52－5190	5915.63	
其中：有能力的矿井				290862	197314		50－5145	50－5055	5685.21	
平顶山矿务局				106581	80675		16－2109	17－2068	2369.00	
其中：有能力的矿井				105400	80675		16－2109	16－2053	2255.87	
一矿立井	1/3 焦煤	低	立井	14992	14992	1959.10	1－400	1－400	356.00	
二矿立井	1/3 焦煤	低	立井	1051	1051	1957.10	1－50	1－21	87.00	
四矿立井	1/3 焦煤	突	立井	4519	4519	1959.08	1－180	1－120	211.00	
五矿立井	1/3 焦煤	突	立井	6506	6506	1959.12	1－100	1－120	106.00	
六矿立井	1/3 焦煤	低	立井	10642	10642	1970.07	1－280	1－210	312.00	
七矿立井	肥煤	高	立井	922	922	1959.08	1－50	1－120	54.26	
八矿立井	1/3 焦煤	突	立井	16271	5578	1981.02	1－220	1－300	265.00	
十矿立井	1/3 焦煤	突	立井	9099	9099	1964.02	1－210	1－180	251.37	
十一矿立井	1/3 焦煤	高	立井	11916	11916	1978.12	1－100	1－60	133.60	
十二矿立井	肥煤	高	立井	2430	2430	1960.06	1－70	1－90	130.62	
高庄矿立井	肥煤	低	立井	183	183	1968.12	1－60	1－45	64.30	
大庄矿立井	1/3 焦煤	低	立井	883	883	1973.10	1－110	1－90	103.20	
吴寨小井			立井				1－9	1－12	13.58	
十三矿立井	贫瘦煤	高	立井	20776	9727	2002.05	1－180	1－180	93.00	新投产矿井
朝川矿	焦煤、肥煤	低	斜井、立井	6391	2227		2－90	3－120	81.50	兼并单位
其他									106.57	

续表

	煤　种	瓦斯等级	开拓方式	矿井可采储　量/10^4t	现生产水平可采储量/10^4t	投产日期/年．月	核定能力/处－10^4t	设计能力/处－10^4t	本年实际产　量/10^4t	备　注
焦作矿务局		突出		21136	19046	1904.12	7—346	8—491	365.00	
其中：有能力的矿井	无烟煤	突出		21136	9630		7—346	7—371	333.00	
朱村立井	无烟煤	突	立井	424	424	1958.07	1—60	1—60	27.00	
演马庄立井	无烟煤	突	立井	7492	3279	1958.07	1—55	1—45	74.00	
韩王立井	无烟煤	突	立井	74	76	1958.10	1—21	1—21	12.00	
冯营立井	无烟煤	突	立井	40	40	1960.12	1—45	1—45	15.00	
中马村立井	无烟煤	突	立井	5436	2820	1970.07	1—50	1—60	78.00	
九里山立井	无烟煤	突	立井	6672	2835	1983.04	1—65	1—90	91.00	
位村斜井	无烟煤	突	斜井	998	156	1991.12	1—50	1—50	36.00	
鹤壁矿务局	贫瘦煤	高		29198	15609		8—585	8—525	710.99	
一矿立井	瘦煤	高	立井							
二矿立井	贫瘦煤	高	立井	953	663	1958.06	1—70	1—60	79.62	
三矿立井	贫瘦煤	高	立井	6571	2731	1958.12	1—80	1—60	135.04	
四矿立井	贫瘦煤	高	立井	5062	1571	1960.11	1—110	1—90	153.40	
五矿立井	贫瘦煤	高	立井	469	275	1960.05	1—45	1—45	58.07	
六矿立井	贫瘦煤	突	立井	8866	3151	1964.03	1—120	1—120	120.35	
八矿斜井	贫瘦煤	高	斜井	902	843	1960.05	1—70	1—60	84.27	
九矿斜井	贫瘦煤	高	斜井	670	670	1960.05	1—30	1—30	39.04	
十矿立井	贫瘦煤	高	立井	5705	5705	2002.02	1—60	1—60	41.20	
义马矿务局				66296	43604		10—1025	10—1056	1076.09	
其中：有能力的矿井				66296	43604		10—1025	10—1056	1047.21	
千秋立井	长焰煤	低	立井	10894	3428	1958.05	1—90	1—60	90.07	
常村斜井	长焰煤	低	斜井	8603	5324	1953.04	1—180	1—180	166.47	
跃进斜井	长焰煤	低	斜井	6798	6798	1959.10	1—120	1—120	74.49	
杨村斜井	长焰煤	低	斜井	2578	2578	1975.10	1—120	1—60	170.06	
耿村斜井	长焰煤	低	斜井	15204	15204	1982.12	1—240	1—240	267.59	

续表

	煤　种	瓦斯等级	开拓方式	矿井可采储　量/10^4t	现生产水平可采储量/10^4t	投产日期/年．月	核定能力/处－10^4t	设计能力/处－10^4t	本年实际产　量/10^4t	备　注
义马北露天煤矿	长焰煤		露天	183	183	1967.03	1—70	1—120	41.61	
观音堂斜井	焦煤	低	斜井	1246	236	1958.12	1—30	1—36	40.78	
曹窑斜井	焦煤	低	斜井	923	923	1960.12	1—25	1—30	40.08	
陈村立井	焦煤	低	立井							
石豪立井	焦煤	高	立井	3052	1548	1984.12	1—30	1—60	48.05	
新安斜井	贫煤	高	斜井	16815	7382	1988.12	1—120	1—150	108.01	
郑州矿务局	贫煤			28453	13258		7—660	7—690	891.77	
其中：有能力的矿井				28453	13258		7—660	7—690	875.81	
裴沟煤矿	贫煤	高	立井	3303	2757	1966.03	1—110	1—120	185.12	
米村煤矿	无烟煤	低	斜井	3061	3061	1970.12	1—150	1—150	176.40	
芦沟煤矿	无烟煤	低	立井	4991	123	1972.12	1—45	1—60	46.02	
王庄煤矿	无烟煤	低	斜井			1955.05	1—100	1—120	16.74	建议核销
超化煤矿	贫瘦煤	高	立井	5643	3681	1993.12	1—90	1—90	228.66	请核 200 10^4t/年
大平煤矿	贫煤	高	立井	1524	1524	1986.06	1—75	1—60	122.70	
告成煤矿	贫煤	高	立井	9931	2112	1999.09	1—90	1—90	100.17	
其　他									15.96	
永城煤电				40379	34538		2—420	2—360	462.33	
陈四楼立井	无烟煤		立井	20183	21313	1997.10	1—240	1—240	330.98	
车集煤矿	无烟煤	低	立井	20196	13225	1999.12	1—180	1—120	131.35	
2. 专营煤矿（小计）				47669	27794		21—685	22—687	776.13	
其中：有能力的矿井				45069	27794		21—685	21—657	772.43	
洛阳市				1096	1096		1—30	1—30	50.26	
龙门立井	无烟煤	低	立井	1096	1096	1976.12	1—30	1—30	50.26	
平顶山市	1/3 焦煤	低		4850	895		4—127	5—157	65.89	
梨园矿务局	焦煤	低		4850	895		2—42	3—72	36.66	
梨园郭庄斜井	1/3 焦煤	低	斜井	880	545	1972.12	1—21	1—21	32.66	

续表

	煤种	瓦斯等级	开拓方式	矿井可采储量/10^4t	现生产水平可采储量/10^4t	投产日期/年.月	核定能力/处—10^4t	设计能力/处—10^4t	本年实际产量/10^4t	备注
宁庄矿	贫瘦煤	低	立井	2600				1—30	4.00	基建
长虹立井	贫煤	高	斜井	1370	350	1998.08	1—21	1—21		
香山立井	煤分不出牌	低	立井			1960.01	1—30	1—30	29.23	准备破产
安阳市				12038	6436		5—100	5—170	140.00	
安阳矿务局				11728	6391		4—91	4—155	130.62	
安阳红岭斜井	煤分不出牌	高	斜井	2529	1053	1977.12	1—21	1—30	60.01	
安阳铜冶立井	无烟煤	高	立井	2390	920	1958.08	1—40	1—60	33.83	
安阳龙山斜井	无烟煤	突	斜井	3101	3101	1978.12	1—15	1—50	27.40	
安阳王家岭立井	无烟煤	突	立井	3708	1317	2001.10	1—15	1—15	9.38	
马村立井	无烟煤	高	立井	310	45	1997.01	1—9	1—15	9.38	
新乡市陈召二号斜井	无烟煤	低	立井	674	32	1968.10	1—15	1—21	13.14	
焦作市				1753	1753		3—81	3—81	113.54	
金科尔集团	无烟煤	高	立井	1653	1653		2—60	2—60	82.15	
白云煤业公司	无烟煤	突出	立井	100	100	1981.06	1—21	1—21	31.39	
济源市				5542	3810		3—41	3—72	75.80	
济源立井	无烟煤	低	立井	4922	3318	1953.10	2—26	2—57	75.80	
太行煤矿	无烟煤	低	斜井	620	492	1985.01	1—15	1—15		
三门峡市英豪煤矿	焦煤	低	立井	2275	2275	1985.10	2—36	2—36	17.80	
商丘地区神火集团	无烟煤	低	立井	19441	11497	1976.08	2—255	2—120	300.00	
3. 县营煤矿（小计）				45235	18163		40—874	36—877	1095.36	
其中：有能力的矿井				45235	18163		40—874	36—877	929.55	
郑州市				14211	8064		12—345	10—336	388.61	
超化立井	贫煤	高	立井	88	88	1974.06	1—30	1—30	31.83	
新中煤矿	无烟煤	低	立井	627	459	1954.08	1—21	1—21	27.85	
新登斜井	无烟煤	低	斜井	2737	1183		1—60	1—60	70.69	
新新斜井			斜井				1—30			

续表

	煤　种	瓦斯等级	开拓方式	矿井可采储　量/10^4t	现生产水平可采储量/10^4t	投产日期/年．月	核定能力/处—10^4t	设计能力/处—10^4t	本年实际产　量/10^4t	备　注
小河斜井			斜井				1—15			
任岗煤矿	贫煤	低	立井	1300	1300	1986.10	1—30	1—30	38.59	
王河立井	无烟煤	低	立井	530	120	1976.04	1—30	1—30	18.85	
徐庄煤矿	无烟煤	低	立井	840	54	1958.03	1—15	1—30	23.53	
东平立井	贫煤	突出	立井	1300	1300	1997.07	1—9	1—30	19.85	
王村立井	贫煤	低	立井	49	49	1990.01	1—15	1—15	15.42	
大峪沟矿务局	无烟煤	低、高	立井	6740	3511		2—90	2—90	142.00	
洛阳市				3430	1907		5—63	5—63	67.03	
焦村矿夹沟斜井	无烟煤	低	斜井	397	397	1990.12	1—15	1—15	6.55	
郁山斜井	瘦煤	低	斜井	704	514	1956.06	1—15	1—15	15.20	
奋进红旗立井	瘦煤	低	立井	20	20	1960.10	1—9	1—9	25.05	
渠里斜井	贫煤	高	斜井	2030	976	1998.10	1—15	1—15	20.23	
汝阳斜井	烟煤	低	斜井	279		1959.10	1—9	1—9		停产
平顶山市				2004	141		4—33	4—33	23.71	
苗李立井	1/3 焦煤	低	立井			1967.10	1—6	1—6	5.70	
蜈绍窝立井	1/3 焦煤	低	立井	1493		1984.12	1—6	1—6		
胡沟斜井	炼焦	低	斜井	453	83	1975.05	1—15	1—15	10.01	
新华四矿立井	1/3 焦煤	低	立井	58	58	1994.06	1—6	1—6	8.00	
安阳市				10597	488		4—67	3—69	45.79	
白莲坡新庄斜井	瘦煤	低	斜井	27	27	1995.05	1—9	1—9	25.84	
果园立井	无烟煤	高	立井	822	26	1992.10	1—15	1—15	2.29	
三泉寺立井	无烟煤	高	立井	483	380		1—3		0.30	
大众鲁仙立井	无烟煤	高	立井	9265	55	1979.01	1—40	1—45	17.36	
鹤壁市安林斜井	无烟煤	超	斜井	640	640	1977.10	1—30	1—30	35.00	
新乡市吴村立井	无烟煤	低	立井	85	85	1974.01	1—45	1—45	43.00	
许昌市				13208	6314		11—261	10—267	289.11	

	煤　种	瓦斯等级	开拓方式	矿井可采储量/10^4t	现生产水平可采储量/10^4t	投产日期/年.月	核定能力/处－10^4t	设计能力/处－10^4t	本年实际产量/10^4t	备　注
新峰矿务局	焦煤、烟煤、贫瘦煤	低、高	立井、斜井	6188	5636		4—132	4—141	131.19	
中锋公司吕沟立井	焦煤	低	其他	1040	117	1962.08	1—30	1—30	37.70	
云煤一矿	贫瘦煤	低	斜井	1868	209	2002.06	1—30	1—30	42.81	
云煤二矿	贫瘦煤	低	斜井	1957	165	2002.07	1—15	1—15	32.02	
白庙集团	贫瘦煤	高、低	斜井	965	21	1977.12	2—24	1—21	20.74	
长葛立井	肥煤	低	其他	82	16	1977.01	1—9	1—9	15.81	
枣园煤矿	瘦煤	高	斜井	1108	150	2002.08	1—21	1—21	8.84	
漯河市临颍斜井	焦煤	低	斜井	80	50	1972.07	1—15	1—13	7.90	
三门峡市支建立井	焦煤	高	斜井	980	474	1969.10	1—15	1—21	29.40	
湖北省				6136	1447		43—267	43—267	243.62	
其中：有能力的矿井				6037	1424		38—267	38—261	221.07	
1. 省营煤矿（小计）				618	428		5—45	5—45	34.02	
松宜煤炭矿务局				618	428		5—45	5—45	34.02	
陈家河煤矿一号	贫煤	低	平硐	103	59	1970.10	1—15	1—15	6.76	
陈家河煤矿二号	贫煤	低	斜井	17	16	1981.10	1—6	1—6	3.70	
坛子口煤矿	贫煤	低	平硐	100	97	1970.01	1—9	1—9	9.71	
鸽子潭煤矿	贫煤	低	斜井	168	26	1970.06	1—6	1—6	6.16	
尖岩河煤矿	无烟煤	低	平硐	230	230	1975.10	1—9	1—9	7.69	
2. 专营煤矿（小计）				2256	272		12—102	12—99	110.20	
其中：有能力的矿井				2256	272		12—102	12—99	94.34	
蒲圻煤炭矿务局				193	121		3—15	3—15	13.00	
沈家山煤矿	无烟煤	高	斜井	47	32	1988.08	1—3	1—3	3.80	
海源煤矿	无烟煤	高	平硐	56	37	1973.11	1—3	1—3	2.60	
双丘煤矿	无烟煤	高	斜井	90	52	1976.03	1—9	1—9	6.60	
黄石煤炭矿务局				1853	77		5—66	5—63	57.12	

续表

	煤　种	瓦斯等级	开拓方式	矿井可采储量/10^4t	现生产水平可采储量/10^4t	投产日期/年．月	核定能力/处—10^4t	设计能力/处—10^4t	本年实际产量/10^4t	备　注
袁仓煤矿	无烟煤	突出	斜井	669	22	1962.12	1—30	1—30	21.41	
胡家湾煤矿	无烟煤	高	斜井	236	17	1962.12	1—15	1—15	13.90	
秀山煤矿	无烟煤	低	斜井	356	9	1970.05	1—12	1—9	11.61	
松屏煤矿	无烟煤	低	斜井	408	19	1973.12	1—6	1—6	6.52	
东井煤矿	无烟煤	低	斜井	184	10	2000.05	1—3	1—3	3.68	
湖北宝源集团				210	74		4—21	4—21	24.22	
锅底坑煤矿	无烟煤	低	斜井	9	7	1970.10	1—3	1—3	5.26	
安团煤矿	无烟煤	低	斜井	51	10	1994.12	1—6	1—6	7.99	
马河煤矿四号井	无烟煤	低	斜井	59	26	1984.12	1—6	1—6	5.50	
马河煤矿五号井	无烟煤	低	斜井	91	31	2001.10	1—6	1—6	5.47	
3. 县营煤矿（小计）				3262	747		26—120	26—123	99.40	
其中：有能力的矿井				3163	724		21—120	21—117	92.71	
宜昌市				1669	376		13—64	13—61	47.66	
大石沟煤矿	焦煤	低	平硐	15	15	1970.10	1—3	1—3	2.00	
百里荒煤矿	焦煤	低	平硐	45	6	1973.03	1—1	1—1	1.00	
中堡山煤矿	焦煤	低	平硐	99	7	1995.05	1—3	1—3	1.00	
夏家湾煤矿	无烟煤	低	平硐	41	16	1973.01	1—3	1—3	3.60	
赵姑垭煤矿	无烟煤	低	平硐	163	43	1990.12	1—6	1—3	0.95	
巴山煤矿	无烟煤	低	平硐	397	42	1969.06	1—3	1—3	2.81	
耿家河煤矿	弱粘煤	低	平硐	55	14	1977.01	1—3	1—3	5.24	
黄土岗煤矿	无烟煤	低	斜井	366	72	1990.12	1—12	1—12	8.65	
漳河煤矿	无烟煤	低	斜井			1973.01	1—2	1—2	1.61	
远安煤炭总公司	无烟煤	高	斜井	250	32	1979.07	1—6	1—6	3.89	
落雁山煤矿	贫瘦煤	低	平硐	110	75	1982.06	1—15	1—15	11.72	
杨家湾煤矿	气肥煤	低	平硐	120	46	1972.01	1—6	1—6	4.56	
清水坪煤矿	肥煤	低	平硐	8	8	1972.08	1—1	1—1	0.63	

	煤　种	瓦斯等级	开拓方式	矿井可采储量/10^4t	现生产水平可采储量/10^4t	投产日期/年．月	核定能力/处－10^4t	设计能力/处－10^4t	本年实际产量/10^4t	备　注
咸宁市				269	53		4—15	4—15	12.09	
八一煤矿	无烟煤	低	平硐	15	15	1977.11	1—3	1—3	3.80	
炭坡煤矿	无烟煤	低	斜井	62	16	1984.10	1—3	1—3	1.80	
泉厦煤矿	无烟煤	低	斜井	123	9	2001.10	1—3	1—3	3.00	
横石煤矿	贫煤	高	平硐	69	13	1988.09	1—6	1—6	3.49	
恩施州				594	265		5—25	5—25	12.10	
石坝煤矿	焦煤	低	平硐	287	186	1972.01	1—9	1—9	3.50	
石洞子煤矿	肥煤	高	平硐	78	13	1986.01	1—6	1—6	2.80	
小河煤矿	无烟煤	低	平硐	44	7	1979.01	1—1	1—1	1.00	
五台煤矿	肥煤	低	平硐	127	49	1972.05	1—6	1—6	3.40	
贵帽山煤矿	肥煤	低	平硐	58	10	1994.02	1—3	1—3	1.40	
襄樊市公溪沟煤矿	贫煤	低	平硐	2	2	1970.12	1—1	1—1	1.75	
黄石市				728	51		3—21	3—21	25.10	
七明煤矿	无烟煤	低	斜井	100	11	1972.05	1—6	1—6	6.40	
桐梓沟煤矿	无烟煤	低	斜井	426	27	1970.09	1—9	1—9	10.00	
振兴煤矿	无烟煤	高	斜井	202	13	1970.07	1—6	1—6	8.70	
湖南省				56958	30291		135—1194	159—1755	1220.05	
其中：有能力的矿井				51127	27703		135—1194	135—1574	1056.06	
1. 国有重点煤矿（小计）				30352	10833		31—505	35—771	478.87	
其中：有能力的矿井				25843	9620		31—505	31—704	407.70	
涟邵矿务局				7966	3148		10—183	10—255	141.36	
其中：有能力的矿井				7760	3032		10—183	10—255	136.57	
牛马司煤矿	焦煤	突、高	立井、斜井	989	355		3—36	3—51	29.16	
金竹山矿	无烟煤	突	平硐、斜井	3880	1827		4—88	4—105	88.59	
洪山殿煤矿	贫煤	突	立井、斜井	1058	156		2—24	2—39	23.61	

续表

	煤　种	瓦斯等级	开拓方式	矿井可采储量/10⁴t	现生产水平可采储量/10⁴t	投产日期/年．月	核定能力/处－10⁴t	设计能力/处－10⁴t	本年实际产量/10⁴t	备　注
资兴矿务局				7675	2055		4—127	4—135	110.67	
其中：有能力的矿井				5017	1660		4—127	4—135	110.67	
宝源煤矿				692	559		2—51	2—60	49.60	
宝源南平硐	焦煤	低	平硐	140	140	1958.12	1—30	1—30	23.63	
宝源北平硐	焦煤	低	平硐	552	419	1958.12	1—21	1—30	25.97	
周源山煤矿	焦煤	低	立井	1829	450	1970.02	1—55	1—45	53.18	
嘉禾矿浦溪井	无烟煤	高	斜井	2496	651	1986.12	1—21	1—30	7.89	
嘉禾矿黄牛岭井	无烟煤	高	斜井	2658	395					
白沙矿务局				14711	5630		17—195	21—381	180.34	
其中：有能力的矿井				13066	4928		17—195	17—314	160.46	
马田煤矿	无烟煤	突	立井、斜井	3600	1702		3—33	5—99	41.63	
湘永煤矿	无烟煤	低	立井、斜井	1027	384		3—27	3—40	21.20	
红卫煤矿	无烟煤	高、突	立井、斜井	3178	785		3—33	4—81	32.38	
白山坪煤矿	无烟煤	高、突、低	斜井、立井	4105	1719		4—60	4—88	35.24	
南阳煤矿	无烟煤	突、高、低	斜井、立井	2723	961		3—30	4—60	40.69	
2. 省营煤矿（小计）				4584	2510	1966.12	15—212	17—289	195.33	
其中：有能力的矿井				4584	2510		15—212	15—259	180.52	
辰溪煤矿			斜井	376	301		4—21	4—30	14.14	
煤炭坝煤矿	肥煤、无烟煤	低	斜井、立井	1369	881		4—77	5—117	86.63	
谭家山煤矿	焦煤	高	斜井		85		3—30	4—49	46.86	
新生煤矿	无烟煤	高	斜井、立井	2209	1035		3—72	3—81	38.46	
群力煤矿	肥煤	高	斜井	630	208	1966.08	1—12	1—12	9.24	
3. 专营煤矿（小计）				12614	9343		37—255	46—374	299.44	
其中：有能力的矿井				11731	8279		37—255	37—320	252.62	
长沙市澄潭江矿	无烟煤	低	平硐	210	210	1970.04	1—9	1—9	6.76	
株洲市				1097	604		2—18	3—21	25.54	

续表

	煤　种	瓦斯等级	开拓方式	矿井可采储量/10^4t	现生产水平可采储量/10^4t	投产日期/年.月	核定能力/处—10^4t	设计能力/处—10^4t	本年实际产量/10^4t	备　注
桃水煤矿	无烟煤、1/3焦煤	突出、低	斜井	915	465		2—18	2—18	9.54	
黄丰桥矿	无烟煤	低	斜井	182	139	1980.01		1—3	16.00	
湘潭市				536	126		1—6	1—9	3.00	
王家山煤矿	长焰煤、气煤	低	斜井			1967.01				
衡阳市				2376	2320		5—48	5—51	37.15	
霞流冲矿泉塘井	无烟煤	高	斜井	139	134	1978.10	1—3	1—6	2.71	
裕民煤矿(常宁县)	无烟煤	低	斜井	1498	1465	1983.10	1—21	1—21	21.39	
柏坊煤矿	焦煤	高	斜井	265	254		2—15	2—15	8.91	
江头煤矿	无烟煤	高	斜井	474	467	1992.08	1—9	1—9	4.14	
邵阳市				2507	1490		7—36	9—61	57.15	
石下江煤矿	长焰煤	突出	斜井	742	582	1980.01	1—15	1—15	13.25	
九公桥矿	无烟煤	突出	斜井	83	83			2—9	8.18	
龙 江 矿	无烟煤	低	斜井	34	34	1958.12	1—3	1—6	11.27	
龙 坪 矿	无烟煤	低	斜井	992	456	1983.10	1—6	1—10	10.05	
肖家冲矿	瘦煤	突出	斜井	272	38	1962.10	1—3	1—6	4.90	
新东矿摩天岭井	瘦煤	突出	斜井	59	30	1963.09	1—3	1—6	5.18	
短陂桥矿	瘦煤	突出	斜井	18	16	1971.10	1—3	1—6	2.34	
宋家塘矿	焦煤	突出	斜井	307	251	1996.08	1—3	1—3	1.98	
张家界市				194	47		4—15	4—21	13.05	
分水岭煤矿	焦煤	低	平硐	156	29		2—9	2—12	7.60	
新街煤矿	瘦煤	低	平硐	38	18		2—6	2—9	5.45	
常德市				1126	1126		4—42	4—48	55.44	
青峰煤矿	气煤	低	斜井	270	270	1984.11	1—15	1—18	18.80	
广福桥煤矿							1—6	1—9	14.34	
广福桥三井	气煤	低	斜井			1987.09	1—6	1—9	14.34	

续表

	煤种	瓦斯等级	开拓方式	矿井可采储量/10^4t	现生产水平可采储量/10^4t	投产日期/年.月	核定能力/处－10^4t	设计能力/处－10^4t	本年实际产量/10^4t	备注
羊耳山矿金泉井	肥煤	低	斜井	220	220	2002.07	1—6	1—6	3.50	
赤峰矿方石坪井	焦煤	低	立井	636	636	1997.07	1—15	1—15	18.80	
娄底行署				2016	776		5—36	6—76	46.30	
大建煤矿	无烟煤	突出、高	斜井、立井	123	123		2—9	3—27	14.11	
资江矿施茶亭井	无烟煤	突出	立井	1170	477	1965.07	1—5	1—30	22.39	
马鞍山煤矿	焦煤、无烟煤	突出、高	平硐、立井	723	176		2—12	2—19	9.80	
郴州行署				1549	1801		3—18	6—45	27.24	
鲤鱼江煤矿	无烟煤、焦煤	低	斜井、平硐	580	580		1—9	2—18	9.42	
高亭司煤矿	焦煤、无烟煤	低、高	立井、斜井	692	692		1—6	2—12	10.60	
栖风渡煤矿	无烟煤	突出	斜井	277	529		1—3	2—15	7.22	
零陵行署				291	131		3—15	3—15	20.36	
零陵煤矿	气煤	高	斜井	37	6	1986.12	1—3	1—3	5.76	
观音滩矿沙五井	肥煤	高	斜井	217	108	1993.12	1—9	1—9	8.58	
祁阳煤矿铁丝塘	肥煤	高	斜井	37	17	1972.08	1—3	1—3	6.02	
湘西自治州				712	712		2—12	4—18	7.45	
龙家寨矿	肥煤	低	斜井			1980.01		1—3	0.36	
洛塔矿易家岩井	肥煤	低	立井	341	341	1968.10	1—6	1—6	3.82	
卡棚煤矿	肥煤	低	斜井、平硐						1.50	
向阳矿	肥煤	低	平硐	371	371	1978.10	1—6	1—6	1.74	
4. 县营煤矿（小计）				9408	7605		52—222	61—321	246.41	
其中：有能力的矿井				8969	7294		52—222	52—291	215.22	
长沙市文家市矿	无烟煤	低	斜井	207	207	1969.06	1—6	1—9	6.46	
株洲市				395	96		5—18	6—24	28.32	
吉林桥煤矿	无烟煤	低	平硐	159	37	1978.06	1—3	1—6	8.00	
清水煤矿	无烟煤	低	斜井			1982.10	1—3	1—3	2.50	

续表

	煤　种	瓦斯等级	开拓方式	矿井可采储量/10^4t	现生产水平可采储量/10^4t	投产日期/年.月	核定能力/处—10^4t	设计能力/处—10^4t	本年实际产量/10^4t	备　注
堂市煤矿	气煤	低	斜井	26	26	1973.09	1—3	1—3	2.50	
东岳山煤矿	无烟煤	低	平硐	210	33		2—9	2—9	14.21	
湘潭市长岭矿	焦煤	高	立井	182	1	1987.12	1—3	1—3	2.64	
衡阳市				2709	2759		5—30	5—42	40.10	
坪圹煤矿	无烟煤	高	斜井	111	108		1—3	1—6	3.74	
松柏煤矿六合湾	瘦煤	高	斜井	301	395	1986.12	1—6	1—6	4.40	
杉 桥 矿	气煤	高	斜井	287	280	1990.10	1—3	1—9	4.87	
田尾煤矿	焦煤	高	立井	25	20				2.06	
董溪煤矿	无烟煤	高	斜井	1985	1956		2—18	2—21	25.03	
邵阳市				1473	1062		10—42	12—63	24.41	
大 园 矿	无烟煤	突出	斜井	113	113	1970.01	1—3	1—3		
斜岭煤矿	无烟煤	突出	斜井	180	40	1995.12	1—6	1—6	3.01	
黄田坪煤矿	无烟煤	突出	斜井	123	123	1996.12	1—6	1—6	0.35	
大山岭矿	无烟煤	高	斜井	303	43	1984.12	1—3	1—6	2.04	
新 邵 矿	无烟煤	低	斜井	23	23	1986.12	1—3	1—6	3.58	
社教煤矿	无烟煤	高	平硐	21	21	1984.12	1—3	1—6	4.94	
铁炉冲矿	焦煤	高	斜井	19	8	1976.01	1—3	1—5	1.28	
十字路矿	无烟煤	低	立井	313	313	1982.07	1—6	1—10	3.97	
粟山园煤矿	无烟煤	低	平硐	193	193	1998.12	1—6	1—6	1.36	
七里山煤矿	无烟煤	高	斜井	185	185	1996.12	1—3	1—3	2.21	
邵阳煤矿	无烟煤	高	斜井			1954.12		1—3	1.01	
金华山煤矿	无烟煤	突出	斜井			1969.12		1—3	0.66	
张家界市				39	11		1—6	2—9	11.86	
白龙（龙阳）煤矿	气肥煤	低	平硐	4	0	1986.12	1—6	1—6	8.69	
腊树垭矿	气煤	低	平硐	23	7	1979.07		1—3	0.97	
凤鹤山矿	气煤	低	平硐	12	4	1998.06			2.20	

续表

	煤种	瓦斯等级	开拓方式	矿井可采储量/10^4t	现生产水平可采储量/10^4t	投产日期/年．月	核定能力/处－10^4t	设计能力/处－10^4t	本年实际产量/10^4t	备注
常德市				60	60		3—9	3—12	6.08	
五峰山煤矿	气煤	低	平硐	60	60	1980.11	1—3	1—6	2.49	
铁湾矿	气煤	低	立井			1991.08	1—3	1—3		
河曲煤矿	肥煤	低	斜井			1978.01	1—3	1—3	3.59	
娄底行署				571	243		9—36	9—42	24.78	
新坪煤矿	无烟煤	突出	平硐	63	23	1983.02	1—3	1—3	2.49	
沙坪矿	无烟煤	低	平硐	147	25	1974.01	1—3	1—9	5.54	
栗山桥矿	无烟煤	低	平硐			1967.08	1—3	1—3		水淹，拟报废
乐田煤矿	无烟煤	高	斜井			1966.12				改造井
松木冲矿	瘦煤	突出	斜井			1979.02	1—3	1—3		转个体
涟溪矿	无烟煤	高	斜井			1975.01	1—3	1—3		转乡镇
秋湖矿	无烟煤	突出	斜井			1972.01	1—6	1—6		转个体
七一矿石坝井	焦煤	高	斜井	25	9	1994.06	1—9	1—9	6.05	
稠木矿	无烟煤	低	立井	56	56	1993.12	1—3	1—3	4.60	
戴家湾矿	无烟煤	低	平硐	280	130	1968.01	1—3	1—3	6.10	
郴州市				3354	3027		10—45	14—72	60.65	
向阳矿（永兴县）	无烟煤	高	斜井	62	55	1965.01	1—3	1—6	3.21	
红星煤矿	无烟煤	高	斜井	537	530	1970.12	1—3	1—6	1.66	
荷叶煤矿	无烟煤	低	斜井	203	203	1972.12	1—6	1—9		
焦冲元煤矿	无烟煤	突出	斜井	432	220	1965.01	1—3	1—3	4.28	
罗卜安煤矿	无烟煤	高	斜井	755	730	1967.12	1—6	1—6	8.50	
袁家矿张家井	无烟煤	突出	斜井	219	195	1958.01	1—6	1—6	8.30	
协作矿田垅井	无烟煤	低	斜井			1963.12	1—3	1—3		
水东煤矿	无烟煤	高	斜井	421	401	1971.12	1—6	1—6	6.52	
麻田煤矿	无烟煤	高	斜井	179	150	1979.01	1—6	1—6	8.30	
山门水矿青松井	无烟煤	突出	斜井	273	270	1984.01	1—3	1—6	0.90	

续表

	煤种	瓦斯等级	开拓方式	矿井可采储量/10^4t	现生产水平可采储量/10^4t	投产日期/年．月	核定能力/处－10^4t	设计能力/处－10^4t	本年实际产量/10^4t	备注
东风煤矿	无烟煤	低	斜井			1998.01			2.12	
铁炉下煤矿	无烟煤	低	斜井	61	61	1980.01		1—6	6.51	
许家洞煤矿	无烟煤	低、突出	斜井	60	60			1—3	6.50	
沙田矿（五一井）	无烟煤	低	斜井	56	56	1957.01		1—3	0.65	
白马江矿	焦煤	低	斜井	96	96	1998.01		1—3	3.20	
怀化行署				348	136		7—27	7—42	37.41	
五一煤矿	焦煤	低	斜井	39	39	1993.01	1—3	1—3	14.60	
均坪井	焦煤	低	斜井			1986.12	1—6	1—9		
沅陵矿龙岩头井	肥煤	低	平硐	45	6	1965.01	1—3	1—6	2.00	
天星堂煤矿	焦煤	低	平硐	161	20	1996.01	1—3	1—9	9.81	
岩冲煤矿	焦煤	低	平硐	14	1	1977.01			0.30	
鹤城区煤矿	焦煤	低	平硐	22	3	1972.10			0.20	
芷江县煤矿（庆湾一井）	肥煤	低	平硐	6	6	1983.01	1—3	1—3	4.30	
椒板溪井	焦煤	低	斜井			1972.11	1—6	1—9		
辰溪县煤矿	肥煤	低	立井	61	61	1989.12	1—3	1—3	6.20	
永州市沙井煤矿	肥煤	高	斜井	70	3	1984.09			2.40	
益阳市落水洞煤矿	无烟煤	低	斜井			1986.01		1—3	1.25	
湘西自治州水煤矿	无烟煤	低	斜井			1985.01			0.05	
广东省							5—21	5—27	12.40	
县营煤矿（小计）							5—21	5—27	12.40	
曲江县新桥煤矿	无烟煤	低	立井				1—6	1—9	1.77	
曲江县将军岭煤矿	无烟煤	低	立井				1—3	1—6	0.43	
蕉岭县煤矿	无烟煤	低	其他				1—6	1—6	5.40	
五华县煤矿	无烟煤	低	立井				1—3	1—3	1.80	
梅县玉水煤矿	无烟煤	低	其他				1—3	1—3	3.00	

续表

	煤种	瓦斯等级	开拓方式	矿井可采储量/10^4t	现生产水平可采储量/10^4t	投产日期/年.月	核定能力/处－10^4t	设计能力/处－10^4t	本年实际产量/10^4t	备注
广西				10023	4430		24－235	19－182	399.53	
其中：有能力的矿井				8821	4008		24－235	19－182	322.21	
1. 省营煤矿（小计）				4226	1465		9－88	4－27	197.06	
其中：有能力的矿井				3565	1465		9－88	4－27	165.01	
合山矿务局	贫煤			4226	1465		9－88	4－27	148.84	
东矿斜井	贫煤	低	斜井	835	835	1966.12	1－40	1－9	56.47	
二矿（柳矿）	贫煤	高	斜井							
三矿二号井（石村）	贫煤	高	斜井	525	363		1－6		20.32	
五矿（里兰）	贫煤									
六矿（上塘）	贫煤									
七矿樟村井（河里）	贫煤	低	斜井	171	171		1－6	1－6	7.30	
八矿	贫煤	低	平硐	61					2.53	
九矿	贫煤									
十矿斜井	贫煤	低	斜井	600					12.90	
罗城矿务局	无烟煤								27.92	桂煤行办
插花斜井	无烟煤	低	斜井			1974.07			7.24	(2002) 7号
呼略斜井	无烟煤	高	斜井			1976.01			7.63	
乔一斜井	无烟煤	高	斜井			1977.01			7.82	
乔二斜井	无烟煤	高	斜井			1979.05			5.23	
中部（技改）井	贫煤	高	斜井				1－6		3.79	
中许井	贫煤	低	斜井	816			1－6		10.75	
九矿平阳斜井	贫煤	低	斜井	96	96		1－6	1－6	6.53	
二矿三号井	贫煤	高	斜井				1－6		4.54	
上布井	贫煤	高	斜井	1122			1－6		7.09	
小井	贫煤	低	斜井						1.72	
九矿小井	贫煤	低	斜井						1.88	

续表

	煤种	瓦斯等级	开拓方式	矿井可采储量/10^4t	现生产水平可采储量/10^4t	投产日期/年.月	核定能力/处—10^4t	设计能力/处—10^4t	本年实际产量/10^4t	备注
二矿小井	贫煤	高	斜井						12.60	
小　井	贫煤	高	斜井						0.42	
2. 专营煤矿（小计）				5139	2362		10—126	10—131	187.66	
其中：有能力的矿井				4987	2303		10—126	10—131	151.82	
钦州局黄华洞斜井	长焰煤	低	斜井	1132	1132	1976.06	1—21	1—30	1.79	
百色矿务局				603	64		3—27	3—30	31.43	
东笋一矿	长焰煤	低	斜井	11	11	1961.06			10.44	
东笋二矿	长焰煤	低	斜井	105	21	1976.06	1—6	1—9	14.76	
东怀矿	长焰煤	低	斜井	451	24	2002.12	1—15	1—15	2.81	
右江矿务局	褐煤			3390	1152		6—78	6—71	129.17	
长岭斜井	褐煤	低	斜井	141	48	1963.10			10.71	
州景斜井	褐煤	低	斜井	801	233	1970.01	1—18	1—21	28.39	
里拉斜井	褐煤	低	斜井			1971.12			11.53	
塘内斜井	褐煤	低	斜井	827	377	1988.12	1—18	1—20	28.96	
小龙斜井	褐煤	低	斜井	192	192	1995.12	1—15	1—15	19.75	
公篓斜井	长焰煤	低	斜井	110	65	1957.05	1—9	1—6	10.00	
跃进斜井	长焰煤	低	斜井	151	100	1971.05	1—9	1—6	10.41	
那读煤矿	褐煤	低	斜井	1168	137	2002.11	1—9	1—3	9.42	
3. 县营煤矿（小计）				658	603		5—21	5—24	14.81	
其中：有能力的矿井				269	240		5—21	5—24	5.38	
四塘14号斜井	褐煤	低	斜井						1.85	关闭
邓丁斜井	褐煤	低	斜井	26	26	1980.06	1—6	1—5	1.65	
木山斜井	贫煤	低	斜井	127	98	1974.06	1—3	1—4	1.50	
灵台煤矿	贫煤	低	斜井				1—6	1—6		
紫岗煤矿	无烟煤	低	斜井	95	90	1996.09			1.50	
上思斜井	褐煤	低	斜井	116	116	1966.06	1—3	1—6	0.38	

续表

	煤种	瓦斯等级	开拓方式	矿井可采储量 /10^4t	现生产水平可采储量 /10^4t	投产日期 /年.月	核定能力 /处－10^4t	设计能力 /处－10^4t	本年实际产量 /10^4t	备注
烟棚煤矿	无烟煤	低	斜井	43	40	1973.06			0.65	
林逢煤矿	褐煤	低	斜井	82	80				4.35	
竹仓煤矿	贫煤	低	斜井	156	140	1971.09			1.58	
雅京煤矿	无烟煤	低	斜井				1—3	1—3		
那精煤矿	贫煤	低	斜井	13	13	1998.06			1.35	
四川省				98373	78099		165—2389	165—2649	2424.05	
其中：有能力的矿井				98112	77981		165—2389	165—2649	2419.84	
1. 国有重点煤矿（小计）				53112	32838		22—1042	22—1233	940.87	
其中：有能力的矿井				52851	32720		22—1042	22—1233	936.66	
广旺矿务局				2033	1172		3—80	3—66	103.18	
其中：有能力的矿井				1772	1054		3—80	3—66	98.97	
唐家河矿平硐	焦煤	高	平硐	281	247	1959.10	1—25	1—15	27.11	
赵家坝矿平硐	瘦煤	高	平硐	935	443	1971.12	1—25	1—21	28.53	
代祠坝矿平硐	瘦煤	高	平硐	556	364	1979.12	1—30	1—30	43.33	
宝轮院煤矿	长焰煤	高	平硐	261	118				4.21	
芙蓉矿务局				16271	9871		4—320	4—465	225.38	
白皎矿平硐	无烟煤	突	平硐	8892	1345	1970.12	1—100	1—165	76.33	
杉木树矿平硐	无烟煤	高	平硐	1168	609	1972.12	1—120	1—150	54.04	
红卫煤业公司	无烟煤	高	平硐	2242	1196	1975.12	1—30	1—30	27.01	
芙蓉矿平硐	无烟煤	突	平硐	3969	6721	1970.07	1—70	1—120	68.00	
攀枝花矿务局				21808	15222		4—330	4—390	316.84	
太平矿平硐	焦煤	低	平硐	3610	1476	1969.10	1—75	1—75	72.30	
花山矿平硐	焦煤	低	平硐	10805	9223	1970.10	1—120	1—180	85.71	
大宝鼎矿平硐	焦煤	低	平硐	5820	3728	1971.12	1—90	1—90	108.46	
小宝鼎矿平硐	瘦煤	低	平硐	1573	795	1966.07	1—45	1—45	50.37	

续表

	煤　种	瓦斯等级	开拓方式	矿井可采储量 /10^4t	现生产水平可采储量 /10^4t	投产日期 /年．月	核定能力 /处－10^4t	设计能力 /处－10^4t	本年实际产量 /10^4t	备　注
华蓥山矿务局				6940	3636		3－135	3－135	137.37	
绿水洞矿平硐	肥煤	高	平硐	3919	1129	1981.12	1－60	1－60	78.73	
李子垭矿平硐	瘦煤	突	平硐	2376	1862	1974.12	1－60	1－60	47.58	
李子垭南井	瘦煤	高		645	645	2000.03	1－15	1－15	11.06	
达竹矿务局				5829	2921		6－162	6－162	147.44	
斌郎矿平硐	1/3 焦煤	高	平硐	930	309	1988.12	1－30	1－30	37.09	
金刚矿平硐	1/3 焦煤	低	平硐	1285	975	1972.12	1－45	1－45	40.78	
白腊坪矿平硐	1/3 焦煤	低	平硐	295	247	1974.12	1－15	1－15	15.69	
柏林矿平硐	1/3 焦煤	高	平硐	1167	469	1973.12	1－21	1－21	21.52	
铁山南矿平硐	1/3 焦煤	高	平硐	798	250	1977.12	1－21	1－21	20.06	
小河嘴煤矿	1/3 焦煤	高	平硐	1354	671	2002.01	1－30	1－30	12.30	
隆昌义大公司	烟煤	高		231	16		2－15	2－15	10.66	
义大公司	烟煤	高		1	1	1942.09	1－9	1－6	5.03	
义大天成公司	无烟煤	高	其他	230	15	2000.08	1－6	1－9	5.63	
2. 省营煤矿（小计）				5849	5849		5－142	5－151	130.15	
威远煤矿	1/3 焦煤	高	立井、平硐	4045	4045		2－18	2－30	18.00	
嘉阳煤矿	1/3 焦煤	高	斜井	1589	1589		1－90	1－90	78.49	
荣山煤矿	肥煤	高	斜井	215	215		2－34	2－31	33.66	
3. 专营煤矿（小计）				16147	16147		45－505	45－529	525.17	
成都市				3067	3067		8－87	8－87	77.80	
泸州市				3896	3896		1－15	1－9	27.96	
德阳市				179	179		1－21	1－21	12.40	
广元市				1066	1066		5－66	5－69	101.72	
隧宁市	瘦煤	高								
内江市				2715	2715		7－93	7－120	164.85	
乐山市										

续表

	煤种	瓦斯等级	开拓方式	矿井可采储量/10^4t	现生产水平可采储量/10^4t	投产日期/年.月	核定能力/处－10^4t	设计能力/处－10^4t	本年实际产量/10^4t	备注
宜宾地区										
广安地区				2853	2853		6—69	6—69	39.54	
达川地区				1467	1467		13—105	13—105	53.37	
雅安地区				632	632		2—18	2—18	17.00	
凉山彝族自治州				272	272		2—31	2—31	30.53	
巴中地区										
4. 县营煤矿（小计）				23265	23265		93—700	93—736	827.86	
成都市				2129	2129		2—24	2—24	15.40	
攀枝花市				1450	1450		30—206	30—221	363.20	
自贡市				591	591		2—21	3—27	13.81	
泸州市				914	914		2—9	2—9	14.90	
德阳市				44	44		1—6	1—15		
绵阳市				175	175		5—32	5—32	19.50	
广元市				92	92		1—9	1—9	22.16	
内江市							1—3	1—3	2.50	
乐山市				3671	3671		3—48	3—48	48.53	
宜宾地区				5120	5120		7—54	7—54	40.58	
广安地区				528	528		5—24	5—30	21.88	
达川地区				5033	5033		20—132	20—132	92.09	
雅安地区				2671	2671		2—9	2—9	22.00	
凉山彝族自治州				200	200		3—36	3—42	41.71	
巴中地区				647	647		4—45	4—45	33.63	
眉山地区							4—42	4—36	75.97	
贵州省				169677	79250		93—1905	92—1901	1624.32	
其中：有能力的矿井				154626	62324		61—1905	60—1901	1462.76	
1. 国有重点煤矿（小计）				136567	73591		21—1584	21—1570	1205.58	

续表

	煤　种	瓦斯等级	开拓方式	矿井可采储量 /10^4t	现生产水平可采储量 /10^4t	投产日期 /年．月	核定能力 /处—10^4t	设计能力 /处—10^4t	本年实际产量 /10^4t	备　注
其中：有能力的矿井				133345	58696		21—1584	21—1570	1119.95	
六枝矿务局				7476	4659		8—216	8—255	126.65	
六枝矿平硐	焦煤	高	平硐	654	351	1960.12	1—30	1—60		
地宗矿平硐	焦煤	突	平硐	1689	741	1966.12	1—30	1—45	17.60	
凉水矿斜井	焦煤	突	斜井			1959.02	1—15	1—15		
四角田矿平硐	瘦煤	突	平硐	1061	665	1970.08	1—21	1—15	26.21	
化处矿平硐	贫煤	突	平硐	2177	1995	1974.12	1—45	1—45	44.43	
苦竹林矿	焦煤	突	斜井	1895	907	1995.12	1—30	1—30	17.86	
马临煤矿	无烟煤	高	平硐			2000.04	1—30	1—30	14.53	
其 他 井	无烟煤	高	其他							
盘江矿务局				75335	38313		5—750	5—675	583.64	
其中：有能力的矿井				72113	23418		5—750	5—675	536.58	
金佳煤矿	贫煤	高	平硐		14424				47.06	
火烧铺煤矿	肥煤	高、低	平硐、斜井	13323	2988		1—240	1—240	141.32	
老屋基矿立井	肥煤	突	立井	14588	1874	1975.09	1—90	1—90	86.03	
山脚树矿斜井	肥煤	高	斜井	2957	1172	1973.10	1—90	1—45	82.74	
月亮田矿斜井	肥煤	高	斜井	6964	3626	1971.12	1—90	1—60	73.53	
土城平硐	肥煤	突	平硐	37503	14229	1984.12	1—240	1—240	152.96	
水城矿务局				53756	30619		8—618	8—640	456.72	
汪家寨煤矿	焦煤、肥煤	突	平硐、斜井	10453	10453		2—150	2—150	132.04	
大河边斜井	气煤	高	斜井	3213	3277	1970.06	1—120	1—120	75.15	
老鹰山立井	1/3 焦煤	突	立井			1969.02	1—60	1—90	48.43	
木冲沟矿平硐	焦煤	高	平硐	4876	3091	1974.01	1—90	1—90	44.64	
红旗矿斜井	气煤	高	斜井			1970.05	1—18	1—10	19.41	
那罗寨矿斜井	焦煤	突	斜井	15521	4905	1988.12	1—90	1—90	67.62	

续表

	煤 种	瓦斯等级	开拓方式	矿井可采储量 /10^4t	现生产水平可采储量 /10^4t	投产日期 /年．月	核定能力 /处－10^4t	设计能力 /处－10^4t	本年实际产量 /10^4t	备 注
大湾立井	焦煤	高	立井	19693	8893	2000.01	1－90	1－90	69.43	
局 小 井	焦煤	高	斜井							
林东矿务局									14.85	
联营分成	焦煤	低	立井						14.85	
枫香煤矿	焦煤	高	平硐			2002.08	1－15	1－15	6.02	
2. 省营煤矿（小计）				15408	5659		19－195	19－216	268.03	
其中：有能力的矿井				7229	3628		15－195	15－216	225.13	
林东矿务局							7－81	7－75	117.32	
贵阳小河沟井	贫煤	高	斜井			1959.09	1－9	1－9	13.70	
南 山 井	无烟煤	低	平硐			1978.01	1－30	1－30	16.42	
桐 梓 井	无烟煤	突	平硐			1980.12	1－15	1－15	18.13	
黄家庄平硐	无烟煤	低	立井			1991.07	1－15	1－9	44.80	
龙凤煤矿	无烟煤	低	斜井			1999.07	1－6	1－6	15.80	
林丰煤矿	无烟煤	突出	斜井				1－6	1－6		
蔡冲煤矿	贫煤	高	斜井				1－	1－	8.47	
遵义煤矿	无烟煤	低	平硐	1010	4	1974.07	1－3	1－21	12.53	
轿子山煤矿	无烟煤	高	斜井	2382	2382		3－60	3－60	56.00	
瓮安煤矿	肥煤	低	平硐	4348	1171		3－24	3－30	31.11	
渔硐煤矿	肥煤	低	平硐、斜井	230	230		2－12	2－15	11.14	
金西煤矿	贫煤	低	斜井	591	591		2－15	2－15	22.33	
大方硫磺矿	无烟煤						1－	1－	1.13	
安顺煤矿	无烟煤	突出	斜井	6847	1281				14.38	
斗 山 井	肥煤	低	平硐	909	327	1984	1－	1－	8.59	
3. 专营煤矿（小计）				38			1－6	1－3	5.93	
马干山煤矿	无烟煤	低	斜井	38		1971.01	1－6	1－3	5.93	

续表

	煤 种	瓦斯等级	开拓方式	矿井可采储量/10^4t	现生产水平可采储量/10^4t	投产日期/年．月	核定能力/处－10^4t	设计能力/处－10^4t	本年实际产量/10^4t	备 注
4. 县营煤矿（小计）				17664			50—120	49—112	144.78	
其中：有能力的矿井				14014			24—120	23—112	111.75	
贵阳地区				59			2—3	2—3	0.41	
开阳煤矿	肥煤	低	平硐	59		1972	1—3	1—3	0.41	
红旗煤矿	贫煤	高	斜井			1963	1—	1—		
六盘水市	焦煤			496			3—21	2—6	6.57	
中山煤矿井	焦煤	高	斜井	496		1996	1—15	1—3	6.57	
郎岱煤矿	焦煤	低	平硐			1979	1—6	—3		
仲河煤矿	焦煤	高	斜井			1993.04	1—	1—		
遵义地区				5178			11—30	11—30	24.23	
洋水矿井	无烟煤	低	斜井	1470		1967.01	1—9	1—9	6.37	
联盟煤矿	无烟煤	低	平硐	770		1977.06	1—	1—	6.70	
桥溪河煤矿	瘦煤	低	平硐	52		1956.01	1—	1—		
交通煤矿井	无烟煤	低	平硐	350		1976.05	1—3	1—3	1.20	
岔角煤矿井	无烟煤	低	平硐	767		1964.01	1—6	1—6	7.54	
铁山煤矿井	焦煤	低	斜井	508		1991.12	1—9	1—9		
西村煤矿井	无烟煤	低	斜井	178		1991.12	1—3	1—3		
凤岗煤矿	无烟煤	低	平硐	200		1074.01	1—	1—	1.60	
三星煤矿	瘦煤	低	斜井	208		1968.05	1—	1—	0.82	
务川煤矿	无烟煤	低	平硐	55		1991.12	1—	1—		
三江煤矿		高	平硐							
三层岩煤矿	无烟煤	高	斜井	620		1953.03	1—	1—		
铜仁地区				197			6—6	6—6	7.80	
枫芸煤矿井	瘦煤	低	平硐	64		1962.00	1—3	1—3	3.50	
沙溪煤矿井	贫煤	低	斜井			1962.00	1—3	1—3		
谯家煤矿	焦煤	低	斜井	81		1975.00	1—	1—	2.60	

续表

	煤种	瓦斯等级	开拓方式	矿井可采储量/10^4t	现生产水平可采储量/10^4t	投产日期/年．月	核定能力/处－10^4t	设计能力/处－10^4t	本年实际产量/10^4t	备注
青坨煤矿	焦煤	低	平硐			1980	1—	1—		
池坝煤矿	焦煤	低	平硐			1978	1—	1—		
本庄煤矿	贫煤	低	斜井	52		1962	1—	1—	1.70	
黔西南州				2241			7—9	7—12	42.25	
大丫口煤矿井	无烟煤	低	平硐	1659		1958	1—3	1—3	22.00	
龙山煤矿井	肥煤	低	平硐	298		1958	1—3	1—6	6.20	
白卡煤矿	无烟煤	低				1958	1—	1—		
三河煤矿井	肥煤	低	斜井	138		1963	1—3	1—3	5.55	
戈塘煤矿	炼焦煤	低	平硐			1958	1—	1—		
九峰煤矿	无烟煤	低	平硐			1958	1—	1—		
凹子冲煤矿	无烟煤	低	平硐	146		1963	1—	1—	8.50	
毕节地区				8777			5—18	5—19	28.98	
垭关煤矿井	无烟煤	高	平硐			1957	1—6	1—5		
新化煤矿井	无烟煤	高	平硐	4165		1966	1—6	1—5	17.56	
化窝煤矿井	无烟煤	高	平硐	3506		1958	1—6	1—9	7.26	
炉山煤矿	焦煤	高	平硐	1106		1966	1—	1—	1.94	
凤凰山煤矿	无烟煤	高	平硐			1984.07	1—	1—	2.22	
安顺地区							3—6	3—6		
新房煤矿	无烟煤	高	平硐			1955	1—	1—		
东风煤矿井	无烟煤	高	平硐			1974	1—3	1—3		
下哨煤矿井	无烟煤	低	平硐			1989.01	1—3	1—3		
黔东南州				256			5—12	5—15	15.51	
龙场煤矿井	肥煤	低	平硐	64		1970.06	1—6	1—9	5.51	
里仁煤矿井	肥煤	低	平硐	50		1971.09	1—3	1—3	2.50	
摆头煤矿井	肥煤	低	平硐	32		1963	1—3	1—3	5.50	
大壕煤矿	瘦煤	低	斜井	110		1958	1—	1—	2.00	

续表

	煤　种	瓦斯等级	开拓方式	矿井可采储量 /10^4t	现生产水平可采储量 /10^4t	投产日期 /年．月	核定能力 /处－10^4t	设计能力 /处－10^4t	本年实际产量 /10^4t	备　注
摆沙煤矿	瘦煤	低	斜井			1986	1—	1—		
黔南州				460			8—15	8—15	19.03	
洗马煤矿井	肥煤	低	斜井	40		1969.10	1—3	1—3	1.90	
高石煤矿井	肥煤	低	平硐	50		1958	1—9	1—9	6.18	
荔波煤矿	无烟煤	低	平硐	120		1991	1—3	1—3	6.00	
贵定煤矿	肥煤	低	平硐	110		1964.10	1—	1—	1.53	
太平煤矿	瘦煤	低	平硐	80			1—	1—	2.27	
杨家山煤矿	瘦煤	低	斜井			1966.08	1—	1—		
麻芝煤矿	贫煤	低	平硐			1965	1—	1—		
猛坑煤矿	贫煤	低	平硐	60		1984	1—	1—	1.15	
长冲煤矿	瘦煤	低	斜井				1—	1—	1.57	
小　井	炼焦煤	低	斜井				1—	1—	0.52	
云南省				139098	27036		70—1275	69—1341	1207.21	
其中：有能力的矿井				138376	27036		61—1275	60—1341	1125.26	
1. 国有重点煤矿（小计）				10483	8143		7—163	7—243	120.89	
其中：有能力的矿井				10483	8143		7—163	7—243	120.89	
一平浪煤矿	肥煤	高	平硐	351	242	1938.09	1—35	1—45	45.48	
抗八平硐	肥煤	高	平硐	351	242	1965.01	1—35	1—45	45.48	
局属其他										
羊场煤矿	焦煤	高	立井、平硐	3480	1753		2—21	2—42	37.87	
来宾煤矿	焦煤	低	斜井	1119	615		1—30	1—45	23.55	
田坝煤矿	焦煤	高、低	平硐、斜井	5533	5533		3—77	3—111	37.54	
2. 省营煤矿（小计）				120586	18537		12—765	12—798	823.28	
其中：有能力的矿井				120586	18537		12—765	12—798	749.91	
后所煤矿	1/3 焦煤	低	平硐	1594	1408		2—75	2—75	83.68	
恩洪煤矿	焦煤	突	斜井	2249	169	1958.08	1—15	1—21	30.04	

续表

	煤　种	瓦斯等级	开拓方式	矿井可采储　量/10^4t	现生产水平可采储量/10^4t	投产日期/年．月	核定能力/处－10^4t	设计能力/处－10^4t	本年实际产　量/10^4t	备　注
圭山煤矿	焦煤	低	斜井	1161	645	1958.09	1—15	1—30	15.99	
可保煤矿	褐煤		露天	1797		1960.04	1—60	1—45	20.70	
凤鸣村煤矿	褐煤	低	斜井	3062	979	1950.10	2—60	2—60	38.02	
小龙潭矿务局	褐煤		露天	108736	14282	1953.12	2—510	2—510	535.74	
陆东煤矿	焦煤	低	斜井	1987	1054	1952.01	2—18	2—45	20.42	
勐滨煤矿	褐煤		露天				1—12	1—12	5.32	
兴云煤矿	1/3 焦煤	低	斜井			2000.12				
3. 专营煤矿（小计）				4841	18		15—132	15—144	114.85	
其中：有能力的矿井				4815	18		15—132	15—144	91.90	
昭通地区小发路煤矿	无烟煤	低	平硐	28		1956.08	1—3	1—3	2.98	
曲靖地区				2556			3—21	3—33	19.57	
中村煤矿	焦煤	低	斜井	1376		1967.11	2—18	2—24	16.53	
狮子山煤矿	焦煤	突	平硐	1180		1967.01	1—3	1—9	3.04	
楚雄州				756			2—51	2—51	19.42	
楚雄吕合煤矿	褐煤		露天	596		1960.06	1—45	1—45	15.39	
张武庄煤矿	肥煤	低	平硐	160		1971.11	1—6	1—6	4.03	
红河州拖白煤矿	瘦煤	低	斜井	173		1958.09	1—9	1—9	6.83	
文山州				805			3—21	3—21	28.25	
老英山煤矿		低	斜井	13		1978.01	1—3	1—3	3.81	
文山普阳煤矿	褐煤		露天	562		1988.01	1—15	1—15	23.04	
广南煤矿	褐煤		平硐	230		1997.01	1—3	1—3	1.40	
思茅地区胜利煤矿	褐煤	高	斜井	289		2000.01	1—6	1—9	5.67	
大理州双河煤矿井	长焰煤	低	平硐	108	18	1965.05	1—6	1—6	4.16	
德宏州芒究煤矿	褐煤	低	斜井			1981.05	1—6	1—3	1.57	
丽江地区河源煤矿	长焰煤	低	平硐	30		1978.01	1—6	1—6	3.00	
怒江州煤矿	褐煤	低	平硐	70		1980.04	1—3	1—3	0.45	

	煤　种	瓦斯等级	开拓方式	矿井可采储量/10^4t	现生产水平可采储量/10^4t	投产日期/年．月	核定能力/处－10^4t	设计能力/处－10^4t	本年实际产量/10^4t	备　注
4. 县营煤矿（小计）				3188	338		36－215	35－156	148.19	
其中：有能力的矿井				2492	338		27－215	26－156	139.01	
昆明市				150			2－71	1－6	69.77	
石林煤矿	焦煤	低	平硐	150		1980.03	1－6	1－6	2.58	
昆明先锋煤矿	褐煤		露天			1999.12	1－65		67.19	
昭通地区				437			3－15	3－15	8.83	
猴子沟煤矿	贫煤	低	平硐	47		1992.12	1－6	1－6	3.36	
柏树煤矿	无烟煤	低	平硐	200		1986.05	1－6	1－6	4.78	
石灰煤矿	无烟煤	低	平硐	190		1960.01	1－3	1－3	0.69	
楚雄州				249			3－15	3－15	4.79	
三街煤矿	无烟煤	低	斜井	203		1971.04	2－9	2－9	3.02	
一街煤矿	无烟煤	低	斜井	46		1972.04	1－6	1－6	1.77	
玉溪地区				110			1－21	1－21	15.27	
玉溪向阳煤矿	褐煤		露天	110		1965.07	1－21	1－21	15.27	
上头营煤矿井	褐煤	低	平硐							
红河州				236			2－12	2－12	4.17	
大庄煤矿井	无烟煤	低	斜井	2		1958.11	1－9	1－9	4.17	
何宝寨煤矿井	长焰煤	低	斜井			1956.03	1－3	1－3		
红河甸尾煤矿井			露天	234						
文山州				361			4－6	4－6	3.90	
马关煤矿	褐煤	低	斜井	66		1980.01	2－6	2－6	2.89	
水米冲煤矿	褐煤	低	斜井				1－	1－	0.27	
富宁煤矿	褐煤	低	斜井	295		1996.01	1－	1－	0.74	
思茅地区				241			6－6	6－12	11.81	
景谷煤矿井	褐煤	低	斜井	10		1954.04	1－3	1－3	2.92	
三章田煤矿	褐煤	低	斜井			1985.01	1－	1－	1.44	

续表

	煤　种	瓦斯等级	开拓方式	矿井可采储　量/10^4t	现生产水平可采储量/10^4t	投产日期/年．月	核定能力/处－10^4t	设计能力/处－10^4t	本年实际产　量/10^4t	备　注
思茅景冒煤矿	褐煤	低	露天	160		1975.03	1—	1—	1.96	
思茅上允煤矿	褐煤		露天			1985.01	1—	1—	1.03	
澜沧煤矿	褐煤	低	斜井				1—	1—	0.64	
大街煤矿井	褐煤	低	斜井	71		2000.06	1—3	1—9	3.82	
西双版纳州				31			2—6	2—6	2.21	
大河沟煤矿井	褐煤	低	斜井	21		1978.09	1—3	1—3	1.22	
尚岗煤矿	褐煤	低	平硐	10		1992.08	1—3	1—3	0.99	
大理州大理马厂煤矿	褐煤		露天		338	1969.01	1—3	1—3	2.85	
保山地区				1256			3—39	3—39	8.08	
保山隆阳煤炭公司	褐煤		露天	856		1955.06	1—21	1—21	0.70	
保山红星煤矿井	褐煤		露天	380		1956.06	1—15	1—15	5.75	
保山大坝煤矿	褐煤		露天	20		1967.01	1—3	1—3	1.63	
德宏州							2—6	2—6	3.29	
等炕煤矿井	褐煤	低	平硐			1955.12	1—3	1—3	0.73	
长坡煤矿	褐煤	低	平硐			1977.01			0.73	
红旗煤矿井	褐煤	低	斜井			1973.04	1—3	1—3	1.83	
丽江地区河东煤矿	肥气煤	低	平硐	110		1952.02	1—6	1—6	5.90	
临沧地区				7			6—9	6—9	7.32	
临沧帮腊煤矿	褐煤		露天			1983.06	1—3	1—3	0.81	
临沧黄果园煤矿	褐煤		露天	4		1983.12	1—	1—	0.49	
临沧耿马煤矿	褐煤		露天	3		1998.12	1—	1—	1.20	
小石城煤矿	褐煤		平硐			1979.12	1—3	1—3	1.19	
芒回煤矿	褐煤		平硐			1968.01	1—3	1—3	2.95	
双江煤矿	褐煤	低	平硐			1956.04	1—	1—	0.68	
重庆市				84902	25679		84—1248	84—1506	1066.01	
其中：有能力的矿井				76165	23753		84—1248	84—1506	1066.01	

续表

	煤种	瓦斯等级	开拓方式	矿井可采储量 /10^4t	现生产水平可采储量 /10^4t	投产日期 /年．月	核定能力 /处－10^4t	设计能力 /处－10^4t	本年实际产量 /10^4t	备注
1. 国有重点煤矿（小计）				84902	25679		21－894	21－1062	741.52	
其中：有能力的矿井				76165	23753		21－894	21－1062	741.52	
南桐矿务局	焦肥煤	突	立井	13533	6265		7－230	7－321	125.88	
南桐煤矿	焦肥煤	突	立井	5872	3796		3－75	3－75	45.21	
红岩矿平硐	肥煤	突	平硐	2461	415		1－45	1－81	18.92	
鱼田堡矿立井	瘦煤	突	立井	1482	762		1－45	1－90	34.03	
东林矿立井	瘦焦	突	立井	2309	523		1－30	1－30	13.90	
砚石台矿平硐	肥煤	突	平硐	1409	769		1－35	1－45	13.82	
天府矿务局	焦煤	突	平硐	18182	3803		3－160	3－165	143.44	
其中：有能力的矿井	焦煤	突	平硐	9445	1877		3－160	3－165	143.44	
磨心坡矿南平硐	焦煤	突	平硐	1232	406		1－35	1－45	39.55	
三汇一矿平硐	贫瘦煤	突	平硐	6951＋6445	1233＋696		1－90	1－90	74.99	
三汇三矿平硐	瘦煤	突	平硐	1262＋1428	238＋366		1－35	1－30	28.90	
三汇二矿斜井	贫瘦煤	突	斜井							
松藻矿务局	无烟煤	突	斜井	47210	13951		6－358	6－405	339.81	
松藻煤矿	无烟煤	突	斜井	10168	386		2－78	2－90	70.23	
打通一矿立井	无烟煤	突	立井	13098	7751		1－100	1－150	106.46	
打通二矿立井	无烟煤	突	立井	6969	241		1－60	1－45	53.89	
石壕矿立井	无烟煤	突	立井	13019	4641		1－90	1－90	82.02	
逢春矿平硐	无烟煤	突	平硐	3956	932		1－30	1－30	27.21	
中梁山矿务局	焦煤	突	立井	2564	829		2－60	2－120	47.17	
南矿平硐	焦煤	突	平硐	1779	710		1－30	1－60	30.54	
北矿平硐	焦煤	突	平硐	785	119		1－30	1－60	16.63	
永荣矿务局	1/3 焦煤	高	平硐	3413	831		3－86	3－51	85.22	
曾家山煤矿	1/3 焦煤	高	平硐	581	349		1－35	1－21	33.97	
永川煤矿	1/3 焦煤	高	平硐	1416	241		1－21	1－18	24.48	

续表

	煤　种	瓦斯等级	开拓方式	矿井可采储　量/10^4t	现生产水平可采储量/10^4t	投产日期/年．月	核定能力/处－10^4t	设计能力/处－10^4t	本年实际产　量/10^4t	备　注
韦家沟煤矿	1/3 焦煤	高	斜井	1416	241		1—30	1—12	26.77	
2. 专营煤矿（小计）	焦煤	高	平硐				6—57	6—57	37.62	
3. 县营煤矿（小计）	1/3 焦煤	高	平硐				57—297	57—387	286.87	
陕西省				342550	286800		141—2800	141—3005	2821.92	
其中：有能力的矿井				300345	244595		110—2800	110—3005	2592.23	
1. 国有重点煤矿（小计）				209163	153872		28—1882	28—2087	1892.15	
其中：有能力的矿井				209163	153872		28—1882	28—2087	1826.55	
铜川矿务局				63298	37165	1955.11	9—756	9—790	781.91	
其中：有能力的矿井				63298	37165	1955.11	9—756	9—790	754.32	
下石节平硐	长焰煤	高	平硐	10328	9463	1980.02	1—100	1—100	135.69	
桃园平硐	瘦煤	低	平硐			1959.09	1—35	1—45	24.13	
王石凹立井	瘦煤	低	立井	6048	5252	1961.11	1—120	1—120	145.37	
徐家沟立井	瘦煤	低	立井	1682	602	1966.03	1—21	1—45	34.90	
鸭口立井	瘦煤	低	立井	3249	1012	1966.12	1—60	1—60	42.38	
金华山立井	焦煤	低	立井	4772	742	1963.11	1—90	1—90	42.20	
东坡斜井	焦煤	低	斜井	4472	1745	1970.10	1—90	1—90	69.69	
陈家山平硐	不粘煤	高	平硐	9750	4995	1981.12	1—150	1—150	143.09	
玉华立井	长焰煤	高	立井	22997	13354		1—90	1—90	116.87	
蒲白矿务局				9394	4436	1970.12	2—170	2—180	136.08	
白水立井	贫瘦煤	低	立井	5881	1247	1970.12	1—110	1—105	68.92	
马村立井	瘦煤	低	立井	3513	3189	1976.12	1—60	1—75	67.16	
南桥立井	贫瘦煤	低	立井			1983.08			0.00	
澄合矿务局				14690	9794	1970	5—296	5—330	180.11	
王村斜井	贫瘦煤	低	斜井			2002.01	1—21	1—30	3.19	
权家河斜井	瘦煤	低	斜井			1972	1—35	1—60	0.00	
二矿立井	瘦煤	低	立井	1266	271	1970.12	1—45	1—45	61.26	

续表

	煤种	瓦斯等级	开拓方式	矿井可采储量 /10^4t	现生产水平可采储量 /10^4t	投产日期 /年．月	核定能力 /处－10^4t	设计能力 /处－10^4t	本年实际产量 /10^4t	备注
董家河斜井	瘦煤	低	斜井	841	841	1980.12	1—45	1—45	65.40	
王村立井	瘦煤	低	立井	12583	8682	1988.12	1—150	1—150	50.26	
韩城矿务局				65989	46685	1970	4—330	4—411	345.90	
桑树坪煤矿	贫瘦煤	高	斜井、平硐	44761	28165	1979.11	2—210	2—300	160.21	
下峪口平硐	瘦煤	突	平硐	11070	8362	1975.12	1—90	1—90	126.69	
马沟渠斜井	瘦煤	低	斜井			1972.12			0.00	
象山斜井	贫煤	高	斜井	10158	10158	1975.07	1—30	1—21	59.00	
崔家沟煤矿	长焰煤	高		13621	13621	1958.08	2—100	2—150	113.28	
车村煤矿	弱粘煤	低	斜井	57	57	1984.12	1—25	1—21	25.68	
陕西煤建公司				1989	1989		4—105	4—105	76.97	
苍村煤矿	气肥煤	低	斜井	1989	1989		4—105	4—105	76.97	
黄陵矿业有限责任公司	肥气煤	低	平硐	40125	40125	2001.10	1—100	1—100	194.21	
黄陵一号平硐										
2. 省营煤矿（小计）				3000	3000		2—63	2—63	65.18	
红石岩斜井	弱粘煤	低	斜井	3000	3000		1—60	1—60	65.18	
陕西军区矿露天	气煤	低	露天				1—3	1—3	0.00	
3. 专营煤矿（小计）				10850	10850		6—31	6—31	48.49	
其中：有能力的矿井				10650	10650		5—31	5—31	47.09	
宝鸡市				6146	6146		2—16	2—16	45.59	
北马坊立井	长焰煤	低	立井	896	896	1981.07	1—10	1—10	30.39	
陇县戚家坡斜井	长焰煤	低	斜井	5250	5250	1986.07	1—6	1—6	15.20	
汉中地区煤矿	肥煤	高	平硐	200	200	1986.10	1—	1—	1.40	
延安地区				4504	4504		3—15	3—15	1.50	
贯屯立井	气煤	低	立井	3388	3388	1984.12	1—9	1—9		
禾草沟煤矿	气煤	低	立井	1116	1116	1976.01	2—6	2—6	1.50	

续表

	煤　种	瓦斯等级	开拓方式	矿井可采储量 /10^4t	现生产水平可采储量 /10^4t	投产日期 /年．月	核定能力 /处－10^4t	设计能力 /处－10^4t	本年实际产量 /10^4t	备　注
4. 县营煤矿（小计）				119537	119078		105－824	105－824	816.10	
其中：有能力的矿井				77532	77073		75－824	75－824	653.41	
铜川市				3179	3179		9－56	9－56	116.67	
郊区煤矿	长焰煤	高	斜井	90	90	1980.07	1－6	1－6	9.60	
荒草湾平硐	长焰煤	高	平硐	12	12	1976.04	1－5	1－5	0.00	
南塔斜井	长焰煤	低	斜井	30	30	1970.03	1－15	1－15	10.90	
马坊煤矿	长焰煤	低	斜井	160	160		1－	1－	9.30	
照金煤矿	长焰煤	高	斜井	1280	1280	1998.10	1－	1－	39.34	
城区煤矿	瘦煤	高	斜井	52	52		1－	1－		
柴沟斜井	长焰煤	高	斜井	1220	1220	2000.10	1－15	1－15	25.23	
秀房沟斜井	长焰煤	高	斜井	175	175		1－15	1－15	10.00	
玉峰煤业公司	长焰煤	高	斜井	160	160	1997.07	1－	1－	12.30	
宝鸡市红花铺平硐	无烟煤	低	平硐	21	21		1－3	1－3	0.00	
咸阳市				18208	18208		14－197	14－197	287.50	
彬县煤矿	长焰煤	低	斜井	5675	5675		3－92	3－92	154.60	
旬邑县百子立井	长焰煤	高	斜井	531	531	1987.12	1－15	1－15	8.15	
旬邑县黑沟立井	长焰煤	高	立井	2220	2220	1969.02	1－10	1－10	7.30	
旬邑县燕家河立井	长焰煤	低	立井	5113	5113	1969.05	1－3	1－3	9.55	
淳化县煤矿	弱粘煤	低	立井	468	468		2－14	2－14	7.50	
黄堡斜井	长焰煤	高	立井				1－15	1－15	0.00	
永寿立井	长焰煤	低	斜井				1－3	1－3		
火石嘴煤矿	弱粘煤	低	斜井	600	600	2002.01	1－21	1－21	85.00	
永寿碾子沟	长焰煤	低	斜井	1076	1076	1992.08	1－9	1－9	4.50	
旬邑县留石村煤矿	长焰煤	低	立井	860	860	1997.12	1－15	1－15	1.80	
皇楼沟煤矿	长焰煤	低	斜井	1665	1665		1－	1－	9.10	

续表

	煤种	瓦斯等级	开拓方式	矿井可采储量/10^4t	现生产水平可采储量/10^4t	投产日期/年．月	核定能力/处—10^4t	设计能力/处—10^4t	本年实际产量/10^4t	备注
渭南地区				7085	6626		13—169	13—169	125.37	
合阳一矿立井	贫煤	低	立井	563	563	1971.07	1—10	1—10	8.36	
合阳二矿立井	贫煤	低	立井	510	51	1990.10	1—21	1—21	9.76	
尧头立井	瘦煤	低	立井			1962.09	1—21	1—21	0.00	
尧头斜井	瘦煤	低	斜井	536	536	1978.12	1—30	1—30	36.59	
东风立井	瘦煤	低	立井				1—21	1—21	5.48	
龙泉立井（凉水泉）	瘦煤	低	立井	1335	1335	1972.07	1—15	1—15	3.10	
西固立井（利群公司）	瘦煤	低	立井	923	923	1993.10	1—15	1—15	11.55	
蒲城立井	瘦煤	低	立井	1100	1100	1996.07	1—21	1—21	10.51	
庄头煤矿	瘦煤	低	立井	525	525		1—	1—	5.20	
刘家卓煤矿	瘦煤	低	斜井	391	391		1—	1—	4.35	
曹村立井	瘦煤	低	立井	258	258	1991.10	1—15	1—15	21.45	
金宇公司	瘦煤	低	立井	330	330	1999.09	1—	1—	7.62	
兰利煤矿	瘦煤	高	立井	614	614	1997.04	1—	1—	1.40	
汉中地区				3003	3003		2—6	2—6	6.00	
镇巴平硐	肥煤	高	平硐	2903	2903	1982.01	1—3	1—3	6.00	
曙光平硐			平硐	100	100	1980.01	1—3	1—3	0.00	
安康地区	无烟煤	高	斜井				5—6	5—6	0.00	
岚皋矿酒台井	无烟煤	高	斜井				1—	1—		
大河煤矿	无烟煤	高	平硐				1—3	1—3		
平利县煤矿		高	平硐				1—	1—		
镇坪毛坪煤矿	无烟煤	高	平硐				1—	1—	0.00	
段家沟平硐	无烟煤	低	平硐				1—3	1—3	0.00	
商洛地区				565	565		6—20	6—20	12.54	
熊耳山平硐	肥煤	低	平硐	103	103	1956.01	1—9	1—9	3.00	
洛南县煤矿	焦煤	低	立井、平硐	462	462		5—11	5—11	9.54	

续表

	煤种	瓦斯等级	开拓方式	矿井可采储量/10^4t	现生产水平可采储量/10^4t	投产日期/年.月	核定能力/处−10^4t	设计能力/处−10^4t	本年实际产量/10^4t	备注
延安地区				6842	6842		19—129	19—129	47.14	
建设煤矿	气煤	低	立井、斜井	431	431		3—9	3—9	0.36	
团结立井	气煤	低	立井	267	267	1959.03	1—5	1—5	1.30	
南家嘴斜井	气煤	低	斜井	271	271	1972.12	1—10	1—10	5.39	
栾家坪斜井	气煤	低	斜井	324	324	1976.05	1—10	1—10	0.00	
甄家沟立井	气煤	低	立井	387	387	1958.10	1—6	1—6	1.80	
牛武矿斜井	气煤	低	斜井	597	597		1—3	1—3	2.83	
党家庄斜井	气煤	低	斜井				1—3	1—3	0.00	
枣林立井	气煤	低	立井	393	393	1958.06	1—3	1—3	0.00	
志丹立井	气煤	低	平硐	144	144	1970.01	1—3	1—3	0.00	
小寺庄平硐	气煤	低	平硐	62	62	1952.02	1—3	1—3	0.68	
石马科斜井	气煤	低	平硐	76	76	1957.08	1—3	1—3	0.00	
黄陵露天	气煤	低	露天	39	39	1985.11	1—9	1—9	0.00	
店头斜井（金龙矿）	气煤	低	斜井	945	945	1967.05	1—5	1—5	14.68	
芋园平硐	气煤	低	斜井	266	266	1985.11	1—21	1—21	0.00	
南川一号斜井	气煤	低	斜井	2305	2305	1994.03	1—30	1—30	11.10	
南川二号斜井	气肥煤	高	斜井			2002.01	1—	1—	9.00	
新庄库立井	气煤	低	立井	335	335	1961.02	1—6	1—6	0.00	
榆林地区				80634	80634		36—238	36—238	220.88	
榆林东风立井	长焰煤	低	斜井	401	401	1974.03	1—3	1—3	10.50	
长城立井	长焰煤	低	立井	446	446	1986.10	1—3	1—3	10.02	
人民立井	长焰煤	低	斜井	2225	2225	1964.01	1—8	1—8	18.59	
草湾沟立井	长焰煤	低	斜井	254	254	1972.05	1—5	1—5	0.00	
五一煤矿	气煤	低	斜井	2393	2393		4—8	4—8	14.49	
郭家湾煤矿	长焰煤		平硐	3474	3474	1992.12	1—30	1—30		

	煤种	瓦斯等级	开拓方式	矿井可采储量 /10^4t	现生产水平可采储量 /10^4t	投产日期 /年.月	核定能力 /处—10^4t	设计能力 /处—10^4t	本年实际产量 /10^4t	备注
南梁煤矿	长焰煤	低	斜井	6513	6513	1995.10	1—15	1—15	6.18	
大砭窑平硐	长焰煤	低	平硐	432	432	1957.12	1—30	1—30	24.58	
神木哈拉沟矿	长焰煤	低	斜井				1—30	1—30	0.00	
友谊立井	长焰煤	低	立井	58	58	1976.01	1—4	1—4	0.00	
米脂县龙镇矿	长焰煤	低	立井	62	62		4—5	4—5		
米脂芦则沟矿	气煤	低	斜井	13	13	1992.06	1—3	1—3	0.92	
槐树岔平硐	气煤	低	平硐	18	18	1972.06	1—3	1—3	0.95	
樊家河煤矿	气煤	低	斜井	3364	3364	1969.09	2—19	2—19	32.70	
麻塔则斜井	气煤	低	立井	335	335	1959.09	1—3	1—3	0.00	
大石畔斜井	气煤	低	平硐	635	635	1984.10	1—6	1—6	6.40	
何家集立井	气煤	低	立井			1982.09	1—3	1—3	0.00	
青云煤矿	弱粘煤	低	立井	2588	2588	1984.06	1—	1—	11.30	
李润山矿	气煤	低	立井	258	258	1958.03	1—	1—		
清涧县煤矿	气煤	低	立井				1—	1—	0.00	
候石畔煤矿	气煤	低	斜井	98	98	1990.10	1—	1—	0.76	
榆家梁煤矿	长焰煤	低	斜井				1—	1—		
三道峁煤矿	长焰煤	低	斜井	359	359	1997.11	1—	1—	7.81	
瓷窑湾煤矿	长焰煤	低	斜井	3224	3224	1996.11	1—	1—	8.48	
神树塔煤矿	长焰煤	低	斜井				1—	1—		
前石畔煤矿	长焰煤	低	斜井	2149	2149	1995.10	1—30	1—30	37.00	
沙沟岔矿	长焰煤	低	斜井				1—	1—	16.50	
杨伙盘平硐	长焰煤	低	斜井	22385	22385	1998.03	1—30	1—30	0.00	
神木县海湾煤矿	长焰煤	低	平硐	28950	28950	2000.06	1—	1—	13.70	
甘肃省				124955	51893		70—2060	70—2147	1957.32	
其中：有能力的矿井				116029	50460		57—2060	57—2147	1890.51	
1. 国有重点煤矿（小计）				49551	12088		15—814	15—906	769.11	

续表

	煤种	瓦斯等级	开拓方式	矿井可采储量/10^4t	现生产水平可采储量/10^4t	投产日期/年.月	核定能力/处－10^4t	设计能力/处－10^4t	本年实际产量/10^4t	备注
窑街煤电公司				11086	3449		3－260	3－240	331.02	
一矿一号平硐	长焰煤	低	平硐	392	392	1968.12	1－80	1－90	89.37	
三矿皮带斜井	长焰煤	低	斜井	6698	1395	1974.04	1－125	1－90	185.02	
天祝矿三号斜井	气煤	高	斜井	3996	1662	1988.09	1－55	1－60	56.63	
靖远煤业公司				38465	8639		12－554	12－666	438.09	
宝积山斜井	不粘煤	高	斜井	410	105	1970.12	1－21	1－45	16.08	
大水头斜井	不粘煤	高	斜井	10152	1261	1970.12	1－105	1－105	78.10	
红会一矿	不粘煤	低	斜井	3592	1310		3－90	3－105	82.02	
红会三矿斜井	不粘煤	低	斜井	469	469	1972.12	1－12	1－21	30.09	
红会四矿斜井	不粘煤	低	斜井	1359	1359	1974.12	1－60	1－60	44.80	
王家山煤矿	不粘煤	低、突出	斜井、立井	3135	1354		4－146	4－180	102.00	
魏家地立井	不粘煤	突出	立井	19348	2781	1989.12	1－120	1－150	85.00	
2. 省营煤矿（小计）				54788	32271		16－997	16－997	883.01	
其中：有能力的矿井				53406	32201		14－997	14－997	868.87	
九条岭煤矿	无烟煤	低	斜井、平硐	264	185		3－18	3－18	10.41	
长征煤矿	不粘煤	低	斜井	199	60	1999.12	1－15	1－15	8.40	
兰阿煤矿	不粘煤	低	平硐	129	129	1957.12	1－30	1－30	31.33	
山丹矿业公司				1375	65		1－	1－	10.28	
青苔泉斜井	长焰煤	低	斜井	1375	65		1－	1－	10.28	
进方沟平硐	无烟煤	低	平硐	7	5	1996.12	1－	1－	3.86	
华亭煤业公司				52821	31832		10－934	10－934	822.59	
华亭斜井	长焰煤	低	斜井	1958	1958	2002.04	1－300	1－300	325.00	
砚北斜井	长焰煤	低	斜井	35727	21857	2002.06	1－300	1－300	225.37	
陈家沟斜井	长焰煤	低	斜井	3789	2851	2002.12	1－90	1－90	56.82	
东峡斜井	长焰煤	低	斜井	5135	411	2002.12	1－60	1－60	60.06	
马蹄沟斜井	不粘煤	低	斜井	3685	3685	2002.12	1－80	1－80	65.18	

续表

	煤种	瓦斯等级	开拓方式	矿井可采储量/10^4t	现生产水平可采储量/10^4t	投产日期/年.月	核定能力/处—10^4t	设计能力/处—10^4t	本年实际产量/10^4t	备注
杨家沟斜井	不粘煤	低	斜井	183	18	1978.12	1—35	1—35	49.11	
山寨斜井	长焰煤	低	斜井	1000	1000	2002.12	1—21	1—21	21.46	
福利斜井	长焰煤	低	斜井	70	9	2002.12	1—12	1—12	12.43	
策底斜井	长焰煤	低	斜井	1274	43	2002.12	1—6	1—6	7.16	
安口斜井	不粘煤	低	斜井			1970.12	1—30	1—30		
3. 专营煤矿（小计）				2198	305		4—48	4—60	26.50	
其中：有能力的矿井				1961	68		3—48	3—60	17.90	
张掖地区				481	237		2—9	2—15	8.60	
响水河平硐	无烟煤	低	平硐	237	237	1996.07	1—	1—	8.60	
东水泉煤矿	肥煤	低	斜井	244		1975.12	1—9	1—15		
定西地区红旗山斜井	长焰煤	低	斜井	190	5	1991.10	1—9	1—15	5.20	
庆阳地区净石沟斜井	长焰煤	低	斜井	1527	63	1995.12	1—30	1—30	12.70	
4. 县营煤矿（小计）				18418	7229		35—201	35—184	278.70	
其中：有能力的矿井				11111	6103		25—201	25—184	234.63	
兰州市				1576	1331		3—18	3—18	29.46	
水岔沟斜井	气煤	低	斜井	269	24	1987.07	1—6	1—9	2.73	
獐儿沟斜井	不粘煤	高	斜井	1164	1164	1958.07	1—9	1—6	21.81	
炭洞沟斜井	长焰煤	低	斜井	143	143	1968.10	1—3	1—3	4.92	
金昌市				52	48		3—6	3—6	7.04	
马营沟煤矿	焦煤	低	斜井	33	29		2—6	2—6	6.06	
八一农垦斜井	气肥煤	低	斜井	19	19	1970.12	1—	1—	0.98	
白银市										
十里沟斜井	贫煤	低	斜井	193	193	1989.07	1—3	1—6	11.84	
磁窑平硐	气煤	高	平硐	27		1970.12	1—	1—		
王二斜井	不粘煤	低	斜井	191	191	1991.12	1—3	1—6	2.00	
冬青斜井	焦煤	低	斜井	85	6	1993.06	1—6	1—3	2.00	

续表

	煤种	瓦斯等级	开拓方式	矿井可采储量 /10^4t	现生产水平可采储量 /10^4t	投产日期 /年.月	核定能力 /处—10^4t	设计能力 /处—10^4t	本年实际产量 /10^4t	备注
王家山斜井	不粘煤	低	斜井	2200	600		1—	1—	4.00	
会宁红会斜井	不粘煤	低	斜井	430	300		1—	1—	15.00	
酒泉地区				2324	1749		3—6	3—6	18.31	
玉门矿业公司金庙沟斜井	长焰煤	低	斜井	1593	1593	1997.01	1—3	1—3	7.41	
紫山子斜井	无烟煤	低	斜井	600	25	1998.10	1—	1—	4.90	
肃北金庙沟斜井	长焰煤	低	斜井	131	131	1997.12	1—3	1—3	6.00	
张掖地区				663	118		3—6	3—7	3.80	
军马二场斜井	弱粘煤	低	斜井	583	38	1970.10	1—3	1—4	2.00	
羊虎沟斜井	肥煤	低	斜井	43	43	1990.12	1—3	1—3	1.20	
大河平硐	无烟煤	高	平硐	37	37	1989.10	1—	1—	0.60	
武威地区				1020	824		3—30	3—24	30.11	
大口子斜井	贫瘦煤	低	斜井	48	48	1988.06	1—9	1—6	8.10	
千马龙平硐	气煤	低	平硐	739	739	1991.10	1—12	1—9	13.80	
唐家沟斜井	长焰煤	低	斜井	233	37	1998.01	1—9	1—9	8.21	
陇南地区				539	184		5—18	5—21	15.42	
龙沟斜井	弱粘煤	低	斜井	47	47	1985.04	1—3	1—3	3.51	
西坡平硐	长焰煤	低	平硐	162	71	1985.10	1—6	1—9	4.90	
宏庆平硐	长焰煤	低	平硐	261	6	1997.12	1—9	1—9	6.27	
化垭平硐	贫煤	低	平硐	60	60	1970.04	1—	1—	0.61	
文县平硐	无烟煤	低	平硐	9		1982.01	1—	1—	0.13	
平凉地区				8995	1682		7—102	7—84	138.83	
黄庄斜井	不粘煤	低	斜井	597	16	2001.05	1—6	1—9	6.58	
新窑斜井	不粘煤	低	斜井	2770	464	1997.12	1—45	1—45	52.30	
华亭斜井										
西沟门斜井	不粘煤	低	斜井	1053	1014	1997.12	1—9	1—9	9.38	
庄浪斜井	长焰煤	低	斜井	212	45	1975.06	1—21	1—9	24.61	

续表

	煤种	瓦斯等级	开拓方式	矿井可采储量 /10^4t	现生产水平可采储量 /10^4t	投产日期 /年.月	核定能力 /处—10^4t	设计能力 /处—10^4t	本年实际产量 /10^4t	备注
豹子沟斜井	长焰煤	低	斜井	294	21	1975.05	1—15	1—6	16.60	
策底斜井										
静宁斜井	长焰煤	低	斜井	147	40	1994.05	1—6	1—6	12.40	
新柏斜井	不粘煤	低	斜井	3922	82		1—	1—	16.96	
甘南州金钱沟平硐	贫煤	低	平硐	3	3	1988.11	1—	1—	0.89	
宁夏				94028	31568		30—1338	30—1297	1724.81	
其中：有能力的矿井				94028	31568		30—1338	30—1297	1589.09	
1. 国有重点煤矿（小计）				79765	18376		11—1033	11—990	1157.82	
亘元集团公司				8330	4507		2—250	2—195	236.97	
一矿斜井	1/3焦煤	突	斜井	2345	2057	1959.03	1—100	1—75	100.16	
二矿立井	1/3焦煤	高	立井	5985	2450	1960.07	1—150	1—120	136.81	
太西集团公司				37992	12106		7—513	7—525	647.60	
一　矿	焦贫瘦	低	斜井	2390	1399		1—80	1—90	89.86	
二　矿	焦煤	低	斜井	4864	959		1—110	1—90	132.69	
红梁矿	无烟煤	高	斜井	1398	1398	2001.12	1—30	1—30	66.79	
乌兰矿	焦、肥	高	斜井	12436	1360		1—100	1—90	86.98	
白芨沟矿	无烟煤	高	斜井	12106	5339		1—140	1—120	201.41	
大峰矿	无烟煤	高	露天、斜井	4798	1651		2—53	2—105	69.87	
灵州集团公司				33443	1763		2—270	2—270	273.25	
灵新矿	不粘煤	低	斜井	30428	1465		1—240	1—240	204.79	
羊场湾矿	不粘煤	低	斜井	3015	298	1995.10	1—30	1—30	68.46	
2. 省营煤矿				14263	13192		5—185	5—168	297.30	
宁煤集团公司汝箕沟平硐	无烟煤	高	平硐	10968	10968	1964.05	1—90	1—90	121.04	
灵州集团公司				3295	2224		4—95	4—78	176.26	
磁窑堡矿	不粘煤	低	斜井	1954	1954	1989.10	1—50	1—45	100.03	
石沟驿矿	不粘煤	低	斜井	1341	270	1969.09	3—45	3—33	76.23	

续表

	煤　种	瓦斯等级	开拓方式	矿井可采储　量 /10^4t	现生产水平可采储量 /10^4t	投产日期 /年．月	核定能力 /处－10^4t	设计能力 /处－10^4t	本年实际产　量 /10^4t	备　注
3. 县营煤矿				[illegible]	[illegible]		14—120	14—139	133.97	
炭山煤矿			斜井				1—9	1—13	6.10	
冯记沟煤矿			斜井				1—15	1—15	8.43	
太阳山煤矿			斜井				1—6	1—15	7.27	
上下河沿煤矿			斜井				1—3	1—9	4.62	
碱沟山煤矿			斜井				1—6	1—6	12.00	
贺兰无烟矿			斜井				1—6	1—6	6.80	
军区灵武矿			斜井				1—6	1—6	7.60	
平罗县煤矿			斜井				1—9	1—9	20.31	
红星二道岭矿			斜井				1—3	1—3	3.50	
简泉农场矿			斜井				1—3	1—3	2.08	
京盛煤矿			斜井				1—15	1—15	3.75	
灵湾煤矿			斜井				1—9	1—9	14.38	
灵武县煤矿			斜井				1—9	1—9	9.79	
王洼煤矿	长焰煤	低	斜井	[illegible]	[illegible]		1—21	1—21	27.34	
新　疆				68135	28508		91—1504	91—1376	1931.69	
其中：有能力的矿井				67990	28363		91—1504	91—1376	1556.21	
1. 国有重点煤矿（小计）				68135	28508		13—838	13—689	737.81	
其中：有能力的矿井				67990	28363		13—838	13—689	699.35	
哈密矿务局				14340	13973		5—415	5—330	307.27	
三道岭露天矿	不粘结煤	低	露天	4154	4154	1970.01	1—150	1—180	134.55	
一矿斜井	不粘结煤	低	斜井	2037	1667	1960.06	1—100	1—30	83.26	能力待核定
北泉煤矿斜井	不粘结煤	低	斜井	4927	4931	1995.01	1—120	1—60	82.18	能力待核定
硫磺沟公司	不粘结煤	低	斜井	2516	2516		1—30	1—30	6.67	能力待核定
沙礅子公司	不粘结煤	低	斜井	706	705		1—15	1—30	0.61	能力待核定
乌鲁木齐矿务局				48348	9088		5—345	5—280	352.26	

续表

	煤种	瓦斯等级	开拓方式	矿井可采储量 /10^4t	现生产水平可采储量 /10^4t	投产日期 /年．月	核定能力 /处—10^4t	设计能力 /处—10^4t	本年实际产量 /10^4t	备注
六道湾矿立井	弱粘、长焰煤	低	立井	10940	2142	1968.08	1—90	1—90	95.20	
苇湖梁斜井	弱粘、长焰煤	低	斜井	11134	3252	1960.08	1—120	1—120	83.26	
小红沟煤矿立井	弱粘、长焰煤	低	立井	7600	458	1956	1—45	1—30	42.04	能力待核定
碱沟煤矿斜井	弱粘、长焰煤	低	斜井	12188	2022	1976.01	1—60	1—30	56.30	能力待核定
大洪沟矿立井	弱粘、长焰煤	低	立井	6486	1214	1952.01	1—30	1—10	37.00	能力待核定
局属其他	弱粘煤	低	其他				—	—	38.46	
艾维尔沟煤矿				5447	5447		3—78	3—79	78.28	
其中：有能力的矿井				5302	5302		3—78	3—79	78.28	
一九三〇平硐	肥煤	低	平硐	1844	1844	1988.04	1—60	1—60	27.53	
二道沟平硐	气煤	低	平硐	145	145	1985.07	0—0	0—0		
南山平硐	肥煤	低	平硐	42	42	1959.01	1—9	1—10	9.47	
二一三〇平硐	焦煤	低	平硐	3416	3416	1990.11	1—9	1—9	41.28	
2. 省营煤矿							53—393	53—414	471.12	
监狱管理局							3—45	3—45	72.72	
芦草沟煤矿			斜井				1—9	1—9	7.90	
拜城煤矿	气肥煤	高	立井				1—6	1—6	5.20	
布雅煤矿	弱粘煤		露天				1—30	1—30	59.62	
有色金属公司扎河坝煤矿							1—3	1—3	27.72	
生产建设兵团煤矿							47—315	47—336	366.48	
南疆煤电公司							2—30	2—30	4.20	
康苏煤矿	气肥煤	低	立井				1—21	1—21	0.00	
卡拉吉里岗煤矿	气肥煤	低	平硐				1—9	1—9	4.20	
3. 专营煤矿							12—132	12—132	183.95	
乌鲁木齐市电化厂煤矿							2—24	2—24	30.76	
吐鲁番地区红星煤矿	长焰煤		斜井				1—6	1—6	16.54	
昌吉州五宫煤矿	气煤	高	立井				1—9	1—9	10.70	
塔城地区铁厂沟煤矿	长焰煤	低	斜井				1—9	1—9	35.00	

续表

	煤种	瓦斯等级	开拓方式	矿井可采储量/10^4t	现生产水平可采储量/10^4t	投产日期/年.月	核定能力/处－10^4t	设计能力/处－10^4t	本年实际产量/10^4t	备注
阿克苏铁力克煤矿	贫瘦煤	低					1—15	1—15	28.00	
和田杜瓦煤矿	长焰煤	低	斜井				1—9	1—9	11.20	
巴州塔什店煤矿							2—15	2—15	9.40	
阿勒泰地区库仑铁布克煤矿	长焰煤	低	斜井				1—6	1—6	5.34	
伊犁地区							2—39	2—39	32.93	
卡赞其煤矿	不粘煤	低	斜井				1—9	1—9	4.08	
皮里青露天煤矿	不粘煤		露天				1—30	1—30	32.93	
4. 县营煤矿							13—141	13—141	538.81	
其中：有能力的矿井							13—141	13—141	205.87	
吐鲁番地区							3—21	3—21	15.95	
吐鲁番市煤矿	长焰煤	低	斜井				1—9	1—9	11.68	
鄯善县煤矿	长焰煤	低	斜井				1—9	1—9	4.07	
托克逊县一矿	长焰煤	低	斜井				1—3	1—3	0.20	
昌吉州							4—45	4—45	33.23	
米泉市煤矿	长焰煤	低	立井				2—24	2—24	26.07	
阜康西沟煤矿	气煤	高	斜井				1—15	1—15	7.16	
阜康市三宫煤矿	气煤	低	斜井				1—6	1—6		
塔城地区							3—45	3—45	142.47	
乌苏市煤矿	长焰煤	高	平硐				1—30	1—30	83.90	
沙湾县煤矿	长焰煤	高	平硐				1—6	1—6	41.49	
和布克赛尔县二煤矿	长焰煤	低	斜井				1—9	1—9	17.08	
哈密地区巴里坤县煤矿	气肥煤	高	斜井				1—9	1—9	3.85	
伊犁州							2—21	2—21	10.37	
昭苏县煤矿	长焰煤	低	斜井				1—15	1—15	5.43	
阿勒泰哈尔交煤矿							1—6	1—6	4.94	

续表

	煤　种	瓦斯等级	开拓方式	矿井可采储量/10^4t	现生产水平可采储量/10^4t	投产日期/年．月	核定能力/处－10^4t	设计能力/处－10^4t	本年实际产量/10^4t	备　注
神　华				629828	426370		34－5463	34－5443	7432.71	
其中：有能力的矿井				629828	426370		34－5463	34－5443	5835.28	
准格尔煤炭工业公司				135741	135741		1－1200	1－1200	1140.68	
黑岱沟露天煤矿	长焰煤	低	露天	135741	135741	1999.11	1－1200	1－1200	1019.99	
局属小井	长焰煤	低	立井						120.69	
神东公司				359100	207353		10－2940	10－2770	5165.25	
其中：有能力的矿井				359100	207353		10－2940	10－2770	3784.69	
马家塔露天矿井	不粘煤	低	露天	1392	490	1990.11	1－70	1－60	128.00	
乌兰木伦矿斜井	不粘煤	低	斜井	62011	21006	1992.12	1－50	1－30	107.00	
武家塔露天矿井	不粘煤	低	露天				1－60	1－60		
补连塔斜井	不粘煤	低	斜井	43000	10900	1997.10	1－300	1－300	760.00	
大柳塔矿平硐	不粘煤	低	平硐	90723	70330	1996.11	1－360	1－600	1086.00	
活鸡兔矿平硐	不粘煤	低	平硐	62410	49174	2000.11	1－500	1－500	539.00	
榆家梁矿斜井	不粘煤	低	斜井	22500	19500	2001.01	1－500	1－500	1059.00	
孙家沟矿斜井	气煤	低	斜井	66566	29346	2002.12	1－800	1－500	76.79	
大海则矿斜井	不粘煤	低	斜井	5568	3500	2002.12	1－180	1－100	9.92	
哈拉沟矿斜井	不粘煤	低	平硐	4930	3107	2002.12	1－120	1－120	18.98	
无能力矿井	不粘煤	低							1380.56	
万利公司				57220	13957		7－210	7－330	162.54	
其中：有能力的矿井				57220	13957		7－210	7－330	157.14	
柳塔斜井	不粘煤	低	斜井	18534	3513	1990.10	1－60	1－60	63.43	
唐公沟一斜井	不粘煤	低	斜井	1899	581	2001.01	1－21	1－21	24.23	
唐公沟二斜井	不粘煤	低	斜井	1278	516	2001.01	1－39	1－39	21.42	
昌汉沟斜井	不粘煤	低	斜井	12135	3706	2001.12	1－15	1－60	12.48	
万利一井	不粘煤	低	斜井	12686	2595	2001.01	1－45	1－120	24.66	
新 庙 井	不粘煤	低	斜井	5344	1523	1990.10	1－15	1－15	10.92	

续表

	煤种	瓦斯等级	开拓方式	矿井可采储量 /10⁴t	现生产水平可采储量 /10⁴t	投产日期 /年．月	核定能力 /处－10⁴t	设计能力 /处－10⁴t	本年实际产量 /10⁴t	备注
寸草塔井	不粘煤	低	斜井	5344	1523	1990.10	1—15	1—15	0.00	
无能力矿井	不粘煤	低	斜井						5.40	
包头矿务局				10763	3341		3—165	3—165	202.02	
其中：有能力的矿井				10763	3341		3—165	3—165	129.00	
河滩沟矿立井	焦煤	超	立井	2536	1291	1966.12	1—45	1—45	44.00	
白狐沟煤矿	焦煤	超	平硐	2734	825	2002.07	1—60	1—60	40.00	
阿刀亥井	瘦煤	超	斜井	5493	1225	2002.08	1—60	1—60	45.00	
局属小井	肥煤	高	立井						73.02	
乌达矿务局				26765	26765		3—420	3—390	362.02	
其中：有能力的矿井				26765	26765		3—420	3—390	344.26	
黄白茨矿	肥煤	高	斜井	7189	7189	1990.11	1—120	1—120	66.52	
苏海图矿平硐	1/3 焦煤	低	平硐	4880	4880	1960.05	1—150	1—120	148.99	
五虎山矿斜井	1/3 焦煤	低	斜井	14696	14696	1970.05	1—150	1—150	128.75	
局属小井									17.76	
海勃湾矿务局				38018	38018		5—450	5—510	310.17	
老石旦煤矿	焦煤	低	斜井	6381	6381	1970.10	1—120	1—120	92.83	
平沟煤矿	焦煤	高	斜井	9836	9836	1991.12	1—120	1—120	130.14	
公乌素煤矿	焦煤	低		16915	16915		2—150	2—150	53.60	
公乌素煤矿二号井	肥煤	低	斜井	480	480	1977.03	1—30	1—30	7.27	
公乌素煤矿三号井	1/3 焦煤	低	斜井	16435	16435	1988.12	1—120	1—120	46.33	
海勃湾露天煤矿	1/3 焦煤	低	露天	4886	4886	1980.05	1—60	1—120	33.60	
金烽公司				2221	1195		5—78	5—78	90.03	
城坡煤矿	气肥煤	低	平硐	1397	689	1991.09	1—30	1—30	61.63	
朝脑沟煤矿	瘦煤	低	斜井	468	262	1991.09	1—6	1—6	3.60	

续表

	煤　种	瓦斯等级	开拓方式	矿井可采储量/10^4t	现生产水平可采储量/10^4t	投产日期/年．月	核定能力/处－10^4t	设计能力/处－10^4t	本年实际产量/10^4t	备　注
寸草塔二号斜井	肥煤	低	斜井	293	197	1988.10	1－30	1－30	21.00	
东胜煤矿	瘦煤	低	平硐	46	40	1991.09	1－3	1－3	2.30	
神山煤矿	瘦煤	低	平硐	17	7	1992.07	1－9	1－9	1.50	
无能力矿井			斜井							
中　煤				116275	49156		9－2381	9－2396	2867.56	
其中：有能力的矿井				116275	49156		9－2381	9－2396	2203.02	
大屯煤电（集团）公司				58447	14382		4－650	4－650	706.24	
姚桥矿立井	1/3 焦煤	低	立井	29944	7174	1976.12	1－300	1－300	340.99	
孔庄矿立井	1/3 焦煤	低	立井	8055	1394	1977.06	1－110	1－110	118.67	
徐庄矿立井	1/3 焦煤	低	立井	15401	2802	1979.12	1－120	1－120	126.51	
龙东矿立井	气煤	低	立井	5047	3012	1987.11	1－120	1－120	120.07	
太原煤炭气化集团公司				12589	12589		4－231	4－246	185.54	
炉峪口矿	焦煤	低	斜井	5436	5436	1986.11	1－60	1－75	76.00	
嘉乐泉矿	焦煤	低	斜井	4603	4603	1987.09	1－90	1－90	83.86	
长 沟 矿	瘦煤	低	斜井	2276	2276	1998.04	1－60	1－60		
华 南 矿	焦煤	低	斜井	274	274	1997.07	1－21	1－21	25.68	
平朔煤炭公司				45239	22185		1－1500	1－1500	1975.78	
其中：有能力的矿井				45239	22185		1－1500	1－1500	1311.24	
安太堡矿	气煤	低	露天	45239	22185	1987.09	1－1500	1－1500	1311.24	
安家岭矿	气煤	低	露天						664.54	
伊　敏				96967	96967		1－500	1－500	511.91	
其中：有能力的矿井				96967	96967		1－500	1－500	511.91	
伊敏煤电公司伊敏一露天矿	褐煤		露天	96967	96967	1984.10	1－500	1－500	511.91	

国有重点煤矿选煤厂基本情况（炼焦煤）

	投产日期 /年．月	煤种	核定能力 /处—10^4t	主要指标					主要供应对象
				入洗原煤 /10^4t	洗出煤量 /10^4t	产率 /%	灰分 /%	水分 /%	
总计			147—20722	16954.44	11734.18	69.21			
河北省			17—3060	2383.37	1616.88	67.84			
开滦			7—1755	1447.53	1046.12	72.27			
开滦矿务局赵各庄洗煤厂	1911.11	肥煤	1—220	179.58	160.79	89.54	29.85	11.10	本钢、安钢
开滦矿务局林西洗煤厂	1940.08	焦煤	1—170	120.41	84.80	70.43	23.09	12.68	宝钢、鞍钢
开滦矿务局唐山洗煤厂	1959.11	1/3 焦煤	1—270	285.71	189.92	66.47	15.35	10.18	宝钢、本钢
开滦矿务局马家沟洗煤厂	1959.09	肥煤	1—75	80.74	56.87	70.44	18.64	11.40	首钢、本钢
开滦矿务局范各庄洗煤厂	1983.12	肥煤	1—400	385.74	268.93	69.72	21.14	10.37	宝钢、鞍钢
开滦矿务局吕家坨洗煤厂	1968.06	肥煤	1—220	222.56	163.30	73.37	24.73	14.27	宝钢、鞍钢
开滦矿务局钱家营洗煤厂	1989.11	肥煤	1—400	172.79	121.51	70.32	16.16	8.05	宝钢
峰峰			5—670	544.72	293.94	53.96			
峰峰矿务局邯郸洗选厂	1959.12	焦煤	1—180	130.67	81.50	62.37	9.81	11.86	武钢、首钢、邯钢
峰峰矿务局马头洗选厂	1959.09	焦煤	1—220	198.33	109.39	55.16	9.65	10.49	武钢、包钢、邯钢、天铁
峰峰矿务局峰五矿洗煤厂	1959.09	焦煤	1—60						
峰峰矿务局孙庄洗煤厂	1980.07	焦煤	1—90	60.42	34.85	57.68	10.54	10.67	石家庄焦化厂
九龙口洗煤厂	1991.04	焦煤	1—120	155.30	68.20	43.92	10.44	10.23	邢钢、石家庄焦化厂、天铁
井陉			2—150	43.00	16.63	38.67			
井陉矿务局三矿洗煤厂	1958.01	焦煤	1—80	34.30	10.55	30.76	9.01	8.54	石焦、北焦
井陉矿务局焦化厂洗煤厂	1960.01	焦煤	1—70	8.70	6.08	69.89	9.60	14.26	山东济钢
邢台			3—485	348.12	260.19	74.74			
邢台矿业集团邢台洗煤厂	1974.02	1/3 焦煤	1—120	124.77	101.29	81.18	8.38	11.13	邯钢、武钢
邢台矿业集团东庞洗煤厂	1985.05	1/3 焦煤	1—335	197.56	143.45	72.61	8.35	10.24	济钢、宝钢
邢台矿业集团葛泉洗煤厂	1994.11	1/3 焦煤	1—30	25.79	15.45	59.91	9.40	9.64	邢钢

续表

	投产日期/年.月	煤种	核定能力/处—10^4t	主要指标					主要供应对象
				入洗原煤/10^4t	洗出煤量/10^4t	产率/%	灰分/%	水分/%	
山西省			16—3315	3013.41	2232.40	74.08			
西　山			6—1980	1588.73	1197.59	75.38			
太原选煤厂	1960.01	瘦煤	1—330	368.63	287.75	78.06	10.40	10.30	
镇城底选煤厂	1986.11	肥煤	1—150	154.44	109.51	70.91	9.52	9.33	
屯兰选煤厂	1997.01	焦煤	1—400	282.24	211.82	75.05	9.89	9.82	
西曲选煤厂	1987.01	焦煤	1—300	272.32	210.27	77.21	9.71	8.91	
马兰选煤厂	1993.01	肥煤	1—400	340.77	250.50	73.51	9.75	9.42	
东曲选煤厂	1994.11	焦煤	1—400	170.33	127.74	75.00	9.73	10.61	
汾　西			2—445	386.41	254.22	65.79			
介休选煤厂	1970.11	焦煤	1—400	343.53	230.70	67.16	9.57	10.13	
两渡选煤厂	1996.05	焦煤	1—45	42.88	23.52	54.85	9.50	7.00	
潞　安			3—320	327.78	226.08	68.97			
石圪节洗煤厂	1958.12	瘦煤	1—100	93.21	62.87	67.45	9.23	11.22	
五阳洗煤厂	1986.12	瘦煤	1—100	144.00	98.00	68.06	9.11	11.21	
漳村选煤厂	1996.12	贫瘦煤	1—120	90.57	65.21	72.00	10.01	11.01	
华晋焦煤				68.49	48.51	70.83			
沙曲选煤厂		焦煤		68.49	48.51	70.83	8.65	12.12	
霍　州			5—570	642.00	506.00	78.82			
辛置洗煤厂	1959.12	肥煤	1—210	268.00	208.00	77.61	9.55	7.63	
煤化公司洗煤厂	1986.01	焦煤	1—45	44.00	33.00	75.00	10.00	7.37	
白龙洗煤厂	1989.06	焦煤	1—180	174.00	137.00	78.74	9.34	7.37	
洪焦洗煤厂	1997.12	肥煤	1—90	106.00	93.00	87.74	9.41	7.52	
团柏洗煤厂	1987.02	焦煤	1—45	50.00	35.00	70.00	9.41	6.61	
辽宁省			4—690	523.05	407.59	77.93			
抚　顺			1—360	279.16	265.85	95.23			

续表

	投产日期/年.月	煤种	核定能力/处—10^4t	主要指标					主要供应对象
				入洗原煤/10^4t	洗出煤量/10^4t	产率/%	灰分/%	水分/%	
虎台煤业分公司洗煤厂	1943.12	气煤	1—360	279.16	265.85	95.23	14.20	11.43	
抚顺局龙凤矿洗煤厂									
北票									
北票局台吉矿洗煤厂									
北票局三宝矿洗煤厂									
北票局冠山洗煤厂									
沈阳			3—330	243.89	141.74	58.12			
沈阳局林盛洗煤厂	1990.12	肥煤	1—90	77.31	50.00	64.67	9.09	13.76	鞍钢、本钢
沈阳局红阳三矿洗煤厂	2000.12	瘦煤	1—150	110.53	57.77	52.27	9.01	12.36	鞍钢、本钢
沈阳局灵山洗煤厂	1956.12	焦煤	1—90	56.05	33.97	60.61	9.76	10.50	鞍钢、本钢
沈阳局本溪洗煤厂									
吉林省			3—290						
通化			3—290						
砟子	1992.07	焦煤	1—60						
弯沟	1966.03	焦煤	1—110						
铁厂	1959.12	焦煤	1—120						
黑龙江			11—1840	1935.58	714.04	36.89			
鸡西			3—550	332.79	129.57	38.93			
鸡西矿务局杏花矿	1988	1/3焦煤	1—130	146.77	67.25	45.82	9.05	11.42	鞍钢、本钢、黑化
鸡西矿务局滴道洗煤厂	1942	焦煤	1—210	98.27	33.69	34.28	9.69	9.91	鞍钢、本钢、黑化
鸡西矿务局城子河洗煤厂	1960	1/3焦煤	1—210	87.75	28.63	32.63	10.23	11.60	鞍钢、本钢、哈煤气
鹤岗			2—360	431.64	119.23	27.62			
兴安选煤厂	1959.12		1—150	69.88	15.11	21.62	7.08	11.47	本钢
南山选煤厂	1953.12		1—210	319.36	101.87	31.90	8.76	12.57	鞍钢、本钢、九台

续表

	投产日期/年.月	煤种	核定能力/处—10^4t	主要指标					主要供应对象
				入洗原煤/10^4t	洗出煤量/10^4t	产率/%	灰分/%	水分/%	
峻德选煤厂				20.46	1.87	9.14	10.38	11.27	黑化、吉化、大化
峻发选煤厂				21.94	0.38	1.73	10.14	10.08	黑化、吉化、大化
双鸭山			2—360	225.00	101.90	45.29			
中央洗煤厂			1—180	125.00	78.90	63.12	9.02	10.47	鞍钢
七星洗煤厂			1—180	100.00	23.00	23.00	6.44	12.10	
七台河			4—570	946.15	363.34	38.40			
新建分公司洗煤厂	1975.07	炼焦煤	1—150	233.05	88.79	38.10	10.08	14.18	鞍钢、本钢
桃山洗煤厂	1989.07	炼焦煤	1—180	185.19	68.37	36.92	9.49	13.97	鞍钢、本钢
新兴洗煤厂	1992.07	炼焦煤	1—120	160.69	64.78	40.31	8.84	13.51	鞍钢、本钢
铁东洗煤厂	1991.07	炼焦煤	1—120	148.20	58.34	39.37	9.61	12.56	鞍钢、本钢
龙湖分公司洗煤厂	1997.07	炼焦煤		161.34	61.22	37.94	9.68	12.89	鞍钢、本钢
富强洗煤厂	1986.07	炼焦煤		57.68	21.84	37.86	10.57	9.81	鞍钢、本钢
江苏省			3—220	120.04	64.05	53.36			
徐州			3—220	120.04	64.05	53.36			
庞庄选煤厂	1976.02	气煤	1—60	26.81	18.62	69.45	9.43	4.44	部分出口、南京钢厂
东城选煤厂	1966.05	气煤	1—80	22.49	8.86	39.40	7.74	5.04	杭州钢厂、徐州钢厂
夹河选煤厂	1973.12	气煤	1—80	70.74	36.57	51.70	9.21	9.73	徐州钢厂、徐州焦化厂
安徽省			9—1590	852.36	493.26	57.87			
淮南			3—510	191.77	110.19	57.46			
淮南矿业集团望峰岗选煤厂	1958.07	1/3焦煤	1—150	112.07	65.96	58.86	9.44	8.30	
淮南矿业集团谢一矿洗煤厂	1997.12	1/3焦煤	1—120						
淮南矿业集团新庄孜选煤厂	1997.05	1/3焦煤	1—240	79.70	44.23	55.50	9.98	10.10	
淮北			6—1080	660.59	383.07	57.99			

续表

	投产日期/年．月	煤　种	核定能力/处—10^4t	主要指标：入洗原煤/10^4t	主要指标：洗出煤量/10^4t	主要指标：产率/%	主要指标：灰分/%	主要指标：水分/%	主要供应对象
淮北矿业集团张庄洗煤厂	1968.12	焦煤	1—120						马钢、上焦、梅山
淮北矿业集团石台洗煤厂	1987.12	焦煤	1—120	121.09	57.68	47.63	10.84	11.72	马钢、梅钢、无锡焦化、上焦
淮北矿业集团芦岭洗煤厂	1981.07	1/3 焦煤	1—180	180.19	110.18	61.15	8.92	11.95	马钢、梅山、淮北焦化、出口
淮北矿业集团淮北选煤厂	1970.01	瘦煤	1—240	123.40	62.04	50.28	9.90	9.79	马钢、上焦、梅钢、淮北焦化
淮北矿业集团临涣选煤厂	1990.06	肥煤	1—300	218.33	143.55	65.75	10.65	11.75	马钢、宝钢、南钢、梅钢、出口
淮北矿业集团朱仙庄选煤厂	1983.12	1/3 焦煤	1—120	17.58	9.62	54.72	9.41	11.99	日本、马钢
江西省			3—175	149.00	93.21	62.56			
萍　乡			2—115	102.24	68.79	67.28			
安源洗煤厂	1992.04	1/3 焦煤	1—70	80.71	55.07	68.23	10.67	15.80	新余钢铁厂、萍乡钢铁厂
白源洗煤厂	1992.09	1/3 焦煤	1—45	21.53	13.72	63.73	23.95	14.00	广东省、福建省
丰　城			1—60	46.76	24.42	52.22			
坪湖洗煤厂	1958.12	炼焦煤	1—60	46.76	24.42	52.22	10.44	12.87	萍乡钢厂、新余钢厂、景德镇焦化厂
山东省			24—3600	3810.26	3330.58	87.41			
淄　博			1—90	15.75	8.25	52.38			
淄博矿务局埠村洗煤厂	1973.12	炼焦煤	1—90	15.75	8.25	52.38	9.31	10.85	莱芜钢铁厂、济南钢铁厂
新　汶			6—690	578.81	506.06	87.43			
新汶矿务局孙村洗煤厂	1960.02	气煤	1—100	103.60	87.60	84.56	16.50	11.06	上海焦化、新余、鄂城、莱芜钢厂
新汶矿务局张庄洗煤厂	1960.01	气肥煤	1—110	78.53	68.44	87.15	7.67	10.00	武汉、湘潭、马鞍山钢厂

续表

	投产日期/年．月	煤种	核定能力/处—10^4t	主要指标					主要供应对象
				入洗原煤/10^4t	洗出煤量/10^4t	产率/%	灰分/%	水分/%	
新汶矿务局良庄洗煤厂	1959.01	气煤	1—120	103.72	85.99	82.91	13.94	10.44	上海焦化、新余、鄂城、莱芜钢厂
新汶矿务局华丰洗煤厂	1960.01	气肥煤	1—120	103.48	93.98	90.82	9.98	11.60	上海焦化、浦东、杭州、济南钢厂
新汶矿务局协庄洗煤厂	1986.12	气煤	1—120	102.31	93.79	91.67	19.09	9.20	日本、台湾
新汶矿务局瞿镇洗煤厂	1999.06	气煤	1—120	87.17	76.26	87.48	18.93	10.20	日本、台湾
枣庄			8—865	634.24	510.59	80.50			
枣庄矿务局陶庄洗煤厂	1960.03	肥煤	1—50	36.01	23.03	63.95	14.32	11.23	马钢、梅钢
枣庄矿务局山家林洗煤厂	1959.12	肥煤	1—45	39.24	21.45	54.66	10.19	13.33	马钢
枣庄矿务局八一洗煤厂	1970.08	气肥煤	1—50	44.62	30.21	67.71	7.96	9.70	马钢
枣庄矿务局柴里洗煤厂	1991.12	1/3焦煤	1—240	142.57	125.99	88.37	12.42	9.50	日本、济南钢厂
枣庄矿务局蒋庄洗煤厂	1991.12	1/3焦煤	1—150	114.97	105.22	91.52	10.31	9.54	日本、宝钢
枣庄矿务局田陈洗煤厂	1995.08	1/3焦煤	1—120	89.83	71.21	79.27	10.89	7.69	日本、济南钢厂
枣庄矿务局付村洗煤厂	2001.03	1/3焦煤	1—120	91.13	66.35	72.81	8.13	9.88	日本、宝钢
枣庄矿务局井亭洗煤厂		气肥煤		2.67	1.75	65.54	7.48	8.92	景德镇
枣庄矿务局高庄洗煤厂	2001.02	1/3焦煤	1—90	73.20	65.38	89.32	10.16	10.61	宝钢
肥城			3—145	35.46	30.68	86.52			
肥城矿务局杨庄洗煤厂	1966.03	气肥煤	1—45	6.01	4.70	78.20	8.44	7.80	天津铁厂
肥城矿务局曹庄洗煤厂	1972.12	气肥煤	1—60	18.19	15.22	83.67	9.26	7.86	天津铁厂、济南钢厂
肥城矿务局白庄洗煤厂	2001.12	气煤	1—40	11.26	10.76	95.56	21.21		华能白杨河电厂
兖州			6—1810	2546.00	2275.00	89.36			
兖州矿务局南屯洗煤厂	1987.12	气煤	1—200	198.00	181.00	91.41	13.57	10.40	上海宝钢
兖州矿务局兴隆庄洗煤厂	1985.07	气煤	1—300	578.00	529.00	91.52	12.57	9.40	山东铝业
兖州矿务局鲍店洗煤厂	1990.01	气煤	1—300	450.00	413.00	91.78	12.16	8.14	马钢
兖州矿务局东滩洗煤厂	1993.12	气煤	1—400	617.00	584.00	94.65	12.79	9.30	邹城市电厂

续表

	投产日期/年．月	煤种	核定能力/处—10^4t	主要指标					主要供应对象
				入洗原煤/10^4t	洗出煤量/10^4t	产率/%	灰分/%	水分/%	
兖州矿务局济二洗煤厂	1998.11	气煤	1—400	308.00	259.00	84.09	15.53	8.50	
兖州矿务局济三洗煤厂	2001.07	气煤	1—210	395.00	309.00	78.23	13.49	8.60	
河南省			10—1042	769.13	550.20	71.54			
平顶山			4—700	647.33	443.57	68.52			
平煤集团田庄洗煤厂	1970.11	1/3焦煤	1—370	339.92	239.80	70.55	9.00	12.00	
平煤集团八矿洗煤厂	1985.11	焦煤	1—180	205.97	140.19	68.06	9.00	13.00	
平煤集团七矿洗煤厂	1995.06	1/3焦煤	1—90	87.93	57.01	64.84	10.00	14.00	
平煤集团朝川矿	1982.04	1/3焦煤	1—60	13.51	6.57	48.63	11.00	20.00	
鹤壁			2—210	121.16	106.33	87.76			
鹤煤(集团)公司四矿	1984.01	炼焦煤	1—120	104.77	91.84	87.66	17.00	7.00	外省
鹤煤(集团)公司六矿	1984.01	炼焦煤	1—90	16.39	14.49	88.41	16.00	9.00	外省
义马			4—132	0.64	0.30	46.87			
观音堂煤矿洗煤厂	1975.12	焦煤	1—30						
石壕煤矿选煤厂	1996.12	焦煤	1—21	0.64	0.30	46.87	12.00	12.00	中国煤炭进出口公司连云港分公司
曹窑煤矿选煤厂	1994.12	焦煤	1—21						
新安煤矿选煤厂	2000.12	贫煤	1—60						
湖南省			3—334	44.11	30.25	68.58			
株洲			1—270	27.67	19.89	71.88			
株洲洗煤厂	1959.09	焦煤	1—270	27.67	19.89	71.88	9.38	10.81	钢厂
涟邵			1—4	1.94	1.50	77.32			
牛马司洗煤厂	1986.01	焦煤	1—4	1.94	1.50	77.32	7.56	14.84	涟钢、湘钢
资兴			1—60	14.50	8.86	61.10			
资兴焦电公司	1958.08	焦煤	1—60	14.50	8.86	61.10	9.91	8.90	自用炼焦
四川省			5—495	430.11	240.85	56.00			
攀枝花			2—360	296.71	148.10	49.91			

续表

	投产日期/年.月	煤种	核定能力/处—10^4t	主要指标					主要供应对象
				入洗原煤/10^4t	洗出煤量/10^4t	产率/%	灰分/%	水分/%	
巴关河洗煤厂	1970.05		1—200	215.94	103.10	47.74	8.83	16.22	攀钢
格里坪洗煤厂	1989.12		1—160	80.77	45.00	55.71	8.72	14.92	攀钢、出口
达竹			2—105	124.62	86.47	69.39			
渡市选煤厂	1982.06		1—45	53.70	38.50	71.69	14.92	10.18	武钢、重钢
石板选煤厂	1989.09		1—60	70.92	47.97	67.64	13.75	9.62	武钢、重钢
威远			1—30	8.78	6.28	71.53			
威远煤矿洗煤厂	1981.09		1—30	8.78	6.28	71.53	17.05	11.58	威远钢铁厂
贵州省			11—1276	727.64	353.90	48.64			
六枝			2—96						
六枝工矿公司地宗选煤厂	1983.01		1—75						
六枝工矿公司凉水井选煤厂	1994.01		1—21						
盘江			6—680	462.58	223.38	48.29			
盘江煤电公司老屋基矿	1978.01	肥煤	1—200	166.95	82.34	49.32	9.30	8.56	防城港、柳、广、涟钢
盘江煤电公司火铺选煤厂	1978.02	肥煤	1—120	141.32	67.45	47.73	9.70	8.85	昆、攀、涟钢、昆焦
盘江煤电公司山角树选煤厂	1996.12	肥煤	1—50	4.33	0.21	4.85	14.57	8.06	防诚港
盘江煤电公司月亮田选煤厂	1996.12	肥煤	1—55	72.87	27.73	38.05	9.00	8.81	广、湘、新、水钢
盘江煤电公司土城选煤厂	1996.12	肥煤	1—15						
盘江煤电公司盘北选煤厂	1999.01	肥煤	1—240	77.11	45.65	59.20	9.41	8.80	防城港、柳、攀钢、贵煤
水城			13—500	265.06	130.52	49.24			
水城矿业公司汪家寨选煤厂	1970.09	肥煤	1—240	133.24	72.06	54.08	9.53	10.30	水、新、涟、广、柳钢
水城矿业公司老鹰山选煤厂	1969.02	1/3焦煤	1—80	48.71	26.63	54.67	9.97	10.41	水钢、韶东焦化厂、贵铝、贵气

续表

	投产日期/年.月	煤种	核定能力/处—10^4t	主要指标					主要供应对象
				入洗原煤/10^4t	洗出煤量/10^4t	产率/%	灰分/%	水分/%	
水城矿业公司二塘选煤厂	1998.07	焦煤	1—180	83.11	31.83	38.30	10.13	8.74	重、新、广、柳、涟钢
云南省			5—270	270.96	144.30	53.26			
一平浪洗煤厂	1970.01	气肥煤	1—30	70.00	45.70	65.29	10.48	13.43	昆钢、昆明煤气厂
羊场洗煤厂	1971.03	炼焦煤	1—45	44.59	28.76	64.50	11.64	13.87	昆钢、昆明煤气厂、攀钢
田坝洗煤厂	1989.12	焦煤	1—90	45.61	18.97	41.59	10.94	12.91	昆明煤气厂、昆钢、攀钢
后所洗煤厂	1981.09	1/3焦煤	1—60	74.25	25.04	33.72	11.84	11.64	昆钢
恩洪洗煤厂	1976.01	焦煤	1—45	36.51	25.83	70.75	10.88	12.98	昆钢、昆明煤气厂
重庆市			6—410	289.27	217.16	75.07			
南桐			2—155	100.21	82.82	82.65			
南桐局干坝子洗煤厂		焦煤	1—65	43.02	34.31	79.75	27.79	10.08	重钢、重电
南桐局南桐洗煤厂		焦煤	1—90	57.19	48.51	84.82	11.47	10.07	重钢、自备电厂
天府局磨心坡洗煤厂	1990.12	焦煤	1—60	27.10	20.27	74.80	17.91	9.47	重电厂、化工厂
中梁山洗煤厂	1986.01	焦煤	1—60	46.85	39.93	85.23	21.05	9.13	重电厂
永荣			2—135	115.11	64.14	55.72			
永荣局荣昌洗煤厂	1960.05	1/3焦煤	1—90	70.45	38.72	54.96	9.63	8.96	重钢
永荣局永川洗煤厂	1965.01	1/3焦煤	1—45	44.66	25.42	56.92	10.25	12.62	重钢
陕西省			2—165	118.24	71.75	60.68			
韩城			2—165	118.24	71.75	60.68			
下峪口洗煤厂	1976.12		1—120	118.24	71.75	60.68	9.63	11.40	武汉钢铁总公司
燎原洗煤厂	1996.11		1—45						
宁夏			2—470	205.72	149.23	72.54			
亘元精煤公司	1989.08		1—120						

续表

	投产日期/年.月	煤种	核定能力/处—10^4t	主要指标					主要供应对象
				入洗原煤/10^4t	洗出煤量/10^4t	产率/%	灰分/%	水分/%	
太西大武口洗煤厂	1969.01		1—350	205.72	149.23	72.54	16.45	8.48	酒钢、包钢等
新疆			1—60	68.35	56.86	83.19			
艾维尔沟煤矿洗煤厂	1988.04	焦煤、肥煤	1—60	68.35	56.86	83.19	8.79	11.63	新疆八一钢铁(集团)有限责任公司
神华			9—880	820.57	589.63	71.86			
乌达			3—280	192.53	78.43	40.74			
黄白茨洗煤厂	1999.12	肥煤	1—60	23.08	12.83	55.59	7.00	8.00	西安焦化厂、包钢
苏海图洗煤厂	1985.02	1/3焦煤	1—120	100.46	40.59	40.40	10.00	8.00	包钢、呼焦、宣钢、唐钢、宝钢
五虎山洗煤厂	2002.06	1/3焦煤	1—100	68.99	25.01	36.25	11.00	7.00	包钢、呼焦、宣钢
海勃湾			6—600	628.04	511.20	81.40			
平沟洗煤厂	1994.12	焦煤	1—120	135.98	106.09	78.02	10.00	12.00	包钢、宣钢
老石旦洗煤厂	1996.12	焦煤	1—120	108.04	93.04	86.12	10.00	12.00	包钢、宣钢
公乌素洗煤厂	2000.07	焦煤	1—60	70.00	56.47	80.67	10.00	10.00	包钢、宣钢
中煤			3—540	423.27	378.04	89.31			
大屯			2—360	239.39	204.16	85.28			
大屯煤电公司选煤厂	1982.09	1/3焦煤	1—240	133.25	113.92	85.49	15.34	10.00	
大屯煤电公司选没厂一分厂	1991.12	1/3焦煤	1—120	106.14	90.24	85.02	10.59	10.70	
煤气公司晋阳选煤厂	1990.09	焦煤	1—180	183.88	173.88	94.56	22.29	11.20	

国有重点煤矿选煤厂基本情况（动力煤）

	投产日期/年.月	煤种	核定能力/处—10^4t	主要指标					主要供应对象
				入洗原煤/10^4t	洗出煤量/10^4t	产率/%	灰分/%	水分/%	
总计			91—18947	13519.45	10442.62	77.24			
河北省			5—201	184.65	119.59	64.77			
邯郸			5—201	184.65	119.59	64.77			
邯郸矿务局康城煤矿	1998.01	无烟煤	1—60	27.47	15.77	57.41	23.14	7.47	山东
邯郸矿务局陶一煤矿	2001.01	无烟煤	1—30	41.47	31.10	74.99	17.50	8.10	钢铁厂
邯郸矿务局陶二煤矿	1996.12	无烟煤	1—30	45.70	29.15	63.79	16.37	10.58	化肥厂、钢厂
邯郸矿务局郭二庄洗煤厂	1987.03	无烟煤	1—60	28.39	19.12	67.35	19.05	6.66	济南
邯郸矿务局云驾岭洗煤厂	2000.05	无烟煤	1—21	41.62	24.45	58.75	15.31	6.94	钢铁厂、电厂
山西省			18—5735	3042.77	1807.40	59.40			
大同			2—930	713.88	256.79	35.97			
燕子山选煤厂	1989.12	弱粘煤	1—400	360.68	108.51	30.08	7.05	9.71	
四台选煤厂	1991.12	弱粘煤	1—530	353.20	148.28	41.98	5.59	10.43	
阳泉			5—1535	982.42	612.09	62.30			
一矿选煤厂	1986.12	无烟煤	1—450	280.26	159.45	56.89	11.96	5.74	
二矿选煤厂	1992.07	无烟煤	1—435	244.20	177.31	72.61	12.01	7.66	
三矿选煤厂	1987.07	无烟煤	1—100	89.55	52.87	59.04	11.22	4.54	
四矿选煤厂	1986.07	无烟煤	1—150	37.77	20.16	53.38	11.43	3.73	
五矿选煤厂	1991.12	无烟煤	1—400	99.27	61.50	61.95	12.76	6.96	
新景矿选煤厂		无烟煤		231.37	140.80	60.85	10.07	7.68	
潞安			2—760	99.01	83.45	84.28			
王庄选煤厂	1996.09	贫瘦煤	1—360	47.32	42.11	88.99	12.55	2.93	
常村选煤厂	1995.09	贫煤	1—400	51.69	41.34	79.98	14.20	7.20	
晋城			5—1750	884.42	570.31	64.48			
凤凰山洗煤厂	1970.01	无烟煤	1—410	204.62	123.86	60.53	12.44	5.52	
古书院选煤厂	1992.12	无烟煤	1—320	232.59	146.67	63.06	12.42	5.61	
王台铺选煤厂	1992.08	无烟煤	1—220	86.98	51.22	58.89	12.37	5.83	
成庄选煤厂	1997.09	无烟煤	1—400	290.66	201.94	69.48	11.63	5.59	
寺河选煤厂	2002.11	无烟煤	1—400	69.57	46.62	67.01	12.40	5.08	

续表

	投产日期/年.月	煤种	核定能力/处—10^4t	主要指标					主要供应对象
				入洗原煤/10^4t	洗出煤量/10^4t	产率/%	灰分/%	水分/%	
王坪选煤厂	1988.01	气煤	1—250	124.40	114.60	92.12	29.43	6.40	
荫营选煤厂	1995.01	无烟煤	1—240	87.21	29.21	33.49	12.53	2.73	
固庄选煤厂	1992.11	无烟煤	1—150	32.24	29.00	89.95	14.91	3.86	
南庄洗煤厂	1990.04	无烟煤	1—120	119.19	111.95	93.93	18.23	7.29	
内蒙古			4—430	77.20	63.63	82.42			
平庄			4—430	77.20	63.63	82.42			
西露天洗煤厂	1967.05	褐煤	1—180	35.97	28.98	80.57	15.86	26.66	
古山矿洗煤厂	1983.12	烟煤	1—120	41.23	34.65	84.04	15.58	20.43	
风水沟矿洗煤厂	1989.02	褐煤	1—60						
红庙矿洗煤厂	1986.12	褐煤	1—70						
辽宁省			17—2660	1839.04	1488.85	80.96			
抚顺局西露天洗煤厂	1933.12	长焰煤	1—300	215.57	203.37	94.34	15.18	12.89	
阜新			6—910	829.50	736.16	88.75			
阜新局海州矿洗煤厂	1953.01	长焰煤	1—360	224.45	181.32	80.78	32.02	12.03	
阜新局五龙矿洗煤厂	1967.01	长焰煤	1—150	154.55	132.14	85.50	25.77	12.73	
阜新局清河门矿洗煤厂	1978.12	长焰煤	1—100	149.19	141.66	94.95	23.68	12.09	
八道壕矿洗煤厂	1995.12	长焰煤	1—60	71.14	71.00	99.80	33.82	13.01	
阜新局王营矿洗煤厂	1979.01	长焰煤	1—120	68.22	67.84	99.44	19.68	13.40	
阜新局艾友矿洗煤厂	1997.01	长焰煤	1—120	161.95	142.20	87.80	31.18	14.18	
铁法			8—1255	665.85	464.81	69.81			
铁法局大明一矿洗煤厂	1987.08	长焰煤	1—90	40.06	28.57	71.32	18.21	14.51	
铁法局大明二矿洗煤厂	1980.08	长焰煤	1—90	9.46	5.48	57.93	18.18	16.68	
铁法局晓明矿洗煤厂	1977.08	长焰煤	1—135	96.30	71.18	73.91	15.73	13.70	
铁法局大隆矿洗煤厂	1982.08	长焰煤	1—90	105.29	74.62	70.87	20.91	12.01	
铁法局晓南矿洗煤厂	1980.08	长焰煤	1—190	98.87	69.07	69.86	18.09	12.19	
铁法局小青矿洗煤厂	1986.11	长焰煤	1—180	123.19	88.62	71.94	20.35	12.87	
铁法局大兴矿洗煤厂	1990.11	长焰煤	1—300	121.55	83.19	68.44	16.99	12.22	

续表

	投产日期/年.月	煤种	核定能力/处－10⁴t	主要指标					主要供应对象
				入洗原煤/10^4t	洗出煤量/10^4t	产率/%	灰分/%	水分/%	
铁法局小康矿洗煤厂	1990.11	长焰煤	1－180	60.51	39.26	64.88	19.82	15.58	
铁法大平矿洗煤厂试生产		长焰煤		10.62	4.82	45.39	17.27	15.16	
南票			2－195	128.12	84.51	65.96			
南票局苇子沟洗煤厂	1984.01	气煤	1－75	31.42	27.15	86.41	30.07	10.27	锦州、盘锦、大连等
南票局赵家屯洗煤厂	1960.01	气肥煤	1－120	96.70	57.36	59.32	30.37	10.45	锦州、盘锦、大连等
黑龙江			4－450	53.53	39.87	74.48			
鹤岗			3－420	53.53	39.87	74.48			
岭北选煤厂	1966.12		1－60	35.82	30.48	85.09	22.46	7.33	哈三电厂、长春燃料
大陆选煤厂	1991.12		1－60	17.71	9.39	53.02	19.15	4.80	哈三电厂、长春燃料
峻德选煤厂			1－300						
七台河新立洗煤厂	1992.07	炼焦煤	1－30						
江苏省			6－420	120.04	70.97	59.12			
徐州			6－420	120.04	70.97	59.12			
权台选煤厂	1986.03	1/3 焦煤	1－90	26.23	12.95	49.37	14.26	6.35	配电煤
旗山选煤厂	1982.12	气煤	1－60	7.88	3.16	40.10	11.10	3.14	仪征化纤
卧牛山选煤厂	1970.07	气煤	1－30	11.58	10.43	90.07	22.34	8.61	配电煤
义安选煤厂	1985.04	气煤	1－30	22.76	6.98	30.67	19.03	7.15	配电煤
张集选煤厂	1993.07	1/3 焦煤	1－90	30.67	20.43	66.61	14.71	10.49	配电煤
三河尖选煤厂	1989.12	气煤	1－120	20.92	17.02	81.36	15.05	7.51	配电煤
安徽省			5－1490	1135.23	1016.47	89.54			
淮南			5－1490	1135.23	1016.47	89.54			
淮南矿业集团潘一矿选煤厂	1986.12	气煤	1－300	290.07	256.19	88.32	26.04	6.50	
淮南矿业集团谢桥选煤厂	1999.11	气煤	1－400	384.66	348.20	90.52	27.80	6.10	
淮南矿业集团潘二矿选煤厂	2001.05	气煤	1－90	73.93	65.23	88.23	35.17	6.50	
淮南矿业集团潘三矿选煤厂	1992.11	气煤	1－300	316.88	282.81	89.25	29.66	5.80	
淮南矿业集团张集矿选煤厂	2002.01	气煤	1－400	69.69	64.04	91.89	23.01	7.10	
江西省			4－221	119.44	97.92	81.98			
丰城建新洗煤厂	1963.12	炼焦煤	1－80	65.55	55.76	85.06	27.93	9.42	丰城电厂、贵溪电厂南昌电厂
乐平			2－51	15.00	11.00	73.33			

续表

	投产日期/年.月	煤种	核定能力/处—10^4t	主要指标					主要供应对象
				入洗原煤/10^4t	洗出煤量/10^4t	产率/%	灰分/%	水分/%	
乐平矿务局仙槎洗煤厂	1987.03	焦煤	1—30	15.00	11.00	73.33	36.00	8.00	景德镇、贵溪、浙江等
乐平桥头丘洗煤厂	1970.01	焦煤	1—21						
新洛煤电选煤厂	1989.01	贫瘦煤	1—90	38.89	31.16	80.12	36.65	7.40	
河南省			12—1855	1055.04	749.09	71.00			
平煤集团一矿洗煤厂	1990.12	1/3 焦煤	1—340	191.18	159.22	83.28	32.00	7.00	
焦作			5—315	196.51	171.87	87.46			
朱村矿	1980.01	无烟煤	1—75	26.47	23.78	89.84	13.00	9.00	
演马庄矿	1991.08	无烟煤	1—60	73.82	65.68	88.97	14.00	10.00	
韩王矿	1985.01	无烟煤	1—30	12.85	11.43	88.95	14.00	8.00	
冯营矿	1995.01	无烟煤	1—60	13.63	10.68	78.36	78.00	14.00	
九里山矿	1983.04	无烟煤	1—90	69.74	60.30	86.46	14.00	10.00	
义马			3—540	164.56	22.92	13.93			
千秋煤矿选煤厂	1987.12	长焰煤	1—120	90.07	17.86	19.83	17.00	12.00	山东省、安徽省、湖北省
跃进煤矿选煤厂	1996.01	长焰煤	1—120	74.49	5.06	6.79	22.00	12.00	山东省、安徽省、湖北省
耿村煤矿选煤厂	2002.05	长焰煤	1—300						
永城			3—660	502.79	395.08	78.58			
陈四楼煤矿	1997.11	无烟煤	1—240	330.98	255.70	77.26	17.68	6.19	钢厂、电厂、化工、建材、冶金、民用等
车集煤矿	1999.12	无烟煤	1—180	131.35	104.57	79.61	21.90	5.46	钢厂、电厂、化工、冶金、建材、民用等
城郊煤矿		无烟煤	1—240	40.46	34.81	86.04	17.65	8.83	钢厂、化工、冶金、建材等
四川省			6—225	158.40	149.83	94.59			
广旺			3—60	25.51	23.23	91.06			
唐家河选煤厂	1984.01		1—30	23.38	21.80	93.24	29.56	6.43	江电、成电、二重
赵家坝选煤厂	1993.01		1—15	2.13	1.43	67.14	22.70	8.37	江电
代祠坝选煤厂	1994.01		1—15						江电、成电、绵电

续表

	投产日期/年.月	煤种	核定能力/处—10^4t	主要指标 入洗原煤/10^4t	洗出煤量/10^4t	产率/%	灰分/%	水分/%	主要供应对象
芙蓉白皎煤矿选煤厂	1990.01		1—60	48.87	47.87	97.95	31.76	7.31	白马电厂、豆坝电厂、黄角庄电厂
华蓥山			2—105	84.02	78.73	93.70			
绿水洞选煤厂	1981.12		1—60	84.02	78.73	93.70	28.19	8.19	钢厂、化工、电厂
李子垭煤矿洗煤厂	2000.06		1—45						
重庆市			1—120	71.66	64.80	90.43			
松藻			1—120	71.66	64.80	90.43			
松藻局洗煤厂	1986.09	无烟煤	1—120	71.66	64.80	90.43	20.12	7.97	重电厂
陕西省			1—30						
蒲白			1—30						
三里洞洗煤厂			1—30						
宁夏			3—530	447.54	420.82	94.03			
亘元			2—250	249.94	226.95	90.80			
一矿洗煤厂	1996.09	焦煤	1—100	100.16	90.14	90.00	19.92	3.40	
二矿洗煤厂	1992.06	焦煤	1—150	149.78	136.81	91.34	20.54	3.40	西固电厂、石嘴山电厂
太西			1—280	197.60	183.85	93.04			
太西洗煤厂	1986.09	无烟煤	1—280	197.60	183.85	93.04	7.81	6.19	首钢、鞍钢等
新疆			1—90	11.16	7.64	68.46			
乌鲁木齐			1—90	11.16	7.64	68.46			
乌鲁木齐局六道湾矿洗煤厂	1968.01	弱粘、长焰煤	1—90	11.16	7.64	68.46	16.81	6.78	零销、万家热力公司、供暖所
神华			2—2900	2996.71	2671.31	89.14			
准格尔			1—1200	1226.71	1014.31	82.69			
准格尔洗煤厂	1999.11	不粘煤	1—1200	1226.71	1014.31	82.69	26.00	11.00	
神东			1—1700	1770.00	1657.00	93.62			
大柳塔洗煤厂	1993.03	不粘煤	1—1700	1770.00	1657.00	93.62	7.00	16.00	
中煤			2—1590	2207.04	1674.43	75.87			
大屯			1—90	120.07	99.86	83.17			
大屯煤电公司龙东选煤厂	1994.01	气煤	1—90	120.07	99.86	83.17	20.06	6.00	
平朔			1—1500	2086.97	1574.57	75.45			
安太堡洗煤厂	1987.09	气煤	1—1500	1367.27	1046.66	76.55	19.79	8.00	
安家岭洗煤厂		气煤		719.70	527.91	73.35	19.58	8.45	

全国原煤产量（按隶属关系分）

单位：10^4t

	总　计	国有重点煤　矿	地方煤矿合　计	其中					
				地方国有煤矿小计	其中			集体所有制	
					省　营	专　营	县　营	计	其中：个体
总　计	141530.51	71458.20	70072.31	26721.71	5655.58	7995.33	13070.80	43350.60	2517.38
北京市	1054.11	629.11	425.00					425.00	
天津市									
河北省	5757.68	4779.82	977.86	730.50		730.50		247.36	
山西省	34100.02	13639.92	[illegible]	[illegible]	103.77	1660.45	4775.19	13920.69	48.01
内蒙古	7345.23	2364.71	[illegible]	[illegible]	[illegible]	[illegible]	[illegible]	3405.56	
辽宁省	5215.54	4047.10	[illegible]	[illegible]	[illegible]	[illegible]	[illegible]	938.87	848.67
吉林省	1411.58	878.26	[illegible]	[illegible]	[illegible]	[illegible]	[illegible]	131.57	131.57
黑龙江	6715.65	4450.19	[illegible]	[illegible]	[illegible]	[illegible]	[illegible]	1151.73	
上海市									
江苏省	1854.95	1526.44	[illegible]	[illegible]	[illegible]	[illegible]	[illegible]		
浙江省	70.87	63.50	[illegible]	[illegible]	[illegible]	[illegible]	[illegible]		
安徽省	6471.70	4360.34	[illegible]	[illegible]	[illegible]	[illegible]	[illegible]	485.63	
福建省	1203.88		[illegible]	[illegible]	[illegible]	[illegible]	[illegible]	666.79	666.79
江西省	1662.06	556.70	[illegible]	[illegible]	[illegible]	[illegible]	[illegible]	761.96	
山东省	12836.52	9097.72	[illegible]	2995.20	602.00	645.20	1748.00	743.60	
河南省	10051.95	5915.63	4136.32	1871.49		776.13	1095.36	2264.83	108.30
湖北省	781.80		781.80	243.62	34.02	110.20	99.40	538.18	
湖南省	3691.46	478.87	3212.59	741.18	195.33	299.44	246.11	2471.41	
广东省	698.29		698.29	12.40			12.40	685.89	
广　西	436.76		436.76	399.53	197.06	187.66	14.81	37.23	17.74
海南省									
四川省	5359.63	941.21	4418.42	1383.59	129.57	544.75	709.27	3034.83	
重庆市	2191.31	741.52	1449.79	324.49		37.62	286.87	1125.30	
贵州省	5001.13	1205.58	3795.55	418.74	268.03	5.93	144.78	3376.81	
云南省	3139.01	120.89	3018.12	1086.32	823.28	114.85	148.19	1931.80	696.30
西　藏									
陕西省	6103.32	1892.15	4211.17	929.77	65.18	48.49	816.10	3281.40	
甘肃省	2365.51	769.11	1596.40	1188.21	883.01	26.50	278.70	408.19	
青海省	281.50		281.50	225.90	225.90			55.60	
宁　夏	1818.19	1449.44	368.75	275.37	121.04		154.33	93.38	
新　疆	3098.68	737.81	2360.87	1193.88	471.12	183.95	538.81	1166.99	
神　华	7432.71	7432.71							
中　煤	2867.56	2867.56							
伊　敏	511.91	511.91							

全国原煤产量（按煤种牌号分）

单位：10^4t

	原煤产量总计	无烟煤	烟煤产量						
			合计	炼焦烟煤					
				计	贫瘦煤	瘦煤	焦煤	肥煤	1/3焦煤
总计	141530.51	24960.53	111305.92	67969.80	3750.11	4892.84	12419.27	6488.18	11838.16
北京市	1054.11	1054.11							
天津市									
河北省	5757.68	731.06	5026.62	4338.78		231.55	537.11	1858.29	979.22
山西省	34100.02	8380.72	25719.30	14090.07	1312.48	1594.81	4895.66	1965.41	708.09
内蒙古	7345.23	373.17	4108.66	655.37			8.00	19.81	
辽宁省	5215.54	495.25	4641.79	909.76		251.54	142.05	103.86	
吉林省	1411.58	39.25	1045.71	540.90	29.12	41.35	153.11		92.20
黑龙江	6715.65	65.81	6585.21	5734.21	51.45	1.00	1182.84	43.02	2563.80
上海市									
江苏省	1854.95	29.30	1825.65	1825.65					275.66
浙江省	70.87	7.37	63.50	63.50					
安徽省	6471.70	387.63	6084.07	5869.26	344.64	377.50	473.10	251.88	1123.62
福建省	1203.88	1146.74	57.14						
江西省	1662.06	268.34	1393.72	1345.97	105.36	33.46	223.44	49.96	144.33
山东省	12836.52	191.88	12227.82	11729.91	174.20	255.33	18.64	485.17	1482.96
河南省	10051.95	2911.56	7140.39	4823.12	1209.50	291.34	1300.17	217.61	1769.04
湖北省	781.80	566.53	215.27	113.36	5.50	28.37	40.04	9.77	
湖南省	3691.46	2677.26	1014.20	545.01		16.82	305.21	159.37	
广东省	698.29	698.29							
广西	436.76	54.70	251.89	28.16		20.49		7.67	
海南省									
四川省	5359.63	1498.21	3860.97	3357.13	71.86	446.24	564.44	196.66	927.18
重庆市	2191.31	401.68	1789.63	1459.34	182.99	133.20	501.67	225.64	285.48
贵州省	5001.13	1807.08	3194.05	1943.04		38.78	253.22	736.69	49.61
云南省	3139.01	591.35	1676.10	1511.89		49.33	950.98	74.14	169.18
西藏									
陕西省	6103.32		6103.32	2257.07	254.91	953.25	111.89	13.54	
甘肃省	2365.51	54.73	2310.78	97.37	8.10		13.93	1.20	
青海省	281.50		281.50						
宁夏	1818.19	522.43	1295.76	609.04		76.02	189.69		323.95
新疆	3098.68	6.08	3092.60	290.09			41.28	37.00	
神华	7432.71		7432.71	964.24		52.56	307.26	31.49	357.67
中煤	2867.56		2867.56	2867.56			185.54		586.17
伊敏	511.91								

续表

	烟煤产量										褐煤
	炼焦烟煤			一般烟煤							
	气肥煤	气煤	分不出牌号	计	贫煤	1/2中粘煤	弱粘煤	不粘煤	长焰煤	分不出牌号	
总计	6800.98	18275.16	3505.00	43336.12	6156.71	46.00	8282.13	7424.93	14041.30	7385.05	5264.06
北京市											
天津市											
河北省	97.71	634.90		687.84	231.76		157.66		298.42		
山西省	957.22	2631.31	25.09	11629.23	3381.86		7264.82	3.00	602.56	376.99	
内蒙古		8.00	619.56	3453.29			27.00		1247.86	2178.41	2863.40
辽宁省	313.03	99.28		3732.03	4.50				3727.53		78.50
吉林省	13.50	211.62		504.81			5.17		499.64		326.62
黑龙江	204.75	1593.75	93.60	851.00	29.97		46.83		763.40	10.80	64.63
上海市											
江苏省	277.37	1272.62									
浙江省	63.50										
安徽省	544.47	2754.05		214.81	209.91		4.90				
福建省				57.14						57.14	
江西省	13.43	14.03	761.96	47.75	47.75						
山东省	3333.03	5980.58		497.91	485.11		12.80				416.82
河南省			354.46	2317.27	900.15		65.30		891.99	459.83	
湖北省	24.44	5.24		101.91	79.91					22.00	
湖南省		63.61		469.19	23.61				13.25	432.33	
广东省											
广西				223.73	160.68				63.05		130.17
海南省											
四川省	157.22	73.30	900.23	503.84	79.71		7.68		11.04	405.41	0.45
重庆市	101.36	29.00		330.29	41.00	46.00		81.00		162.29	
贵州省		94.56	770.18	1251.01	134.92					1116.09	
云南省	268.26			164.21	93.82		38.10		32.29		871.56
西藏											
陕西省	283.18	640.30		3846.25	217.89		628.24	149.27	2850.85		
甘肃省	0.98	73.16		2213.41	13.34		5.51	944.92	1249.64		
青海省				281.50					281.50		
宁夏	19.38			686.72	20.82			618.96	33.44	13.50	
新疆			211.81	2802.51			18.12	299.99	334.14	2150.26	
神华	128.15		87.11	6468.47				5327.79	1140.68		
中煤		2095.85									
伊敏											511.91

国有重点煤矿原煤产量（按煤种牌号分）

单位：10^4t

	原煤产量合计	无烟煤	烟煤产量						
			合计	炼焦烟煤					
				计	贫瘦煤	瘦煤	焦煤	肥煤	1/3焦煤
总计	71458.20	7637.07	60453.70	40714.47	2797.73	2798.66	5880.50	4268.00	9601.76
北京市	629.11	629.11							
北京	629.11	629.11							
河北省	4779.82	606.92	4172.90	3732.27		231.55	487.24	1691.79	864.38
开滦	2318.21		2318.21	2318.21			142.06	1448.42	376.11
峰峰	1055.93	114.02	941.91	710.15		200.78	313.18	196.19	
井陉	73.74		73.74	73.74			32.00		
兴隆	47.18		47.18	47.18				47.18	
邢台	744.61	192.39	552.22	552.22					488.27
邯郸	331.28	300.51	30.77	30.77		30.77			
盛源	79.20		79.20						
八宝山	27.09		27.09						
蔚州	102.58		102.58						
山西省	13639.92	3761.82	9878.10	5353.34	1101.81	956.03	1617.64	971.68	510.41
焦煤	4019.52		4019.52	3953.94	344.01	690.22	1617.64	971.68	330.39
大同	4008.03		4008.03	180.02					180.02
阳泉	1868.59	1846.44	22.15						
潞安	1392.28		1392.28	1023.61	757.80	265.81			
晋城	1484.33	1484.33							
东山	144.52		144.52						
王坪	93.60		93.60	93.60					
小峪	102.17		102.17	102.17					
荫营	197.69	197.69							
固庄	114.17	114.17							
南庄	119.19	119.19							
西峪	95.83		95.83						
内蒙古	2364.71		127.00						
平庄	802.31		127.00						
大雁	265.30								
扎赉诺尔	350.20								
宝日希勒	210.00								
霍林河	736.90								
辽宁省	4047.10	120.00	3865.50	753.63		250.10	98.00	92.50	
抚顺	577.84		577.84	313.03					

续表

	烟煤产量										褐煤
	炼焦烟煤			一般烟煤							
	气肥煤	气煤	分不出牌号	计	贫煤	1/2中粘煤	弱粘煤	不粘煤	长焰煤	分不出牌号	
总计	2370.36	12910.35	87.11	19739.23	2047.47		3898.90	6773.83	6990.96	28.07	3367.43
北京市											
北京											
河北省	22.02	435.29		440.63	231.76		27.09		181.78		
开滦		351.62									
峰峰			231.76	231.76							
井陉	22.02	19.72									
兴隆											
邢台		63.95									
邯郸											
盛源				79.20					79.20		
八宝山				27.09			27.09				
蔚州				102.58					102.58		
山西省		195.77		4524.76	696.75		3828.01				
焦煤				65.58	65.58						
大同				3828.01			3828.01				
阳泉				22.15	22.15						
潞安				368.67	368.67						
晋城											
东山				144.52	144.52						
王坪		93.60									
小峪		102.17									
荫营											
固庄											
南庄											
西峪				95.83	95.83						
内蒙古				127.00					127.00		2237.71
平庄				127.00					127.00		675.31
大雁											265.30
扎赉诺尔											350.20
宝日希勒											210.00
霍林河											736.90
辽宁省	313.03			3111.87					3111.87		61.60
抚顺	313.03			264.81					264.81		

续表

	原煤产量合计	无烟煤	烟煤产量						
			合计	炼焦烟煤					
				计	贫瘦煤	瘦煤	焦煤	肥煤	1/3焦煤
阜新	924.78		924.78						
铁法	1679.02		1679.02						
南票	189.46		189.46						
沈阳	676.00	120.00	494.40	440.60		250.10	98.00	92.50	
吉林省	878.26		692.57	367.40			119.20		91.40
辽源	408.10		408.10	156.80					
通化	210.60		210.60	210.60			119.20		91.40
舒兰	148.16								
珲春	111.40		73.87						
黑龙江	4450.19		4450.19	4162.19			771.24	20.44	2125.88
鸡西	808.52		808.52	808.52			124.47	20.44	663.61
鹤岗	1402.48		1402.48	1402.48					809.04
双鸭山	939.19		939.19	651.19					
七台河	1300.00		1300.00	1300.00			646.77		653.23
江苏省	1526.44		1526.44	1526.44					275.66
徐州	1526.44		1526.44	1526.44					275.66
浙江省	63.50		63.50	63.50					
长广	63.50		63.50	63.50					
安徽省	4360.34		4360.34	4360.34	203.17	368.85	421.82	224.40	1119.60
淮南	2367.49		2367.49	2367.49					666.82
淮北	1992.85		1992.85	1992.85	203.17	368.85	421.82	224.40	452.78
江西省	556.70	134.94	421.76	379.01	58.34		168.89		144.33
萍乡	221.01	57.85	163.16	163.16	17.58		1.25		144.33
丰城	157.90		157.90	157.90	5.25		152.65		
英岗岭	91.16	55.65	35.51	35.51	35.51				
乐平	86.63	21.44	65.19	22.44			14.99		
山东省	9097.72	75.48	8651.72	8416.41		164.93	14.64	139.57	1185.36
淄博	1186.72	75.48	1111.24	875.93		164.93			
新汶	1158.45		1158.45	1158.45					83.33
枣庄	1413.66		1413.66	1413.66				118.45	1062.08
肥城	682.77		682.77	682.77					
兖州	4072.30		4072.30	4072.30					
龙口	370.52								
临沂	213.30		213.30	213.30			14.64	21.12	39.95

续表

	烟煤产量										褐煤
	炼焦烟煤			一般烟煤							
	气肥煤	气煤	分不出牌号	计	贫煤	1/2中粘煤	弱粘煤	不粘煤	长焰煤	分不出牌号	
阜新				924.78					924.78		
铁法				1679.02					1679.02		
南票				189.46					189.46		
沈阳				53.80					53.80		61.60
吉林省		156.80		325.17					325.17		185.69
辽源		156.80		251.30					251.30		
通化											
舒兰											148.16
珲春				73.87					73.87		37.53
黑龙江		1244.63		288.00					288.00		
鸡西											
鹤岗		593.44									
双鸭山		651.19		288.00					288.00		
七台河											
江苏省		1250.78									
徐州		1250.78									
浙江省	63.50										
长广	63.50										
安徽省		2022.50									
淮南		1700.67									
淮北		321.83									
江西省	7.45			42.75	42.75						
萍乡											
丰城											
英岗岭											
乐平	7.45			42.75	42.75						
山东省	1565.03	5346.88		235.31	235.31						370.52
淄博	711.00			235.31	235.31						
新汶	421.22	653.90									
枣庄	64.33	168.80									
肥城	368.48	314.29									
兖州		4072.30									
龙口											370.52
临沂		137.59									

续表

	原煤产量合计	无烟煤	烟煤产量						
			合计	炼焦烟煤					
				计	贫瘦煤	瘦煤	焦煤	肥煤	1/3焦煤
河南省	5915.63	1106.94	4808.69	3466.43	1032.65		481.49	217.61	1734.68
平顶山	2369.00		2369.00	2369.00	93.00		323.71	217.61	1734.68
焦作	365.00	365.00							
鹤壁	710.99		710.99	710.99	710.99				
义马	1076.09		1076.09	157.78			157.78		
郑州	891.76	239.15	652.61	228.66	228.66				
永城	502.79	502.79							
湖南省	478.87	280.95	197.92	174.31			174.31		
涟邵	141.36	88.59	52.77	29.16			29.16		
资兴	157.17	12.02	145.15	145.15			145.15		
白沙	180.34	180.34							
四川省	941.21	225.72	715.49	711.28	71.86	136.12	266.47	78.73	147.44
广旺	103.18		103.18	98.97	71.86	27.11			
芙蓉	157.38	157.38							
攀枝花	316.84		316.84	316.84		50.37	266.47		
华蓥山	137.37		137.37	137.37		58.64		78.73	
达竹	147.44		147.44	147.44					147.44
隆昌	10.66		10.66	10.66					
芙蓉煤矿	68.34	68.34							
重庆市	741.52	339.81	401.71	384.42	74.99	28.90	148.67	46.64	85.22
南桐	125.88		125.88	108.59			61.95	46.64	
天府	143.44		143.44	143.44	74.99	28.90	39.55		
松藻	339.81	339.81							
中梁山	47.17		47.17	47.17			47.17		
永荣	85.22		85.22	85.22					85.22
贵州省	1205.58	32.52	1173.06	1082.64		26.21	241.59	670.67	49.61
六枝	144.50	32.52	111.98	68.63		26.21	42.42		
盘江	583.64		583.64	536.57				536.57	
水城	462.59		462.59	462.59			184.32	134.10	49.61
林东	14.85		14.85	14.85			14.85		
云南省	120.89		120.89	120.89			75.41	45.48	
一平浪	45.48		45.48	45.48				45.48	
羊场	37.87		37.87	37.87			37.87		
田坝	37.54		37.54	37.54			37.54		

	烟煤产量										褐煤
	炼焦烟煤			一般烟煤							
	气肥煤	气煤	分不出牌号	计	贫煤	1/2中粘煤	弱粘煤	不粘煤	长焰煤	分不出牌号	
河南省				1342.26	531.96				810.30		
平顶山											
焦作											
鹤壁											
义马				918.31	108.01				810.30		
郑州				423.95	423.95						
永城											
湖南省				23.61	23.61						
涟邵				23.61	23.61						
资兴											
白沙											
四川省		10.66		4.21					4.21		
广旺				4.21					4.21		
芙蓉											
攀枝花											
华蓥山											
达竹											
隆昌		10.66									
芙蓉煤矿											
重庆市				17.29						17.29	
南桐				17.29						17.29	
天府											
松藻											
中梁山											
永荣											
贵州省		94.56		90.42	90.42						
六枝				43.35	43.35						
盘江				47.07	47.07						
水城		94.56									
林东											
云南省											
一平浪											
羊场											
田坝											

续表

	原煤产量合计	无烟煤	烟煤产量						
			合计	炼焦烟煤					
				计	贫瘦煤	瘦煤	焦煤	肥煤	1/3焦煤
陕西省	1892.15		1892.15	1155.87	254.91	517.89	111.89		
铜　川	781.91		781.91	358.68		246.79	111.89		
蒲　白	174.09		174.09						
澄　合	180.11		180.11	180.11	180.11				
韩　城	345.90		345.90	345.90	74.80	271.10			
崔家沟	113.28		113.28						
车　村	25.68		25.68						
煤建公司	76.97		76.97	76.97					
黄　陵	194.21		194.21	194.21					
甘肃省	769.11		769.11	56.63					
窑　街	331.02		331.02	56.63					
靖　远	438.09		438.09						
宁　夏	1449.44	322.86	1126.58	537.39		65.52	147.92		323.95
亘　元	236.97		236.97	236.97					236.97
太　西	647.60	322.86	324.74	300.42		65.52	147.92		86.98
灵　州	564.87		564.87						
新　疆	737.81		737.81	78.28			41.28	37.00	
哈　密	307.27		307.27						
乌鲁木齐	352.26		352.26						
艾维尔沟	78.28		78.28	78.28			41.28	37.00	
神　华	7432.71		7432.71	964.24		52.56	307.26	31.49	357.67
准格尔	1140.68		1140.68						
神　东	5165.25		5165.25						
万　利	162.54		162.54						
包　头	202.02		202.02	202.02		45.16	84.29	3.22	
乌　达	362.02		362.02	362.02					277.74
海勃湾	310.17		310.17	310.17			222.97	7.27	79.93
金　烽	90.03		90.03	90.03		7.40		21.00	
中　煤	2867.56		2867.56	2867.56			185.54		586.17
大　屯	706.24		706.24	706.24					586.17
煤气公司	185.54		185.54	185.54			185.54		
平　朔	1975.78		1975.78	1975.78					
伊　敏	511.91								
伊敏河	511.91								

续表

	烟煤产量										褐煤
	炼焦烟煤			一般烟煤							
	气肥煤	气煤	分不出牌号	计	贫煤	1/2中粘煤	弱粘煤	不粘煤	长焰煤	分不出牌号	
陕西省	271.18			736.28	174.09		25.68	143.09	393.42		
铜川				423.23				143.09	280.14		
蒲白				174.09	174.09						
澄合											
韩城											
崔家沟				113.28					113.28		
车村				25.68			25.68				
煤建公司	76.97										
黄陵	194.21										
甘肃省		56.63		712.48				438.09	274.39		
窑街		56.63		274.39					274.39		
靖远				438.09				438.09			
宁夏				589.19	20.82			564.87		3.50	
亘元											
太西				24.32	20.82					3.50	
灵州				564.87				564.87			
新疆				659.53			18.12	299.99	334.14	7.28	
哈密				307.27				299.99		7.28	
乌鲁木齐				352.26			18.12		334.14		
艾维尔沟											
神华	128.15		87.11	6468.47				5327.79	1140.68		
准格尔				1140.68					1140.68		
神东				5165.25				5165.25			
万利				162.54				162.54			
包头			69.35								
乌达	66.52		17.76								
海勃湾											
金烽	61.63										
中煤		2095.85									
大屯		120.07									
煤气公司											
平朔		1975.78									
伊敏											511.91
伊敏河											511.91

地方煤矿年产原煤30万t及以上的县汇总表

单位：10^4t

	产煤县个数/个	本年原煤产量总计	地方国有煤矿				乡镇及其他煤矿
				省营煤矿	专营煤矿	县营煤矿	
总　计	360	59670.62	121804.83	4688.29	6409.05	10707.49	37865.79
北京市							
河北省	8	691.08	514.48		289.64	224.84	176.60
山西省	64	20128.14	6360.42	103.77	1660.45	4596.20	13767.72
内蒙古	12	3572.80	814.80		196.70	618.10	2758.00
辽宁省	10	788.54	79.21		32.76	46.45	709.33
吉林省	4	224.82	207.75		171.68	36.07	17.07
黑龙江	19	2039.11	960.60	90.50	759.13	110.97	1078.51
江苏省	4	328.51	328.51		275.32	53.19	
浙江省							
安徽省	7	1811.09	1581.73	836.96	723.67	21.10	229.36
福建省	6	1077.99	453.10	394.43		58.67	624.89
江西省	15	862.42	217.05	102.84	60.60	53.61	645.37
山东省	22	3585.80	2900.48	649.94	634.51	1616.03	685.32
河南省	23	3270.56	1603.50		568.97	1034.53	1667.06
湖北省	9	530.50	188.34	34.02	97.20	57.12	342.16
湖南省	24	2923.69	590.42	195.33	222.63	172.46	2333.27
广东省	3	195.48	2.20			2.20	193.28
广　西	4	349.60	341.71	176.76	160.60	4.35	7.89
四川省	39	4193.41	1131.30	46.82	486.11	598.37	3062.11
重庆市	16	1200.41	227.10			227.10	973.31
贵州省	26	3590.51	315.79	215.58	5.93	94.28	3274.72
云南省	16	2639.13	905.71	779.10	49.35	77.26	1733.42
陕西省	14	3969.28	772.69	65.18		707.51	3196.59
甘肃省	11	1432.39	1100.43	876.02	13.80	210.61	331.96
青海省							
宁　夏	4	265.36	207.51	121.04		86.47	57.85
新　疆							
兵　团							

注：本表未包括北京市、青海省、新疆维吾尔自治区、新疆建设兵团资料。

地方煤矿年产原煤30万t及以上的县明细表

单位：10^4t

	产煤县个数/个	本年原煤产量总计	地方国有煤矿				乡镇及其他煤矿
				省营煤矿	专营煤矿	县营煤矿	
总　计	360	59670.62	21804.83	4688.29	6409.05	10707.49	37865.79
河北省	8	691.08	514.48		289.64	224.84	176.60
井陉矿区	1	46.40	30.40			30.40	16.00
临城县	1	30.70	15.70			15.70	15.00
曲阳县	1	30.56	15.06		15.06		15.50
沙河市	1	159.20	104.20		93.80	10.40	55.00
内邱县	1	44.30	9.80			9.80	34.50
磁　县	1	122.54	122.54			122.54	
蔚　县	1	207.15	166.55		130.55	36.00	40.60
路北区	1	50.23	50.23		50.23		
山西省	64	20128.14	6360.42	103.77	1660.45	4596.20	13767.72
左云县	1	1576.92	379.95		225.92	154.03	1196.97
清徐县	1	61.05	18.15			18.15	42.90
潞城市	1	64.99	17.38			17.38	47.61
平遥县	1	95.00	58.65			58.65	36.35
宁武县	1	620.90	144.36		64.40	79.96	476.54
平定县	1	204.26	60.76			60.76	143.50
娄烦县	1	69.60	17.90			17.90	51.70
柳林县	1	470.25	162.80			162.80	307.45
平鲁区	1	1395.87	325.59		57.56	268.03	1070.28
南郊区(大同)	1	1321.48	422.03		316.10	105.93	899.45
蒲　县	1	425.92	35.92			35.92	390.00
陵川县	1	150.93	13.20			13.20	137.73
沁源县	1	210.96	125.40			125.40	85.56
山阴县	1	305.92	90.14			90.14	215.78
神池县	1	30.48	29.40			29.40	1.08
寿阳县	1	345.50	144.18			144.18	201.32
朔城区	1	321.87	98.04			98.04	223.83
屯留县	1	63.87	48.76			48.76	15.11
万柏林区	1	108.15	17.18			17.18	90.97
武乡县	1	125.00	48.26			48.26	76.74
昔阳县	1	218.65	38.48			38.48	180.17

续表

	产煤县个数/个	本年原煤产量总计	地方国有煤矿				乡镇及其他煤矿
				省营煤矿	专营煤矿	县营煤矿	
乡宁县	1	825.89	257.49			257.49	568.40
襄垣县	1	270.24	152.76			152.76	117.48
沁水县	1	452.90	248.36			248.36	204.54
洪洞县	1	198.35					198.35
安泽县	1	46.00	10.00			10.00	36.00
保德县	1	427.68	199.00			199.00	228.68
长治县	1	627.36	214.38		64.07	150.31	412.98
长子县	1	91.88	58.65			58.65	33.23
城　区(大同)	1	110.00	81.24			81.24	28.76
城　区(晋城)	1	132.86	39.86		30.86	9.00	93.00
汾西县	1	75.25	4.75			4.75	70.50
汾阳市	1	65.54	14.44			14.44	51.10
高平县	1	1079.20	389.66		218.98	170.68	689.54
古　县	1	281.50	45.70			45.70	235.80
古交市	1	265.22	107.42			107.42	157.80
和顺县	1	236.90	65.80			65.80	171.10
灵石县	1	370.45	64.31			64.31	306.14
河曲县	1	255.60	39.62			39.62	215.98
孝义市	1	306.99	84.26		84.26		222.73
壶关县	1	36.86	1.14			1.14	35.72
怀仁县	1	403.00	254.20		2.20	252.00	148.80
霍州市	1	123.32	64.32	12.47	8.85	43.00	59.00
交口县	1	110.12	17.12			17.12	93.00
郊　区(长治)	1	251.50	128.61		126.51	2.10	122.89
郊　区(阳泉)	1	397.68	145.11		145.11		252.57
介休市	1	181.25	43.25			43.25	138.00
晋源区	1	54.14	20.84		17.34	3.50	33.30
静乐县	1	40.00	6.30			6.30	33.70
矿　区(大同)	1	88.72	4.70			4.70	84.02
离石市	1	150.13	4.95			4.95	145.18
临　县	1	79.60	44.10			44.10	35.50
河津市	1	95.11	39.60		19.96	19.64	55.51

续表

	产煤县个数/个	本年原煤产量总计	地方国有煤矿				乡镇及其他煤矿
				省营煤矿	专营煤矿	县营煤矿	
尧都区	1	252.00	77.50		37.00	40.50	174.50
阳城县	1	711.44	186.63			186.63	524.81
新荣区	1	414.14	221.00			221.00	193.14
翼城县	1	181.57	52.28			52.28	129.29
右玉县	1	57.84	31.05			31.05	26.79
中阳县	1	176.21	39.41		39.41		136.80
榆次区	1	152.61	34.90			34.90	117.71
原平市	1	138.45	45.19		6.20	38.99	93.26
泽州县	1	888.27	350.34	91.30	143.66	115.38	537.93
盂　县	1	653.06	84.16		52.06	32.10	568.90
左权县	1	183.74	89.49			89.49	94.25
内蒙古	12	3572.80	814.80		196.70	618.10	2758.00
牙克石市	1	169.60	126.20			126.20	43.40
东　胜	1	101.00					101.00
鄂　旗	1	410.00	29.00			29.00	381.00
伊　旗	1	522.00	199.00			199.00	323.00
达　旗	1	110.00					110.00
石拐区	1	58.00					58.00
陈　旗	1	85.00	28.90			28.90	56.10
郊　区	1	30.00					30.00
土右旗	1	47.00					47.00
准　旗	1	1824.00	275.50		40.50	235.00	1548.50
阿左旗	1	160.00	100.00		100.00		60.00
锡林浩特市	1	56.20	56.20		56.20		
辽宁省	10	788.54	79.21		32.76	46.45	709.33
阜新县	1	78.80	8.50		3.10	5.40	70.30
新邱区	1	127.00	7.00			7.00	120.00
海州区	1	33.00					33.00
凤城县	1	144.19	29.66		29.66		114.53
康平县	1	33.65	33.65			33.65	
本溪县	1	31.65					31.65
南票区	1	125.00					125.00

续表

	产煤县个数/个	本年原煤产量总计	地方国有煤矿				乡镇及其他煤矿
				省营煤矿	专营煤矿	县营煤矿	
北票市	1	51.15					51.15
清河门区	1	42.10	0.40			0.40	41.70
溪湖区	1	122.00					122.00
吉林省	4	224.82	207.75		171.68	36.07	17.07
和龙市	1	63.06	58.06		58.06		5.00
图们市	1	40.10	38.00		38.00		2.10
双阳区	1	40.84	30.87			30.87	9.97
九台市	1	80.82	80.82		75.62	5.20	
黑龙江	19	2039.11	960.60	90.50	759.13	110.97	1078.51
鸡东县	1	351.67	110.04	50.40		59.64	241.63
滴道区	1	45.00					45.00
东山区	1	37.00					37.00
茄子河区	1	241.78	115.00	40.10	74.90		126.78
宝山区	1	30.00					30.00
东宁县	1	75.00					75.00
宝清县	1	48.00	4.20			4.20	43.80
南山区	1	31.00					31.00
依兰县	1	222.23	222.23		222.23		
勃利县	1	100.05	37.57			37.57	62.48
桃山区	1	60.08					60.08
爱辉区	1	143.60	143.60		143.60		
鸡冠区	1	273.72	263.57		263.57		10.15
新兴区	1	107.79	30.63		30.63		77.16
集贤县	1	34.00					34.00
恒山区	1	102.59	24.20		24.20		78.39
密山市	1	44.80					44.80
漠河县	1	59.80					59.80
桦南县	1	31.00	9.56			9.56	21.44
江苏省	4	328.51	328.51		275.32	53.19	
徐州市铜山县	1	161.42	161.42		161.42		
徐州市沛县	1	60.90	60.90		60.90		
徐州市九里区	1	55.75	55.75		33.91	21.84	

续表

	产煤县个数/个	本年原煤产量总计	地方国有煤矿				乡镇及其他煤矿
				省营煤矿	专营煤矿	县营煤矿	
徐州市贾汪区	1	50.44	50.44		19.09	31.35	
安徽省	7	1811.09	1581.73	836.96	723.67	21.10	229.36
铜陵县	1	50.50	6.78			6.78	43.72
凤台县	1	721.14	721.14		721.14		
萧县	1	102.05	69.01	54.69		14.32	33.04
淮北市杜集区	1	39.44	2.53		2.53		36.91
宣州市	1	38.08					38.08
濉溪县	1	829.69	782.27	782.27			47.42
贵池区	1	30.19					30.19
福建省	6	1077.99	453.10	394.43		58.67	624.89
新罗区	1	317.15	131.99	109.56		22.43	185.16
漳平市	1	57.14	26.46	26.46			30.68
永安市	1	133.35	97.64	87.28		10.36	35.71
大田县	1	118.23	65.72	52.14		13.58	52.51
永春县	1	205.73	57.93	49.74		8.19	147.80
永定县	1	246.39	73.36	69.25		4.11	173.03
江西省	15	862.42	217.05	102.84	60.60	53.61	645.37
信丰县	1	63.33	20.17		20.17		43.16
丰城市	1	148.00	24.41			24.41	123.59
乐平市	1	31.99					31.99
上饶县	1	50.00					50.00
上栗县	1	48.40	6.70			6.70	41.70
袁州区	1	30.00					30.00
湘东区	1	46.83	13.53		13.53		33.30
铅山县	1	85.50	5.50			5.50	80.00
安源区	1	58.40	23.90		23.90		34.50
芦溪县	1	48.00	3.00		3.00		45.00
高安市	1	61.97	21.97	21.97			40.00
吉安县	1	37.19	33.69	29.69		4.00	3.50
莲花县	1	54.00	9.00			9.00	45.00
安福县	1	40.54	25.66	21.66		4.00	14.88
渝水区	1	58.27	29.52	29.52			28.75

续表

	产煤县个数/个	本年原煤产量总计	地方国有煤矿	省营煤矿	专营煤矿	县营煤矿	乡镇及其他煤矿
山东省	22	3585.80	2900.48	649.94	634.51	1616.03	685.32
肥城市	1	83.50	83.50		11.00	72.50	
莱芜市：莱城区	1	57.40	39.90			39.90	17.50
枣庄市：市中区	1	101.21	101.21			101.21	
博山区	1	74.10					74.10
曲阜市	1	157.62	157.62			157.62	
淄博市：淄川区	1	133.20	26.80		26.80		106.40
滕州市	1	345.29	326.82	77.86	66.73	182.23	18.47
薛城区	1	146.06	22.70			22.70	123.36
济南市：章邱市	1	165.50	50.40			50.40	115.10
峄城区	1	171.08	145.11			145.11	25.97
济宁市：邹城市	1	325.05	325.05	82.24	132.21	110.60	
张店区	1	87.20	35.10			35.10	52.10
泰安市：新泰市	1	357.00	246.00		27.00	219.00	111.00
金乡县	1	54.04	54.04		54.04		
山亭区	1	30.17	22.66			22.66	7.51
临淄区	1	56.60	38.00			38.00	18.60
任城区	1	111.35	111.35		111.35		
台儿庄区	1	87.71	84.50			84.50	3.21
微山县	1	680.90	680.90	406.04	78.80	196.06	
兖州市	1	124.24	124.24	83.80		40.44	
鱼台县	1	111.28	111.28		111.28		
宁阳县	1	125.30	113.30		15.30	98.00	12.00
河南省	23	3270.56	1603.50		568.97	1034.53	1667.06
永城市	1	300.00	300.00		300.00		
鹤壁浚县	1	37.20	37.20			37.20	
新安市	1	263.99	44.65			44.65	219.34
新密市	1	70.42	70.42			70.42	
宜阳县	1	39.89	6.51			6.51	33.38
济源市	1	184.10	75.80			75.80	108.30
鹤壁鹤山区	1	51.00					51.00
鲁山县	1	60.05					60.05

续表

	产煤县个数/个	本年原煤产量总计	地方国有煤矿				乡镇及其他煤矿
				省营煤矿	专营煤矿	县营煤矿	
宝丰县	1	140.88	34.93		29.23	5.70	105.95
汝州市	1	207.09	46.66		36.66	10.00	160.43
平顶山新华区	1	75.94	8.00			8.00	67.94
平顶山卫东区	1	57.95					57.95
平顶山石龙区	1	105.47					105.47
平顶山湛河区	1	69.68					69.68
新乡市	1	56.14	56.14		13.14	43.00	
安阳市	1	349.25	185.17		139.68	45.49	164.08
陕　县	1	69.90	29.40			29.40	40.50
登封市	1	67.03	67.03			67.03	
偃师市	1	74.66	74.66		50.26	24.40	
伊川县	1	174.20	98.73			98.73	75.47
巩义市	1	142.00	142.00			142.00	
渑池县	1	106.50					106.50
许昌市	1	567.22	326.20			326.20	241.02
湖北省	9	530.50	188.34	34.02	97.20	57.12	342.16
大冶市	1	41.80	18.70			18.70	23.10
当阳市	1	33.76	10.26			10.26	23.50
荆门市	1	129.88	40.08		40.08		89.80
巴东县	1	30.26					30.26
长阳县	1	75.84	20.04			20.04	55.80
建始县	1	35.00					35.00
宜都市	1	62.98	38.25	34.02		4.23	24.73
远安县	1	63.77	3.89			3.89	59.88
黄石市	1	57.21	57.12		57.12		0.09
湖南省	24	2923.69	590.42	195.33	222.63	172.46	2333.27
安化县	1	37.85	1.25			1.25	36.60
永兴县	1	216.49	17.59		10.60	6.99	198.90
宁乡县	1	155.34	80.34	80.34			75.00
石门县	1	74.30	39.30		33.20	6.10	35.00
攸　县	1	303.04	54.04	6.29	25.54	22.21	249.00
双峰县	1	42.00					42.00

续表

	产煤县个数/个	本年原煤产量总计	地方国有煤矿	省营煤矿	专营煤矿	县营煤矿	乡镇及其他煤矿
邵阳县	1	50.38	14.45		8.18	6.27	35.93
邵东县	1	51.22	11.22	9.24	1.98		40.00
武冈县	1	43.08	22.68		21.32	1.36	20.40
常宁市	1	55.36	32.36		30.30	2.06	23.00
湘潭县	1	64.50	52.50	46.86	3.00	2.64	12.00
桂阳县	1	60.00					60.00
辰溪县	1	76.94	34.94	14.14		20.80	42.00
宜章县	1	300.70	9.20			9.20	291.50
新化县	1	86.40	14.40		9.80	4.60	72.00
资兴市	1	72.61	9.11		5.91	3.20	63.50
嘉禾县	1	152.59	27.59			27.59	125.00
浏阳市	1	41.06	13.22		6.76	6.46	27.84
涟源市	1	294.08	14.08			14.08	280.00
澧　县	1	33.70	21.90		21.90		11.80
北湖区	1	123.51	3.51		3.51		120.00
冷水江市	1	162.60	42.60		36.50	6.10	120.00
耒阳市	1	276.62	67.62	38.46	4.13	25.03	209.00
临武县	1	149.32	6.52			6.52	142.80
广东省	3	195.48	2.20			2.20	193.28
兴宁市	1	32.20					32.20
曲江县	1	113.85	2.20			2.20	111.65
仁化县	1	49.43					49.43
广　西	4	349.60	341.71	176.76	160.60	4.35	7.89
合山市(县级)	1	150.19	148.84	148.84			1.35
罗城县	1	31.97	27.92	27.92			4.05
田东县	1	133.52	133.52		129.17	4.35	
百色市	1	33.92	31.43		31.43		2.49
四川省	39	4193.41	1131.30	46.82	486.11	598.37	3062.11
资中县	1	111.82	111.82		77.53	34.29	
华云市	1	113.54	41.54	11.10	25.44	5.00	72.00
广元市	1	332.78	123.88		101.72	22.16	208.90
邻水县	1	104.37	10.68		3.00	7.68	93.69

续表

	产煤县个数/个	本年原煤产量总计	地方国有煤矿				乡镇及其他煤矿
				省营煤矿	专营煤矿	县营煤矿	
广安区	1	36.30	9.20			9.20	27.10
古　蔺	1	92.25	3.85			3.85	88.40
成都市	1	77.80	77.80		77.80		
珙　县	1	230.00	16.00			16.00	214.00
大　竹	1	83.17	58.17		20.57	37.60	25.00
达　县	1	31.04	6.04			6.04	25.00
高　县	1	110.43	7.80			7.80	102.63
大邑县	1	150.00	27.00			27.00	123.00
峨眉山市	1	108.65	19.25			19.25	89.40
红坭局	1	36.30	36.30			36.30	
长宁县	1	59.00					59.00
天全县	1	60.00	17.00			17.00	43.00
巴中地区(南江县)	1	39.42	24.22			24.22	15.20
阿坝洲	1	81.00					81.00
盐边县	1	62.90					62.90
宣　汉	1	72.82	32.82	7.58	11.46	13.78	40.00
彭　县	1	149.53					149.53
叙　永	1	93.27	9.37		9.37		83.90
仁河区	1	170.10					170.10
沐江县	1	57.24					57.24
荥经县	1	201.00	22.00		17.00	5.00	179.00
荣　县	1	112.47	11.47			11.47	101.00
泸　县	1	157.64	29.64		18.59	11.05	128.00
沙湾区	1	62.98	29.28			29.28	33.70
隆昌县	1	39.44	39.44	10.66	14.68	14.10	
西　区	1	83.90					83.90
筠　连	1	206.80					206.80
五通区	1	90.76					90.76
两城区	1	50.00					50.00
兴文县	1	132.00	9.90			9.90	122.10
凉山州(会理县)	1	53.71	28.71		28.71		25.00
万　源	1	73.60	7.60		7.60		66.00

续表

	产煤县个数/个	本年原煤产量总计	地方国有煤矿				乡镇及其他煤矿
				省营煤矿	专营煤矿	县营煤矿	
开　江	1	50.20	20.20			20.20	30.00
犍为县	1	114.86					114.86
威远县	1	300.32	300.32	17.48	72.64	210.20	
贵州省	26	3590.51	315.79	215.58	5.93	94.28	3274.72
普定县	1	49.83					49.83
福泉县	1	75.58	8.45			8.45	67.13
乌当区	1	97.94	2.09	2.09			95.85
黔西县	1	68.99	7.26			7.26	61.73
翁安县	1	162.01	33.01	31.11		1.90	129.00
水城县	1	85.48					85.48
威宁县	1	155.59	1.94			1.94	153.65
大方县	1	117.06	7.06	1.13	5.93		110.00
钟山区	1	66.24	6.57			6.57	59.67
兴仁县	1	152.00	22.00			22.00	130.00
普安县	1	115.00					115.00
桐梓县	1	119.13	18.13	18.13			101.00
织金县	1	169.00	2.22			2.22	166.78
金沙县	1	407.03	33.36	15.80		17.56	373.67
荔波县	1	162.00	6.00			6.00	156.00
赫章县	1	34.50					34.50
凯里市	1	77.75	17.75	11.14		6.61	60.00
纳雍县	1	106.00					106.00
六枝特区	1	66.39					66.39
习水县	1	220.00					220.00
盘县特区	1	580.00					580.00
遵义县	1	80.10	20.10	12.53		7.57	60.00
平坝县	1	163.80	44.80	44.80			119.00
安龙县	1	65.70	6.20			6.20	59.50
花溪区	1	83.51	8.47	8.47			75.04
西秀区	1	109.88	70.38	70.38			39.50
云南省	16	2639.13	905.71	779.10	49.35	77.26	1733.42
泸西县	1	51.94	15.99	15.99			35.95

续表

	产煤县个数/个	本年原煤产量总计	地方国有煤矿				乡镇及其他煤矿
				省营煤矿	专营煤矿	县营煤矿	
威信县	1	59.00					59.00
华坪县	1	130.95	5.90			5.90	125.05
沾益县	1	38.10					38.10
祥云县	1	67.81					67.81
开远市	1	555.01	539.91	535.74		4.17	15.10
寻甸县	1	76.73	67.19			67.19	9.54
师宗县	1	96.55					96.55
富源县	1	638.49	118.19	118.19			520.30
罗平县	1	65.55					65.55
弥勒县	1	37.81	6.83		6.83		30.98
峨山县	1	31.25	22.95		22.95		8.30
宣威市	1	443.09	16.53		16.53		426.56
镇雄县	1	134.00					134.00
麒麟区	1	136.50	53.50	50.46	3.04		83.00
宜良县	1	76.35	58.72	58.72			17.63
重庆市	16	1200.41	227.10			227.10	973.31
璧山县	1	36.00					36.00
北碚区	1	52.43	6.90			6.90	45.53
武隆县	1	44.94	6.50			6.50	38.44
綦江县	1	66.70	12.47			12.47	54.23
石柱县	1	66.27	30.42			30.42	35.85
铜梁县	1	49.00					49.00
梁平县	1	52.30	20.50			20.50	31.80
万盛区	1	58.25					58.25
荣昌县	1	100.20					100.20
巫山县	1	52.00	16.22			16.22	35.78
南川市	1	152.00	78.00			78.00	74.00
永川市	1	132.00					132.00
开　县	1	96.30	46.30			46.30	50.00
奉节县	1	162.49	9.79			9.79	152.70
云阳县	1	39.00					39.00
合川市	1	40.53					40.53

续表

	产煤县个数/个	本年原煤产量总计	地方国有煤矿				乡镇及其他煤矿
				省营煤矿	专营煤矿	县营煤矿	
陕西省	14	3969.28	772.69	65.18		707.51	3196.59
澄城县	1	138.24	63.24			63.24	75.00
蒲城县	1	75.10	18.13			18.13	56.97
旬邑县	1	64.45	35.90			35.90	28.55
神木县	1	1165.78	54.57			54.57	1111.21
延安市子长县	1	62.29	8.49			8.49	53.80
府谷县	1	1170.18	37.17			37.17	1133.01
绥德县	1	37.00	37.00			37.00	
渭南市澄城县	1	138.24	63.24			63.24	75.00
咸阳市彬县	1	273.03	239.60			239.60	33.43
榆林市榆阳区	1	155.71	50.41			50.41	105.30
白水县	1	120.48	24.48			24.48	96.00
韩城市	1	84.84	1.40			1.40	83.44
横山县	1	142.33	39.10			39.10	103.23
黄陵县	1	341.61	99.96	65.18		34.78	241.65
甘肃省	11	1432.39	1100.43	876.02	13.80	210.61	331.96
武威市民勤县	1	32.30	8.21			8.21	24.09
武威市天祝县	1	46.43	13.80			13.80	32.63
平凉地区华亭县	1	934.77	876.20	822.59		53.61	58.57
兰州市红古区	1	63.53	26.73			26.73	36.80
平凉地区崇信县	1	109.14	85.22			85.22	23.92
白银市景泰县	1	44.02	13.84			13.84	30.18
白银市靖远县	1	32.95	6.00			6.00	26.95
白银市平川区	1	55.60	13.60	8.40	5.20		42.00
兰州市七里河区	1	40.93	31.33	31.33			9.60
张掖地区山丹县	1	37.09	13.48	10.28		3.20	23.61
张掖地区肃南县	1	35.63	12.02	3.42	8.60		23.61
宁　夏	4	265.36	207.51	121.04		86.47	57.85
平罗县	1	144.38	144.38	121.04		23.34	
石嘴山市	1	43.32	26.61			26.61	16.71
惠农县	1	33.60	1.00			1.00	32.60
灵武市	1	44.06	35.52			35.52	8.54

全国煤炭省间调出（+）调入（—）

单位：10^4t

	总计			国有重点煤矿			地方煤矿		
	净调出、调入	调出	调入	净调出、调入	调出	调入	净调出、调入	调出	调入
总计	0.00	40484.18	40484.18	0.00	25252.12	25252.12	0.00	15232.06	15232.06
北京市	−744.49	339.00	1083.49	−562.84	339.00	901.84	−181.65		181.65
天津市	−1323.81		1323.81	−1069.01		1069.01	−254.80		254.80
河北省	−4802.87	1020.59	5823.46	−1564.21	967.90	2532.11	−3238.66	52.69	3291.35
山西省	16753.41	16766.61	13.20	7261.55	7274.75	13.20	9491.86	9491.86	
内蒙古	−1289.99	398.44	1688.43	−116.39	398.44	514.83	−1173.60		1173.60
辽宁省	−2188.56	76.30	2264.86	−1812.55	72.30	1884.85	−376.01	4.00	380.01
吉林省	−584.73	282.05	866.78	−513.15	274.16	787.31	−71.58	7.89	79.47
黑龙江	1663.45	1959.44	295.99	1500.06	1792.05	291.99	163.39	167.39	4.00
上海市	−2546.11		2546.11	−2351.80		2351.80	−194.31		194.31
江苏省	−5015.11	88.84	5103.95	−4070.76	61.80	4132.56	−944.35	27.04	971.39
浙江省	−2691.51		2691.51	−2093.59		2093.59	−597.92		597.92
安徽省	1835.89	2529.26	693.37	1291.20	1877.09	585.89	544.69	652.17	107.48
福建省	−315.70	156.09	471.79	−451.67		451.67	135.97	156.09	20.12
江西省	−780.49	97.56	878.05	−734.97	94.30	829.27	−45.52	3.26	48.78
山东省	−2723.20	2213.32	4936.52	197.25	2097.11	1899.86	−2920.45	116.21	3036.66
河南省	1303.62	3186.06	1882.44	2341.77	2471.69	129.92	−1038.15	714.37	1752.52
湖北省	−1832.11	2.71	1834.82	−1559.20		1559.20	−272.91	2.71	275.62
湖南省	418.79	958.18	539.39	−216.64	193.02	409.66	635.43	765.16	129.73
广东省	−3093.81		3093.81	−1971.30		1971.30	−1122.51		1122.51
广西	−609.85		609.85	−133.66		133.66	−476.19		476.19
海南省	−69.14		69.14	−68.23		68.23	−0.91		0.91
四川省	−195.51	164.66	360.17	−13.01	71.94	84.95	−182.50	92.72	275.22
重庆市	269.40	363.34	93.94	120.36	149.34	28.98	149.04	214.00	64.96
贵州省	1091.94	1168.68	76.74	168.83	180.51	11.68	923.11	988.17	65.06
云南省	−105.24	152.59	257.83	−11.11	41.96	53.07	−94.13	110.63	204.76
西藏	−0.55		0.55	−0.55		0.55	0.00		
陕西省	1452.32	1924.59	472.27	903.12	923.29	20.17	549.20	1001.30	452.10
甘肃省	304.59	755.32	450.73	−256.18	145.89	402.07	560.77	609.43	48.66
青海省	−49.18		49.18	−38.90		38.90	−10.28		10.28
宁夏	248.21	260.21	12.00	240.54	240.54		7.67	19.67	12.00
新疆	232.51	232.51		197.21	197.21		35.30	35.30	
神华	4035.45	4035.45		4035.45	4035.45				
中煤	1221.01	1221.01		1221.01	1221.01				
伊敏	131.37	131.37		131.37	131.37				
出口	8354.95	8354.95		7075.21	7075.21		1279.74	1279.74	

注：调出量和调入量差额即出口量。

全国煤炭选煤产品产量

单位：10^4t

	炼焦用精煤					洗块煤	洗混末煤	洗中煤	动力煤			筛选块煤			
	合计	冶炼用炼焦精煤			其他用炼焦精煤				计	其中		计	无烟煤	烟块	褐块
		计	系统内	系统外						洗块煤	洗混末煤				
总　计	11702.86	9082.65	8874.77	207.88	2620.21	467.26	2993.66	3248.48	14540.18	5238.76	9282.69	3297.54	1004.97	2149.03	143.54
北京市												64.19	64.19		
天津市															
河北省	1661.85	1661.85	1661.85			70.15	520.66	2622.00	127.21	85.52	41.69	20.82	16.75	4.07	
山西省	1938.07	1451.54	1396.13	55.41	486.53	54.94	238.55	287.00	4937.73	1240.97	3696.76	991.92	614.02	377.90	
内蒙古	506.74	506.74	506.74						63.70	57.48	6.22				
辽宁省	299.15	299.15	299.15			21.33	107.65		1132.27	753.31	378.96	555.22		555.22	
吉林省												141.27		5.36	135.91
黑龙江	963.15	847.74	802.74	45.00	115.41	139.24	545.70	62.30	280.80	31.91	248.89	443.12		443.12	
上海市															
江苏省	71.23	65.44	65.44		5.79	18.11	44.95		60.70	6.01	54.69	18.11		18.11	
浙江省															
安徽省	673.13	673.13	673.13				122.05	13.00	1821.28		1821.28				
福建省												35.92	35.25	0.67	
江西省	73.31	68.92	61.20	7.72	4.38	0.16	1.51	34.00	102.86		102.86	3.03		3.03	
山东省	2731.83	839.72	839.72		1892.11	35.31	371.34	6.00	84.95		80.89	14.42	5.43	8.99	
河南省	902.11	864.33	864.33		37.78	118.91	594.27	51.00	722.59	159.03	563.56	236.86	66.54	170.32	
湖北省															
湖南省	30.25	30.25	30.25						7.39			6.10	3.42	2.68	
广东省															
广　西												13.09		5.46	7.63
海南省															
四川省	240.85	240.85	240.85						207.94	49.57	158.37	30.76	6.46	24.30	
重庆市	111.49	108.90	108.90		2.59		5.64	53.00	64.80		64.80				
贵州省	354.64	354.43	354.43		0.21		168.23		40.59		40.59	39.11	39.11		
云南省	245.26	245.26	245.26			9.11	76.13	26.00							
西　藏															
陕西省	71.75	71.75	71.75					11.18				11.46		11.46	
甘肃省									34.42	3.30	31.12	274.15	0.40	273.75	
青海省															
宁　夏	177.63	116.46	116.46		61.17				254.17	50.69	203.48	288.75	153.40	135.35	
新　疆	56.86	56.86	56.86						307.27	53.01	246.98	53.01		53.01	
神　华	334.03	334.03	334.03				161.31		2671.31	1159.05	1512.26				
中　煤	259.54	245.30	145.55	99.75	14.24		35.68	83.00	1618.20	1588.91	29.29	56.23		56.23	
伊　敏															

煤炭系统选煤产品产量

单位：10^4t

	炼焦用洗精煤			选块煤	洗混沫煤	洗中煤
	计	冶炼用炼焦精煤	其他用炼焦精煤			
总　计	11702.86	9082.65	2620.21	467.26	2993.66	3248.48
北京市						
天津市						
河北省	1661.85	1661.85		70.15	520.66	2622.00
开　滦	1046.12	1046.12		69.52	390.76	
峰　峰	293.95	293.95		0.63	85.47	2618.00
井　陉	16.63	16.63				
邢　台	260.19	260.19			44.43	4.00
邯郸市	44.96	44.96				
山西省	1938.07	1451.54	486.53	54.94	238.55	287.00
长　治	46.75	46.75				10.00
忻　州	70.00		70.00			
吕　梁	45.37	45.37				2.00
晋　中	98.02	98.02		53.10	6.80	11.00
焦　煤	1417.63	1100.63	317.00		231.75	199.00
潞　安	260.30	160.77	99.53	1.84		65.00
内蒙古	506.74	506.74				
地方洗煤厂	506.74	506.74				
辽宁省	299.15	299.15		21.33	107.65	
抚　顺	157.35	157.35		21.33	86.95	
沈　阳	141.80	141.80			20.70	
吉林省						
黑龙江	963.15	847.74	115.41	139.24	545.70	62.30
鸡西市	44.70	44.70				
双鸭山	21.00	21.00				
七台河市	81.00	61.00	20.00	9.50	8.50	15.30
鸡　西	129.57	129.57			88.01	

	炼焦用洗精煤			选块煤	洗混沫煤	洗中煤
	计	冶炼用炼焦精煤	其他用炼焦精煤			
鹤　岗	198.58	119.23	79.35	39.24	21.07	30.00
双鸭山	102.90	101.90	1.00	21.00	45.00	17.00
七台河	364.40	363.34	1.06	65.50	370.12	
鹤岗市	21.00	7.00	14.00	4.00	13.00	
上海市						
江苏省	71.23	65.44	5.79	18.11	44.95	
徐　州	71.23	65.44	5.79	18.11	44.95	
浙江省						
安徽省	673.13	673.13			122.05	13.00
淮　南	176.15	176.15			46.34	
淮　北	383.07	383.07			75.71	13.00
淮北市	113.91	113.91				
福建省						
江西省	73.31	68.92	4.38	0.16	1.51	34.00
萍　乡	43.50	43.50		0.16		31.00
丰　城	24.42	24.42				
花鼓山	3.04		3.04		0.66	3.00
棠　浦	2.35	1.00	1.34		0.85	
山东省	2731.83	839.72	1892.11	35.31	371.34	6.00
淄　博	8.25	8.25		12.83	2.27	
新　汶	377.98	377.98		1.85	66.02	
枣　庄	435.03	435.03			53.27	6.00
肥　城	23.97	18.46	5.51	3.92	7.67	
兖　州	1886.60		1886.60	16.71	242.11	
河南省	902.11	864.33	37.78	118.91	594.27	51.00
平顶山	443.57	443.57			54.53	29.00
焦　作						

续表

	炼焦用洗精煤			选块煤	洗混沫煤	洗中煤		炼焦用洗精煤			选块煤	洗混沫煤	洗中煤
	计	冶炼用炼焦精煤	其他用炼焦精煤					计	冶炼用炼焦精煤	其他用炼焦精煤			
鹤　壁	25.37	25.37		2.23	78.73		红河州	0.80	0.80				
义　马	0.30	0.30					丽　江	31.85	31.85			26.68	
永　城	395.09	395.09		52.95	342.13		一平浪	45.70	45.70				
平顶山市	20.77		20.77				羊　场	28.76	28.76				10.00
焦作市	17.01		17.01	63.73	118.88	22.00	田　坝	18.97	18.97			19.48	
湖北省							后　所	25.04	25.04		9.11	20.92	
湖南省	30.25	30.25					恩　洪	25.83	25.83				4.00
株　洲	30.25	30.25					圭　山	15.76	15.76			8.76	
广东省							兴云煤矿	14.95	14.95			0.29	11.00
广　西							陕西省	71.75	71.75				11.18
海南省							韩　城	71.75	71.75				11.18
四川省	240.85	240.85					甘肃省						
攀枝花	148.10	148.10					青海省						
达　竹	86.47	86.47					宁　夏	177.63	116.46	61.17			
威　远	6.28	6.28					太　西	109.61	109.61				
重庆市	111.49	108.90	2.59		5.64	53.00	石嘴山市	68.02	6.85	61.17			
南　桐	34.85	34.25	0.60		4.63	53.00	新　疆	56.86	56.86				
天　府	13.95	11.96	1.99				艾维尔沟	56.86	56.86				
永　荣	62.69	62.69			1.01		神　华	334.03	334.03			161.31	
贵州省	354.64	354.43	0.21		168.23		乌　达	78.43	78.43				
盘　江	223.38	223.17	0.21		120.82		海勃湾	255.60	255.60			161.31	
水　城	131.26	131.26			47.41		中　煤	259.54	245.30	14.24		35.68	83.00
云南省	245.26	245.26		9.11	76.13	26.00	大　屯	144.58	130.34	14.24		35.68	24.00
曲　靖	37.60	37.60				1.00	煤气公司	114.96	114.96				59.00

煤炭工业多种经营综合利用主要产品产量

名称	计量单位	全国	国有重点矿
发电量	10^4kW·h	2319296	2115781
钢	t	92932	48225
生铁	t	68655	67655
轧钢材	t	3737	3737
钢丝绳	t	3416	3416
硫铁矿	t	720	720
焦炭	t	8701633	3458284
其中：土焦	t	1474323	0
炸药	t	282323	197522
雷管	万发	54381	36566
水泥	t	10782281	8917669
水泥支架	架	44512	43762
液压支架	架	4059	4059
单体液压支架	根	293141	214261
金属支架	架	146166	143584
金属顶梁	根	160348	112809
金属支柱	根	99980	73414
自营木材	m^3	116898	116898
煤焦油	t	66494	54519
运输带	m^3	473389	473389
运输带	m	448821	443416
砖	万块	75102	43470
其中：煤矸石制砖	万块	59036	39297

煤炭工业分省多种经营

	发电量 /(10^4kW·h)	钢 /t	生铁 /t	轧钢材 /t	钢丝绳 /t	硫铁矿 /t	焦炭/t		炸药 /t	雷管 /万发	水泥 /t
							小计	其中：土窑焦			
甲	1	2	3	4	5	6	7	8	9	10	11
总　计	2319296	92932	68655	3737	3416	720	8701633	1474323	282323	54381	10782281
北京市	13555								9828	1926	121052
天津市											
河北省	190553	13814	66825	921	75		592040		17230	2293	735151
山西省	187953	6446					934979		35813	6583	871768
内蒙古	11037	995							4878		75237
辽宁省	50772	6866							19595	4706	529058
吉林省	4415	896							8331	1148	239926
黑龙江	123922	1529					319860		22178	3586	426416
上海市											
江苏省	97294	4253		2816					7124	2865	646171
浙江省											
安徽省	50352	1206			1863				20991	4268	609871
福建省	8438	681							13561	2674	185042
江西省	38035	292							11219	1270	544855
山东省	158315	4624				720	223035		16060	4663	1307624
河南省	352425	3502			1478		2092092	907300	12939	2660	1257937
湖北省											
湖南省	25295	841							10011	1990	253300
广东省											
广　西		1301									276407
海南省											
四川省	85556	31683					577306	567019	7290		915428
重庆市	70530	6889					52743		13929	4367	466055
贵州省	39577	2625					4	4	17431	4747	379322
云南省	48751		1830				2994900				193032
西　藏											
陕西省	125737	3273					66972		4795	642	279573
甘肃省	19682								6053	863	118292
青海省											
宁　夏	12338	1216							6928	1103	88152
新　疆	21689						94918		16139	2026	262612
神　华											
中　煤	114963						752784				
伊　敏	468112										

综合利用主要产品产量

水泥支架/架	液压支架/架	单体液压支架/根	金属支架/架	金属顶梁/根	金属支柱/根	自营木材/m^3	煤焦油/t	运输带/ $(m^2 \cdot m^{-1})$	砖/万块	其中：煤矸石制 砖/万块
12	13	14	15	16	17	18	19	20	21	22
44512	4059	293141	146166	160348	99980	116898	66494	473389/448821	75102	59036
	3100									
	193						14314			
	304		3076	21506	31648	995	12383	133670/142838	2344	2144
	75					98736		/60722	2893	2893
			1392						2748	5245
9850						17167	4318			
	297	18244		13434						
	90	19030		10544					965	965
750			1085						2722	6869
12240		86925	2760	22000	23390		2040	142158/	7154	3900
					6593			197561/239856	8940	8940
				10730	5620				2072	
									19091	9575
							3404		15135	10574
				10933	6206		4495		4021	2505
				12320	3221				76	
		15000						/5405	3230	4099
							1539			
				3505	1695				2383	
21672		153942	137853	55376	21607					
									1328	1328
							24001			

	发电量 /(10⁴kW·h)	钢 /t	生铁 /t	轧钢材 /t	钢丝绳 /t	硫铁矿 /t	焦炭/t		炸药 /t	雷管 /万发	水泥 /t
							小计	其中：土窑焦			
甲	1	2	3	4	5	6	7	8	9	10	11
总　计	2115781	48225	67655	3737	3416	720	3458284		197522	36566	8917669
北京市	13555								9828	1926	121052
北　京	13555								9828	1926	121052
河北省	155679	4805	66825	921	75		592040		17230	2293	735151
开　滦	63432	1366		921					7524	1250	
峰　峰	23162				75		373793		5737	1043	150326
井　陉	1308						218247		1937		65803
兴　隆	6837								2032		205540
邢　台	45179	1904									135800
邯　郸	15761	1535	66825								153934
盛　源											23748
山西省	187953	6446					299751		23527	6583	871768
焦　煤	55005	2806					281304		10341	2625	401495
大　同	2692	2078					18447		5426	3958	156862
阳　泉	77547								3018		165720
潞　安	46597	454							4742		71000
晋　城		1108									48691
王　坪	6114										
固　庄											28000
内蒙古	11037	995							4878		75237
平　庄		995							4878		75237
大　雁	11037										
辽宁省	50772	6866							19595	4706	529058
抚　顺		1908							8336	1744	107042
阜　新	10995	3650							11259	2962	134448
铁　法	39777										42190
南　票		376									107378
沈　阳		932									138000
吉林省	1616	896							8331		217576
辽　源		412							8331		
通　化	1616										217576
舒　兰		484									
珲　春											
黑龙江	123922	1529					319860		22178	3586	426416
鸡　西	27880	1529					99187		5736		236397
鹤　岗	63879								11058	3586	190019
双鸭山	10778								5384		

综合利用主要产品产量

水泥支架/架	液压支架/架	单体液压支架/根	金属支架/架	金属顶梁/根	金属支柱/根	自营木材/m^3	煤焦油/t	运输带/（$m^2 \cdot m^{-1}$）	砖/万块	其中：煤矸石制 砖/万块
12	13	14	15	16	17	18	19	20	21	22
43762	4059	214261	143584	112809	73414	116898	54519	473389/443416	43470	39297
	3100									
	3100									
	193						14314			
							14314			
	97									
	96									
	304		3076	21506	31648	995	4903	133670/142838	2144	2144
							4347			
							556			
	304		3076	21506	31648	995		133670/142838	2136	2136
									8	8
	75					98736		/60722	2893	2893
						73436				
	75					2997				
						14331		/60722	2893	2893
						7972				
									1748	3400
										3400
									1748	
9850						17167	4318			
9850						13467	4318			
						3700				

甲	发电量/(10^4kW·h)	钢/t	生铁/t	轧钢材/t	钢丝绳/t	硫铁矿/t	焦炭/t		炸药/t	雷管/万发	水泥/t
							小计	其中：土窑焦			
甲	1	2	3	4	5	6	7	8	9	10	11
七台河	21385						220673				
江苏省	97294	4253		2816					7124	2865	346832
徐　州	97294			2816					7124	2865	346832
机械厂		3393									
二机厂		860									
安徽省	50352	1206			1863				20991	4268	609871
淮　南	32541	1206							7544	1543	352977
淮　北	17811				1863				13447	2725	256894
江西省	33002	292							11219	1270	544855
萍　乡	19958								5792	472	100906
丰　城	9052	292									118701
英岗岭	3991								5427	798	209385
乐　平											115863
山东省	158315	4624				720	223035		16060	4663	1307624
淄　博	43749								7822	4663	
新　汶	30613	2813							3342		577524
枣　庄	9967	1811				720			4896		223700
肥　城	25150										166500
兖　州	38174						176460				339900
龙　口	6004										
临　沂	4658						46575				
河南省	252178	3502			1478		1098637		12939	2660	950353
平顶山	44433						1098637		7041	2159	173300
焦　作	57116	982									422902
鹤　壁	11228	2520			1478				3473	501	118719
义　马	23058								2425		92936
郑　州	87094										142496
永　城	29249										
湖南省	25205	266									100100
资　兴		266									
白　沙	25205										100100
四川省	74174	2305					10287		7290		675318
广　旺	19774	1251									313454
芙　蓉	11124										39042
攀枝花	18478	723					10287		7290		68236
华蓥山	10084	331									104888
达　竹	13797										

续表

水泥支架/架	液压支架/架	单体液压支架/根	金属支架/架	金属顶梁/根	金属支柱/根	自营木材/m^3	煤焦油/t	运输带/（$m^2 \cdot m^{-1}$）	砖/万块	其中：煤矸石制 砖/万块
12	13	14	15	16	17	18	19	20	21	22
	297	18244		13434						
	297	18244		13434						
	90	19030		10544					965	965
	90	19030		10544					965	965
									2076	6223
										4147
									2076	2076
12240		35325	2760	22000	23390		2040	142158/	7154	3900
		23175							3367	3867
		150	2760		23390					
12240		12000		22000					3754	
								142158/	33	33
							2040			
					6593			197561/239856	8940	8940
								56395/70494		
								3456/	8756	8756
								137710/160362		
									184	184
					6593			/9000		
							3404		11375	8146
									2908	2908
									3229	
							3404		4181	4181
									907	907

	发电量/(10^4kW·h)	钢/t	生铁/t	轧钢材/t	钢丝绳/t	硫铁矿/t	焦炭/t		炸药/t	雷管/万发	水泥/t
							小计	其中：土窑焦			
甲	1	2	3	4	5	6	7	8	9	10	11
隆　昌	918										68129
芙蓉煤矿											81569
重庆市	64108	6889									292303
南　桐	17297										144136
天　府	9128										
松　藻	11857	5458									30800
中梁山	4741										
永　荣	21085	1431									117367
贵州省	35878	1173									365526
六　枝	9749	449									282610
盘　江	18566	266									51600
水　城	7563	458									31316
云南省	18600		830								
一平浪	3741										
羊　场	7991										
田　坝	6868		830								
陕西省	125737	2178					66972		4795	642	279573
铜　川		579							4795	642	82702
蒲　白	120075										15145
澄　合	5662										
韩　城		267					66972				
煤建公司		1332									181726
甘肃省	19303										118292
窑　街	19303										72329
阿干镇											45963
宁　夏	12338								6928	1103	88152
亘　元									6928	1103	
太　西	12338										88152
新　疆	21689						94918		4609		262612
哈　密	10316								4609		142500
乌鲁木齐	8492										120112
艾维尔沟	2881						94918				
中　煤	114963						752784				
大　屯	97919										
煤气公司	17044						752784				
伊　敏	468112										
伊敏河	468112										

续表

水泥支架/架	液压支架/架	单体液压支架/根	金属支架/架	金属顶梁/根	金属支柱/根	自营木材/m^3	煤焦油/t	运输带/（$m^2 \cdot m^{-1}$）	砖/万块	其中：煤矸石制 砖/万块
12	13	14	15	16	17	18	19	20	21	22
									150	150
				10933	6206				2293	777
				10933	6206				226	226
									551	551
									1516	
									76	
									76	
									96	582
										519
									96	63
							1539			
							1539			
									2383	
									2383	
21672		141662	137748	34392	5577					
21672		141662	137748	34392	5577					
									1328	1328
									1328	1328
							24001			
							24001			

全国煤矿原煤生产能力

	全国			国有重点矿			国有		
							合计		
	核定能力 /处－10^4t	产量 /(10^4kW·h)	利用率 /%	核定能力 /处－10^4t	产量 /(10^4kW·h)	利用率 /%	核定能力 /处－10^4t	产量 /(10^4kW·h)	利用率 /%
总计	2143－83499	87047.90	104.25	570－60500	63753.23	105.38	1573－22999	23294.67	101.29
北京市	6－610	629.11	103.13	6－610	629.11	103.13			
河北省	96－4479	4954.00	110.61	34－3755	4247.55	113.12	62－724	706.45	97.58
山西省	383－19113	18352.30	96.02	68－12657	12160.31	96.08	315－6456	6191.99	95.91
内蒙古	99－3276	2968.64	90.62	20－2451	2123.22	86.63	79－825	845.42	102.48
辽宁省	78－4004	4197.10	104.82	30－3620	3971.57	109.71	48－384	225.53	58.73
吉林省	56－1153	1042.02	90.37	19－787	713.32	90.64	37－366	328.70	89.81
黑龙江	98－4019	4593.99	114.31	39－3366	3967.52	117.87	59－653	626.47	95.94
江苏省	29－1266	1746.72	137.97	12－965	1422.71	147.43	17－301	324.01	107.64
浙江省	7－110	70.87	64.43	5－100	63.50	63.50	2－10	7.37	73.70
安徽省	44－5689	5464.21	96.05	19－4040	3906.86	96.70	25－1649	1557.35	94.44
福建省	57－542	524.11	96.70				57－542	524.11	96.70
江西省	61－879	794.51	90.39	14－480	526.75	109.74	47－399	267.76	67.11
山东省	113－7075	10455.20	147.78	41－5425	7982.30	147.14	72－1650	2472.90	149.87
河南省	111－6704	7387.19	110.19	50－5145	5685.21	110.50	61－1559	1701.98	109.17
湖北省	38－267	221.07	82.80				38－267	221.07	82.80
湖南省	135－1194	1056.06	88.45	31－505	407.70	80.73	104－689	648.36	94.10
广东省	5－21	12.40	59.05				5－21	12.40	59.05
广西	24－235	322.21	137.11				24－235	322.21	137.11
四川省	165－2389	2419.84	101.29	22－1042	936.66	89.89	143－1347	1483.18	110.11
重庆市	84－1248	1066.01	85.42	21－894	741.52	82.94	63－354	324.49	91.66
贵州省	61－1905	1462.76	76.79	21－1584	1119.95	70.70	40－321	342.81	106.79
云南省	61－1275	1125.26	88.26	7－163	144.44	88.61	54－1112	980.82	88.20
陕西省	110－2800	2592.23	92.58	28－1882	1826.55	97.05	82－918	765.68	83.41
甘肃省	57－2060	1890.51	91.77	15－814	769.11	94.49	42－1246	1121.40	90.00
青海省									
宁夏	30－1338	1589.09	118.77	11－1033	1157.82	112.08	19－305	431.27	141.40
新疆	91－1504	1560.29	103.74	13－838	699.35	83.45	78－666	860.94	129.27
神华	34－5463	5835.28	106.81	34－5463	5835.28	106.81			
中煤	9－2381	2203.02	92.52	9－2381	2203.02	92.52			
伊敏	1－500	511.91	102.38	1－500	511.91	102.38			

利用情况（3 万 t 及以上）

地　方　矿								
省营煤矿			专营煤矿			县营煤矿		
核定能力 /处—10^4t	产　量 /(10^4kW·h)	利用率 /%	核定能力 /处—10^4t	产　量 /(10^4kW·h)	利用率 /%	核定能力 /处—10^4t	产　量 /(10^4kW·h)	利用率 /%
203—4960	5234.78	105.54	384—6797	6763.00	99.50	986—11242	11296.89	100.49
			28—363	358.70	98.82	34—361	347.75	96.33
2—139	103.77	74.65	46—1645	1636.75	99.50	267—4672	4451.47	95.28
7—54	22.21	41.13	16—294	207.01	70.41	56—477	616.20	129.18
			22—202	99.12	49.07	26—182	126.41	69.46
6—57	28.07	49.25	19—213	234.55	110.12	12—96	66.08	68.83
			43—563	566.44	100.61	16—90	60.03	66.70
			12—250	270.82	108.33	5—51	53.19	104.29
						2—10	7.37	73.70
5—740	782.27	105.71	10—844	735.74	87.17	10—65	39.34	60.52
29—383	424.01	110.71				28—159	100.10	62.96
12—174	108.64	62.44	8—78	57.60	73.85	27—147	101.52	69.06
7—328	578.60	176.40	13—266	415.50	156.20	52—1056	1478.80	140.04
			21—685	772.43	112.76	40—874	929.55	106.36
5—45	34.02	75.60	12—102	94.34	92.49	21—120	92.71	77.26
15—212	180.52	85.15	37—255	252.62	99.07	52—222	215.22	96.95
						5—21	12.40	59.05
9—88	165.01	187.51	10—126	151.82	120.49	5—21	5.38	25.62
5—142	130.15	91.65	45—505	525.17	103.99	93—700	827.86	118.27
			6—57	37.62	66.00	57—297	286.87	96.59
15—195	225.13	115.45	1—6	5.93	98.83	24—120	111.75	93.13
12—765	749.91	98.03	15—132	91.90	69.62	27—215	139.01	64.66
2—63	65.18	103.46	5—31	47.09	151.90	75—824	653.41	79.30
14—997	868.87	87.15	3—48	17.90	37.29	25—201	234.63	116.73
5—185	297.30	160.70				14—120	133.97	111.64
53—393	471.12	119.88	12—132	183.95	139.36	13—141	205.87	146.01

煤炭工业生产经营总值

单位：万元

	按现行价格计算									按1990年不变价计算工业总产值		
	总计	第一产业产值	第二产业产值						第三产业经营总值	合计	工业	
			合计	工业				建筑业			煤炭产值	非煤产值
				小计	煤炭		非煤					
				产值	个数	产值	产值					
总计	22616344.1	39814.3	21149923.0	20264126.3	14382	16807793.1	3456333.2	885796.8	1426606.7	10178385.1	7687835.6	2490549.4
北京市	268356.6		155067.9	142832.4	1	132251.9	10580.5	12235.5	113288.7	44624.2	38438.3	6185.9
天津市												
河北省	1319153.8	551.0	1184162.8	1141891.8	8	900729.9	241161.9	42271.0	134440.0	479201.2	318096.7	161104.5
山西省	4131396.6	1144.3	3991608.4	3856316.2	1819	3521788.6	334527.7	135292.2	138643.9	2080602.7	1797814.7	282788.0
内蒙古	498191.9	404.0	488898.9	462144.9	1208	442940.3	19204.6	26754.0	8889.0	391746.6	375040.6	16706.0
辽宁省	1036683.6	2780.3	956020.4	845879.4	45	674158.1	171721.2	110141.0	77883.0	335061.3	244187.0	90874.3
吉林省	205517.9	3305.1	191190.1	183257.2	123	137683.3	45573.9	7932.9	11022.7	98254.4	64812.3	33442.1
黑龙江	1019348.9	7830.0	970354.9	935280.9	1172	784312.9	150968.0	35074.0	41164.0	511011.6	416037.6	94974.0
上海市												
江苏省	494865.2	314.0	463063.0	439871.5	12	350804.6	89066.9	23191.5	31488.3	168642.8	109491.0	59151.8
浙江省	64061.6		64061.6	64061.6	1	18853.7	45207.9					
安徽省	1473637.3	371.8	1411445.1	1315138.1	247	1173703.1	141435.0	96307.0	61820.4	493323.4	368874.2	124449.2
福建省	225331.6	1187.5	219919.7	218037.7	421	182630.2	35407.5	1882.0	4224.4	84837.2	57328.5	27508.7
江西省	298643.1	2478.7	275727.5	251534.9	60	145574.5	105960.4	24192.6	20436.9	119757.8	41138.4	78619.4
山东省	3882598.0	3149.0	3446029.9	3283528.9	303	2582621.6	700907.2	162501.0	433419.1	1413245.0	839067.1	574177.9
河南省	2115976.9	12968.8	1958875.6	1897524.7	255	1327471.2	570053.5	61350.9	144132.5	908113.5	516155.3	391958.2
湖北省	127606.5	46.2	126095.5	123180.5	791	97499.3	25681.2	2915.0	1464.8	63962.2	42133.1	21829.1
湖南省	681912.8	15.0	668852.4	658411.2	1927	589525.9	68885.3	10441.2	13045.4	244739.5	184477.0	60262.5
广东省	61228.2		61228.2	61228.2		61228.2				20105.4	20105.4	
广　西	64530.2	10.8	63219.3	61485.0	70	47090.6	14394.4	1734.3	1300.1	27000.2	13510.3	13489.8
海南省												
四川省	716010.0	92.8	690874.2	680294.7	2115	550198.7	130096.0	10579.5	25043.0	389543.0	281081.2	108461.8
重庆市	372433.0	164.0	329942.0	325455.0	1430	268339.0	57116.0	4487.0	42327.0	195722.0	151273.0	44449.0
贵州省	348696.1	10.0	337890.5	330621.3	116	285253.4	45368.0	7269.2	10795.6	176193.5	140590.5	35603.0
云南省	373728.7	179.7	360567.8	351776.1	1329	308569.4	43206.7	8791.7	12981.2	246288.7	211741.3	34547.4
西　藏												
陕西省	497163.3	45.4	475972.0	460012.4	838	422841.7	37170.7	15959.6	21145.9	431157.2	402047.2	29110.0
甘肃省	282989.0	552.0	270544.0	242792.0	4	218323.0	24469.0	27752.0	11893.0	141090.7	123286.7	17804.0
青海省												
宁　夏	306923.0	710.0	298608.0	279535.0	73	204758.0	74777.0	19073.0	7605.0	174112.0	112197.0	61915.0
新　疆	314486.7	157.0	311383.2	306174.2	3	287111.1	19063.1	5209.0	2946.5	183120.4	175320.8	7799.6
神　华	674511.7	1276.0	664643.3	645371.7	7	614541.0	30830.7	19271.6	8592.5	464445.5	442267.4	22178.2
中　煤	623950.0	71.0	577265.0	564077.0	3	467723.0	96354.0	13188.0	46614.0	252073.0	195661.0	56412.0
伊　敏	136412.0		136412.0	136412.0	1	9267.0	127145.0			40410.0	5662.0	34748.0

注：本表未含北京市、青海省地方煤矿资料。

煤炭工业总产值（按现行价格计算）

单位：万元

	总计	全民所有制	集体所有制	其他所有制	其中：煤机厂及其他厂	在总计中		
						大型企业	中型企业	小型企业
	总产值	总产值	总产值	总产值	总产值	总产值	总产值	总产值
总　计	20264126.3	17087973.0	2854415.9	321737.5	294660.0	13383180.1	1443354.9	5437591.2
北京市	142832.4	142832.4				142832.4		
天津市								
河北省	1141891.8	1112977.8	28914.0			915863.3	13981.5	212047.0
山西省	3856316.2	3028828.3	827487.9		18620.7	2255821.5	132057.8	1468437.0
内蒙古	462144.9	291795.4	170349.5			184421.0	12434.0	265289.9
辽宁省	845879.4	794571.5	51307.9		6715.0	773216.0	23311.0	49352.4
吉林省	183257.2	176346.6	120.0	6790.6	14996.8	123958.8	33084.2	26214.2
黑龙江	935280.9	841997.9	93283.0		28666.0	676455.0		258825.9
上海市								
江苏省	439871.5	423635.9	16235.6			418321.6		21549.9
浙江省	64061.6	64061.6					64061.6	
安徽省	1315138.1	1230039.4	85098.7			1217940.7		97197.4
福建省	218037.7	126963.7		91074.0	22499.0		69486.2	148551.5
江西省	251534.9	251534.9			6295.2	201142.3		50392.6
山东省	3283528.9	3160608.5	122920.4		22911.8	2572098.3	259113.7	452316.8
河南省	1897524.7	1765350.5	131880.2	294.0	40841.3	1325172.0	290378.4	281974.3
湖北省	123180.5	63375.5	59805.0		8261.6		27981.0	95199.5
湖南省	658411.2	290835.8	219601.6	147973.8	28559.6	91509.2		566902.0
广东省	61228.2			61228.2				61228.2
广　西	61485.0	57169.4	1871.0	2444.6	98.2	44937.0	4164.5	12383.5
海南省								
四川省	680294.7	373758.5	303585.9	2950.3	2950.3	171614.6	233843.2	274836.9
重庆市	325455.0	198053.0	127402.0		8434.0	137707.0	8434.0	179314.0
贵州省	330621.3	250322.5	80298.8		16205.2	191859.6	28384.3	110377.5
云南省	351776.1	160215.1	186540.0	5021.0	11182.6	39391.1	67232.1	245152.9
西　藏								
陕西省	460012.4	272953.4	187059.0		5171.7	193468.2	14287.5	252256.7
甘肃省	242792.0	195072.0	47720.0		5681.0	159681.0	5708.0	77403.0
宁　夏	279535.0	262294.0	13280.0	3961.0	46570.0	227982.0	24876.0	26677.0
新　疆	306174.2	206518.9	99655.3			102463.0		203711.2
神　华	645371.7	645371.7				604900.7	40471.0	
中　煤	564077.0	564077.0				474012.0	90065.0	
伊　敏	136412.0	136412.0				136412.0		

煤炭工业总产值（按1990年不变价格计算）

单位：万元

单位名称	总计	全民所有制	集体所有制	其他所有制	其中：煤机厂及其他厂	在总计中		
						大型企业	中型企业	小型企业
总计	10178385.1	8066472.0	2002816.2	109096.9	272336.4	6132400.3	687849.7	3358135.1
北京市	44624.2	44624.2				44624.2		
天津市								
河北省	479201.2	467550.2	11651.0			383202.9	7605.3	88393.0
山西省	2080602.7	1414736.9	665865.8		14133.2	955957.8	55176.4	1069468.5
内蒙古	391746.6	192720.2	199026.4			93496.0	9032.0	289218.6
辽宁省	335061.3	294845.1	40216.2		6797.0	288823.7	8907.0	37330.6
吉林省	98254.4	93600.9	54.5	4599.0	19021.0	72345.8	10930.4	14978.2
黑龙江	511011.6	450283.3	60728.3		26005.0	353874.0		157137.6
上海市								
江苏省	168642.8	155521.9	13120.9			162447.9		6194.9
浙江省								
安徽省	493323.4	467115.6	26207.8			463540.1		29783.3
福建省	84837.2	54081.8		30755.4	18428.7		24236.9	60600.3
江西省	119757.8	119757.8			7424.2	101866.0		17891.9
山东省	1413245.0	1369243.8	44001.2		23486.2	1147673.8	105422.9	160148.3
河南省	908113.5	853889.6	54196.3	27.6	46018.9	646898.0	125080.0	136135.5
湖北省	63962.2	36311.2	27651.0		7864.6		15278.7	48683.5
湖南省	244739.5	130255.4	69758.3	44725.8	19343.8	29759.1		214980.4
广东省	20105.4			20105.4				20105.4
广　西	27000.2	25816.6	553.5	630.0	78.2	20394.5	2066.8	4538.9
海南省								
四川省	389543.0	210989.0	175558.2	2995.8	2995.8	77643.6	152877.5	159021.9
重庆市	195722.0	121644.0	74078.0		8900.0	79816.0	8900.0	107006.0
贵州省	176193.5	135076.0	41117.5		10609.0	99169.8	18609.0	58414.7
云南省	246288.7	96193.8	145576.0	4518.9	10297.9	23223.6	41436.1	181629.0
西　藏								
陕西省	431157.2	176990.4	254166.8		5054.8	115326.6	9310.1	306520.5
甘肃省	141090.7	114180.7	26910.0		4053.0	90702.0	3810.0	46578.7
青海省								
宁　夏	174112.0	164123.0	9250.0	739.0	41825.0	147139.0	12642.0	14331.0
新　疆	183120.4	119992.0	63128.4			54076.0		129044.4
神　华	464445.5	464445.5				445822.9	18622.6	
中　煤	252073.0	252073.0				194167.0	57906.0	
伊　敏	40410.0	40410.0				40410.0		

国有重点煤矿工业总产值

单位：万元

	按现行价格计算工业总产值			按1990年不变价计算工业总产值		
	小　计	煤炭产值	非煤产值	合　计	煤炭产值	非煤产值
总　计	13276375.3	10581690.5	2694684.8	6029124.1	4191228.5	1837895.6
北京市	142832.4	132251.9	10580.5	44624.2	38438.3	6185.9
北　京	142832.4	132251.9	10580.5	44624.2	38438.3	6185.9
河北省	982122.8	759719.9	222402.9	414664.2	263166.7	151497.5
开　滦	411061.0	362882.0	48179.0	162415.0	117578.0	44837.0
峰　峰	231720.0	170659.0	61061.0	111203.0	65899.0	45304.0
井　陉	47816.0	19284.0	28532.0	21668.0	3347.0	18321.0
兴　隆	12336.0	4830.0	7506.0	6659.0	1498.0	5161.0
邢　台	200465.3	141116.4	59348.9	82097.9	56705.5	25392.4
邯　郸	72617.0	56802.0	15815.0	27487.0	16215.0	11272.0
盛　源	1645.5	1110.5	535.0	946.3	609.2	337.1
八宝山	4462.0	3036.0	1426.0	2188.0	1315.0	873.0
山西省	2371363.3	2088025.1	283338.2	1006308.5	759718.7	246589.8
焦　煤	710069.4	582092.0	127977.4	357316.0	263395.0	93921.0
大　同	783939.6	724499.1	59440.5	295582.3	223749.5	71832.8
阳　泉	336674.6	263157.0	73517.6	146816.2	80405.4	66410.8
潞　安	218161.0	204877.0	13284.0	97154.0	90976.0	6178.0
晋　城	206976.9	203525.4	3451.5	59089.4	55640.2	3449.2
东　山	20033.9	17033.6	3000.3	11239.5	9676.8	1562.7
王　坪	8685.0	7933.0	752.0	5172.0	4420.0	752.0
小　峪	8849.0	8849.0		4822.0	4822.0	
荫　营	26953.8	26953.8		10114.9	10114.9	
固　庄	19686.0	17980.0	1706.0	7151.0	5445.0	1706.0
南　庄	20102.7	19893.7	209.0	7225.4	6448.0	777.4
西　峪	11231.5	11231.5		4625.9	4625.9	
内蒙古	196855.0	178469.0	18386.0	102528.0	86594.0	15934.0
平　庄	67683.0	57890.0	9793.0	33508.0	24717.0	8791.0

续表

	按现行价格计算工业总产值			按1990年不变价计算工业总产值		
	小　计	煤炭产值	非煤产值	合　计	煤炭产值	非煤产值
大　雁	25782.0	20743.0	5039.0	14581.0	10992.0	3589.0
扎赉诺尔	31574.0	31574.0		15094.0	15094.0	
宝日希勒	12434.0	12434.0		9032.0	9032.0	
霍林河	59382.0	55828.0	3554.0	30313.0	26759.0	3554.0
辽宁省	816814.0	651807.7	165006.2	315571.7	231494.4	84077.3
抚　顺	184365.6	134975.8	49389.8	71064.8	41407.3	29657.5
阜　新	219600.2	188803.2	30797.0	93600.4	71498.4	22102.0
北　票	12617.0	10507.0	2110.0	12000.0	10500.0	1500.0
铁　法	260194.0	189301.0	70893.0	89703.0	64962.0	24741.0
南　票	23311.0	23251.0	60.0	8907.0	8907.0	
沈　阳	116726.2	104969.7	11756.4	40296.5	34219.7	6076.8
吉林省	109821.2	90564.4	19256.8	53880.7	41480.8	12399.9
辽　源	54845.2	48020.4	6824.8	27055.7	22629.8	4425.9
通　化	34130.0	23956.0	10174.0	14434.0	8364.0	6070.0
舒　兰	10401.0	8143.0	2258.0	7249.0	5345.0	1904.0
珲　春	10445.0	10445.0		5142.0	5142.0	
黑龙江	659259.0	537035.0	122224.0	345993.0	279534.0	66459.0
鸡　西	131678.0	83828.0	47850.0	74147.0	41835.0	32312.0
鹤　岗	201641.0	166174.0	35467.0	104316.0	88156.0	16160.0
双鸭山	133893.0	115530.0	18363.0	74077.0	66000.0	8077.0
七台河	192047.0	171503.0	20544.0	93453.0	83543.0	9910.0
江苏省	360924.6	286481.7	74442.9	137043.9	90848.1	46195.8
徐　州	360924.6	286481.7	74442.9	137043.9	90848.1	46195.8
浙江省	64061.6	18853.7	45207.9			
长　广	64061.6	18853.7	45207.9			
安徽省	915190.7	792644.0	122546.7	364887.1	255796.0	109091.1
淮　南	492169.0	436693.0	55476.0	196417.0	145477.0	50940.0

续表

	按现行价格计算工业总产值			按 1990 年不变价计算工业总产值		
	小　计	煤炭产值	非煤产值	合　计	煤炭产值	非煤产值
淮　北	423021.7	355951.0	67070.7	168470.1	110319.0	58151.1
江西省	198631.1	100092.6	98538.6	97388.0	25524.5	71863.5
萍　乡	104774.0	42108.6	62665.5	59898.9	10794.5	49104.4
丰　城	50088.0	29273.0	20815.0	17240.0	7296.0	9944.0
英岗岭	26164.0	15536.0	10628.0	11794.0	3648.0	8146.0
乐　平	17605.1	13175.0	4430.1	8455.1	3786.0	4669.1
山东省	2572098.3	1940717.2	631381.1	1147673.8	630062.9	517610.9
淄　博	222929.0	205318.0	17611.0	103988.0	51542.0	52446.0
新　汶	487892.3	354973.9	132918.4	187483.1	118324.6	69158.5
枣　庄	388983.0	310683.0	78300.0	159579.0	103986.0	55593.0
肥　城	174593.2	111088.4	63504.8	102072.2	32643.0	69429.2
兖　州	1157229.0	851936.0	305293.0	539146.0	294715.0	244431.0
龙　口	77285.8	59948.4	17337.4	28868.4	15636.1	13232.3
临　沂	63186.0	46769.5	16416.5	26537.1	13216.2	13320.9
河南省	1316145.6	926728.1	389417.5	595598.1	360023.7	235574.4
平顶山	550351.0	386210.0	164141.0	262963.0	176358.0	86605.0
焦　作	141340.0	74331.0	67009.0	71558.0	17579.0	53979.0
鹤　壁	175859.0	119162.5	56696.5	90682.9	47780.7	42902.2
义　马	170303.6	141795.1	28508.5	63467.3	47282.6	16184.7
郑　州	178219.0	122716.5	55502.5	83467.9	49576.4	33891.5
永　城	100073.0	82513.0	17560.0	23459.0	21447.0	2012.0
湖南省	91509.2	76798.7	14710.5	29759.1	20900.1	8859.0
涟　邵	29883.3	27921.2	1962.1	9715.7	7821.0	1894.7
资　兴	21253.2	20672.8	580.4	5213.8	4421.2	792.6
白　沙	40372.7	28204.7	12168.0	14829.6	8657.9	6171.7
四川省	173136.2	118079.2	55057.0	78943.6	48714.3	30229.4
广　旺	24586.5	11475.3	13111.2	13906.0	5866.2	8039.8

续表

	按现行价格计算工业总产值			按1990年不变价计算工业总产值		
	小　计	煤炭产值	非煤产值	合　计	煤炭产值	非煤产值
芙　蓉	21861.1	16385.6	5475.5	10593.4	6350.9	4242.5
攀枝花	63077.1	44838.8	18238.3	24967.6	17358.5	7609.1
华蓥山	22174.5	16191.3	5983.2	9076.0	6506.7	2569.3
达　竹	29732.0	20500.0	9232.0	14701.0	9367.1	5333.9
隆　昌	2559.4	1396.5	1162.9	1814.8	640.0	1174.8
芙蓉煤矿	9145.6	7291.7	1853.9	3884.8	2624.9	1259.9
重庆市	137707.0	98838.0	38869.0	79816.0	49963.0	29853.0
南　桐	31911.0	19165.0	12746.0	31911.0	19165.0	12746.0
天　府	22742.0	15957.0	6785.0	9961.0	7568.0	2393.0
松　藻	49179.0	41665.0	7514.0	21345.0	14613.0	6732.0
中梁山	9871.0	5183.0	4688.0	6680.0	2122.0	4558.0
永　荣	24004.0	16868.0	7136.0	9919.0	6495.0	3424.0
贵州省	191859.6	165448.3	26411.3	99169.8	76802.7	22367.1
六　枝	36236.0	16127.0	20109.0	25818.0	8101.0	17717.0
盘　江	87744.7	85493.1	2251.6	38935.1	37190.2	1744.9
水　城	67878.8	63828.2	4050.7	34416.7	31511.5	2905.2
云南省	33261.3	24224.0	9037.3	18824.7	11295.5	7529.2
一平浪	12051.0	11055.0	996.0	4800.0	4800.0	
羊　场	13731.2	7414.4	6316.8	10620.3	3547.7	7072.6
田　坝	7479.1	5754.6	1724.5	3404.4	2947.8	456.6
陕西省	202585.7	170808.1	31777.6	120403.2	96559.1	23844.1
铜　川	76281.4	65518.8	10762.6	40758.0	32542.9	8215.1
蒲　白	27628.0	17727.0	9901.0	13499.0	8435.0	5064.0
澄　合	17852.3	16351.3	1501.0	13297.1	11796.1	1501.0
韩　城	46534.0	36921.0	9613.0	30472.0	21408.0	9064.0
崔家沟	8598.0	8598.0		5634.0	5634.0	
车　村	2224.0	2224.0		1449.0	1449.0	

续表

	按现行价格计算工业总产值			按1990年不变价计算工业总产值		
	小　计	煤炭产值	非煤产值	合　计	煤炭产值	非煤产值
煤建公司	5213.0	5213.0		4341.1	4341.1	
黄　陵	18255.0	18255.0		10953.0	10953.0	
甘肃省	102917.0	87193.0	15724.0	54081.0	42694.0	11387.0
窑　街	46017.0	35863.0	10154.0	26694.0	19142.0	7552.0
靖　远	56900.0	51330.0	5570.0	27387.0	23552.0	3835.0
宁　夏	188956.0	161980.0	26976.0	110961.0	91751.0	19210.0
亘　元	28039.0	23966.0	4073.0	18413.0	15809.0	2604.0
太　西	109965.0	91273.0	18692.0	59290.0	46210.0	13080.0
灵　州	50952.0	46741.0	4211.0	33258.0	29732.0	3526.0
新　疆	102463.0	83399.9	19063.1	54076.0	46276.4	7799.6
哈　密	35995.0	30725.9	5269.1	20239.0	18004.4	2234.6
乌鲁木齐	53000.0	43043.0	9957.0	26874.0	23347.0	3527.0
艾维尔沟	13468.0	9631.0	3837.0	6963.0	4925.0	2038.0
神　华	645371.7	614541.0	30830.7	464445.5	442267.4	22178.2
准格尔	153147.7	140463.5	12684.2	48791.9	42079.5	6712.5
神　东	355896.0	355896.0		333511.0	333511.0	
万　利	12617.0	12617.0		7533.0	7533.0	
包　头	24514.0	20977.5	3536.5	13038.6	10897.9	2140.7
乌　达	46002.0	39456.0	6546.0	28564.0	23046.0	5518.0
海勃湾	37238.0	29174.0	8064.0	27423.0	19616.0	7807.0
金　烽	15957.0	15957.0		5584.0	5584.0	
中　煤	564077.0	467723.0	96354.0	252073.0	195661.0	56412.0
大　屯	169891.0	128805.0	41086.0	58722.0	43558.0	15164.0
煤气公司	90065.0	34797.0	55268.0	57906.0	16658.0	41248.0
平　朔	304121.0	304121.0		135445.0	135445.0	
伊　敏	136412.0	9267.0	127145.0	40410.0	5662.0	34748.0
伊敏河	136412.0	9267.0	127145.0	40410.0	5662.0	34748.0

国有重点煤矿回采工作面采煤机械化程度

	机采面合计		综　采		高　普		高　档		普　采		水　采	
	产量/t	程度/%	产量/t	程度/%	产量/t	程度/%	产量/t	程度/%	产量/t	程度/%	产量/t	程度/%
合　计	415085739	77.78	336126354	62.98	74572117	13.97	71206702	13.34	3365415	0.63	4387268	0.82
北京市												
北　京												
河北省	32284541	89.24	27139153	75.01	3970455	10.97	3956462	10.94	13993	0.04	1174933	3.25
开　滦	15776526	85.26	14414210	77.9	187383	1.01	187383	1.01			1174933	6.35
峰　峰	7491209	95.47	4777184	60.88	2714025	34.59	2710032	34.54	3993	0.05		
井　陉	104202	22.57			104202	22.57	104202	22.57				
兴　隆												
邢　台	6793455	100	6024972	88.69	768483	11.31	768483	11.31				
邯　郸	2119149	95.07	1922787	86.26	196362	8.81	186362	8.36	10000	0.45		
下花园												
八宝山												
山西局	97977115	98.26	91723079	91.99	6254036	6.27	5818529	5.84	435507	0.44		
大　同	27805175	98	27180666	95.8	624509	2.2	189002	0.67	435507	1.54		
阳　泉	16926700	100	16926700	100								
西　山	21066128	100	19096733	90.65	1969395	9.35	1969395	9.35				
汾　西	5964114	94.85	3708096	58.97	2256018	35.88	2256018	35.88				
潞　安	13448692	100	13448692	100								
轩　岗												
晋　城	11362192	100	11362192	100								
煤　司	1404114	100			1404114	100	1404114	100				
王　坪												
直属矿												
山西厅	12172157	86.37	7082990	50.26	5089167	36.11	5089167	36.11				
霍　州	7244279	100	4313893	59.55	2930386	40.45	2930386	40.45				
东　山	842224	67.38			842224	67.38	842224	67.38				
荫　营	1768415	100	1406924	79.56	361491	20.44	361491	20.44				
固　庄	1028949	100	781506	75.95	247443	24.05	247443	24.05				
小　峪	595056	65.11			595056	65.11	595056	65.11				
南　庄	693234	68.94	580667	57.75	112567	11.19	112567	11.19				

续表

	机采面合计		综采		高普		高档		普采		水采	
	产量/t	程度/%	产量/t	程度/%	产量/t	程度/%	产量/t	程度/%	产量/t	程度/%	产量/t	程度/%
寨沟												
内蒙古区	6448469	56.55	4951815	43.43	1496654	13.12	1496654	13.12				
宝矿												
平庄	2132936	41.47	1122369	21.82	1010567	19.65	1010567	19.65				
扎局	1820364	85	1590937	74.28	229427	10.71	229427	10.71				
大雁	2495169	100	2238509	89.71	256660	10.29	256660	10.29				
霍林河												
辽宁省	26698128	79.85	24178074	72.31	1742103	5.21	1262103	3.77	480000	1.44	777951	2.33
抚顺	3130330	100	3130330	100								
阜新	4431364	66.86	3169261	47.81	1262103	19.04	1262103	19.04				
北票												
铁法	15458691	97.11	15458691	97.11								
南票	777951	61.73									777951	61.73
沈阳	2899792	44.62	2419792	37.23	480000	7.39			480000	7.39		
本溪												
吉林省	3330666	48.77	1802950	26.4	524240	7.68	524240	7.68			1003476	14.69
辽源	1802950	54.65	1802950	54.65								
通化	1003476	74.27									1003476	74.27
舒兰	191003	13.67			191003	13.67	191003	13.67				
珲春	333237	44.34			333237	44.34	333237	44.34				
营城												
蛟河												
黑龙江省	25394130	72.23	7337633	20.87	17826895	50.7	16948251	48.2	878644	2.5	229602	0.65
鸡西	6939698	94.81	2028691	27.72	4911007	67.09	4338930	59.28	572077	7.82		
鹤岗	6682236	59.8	3219173	28.81	3233461	28.94	3233461	28.94			229602	2.05
双鸭山	7395686	93.82	2089769	26.51	5305917	67.31	4999350	63.42	306567	3.89		
七台河	4376510	49.83			4376510	49.83	4376510	49.83				
江苏省	10482673	76.68	8331380	60.94	2151293	15.74	2151293	15.74				
徐州	10482673	76.68	8331380	60.94	2151293	15.74	2151293	15.74				
浙江省												

续表

	机采面合计		综采		高普		高档		普采		水采	
	产量/t	程度/%	产量/t	程度/%	产量/t	程度/%	产量/t	程度/%	产量/t	程度/%	产量/t	程度/%
长广												
安徽省	21736851	59.02	19953649	54.18	1783202	4.84	1742757	4.73	40445	0.11		
淮南	13437794	74.66	13437794	74.66								
淮北	8299057	44.07	6515855	34.6	1783202	9.47	1742757	9.26	40445	0.21		
刘桥												
江西省	958035	21.69	958035	21.69								
萍乡												
丰城	463370	29.35	463370	29.35								
英岗岭												
洛市												
乐平	494665	100	494665	100								
山东省	70288194	92.62	50599606	66.68	19058940	25.12	19037958	25.09	20982	0.03	629648	0.83
淄博	1375248	48.31			1375248	48.31	1375248	48.31				
新汶	8521358	77.53			8521358	77.53	8500376	77.34	20982	0.19		
枣庄	11278953	96.93	8448144	72.6	2201161	18.92	2201161	18.92			629648	5.41
肥城	5594162	97.3			5594162	97.3	5594162	97.3				
兖州	39435358	100	38254037	97	1181321	3	1181321	3				
坊子												
龙口	3065115	89.25	2879425	83.84	185690	5.41	185690	5.41				
临沂	1018000	56.78	1018000	56.78								
河南省	31678410	60.76	30407080	58.32	1271330	2.44	1271330	2.44				
平顶山	15928513	78.27	14890113	73.17	1038400	5.1	1038400	5.1				
焦作	397220	14.11	164290	5.84	232930	8.27	232930	8.27				
鹤壁	2741129	41.04	2741129	41.04								
义马	7133138	72.36	7133138	72.36								
郑州	3765517	45.88	3765517	45.88								
永城	1712893	40.5	1712893	40.5								
湖南省	736700	20.39			736700	20.39	736700	20.39				
涟邵												
资兴	736700	73.82			736700	73.82	736700	73.82				

续表

	机采面合计		综采		高普		高档		普采		水采	
	产量/t	程度/%	产量/t	程度/%	产量/t	程度/%	产量/t	程度/%	产量/t	程度/%	产量/t	程度/%
白沙												
四川省	1712227	24.03	1005345	14.11	706882	9.92	706882	9.92				
广旺												
芙蓉	14500	1.13	14500	1.13								
攀枝花	706882	29			706882	29	706882	29				
达竹	13137	0.94	13137	0.94								
华蓥山	977708	83.53	977708	83.53								
隆昌												
重庆市	3008668	44.3	1873423	27.59	1135245	16.72	406379	5.98	728866	10.73		
南桐												
天府												
松藻	2279802	71.26	1873423	58.55	406379	12.7	406379	12.7				
中梁山												
永荣	728866	86.77			728866	86.77			728866	86.77		
贵州省	6417082	63.34	2430267	23.99	3986815	39.35	3986815	39.35				
六枝												
盘江	3501468	64.5	770732	14.2	2730736	50.3	2730736	50.3				
水城	2915614	69.33	1659535	39.46	1256079	29.87	1256079	29.87				
林东												
云南省												
一平浪												
来宾												
羊场												
田坝												
小龙潭												
后所												
恩洪												
陕西省	8178410	55.82	5444293	37.16	2734117	18.66	2734117	18.66				
铜川	4922724	75.42	4733041	72.52	189683	2.91	189683	2.91				
蒲白	877332	55.42			877332	55.42	877332	55.42				

续表

	机采面合计		综采		高普		高档		普采		水采	
	产量/t	程度/%	产量/t	程度/%	产量/t	程度/%	产量/t	程度/%	产量/t	程度/%	产量/t	程度/%
澄合	720434	46.51			720434	46.51	720434	46.51				
韩城												
崔家沟	1089350	100	711252	65.29	378098	34.71	378098	34.71				
苍村	568570	81.5			568570	81.5	568570	81.5				
车村												
黄陵												
甘肃省	5207941	70.87	4863642	66.18	344299	4.69	344299	4.69				
窑街	1938672	60.09	1594373	49.42	344299	10.67	344299	10.67				
阿干镇												
靖远	3269269	79.31	3269269	79.31								
华管会												
宁夏区	3177316	41.64	3056958	40.06	120358	1.58	120358	1.58				
石嘴山	901282	40.05	901282	40.05								
石炭井	2276034	42.31	2155676	40.07	120358	2.24	120358	2.24				
灵武												
汝其沟												
新疆区	4372473	80.94	4241144	78.51	131329	2.43	131329	2.43				
哈密	1628751	100	1497422	91.94	131329	8.06	131329	8.06				
乌局	2468401	81.38	2468401	81.38								
艾维尔	275321	37.18	275321	37.18								
大屯	6838384	100	5801998	84.84	464728	6.8	464728	6.8			571658	8.36
平朔												
神华	35987169	93.67	32943840	85.74	3043329	7.92	2276351	5.92	766978	2		
神东	30066880	100	30066880	100								
乌达	2648282	84.93	1265312	40.58	1382970	44.35	615992	19.76	766978	24.6		
海勃湾	2412059	88.66	1190504	43.76	1221555	44.9	1221555	44.9				
包头	859948	69.67	421144	34.12	438804	35.55	438804	35.55				
万利												
准格尔												
呼企局												
伊敏河												

国有重点煤矿按机、炮采分回采工作面劳动效率

单位：t/工

	机采工作面						非机采工作面		
	小计	（一）综采	（二）高普	其中：高档	其中：普采	（三）高普	小计	炮落机装	打眼放炮
淮南	35.77	35.77					7.337		7.337
淮北	15.591	17.318	11.428	11.368	14.772		8.372		8.372
刘桥									
江西省	5.063	5.063					3.753		3.812
萍乡							2.733		2.339
丰城	20.694	20.694					5.277		5.277
英岗岭							19.804		19.804
洛市									
乐平	2.965	2.965							
山东省	25.121	70.521	9.43	9.442	4.46	10.588	5.753	5.268	5.944
淄博	4.289		4.289	4.289			3.799		3.799
新汶	10.8		10.8	10.838	4.46		9.539	6.696	9.564
枣庄	20.929	26.338	13.872	13.872		10.588	8.537		8.537
肥城	8.845		8.845	8.845			3.73	4.011	3.711
兖州	107.612	142.433	12.069	12.069					
坊子									
龙口	26.385	30.68	8.321	8.321			8.144		8.144
临沂	29.662	29.662					3.911		4.409
河南省	21.29	22.718	8.503	8.503			6.744	10.381	6.148
平顶山	23.024	25.214	10.254	10.254			6.985		6.985
焦作	7.036	20.035	4.827	4.827			5.653		5.653
鹤壁	16.034	16.034					6.992		6.992
义马	28.094	28.094					4.482		4.487
郑州	19.371	19.371					10.77	10.557	11.426
永城	14.223	14.223					6.46	9.971	4.64
湖南省	4.154		4.154	4.154			2.976		2.977
涟邵							2.822		2.822
资兴	4.154		4.154	4.154			3.175		4.031
白沙							3.095		3.095
四川省	9.115	9.474	8.649	8.649			4.196	3.028	5.098

续表

	机采工作面						非机采工作面		
	小计	（一）综采	（二）高普	其中：高档	其中：普采	（三）高普	小计	炮落机装	打眼放炮
广旺							5.059		5.059
芙蓉							4.215		4.215
攀枝花	8.649		8.649	8.649			6.042		6.042
达竹	4.837	4.837					3.52	3.52	
华蓥山	9.455	9.455					6.738	6.738	
隆昌							0.858	0.858	
重庆市	6.836	14.796	3.621	4.809	3.183		5.202		3.439
南桐							2.956		3.153
天府							8.381		
松藻	10.799	14.796	4.809	4.809			5.339		4.438
中梁山							31.099		
永荣	3.183		3.183		3.183		2.104		2.104
贵州省	9.927	15.537	8.136	8.136			5.67		5.67
六枝							2.901		2.901
盘江	8.893	12.501	8.224	8.224			6.447		6.447
水城	11.538	17.513	7.953	7.953			6.978		6.978
林东									
云南省							4.868		4.868
一平浪							3.959		3.959
来宾									
羊场							5.56		5.56
田坝							5.644		5.644
小龙潭									
后所									
恩洪									
陕西省	13.116	23.124	7.045	7.045			5.714	5.131	5.718
铜川	22.967	24.73	8.264	8.264			3.813	5.131	3.788
蒲白	6.07		6.07	6.07			6.172		6.172
澄合	8.823		8.823	8.823			5.394		5.394
韩城							7.681		7.681

续表

	机采工作面						非机采工作面		
	小计	（一）综采	（二）高普	其中：高档	其中：普采	（三）高普	小计	炮落机装	打眼放炮
崔家沟	9.098	16.147	4.996	4.996					
苍村	8.985		8.985	8.985			4.812		4.812
车村									
黄陵									
甘肃省	15.93	16.681	9.739	9.739			6.324	4.886	6.398
窑街	14.667	16.466	9.739	9.739			6.81		6.81
阿干镇									
靖远	16.788	16.788					5.71	4.886	5.813
华管会									
宁夏区	24.407	24.129	34.506	34.506			7.1		7.1
石嘴山	21.067	21.067					8.002		8.002
石炭井	26.043	25.691	34.506	34.506			6.768		6.768
灵武									
汝其沟									
新疆区	13.339	13.112	30.177	30.177			4.25	3.436	6.042
哈密	35.459	36.012	30.177	30.177					
乌局	18.141	18.141					5.683	4.532	6.042
艾维尔	1.888	1.888					3.254	3.254	
大屯	28.01	31.641	12.754	12.754		23.493			
平朔									
神华	66.338	143.997	9.701	9.844	9.301		3.779		3.779
神东	452.692	452.692							
乌达	10.516	15.848	8.041	6.88	9.301		4.54		4.54
海勃湾	12.787	18.939	9.712	9.712			4.155		4.155
包头	24.165	21.415	27.561	27.561			3.412		3.412
万利							3.592		3.592
准格尔									
呼企局									
伊敏河									

国有重点煤矿洗精煤产量

	入洗原煤合计 /t	冶炼用炼焦精煤 /t	产率 /%	灰分		全水量		
				/%	灰量	/%	水量	全水量
合计	162269492	88739809	54.69	9.64	8557694	10.05	9206217	91584995
河北省	23838019	10713802	44.94	9.63	1031812	10.91	1212907	11112931
开滦	14475295	5006191	34.58	10.04	502849	11.17	576150	5160304
峰峰	5447200	2939456	53.96	9.98	293453	10.82	335207	3096803
井陉	434292	166285	38.29	9.23	15340	10.73	18310	170710
邢台	3481232	2601870	74.74	8.46	220170	10.55	283240	2685114
邯郸								
山西局	21577467	12859436	59.6	9.73	1251853	10.06	1348009	13405880
西山	13982874	7822434	55.94	9.88	773184	9.67	787872	8148159
汾西	3442988	2307041	67.01	9.57	220736	10.13	240297	2373059
潞安	2312770	1580352	68.33	9.16	144807	11.02	184373	1672694
煤司	1838835	1149609	62.52	9.84	113126	11.18	135467	1211968
山西厅	6416291	3167516	49.37	9.5	300873	7.44	239192	3217064
霍州	6416291	3167516	49.37	9.5	300873	7.44	239192	3217064
辽宁省	5254236	3028284	57.64	8.33	252130	11.89	364709	3068021
抚顺	2815299	1610930	57.22	7.55	121555	11.38	179786	1580236
北票								
沈阳	2438937	1417354	58.11	9.21	130575	12.43	184923	1487785
吉林省								
通化								
黑龙江省	19360610	7133190	36.84	9.24	659459	12.35	936508	7580145
鸡西	3327954	1295664	38.93	9.48	122805	10.96	148890	1358540
鹤岗	4316390	1192343	27.62	8.57	102131	12.41	157274	1267461
双鸭山	2254722	1011738	44.87	8.36	84548	10.4	111322	1070855
七台河	9461544	3633445	38.4	9.63	349975	13.37	519022	3883289
江苏省	1409560	640450	45.44	8.91	57070	7.57	48994	647472

续表

	入洗原煤合计	冶炼用炼焦精煤	产　率	灰　分		全　水　量		
	/t	/t	/%	/%	灰　量	/%	水　量	全水量
徐　州	1409560	640450	45.44	8.91	57070	7.57	48994	647472
安徽省	8523154	4933291	57.88	9.94	490590	10.96	563506	5140430
淮　南	1917692	1102581	57.5	9.65	106426	9.04	100754	1115126
淮　北	6605462	3830710	57.99	10.03	384164	11.5	462752	4025304
江西省	1682444	675196	40.13	10.63	71785	14.25	105464	740102
萍　乡	1226722	430980	35.13	10.74	46280	15.02	71274	474434
丰　城	455722	244216	53.59	10.44	25505	12.87	34190	265668
山东省	38183939	27297112	71.49	9.82	2679409	8.04	2209116	27465987
淄　博	157546	82488	52.36	9.07	7484	10.85	8951	82488
新　汶	5860194	3779793	64.5	8.47	320054	9.09	348340	3831047
枣　庄	6342328	4350283	68.59	7.87	342344	8.45	371912	4399614
肥　城	354585	225688	63.65	10.12	22832	5.94	14258	239864
兖　州	25469286	18858860	74.05	10.53	1986695	7.75	1465655	18912974
河南省	7405992	4626659	62.47	9.55	441944	12.12	594163	4903854
平顶山	6338129	4370000	68.95	9.57	418278	12.38	575144	4645301
鹤　壁	1061427	253634	23.9	9.19	23311	7.31	18644	255153
义　马	6436	3025	47	11.74	355	11.03	375	3400
永　城								
湖南省	273816	198945	72.66	9.38	18664	10.81	22416	207441
株　洲	273816	198945	72.66	9.38	18664	10.81	22416	207441
四川省	5050933	2219098	43.93	9.16	203331	14.05	344424	2451857
广　旺								
攀枝花	2967077	1481116	49.92	8.8	130333	15.84	264784	1671943
达　竹	1243639	672699	54.09	9.72	65358	10.77	76981	714631
华蓥山	840217	65283	7.77	11.7	7640	4.07	2659	65283
重庆市	2034108	1088935	53.53	10.5	114337	10.29	118046	1146771

续表

	入洗原煤合计	冶炼用炼焦精煤	产率	灰分		全水量		
	/t	/t	/%	/%	灰量	/%	水量	全水量
南　桐	612053	342437	55.95	11.47	39280	10.13	36103	356225
天　府	270973	119648	44.15	12.14	14525	12.03	15054	125130
中梁山								
永　荣	1151082	626850	54.46	9.66	60532	10.05	66889	665416
贵州省	7276493	3539050	48.64	9.54	337719	9.15	325161	3554091
六　枝								
盘　江	4625828	2233838	48.29	9.41	210272	8.73	194918	2233838
水　城	2650665	1305212	49.24	9.76	127447	9.87	130243	1320253
云南省	2661884	1442968	54.21	11.08	159868	13.07	198071	1515877
一平浪	700429	456962	65.24	10.48	47900	13.43	65254	485760
羊　场	445889	287558	64.49	11.64	33469	13.87	42147	303918
后　所	734621	250413	34.09	11.84	29637	11.64	30031	257907
恩　洪	365079	258347	70.76	10.88	28106	12.98	35060	270098
田　坝	415866	189688	45.61	10.94	20756	12.91	25579	198194
陕西省	1182389	717477	60.68	9.63	69060	11.38	85679	752932
韩　城	1182389	717477	60.68	9.63	69060	11.38	85679	752932
宁夏区	2057246	1096142	53.28	10.48	114841	10.09	116925	1158258
石炭井	2057246	1096142	53.28	10.48	114841	10.09	116925	1158258
新疆区	695443	568787	81.79	9.17	52152	11.57	68240	589931
艾维尔	695443	568787	81.79	9.17	52152	11.57	68240	589931
大　屯	2407544	1303434	54.14	7.82	101907	11.42	154610	1353767
神　华	4977924	1490037	29.93	9.99	148890	9.55	150077	1572184
乌　达	1924758	784260	40.75	9.71	76119	7.81	62536	800960
海勃湾	3053166	705777	23.12	10.31	72771	11.35	87541	771224

全国煤炭销售量完成情况

单位：10^4t

单位	销售量				运量				非运量			
	2002 年	2001 年	比同期	±%	2002 年	2001 年	比同期	±%	2002 年	2001 年	比同期	±%
合计	136035.00	109203.98	26831.02	24.57	81851.59	76624.99	5226.60	6.82	61676.73	45012.16	16664.57	37.02
北京	1042.11	834.90	207.21	24.82	512.5	543.9	−31.35	−5.76	529.59	291.03	238.56	81.97
河北	5287.98	5197.16	90.82	1.75	5268.02	5234.11	33.91	0.65	1845.54	1916.04	−70.50	−3.68
山西	35932.66	28326.42	7606.24	26.85	26848.69	25750.74	1097.95	4.26	14788.22	8547.81	6240.41	73.01
内蒙古	7170.20	4433.95	2736.25	61.71	5585.08	5050.22	534.86	10.59	3420.21	1997.90	1422.31	71.19
辽宁	4755.90	3881.10	874.80	22.54	3241.05	3139.73	101.32	3.23	2008.00	1557.90	450.10	28.89
吉林	1361.42	1571.29	−209.87	−13.36	1432.50	1340.28	92.22	6.88	396.88	709.51	−312.63	−44.06
黑龙江	6358.52	5888.48	470.04	7.98	6081.97	5903.33	178.64	3.03	985.40	921.28	64.12	6.96
江苏	2428.83	2392.96	35.87	1.50	1226.26	1236.74	−10.48	−0.85	1202.57	1156.22	46.35	4.01
浙江	70.90	77.31	−6.41	−8.29	23.70	11.18	12.52	111.99	70.90	77.31	−6.41	−8.29
安徽	6132.61	5128.06	1004.55	19.59	4963.44	4432.43	531.01	11.98	2013.13	1457.65	555.48	38.11
福建	1361.08	1098.95	262.13	23.85	533.71	502.03	31.68	6.31	827.37	596.92	230.45	38.61
江西	1411.63	1339.39	72.24	5.39	968.74	1113.64	−144.90	−13.01	442.89	225.75	217.14	96.19
山东	12186.60	10401.10	1785.50	17.17	5299.68	4652.45	647.23	13.91	7299.80	6367.50	932.30	14.64
河南	10157.00	8157.19	1999.81	24.52	6584.57	5941.92	642.65	10.82	3925.02	3125.13	799.89	25.60
湖北	762.49	572.10	190.39	33.28	4.13	3.26	0.87	26.69	758.36	568.84	189.52	33.32
湖南	3649.40	2269.90	1379.50	60.77	1163.11	1286.94	−123.83	−9.62	2525.40	1070.90	1454.50	135.82
广东	161.80	175.39	−13.59	−7.75	552.38	527.39	24.99	4.74	161.80	175.39	−13.59	−7.75
广西	365.20	435.78	−70.58	−16.20	273.15	300.09	−26.94	−8.98	365.20	435.78	−70.58	−16.20
四川	4395.69	3715.26	680.43	18.31	1934.02	1578.85	355.17	22.50	2461.67	2136.41	325.26	15.22
重庆	1710.14	1604.49	105.65	6.58	964.55	969.90	−5.35	−0.55	1081.87	931.20	150.67	16.18
贵州	5236.01	3407.60	1828.41	53.66	2595.72	2180.41	415.31	19.05	2731.59	1749.02	982.57	56.18
云南	3105.34	2414.90	690.44	28.59	757.76	662.17	95.59	14.44	2732.66	2099.74	632.92	30.14
陕西	5765.53	3742.25	2023.28	54.07	2119.45	1587.67	531.78	33.49	3263.59	1979.90	1283.69	64.84
甘肃	2205.00	1919.00	286.00	14.90	965.81	852.82	112.99	13.25	1067.00	1122.00	−55.00	−4.90
青海	287.93	251.21	36.72	14.62	97.23	94.91	2.32	2.44	287.93	251.21	36.72	14.62
宁夏	1855.21	1703.55	151.66	8.90	1297.11	1245.97	51.14	4.10	991.19	884.05	107.14	12.12
新疆	3177.88	2689.33	488.55	18.17	496.86	430.38	66.48	15.45	2681.02	2258.95	422.07	18.68
神华	7699.94	5574.96	2124.98	38.12	6888.01	5174.14	1713.87	33.12	811.93	400.82	411.11	102.57
其他					60.38	51.56	8.82	17.11				

注：以上统计数据均由国家煤矿安全监察局调度中心提供。

领导人重要讲话

吴邦国同志在全国安全生产电视电话会议上的讲话

（2002 年 2 月 7 日）

刚才国家经贸委主任李荣融通报了去年全国安全生产的有关情况，福建、湖北、广东、山西四个省就本省安全生产工作发了言。下面，我讲两点意见：

一、充分肯定去年安全生产工作的成绩

从刚才通报的情况看，去年全国安全生产形势总体上明显好转，突出表现在全国重、特大事故发生起数和死亡人数比上年均有较大幅度下降，重点行业、重点领域的安全生产专项整治取得阶段性成果。去年全国一次死亡 10 人以上特大事故的起数和死亡人数分别比上年下降 18.1％和 27.6％。工矿企业特大事故起数和死亡人数下降 30％和 20.6％。其中煤矿特大事故起数和死亡人数下降 37％和 30％。特大火灾事故起数和死亡人数下降 77.8％和 92.4％。烟花爆竹爆炸事故起数和死亡人数下降 23％和 43％。道路交通特大事故起数和死亡人数下降 33％和 30％。水上交通特大事故起数持平，死亡人数下降 31.4％。民航全年没有发生飞行和空防安全事故。这些成绩来之不易，应予充分肯定。

党中央、国务院历来高度重视安全生产工作，江泽民总书记、朱镕基总理等中央领导同志多次作过重要指示。为加强安全生产工作，国务院采取了一系列重大举措。一是成立了国务院安全生产委员会，组建了国家安全生产监督管理局，健全了监督管理机构，加强了监督检查。二是发布了《国务院关于特大安全事故行政责任追究的规定》等法律法规，强化了安全生产责任制。三是部署了五个方面的专项整治，有效遏制了一些地区和行业重、特大事故多发的势头。四是加大了对特大事故的查处力度。各省、自治区、直辖市和国务院有关部门认真贯彻落实党中央、国务院的工作部署，普遍重视和加强了安全生产工作。针对本地区、本部门的薄弱环节和突出问题，进一步明确目标，落实责任，采取措施，强化监管，做了大量扎实而富有成效的工作。正是由于上下的高度重视，扎实工作，才使得安全生产专项整治工作取得了阶段性成果。这充分说明，党中央、国务院采取健全机构、完善法制、明确责任、强化督查、突出重点、集中整治的安全生产工作思路和方法是正确的，是行之有效的。

在充分肯定去年安全生产工作取得成绩的同时，必须清醒地看到，安全生产专项整治取得的成果只是阶段性的，不能估计过高，安全生产的基础还很不牢固。去年全国各类伤亡事故和死亡人数仍有上升，个别领域和个别地区重、特大事故接连发生。尤其值得注意的是，今年1月份，全国发生特大事故9起、死亡156人，其中煤矿就发生6起。安全生产形势仍很严峻。对此我们必须有充分认识，工作不能有丝毫的松懈。当前安全生产工作有四个带有普遍性的问题，要引起我们高度重视：

一是部分地方领导对安全生产重视不够，工作进展不平衡。一些地方特别是县、乡领导对贯彻落实党中央、国务院关于安全生产的一系列指示精神态度不坚决，工作不得力，甚至存在消极抵触情绪，使专项整治工作流于形式。一些应关闭整顿的小煤矿、个体运输户、烟花爆竹小作坊、小火药厂点和公共娱乐场所，有的明停暗开，有的未经验收就擅自恢复生产。

二是非公有制企业仍是安全生产工作的薄弱环节。一些不具备基本安全生产条件的非公有制企业见利忘义、违法生产，事故不断。去年非公有制企业发生的事故起数和死亡人数分别占全国58%和67%，其中特大事故起数和死亡人数分别占74%和72.2%。

三是安全生产基础工作还比较薄弱。相当一部分企业长期以来对安全生产设施投入严重不足，历史欠账较多，一些新建企业违反安全生产设施建设“四同时”的规定，安全设施不完善情况下就投入生产，埋下了事故隐患。更为普遍的是，一些企业安全生产责任制不落实，制度不健全，无专人负责安全生产工作，安全生产方面的培训、教育流于形式。

四是一些腐败问题影响和阻碍了安全生产专项整治和事故查处。有的领导干部直接参与办矿办厂，或者收受贿赂，充当非法业主的保护伞，使非法业主有恃无恐。

这些问题必须认真加以解决。否则，重、特大事故将难以遏制，来之不易的安全生产有所好转的局面将发生逆转，专项整治取得的阶段性成果将难以巩固。各地区、各部门要充分认识当前安全生产形势的严峻性和工作的艰巨性，高度重视，克服畏难和厌战情绪，增强责任感和紧迫感，坚持不懈地把安全生产工作抓紧抓实抓好。

二、努力做好今年的安全生产工作，促进安全生产形势稳定好转

今年是我们党和国家历史上具有重要意义的一年。做好安全生产工作，对于巩固和扩大安全生产专项整治阶段性成果，促进安全生产形势稳定好转，保障人民群众的生命财产安全，具有特殊重要的意义。各地区、各部门要以江泽民同志“三个代表”重要思想为指导，深入贯彻落实党的十五届六中全会精神，切实转变作风，按照“安全第一，预防为主”的方针，立足防范，落实责任，突出重点，强化监督，以对党、对人民群众生命财产安全高度负责的精神，把安全生产的各项工作落到实处。这里我强调四点：

（一）继续深入开展安全生产专项整治工作

去年部署开展的安全生产专项整治工作取得了明显成效。实践证明，以重、特大生产安全事故和公共安全事故多发、人民群众普遍关注的行业和领域为重点，集中开展专项整治，是解决安全生产薄弱环节和主要问题的有效措施。今年要在去年工作的基础上，以危险化学品安全管理、煤矿安全为重点，继续深入开展五个方面的安全生产专项整治工作，务求取得实效。

一是全面开展危险化学品安全管理专项整治工作。这几年，危险化学品泄漏和丢失等安全事故时有发生，并呈逐年上升势头，对人民群众生命财产构成严重威胁，造成了极坏的社会影响。江总书记等中央领导同志对此高度重视，多次批示，要求对危险化学品从各个环节上加强管理，确保广大人民的生命安全。为此，国务院修订发布了《危险化学品安全管理条例》，并决定由国家经贸委牵头，会同有关部门在全国范围内开展专项整治工作。各地区、各部门要按照统一部署，认真贯彻执行《条例》，从生产、经营、储存、运输、使用和废弃物处置等各个环节，狠抓危险化学品的安全整治，切实加强监督管理，严禁非法生产、经销、运输和使用危险化学品。一要从生产使用环节入手，关停一批非法的、不具备安全生产条件的和严重污染环境的危险化学品生产厂、生产线，以及使用危险化学品的小金矿、小电镀厂等，消除事故隐患。二要加强危险化学品的储运管理，严禁使用不符合安全要求的车辆、船舶等运输工具运输危险化学品。三要严格危险化学品的包装管理。四要加强对危险化学品经营企业和销售网点的清理整顿，依法规范销售行为。五要对氰化物等剧毒化学品实行全程动态跟踪管理。通过整顿，强化危险化学品的安全管理，坚决遏制危险化学品重、特大事故的发生。

二是深入开展煤矿安全专项整治。煤矿事故占到全国工矿企业生产安全事故的六成，搞好煤矿安全生产，就抓住了工矿企业安全生产的大头。目前煤炭市场趋于平衡，煤价上涨，一些小煤矿见利忘义，铤而走险，对煤矿安全生产构成极大威胁。各地区和有关部门要按照郑州现场会和国办 68 号文件精神，把关闭整顿小煤矿的工作一抓到底，巩固和扩大整治成果。一要对“四个一律关闭”的小煤矿坚决关实关死，严防死灰复燃。二要做好乡镇煤矿的整顿验收工作，严把复产验收关和核发“四证”关，确保整顿验收的质量。验收合格的方可恢复生产，对验收不合格的，要采取强硬措施，坚决关闭。三要加大国有煤矿的安全整治力度，对存在重大隐患的要停产整顿。四要加大煤矿安全监察执法的力度，对由于监督不力造成的生产安全事故，要追究监察执法部门领导和直接责任人的责任。

三是狠抓民爆物品和烟花爆竹的安全整治。对已经取缔的非法小火药厂、烟花爆竹小作坊以及经销民爆器材和烟花爆竹的网点，要加强监控，严防死灰复燃。生产和销售烟花爆竹的单位要建立健全并严格执行各项管理制度，落实有关安全生产设施。执法监督部门要加大对这些单位日常监督检查工作的力度，确保安全生产。要切实加强对硝酸铵生产、销售、使用的监督管理。要在充分调查研究的基础上，做好被用于非法制造土炸药的硝酸铵的改性工作。

四是下大力量抓好交通运输的安全整治。道路交通事故死亡人数占全国事故死亡总人数的八成以上，遏制道路交通事故上升的势头，对安全生产形势稳定好转至关重要。道路交通安全工作量大面广，做好这项工作难度也很大，正是因为这样，更要加大工作力度。要以预防公路客运重、特大事故和整顿规范水上运输秩序为重点，加强客货运输安全管理，扭转交通运输群死群伤事故多发的局面。

五是继续深入开展公众聚集场所的消防安全整治。要认真贯彻执行《消防法》等法律法规，落实消防安全责任制，加强公共消防设施的建设，提高防御火灾能力。对重大火灾隐患要跟踪监督，限期整改。

以上五项专项治理工作的有关牵头单位，要在总结去年工作的基础上，召开专题会议，部署今年的工作。

（二）加强安全生产基础工作

企业要落实安全生产责任制，建立健全安全生产的各项规章制度并严格执行，改变那种责任不清、纪律松弛、管理不严、有章不循的状况。要有专人具体负责安全生产工作，并赋予相应的权力。要加强日常的监督检查，发现隐患，及时整改，坚决制止和纠正违章指挥、违章作业、违反劳动纪律的“三违”现象，把安全生产的各项制度和要求真正落到实处。要继续搞好安全培训，提高职工队伍的安全素质和自我保护能力，对从事特种作业人员必须按照国家有关规定，经过严格培训，考核合格后持证上岗。要加强安全生产宣传教育工作，组织开展好以“安全责任重于泰山”为主题的“安全生产月”活动，强化全民安全生产意识。

要加大安全生产投入。企业要集中力量完善安全生产设施，弥补安全欠账，消除隐患，改善作业环境和条件。今年国家技改贴息资金将重点支持国有大中型企业安全生产设施的更新改造，地方政府也要加大支持力度。煤矿安全投入欠账比较多，要抓住煤炭生产形势好转的有利时机，围绕“一通三防”，加强安全技术改造，完善各项安全生产监测和防范措施，提高安全生产综合防御能力。要防止急功近利、只顾眼前利益的短期行为，所有建设工程项目都必须严格执行安全设施和主体工程同时设计、同时施工、同时验收、同时投入使用的“四同时”规定，绝不能以节省投资为借口削减安全生产的必要设施。

（三）强化安全监督管理

各级安全生产监督管理部门要认真履行职责，切实负起责任，充分发挥安全监管部门综合监督、管理和协调的作用，加大安全生产监督工作力度，增强安全生产监督的权威和威慑力。各级安全监管机构要围绕安全生产工作重点，加强对重点行业、重点领域和重点地区、重点单位以及重大危险源的日常监控和专项督查，发现问题限期纠正，最大限度地消除事故隐患。要把非公有制企业纳入全社会安全生产监督管理的范围，加大监管力度。对发生的各类事故，要一查到底，依法严肃查处事故责任人。同时要充分发挥舆论的监督作用，形成宣传舆论和社会监督氛围。

各地要结合机构改革，建立健全分级管理的安全生产监管体系，做到机构、人员、职能、经费“四落实”。成立国家煤矿安全监察局是市场经济条件下做好煤炭安全生产工作的重大措施。目前一些省级煤矿安全监察局与煤炭行业管理部门仍然是两块牌子、一套班子，自己监督自己，难以有效履行安全监察职能，不利于公正执法。这里我再次强调，省级煤矿安全监察局与煤炭行业管理部门必须彻底分开，使煤矿安全监察机构的工作重心真正转到煤矿安全监察执法上来。各地对不适应煤矿安全监察工作的领导要坚决调整。这项工作要在今年一季度完成，不能再拖。

（四）进一步落实安全生产责任制

安全生产工作事关人民群众的根本利益，事关改革、发展、稳定的大局。各地政府一把手是本地区安全生产工作的第一责任人，必须对本地区安全生产工作负总责，确保一方平安。县乡处于安全生产工作的第一线，也是安全生产监督管理工作的薄弱环节，落实县乡责任是今年落实安全生产责任制的重中之重。各地要按照《国务院关于特大安全事故行政责任追究的规定》的精神，制定实施细则，加大对县乡领导干部安全事故行政责任的追究力度。对发生的重、特大安全责任事故，不仅要追究直接责任人的责任，还要追究领导干部的行政责任。同时要按照“谁审批、谁负责”的原则，对承担涉及安全生产经营审批和许可事项的主管部门和有关责任人员，也要追究相应责任。

最后，我再强调一下春节期间的安全生产工作。各地区、各部门、各单位要按照中办、国办和国务院安全生产委员会有关通知要求，切实做好节日期间的安全生产工作。“春运”已进入高峰，要把春运的各项工作进一步精心组织安排好，确保公路、铁路、水路、航空运输的安全畅通，确保民工有序流动，确保广大人民群众出行的安全。要切实加强烟花爆竹、危险化学品的管理，严禁携带易燃易爆物品和危险化学物品乘坐汽车、火车、轮船、飞机等交通工具。对节日期间举办的各种大型娱乐活动，主办单位和有关部门要切实负起责任，精心组织，确保万无一失。要把旅游场所、娱乐场所、大型商场、机场、车站、码头、油库等公共场所和要害部门作为安全防范的重点，落实各项防范措施，制定应急预案，加强安全保卫，保证全国人民过一个安全、祥和、欢乐的新春佳节。

李荣融同志在全国安全生产电视电话会议上的讲话

（2002 年 2 月 7 日）

去年 4 月 28 日召开的全国安全生产电视电话会议，全面部署了五项安全生产整治工作。经过集中整治，一大批非法和不具备基本安全生产条件的小矿、小厂、交通运输工具，以及公共娱乐场所等受到清理，退出了生产领域和市场，一大批事故隐患得到整改；许多企业安全生产基础工作加强，安全生产条件改善；全国特大事故频发势头得到遏制，安全生产状况逐步好转。

第一，民用爆破器材和烟花爆竹的安全整治。全国共检查涉爆单位 29.8 万个，督促整改 7.5 万处事故隐患；取缔爆炸物品产销厂点 19.8 万个。对 1466 家民爆器材生产、流通企业进行全面检查，责令停产整顿 160 家，关闭 54 家。

第二，道路和水上交通运输安全整治。全国共拆除非法改装车 3 万多辆，查获假机动车牌号、假行驶证、假驾驶证 3 万个，无牌、无证机动车 50.7 万辆。在水上交通整治中，490 多艘客船、1500 多艘货运船，共计 3.73 万客位和 79 万吨的老旧船只被强制拆解或停航。

第三，危险化学品储运的安全整治。交通管理等部门对从事危险化学品运输、经销的有关资质进行了全面的清理核查。取消和暂停了 20043 户不符合资质条件的经营业户，取消和停运了 27214 辆不符合标准的车辆，个体户已全部退出危险化学品运输市场。

第四，公共聚集场所消防安全整治。全国累计检查了 94 万个单位，督促整改火灾隐患 152 万处，依法取缔歌舞厅、录像厅等公共娱乐场所 1.1 万个。去年全国发生一次死亡 10 人以上的特大火灾事故 2 起，死亡 38 人，比上年减少 7 起，少死亡 463 人，分别下降 77.8％和 92.4％。

第五，煤矿安全整治。国有煤矿累计停产整顿 756 处，限期整改的 897 处，分别占国有煤矿总数的 27％和 32％，整改各类隐患 2 万多处。采取了“四个一律关闭”、“四证”发放和复产验收权上收到省级人民政府等硬措施。1997 年全国小煤矿为 8.2 万处，到 2000 年年底减少到 33977 处，去年又关闭了 12269 处，小煤矿减少了近 6 万处。其中关闭国有煤矿办的小井 1208 处。全国煤矿一次死亡 10 人以上的特大事故起数和死亡人数，比上年分别下降 37％和 30％。

除上述五个方面的专项整治外，各地人民政府和铁路、民航、国防科工、建设、旅游、林业、文化、教育、广播电视和石化等系统，也从各自实际情况出发，有针对性地组织开展了安全整治活动，并取得了一定的成效。北京、上海、天津、宁夏、福建、湖北、河北和安徽等省（自治区、直辖市）整治成效比较显著，有的全年杜绝了一次死亡 10 人以上的特大事故，有的把特大事故降低到 1 起。

据统计，2001 年工矿企业共发生职工伤亡事故 11382 起，死亡 12454 人，分别比上年上升 6.1％和 5.9％。其中矿山企业伤亡事故 4371 起，死亡 7492 人，分别比上年上升 27.4％和 11％。矿山企业中，煤矿伤亡事故 3082 起，死亡 5670 人，比上年少死亡 128 人；非煤矿山企业伤亡事故 1289 起，死亡 1822 人，同比分别上升 81.8％和 91％。非矿山企业发生伤亡事故 7011 起，死亡 4962 人，分别比上年下降 4％和 1％。

全国共发生火灾（不含森林、草原等火灾）215863 起，死亡 2314 人，伤 3752 人，直接经济损失 13.9 亿元，分别比上年同期上升 14.14％和下降 23.4％、14.8％、8.4％。

发生道路交通事故76.03万起，死亡10.6万人，伤54.9万人，直接经济损失30.9万元，同比分别上升23.2%、13.3%、33%和15.9%。其中，一次死亡10人以上的特大事故39起，死亡639人，同比分别下降32.8%和29.8%。万车事故死亡率总体呈下降趋势，去年下降到万分之十五点七。

发生水上交通事故644起，死亡和失踪490人，同比分别上升12.6%和下降5.2%。其中，一次死亡10人以上的特大事故7起，死亡162人，同比起数持平，死亡人数下降31.4%。

铁路全路发生重大事故11件，比去年减少6件，下降37.5%。第四次提速调图实现了安全、平稳、有序。发生铁路路外伤亡事故12335件，死亡8409人，同比分别下降7.4%和5.7%。

民航系统没有发生运输飞行事故、通用航空事故及重大航空地面事故，已连续18个月保持运输飞行安全。

2001年全国共发生一次死亡10人以上特大事故140起，死亡2556人，分别比上年下降18.1%和27.6%。其中一次死亡30人以上的特大事故16起，死亡707人，同比起数持平，死亡人数减少514人，下降42.1%。最大的两起事故是：江苏徐州贾汪区“7·22”特大瓦斯煤尘爆炸事故，死亡92人；广西南丹“7·17”特大透水事故，死亡81人。

工矿企业共发生一次死亡10人以上的特大事故64起，死亡1328人，分别比上年下降29.7%和20.6%。其中煤矿49起，死亡1015人，同比下降37.2%和30%。

需要说明的是，随着安全生产责任制的落实，安全监管工作的强化，加上全社会安全意识的增强，社会舆论特别是新闻媒体监督作用的充分发挥，伤亡事故瞒报、漏报现象明显减少，而且事故及其调查处理结果的透明度也明显提高了。及时、如实、客观地上报安全生产信息，正在成为各级领导自觉履行的职责，这有利于我们正确认识安全生产形势并作出正确的决策。

欧新黔同志在煤矿安全整治会议上的讲话

（2002年4月9日）

国家安全生产监督管理局、煤矿安全监察局召开这次会议，贯彻落实党中央、国务院关于安全生产工作的一系列重要指示，部署深入开展煤矿安全专项整顿工作。刚才，宝明同志代表国家局党组总结回顾了前一阶段的工作，明确了今年煤矿安全整治的目标和重点，并就如何进一步加强和改进煤矿安全监察工作，提出了具体要求。我想借此机会，首先向大家简单通报一下当前的经济形势，并对做好今年的煤矿安全生产工作讲几点意见。

一、国民经济运行良好，工业生产呈现较快增长势头，煤炭行业经济形势继续呈现恢复好转

今年是我国加入世贸组织的第一年。国民经济运行情况，包括工业经济运行动态，受到各方面密切关注。从目前掌握情况看，一季度，国民经济开局良好，工交经济运行中出现了一些积极变化。主要表现在：工业生产呈现较快增长势头。1～2月，规模以上工业企业累计完成增加值4038亿元，同比增长10.9%，增速比去年四季度加快2.4个百分点。出口保持较快增长。工业出口交货值完成2303亿元，增长12.8%，增幅与四季度基本持平。产销衔接稳定。工业产品销售率为96%，同比提高0.4个百分点。实现利润下降。规模以上工业企业实现利润430亿元，同比减少55亿元，下降11.3%；其中国有及国有控股企业实现利润170亿元，减少96亿元，下降36.1%。

煤炭行业经济形势继续恢复性好转，但部分地区已出现供大于求的迹象。1～2月，全行业完成不变价总产值142亿元，同比增长24.5%；产销率为100.8%，实现利润10.16亿元，同比减亏增盈11.42亿元。其中，原中央财政国有重点煤矿商品煤综合平均售价回升至162.65元/吨，同比提高20元/吨，实现盈利2.31亿元，同比减亏增盈2.65亿元，应收煤款同比减少52.1亿元。但是，目前煤炭经济运行中已出现的苗头性问题必须引起我们的高度重视。一是煤炭产量增长过猛，部分地区已经出现供大于求的迹象。1～3月份，全国煤炭产量达到2.64亿吨，同比增长16.4%，其中，山西、山东、黑龙江等重点产煤省区和企业的增幅均在27%以上。产量的过快增长，已经超出了市场需求，致使一些地区的煤炭价格开始呈下滑态势。据了解，山东省国有重点煤矿2月份煤炭综合平均售价已比1月份下降了8.7元/吨；秦皇岛港山西煤的市场价格比年初也下降了20～30元/吨，由于用户接煤不积极，港存煤达到370万吨，创历史最高水平。二季度是用煤淡季，如不采取有效措施，我们预计，这种下滑趋势将会进一步加剧。二是煤炭出口增速大幅回落。自1999年以来，煤炭出口一直是煤炭行业的亮点工程，连续3年高速度增长。但进入2002年以来，受世界经济复苏缓慢、煤炭需求增长乏力特别是煤价下滑的影响，出现了煤炭出口价格与国内价格倒挂的问题，影响了煤矿企业扩大出口的积极性。一季度，在执行上年合同价格的有利形势下，出口量也仅比去年同期增长1.7%，增速同比下降了58个百分点。4月份执行新的年度合同后，动力煤价格有可能进一步降低，扩大出口的形势将更加严峻，全年完成9000万吨至1亿吨的任务比较艰巨。三是关闭整顿小煤矿工作进展不平衡。主要表现在：首先，个别地区安全生产条件差、证照不全的小煤矿仍在生产，今年以来已发生了几起无证小煤矿瓦斯爆炸事故。其次，部分省区停产整顿小煤矿的复产验收进展缓慢，截止到2月底，河北、辽宁、安徽、湖北、云南、甘肃、青海等省的小煤矿经过省级有关部门验收的比例低于40%。再者就是在煤炭市场好转后，有些地区放松了对已关闭小煤矿的监督检查，为死灰复燃提供了可乘之机。四是成本增加过快，经济效益增幅将逐月走低。去年的煤炭价格走势是“前低后高”，今年我们预计将是“前高后低”。因此，虽然目前的煤炭价格同比有一定幅度的增加，但主要煤炭市场和主要产煤地区已呈下降之势，企业增收的幅度将越来越低，但企业的成本和各项费用却在大幅度增加，前两个月，全国规模以上煤炭企业的销售成本增长了38%，其中销售费用增长了52.8%。这势必导致经济效益增幅逐月下降。

对于以上问题，必须引起我们各级经贸委、煤炭管理部门以及煤炭生产企业的高度重视，否则，煤炭行业将会再度滑落到产品供大于求、企业经营困难的被动局面。为此，最近国家经贸委连续下发了《关于进一步加强关闭整顿小煤矿工作的通知》和《关于加强煤炭行业总量调控工作的通知》，希望各单位能够结合本地实际情况，抓好落实，务求实效，坚决遏制盲目增产和已关闭小煤矿死灰复燃严重的势头，继续推进压缩过剩、落后生产能力的工作，已淘汰的生产能力，绝不能以任何借口和形式恢复生产。

二、突出小煤矿这个重中之重，采取过硬措施严防死灰复燃，巩固发展煤矿安全整治成果

解决好小煤矿的问题，是煤炭工业经济结构调整的中心任务，也是煤矿安全生产工作的关键环节。在煤矿安全专项整治中，要始终紧紧盯住小煤矿这个重中之重，狠抓关闭整顿和各项整治措施的落实。

当前小煤矿的问题突出表现在：一是该关的不关，由于少数地方工作不到位，对非法矿主打击不力，一部分不具备安全生产条件、本应关闭的小煤矿，未能按要求予以关闭。时至目前，一些地方还存在“两证”不全的非法矿井；二是关井标准低，造成关而不实，关而不死，为这些矿井重新恢复生产保留了有利的条件。在煤炭市场销售转旺和高额利润驱动下，各地小煤矿死灰复燃现象大有愈演愈烈的趋势。如不拿出过硬措施迅速制止，一个时期来的煤矿安全整治成果就有可能丧失，煤矿安全状况的稳定好转就难以实现，国有煤炭企业扭亏增盈的好势头也难以长期保持下去。

为此，各地政府要把关闭整顿小煤矿的工作，继续摆在重要位置上，继续下功夫抓紧抓好，确保国务院办公厅2001年25号、68号文件的各项要求，以及国务院召开的郑州现场会精神，在本地区得到不折不扣的贯彻落实。

一是要抓好复产验收，验收不合格的立即关闭。停产整顿小煤矿的复产验收工作，必须严格按照规定的标准，在确保质量的前提下抓紧进行。凡验收不合格，未能通过省级政府的批准并重新核发“四证”的小煤矿，必须一律列入关闭取缔对象，立即予以关闭，不得以任何借口拖延。

二是所有关闭的小煤矿，都必须按照规定标准关实关死，不留后患。所有关闭的小煤矿，都要收缴吊销其所有的证照；生产建设技术资料和地质资料，要统一收缴到煤炭管理部门；火工用品由当地公安部门进行清理和统一处理；矿井井筒要毁闭，井口场地要平整，矿井设备和供电、通讯线路、供水管路要全部拆除，不留从业人员，矿井财产得到妥善处理。主管部门对被关闭矿井检查验收，填写“关闭矿井报告单”，按隶属关系上报；在省级报纸发布关闭矿井公告。

三是加强监督检查。近期，各地政府要组织煤炭行业管理、工商、公安、电力和煤矿安全监察等部门，联合进行关闭整顿小煤矿工作的检查和执法。发现已关闭小煤矿、停产整顿未经验收或验收不合格小煤矿非法恢复生产的，要没收其全部非法所得，强制关闭，依法追究小煤矿业主的刑事责任。并按照省级人民政府制定的行政责任追究办法，逐级追究地方政府主要领导以及火工品、电力供应、矿区流动人口和劳动用工管理等有关部门主要负责人的责任，涉及腐败问题的要从重从严查处。对经批准恢复生产后管理松弛、重新出现严重事故隐患的小煤矿，要责令其立即停产整顿，在规定期限内达不到要求的一律关闭。

四是要加强宣传，发动群众进行监督。各地要把国家关闭整顿小煤矿和深入开展煤矿安全整治的有关精神，传达贯彻到各级干部和矿区群众中去，做到家喻户晓，人人皆知。加大宣传教育力度，把煤矿安全整治和关闭整顿小煤矿的工作，置于社会各界和广大群众的监督之下。对已关闭小煤矿死灰复燃的，违法违规导致重、特大事故的，对抗安全整治造成严重后果和恶劣影响的，领导干部充当非法矿主保护伞的，要在严肃查处的同时，在媒体上进行揭露和曝光。

在抓好小煤矿这个重中之重的同时，还要切实抓好国有地方煤矿的安全整治，明确国有地方煤矿的安全整治责任，加强和改进安全生产基础工作，坚决扭转这类煤矿事故多发的局面；切实搞好国有重点煤矿的安全工作，用好国家安全技术改造政策，完善矿井“一通三防”设施设备，防止盲目突击生产，坚决遏制重、特大事故的发生。

三、加强领导，搞好组织协调，确保整治工作的顺利进行

国务院已经明确，包括煤矿安全整治在内的五项安全整治，由地方人民政府负责组织实施。各地政府要落实煤矿安全整治领导责任制，切实解决好县、乡基层干部的思想认识问题，增强各级干部抓好整治工作的自觉性。要按照这次会议的统一部署，参照国家煤矿安全监察局下发的深入整治方案，紧密结合实际，尽快拿出本地区整治工作具体方案，明确整治重点和步骤、措施，把煤矿安全整治工作落到实处。

煤矿安全监察机构在煤矿安全整治中，肩负着十分重要的职责，必须全力以赴，密切配合。要把煤矿安全整治工作的实际效果，煤矿安全状况是否得到明显改善，作为衡量监察执法工作成效的重要标准。要自觉坚持“预防为主”的监察工作方针，要把事后监管与事前监管结合起来，把监察执法的着眼点往前移，及时发现和消除煤矿事故隐患，有效纠正影响煤矿安全的错误行为。要把整治工作的难点作为监察执法的重点，加大监察执法工作力度，依法关闭不具备基本安全生产条件的小煤矿；依法制裁已关闭小煤矿死灰复燃现象；依法纠正违法违规指挥和作业行为；依法查处煤矿事故，追究事故责任，通过强有力的行政执法，促进煤矿安全整治工作。

做好煤矿安全整治工作很重要的一条是一定要增强法律意识，做到依法行政。宝明同志的报告中也提到：要加强法律知识的学习，了解和掌握法律是执法人员的基本要求。对《煤炭法》、《煤矿安全监察条例》和《煤矿安全规程》要认真学习，严格执行。《煤炭法》是1996年公布并于12月1日起实施，共8个章节，187个条款，对煤炭生产开发、规划、煤矿建设、煤炭生产与安全、经营、矿区保护、监督、检查、法律责任都有明确的法律规定。对于乱采滥挖、破坏资源，污染环境、破坏生态平衡；对于无照经营、无照生产；对无视安全、违章指挥、玩忽职守、徇私舞弊、滥用职权构成犯罪等都有明确的法律规定。如果在办矿一开始严格依法办理，就会减少许多发生事故的隐患。对法律条款，不仅执法人员要认真学习，熟练掌握，还要加强宣传，要让所有从事煤炭工作的人员了解法律规定，依法办事，依法行政。这样才能真正做到标本兼治，事后监管与事前监管结合起来，把煤矿安全整治工作真正落到实处。

煤矿安全整治是一项艰巨的工作任务，牵扯到方方面面。要在地方政府的统一领导下，在煤矿安全监察机构、煤炭行业管理部门的协调配合下，调动国土资源、工商管理、公安、检察、电力、税务等相关部门的积极性，分口把关，协同作战，形成煤矿整治工作的强大合力。

王显政同志在安全生产工作座谈会上的讲话

（2002年7月9日）

这次座谈会，主要是贯彻落实最近一个时期国务院领导同志关于安全生产的重要指示，总结上半年的工作，分析当前的安全生产形势，按照国务院的统一部署，安排下半年的工作任务，进一步统一思想，完善思路，认真履行好国家赋予我们的职责，依法强化安全监管，加大安全监察执法力度，遏制重、特大事故多发的势头，促进全国安全生产状况的稳定好转，开创新的局面。

一、认清当前安全生产的形势，增强做好安全生产工作的责任感和使命感

国家安全生产监督管理局组建两年来，认真贯彻落实党中央、国务院的一系列重要指示，一手抓机构组建和队伍建设，一手抓安全生产监督管理和煤矿安全监察，为减少特大事故和死亡人数，促进全国安全生产状况趋于好转，付出艰苦努力，取得了很大成绩。主要标志：一是基本建立起全国统一、垂直管理的煤矿安全监察体制；二是加快了安全生产法制建设步伐，具有中国特色的安全生产法律法规体系正在逐步建立；三是分级管理的安全生产监管体系开始建立；四是开展了安全生产专项整治，并取得阶段性成果。

今年以来，按照国务院安委会第二次全体会议的部署和邦国副总理2月7日、5月14日在两次电视电话会议的讲话要求，主要抓了以下工作：一是对深化五项安全生产专项整治，特别是煤矿与非煤矿山、危险化学品安全整治专门开会进行了安排部署，下发了专项整治方案。这项工作正在深入展开。二是加快安全生产立法工作。经过努力，《安全生产法》已经全国人大常委会28次全体会议审议通过，江泽民主席6月29日签署第70号主席令予以公布，自今年11月1日起施行。三是加强安全督查工作。先后于“两会”期间和6月份，在国家经贸委统一组织下，集中开展了两次全国安全生产大检查，对存在的隐患和问题，提出了整改的意见。四是组织开展了第一次“全国安全生产月”和“安全生产万里行”活动，加强了安全生产宣传教育，进一步强化人们的安全意识。五是基本完成了18个省级煤矿安全监察局与煤炭行业管理机构的分离工作，为各煤矿安全监察局的职能转变创造了体制条件。实践表明，党中央、国务院关于安全生产的一系列重大决策是正确的，我们的各级班子和干部队伍，是值得信赖的。

经过上下的努力工作，全国安全生产状况总体上向稳定好转的方向发展。全国除民航、道路交通外，其他行业事故都是下降的。但是，由于我国安全生产工作基础比较薄弱，安全生产的形势依然严峻。一是全国事故总量居高不下。1～5月份全国共发生各类事故447043起、死亡52834人，同比分别上升9%和5.8%；二是特大事故时有发生，有时还比较集中。截止到6月30日全国共发生特大事故68起、死亡1371人，同比事故起数下降1.5%，死亡人数上升9.6%。今年除两起空难之外，煤矿、道路交通等方面的特大事故也比较多。上半年全国煤矿共发生特大事故28起、死亡579人。特别是国有大矿特大事故明显增多，像淮北芦岭矿、开滦林西矿、攀枝花花山矿、鸡西东海矿，都发生了特大的瓦斯爆炸事故，尤其是鸡西城子河煤矿“6·20”特大瓦斯爆炸事故，死亡115人，在社会上造成恶劣影响；上半年道路交通发生特大事故27起、死亡407人，同比分别上升8%和7.4%。三是事故隐患普遍存在且相当严重。从今年以来两次安全大检查看，安全上的隐患可以说无处不在，而且很多隐患没有认真整改。

分析当前安全生产工作中的突出问题，仍是邦国副总理指出的“落实不下去，严不起来”。具体表现在：

一是思想认识上有差距，责任制不落实。在一些领导同志的头脑里“安全第一”的思想树得不牢，抓安全生产的积极性从上到下呈现层层衰减、逐级弱化趋势。特别是一些县、乡政府和企业的负责人，仍然摆不正安全与生产、安全与效益的关系，存在着重生产、轻安全的倾向，安全生产责任制不落实。鸡西城子河煤矿“6·20”特大瓦斯爆炸事故，就是由于在“一通三防”上责任不落实，管理不到位而导致的。

二是生产力发展水平低且参差不齐。特别是大量非公有制小企业、小网点，技术落后，质量低劣，根本不搞安全投入，作业条件差，事故频发。今年以来全国发生的68起特大事故中，非公有制经济成分的占了60%。5月份煤矿发生的9起特大事故，都在小煤矿。2月18日河北唐山古冶区一非法个体游戏厅发生火灾，死亡17人。6月16日北京海淀区一非法个体网吧发生火灾，死亡21人。

三是企业安全生产基础工作薄弱，安全投入严重不足，安全防御能力下降。据统计，全国561处国有大中型矿井中，高瓦斯矿井占277处，其中有154处未建立瓦斯抽放系统，有231处无安全监控系统，安全欠账达30多亿元。一些资源枯竭的小矿山，企业关门走人了，但尾矿库等事故隐患留下了，严重威胁着人民群众的生命财产安全。

四是安全生产监督管理不到位，责任追究不严。一些单位对安全生产规章制度执行不严，对“三违”现象熟视无睹。一些地方监督检查流于形式，对事故责任者追究查处不严厉、不彻底，大事化小，小事化了。一些被列入关闭整顿的小企业、小煤矿、个体运输户、烟花爆竹小作坊、小火药厂点和一些公共娱乐场所等，以停代整、明停暗开。个别地方已关闭取缔的小矿小厂，又出现死灰复燃。

五是安全生产监督管理体制不健全。目前各地的安全生产监管机构形式多样，全国分级管理的安全监管体系还不健全，尤其是地（市）县两级，安全监管机构不落实，人员不到位，职责不清，不适应市场经济条件下强化政府安全生产监管职能的客观要求。

除以上问题，我们还要看到，随着改革的不断深化、经济的持续发展和社会的全面进步，也对安全生产工作提出新的要求，使我们面临着一系列新的挑战。主要表现在以下几个方面：

一是搞好安全生产，减少伤亡事故，是我们党和国家的性质决定的，也是人民群众根本利益之所在，更是忠实实践江总书记“三个代表”重要思想的具体体现。搞好安全生产，不但有利于人民群众生命财产安全，也有利于促进经济发展、社会进步，有利于改革和稳定。对此，我们必须从讲政治的高度，提高认识。目前，安全生产已成为人们关注的热点和舆论追踪的焦点之一，越来越被社会各界所重视。在安全生产上，几乎每一次大的事故，每一项重大举措的出台，都会引起各方面的反响。安全生产确实关系到改革发展稳定的大局。我们各级安全生产监督管理部门和煤矿安全监察机构，所担负的使命和责任是非常重大的，必须本着对党和人民高度负责的精神，增强使命感，增强自觉性，尽心竭力做好自身的工作。

二是我国加入世界贸易组织，要求安全生产工作必须上一个新的台阶。加入世贸组织意味着我国将在更广阔的领域和更深层次上扩大开放，必须执行国际通行的一些市场规则，安全生产也不例外，必须遵循国际的通用规则，借鉴国外的先进经验，加大政府对安全生产的监管力度，推动安全生产监督和管理的创新，尽快建立健全安全生产法律法规体系，改善职业安全状况，扭转事故多发局面，以适应我国加入世界贸易组织的客观要求。

三是建立社会主义市场经济体制，要求安全生产监管工作必须与之相适应。市场经济是法制经济，依法治国是我国的基本方略，作为政府必须加大对市场的监管，加大相关监督部门的工作，这是市场经济的必然要求。安全监管作为市场经济监管体系的一个子系统，是建立正常的市场经济秩序的重要环节。随着经济体制改革的深化，随着非公有制经济成分的大量出现，以及承包、租赁、股份合作等经营形式的多样化，我们迫切需要探讨市场经济条件下实施安全生产有效监管的新思路、新方法和新途径。

四是安全生产作为衡量社会进步和文明程度的一个重要标志，必须不断开创新局面。随着经济和社会的全面发展，人们对维护自身权益的意识会越来越强，安全文化素质也会越来越高。在安全生产上，我们与世界许多国家的差距很大。以煤矿百万吨死亡率为例，美国是 0.03，一年也就是 30 几个人。波兰是 0.23 以下，印度是 0.5 以下，俄罗斯是 0.7 以下，南非是 0.23。而我国，即使设备和条件都有一定基础的国有重点煤矿，目前百万吨死亡率高达 1.27～1.47。安全状况不好，不仅直接影响着国民经济的发展，也损害我国的国际政治形象，有损于社会主义制度的优越性。

总之，新的形势和任务，对安全生产工作提出了一系列新的挑战和要求。面对新形势、新任务，我们确实在思想观念、工作方式、自身素质等方面存在一些不适应的问题。尤其是按照党中央、国务院的要求，距全国人民的期望，还有很大差距。对此，我们要看到差距，认清努力的方向，以与时俱进、奋发向上的精神状态，主动迎接各方面的挑战。应该看到，尽管目前安全生产领域存在的问题很多，但是有利条件也很多：一是党中央、国务院高度重视。各级政府和有关部门安全生产责任制进一步落实，相继采取一系列措施；二是安全生产法律法规体系逐步健全，特别是《安全生产法》审议通过，为依法强化安全监管提供了法律保障；三是全社会“关爱生命、关注安全”的舆论氛围正在形成，舆论监督和群众监督的力度加大；四是一些地区和单位在安全生产实践中探索出好的经验，涌现一批先进典型，起到了引路作用；五是通过开展五项安全专项整治和安全监察，一些重点地区、重点行业事故多发的被动局面正在扭转；六是我们的一些老部长、老同志，具有丰富的实践经验，他们多年的辛勤工作，为我们奠定了很好的基础。因此，我们要坚定信心，竭尽全力把工作做实做好，力求取得更大的成效。

二、关于今后一个时期的工作思路

江总书记 5 月 31 日在中央党校的重要讲话中强调指出：“在新世纪新阶段，发展要有新思路，改革要有新突破，开放要有新局面。”这是新时期总书记向我们提出的新要求，具有很强的针对性和指导性，我们要认真学习，深刻领会，紧密结合安全生产工作的实际，认真进行思考，运用发展新思路，促进工作新突破。

今后一个时期工作总的思路是：在邓小平理论和江总书记“三个代表”重要思想指导下，认真贯彻落实党中央、国务院关于安全生产的一系列指示，坚持“安全第一，预防为主”的方针，立足防范，依法行政；关口前移，强化监管；深化整治，综合治理，促进全国安全生产状况的稳定好转。

按照这个总体思路，着眼于建立安全生产长效机制，要着重抓好“三件大事”、构建“五个支撑体系”、处理好“五个关系”、推进“五项创新”。

抓好“三件大事”：

第一，依据国家赋予的基本职能，进一步完善工作机制。新颁布的《安全生产法》第九条明确规定：“国务院负责安全生产监督管理的部门依照本法，对全国安全生产工作实施综合监督管理”。这一规定，将国家赋予我们的职能法律化。依据这一规定和国家局的“三定”方案，我们担负的职责主要概括为三个方面：一是煤矿安全监察执法，二是安全生产综合监督管理，三是承担安委会办公室的日常工作。为了履行好这些职能，我们必须建立“国家监察、行业管理、企业负责、群众监督”的安全生产工作格局，努力做到：煤矿安全监察要做实，安全监管要到位。

煤矿安全监察做实，这是最基本的职责。因为煤矿安全监察实行的是全国统一、垂直的管理体制，煤矿安全工作搞得好不好，事关工矿商贸企业安全形势的好转。目前，煤矿安全监察的工作体系基本形成，下一步关键是要提高执法的水平和效能，强化执法的权威，增强执法的效果。在这方面，要有针对性地制定必要的工作规则，比如，安全监察工作的内部责任考核、分级定期报告、领导干部的定期述职、监察执法情况的分析统计、事故处理结果的跟踪监察等等，都要有统一的规范，以保证监察执法工作的顺利实施。

安全生产监管工作到位，就是要全面履行好安全生产综合监督管理职能，并在实施监管中树立国家安全生产综合监督管理的权威。目前，在我国安全生产管理体制上，有两种情况：一是有行业管理部门的企事业单位的安全工作，主要是行业主管部门负责；二是没有行业管理部门的工矿商贸企业的安全工作，主要是由地方政府负责。针对这个现状，我们作为安全生产综合管理部门，必须依法对各行各业的安全生产实施综合的监管，同时，要充分发挥行业主管部门和地方政府的作用，建立健全各级安全监管机构和责任体系，建立必要的工作联系和协商机制，加强沟通，搞好督促、指导，加强监督检查，做好协调服务，主动配合做好工作。

第二，切实加强安全监管和安全监察执法队伍建设。提高安全监管和煤矿安全监察执法工作的水平，必须有一支高素质的行政执法队伍。应该说，我们目前这支队伍总体上是好的。但是随着市场经济法制建设的加强和完善，对行政执法的要求越来越高，我们必须不断改善自身的素质，提高执法水平，才能适应新形势下安全监管和安全监察行政执法的需要。目前，我们一些同志甚至领导同志，对于如何行使安全执法职能，并不熟悉，思想观念和工作方式都没有完全转变过来，特别是一些省级煤矿安全监察机构，在将行业管理职能分离出去之后，至今仍没有把全部精力转到监察执法上来，甚至存有某种失落感。另外在正确使用执法文书，以及执法程序、执法手段等方面，也存在着一些问题。这些问题，既有客观上的原因，但更多的是主观上的因素。所以，要把执法队伍的建设作为一项长期的任务，持之以恒地抓下去。特别是煤矿安全监察这支队伍，是国家在精简机构、压缩人员的情况下，专门拿出 2800 个行政编制组建的，是下了决心的，我们必须充分发挥好这支队伍的作用，认真履行好国家赋予的职责。

针对当前队伍建设的现状，要分层次、有重点地采取措施，解决存在的突出问题。

对于国家局机关来讲，要着重抓好思想作风建设，提高工作的质量和水平，强化服务意识。要提倡多做预测性、前瞻性、基础性的工作，倡导求真务实的精神，大兴调查研究之风，摸实情、说实话、办实事、求实效。要深入基层，深入实际，加强法规和政策的研究，善于发现和总结典型，运用典型指导工作。要提高调研质量，搞有情况、有分析、有建议的调研，发现带有倾向性的问题，提出解决的办法。

对省级安全监管部门和煤矿安全监察机构来讲，要着重抓好观念和职能的转变。要在认真学习领会“三定”方案的基础上，找准自身的定位，明确自身的职责，尽快把领导精力全部转到安全监管和煤矿安全监察执法上来。要强化我们这个系统的统一性，上下形成一个安全行政执法的整体，确保各项指令的畅通，确保行动的协调一致。要建立监察执法报告制度，建立工作绩效考核制度，形成有效的约束和激励机制。对完不成党组下达的安全控制指标的，对主要领导要采取必要的组织措施。

对煤矿安全监察办事处来讲，要着重抓好执法素质和能力的提高。办事处处在煤矿安全监察执法的第一线，是队伍建设的基础，国家局和省局机关都要加强对办事处工作的指导。办事处主要任务就是监察执法，不要设专人担负安全监察以外的业务。要强化对办事处执法工作的考核，建立健全监察执法工作责任制，加强执法监督，促使办事处尽职尽责地履行好监察职责。

除此之外，还要加强对分级管理的各级安全监管机构队伍建设的指导，搞好学习培训，提高安全监管的素质和水平，形成全国统一的安全生产监管体系。

第三，以贯彻实施《安全生产法》为契机，推动安全生产法制建设。按照“依法治国”的基本方略，必须促进安全生产监督管理工作尽快走上法制化轨道，切实做到有法可依、有法必依、执法必严、违法必究。要抓住《安全生产法》出台的有利时机，抓紧研究制定实施细则和各项配套法规、规章，全面修订各行各业的安全规程、安全标准，对过去法律法规中不相适应的内容加以修改、完善，尽快形成安全生产的法律法规体系，依法规范各个方面的安全生产行为。同时，要做好地方性法规规章的收集汇总，抓好交流和指导。近两年各级地方性法规很多，这也是我们基层工作执法的依据之一，要引起高度重视。通过多种形式的宣传教育，强化人们的安全法律意识，提高贯彻执行安全生产法律法规的自觉性。要切实加强安全监察行政执法，严格依照法律法规搞好安全生产的监督管理，确保各项法律制度的贯彻实施。要认真贯彻落实国务院 302 号令，强化安全责任追究，加大行政处罚力度，对违反安全生产法律法规的行为，对重、特大事故的责任者，一定要依法严肃查处，该撤职的撤职，该降级的降级，该法办的法办，真正做到有责必究、有罪必罚。

构建“五个支撑体系”：

安全生产作为一项系统工程，必须在坚持依法行政的同时，调动社会上各方面的力量，发挥中介组织的作用，采取多种手段，形成安全生产监督管理的大格局。为此，我们要构建“五个支撑体系”：

一是安全生产法律法规体系。刚才已经讲到了，就是要抓住《安全生产法》出台的有利时机，抓紧研究制定实施细则和各项配套法规、规章，做到在安全生产工作中，有法可依、有章可循。

二是安全信息工程体系。这是分析安全生产形势，及时掌握安全动态，为领导决策提供科学依据的重要保障。要加快安全生产信息网络建设，疏通各种信息沟通的渠道，加强信息的统一管理，搞好安全生产数据的调度和统计，形成上下贯通、反馈快捷、客观真实的安全信息网络体系。

三是安全技术保障体系。要加强安全生产的科研工作，明确安全科技攻关的主攻方向，提高安全监管的科技含量。要加强安全设备、劳动防护用品的安全认证和监督管理工作，进一步规范安全生产检验检测机构和中介组织的认证认可和管理工作，依靠科技进步，建立安全生产预防机制。

四是宣传教育培训体系。围绕提高安全监察人员和企业经营者安全管理水平以及全民的安全文化素质，建立功能齐全的安全培训基地，逐步将培训机构、考核标准、证书管理、培训大纲、师资和教材建设等管理工作规范化、制度化。加强安全文化建设，构建辐射全社会的安全生产宣传网络，提高宣传教育的整体效果，努力营造全社会“关爱生命、关注安全”的舆论氛围。

五是特大事故应急救援体系。包括矿山事故和危险化学品事故的应急救援。要对现有的应急救援资源进行调整和优化，有选择、分区域建立若干个基地，配备必要的现代化装备，加强人员的技能训练，对特大事故能够及时实施有力的救援和处理，从而把事故损失减少到最低程度。

围绕构建这“五个支撑体系”，我们要尽快就体系框架提出总体方案，同步考虑充分利用中介组织、科研机构、高等院校的力量，以形成支撑体系的有效延伸。

处理好“五个关系”：

国家局作为国家经贸委管理下的负责综合管理全国安全生产工作、履行国家安全生产监督管理和煤矿安全监察职能的行政机构，要按照国务院的有关规定，在国家经贸委的领导下，依法履行职能并处理好以下几个方面的关系。

一是国家局的安全生产综合管理与行业主管部门专门管理的关系。国家局所承担的安全生产综合管理职能，是带有全局性和整体性的，应该而且必须把各行各业、方方面面的安全生产工作综合管理起来。而行业管理部门所承担的安全生产监督管理工作，是专业性的或某一方面的。国家局既要指导、协调和监督行业管理部门所承担的专项安全监管工作，又不能取代行业管理部门在安全生产上的职能，要加强协调联系，相互支持配合，充分发挥行业管理部门的作用。

二是国家安全生产监督管理与地方政府安全生产监督管理的关系。国家局行使的是国家安全生产监管职能，具有权威性和统一性。国家局对地方政府所承担的安全生产监管工作应进行监督检查和业务指导，目的是推动地方政府加强对本地区安全生产工作的领导，落实各级安全生产责任制。我们必须注重依靠和善于发挥地方政府的作用，落实各项安全生产工作任务。

三是地区煤矿安全监察机构与地方政府煤炭行业管理部门的关系。前者是中央政府派驻的执法机构，后者是地方政府煤炭行业管理部门。各有各的任务，其工作渠道和工作手段是不同的，两者是一种配合协作关系。过去是合在一起干，既当“裁判员”又当“运动员”。现在已基本将机构、职能、人员分开，今后要各司其职、各负其责，相互配合，共同推动煤矿安全生产工作。

四是安全监管与煤矿安全监察的关系。安全监管与安全监察是两种职能，这两种职能目前在国家局是合在一起的，内部有分工。由于两者毕竟是有区别的，因此在实际工作中必须把握好度，比如在法律法规的规范上，在政策的导向上，在管理的方式上，都应该有所区别，有所侧重。但是不论是监管还是监察，目的都是为了把事故和死亡人数降下来，所以必须相互支持、相互配合、形成合力。

五是国家煤矿安全监察局与煤炭工业协会等社团组织的关系。两者都是独立的法人，具有不同的职能。行业协会等中介组织作为政府联系企业的桥梁和纽带，随着市场化进程的加快，作用会越来越明显，我们必须注重发挥协会等社团组织在煤矿安全生产管理中的作用。受国家经贸委委托，国家局领导协会党的建设和思想工作；指导、监管协会的财务和国有资产；维持协会行政后勤服务不变。我们要在国家经贸委授权范围内，积极支持协会独立自主地开展工作，保障协会的办公条件和工作环境。

推进“五项创新”：

一是思维定式的创新。国家安全生产监督管理和煤矿安全监察职能，与专业经济部门的安全生产管理职能是完全不同的。我们必须转变思想，更新观念，明确定位，正确履行职责职能。对该干而且能干好的事情，要竭尽全力坚决干好；对不该干、不该管的事情，要坚决放手。要下决心跳出习惯思维和传统套路，把主要精力放在安全生产的综合监管上来；放在监察执法上来；放在加强法规、政策的调查研究上来。要重视发挥中介组织的作用，形成政府安全生产监督管理的支撑保障和服务体系。

二是事故防范机制创新。要把安全监管和安全监察工作的立足点始终放在防范事故上，坚持打主动仗。围绕着如何做到关口前移，有效预防各类事故，制定和实施一系列对策办法。比如，对企业实行安全评估，实行分类指导；实行事故隐患责任追究。对隐患不整改的，要视同发生事故一样予以追究责任。还有，对非法生产经营的和不具备基本安全生产条件的企业，要通过报纸公告、新闻发布等形式，让群众监督、舆论监督。要强化各级安全生产责任制，加强安全生产基础工作，及时发现和消除事故隐患，提高综合防范能力，把“安全第一，预防为主”的方针真正落到实处。

三是安全生产监管手段的创新。市场经济条件下政府对安全生产的监管，必须综合运用法律、经济和行政手段，进行综合治理。为此，要下决心健全和完善安全监管和监察执法机制，依法强化国家安全生产监管机构的执法主体地位，把行政执法作为我们的基本职能，依法规范各行各业和各方面的安全生产行为；要重视发挥经济政策的导向作用，从实际出发，研究和探讨一些切实管用的经济政策，运用经济杠杆调动企业抓安全的积极性；认真贯彻执行国务院302号令，加大各类生产安全事故特别是特大事故的行政责任追究力度，促使各级健全落实安全生产责任制。

四是对非公有制企业安全监管方式的创新。目前，非公有制企业特别是小企业安全生产问题较多，矛盾突出。2001年非公有制小企业发生的死亡事故的起数和死亡人数，分别占全国的58%和67%；其中特大事故的起数和人数高达74%和72%。要扭转安全生产被动局面，必须强化对非公有制小企业的安全监管，探索和采取得力的监管措施。深圳、江苏、福建等地在小企业推行注册安全主任制度，以及一些地区实行安全生产风险抵押金制度等做法，都值得各地借鉴。

五是安全生产科技创新。实现全国安全生产状况的根本好转，必须建立在依靠科技进步和提高劳动者素质的基础上。要适应市场经济和现代化建设的新形势、新要求，从我国国情出发，研究制定安全科技发展规划，明确安全科技攻关的主攻方向，积极推广和采用新技术、新设备、新工艺、新材料，增强安全生产的综合防御能力，提高安全监管的科技含量。

以上这个总体工作思路，希望与会的同志们在讨论中提出进一步充实、完善的意见。

三、关于下半年的几项重点工作

关于今年的安全生产工作，今年以来通过几次大的会议，特别是国务院第58次常务扩大会议，2月7日和5月14日两次全国安全生产电视电话会议，总体要求和工作重点，都已经很明确了。局党组所确定的今年工作的安排，也是切实可行的，下一步，关键是狠抓落实，解决“落实不下去，严不起来”的问题，把国务院关于安全生产的各项决策以及工作部署，真正落到实处，取得实实在在的效果。下半年要重点抓好六项工作：

第一，做好《安全生产法》的学习、宣传和贯彻实施工作。

《安全生产法》的出台，是我国安全生产法制建设上的一件大事。这是我国第一部全面规范安全生产的专门法律，是我国安全生产法律体系的主体法，是各类生产经营单位及其从业人员实现安全生产所必须遵循的行为准则，是各级政府及其有关部门进行安全生产监督管理和行政执法的法律依据，是制裁各种安全生产违法犯罪行为的有力武器。这部法律充分反映了《宪法》中关于改善劳动条件、加强劳动保护的基本要求和社会主义国家的本质，高度概括了我国安全生产正反两方面的经验，具体体现了依法治国的基本方略。这部法律的颁布实施，有利于全面加强安全生产法制建设，有利于保护人民群众的生命安全，有利于依法规范生产经营单位的安全生产工作，有利于各级人民政府加强对安全生产工作的领导，有利于安全生产监管部门和有关部门依法加强监督管理，有利于提高从业人员的安全素质，有利于增强全民的安全法律意识，有利于制裁各种安全违法行为。各级领导干部、生产经营单位及其从业人员，都要从实践“三个代表”要求的高度，认真学习和贯彻《安全生产法》。

各地、各行业、各单位要采取多种手段，掀起宣传学习贯彻《安全生产法》的群众热潮。要组织干部、工人原原本本逐条逐句地学习《安全生产法》，深刻领会其重要意义和立法宗旨，熟悉所确立的基本法律制度和主要内容，掌握精神实质。特别是各级安全生产监管部门和煤矿安全监察机构的工作人员，要先学一步，学深学透，提高依法行政的自觉性。

与此同时，要抓紧研究制定《安全生产法》实施细则和各项配套法规、规章，对过去法律法规中不相适应的内容加以修改、完善，依法修订各行各业的安全规程、安全标准，尽快形成安全生产的法律法规体系。其中已经列入今年立法计划的项目，要抓紧实施。特别是对国务院1989年颁布的34号令、1991年颁布的75号令要抓紧修改，两令合一，对事故的分级、事故调查处理程序等，作出统一的规定，依法规范事故的报送和查处工作。另外，要抓紧研究制定《石油开采安全条例》、《矿山救护条例》、《化学事故应急救援条例》、《特种设备安全监督管理条例》等。此外，还要做好地方性法规规章的收集汇总，抓好交流指导。依据《安全生产法》，要切实加大安全监察行政执法的力度，严格依照法律法规，搞好安全生产的监督管理，确保各项法律制度的贯彻实施。

第二，突出重点，深化安全生产专项整治工作。

要按照国务院的统一部署，采取有力措施，落实好深化五项安全整治的各项措施。其中煤矿和危险化学品的专项整治要作为重点，下大力量抓好抓实。

煤矿的安全生产专项整治，当前要突出国有大矿的安全整治。按照国办发明电［2002］17号要求，吸取鸡西“6·20”事故的教训，围绕国有大矿的“一通三防”，加强对重大瓦斯隐患的治理与督查，凡是超通风能力生产的、煤与瓦斯突出而未采取综合防治措施的、生产布局和通风系统不合理的以及未安装井下瓦斯安全监控系统的矿井，一律停产整顿，整顿后经验收合格，才能恢复生产。要落实好国有煤矿的安全技改项目，强化安全基础工作，继续推进质量标准化和现代化矿井建设。要督促各地继续抓好小煤矿的关闭整顿。凡是今年3月底前没有通过省级政府验收、重新核发“四证”的，由地方政府予以关闭，对关闭矿井要通过新闻媒体予以公告。该关不关的以及死灰复燃的，对矿主要绳之以法，没收全部非法所得，并追究地方政府的行政责任。针对当前煤矿透水事故多发的问题，要切实加强汛期的煤矿防汛工作，对井下排水系统不健全的小煤矿，要责令停产整改。

按照六部委局联合下发的《关于加强非煤矿山安全整治工作的意见》，针对非煤矿山企业存在的突出问题，集中抓好各类小金矿，特别是大量使用氰化钠等剧毒物品的小金矿及事故频发、破坏资源、污染环境、不具备基本安全生产条件的采石场和稀有贵重金属矿山的安全整治工作，尤其要加强各类私营、个体小矿山和小采石场的整治工作力度。依法取缔各类非法矿山，关闭不具备基本安全生产条件的各类小矿山、小采石场。另外，对非煤矿山井下开拓系统、通风系统、排水系统及地面的危险化学品库、尾矿库、爆破器材库、采矿场、混汞法选金设施和金矿露天氰化堆浸场，也要搞好专项治理，消除重大隐患。

危险化学品的安全整治，按照5月21日电视电话会议的部署，狠抓各项整治措施的落实，特别要抓好危险化学品生产、储存、运输、销售和使用单位的清理整顿。生产单位中凡采用国家明令淘汰的落后工艺、装备，以及不具备基本安全生产条件的企业，要一律予以关闭；对运输单位，要从严核发运输车辆及其负载容器的检验合格证明。禁止在内河、内湖进行剧毒化学品运输；经销单位中，对非法经营的网点要坚决取缔，对不符合规定要求的经营单位要限期整改，整改后仍达不到要求的，吊销其营业执照，予以关闭；使用单位中，对不符合有关安全、环保、职业病防治等规定，使用氰化物的小金矿、小电镀厂、小电子器件生产企业等，要予以关闭。

在专项整治中，要认真落实国务院302号令，加大行政责任追究的力度。对今年以来发生的所有重、特大事故，都要按照“四不放过”的原则，从严查处。对处理决定的落实情况，要搞好追踪监察，一抓到底。凡是不落实的，要追究领导的责任。

第三，搞好全国安全大检查的督促落实工作，加强日常的安全监督与监察。

前段由国务院组织的全国安全生产大检查，很有成效，对各地、各有关部门促进很大。7月5日邦国副总理专门听取了这次大检查的情况汇报，对大检查的成效给予了充分肯定。这次大检查较之过去，在检查的对象、内容和方式方法上都有许多新的突破，我们要认真总结归纳。对于大检查中发现的各种重大隐患，以及各检查组提出的整改意见，要进行梳理，分类排队，抓好跟踪督查，搞好“回头看”，对整改不力的，要追究责任。按照国务院领导的要求，下半年要围绕煤矿安全监察执法、落实国务院302号令、道路交通安全整治等三个重点，分别进行专项督查。

针对这次大检查中发现的带有倾向性的共性问题，各地要认真研究具体的政策措施，并借鉴这次大检查的经验，切实加强日常的监督与监察，特别是对重大的危险源，事故多发的重点地区和单位，要加强监控，及时发现和消除隐患，遏制重、特大事故的发生。要研究采取“关口前移、超前预防”的具体措施。如，对企业实行安全评估，分一二三类等级，对三类的发黄牌警告，列入重点监控对象。如，实行事故隐患责任追究制。发现隐患，要下达执法通知，不认真整改的，要视同发生事故一样予以责任追究。又如，要建立不安全企业公告制，定期在新闻媒体公布不安全企业名单，发挥舆论监督作用。

第四，加强安全生产宣传教育和培训工作。

“全国安全生产月”和“安全生产万里行”活动，已经告一段落。下一步要认真总结经验，并以月促年，围绕学习贯彻《安全生产法》，搞好宣传教育，进一步强化人们的安全意识。对目前已经建立的安全生产新闻发布会制度，要不断完善，提高质量，掌握舆论主动权。同时，充分发挥《中国安全生产报》等报刊的作用，定期公布各省的生产安全事故情况，搞好舆论监督。同时，以《安全生产法》为内容，搞好安全培训。特别对非公有制经济成分的个体、私营业主，依法进行强制性安全培训，培训经考试合格后，重新颁发安全资格证书，没有资格证书的，不允许上岗。继续搞好对安全监管人员和煤矿安全监察人员的业务培训，着重提高行政执法的素质和水平。这些工作都要抓好落实，讲求实效。

第五，进一步扩大开放，加强安全生产监管方面的国际交流与合作。

面对市场经济的发展和我国加入世贸组织的新形势，必须积极主动地扩大对外开放。围绕我国安全生产工作的中心任务，全面开展与国际劳工组织等国际机构的多边交流，有重点地发展与发达国家的双边合作关系，借鉴国际通用的安全生产规则与标准，加强和改进安全生产监督管理工作。要加快事故统计和报告制度、职业安全和健康管理体系与国际接轨的步伐。大胆引进、吸收、消化发达国家安全生产科技成果，积极推动安全产业的发展。

充分利用国际上的新技术、新设备、新材料，加强安全生产的基础建设，提高综合防范能力。有重点、有计划、分期分批开展安全生产监督监察人员的境外培训。今年10月份，与国际劳工组织将联合在北京举办“中国国际安全生产论坛暨职业安全健康技术与设备展览会”。

第六，切实加强机关的思想作风建设。

党的十六大即将召开，这对全国各行各业、各条战线的工作，都是一个巨大的促进。我们要以此为动力，进一步加强思想作风建设，充分发挥党组织的政治优势，促进思想观念、工作方式和工作作风的转变，保证今年各项工作任务的完成。当前，各级安全生产监管部门和煤矿安全监察机构的党组织要组织广大党员、干部认真学习江总书记在中央党校的“5·31”重要讲话，要抓住与时俱进这个关键，围绕保持党的先进性这个核心，突出执政为民这个本质，加深对“三个代表”重要思想科学内涵的理解，按照“三个代表”的要求，进一步加强思想作风建设，落实各项廉洁自律的制度。新形势下，我们面临许多新情况、新问题，要切实加强和改进调查研究工作，提倡深入实际、勤于思考的风气，善于发现和总结运用典型，指导面上的工作。领导干部，每年必须至少拿出一份有分量、有指导性的调研报告。

王显政同志在煤矿瓦斯治理现场会上的讲话

（2002年8月30日）

煤矿瓦斯防治现场会，是煤炭工业管理体制和煤矿安全监察体制改革之后，由国家煤矿安全监察局和煤炭工业协会联合召开的一次规模较大的全行业会议。会议的主要任务是，深入贯彻落实国务院领导同志关于煤矿安全生产的一系列重要指示和国务院办公厅《关于黑龙江省鸡西矿业集团公司“6·20”特大瓦斯事故的通报》精神，紧紧围绕防治瓦斯这个煤矿安全的要害问题，交流煤矿治理瓦斯工作的经验，按照“先抽后采、监测监控、以风定产”的方针，研究部署煤矿瓦斯治理工作，并切实加大对国有大矿安全生产进行重点监察监控的力度，有效遏制煤矿特大瓦斯事故的发生，实现煤矿安全生产状况的稳定好转。

一、认清形势，明确任务，把瓦斯防治作为煤矿安全工作的重中之重来抓

正确地分析和把握形势，是我们确定工作思路的基本依据，也是做好各项工作的前提。今年以来，在国家实施积极的财政政策和进一步扩大内需等一系列宏观政策的调控下，国民经济继续保持平稳快速增长，上半年国内生产总值同比增长7.8%，1～7月份全国累计工业增加值同比增长11.8%。特别是工业生产整体盈利水平继续提升，规模以上工业企业1～7月份实现利润2757亿元，增加206亿元，增长8.1%。全国14个主要工业行业中，12个行业效益状况好于去年同期，其中煤炭、机械、轻工、烟草、医药、黄金等6个行业利润保持快速增长；电力、建材行业利润稳定增长，增幅在10%左右；纺织、电子、冶金等3个行业由减利转为增利，增幅在5%～14.6%之间；石化、有色行业利润降幅继续缩小，分别由上半年的26.7%、34.2%缩小到20.2%和27%。煤炭行业实现利润45.5亿元，同比增加33.1亿元，增长2.7倍，其中国有及国有控股煤炭企业实现利润33.9亿元，增加26.8亿元，增长3.8倍。1～7月份，煤炭产量同比增长1.4亿吨，增幅24.7%；其中重点矿增产0.66亿吨，增长19.6%。从总体上看，在国民经济平稳快速增长、煤炭消费持续增加的拉动下，煤炭工业的经济运行状况明显好转。主要反映在，煤炭销售继续保持较大的增长幅度，煤炭价格继续平稳回升，销售收入稳定增加，煤炭货款回收保持良好势头。

在总体经济形势继续保持良好态势的情况下，国民经济运行中存在两个突出问题，一是规范有序的市场经济秩序还没有形成，尚需继续加大整顿和规范的力度：二是安全生产形势依然严峻，重、特大事故仍时有发生。对此我们要有一个清醒的认识。

对于全国安全生产的总体状况，我们要有一个基本的正确的估价。近几年党中央、国务院采取了一系列重大举措，先后成立了国家煤矿安全监察局和国家安全生产监督管理局，下发了302号令，组织安全大检查，加强对安全生产的监管和监察，促使全国安全生产状况趋于稳定好转。这是总的估价，请同志们务必把握住。今年以来，全国除民航、道路交通事故有所上升外，其他行业事故都呈下降趋势，特别是工矿企业特大事故下降幅度较为明显。上半年工矿企业的重大事故起数和死亡人数同比分别下降12.5%和16.8%；特大事故起数和死亡人数同比分别下降8.8%和6.3%。另外，一些地区安全生产状况明显好转。上半年，北京、天津、吉林、上海、福建、海南、西藏、青海、宁夏、新疆等10个省（区、市）没有发生特大事故。但是，就全国来看，重、特大事故还没有得到有效控制，有时事故比较集中。特别是二季度以来连续发生3起百人以上特大事故（两起空难和鸡西“6·20”瓦斯爆炸事故），在国内外造成了严重影响。当前安全生产工作上需要解决的突出问题：一是“安全第一”的观念还没有牢固树立起来。一些地方和企业仍存在重生产、轻安全的倾向；二是生产力发展水平低，基础工作薄弱，直接制约安全生产。特别是大量非公有制小企业，事故比较多，事故起数、伤亡人数已占全国的60％～70％；三是淘汰落后生产能力存在较大差距，一些非法小矿和小厂，该关不关，该整不整，或者关闭以后又死灰复燃；四是目前全国尚未形成高效运作、监管有力的安全监管工作体系和工作机制，甚至出现监管力量层层衰减和“高位截瘫”现象。

针对安全生产工作中存在的问题，国家局党组按照国务院领导同志的指示，在前段认真分析形势、调查研究、广泛征求各方面意见的基础上，提出了今后一个时期安全生产工作的总体思路，概括起来讲就是，抓好以完善工作机制、推进安全法制建设、加强执法队伍建设为主要内容的“三件大事”；构建安全生产法律法规、安全信息工程、科学技术保障、宣传教育培训、特大事故应急救援“五个支撑体系”；推进思想观念、工作职能、防范机制、监管手段和安全科技等“五项创新”。这个思路提出以后，得到各方面的认可，并且已经成为大家的共识。目前，各地、各行业、各单位正在按照这个思路狠抓落实。

国家局党组提出的总体工作思路的核心，就是抓好“三件大事”。“三件大事”：一是要建立一个好的机制。因为我们目前的安全生产监管和煤矿安全监察体制，是带有开创性的，是体制上的改革与创新，需要不断探索和完善。长期以来，安全生产工作都是部委内设司局行使监管职能。由内设机构过渡到独立的行政机构是一大进步。这就要求我们在工作方法、工作思路、运行机制等方面有一个大的变化，努力把煤矿安全监察工作做实，使安全生产监管工作到位。建立高效、规范有序的运行机制，在工作方法上要坚持分类指导、突出重点的原则；企业是安全工作的主体，要认真贯彻落实党和国家安全生产方针，内部建立严格有效的责任机制，并通过加强管理抓细抓实，实现本质安全；作为社会，主要形成“关爱生命、关注安全”的氛围，增强全民族的安全意识，提高安全素质。通过政府、企业、社会的全方位努力，建立起抓好安全生产长效机制。二是要全面加强安全生产法制建设，构建一套完备的安全生产法律法规体系，做到有法可依，依法行政，有章可循，规范执法，把安全生产监管与监察工作纳入健全的法制化轨道，使安全生产有可靠的法律保障。三是要建设一支过硬的、高素质的安全监督与监察执法队伍，靠这支队伍履行好国家赋予的职责，落实安全生产的各项任务。这支队伍既包括国家专门的行政执法队伍，也包括企业从事生产安全工作的队伍。抓好“三件大事”的着眼点，在于建立安全生产的长效机制，实现安全生产状况的根本性好转。

按照抓好“三件大事”的基本要求，要把煤矿安全监察工作做实，就必须坚持预防为主的方针，关口前移，推进工作机制和工作方式的创新。作为国家局来讲，要改变过去行业管理部门的那套工作方式，从直接领导转到指导协调上来，从行政干预转到监察执法上来，既要大胆行使监督与监察的职权，又要推动和促进煤炭企业抓好基础工作和基层工作，努力实现安全生产的长治久安。正是为了贯彻这一指导思想，我们才决定召开这次现场会，以瓦斯治理为突破口，来推动煤矿的安全生产工作。

煤矿作为高危行业之一，安全生产始终是天字号的头等大事。近年来，国家采取一系列重大举措加强对煤矿安全生产的监督管理。一是对国家煤矿安全监察体制进行了改革，于2000年建立了全国统一、垂直管理的煤矿安全监察体系，组建了2800人的监察执法队伍，加强了煤矿安全行政执法工作；二是国务院专门制定了《煤矿安全监察条例》，于2000年12月1日起施行，为煤矿安全监察执法提供了法律武器；三是国务院在部署开展五项安全整治中，把煤矿安全生产作为重点，集中开展了专项整治，在去年取得阶段性成果的基础上，今年继续深化；四是针对小煤矿存在的问题，国务院办公厅在去年先后下发了25号明电、68号文件，采取了“四个一律关闭”和乡镇煤矿全部停产整顿的硬措施，并在河南郑州召开现场会进行动员部署；五是近几年国家经贸委一直高度重视煤矿安全生产工作，在技术改造上增加投入，同时对企业安全投入、安全管理做出明确要求，对促进煤矿安全生产状况好转起到了重要作用。

各地、各煤炭企业通过贯彻落实上述措施，促使煤矿安全生产状况开始向好的方向转化。去年全国煤矿共发生事故3082起、死亡5670人，比上年少死127人，与事故高发的1994年相比较，少死1346人，下降19％，与1997年、1998年相比减少近600人。其中，重大事故336起、死亡1587人，比上年减少55起、少死196人，分别下降14％和11％；特大事故49起、死亡1015人，比上年减少29起、少死735人，分别下降37.2％和30％。今年1～7月份，全国煤矿发生重大事故168起、死亡724人，同比减少40起、少死290人，分别下降19.2％和28.6％；发生特大事故35起、死亡743人，同比增加3起、多死11人，分别上升9.38％和1.5％。其中一次死亡30人以上恶性事故3起、死亡207人，同比减少4起、少死133人，分别下降57.14％和39.12％。煤矿事故死亡人数虽然下降的幅度不是很大，但是，这些数字是在瞒报现象大为减少，而且挤掉了大约4％～5％的水分的情况下统计的。这充分说明煤矿安全上的成绩是显著的。

但是，我们要清醒地看到，煤矿安全生产的形势依然比较严峻，重、特大事故仍时有发生，有时还比较集中。在全国生产安全事故死亡人数中，除道路交通之外，在工矿企业中，煤炭行业仍是死亡人数最多的。而且在煤矿伤亡事故中，瓦斯事故是居首位的，危害也是最严重的。特别是今年发生的鸡西“6·20”事故、吉林白山市“7·4”事故、黑龙江鹤岗市“7·8”事故等，充分暴露出煤矿在“一通三防”和瓦斯灾害防治方面存在的诸多问题，反映出瓦斯治理已成为煤矿安全生产工作中的薄弱环节，对此必须引起我们的高度重视。

当前煤矿面临的瓦斯治理任务是非常艰巨的，但有利条件也很多：一是党中央、国务院对安全生产工作高度重视，各级安全生产责任制正在进一步落实；二是《安全生产法》将于11月1日施行，为煤矿安全生产工作提供了法律保障；三是我国煤矿瓦斯防治装备和技术日臻成熟，只要狠抓落实，就一定能够控制重、特大瓦斯事故的发生；四是煤矿通过专项安全整治，关掉了一批不具备安全生产条件的小煤矿，消除了一些瓦斯事故“爆炸点”；五是我国有不少的高瓦斯矿井在瓦斯治理工作上探索出了好的经验，涌现出阳泉、铁法、沈阳、淮南等一批瓦斯治理的先进典型，起到了示范引路的作用。为此，我们一定要从整体上看到煤矿安全所取得的成绩和严峻形势，看到煤矿安全的重点和难点以及抓好煤矿安全的有利条件，从而统一思想，坚定信心，确立“煤矿安全，瓦斯为天”的理念，把瓦斯治理作为煤矿安全管理和安全监察工作的重中之重，增强治理瓦斯的责任感和紧迫感。以铁的手腕、以过硬的措施、以务实的精神，扭住瓦斯治理，抓实抓好，抓出成效。

二、坚持“先抽后采，监测监控，以风定产”的工作方针，致力于建立防范瓦斯事故的长效机制

根据我国煤矿安全生产的实际情况，在认真总结借鉴煤矿瓦斯治理工作经验教训的基础上，国家局提出了“先抽后采、监测监控、以风定产”的十二字工作方针。确定这样一个方针，主要是从瓦斯防治在煤矿安全生产工作中极为重要的特殊位置考虑的，是建立在对瓦斯防治规律性认识这个基础之上的，是把它作为抓好“三件大事”的重大举措和一个主要突破口提出来的。

第一，瓦斯灾害始终是煤矿安全生产的大敌，目前已成为制约煤矿安全生产的主要矛盾。我国煤矿的瓦斯灾害是比较严重的，在原国有重点煤矿576处矿井中，高瓦斯矿井、煤与瓦斯突出矿井有277处，占48%，并且95%以上的矿井具有煤尘爆炸危险。改革开放以来，随着煤矿开采工艺、开采技术手段的不断改进，矿井开采规模的不断扩大，矿井开采深度的不断延伸，煤层瓦斯涌出量越来越大，高瓦斯矿井越来越多，安全上的隐患也越来越多。瓦斯事故特别是重、特大瓦斯事故在煤矿事故中占的比例也越来越高。据统计，1976年我国煤矿的综采比例仅有2.9%，当时的顶板事故死亡人数比例占38.7%，而瓦斯事故死亡人数比例仅占20.2%。到了2000年，煤矿的综采比例上升到56.7%，顶板事故死亡人数比例降到26.2%，这充分说明科技进步对改善企业安全状况的巨大推动作用。但是，瓦斯事故死亡人数的比例却上升到54%。当年全国共发生特大瓦斯事故69起，死亡1326人，分别占当年煤矿特大事故总起数和死亡总人数的92%和94.4%。从1998年至今，全国煤矿共发生一次死亡30人以上的特大事故35起，死亡1750人。其中，瓦斯事故30起，死亡1556人，分别占85.7%和90%。可见，煤矿瓦斯问题已成了我们实现煤矿安全的最大障碍，是随时会引爆的主要危险源，是我们必须解决的心腹大患。不把瓦斯事故控制住，就不能实现全国煤矿安全生产状况的稳定好转，也无法保障煤炭工业的持续健康发展。

第二，瓦斯事故具有极强的破坏力和巨大的危害性，已成为危及矿工生命安全的最大“杀手”。瓦斯爆炸所产生的巨大冲击波和高温火焰，往往导致群死群伤，而且扬起的煤尘又会参与爆炸，摧毁巷道，毁坏设备，甚至毁灭整个矿井，给国家和人民生命财产造成巨大损失。我国历史上曾发生过多起一次死亡百人以上的特大瓦斯爆炸事故。如1950年2月27日，河南新豫煤矿公司宜洛煤矿发生特大瓦斯爆炸，死亡174人；1960年5月9日，山西大同老白洞煤矿发生特大瓦斯爆炸事故，死亡684人；2000年9月27日，贵州水城木冲沟煤矿发生特大瓦斯爆炸事故，死亡162人；今年6月20日，鸡西矿业集团城子河煤矿发生特大瓦斯爆炸事故，死亡124人。这些特大事故至今提起来，仍让人痛心疾首。据统计，1990～1999年10年间，仅煤矿瓦斯重大事故就造成20625名矿工死亡。瓦斯事故不仅严重危及矿工的生命，而且给死难矿工家属也造成极大的痛苦和难以挽回的损失，所造成的社会影响也是很坏的，既损害了煤矿的形象，也严重影响队伍的情绪和矿区的稳定。我们必须从实践“三个代表”重要思想的高度，从保护矿工根本利益出发，以对煤矿工人深厚的感情，下决心把瓦斯治理好。

第三，我国煤矿瓦斯管理上存在的大量问题和隐患，亟待加大治理工作的力度。经过几十年的持续努力，我国煤矿瓦斯治理工作取得了较大的进展，取得了一定的成效，也在实践中总结摸索出治理瓦斯灾害的成功经验。可以说，目前国有大矿已基本具备控制特大瓦斯事故的能力和手段。但是，由于煤矿安全生产工作基础比较薄弱，加之管理粗放的问题，在瓦斯防治工作上许多应采取的措施没有得到落实，大量的隐患没有得到有效而及时的治理。包括国有重点煤矿在内的许多煤炭企业，安全投入严重不足，通风系统及配套设施装备落后，“一通三防”设施不健全。许多高瓦斯矿井、煤与瓦斯突出矿井没有建立瓦斯抽放系统，监测监控系统装备不全、功能落后，设备严重老化或者带病运转，矿井防灾、抗灾和救灾能力低。据统计，全国277处高瓦斯矿井，其中有154处未建立瓦斯抽放系统，有231处无安全监控系统，有80套瓦斯监控系统失修，安全欠账达40多亿元。而数量众多的小煤矿瓦斯防治装备和措施差距更大，有的根本不具备控制瓦斯事故的能力。尤其在煤炭经济形势出现好转时，一些煤矿超通风能力突击生产，造成通风系统紊乱，工作面风量严重不足，稍有不慎，就会酿成大祸。这些问题，究其原因，最根本的还是没有牢固树立安全第一、预防为主的思想，没有摆正安全与生产、安全与效益的关系，在安全投入、技术措施、现场管理等方面，存在“落实不下去、严不起来”的问题。这些问题具有普遍性，已经成了制约煤矿安全的顽症，必须引起高度重视。

国家局确定的“先抽后采、监测监控、以风定产”的十二字方针，正是针对上述问题提出来的。大家在讨论中对这一方针也基本形成了共识，主要有以下几点：

一是“十二字方针”反映了对瓦斯防治工作规律性的认识，概括了瓦斯治理的三个最基本的环节，是科学的方针。瓦斯事故虽然破坏性极强，危害极大，但瓦斯防治是有规律可循的，瓦斯事故是可以避免的。多年来，我们组织科研力量对瓦斯赋存及涌出、煤与瓦斯突出机理进行了深入的研究和多次的试验，基本找出了其中的规律，“十二字方针”就是这一规律的总结和概括。“先抽后采”，这是瓦斯防治的基础，是从源头上治理瓦斯灾害的治本之策和关键之举。“监测监控”，这是预防瓦斯事故的重要防线和保障措施。当作业区瓦斯接近爆炸的临界点时，监测监控设备及时发出警报，从而采取果断措施，做到防患于未然。“以风定产”，这是防治瓦斯的最基本的生产管理措施，也是防止井下瓦斯积聚的先决条件。这三条是相辅相成的有机的整体，抓住了这三条，就等于牵住了瓦斯治理的牛鼻子，就可以从根本上解决问题。只要坚持按“十二字方针”办事，重、特大瓦斯事故就完全可以避免。如山西阳泉经过多年探索实践，对瓦斯治理坚持“只认瓦斯不认人；瓦斯超限就是事故；宁停三分，不抢一秒”的管理机制，形成了集通风、抽放、监测为一体的瓦斯管理体系，并掌握了综采工作面瓦斯涌出规律，有针对性的采取了一系列措施，形成了“密钻孔、大孔径、高抽巷、大管路”的抽放格局；在中厚煤层回采工作面采用外错尾巷、厚煤层综放工作面采用内错尾巷的“一进两回”通风系统，保证了通风系统的稳定。正是坚持这些行之有效的措施，阳泉连续24年没有发生重大瓦斯事故。这些瓦斯治理的规律、措施都是坚持“十二字方针”的重要体现。像阳泉这样的高瓦斯矿井能够做到24年没有重大瓦斯事故，其他矿井应该也完全可以做到。

二是“十二字方针”体现了预防为主、关口前移的要求，是煤矿长期治理瓦斯实践经验的总结。瓦斯作为煤矿的五大灾害之一，历届国家煤炭工业管理部门都非常重视瓦斯防治工作，特别是近十年来，把防治瓦斯作为煤矿安全生产的头等大事来抓，先后制定了许多有效的规章制度和配套措施。比如，原煤炭部1993年6月颁布的《关于国有煤矿防治重大瓦斯煤尘事故的规定》，就提出高瓦斯掘进工作面必须实行“三专两闭锁”，煤与瓦斯突出危险的采掘工作面必须实行“四位一体”综合防突措施，并提出瓦斯抽放矿井实行“多钻孔、严封闭、综合抽”的九字方针。1994年9月，以部长令的形式重申了防治国有、地方、乡镇煤矿重大瓦斯事故的“三个十条”规定。1996年6月，煤炭部专门在山西阳泉矿务局召开防治瓦斯现场经验交流会，全面推广了阳泉局健全通风、抽放、监控三大系统，坚持先抽后采、以风定产的经验。同时结合淮南局当年发生的“6·23”特大事故，决定在淮南建设瓦斯治理示范工程，坚持先抽后采。当时淮南局年抽放量不到1000万立方，目前已经接近一亿立方，见到了效果。1997年4月煤炭部又专门颁布了《矿井瓦斯抽放管理规范》。1998年1月煤炭部发布的第一号文件又针对防治瓦斯灾害，提出“六个不准”的要求。以上这些规定，都体现在2001年新修订的《煤矿安全规程》中。可以说，“十二字方针”的确立，是对煤矿长期治理瓦斯灾害实践经验的高度概括，也是用血的教训换来的。

三是“十二字方针”是被先进典型经验反复印证的防治瓦斯灾害的正确方针。这次会上，大家通过现场参观和经验交流，普遍感到这些典型很有代表性，也很有说服力。像铁法公司，从建矿初期就建立了10对永久性的瓦斯抽放系统，1974年以来累计抽放瓦斯3亿立方米以上，从1992年起连续10年消灭了瓦斯事故。沈阳公司过去是瓦斯事故的重灾区，近年来，他们投入6000万元先后为高瓦斯矿井配备了瓦斯抽放系统和监测监控系统，并在采取顶底板抽放、老区埋管抽放、工作面打钻抽放的基础上，对重点采煤工作面普遍实行预掘抽放巷，设立泵站进行抽放，提高了瓦斯抽放力度，全公司连续三年消灭了瓦斯事故。四川芙蓉、安徽淮南都是高瓦斯矿井，曾发生多起特大瓦斯事故，近几年，通过安装瓦斯抽放系统，加强通风管理，消除了事故隐患，已连续多年没有发生过重大瓦斯事故。这些典型经验充分说明，不管瓦斯灾害多么严重，只要尊重科学规律，坚持按“十二字方针”办事，把工作做到位，把各项措施落实，就一定能够控制煤矿重大瓦斯事故的发生。对这些典型的经验，各煤炭企业要很好地学习借鉴。

四是“十二字方针”也借鉴了国外在防治煤矿瓦斯方面的先进经验和成功做法。世界上一些采煤工业发达国家，在瓦斯防治上很早就具备了较为完备的技术，70年代初就已经形成了科学完善的瓦斯抽放系统和监测系统，而且在瓦斯的综合利用上，也走出新的路子。从整体发展水平上看，我国与世界先进产煤国家相比，在瓦斯防治上仍然处在较低的发展阶段，差距很大。如我国煤矿的瓦斯抽放量仅为前苏联的15%左右，平均吨煤抽放量远远小于日本、德国、波兰等国。比如在瓦斯抽放方面，美国普遍采用采前地面钻孔抽放瓦斯，抽出率在70%以上，比我国瓦斯抽出率高出50%，并且地面抽出量大，可大幅度减少通风量、降低通风费用，有效地降低生产成本。又如在监测监控方面，英国有世界上最先进的监测系统，能在井下环境进行多参数连续监测。美国匹兹堡研究中心研究出的一种气袋取样系统，可以分析到0.0001的瓦斯浓度。所以面对我国加入世贸组织和国际竞争日趋激烈的新形势，我们应该借鉴发达国家的先进经验，努力提高我国煤矿安全生产管理的水平和防治瓦斯灾害的能力，促进煤矿安全生产状况的稳定好转。

总之，“十二字方针”的提出，凝聚着几代人同瓦斯灾害作斗争的成果，体现了我们对瓦斯防治规律性认识的深化。因此，“十二字方针”是科学的正确的方针，认真贯彻这一方针是我们惟一的选择。希望大家通过这次会议，进一步从理论与实践的结合上，加深对“十二字方针”的理解，真正确立煤矿安全重在抓瓦斯防治、防治瓦斯必须坚持“十二字方针”的思想观念，下定决心，抓住防治瓦斯这个重中之重，扎实工作，努力实现煤矿安全生产的长治久安。

三、统一思想，明确责任，真抓实干，把瓦斯防治的各项措施落到实处

防治瓦斯是煤矿一项复杂的系统工程，也是同自然灾害作斗争的科学实践，需要方方面面的努力工作，需要采取全方位综合治理的措施，既要抓全面，又要抓重点；既要治“标”，更要治“本”，只有标本兼治；重点推进，瓦斯治理工作才能收到事半功倍的效果。下一步煤矿安全生产工作，就是以瓦斯防治为突破口，坚持“先抽后采、监测监控、以风定产”的方针，围绕瓦斯治理工作，狠抓落实，强化管理，搞好督查，务求实效。下面提几点要求：

第一，要加强瓦斯防治工作的组织领导，建立瓦斯防治工作的责任体系。

依据即将施行的《安全生产法》，煤炭企业必须建立健全安全生产责任制度，企业的主要负责人对本单位的安全生产要全面负责。所以，这里必须明确，煤矿企业的主要负责人是瓦斯治理的主要责任人，总工程师对“一通三防”技术负总责。要切实加强对瓦斯治理工作的组织领导，煤炭企业要建立和完善通风瓦斯管理机构，切实做到人员到位、职责到位、工作到位。要依据《煤矿安全规程》的规定，健全完善瓦斯防治工作的各项规章制度，包括瓦斯抽放、监测监控、通风管理等方面，都要明确责任，逐级签订责任书，将责任层层分解，逐级落实到企业主要负责人、各职能管理机构和各区队负责人、班组长以及每个岗位的职工。要建立健全瓦斯检查、管理和日报审批等管理制度，结合具体情况制定工作计划，确定瓦斯防治工作重点，抓好日常性的管理。同时，加强对职工的培训和教育，特别是要抓好对瓦斯管理人员和特种作业人员的培训，提高人员素质。培训合格的，持证上岗。各级煤炭管理部门要加强对瓦斯防治工作的统一领导，有针对性的制定瓦斯治理的工作规划、措施，做好年度瓦斯鉴定、通风能力核定等基础性工作。

第二，切实加大安全投入，完善防治瓦斯的基础设施，提高综合防范能力。

安全生产没有必要的投入和装备不行，不管困难多大，保安全的钱一定要舍得花，这是人命关天的大事。《安全生产法》明确规定：“生产经营单位应当具备的安全生产条件所必需的资金投入，由生产经营单位的决策机构、主要负责人或者个人经营的投资人予以保证，并对由于安全生产所必需的资金投入不足导致的后果承担责任。”这是必须执行的强制性法律规范。凡是不执行的，必须承担法律责任，必将受到法律的惩处。

煤炭企业要抓住当前煤炭市场经济形势逐步好转的有利时机，加大安全投入，补还安全欠账。要按照《煤矿安全规程》的规定，围绕瓦斯抽放、监测监控、以风定产等瓦斯治理的关键环节，完善井下通风系统，高突和高瓦斯矿井要建立瓦斯抽放系统，装备安全监控系统，所有下井人员要按标准配备使用自救器，掘进工作面配备高效低耗的对旋式局部通风机，使用大直径的风筒。继续落实好“四项装备”的措施，完善瓦斯防治装备和安全设施，该上的设备、仪器要上全上齐，对那些陈旧的、运转性能不稳定的系统和设施设备，要及时进行改造更换。要加强设备仪器的维护、检修，不断提高矿井安全装备管理水平。更要说明的是，目前矿井瓦斯抽放系统单井投资500万元左右，已为实践所证明多数企业是有承受能力的；特别还要看到这种投入是有产出的，一次性投入较长时间产出是有效益的。关键是领导如何下决心。

对于国有煤矿瓦斯治理的项目，各级政府要给予必要的政策扶持。煤炭企业要用好安全生产技术改造资金，真正把钱用在关键处，花在“刀刃”上。各煤矿安全监察局和煤矿安全监察办事处，要对安全技术改造资金的使用情况进行监察，防止挪用、浪费等现象的发生。

第三，依靠科技进步，加强技术管理，建立完善瓦斯治理的技术保障体系。

科技是第一生产力，更是推动安全工作的强大动力。煤矿瓦斯治理是同自然灾害作斗争，必须讲科学，依靠先进的科学技术搞好防范。目前瓦斯抽放技术和开采解放层技术，工作准备周期长，成本高，投入大，迫切需要研究开发技术含量高、应用成本低、治理效果好的瓦斯治理技术。要针对关键性技术难题，加大攻关力度，尽快研究开发出一批新的瓦斯防治技术和装备。当前煤矿瓦斯防治技术攻关的重点，要放在应用高新技术解决煤矿瓦斯防治的关键技术上，主要是研究解决煤与瓦斯突出的预测预报技术，单一高瓦斯低透气性煤层瓦斯抽放技术，性能可靠、高效稳定的安全监控系统，低瓦斯矿井的瓦斯综合治理技术等。通过瓦斯防治技术的发展和创新，有效预防重、特大瓦斯煤尘事故的发生，牢牢掌握煤矿安全生产的主动权，把“安全第一，预防为主”的方针真正落到实处。

煤炭企业要主动与科研单位和大专院校协作，针对瓦斯防治中需要迫切解决的重大课题，联合开展科研攻关，尽快把先进的瓦斯治理技术和装备等科研成果转化为现实的生产力，应用到生产中去。科研机构、高等院校要建立煤炭行业瓦斯防治技术咨询服务系统，随时解决煤炭企业瓦斯防治工作中遇到的实际问题。煤炭工业协会在瓦斯治理方面要继续发挥指导协调和桥梁纽带作用，积极主动的开展工作，为煤炭企业瓦斯防治工作做好服务。要着重做好瓦斯防治方面的政策研究，引导煤炭企业建立瓦斯防治的工作机制；要积极推广应用性能先进的安全监控系统、稳定可靠的瓦斯检测仪器、完善优良的瓦斯抽放系统等高新技术设备，进一步做好瓦斯治理新技术、新工艺、新设备、新材料等科研成果的转化、推广应用工作。

第四，强化监督与监察，把监察执法工作的重点转到瓦斯防治上来，做到关口前移，防患未然。

瓦斯防治作为煤矿安全生产工作的重中之重，也是下一步煤矿安全监察与监管工作的重点。各级煤炭管理部门、煤矿安全监察机构务必高度重视，紧紧围绕着落实“先抽后采、监测监控、以风定产”这十二字方针，把工作重点尽快转到瓦斯防治上来，真正做到关口前移，重心下移，采取强有力的措施，遏制重、特大瓦斯事故的发生。

最近，国家局为贯彻落实《国务院办公厅关于黑龙江鸡西矿业集团公司“6・20”特大瓦斯爆炸事故的通报》精神，提出了《关于对瓦斯灾害严重的国有煤矿实行重点监控的意见》。决定将近年来曾发生过特大瓦斯爆炸事故的，高瓦斯及煤与瓦斯突出的，瓦斯隐患严重以及安全欠账较多的45个矿务局（公司）列为重点监控对象。为调动各方面的力量，广泛参与这些煤矿的安全监督与监察工作，国家局还将从有关煤炭社团组织、科研机构和院校、省级煤矿安全监察和煤炭行业管理部门、国有大中型煤矿聘请1000名特聘安全监督员，同时，我们还将同全国总工会一起聘请一批群众安全监督员。这支特聘监督员和群众监督员队伍是国家监察执法队伍和煤炭行业安全管理队伍的重要补充，利用这支队伍对矿井通风系统情况以及以风定产情况、瓦斯监控系统装备情况、“四位一体”综合防突措施落实情况、瓦斯检查制度制定与落实情况等实行重点监督与监控。把国家监察与专家监督结合起来，把重点监控与群防群治结合起来。这个《意见》的讨论稿已经发给与会的同志，希望提出修改的意见或建议。

凡是被列为高瓦斯矿井、煤与瓦斯突出矿井的，要坚持“先抽后采”、“不抽不采”的原则，严格按标准规定建立完善瓦斯抽放系统。今后，凡瓦斯灾害严重的矿井而又没有进行瓦斯抽放的，严禁开采。凡是没有建立瓦斯抽放系统的高瓦斯矿井、煤与瓦斯突出矿井，必须及时配齐抽放设备，建立瓦斯抽放系统，不得以任何借口拖延。已建立瓦斯抽放系统的矿井，要按照《煤矿安全规程》的规定进行完善，更换老化的设备。煤矿安全监察机构、煤炭管理部门要组织对高瓦斯矿井、煤与瓦斯突出矿井进行专项检查，凡是没有建立瓦斯抽放系统或系统不完善的，要依法下达限期整改或停产整顿的现场处理决定或行政处罚决定。

第五，把瓦斯治理工作与煤矿安全生产专项整治结合起来，加大隐患整改力度。

煤矿安全生产专项整治已经进入关键时期，各地、各单位一定要按照国务院的统一部署，继续抓好煤矿安全生产专项整治的各项工作，主要有三个方面：首先，要把落实瓦斯防治工作的专项要求在煤矿安全专项整治中摆在重要位置突出出来。凡是各类高瓦斯和高突矿井，达不到治理要求，“十二字方针”不落实的，都要采取措施，进行专项治理，真正把“十二字方针”落到实处。特别是对保留下来的合法小煤矿，要对其通风能力进行核定，以风定产，防止超能力生产。对高瓦斯矿井坚持先抽后采，并装备瓦斯监测监控设备。其次，要继续采取有力措施关闭不符合标准的小煤矿。只有将不具备安全生产条件、高突和高瓦斯矿井而又没有任何瓦斯安全装备和措施的小煤矿坚决予以关闭，才能给瓦斯治理工作创造一个比较良好的外部环境。再次，采取硬措施，严防小煤矿死灰复燃。对无证非法小煤矿死灰复燃现象严重及重、特大瓦斯事故频发的地区，煤炭管理部门和煤矿安全监察机构要研究制定强硬措施，把相关责任落实到各级地方政府主要领导和各有关部门负责人，并依据国务院302号令，出了问题，依法逐级追究其行政责任。

第六，把落实瓦斯防治“十二字方针”与煤矿的结构调整结合起来，促进煤炭工业的持续健康发展。

从总体上讲，煤炭工业通过实行关井压产、关闭破产、公司制改造等措施，经济形势开始出现转机。但是与国家宏观经济体制改革的要求比，与市场经济发展的要求比，还有很大差距。必须抓住机遇，加快改革和结构调整的步伐。为此，要把落实瓦斯防治的“十二字方针”与煤矿的结构调整结合起来。

首先，要把以风定产与煤炭总量的控制结合起来，坚决制止超通风能力突击生产。今年上半年国有煤矿产量增长过快过猛，同比增加近20%。一些国有煤矿不顾安全条件，超通风能力突击生产，不仅给煤炭总量控制造成很大压力，而且给安全生产带来严重隐患。今年国有大矿发生的几起特大瓦斯爆炸事故，几乎都是超通风能力突击生产酿成的。所以，要继续搞好总量控制，坚持以风定产，不安全不生产。

其次，要把瓦斯抽放与瓦斯的综合利用结合起来，充分发挥瓦斯的实用价值。瓦斯抽放技术的应用，不仅可以有效降低煤层瓦斯含量，为以后开采提供较好的安全基础，而且抽放出来的瓦斯可以变废为宝，为我们提供优质洁净的能源。据推算，1000立方的瓦斯大约可顶4吨标准煤。我国煤层瓦斯赋存丰富，初步预测储量约35万亿立方，具有广阔的开发前景，但现在的瓦斯开发利用规模较小，利用率也比较低，平均不到20%。现在许多先进采煤国家都建立了瓦斯电站，取得了很好的经济效益和社会效益。我们要采取措施，加大煤层气综合开采利用的力度，坚持因地制宜的发展方针，井下抽放与地面开发相结合，走产业化发展的路子。对储量比较丰富和条件比较适宜的地方，要积极吸取各方面的资金，进行开发利用。这种把安全与发展统筹考虑，一并推进的办法是一举两得的好事，是今后的发展方向。对此我们要有战略眼光，积极探索和实践。

瓦斯治理工作事关安全生产，事关煤炭工业的长远健康发展，是一项长期、艰巨的战略性任务，任重道远。希望大家务必高度重视，务必把这方面的工作摆上煤矿安全生产的重中之重的位置，采取切实可行的措施，使瓦斯治理工作得到实实在在的加强和有效突破。

赵铁锤同志在全国煤矿安全生产电话会议上的讲话

（2002 年 7 月 7 日）

这次电话会议，主要是传达贯彻国务院领导同志最近对煤矿安全生产工作的重要指示，通报近来全国煤矿发生的重大事故情况，分析面临的形势任务，紧急动员起来，吸取教训，举一反三，采取得力措施，迅速扭转重、特大事故上升势头，确保今年全国煤矿安全生产奋斗目标的实现。

一、关于当前煤矿安全生产形势

今年以来，广大煤矿企业、各级煤炭管理部门和煤矿安全监察机构，认真贯彻落实党中央、国务院关于安全生产工作的一系列指示精神，继续深入开展煤矿安全专项整治，加强管理，强化监察，取得了一定成效。1～6 月，全国煤矿事故死亡总人数，重、特大事故起数和死亡人数，与去年同期相比都有所下降；多数省区和多数煤矿企业的安全生产状况好于以往。但是，部分省区连续发生重、特大事故，特别是发生了鸡西“6·20”特大瓦斯爆炸事故，造成目前煤矿安全生产形势相当严峻。

5 月 4 日，全国发生三起小煤矿特大事故，共死亡 59 人。即：山西运城地区河津市富源煤矿（无证）透水事故，死亡 21 人；湖南娄底涟源市一处小煤矿煤与瓦斯突出事故，死亡 15 人；贵州毕节地区威宁县一处无证小煤矿瓦斯爆炸事故，死亡 23 人。

5 月 15 日，湖南省发生两起小煤矿特大事故，共死亡 30 人。即：邵阳市文坪镇红旗煤矿透水事故，死亡 12 人；娄底市新化县一处小煤矿煤与瓦斯突出事故，死亡 18 人。时隔 10 天，湖南省娄底市枫坪镇一处小煤矿又发生煤与瓦斯突出事故，死亡 15 人。

特别是 6 月 20 日，黑龙江省鸡西矿业集团公司城子河煤矿西二采区发生特大瓦斯爆炸事故，事故波及该采区两个采煤工作面和三个掘进工作面。发生事故时现场有 139 人，其中 24 人生还，115 人遇难。遇难人员中，包括正在井下检查工作的鸡西矿业集团公司总经理赵文林同志，城子河煤矿的矿长、书记，集团公司办公室主任等多名领导干部。损失惨重，令人非常痛心。鸡西“6·20”事故发生后，党中央、国务院领导同志非常重视，立即作出重要批示，要求全力抢救，妥为善后。国务院办公厅及时发出通报，要求各地、各单位引以为戒，防止发生连锁反应。有关部门和黑龙江省的负责同志迅速赶赴现场，组织开展抢险和事故调查。目前抢救工作已经结束，事故原因正在深入调查。现场勘察和初步分析表明，这是一次重大责任事故。导致事故的直接原因，是由于停电、停风，造成该矿西二采区排水巷瓦斯积聚，并达到爆炸界限；排水电器设备的防爆性能出现问题，在重新启动时引发瓦斯爆炸。事故暴露出该矿在安全生产管理、矿井“一通三防”方面，存在较多的漏洞和问题。

6 月 24 日，河北省蔚县三处未经省级验收批准而私自生产的小煤矿发生水灾事故。其中涌泉庄乡涌发煤矿 16 名工人被困井下，估计生还的可能性很小。

7 月 4 日，吉林省白山市江源县一处小煤矿非法生产发生瓦斯爆炸。当时井下共有 39 人，目前已找到 2 具尸体，其余的估计也都已经遇难。

以上这些事故都发生在国务院第 58 次常务扩大会议和全国安全生产电视电话会议之后，发生在“安全生产月”期间，充分说明了煤矿安全生产形势的严峻性，说明了煤矿安全整治和关闭整顿小煤矿工作的长期性、艰巨性和复杂性，再一次敲响了煤矿安全的警钟，应该引起我们的高度重视。

二、当前煤矿安全生产工作中存在的主要问题

当前煤矿安全生产工作中存在的问题，概括地讲，还是吴邦国副总理所指出的：落实不下去，严不起来。主要是：

第一，安全生产责任制不能落到实处。一些煤矿企业尽管建立了安全生产责任制，但并不认真实行，安全生产工作停留在纸面上和口头上，收到上级文件后原文照转，以文件贯彻文件，以会议贯彻会议的现象比较严重。个别企业长期不召开安全生产工作会议，对党中央、国务院的指示和上级的部署，不传达，不贯彻，不落实。一些地方在组织开展安全生产检查中，重形式走过场。前面刚刚查过，后面就发生事故。

第二，重大隐患的监控和整改措施不落实。一些国有煤矿企业特别是老企业，投入不足，设备老化，矿井防灾、抗灾能力持续下降，“一通三防”隐患严重。更严重的是，企业领导对安全生产思想认识不到位，管理不到位，整改措施不到位。鸡西矿业集团公司就是一个例子。一段时间来，煤矿安全监察机构针对该集团公司安全欠账多、隐患严重的情况，先后六次发出监察整改通知，均以经济困难为由拒绝或推迟整改。这次大检查期间，国务院检查组第 11 组的人员检查了城子河煤矿，发出了停产整改通知。但该矿仍继续生产，以致发生“6·20”特大瓦斯爆炸事故。教训非常深刻。

第三，关闭整顿小煤矿进展不平衡，对非法开采制止不力。一些地方政府特别是县、乡两级领导，对关闭整顿小煤矿仍然存在着这样和那样的思想障碍；关闭整顿工作抓得不实，对小煤矿死灰复燃、非法开采、违法生产打击不力。吉林省白山市江源县发生瓦斯爆炸事故的富强煤矿，2000 年 3 月 4 日曾发生过瓦斯爆炸事故，但松树镇政府只考虑经济效益，将本应依法关闭的这个小煤矿转卖给个体户。这次事故发生的前一天，白山煤矿安全监察办事处在该矿监察后下达了停止井下作业的决定，并将井下作业人员带至地面，但矿主当天夜间又违法组织生产，酿成特大事故。河北省蔚县发生的几起非法小煤矿水灾事故，是在出事之后才暴露出来的。

第四，煤矿安全整治不深入，整治标准不高，要求不严。一些地方和单位对煤矿安全整治的艰巨性、持久性认识不足，产生了松劲厌战情绪。有的擅自降低整治标准，该停产的不停产，该整改的不整改。个别煤炭企业的领导人不顾矿井通风和安全条件，冒险组织生产，超能力突击生产；甚至无视安全监察机构下达的限期整改、停产整顿指令，违法违规生产。这也是一些煤矿发生事故的重要原因。

三、关于下一步工作

下一步的煤矿安全生产工作，总体上讲，就是要认真贯彻国务院第 58 次常务扩大会议、全国安全生产电视电话会议和吴邦国副总理在安全生产大检查汇报会上的重要指示精神，按照国办发 17 号明电要求，以鸡西“6·20”事故和接连发生的小煤矿事故为戒，以学习宣传和贯彻《安全生产法》为契机，强化责任感、使命感和紧迫感，紧紧抓住国有大矿“一通三防”和小煤矿死灰复燃这两个重点，做到“三严格、三落实”，即严格煤矿安全专项整治标准和要求，严格事故追查和责任追究，严格煤矿安全监察行政执法；落实各级领导安全生产责任制，落实事故隐患整改措施，落实监察执法责任制。做到关口前移，重心下移，扎实工作，严密防范，坚决遏制重、特大事故多发势头，确保 2002 年煤矿安全生产奋斗目标的实现。

为此，要突出抓好以下六个方面的工作：

*（一）继续深入开展煤矿安全生产大检查，加大隐患整改力度。*各地、各单位要按照国办《紧急通知》和国办关于鸡西事故的《通报》要求，继续组织力量，对本地区的煤矿和所属单位的安全生产，全面彻底、从严从细进行检查，不留任何死角，确保收到实效。特别是个别在前段大检查中工作不认真，搞形式、走过场的单位；敷衍了事、边检查边发生事故的单位等，一定要重新补课，认真挖隐患、查漏洞。要建立隐患整改责任制，凡检查出来的隐患和问题，都要记录在案，明确整改的责任单位和责任人，区分轻重缓急，确定整改的期限。重大事故隐患，要向煤矿安全监察机构备案，接受监察督促。对寻找种种借口、拒绝进行整改或整改不力，以及在规定期限里不能完成整改任务的，要依照有关法律法规和国务院 302 号令的规定，严肃追究有关人员的责任。通过深入开展大检查，实实在在地推动煤矿安全生产工作。

*（二）切实抓好国有大矿“一通三防”，坚决防止重、特大事故。*各国有煤矿要认真吸取鸡西“6·20”事故的教训，严格按照国办发 17 号明电的要求，做到“四个一律停产整顿”：凡超通风能力生产的矿井；煤与瓦斯突出而未采取综合防突措施的矿井；生产布局和通风系统不合理的矿井；未安装矿井安全监控系统或系统运行不正常的高瓦斯矿井和煤与瓦斯突出矿井，都必须停止生产进行整顿。

煤炭企业要把“一通三防”摆在重中之重位置上，集中精力抓紧抓好。要按照规定提取安全技措专项费用，保证矿井“一通三防”方面的投入，保证相关设施、设备的正常运转。要坚持总工程师对“一通三防”工作全面负责，健全完善各项责任制度，加强监测、检验、监控等基础工作。要认真贯彻落实《煤矿安全规程》相关的规定，完善矿井“一通三防”系统，制定和落实防治瓦斯煤尘灾害的措施。要切实加强现场管理，特别是采用局部通风机通风的掘进工作面，因检修、停电等原因停风时，必须撤出人员，切断电源；恢复通风前必须检查瓦斯，瓦斯浓度超过规定界限时，要制定排放和安全措施；只有瓦斯浓度符合安全标准，才能恢复局部通风和电气设备的供电。总之，要接受教训，举一反三，全面加强和改进国有大矿“一通三防”工作，决不允许鸡西“6·20”事故重演。

*（三）严格标准，严格要求，把关闭整顿小煤矿的工作落到实处。*坚决克服松劲厌战情绪，继续深化煤矿安全专项整治。抓住小煤矿死灰复燃、非法开采这个关键，采取得力措施，把整治工作推向深入。对那些已经列为关闭对象的小煤矿，尚未通过省级政府验收并重新核发“四证”的小煤矿，明停暗开、时停时开的小煤矿，都要坚决依法予以关闭。要严格执行关井的六条标准，炸毁井筒，填平场地，遣散从业人员，并在地方报纸上发布公告，消除死灰复燃的可能性。要认真贯彻国务院领导同志的指示精神，落实县、乡政府领导在关闭整顿小煤矿工作方面的责任制。

*（四）严格煤矿事故查处和责任追究。*煤矿发生的重、特大事故，都要按照“四不放过”的原则，一查到底，做到有责必究，有罪必罚，绝不手软，绝不姑息迁就。遵照国务院领导的指示精神，要把安全生产责任追究与打黑除恶、惩治腐败、社会治安综合治理紧密结合起来，深挖一些事故背后的“恶根”，坚决打掉“保护伞”。要加强煤矿安全生产的舆论监督和群众监督，对一切忽视安全生产、违反安全生产法律法规的行为，要大胆揭露；一些影响较大的煤矿事故查处结果，要在新闻媒体上公开曝光。已经结案的事故，要跟踪和督促处理决定的落实情

况，确保对责任人的处理落实到位。没有结案的必须在规定期限内结案，要公开宣布处理结果，接受社会监督和群众监督。

（五）认真学习宣传和贯彻《安全生产法》，依法加强煤矿安全生产工作。《安全生产法》已经公布，并将于11月1日起正式实施。各地、各单位要立即行动起来，掀起一个学习宣传和贯彻《安全生产法》的热潮。各国有煤炭企业要认真学习宣传和贯彻，按照《安全生产法》的规定，对企业的安全生产工作进行一次全面的对照检查。查一查"安全第一，预防为主"的方针是否落到了实处；安全生产责任制是否建立和健全；安全生产投人是否及时，安全设施是否完善；安全生产宣传教育和培训工作是否开展了起来。要以学习宣传和贯彻《安全生产法》为契机，使煤炭企业安全生产得到实实在在的加强和改进，提高企业的本质安全水平，从根本上保障安全生产。

（六）加大煤矿安全执法监察力度，关口前移，严密防范。各级煤矿安全监察机构和监察人员要进一步明确职能定位，切实转变作风，履行监察执法职责。要抓住煤矿安全生产的关键环节，特别是局、矿两级干部的责任制落实情况，矿井安全生产和"一通三防"系统情况，安全技措资金的提取和投人情况等，实施监察执法，提高执法效率和水平。自觉履行职责，忠于职守。对存在严重事故隐患的煤矿，要依法下达停产整顿、停止作业、限期整改等监察执法指令。对拒不执行的，按未遂事故处理；酿成事故的，要严格依法查处。通过秉公执法，严格执法，树立起监察机构的执法权威。国家局打算在近期内，组织开展煤矿安全监察执法情况的专项督查，重点督查煤矿监察机构下达的执法通知书的贯彻落实情况。通过专项督查，推动煤矿安全监察执法工作。

濮洪九同志在煤矿安全监察系统纪检监察工作会议上的讲话

（2002年3月23日）

2002年反腐倡廉工作的任务和要求

今年是具有重大意义的一年。党的十六大的胜利召开，必将在党和国家的历史上产生重大而深远的影响。今年又是中央确定的党的转变作风年。以新的作风扎扎实实地做好党风廉政建设和反腐败各项工作，对于维护改革、发展、稳定大局，推进全国安全生产监督管理和煤矿安全监察工作意义十分重大。根据中央纪委七次全会和国务院第四次廉政工作会议的部署，今年党风廉政建设和反腐败工作的总体要求是：高举邓小平理论伟大旗帜，坚持以江泽民同志"三个代表"重要思想为指导，深入学习贯彻党的十五届六中全会以及中央经济工作会议精神，加强反腐败三项工作，坚持标本兼治，注重治本，从源头预防和解决腐败问题，狠抓工作落实，努力取得党风廉政建设和反腐败斗争新的实际成果。按照这一总体要求，经国家局党组研究决定，我们煤矿安全监察系统今年的反腐倡廉工作要切实抓好以下几个方面：

1. 严格规范领导干部从政行为，继续深化廉洁自律工作。根据中央纪委七次全会的部署，结合我们煤矿安全监察系统的实际，重申和提出以下四条要求：

（1）继续落实领导干部不准收受直接管理、服务和监察的对象、下属及其他与其行使职权有关系的单位和个人、外商、私营企业主的现金、有价证券、支付凭证的规定。对违反规定的，必须严格执行纪律。对用公款向领导干部赠送现金、有价证券、支付凭证的直接责任人和单位主要负责人，必须给予党纪政纪处分或组织处理。

（2）禁止领导干部到企业和单位报销应由本人及其配偶、子女支付的个人费用。对违反规定报销的，要责令其退还，并视情况给予党纪政纪处分。对批准报销的企业和单位的有关责任人，要根据情节进行处理。

（3）继续落实中央纪委批准的中央各有关部门所作出的领导干部配偶、子女从业的具体规定。进一步规定：不准处级以上领导干部的配偶、子女在异地注册登记后，到该领导干部管辖范围内从事可能与公共利益发生冲突的经商办企业活动；不准领导干部的配偶、子女利用该领导干部的职权为他人经商办企业提供便利条件，从中牟取私利；不准领导干部利用职权为其他领导干部的配偶、子女在自己管辖范围内经商办企业牟取非法利益提供便利条件。

（4）狠刹奢侈享乐、铺张浪费歪风。禁止用公款进行高消费的娱乐和健身活动，不准搞赌博性的娱乐活动。国家局和省局机关工作人员不准在工作驻地接受下属单位和监察对象的宴请；到办事处调研或检查工作，一律吃工作餐，不准接受宴请；不准超标准住宿；不准参加用公款支付的娱乐活动；不准到行政区划以外搞公款旅游；不准收受土特产品和其他礼品。

对中央纪委的规定、国家局党组重申和强调的上述纪律和要求，全体公务员都要严肃认真、不折不扣地贯彻执行，各直属事业单位处级以上干部也要参照执行。对这些规定的贯彻执行情况，纪检监察部门要加强监督检查。凡是违反规定的，必须严肃处理。

根据中央纪委和国家局党组的要求，各单位、各部门还要针对本单位、本部门群众反映比较强烈的问题，研究制定领导干部廉洁自律的具体规定，并认真抓好落实。

2. 突出重点，探索规律，继续加强查办案件工作。要认真落实十五届六中全会提出的坚决查处违纪违法案件，严惩腐败分子的要求，继续加大查办案件力度。根据中央纪委的部署和我们的实际情况，今年要重点查处违反政治纪律和组织人事纪律的案件，对买官卖官、造假骗官等行为，发现一起，查处一起；要坚决查处贪污受贿、挪用公款、贪赃枉法、徇私舞弊以及严重失职渎职的案件；同时要严肃查处引发重大安全事故的深层次腐败案件。

纪检监察部门要认真研究煤矿安全监察系统违纪违法问题发生的特点和规律，进一步加强信访举报工作，努力拓宽揭露腐败问题的视野和渠道。要注意从掌管人、财、物的重点部位和管理上的薄弱环节入手，去发现案件线索。要不断改进办案方法，提高办案能力。要研究和剖析重大案件的发案原因，加强制度和管理上的薄弱环节，从源头上预防腐败问题的发生。案件查处要继续坚持立足全局，讲究策略，综合考虑政治、经济和社会效果。要严格执行纪律，坚决防止瞒案不报、压案不查和执纪偏宽、偏软的现象。要认真办理申诉案件，切实保障党员干部的权利。对蓄意诬告陷害或者打击报复举报人的，都必须严肃查处。

各省局纪检监察部门要积极参与重大安全事故调查处理工作，在加强执法监督的同时，要配合有关部门认真查处引发腐败的深层次问题。

各级党政组织要加强对查办案件工作的统一领导，党政主要领导要重视和支持执纪办案工作。各省局纪检组、监察室要下力气抓好自办案件，对一些重要案件线索要及时组织力量查处。各级纪检监察部门都要根据中央纪委的要求，在办案中尊重地方党委的领导，加强与所在地方纪检监察机关的配合与沟通，确保查办案件工作顺利进行。

3. 注重标本兼治、综合治理，继续加大从源头上预防和解决腐败问题的力度。

(1) 进一步加强教育和制度建设。尉健行同志在中央纪委七次全会上的报告中强调指出："深入推进党风廉政建设和反腐败斗争，要靠教育，靠制度。"这既是对多年来我们党坚持标本兼治，开展反腐败斗争的经验总结，又是对进一步加大治本力度，推进反腐倡廉工作的明确要求。我们一定要把加强教育和制度建设作为重要的治本之策，在党风廉政建设和反腐败的总体部署中加以突出，切实抓出实效。

在教育方面，一要抓好日常教育。继续深入学习贯彻江泽民同志"七一"重要讲话和十五届六中全会精神，用科学理论武装头脑，指导行动。二要进行集中教育。各单位都要从自己的实际情况出发，集中一定时间，大力开展理想信念和道德法纪教育，引导党员干部牢固树立正确的世界观、人生观、价值观，增强抵御腐朽思想侵蚀的能力。三要开展专题教育。结合当前反腐倡廉的实际，今年要突出抓好对各级领导干部的权力观教育。各级党组织要教育领导干部正确认识手中权力的性质，懂得手中权力的分量，切实为人民掌好权、用好权，全心全意为人民服务；要教育领导干部正确对待个人的权力、地位和个人利益，自觉摆正同人民群众的关系，防止利用手中的权力牟取私利。四要搞好典型教育。一方面，要组织广大党员干部学习先进人物的事迹，严格要求自己，清正廉洁，当好人民公仆。另一方面，要利用近几年查处的典型案例开展警示教育，引导广大党员干部深刻记取极少数领导干部堕落为腐败分子的沉痛教训，过好权力关、金钱关和美色关。各单位要注意运用本地、本单位的正反面典型开展教育，增强教育的实效性。

在制度建设方面，一要注重抓完善。应该说，这些年来，从国家局到省局、再到各办事处，都制定了一系列的规章制度，不少单位还汇编成册，确实下了很大功夫。但制度建设不是一劳永逸的，必须根据形势的发展，按照"管好权、管好钱、管好人"的要求，根据出现的新情况、新问题，及时进行必要的修改和补充，使各项制度不断完善，更有针对性和规范性。在认真坚持领导干部重大事项报告制度的同时，实行领导干部定期报告廉洁从政情况制度；要建立健全领导干部外出报告制度、党政主要负责同志结合年终考核进行"述廉"制度和群众评议领导干部制度；在推行领导干部离任经济审计制度的基础上，对一些掌管钱、物的重要岗位要实行定期或不定期的审计，加强监督检查；要进一步推行政务公开制度，增加办事的"透明度"。二要注重抓制度的落实。各级都要围绕制度的落实，制定相应的实施细则和办法。抓制度落实重在抓住重点严格监督。对一个单位党风廉政建设的评价，不仅要看制度的制定和部署，更要看制度的执行和效果。在检查制度落实工作中，要注意突出重点，集中检查几项影响全局的制度的执行情况，以此推进其他制度的落实。检查制度落实情况，要特别注意检查领导干部带头执行制度的情况。只有领导的表率作用发挥好了，就没有执行不了的制度。这一环节，必须抓好。

(2) 采取有效措施，积极推进干部人事制度改革。一要按照中央纪委和中组部的要求，加大干部人事制度改革的力度。要结合国家局的实际，制定干部人事制度改革的实施方案。同时，要继续加强对《党政领导干部选拔任用工作暂行条例》执行情况的监督检查，认真贯彻落实中央关于《深化干部人事制度改革纲要》，坚持"用好的作风选人，选作风好的人"，逐步建立起能上能下、能进能出、有效激励、严格监督、竞争择优、充满活力的用人机制。二要进一步实行和完善领导干部任前公示制，提高干部人事工作的民主化。选拔任用副处级以上领导干部，要逐步实行竞争上岗制、干部考察预告制。在干部考察中，要充分发扬民主，走群众路线，坚持和完善民主推荐、民主测评等制度，实现公开选拔干部工作的规范化、制度化。三要建立必要的制度，加大干部轮岗交流的力度。对一些重要岗位的领导干部。要定期进行交流。四要建立干部选拔任用工作责任追究制和用人失误、失察追究制，明确干部推荐、考察、决策各个环节的责任主体和内容，切实解决责任不明确和用人失误、失察无人负责、无法追究的问题。

(3) 加快行政审批制度和财务制度改革。在推进行政审批制度改革方面，国家局要按照中央要求，在彻底清理的基础上，对行政审批项目逐一作出处理。应当取消的行政审批项目，要坚决取消。按照新机构、新职能的要求，该由我们审批的项目，必须执行严格的审批制度，建立健全监督约束机制。对安全评估、培训发证、安全设备质量鉴定、安全技术推广等，都要规范程序，加强监督。

要进一步规范有形建筑市场和政府采购工作。国家局机关和各直属单位要对近几年来的基建工程项目进行一次检查清理。对发现的问题，要严肃追究责任。要加强对《招标投标法》贯彻落实情况和政府采购工作情况的监督检查，坚决制止和纠正规避招标、招标投标中弄虚作假等行为，严肃查处领导干部干预和插手招标投标等违纪违法行为。有关部门要继续推行政府采购制度。本着公开、公平、公正、效益和质量的原则，建立健全相关制度，严格规范采购行为，并逐步建立起有效的监督约束机制。

在深化财务制度改革方面，要严格执行各项财务制度和财经纪律。严格执行国家局制定的《预算资金管理暂行办法》，对预算外资金一律实行收支脱钩管理。要进一步落实“收支两条线”管理的各项规定，严格罚没收入管理，严肃查处违反“收支两条线”规定的行为。要坚决杜绝收受监察对象赞助的现象发生。要继续清理整顿行政事业单位银行账户，对设立“小金库”、账外账，违规开设银行账户的，要坚决予以查处，给予直接责任人和主管领导党纪政纪处分。

4. 采取实际措施，强化监督检查工作。加强监督检查是今年党风廉政建设的一项重点工作。江泽民同志在中央纪委七次全会上对加强监督工作讲的非常深刻，他指出：“各级党组织特别是纪检监察部门要根据形势的新发展和实际的新要求，积极探索，找到主动监督的好办法，真正做到领导干部的权力行使到哪里，党组织的监督就实行到哪里。”尉健行同志在中央纪委的报告中也把加强监督检查工作作为重要内容，提出了更高要求。各级党政组织和纪检监察部门一定采取有效措施，强化监督，严明纪律，保证党风廉政建设和反腐败任务的落实。

根据我们的实际情况，在监督方面具体要抓好以下几项工作：一要加强对各级党政组织执行党的路线、方针、政策和上级指示、指令情况的监督。当前特别要严明政治纪律，加强对执行十五届六中全会《决定》情况的监督检查，认真贯彻落实“八个坚持八个反对”的要求。煤矿安全监察系统的领导干部要增强垂直管理的意识，保证国家局政令畅通。二要加强对选人用人的监督。根据中央纪委的要求，纪检监察部门对党政领导干部的推荐提名、考察考核、讨论决定等各个环节，要实行全过程的监督检查。要严肃查处违反组织人事纪律的行为。三要加强对领导干部廉洁从政和作风建设情况的监督，发现问题，要严肃处理。今年，要坚决落实国家局党组去年制定的巡视制度。根据党组的统一部署，驻国家局纪检组、监察局和人事司要选派得力干部组成巡视组，对部分省局和直属事业单位班子进行巡视检查。

5. 进一步强化责任意识，继续贯彻执行党风廉政建设责任制。各级领导干部要牢固树立抓好党风廉政建设的责任意识，提高执行党风廉政建设责任制的自觉性，尤其是主要领导同志要带头履行责任，对党风廉政建设负总责，分管领导根据工作分工各负其责，各职能部门要担负起职责范围内的党风廉政建设工作，纪检监察部门要充分发挥组织协调作用，进一步发展齐抓共管反腐倡廉工作的局面。

要在进一步健全和完善责任制，明确责任、落实任务的基础上，着重抓好监督检查和责任追究。根据中央纪委要求，责任追究要围绕中央纪委四次全会、五次全会提出的六个重点来进行，尤其是领导干部对自己职责范围内的党风廉政建设和反腐败工作敷衍塞责、不抓不管，以致屡屡发生大案要案、造成恶劣影响的；选拔任用领导干部违反有关政策和规定，造成严重后果的，必须按规定追究有关领导干部的责任。下半年，局党组将对直属单位领导班子贯彻党风廉政建设责任制、加强作风建设的情况进行一次大检查。适当时候，召开一次领导班子作风建设经验交流会。

6. 继续坚持高标准、严要求，进一步巩固和发展办事处党风廉政建设的良好势头。我们虽然在办事处队伍建设方面做了一些工作，也取得了一定成效，但这些工作只是初步的，办事处仍处在初创时期。实实在在地说，我们的基础工作还比较薄弱，很容易出现反弹。我们一定要深化认识，以更高的标准和要求，坚持不懈地抓好安全监察执法队伍建设。

一要加强领导不放松。按照一级抓一级、分级管理的原则，各省局党组要切实加强对办事处党风廉政建设的领导，“一把手”要负起第一责任。这里重申，今后，办事处不论哪方面出现严重问题，都要追究上级的责任，尤其要追究“一把手”和分管领导的责任。

二要严格要求不放松。要把国家局党组提出的“政治过硬、作风优良、业务熟练、技术精湛、秉公执法”的

“二十字”要求，始终不渝地贯彻到煤矿安全监察队伍建设之中，无论什么时候都不能降低标准、放宽要求，真正建设一支廉洁、勤政、务实、高效的煤矿安全监察执法队伍。

三要严格管理不放松。首先要加强对办事处领导班子的管理，坚持抓班子、带队伍、树新风。各省局都要对办事处领导班子成员尤其是“一把手”定期进行廉政谈话，及时发现带有倾向性、苗头性的问题，多打招呼，常敲警钟，把工作做在前面，把问题解决在萌芽状态。同时，要注意发现和总结好的典型，及时进行推广。为了把办事处党风廉政建设提高到一个新水平，国家局党组今年将组织对办事处党风廉政建设工作进行一次全面检查，各省局要认真研究实际措施，加大工作力度，进一步把这项工作抓好。

最后，我讲一下纪检监察队伍自身建设问题。

第一，要强化严于自律作表率的意识。江总书记在中央纪委七次全会上指出：“所有党员干部在党内都是平等的。纪律检查干部同其他干部一样，都是党的干部，只是分工不同。由于职责的要求，纪律检查干部应当有更高的政治觉悟，更高的纪律性，更强的法制观念，更要谦虚谨慎。”纪检监察岗位的特殊性，要求每一个纪检监察干部特别是纪检监察部门的领导干部，必须时时刻刻严以律己，在廉洁自律方面作出表率。要求别人做到的，自己首先做到；要求别人不能做的，自己坚决不做。只有我们自身过硬，才能坚持原则，敢抓敢管，恪尽职守，秉公执法，也才会得到广大群众的充分理解和支持。

第二，要强化大局意识和中心意识。纪检监察工作必须为经济建设中心服务，这是我们工作的指导思想，一刻也不能偏离。当前工作的大局是什么？就是改革、发展、稳定；我们工作的中心是什么？就是安全监察执法。我们想问题、做事情，都要从这个大局和中心出发，一切工作都要服从服务于这个大局和中心。今年安全生产五项整治工作要抓巩固、求深入、上台阶，任务相当繁重。特别要深化煤矿安全专项整治工作，促进煤矿安全生产状况稳定好转。总体目标是，通过深化整治，巩固和扩大已取得的成果，所有不具备安全生产条件和未通过验收的小煤矿全部予以关闭；有效遏制死灰复燃；矿井“一通三防”能力明显提高；煤矿安全技术面貌有明显改善。这就要求各级纪检监察部门围绕安全生产中心，扎实有效地开展工作。不仅要认真参加重特大事故的调查处理，还要积极参与安全监察执法和安全生产监督检查，并从我们的职能出发，提出相应的意见和建议，促进秉公执法的深入开展，为安全生产监督监察工作作出自己的贡献。

第三，要强化创新意识和主动意识。随着机构改革，“两局”分离，我们的监督对象减少了，业务范围单一了，工作的重心下移了。针对这种新的情况，我们的工作方式、工作方法都应该以变应变。要勇于突破老套路、老办法，探索新思路、新途径。要加强预防性、预测性的工作，将教育和监督的关口前移，立足于防范和保护，规范在先、预防在先，多做一些超前性工作，掌握工作的主动权。同时，要加强调查研究工作。今年是中央确定的“转变作风年、调查研究年”，各级纪检监察部门要在这方面多下一些功夫。要围绕煤矿安全事故与腐败，官僚主义与腐败的关系等课题，开展一些深层次的调研。通过加强调查研究，增强工作的前瞻性、创造性和有效性，增强工作的深度和力度。

第四，要积极做好中国监察学会煤炭分会的工作。

赵岸青同志在局党风廉政建设和反腐败工作领导小组（扩大）会议上的讲话

（2002 年 8 月 22 日）

一、今年以来各单位开展反腐倡廉工作的几个特点

1. 各单位领导重视，把党风廉政建设当作大事来抓。年初，中央纪委七次全会和国务院第四次廉政工作会议之后，局党组于 2 月 22 日召开了局机关全体公务员和在京直属单位负责人会议，对机关和在京单位的党风廉政建设和反腐败工作做了全面部署。3 月下旬，局党组又在四川成都召开了煤矿安全监察系统纪检监察工作会议，特别强调要加强国家局机关作风建设，要求“龙头”摆起来。显政同志 6 月 14 日在机关公务员和在京单位负责人会议上，对当前和今后一个时期的工作进行了全面部署，提出了加强党风廉政建设和机关作风建设的明确要求，并表示要从党组做起，从自身做起，抓班子、带队伍，抓机关、带基层，切实搞好党风廉政建设和反腐败工作。今年以来，各单位按照局党组要求，党风廉政建设工作普遍抓得比较紧。根据局党组《关于 2002 年党风廉政建设和反腐败工作主要任务及分工的通知》要求，各有关单位将党风廉政建设的各项任务进行了细化分解，落实到了领导成员和处室负责人。

2. 注重"关口前移"，在抓思想教育和制度建设上下了功夫。在政治思想教育方面，各单位普遍坚持了领导班子中心组学习制度和党员干部"学习日"制度。大家认真学习、努力实践"三个代表"重要思想。江泽民同志"5·31"重要讲话发表后，直属机关党委按照局党组的部署和要求，及时对机关和在京单位的学习作出了安排。广大党员干部通过学习"5·31"重要讲话，进一步加深了对"三个代表"重要思想的理解。各级领导班子把学习讲话与开展经常性的党性党风党纪教育结合起来，收到了较好效果。

在制度建设方面，我们着眼于从源头预防和治理腐败，注重从制度上机制上解决问题。一是进一步健全干部管理制度。二是进一步规范党员干部从政行为方面的制度。三是建立了有关财务资金管理的制度规定。四是建立了物资采购制度。

3. 坚持"一岗双责"，结合本职业务抓党风廉政建设。这是今年机关和在京直属单位开展反腐倡廉工作的又一个特点。各单位坚持"两手抓"，把党风廉政建设与业务工作紧密结合起来，统筹兼顾，认真抓落实。一是把党风廉政建设和自身业务工作结合起来抓。在部署业务工作的同时，部署党风廉政建设工作；在开展业务工作的过程中，贯穿党风廉政建设方面的要求；在检查和总结业务工作的同时，检查和总结党风廉政建设工作。二是把管人、管事和管廉有机地结合起来。各单位"一把手"作为党风廉政建设的第一责任者，在抓业务工作的同时，都注意抓好本单位的党风廉政建设工作。副职分管哪块业务，同时也分管这一块的党风廉政建设。三是紧密结合业务工作，在党风廉政建设方面严格把关。

总之，由于各单位积极采取措施，按照责任分工认真抓落实，今年以来的党风廉政建设工作取得了新的进展。但是，也必须看到各单位工作发展还不平衡，有些工作在抓落实上还存有较大差距；个别领导干部在廉洁自律方面要求不严，群众还有些反映。对此，应该引起我们的足够重视，认真加以改进。

二、下一步抓好党风廉政建设和反腐败工作的几点意见

党的十五大以来，党风廉政建设和反腐败斗争逐步走上了标本兼治、不断加大从源头上预防和治理腐败的路子。我们在这方面也进行了积极有效的探索，做了大量工作。下一步，要继续下功夫，致力于建立反腐倡廉的长效机制。总的想法是，按照中央纪委、监察部的要求和国家局党组的总体工作部署，以"三个代表"重要思想为指导，在反腐倡廉工作中要建立和完善五个机制：一是以落实党风廉政建设责任制为主线，完善反腐倡廉的责任体系，进一步形成齐抓共管的工作机制；二是坚持教育为主、预防为主的方针，国家局党组统一部署的教育与部门安排开展的教育相结合，经常性的教育与阶段性的专题教育相结合，整体教育和个别思想教育相结合，完善党风廉政教育机制；三是围绕管好权、管好人、管好钱，建立完善各项制度，加大从源头上预防和治理腐败的力度，强化监督约束机制；四是认真查处违纪违法案件，建立起严肃的惩戒机制；五是围绕国家局中心工作抓党风廉政建设，为搞好安全监管和监察工作创造良好环境，建立起有效的保证机制。根据这一工作思路，对机关和在京单位今后一段时间的党风廉政建设工作，再提以下几点要求：

第一，强化责任意识，严格执行党风廉政建设责任制。实行党风廉政建设责任制，是一项严肃的政治任务。各级领导干部一定要进一步强化责任意识，增强抓好责任制落实的自觉性。首先，"一把手"要亲自抓，切实担负起第一位的责任。一定要定期组织班子成员和党员干部学习党中央、国务院和中央纪委关于加强党风廉政建设的规定和指示，落实国家局党组关于党风廉政建设工作的具体部署和要求；一定要经常分析本单位人员的思想状况和在廉政建设上的倾向性问题，有针对性地开展工作；一定要亲自出主意，结合本单位实际，主持研究反腐倡廉的具体措施。二要建立完善层层负责的责任体系。各单位正职要抓好副职，副职要抓好所分管的处室，处长要抓好本处人员，形成自上而下一级抓一级、自下而上一级对一级负责的责任机制。三要善于抓薄弱环节。各单位都要从自身的实际出发，分析易发问题的薄弱点，有针对性地采取防范措施，对苗头性的问题，要及早发现，解决在萌芽状态。严格执行党风廉政建设责任制，关键是加大监督检查力度，严肃责任追究。哪个单位发生了严重违法违纪问题，不仅要追究当事人和分管领导的责任，也要追究"一把手"的责任；并依据责任追究的有关规定进行处理。驻局纪检组、监察局，机关党委、人事司等部门要共同努力，加强监督检查工作。几年来，国家局党组每年都布置对机关和在京单位落实党风廉政建设责任制的情况进行检查，发现和总结了一些好的经验和做法，也查找了存在的问题和工作差距。今年 12 月前后，要继续开展这项检查，并与干部年终考核结合起来进行，检查情况将采取一定形式进行通报。希望各单位都要回过头看一下，对照年初的工作部署，对照局党组 11 号文件的分工要求，看哪些工作落实了，哪些工作还有差距。工作要抓紧一些，实在一些，凡是年初已经安排的任务，一定要一件一件地落到实处。

第二，坚持预防为主，加强经常性的党风廉政教育。反腐倡廉，教育是根本。机关党委、人事司、政法司和驻局纪检组、监察局要密切配合，抓好机关和在京单位的党风廉政教育。近期拟组织的两项教育活动：一是请中央纪委有关部门领导来局作一次党风廉政教育报告；二是配合东城区检察院在我局搞一次"预防职务犯罪展览"，各单位要认真组织党员干部参观，接受教育。

日常教育，要靠各司（室）和各直属单位去搞。为增强教育效果，机关党委和驻局纪检组、监察局要定期选摘发放一些党风廉政教育教材或录像资料，并在每个阶段列出学习篇目和有关内容。各司室和直属单位也可以结合实际找一些材料组织学习。要通过经常性的党风廉政教育，增强广大党员干部廉洁自律的自觉性，防范违法违纪问题的发生。

关于下一段的党风廉政教育，党的十六大以前，主要是组织广大党员干部深入学习江泽民同志“5·31”重要讲话，在全面领会科学内涵、把握精神实质的基础上，紧密联系思想和工作实际，加深对坚持从严治党方针、加大反腐败力度重大意义的理解。同时，要在上半年开展教育的基础上，进一步搞好对党员干部的权力观教育。江泽民同志在中央纪委七次全会上的重要讲话中，突出强调要树立正确的权力观。这是对执政条件下我们党拒腐防变规律的深刻总结，也是对从思想上抵御腐蚀、加大源头治本力度的明确要求。我们作为执法机关，搞好权力观教育尤为重要，必须继续抓好、抓出成效。党的十六大召开后，要按照中央要求和局党组的部署，认真学习贯彻党的十六大精神，进一步提高党员干部的思想政治素质，增强拒腐防变的能力。

第三，注重制度建设，建立健全对权力的监督约束机制。几年来，国家局党组及各单位在党风廉政建设方面都制定了不少行之有效的制度，诸如《贯彻中共中央、国务院〈关于实行党风廉政建设责任制的规定〉实施办法》、领导干部谈话提醒制度、戒勉谈话制度、廉政谈话制度，干部任前公示制度，领导干部重大事项报告制度、收入申报制度、礼品登记制度等。这些制度要继续严格执行，同时根据形势的发展和实际情况的变化，还要不断完善。今年，根据中央纪委的要求，局党组又提出要制定几项新的制度。如《关于建立巡视制度的试行办法》、《党政领导干部选拔任用工作条例实施意见》等。有关责任部门要抓紧做好这些制度的制定和实施。

制度制定之后重在执行。抓制度落实，着重要抓好三个环节：一要坚持领导带头执行制度。只要领导带头了，就没有执行不了的制度。我们必须抓好这一首要环节。二要抓好权力分解和制约。各有关单位要重视对人事财务管理、项目审批、监察执法等方面的权力进行分解，对权力运作的各个环节建立必要的监督约束措施，堵塞一切可能出现的管理漏洞。三要抓住重点部位和环节严格监督检查。我们说，评价一个单位的党风廉政建设工作，不仅要看制度的制定和部署，更要看制度执行的实际效果。要突出抓好薄弱环节。各单位都要认真总结一下这些年来发生在我们身边的违法违纪案件所带来的教训，采取实际措施，在加强薄弱环节和对重点部位的监督上下功夫。根据群众反映，个别单位存在截留会务费私设“小金库”的问题，这要引起我们的注意。有关部门和各单位要加强对会务费的管理，不准以任何形式截留会务费，私设“小金库”。这类问题一旦发现，要严肃处理。

第四，以“三个代表”重要思想为指导，抓好机关自身作风建设。国家局机关是全国安全生产执法队伍的“龙头”，因此抓队伍建设必须首先抓好局机关的思想作风建设。关于这一点，局党组在年初的机关干部大会和全系统纪检监察工作会议上都提出了明确要求，显政同志也多次强调这个问题。在这里，再强调两点：

一是，机关人员要强化表率意识。去年以来，各级党政组织下功夫抓了煤矿安全监察办事处的党风廉政建设，取得了较好效果。应该说，我们对下边要求很严格，下边自己抓得也很紧。客观形势要求我们，作为上级机关更要带头严起来，为基层作出榜样。国家局机关每一个公务员都应努力实践“三个代表”重要思想，严格遵守党的政治纪律，自觉执行廉洁从政的各项规定。凡是中央和国家局党组要求做的事情，机关人员必须首先做到，禁止做的，机关人员坚决不做；凡是要求全系统做到的，机关人员必须带头做到，要求下边不能做的，机关人员坚决不能做。这里再重申和强调一下，机关工作人员要严格执行国家局党组提出的关于安全监察执法人员必须遵守的“九条纪律”和下基层“五个一律”的要求，即机关人员到办事处调研或检查工作，一律吃工作餐，不准接受宴请；一律不准超标准住宿；一律不准参加用公款支付的娱乐活动；一律不准到行政区划以外搞公款旅游；一律不准收受土特产品和其他礼品。

二是，机关人员要强化服务意识。要深入贯彻落实党的十五届六中全会决定，把“八个坚持八个反对”作为局机关转变作风的重点，抓好各项措施的落实。机关人员必须带头转变作风，牢固树立为基层服务、为安全生产服务的思想，大兴调查研究之风。要深入基层多办实事，帮助基层解决一些实际问题。同时，机关人员要以与时俱进的精神，根据新形势、新任务要求，加强学习，不断提高自身素质，不断提高工作效率和工作质量。

第五，以廉政促勤政，把全国安全生产工作座谈会精神落到实处。在7月9日召开的全国安全生产工作座谈会上，显政同志强调指出，当前和今后一个时期，要着重抓好“三件大事”。在8月12日召开的机关干部大会上，显政同志就贯彻落实全国安全生产工作座谈会精神，抓紧当前工作，又讲了四点意见。国家局机关和在京单位，在抓好“三件大事”的落实中，应该走在前面。要按照显政同志的要求，把党组的总体思路与本部门、本单位的实际情况紧密结合起来，进一步明确工作方向和重点，创造性地开展工作，真正把煤矿安全监察工作做实，使安全生产监督管理工作到位。

2002年全国煤矿死亡事故情况

	合计		一次死亡3～9人		一次死亡10人以上		百万吨死亡率	产量/10^4t
	死亡起数	死亡人数	死亡起数	死亡人数	死亡起数	死亡人数		
合　计	4344	6995	321	1423	56	1167	4.94	141530.51
国有重点	516	904	28	141	8	242	1.27	71458.2
国有地方	659	1023	34	143	8	200	3.83	26721.71
乡镇煤矿	3169	5068	259	1139	40	725	11.69	43350.6

2002 年全国煤矿死亡事故分类情况

	合计		一次死亡 3～9 人		一次死亡 10 人以上	
	起数	死亡人数	起数	死亡人数	起数	死亡人数
合计	4344	6995	321	1423	56	1167
顶板	2032	2427	53	198	2	56
瓦斯	634	2297	191	883	39	852
机电	131	133				
运输	494	532	9	28		
放炮	81	92				
水害	159	509	54	248	9	130
火灾	20	185	8	46	6	129
其他	793	820	6	20		

2002 年全国煤矿死亡事故分省情况

	合计		顶板		瓦斯		机电		运输		放炮		水害		火灾		其他		百万吨死亡率	产量/10^4t
	死亡起数	死亡人数	死亡起数	死亡人数	死亡起数	死亡人数	死亡起数	死亡人数	死亡起数	死亡人数	死亡起数	死亡人数	死亡起数	死亡人数	死亡起数	死亡人数	死亡起数	死亡人数		
合　计	4344	6995	2032	2427	634	2297	131	133	494	532	81	92	159	509	20	185	793	820	4.94	141530
北　京	18	21	13	15	1	2	1	1			2	2					1	1	1.99	1054
河　北	107	195	56	63	12	68	3	3	23	25	1	1	5	28			7	7	3.39	5758
山　西	184	501	94	192	23	150	7	7		39	5	6	12	78	1	19	9	10	1.38	36261
内蒙古	98	166	56	73	9	50	4	5	17	17	6	7	2	8			4	6	1.09	15288
辽　宁	161	266	76	93	17	59	6	6	34	36	2	3	6	17	2	30	18	22	5.10	5216
吉　林	138	275	74	87	21	103	5	5	24	27	1	1	4	14	1	30	8	8	19.48	1412
黑龙江	127	425	67	84	18	265	3	3	21	22	5	6	3	13	2	24	8	8	6.33	6716
江　苏	23	24	9	10			2	2	11	11							1	1	0.94	2561
浙　江	8	8	1	1					1	1							6	6	11.27	71
安　徽	73	97	40	46	5	19	3	3	18	19			3	6			4	4	1.50	6472
福　建	51	64															51	64	5.32	1204
江　西	102	178	54	61	18	73	4	4	6	7	4	5	10	17	1	5	5	6	10.71	1662
山　东	82	106	43	53	5	16	11	11	13	13	3	3	4	7			3	3	0.83	12837

续表

	合计		顶板		瓦斯		机电		运输		放炮		水害		火灾		其他		百万吨死亡率	产量/10^4t
	死亡起数	死亡人数	死亡起数	死亡人数	死亡起数	死亡人数	死亡起数	死亡人数	死亡起数	死亡人数	死亡起数	死亡人数	死亡起数	死亡人数	死亡起数	死亡人数	死亡起数	死亡人数		
河　南	133	285	58	81	23	99	16	17	17	26	1	1	8	37	6	20	4	4	2.84	10052
湖　北	92	154	66	76	12	34	2	2	3	3	1	1	3	19	2	14	3	5	19.69	782
湖　南	420	719	231	263	84	300	13	13	43	47	5	5	28	73			16	18	19.48	3691
广　东	42	73	20	25	11	34	1	1	2	2			2	5			6	6	10.46	698
广　西	34	76	20	29	5	8	2	2	2	2			2	3	1	30	2	2	17.39	437
四　川	532	655	337	360	58	140	8	8	71	74	17	18	9	19	1	4	31	32	12.22	5360
贵　州	500	891	231	269	158	438	12	12	51	54	6	7	34	103			8	8	17.82	5001
云　南	194	329	98	116	43	151	7	7	24	24	3	3	8	17			11	11	10.48	3139
重　庆	323	460	184	202	66	175	7	7	32	33	7	8	8	12	1	5	18	18	20.99	2191
陕　西	141	178	93	103	11	24	9	9	17	17	3	3	1	15			7	7	2.92	6103
甘　肃	45	69	20	24	14	34	1	1	9	9							1	1	2.92	2366
青　海	11	25	6	10	2	11	2	2							1	2			8.87	282
宁　夏	18	20			2	2	1	1	5	5	2	3	3	4			5	5	1.10	1818
新　疆	149	197	85	91	16	42	1	1	17	19	7	9	4	14	1	2	18	19	6.36	3098

2002年国有重点煤矿死亡事故分省情况

	合计		顶板		瓦斯		机电		运输		放炮		水害		火灾		其他		百万吨死亡率	产量/10^4t
	死亡起数	死亡人数	死亡起数	死亡人数	死亡起数	死亡人数	死亡起数	死亡人数	死亡起数	死亡人数	死亡起数	死亡人数	死亡起数	死亡人数	死亡起数	死亡人数	死亡起数	死亡人数		
合　计	516	904	221	275	44	343	44	44	131	136	19	23	17	41			40	42	1.27	71458
北　京	9	11	7	9							1	1					1	1	1.75	629
河　北	42	55	18	19	1	11	3	3	16	18							4	4	1.15	4780
山　西	24	40	10	25			3	3	9	10							2	2	0.25	15801
内蒙古	24	30	3	3	1	1	2	2	12	12	2	3	1	6			3	3	0.29	10309
辽　宁	38	64	13	22	4	17	3	3	8	8	1	2	2	3			7	9	1.58	4047
吉　林	30	33	17	20	1	1	3	3	7	7	1	1					1	1	3.76	878
黑龙江	46	216	23	30	6	168	3	3	6	6	2	3					6	6	4.85	4450
江　苏	18	18	6	6			2	2	9	9							1	1	0.81	2232
安　徽	30	47	10	10	3	17	2	2	10	10			2	5			3	3	1.08	4360
江　西	23	28	11	12	4	8	2	2	3	3			3	3					5.03	557

续表

	合计		顶板		瓦斯		机电		运输		放炮		水害		火灾		其他		百万吨死亡率	产量/10^4t
	死亡起数	死亡人数	死亡起数	死亡人数	死亡起数	死亡人数	死亡起数	死亡人数	死亡起数	死亡人数	死亡起数	死亡人数	死亡起数	死亡人数	死亡起数	死亡人数	死亡起数	死亡人数		
山　东	38	44	19	22			9	9	6	6	2	2	1	4			1	1	0.48	9098
河　南	33	62	14	18	6	20	5	5	3	4	1	1	2	12			2	2	1.05	5916
湖　南	28	38	12	12	7	16	1	1	2	3	3	3	2	2			1	1	7.93	479
四　川	31	59	17	20	2	26			8	8	2	3					2	2	6.27	941
贵　州	22	41	10	15	4	18	1	1	6	6			1	1					3.40	1206
云　南	11	11	4	4	1	1	2	2	4	4									9.09	121
重　庆	28	64	10	10	3	38			11	11			2	3			2	2	8.63	742
陕　西	25	26	15	16	1	1	3	3	3	3	2	2					1	1	1.37	1892
甘　肃	6	6							5	5							1	1	0.78	769
宁　夏	6	7							3	3	1	1	1	2			1	1	0.48	1449
新　疆	4	4	2	2							1	1					1	1	0.54	738

2002年地方国有煤矿死亡事故分省情况

	合计		顶板		瓦斯		机电		运输		放炮		水害		火灾		其他		百万吨死亡率	产量/10^4t
	死亡起数	死亡人数	死亡起数	死亡人数	死亡起数	死亡人数	死亡起数	死亡人数	死亡起数	死亡人数	死亡起数	死亡人数	死亡起数	死亡人数	死亡起数	死亡人数	死亡起数	死亡人数		
合　计	659	1023	361	463	74	227	27	28	106	108	19	22	19	46	5	76	48	53	3.83	26721.71
河　北	16	50	9	11	4	36			3	3									6.84	730.5
山　西	44	121	20	65	6	20	2	2	8	8	3	3	2	20			3	3	1.85	6539.41
内蒙古	20	28	11	18			1	1	4	4	3	3	1	2					1.78	1574.96
辽　宁	21	30	12	12	1	2			6	6					1	9	1	1	13.07	229.57
吉　林	35	71	23	27	3	6			7	7			1	1	1	30			17.67	401.75
黑龙江	11	15	7	10	1	1			2	2			1	2					1.35	1113.73
江　苏	5	6	3	4					2	2									1.83	328.51
浙　江	4	4	1	1					1	1							2	2	54.27	7.37
安　徽	13	16	7	10	1	1			4	4			1	1					0.98	1625.73
福　建	10	13															10	13	2.42	537.09
江　西	28	44	15	16	5	15	2	2	2	2	2	3	1	1	1	5			12.81	343.4
山　东	33	39	18	24	2	2	2	2	5	5	1	1	3	3			2	2	1.30	2995.2
河　南	30	66	11	15	4	33	8	9	6	8							1	1	3.53	1871.49

续表

	合计		顶板		瓦斯		机电		运输		放炮		水害		火灾		其他		百万吨死亡率	产量/10^4t
	死亡起数	死亡人数	死亡起数	死亡人数	死亡起数	死亡人数	死亡起数	死亡人数	死亡起数	死亡人数	死亡起数	死亡人数	死亡起数	死亡人数	死亡起数	死亡人数	死亡起数	死亡人数		
湖　北	15	20	10	13	2	4			1	1			1	1			1	1	8.21	243.62
湖　南	78	106	44	49	17	40	1	1	11	11	1	1					4	4	14.30	741.18
广　东	7	10	3	3	1	4											3	3	80.65	12.4
广　西	13	45	9	12			1	1	1	1			1	1	1	30			11.26	399.53
四　川	100	114	55	59	7	14	4	4	18	18	4	4	1	3			11	12	8.24	1383.59
贵　州	35	42	21	23	3	5	1	1	6	6	2	2	1	4			1	1	10.03	418.74
云　南	18	27	9	9	1	8			3	3			3	5			2	2	2.49	1086.32
重　庆	26	30	14	16	5	7	1	1	2	2	1	1					3	3	9.25	324.49
陕　西	26	27	21	21	1	2	1	1	3	3									2.90	929.77
甘　肃	24	27	16	17	5	7			3	3									2.27	1188.21
青　海	8	17	4	8	1	5	2	2							1	2			7.53	225.9
宁　夏	8	9			1	1	1	1	2	2	1	2	2	2			1	1	3.27	275.37
新　疆	31	46	18	20	3	14			6	6	1	2					3	4	3.85	1193.88

2002年乡镇煤矿死亡事故分省情况

	合计		顶板		瓦斯		机电		运输		放炮		水害		火灾		其他		百万吨死亡率	产量/10^4t
	死亡起数	死亡人数	死亡起数	死亡人数	死亡起数	死亡人数	死亡起数	死亡人数	死亡起数	死亡人数	死亡起数	死亡人数	死亡起数	死亡人数	死亡起数	死亡人数	死亡起数	死亡人数		
合　计	3169	5068	1450	1689	516	1727	60	61	257	288	43	47	123	422	15	109	705	725	11.69	43350.6
北　京	9	10	6	6	1	2	1	1			1	1							2.35	425
河　北	49	90	29	33	7	21			4	4	1	1	5	28			3	3	36.38	247.36
山　西	116	340	64	102	17	130	2	2	16	21	2	3	10	58	1	19	4	5	2.44	13920.69
内蒙古	54	108	42	52	8	49	1	2	1	1	1	1					1	3	3.17	3405.56
辽　宁	102	172	51	59	12	40	3	3	20	22	1	1	4	14	1	21	10	12	18.32	938.87
吉　林	73	171	34	40	17	96	2	2	10	13			3	13			7	7	129.97	131.57
黑龙江	70	194	37	44	11	96			13	14	3	3	2	11	2	24	2	2	16.84	1151.73
江　苏																				
浙　江	4	4															4	4		
安　徽	30	34	23	26	1	1	1	1	4	5							1	1	7.00	485.63
福　建	41	51															41	51	7.65	666.79
江　西	51	106	28	33	9	50			1	2	2	2	6	13			5	6	13.91	761.96
山　东	11	23	6	7	3	14			2	2									3.09	743.6

续表

	合计		顶板		瓦斯		机电		运输		放炮		水害		火灾		其他		百万吨死亡率	产量/10^4t
	死亡起数	死亡人数	死亡起数	死亡人数	死亡起数	死亡人数	死亡起数	死亡人数	死亡起数	死亡人数	死亡起数	死亡人数	死亡起数	死亡人数	死亡起数	死亡人数	死亡起数	死亡人数		
河　南	70	157	33	48	13	46	3	3	8	14			6	25	6	20	1	1	6.93	2264.83
湖　北	77	134	56	63	10	30	2	2	2	2	1	1	2	18	2	14	2	4	24.90	538.18
湖　南	314	575	175	202	60	244	11	11	30	33	1	1	26	71			11	13	23.27	2471.41
广　东	35	63	17	22	10	30	1	1	2	2			2	5			3	3	9.19	685.89
广　西	21	31	11	17	5	8	1	1	1	1			1	2			2	2	83.27	37.23
四　川	401	482	265	281	49	100	4	4	45	48	11	11	8	16	1	4	18	18	15.88	3034.83
贵　州	443	808	200	231	151	415	10	10	39	42	4	5	32	98			7	7	23.93	3376.81
云　南	165	291	85	103	41	142	5	5	17	17	3	3	5	12			9	9	15.06	1931.8
重　庆	269	366	160	176	58	130	6	6	19	20	6	7	6	9	1	5	13	13	32.52	1125.3
陕　西	90	125	57	66	9	21	5	5	11	11	1	1	1	15			6	6	3.81	3281.4
甘　肃	15	36	4	7	9	27	1	1	1	1									8.82	408.19
青　海	3	8	2	2	1	6													14.39	55.6
宁　夏	4	4			1	1											3	3	4.28	93.38
新　疆	114	147	65	69	13	28	1	1	11	13	5	6	4	14	1	2	14	14	12.60	1166.99

2002年全国煤矿10人以上伤亡事故明细表

序号	日　期	单　　位	事故地点	死亡人数	重伤人数	简要情况	经济类型	事故类型	事故原因
1	2002—12—23	贵州黔南布洲荔波县立化镇三岔河煤矿	采煤面	17	2	采煤面发生瓦斯爆炸	私营经济	瓦斯爆炸	安全设施缺少或有缺陷
2	2002—12—22	甘肃白银市平川区兰州金城旅游服务(集团)公司小南沟煤矿	大　巷	11		由于采用非正规采煤方法，形不成全负压通风，采用局部通风机压入式供风巷采，随意停开局部通风机导致独头巷道瓦斯积聚，瓦斯浓度达到爆炸界限。爆炸火源为1470水平运输平巷90m采空区密闭漏风发火，产生明火火源，引起瓦斯爆炸，造成巷道塌方、堵塞，井下作业11人全部遇难	股份合作	瓦斯爆炸	技术和设计有缺陷
3	2002—12—21	贵州毕节地区金沙县新华乡中兴三号煤矿	采煤面	12		采煤面发生瓦斯爆炸	私营经济	瓦斯爆炸	安全设施缺少或有缺陷
4	2002—12—6	吉林洮南市万宝煤矿小新井	大　巷	30		入井60人，+210、+140各30人。在+140绞车放下一排空车后提重车，起车时配电盘有响声和弧光，事故认定电火花引燃司机棉袄导致火灾发生	国有经济	火　灾	违反操作规程或劳动纪律
5	2002—12—2	山西临汾市尧都区一平垣乡阳泉沟煤矿	采煤面	30		采煤面发生瓦斯爆炸	私营经济	瓦斯爆炸	没有安全操作规程或不健全
6	2002—11—14	云南昆明市路南县过水沟煤矿	掘进头	11		瓦斯聚集超限，私拆矿灯引起爆炸	私营经济	瓦斯爆炸	生产场所环境不良
7	2002—11—10	山西晋中市灵石县两渡镇太西煤矿	采煤面	37		采煤面发生瓦斯爆炸	私营经济	瓦斯爆炸	没有安全操作规程或不健全

续表

序号	日期	单位	事故地点	死亡人数	重伤人数	简要情况	经济类型	事故类型	事故原因
8	2002—11—9	吉林白山市靖宇县赤松乡309煤矿	上下山	11		因风机循环风量不足，矿灯失爆发生瓦斯爆炸事故	私营经济	瓦斯爆炸	违反操作规程或劳动纪律
9	2002—11—8	山西阳泉市盂县西潘乡办煤矿二坑口	采煤面	26		采煤面发生瓦斯爆炸	私营经济	瓦斯爆炸	违反操作规程或劳动纪律
10	2002—10—31	内蒙古包头市石拐区常胜煤矿	采煤面	14		采煤面发生瓦斯爆炸	集体经济	瓦斯爆炸	违反操作规程或劳动纪律
11	2002—10—29	广西南宁市二塘煤矿	采煤面	30		井下四采变电所电缆爆炸，引起变压器着火。继而引燃相邻巷道木支架燃烧。大量有害有毒气体随着风流进入工作面。造成30人死亡	国有经济	火灾	安全设施缺少或有缺陷
12	2002—10—23	山西吕梁地区朱家店煤矿	采煤面	44		采煤面发生冒顶事故	国有经济	冒顶片帮	没有安全操作规程或不健全
13	2002—9—20	山西太原市古交市屯川煤矿	掘进头	14		掘进头透老空水	国有经济	透水	其他
14	2002—9—10	河南鹤壁市鹤山区大吕寨煤矿	采煤面	13		采煤面发生瓦斯爆炸	集体经济	瓦斯爆炸	生产场所环境不良
15	2002—9—3	湖南娄底市双峰县秋湖煤业有限责任公司	掘进头	39		3249补充切眼掘进头人员刚开始作业，在用手镐作业的过程中，发现有突出预兆，便停止作业，撤离作业现场，在撤离过程中发生煤与瓦斯突出。突出煤量600t，涌出瓦斯75000m^3	私营经济	中毒和窒息	没有安全操作规程或不健全
16	2002—8—28	贵州毕节地区赫章县妈姑镇	掘进头	16		掘进头透老空水	私营经济	透水	安全设施缺少或有缺陷

续表

序号	日期	单位	事故地点	死亡人数	重伤人数	简要情况	经济类型	事故类型	事故原因
17	2002—8—14	江西景德镇市乐平县涌山镇发达一矿	采煤面	13		采煤面发生瓦斯窒息	私营经济	中毒和窒息	生产场所环境不良
18	2002—8—12	黑龙江鸡西市立新煤矿五井	掘进头	11		当班出勤13人，工作任务为送上山和维修左六路上巷，由于上山局扇停风，瓦斯积聚，达到爆炸界限，在瓦检员不在现场、停风的情况下，工人违章放炮，打筒出火，引起瓦斯爆炸	集体经济	瓦斯爆炸	违反操作规程或劳动纪律
19	2002—8—9	河南郑州市郑州煤业集团弋湾煤矿新平井	采煤面	10		采煤面透老空水	国有经济	透水	违反操作规程或劳动纪律
20	2002—8—4	山西临汾市霍州市赤峪煤矿劳动服务部煤矿	掘进头	19		采煤面发生瓦斯窒息	私营经济	火灾	违反操作规程或劳动纪律
21	2002—7—24	贵州六盘水市水城县玉舍乡陶家湾群益村	掘进头	22		带电处理水泵明接头产生火花引起瓦斯爆炸	私营经济	瓦斯爆炸	违反操作规程或劳动纪律
22	2002—7—15	山西阳泉市大阳泉煤矿	掘进头	12		掘进头发生瓦斯爆炸	国有经济	瓦斯爆炸	违反操作规程或劳动纪律
23	2002—7—8	黑龙江鹤岗市南山区七煤矿(鼎盛煤矿)	掘进头	44		掘进头发生瓦斯爆炸	集体经济	瓦斯爆炸	技术和设计有缺陷
24	2002—7—7	广东韶关市仁化县联达煤矿	掘进头	10		井下水平(—190m)掘进工作面发生瓦斯爆炸事故	外商投资	瓦斯爆炸	违反操作规程或劳动纪律
25	2002—7—4	吉林白山市江源县松树镇富强煤矿	采煤面	39		采煤面发生瓦斯爆炸事故，井下39人全部遇难	私营经济	瓦斯爆炸	违反操作规程或劳动纪律

续表

序号	日 期	单 位	事故地点	死亡人数	重伤人数	简 要 情 况	经济类型	事故类型	事故原因
26	2002—7—2	湖南娄底市涟源市斗笠山镇胜源二矿	大巷	13		该矿于1997年12月开办，斜井开拓，二个水平生产。6月下旬以来，因连降暴雨，二水平被淹，矿井无法通风。6月30日该矿安排职工清理水仓，准备恢复排水。7月2日9时20分，井下发生瓦斯爆炸	私营经济	瓦斯爆炸	没有安全操作规程或不健全
27	2002—7—2	陕西渭南市韩城市桑树坪镇西沟煤矿	采煤面	15		长期越界开采，违章放炮，未采取探放水措施，与老窑贯通造成突水事故	私营经济	透水	违反操作规程或劳动纪律
28	2002—6—28	重庆南川水江煤矿有限公司	大巷	10		大巷发生瓦斯爆炸	私营经济	瓦斯爆炸	没有安全操作规程或不健全
29	2002—6—24	河北张家口市蔚县涌发煤矿	大巷	16		大暴雨引发山洪，洪水夹带沙石与矿车、木支护冲入涌发矿井下，在主斜井170m处堵塞井筒，井下作业的16名矿工窒息死亡	私营经济	淹溺	其他
30	2002—6—22	湖南邵阳市邵东县廉桥镇深塘煤矿	采煤面	11		该矿43人下井，28人在7级大巷13个上山采煤当头作业，6上山突然穿水，31人逃出生还，18时救护队抢救出1人，11人死亡	私营经济	透水	违反操作规程或劳动纪律
31	2002—6—20	黑龙江鸡西矿业集团（鸡西矿务局）城子河煤矿	上下山	124		鸡西矿业集团城子河煤矿西二采区3B层回风下山（停工抽水头）因故停风，造成瓦斯积聚，工人送水泵开关电时，因水泵插销开关虚插失爆，产生火花，引起瓦斯爆炸。爆炸波及整个西二采区	国有经济	瓦斯爆炸	违反操作规程或劳动纪律

续表

序号	日期	单位	事故地点	死亡人数	重伤人数	简要情况	经济类型	事故类型	事故原因
32	2002—5—30	辽宁朝阳市北票煤业有限责任公司冠山煤矿	掘进头	15	1	2002年5月30日12时50分，北煤有限责任公司冠山矿竖井－660m水平东三石门三层掘进工作面发生瓦斯爆炸事故。造成14人死亡，10人受伤（其中重伤2人中有1人于2002年6月4日5时死亡）	集体经济	瓦斯爆炸	其他
33	2002—5—30	湖北恩施州巴东县绿葱坡镇窑坡老煤矿	掘进头	15		采煤时与已沉封多年的老煤矿挖通而发生透水事故	集体经济	透水	对现场工作缺乏检查或指挥错误
34	2002—5—26	湖南娄底市涟源市青树煤矿	掘进头	15		2002年5月26日18时30分，该矿－128m石门掘进头作业中诱发煤与瓦斯突出，死亡15人	私营经济	中毒和窒息	违反操作规程或劳动纪律
35	2002—5—23	黑龙江省双鸭山市宝清县加成煤矿	井筒	17		2002年5月23日下午2点30分，主井绞车道下约100m处电缆冒炮引燃木棚起火，当时井下有21人，4人生还，17人死亡	集体经济	火灾	设备、设施、工具附件有缺陷
36	2002—5—15	湖南娄底市新化县温塘镇新源煤矿	掘进头	18		2002年5月15日13时40分，新源煤矿＋428运输大巷掘进工作面发生煤与瓦斯突出，突出煤量约300t，瓦斯约15000m^3，造成全井反风达20min。在井下作业尚没有出井的18名矿工全部死亡	私营经济	中毒和窒息	安全设施缺少或有缺陷
37	2002—5—15	湖南邵阳市武冈市文坪镇红旗煤矿（又名宏顺煤矿）	贵州毕节市威宁县	12		2002年5月15日20时20分，该矿暗斜井往下80m处的2煤层突水，10人死亡。5月18日排水抢险中，冒顶死亡2人	私营经济	透水	技术和设计有缺陷

续表

序号	日　期	单　　位	事故地点	死亡人数	重伤人数	简 要 情 况	经济类型	事故类型	事故原因
38	2002—5—4	贵州毕节市威宁县草海白梨营村恒地村矿	贵州毕节市威宁县	23	4	采煤面因矿灯失爆发生瓦斯爆炸	私营经济	瓦斯爆炸	违反操作规程或劳动纪律
39	2002—5—4	山西运城市河津市富源煤矿	掘进头	21		掘进头透老空水	私营经济	透水	违反操作规程或劳动纪律
40	2002—5—4	湖南娄底市涟源市塞海二矿	井筒	15		2002年5月4日19时30分井下中班人员全部出井，19时40分在地面放炮，没有发生突出。20时20分晚班人员15人下井，其中从风井下12人，从主井下3人，10min后发生煤与瓦斯突出，15人死亡	私营经济	中毒和窒息	生产场所环境不良
41	2002—4—25	河北唐山市开滦矿务局林西煤矿	大巷	11		2002年4月25日10时35分，该矿巷修区在回收八水平九石门轨道工作中，使用氧—乙炔切割轨道，引起瓦斯爆炸，造成现场作业的11人死亡	国有经济	瓦斯爆炸	技术和设计有缺陷
42	2002—4—24	四川攀枝花矿务局花山矿	大巷	24	3	2002年4月24日19时40分，攀煤集团公司(攀枝花矿务局)花山矿4234工作面(三区二队)运输巷发生瓦斯爆炸事故	国有经济	瓦斯爆炸	生产场所环境不良
43	2002—4—22	重庆市中梁山矿务局	掘进头	15		掘进头发生瓦斯窒息	国有经济	中毒和窒息	没有安全操作规程或不健全
44	2002—4—19	山西长治市沁源县七一煤矿	采煤面	12		采煤面发生冒顶片帮	私营经济	冒顶片帮	违反操作规程或劳动纪律

续表

序号	日期	单位	事故地点	死亡人数	重伤人数	简要情况	经济类型	事故类型	事故原因
45	2002—4—8	黑龙江鸡西矿务局东海煤矿五采区	采煤面	24	37	2002年4月2日12时，194采面工人在上转角码石墙取料时，放糊炮引起采空区瓦斯燃烧。发现火情后，现场工人立即用乳化液泵站液压枪直接灭火，并将明火扑灭，完成工作面封闭。4月8日7时，封闭的工作面发生第一次较大瓦斯爆炸，由于封闭后撤出了井下所有作业人员，因此没有造成人员伤亡。这次爆炸将回风巷封闭风门冲毁、进风巷封闭风门冲开。决定再次进行彻底加固密闭措施，并于16时组织人力备料施工。17时45分，矿调度接到井下电话，二段井底发现风流逆向，巷道内有大量烟雾，采空区又一次发生了瓦斯爆炸	国有经济	瓦斯爆炸	违反操作规程或劳动纪律
46	2002—4—7	安徽淮北矿业集团芦岭煤矿	掘进头	13		2002年4月7日凌晨芦岭煤矿基建一区12队施工的2818溜煤斜巷（岩巷）在掘进施工中发生了岩、煤与瓦斯异常性特大突出事故	国有经济	中毒和窒息	技术和设计有缺陷
47	2002—4—2	江西宜春地区宜丰县煤矿	采煤面	16		采煤面发生瓦斯爆炸	私营经济	瓦斯爆炸	设备、设施、工具附件有缺陷
48	2002—3—29	河南许昌市禹州市新峰矿务局二矿	掘进头	23		掘进头发生瓦斯爆炸	国有经济	瓦斯爆炸	生产场所环境不良

续表

序号	日期	单位	事故地点	死亡人数	重伤人数	简要情况	经济类型	事故类型	事故原因
49	2002—2—28	辽宁阜新市清河门区三道壕煤矿	上下山	21		2月28日18时30分，在立井联络平巷与运输下山叉口往下50m处，因煤炭自燃发生火灾。造成21人死亡，5人受轻伤	私营经济	火灾	其他
50	2002—2—11	内蒙古呼盟牙克石市免渡河红旗煤矿一号井	井筒	14		一号井副井发火，因放假，主扇停开，自然通风，矿长冒险指挥作业，使入井人员中毒，又因冒险救灾，使事故扩大	集体经济	中毒和窒息	教育培训不够缺乏安全操作知识
51	2002—1—31	重庆市南桐矿务局	采煤面	21	1	采煤面发生瓦斯窒息	国有经济	中毒和窒息	技术和设计有缺陷
52	2002—1—28	湖南衡阳市祁东县步云桥镇山塘冲煤矿	采煤面	14		该矿通风系统未形成，井口配5.5kW局部通风机送风至井底，另装5台鼓风机分别向5个作业埫头供风，以致井下大循环通风，瓦斯无法排出，电气设备失爆引起瓦斯爆炸，14人死亡，6人烧伤	私营经济	瓦斯爆炸	违反操作规程或劳动纪律
53	2002—1—26	河北承德县暖儿河煤矿	采煤面	29	4	在采煤工作面放炮崩大块矸石时引起瓦斯爆炸	国有经济	瓦斯爆炸	生产场所环境不良
54	2002—1—21	湖北荆州市松滋市谭家同煤矿	采煤面	12		采煤面发生火灾事故	集体经济	火灾	违反操作规程或劳动纪律
55	2002—1—14	云南文山州文山县德厚镇水结村余兴洪小窑	采煤面	25		采煤面发生瓦斯爆炸	私营经济	瓦斯爆炸	生产场所环境不良
56	2002—1—14	湖南娄底市资江煤矿	采煤面	18		2002年1月14日21时39分，资江煤矿3336工作面3煤底板突然隆起并开裂，造成4煤煤与瓦斯突出，发生当班作业人员18人死亡的特大死亡事故	国有经济	中毒和窒息	违反操作规程或劳动纪律

煤矿特大生产安全事故批复目录

关于贵州省盘县水塘镇汪家庄煤矿"12·26"特大瓦斯爆炸等六起事故调查处理意见的批复（煤安监监二字［2002］17号）

关于云南省曲靖市富源县富村乡祖德村委会众家寨何家明等8人无证矿井"5·14"特大瓦斯爆炸事故调查处理意见的批复（煤安监监二字［2002］19号）

关于湖南省涟源市安平镇联益煤矿"12·12"特大煤与瓦斯突出事故调查处理意见的批复（煤安监监二字［2002］27号）

关于山西省阳泉市盂县路家村镇青榆煤矿（一坑）"11·14"特大瓦斯爆炸等四起事故调查处理意见的批复（煤安监监二字［2002］28号）

关于贵州省毕节地区纳雍县阳长镇青杠坡基地林场煤矿"8·9"特大瓦斯爆炸事故调查处理意见的批复（煤安监监二字［2002］30号）

关于新疆塔城地区和布克赛尔蒙古自治县莫特格乡煤矿二号井"9·1"特大瓦斯爆炸事故调查处理意见的批复（煤安监监二字［2002］31号）

关于河南省巩义市西村镇西洼煤矿"12·23"特大透水事故调查处理意见的批复（煤安监监二字［2002］33号）

关于云南省曲靖市师宗县雄壁镇大普安煤矿二号井"9·15"特大透水事故调查处理意见的批复（煤安监监二字［2002］39号）

关于江西省丰城矿务局建新煤矿"12·30"特大煤与瓦斯突出事故调查处理意见的批复（煤安监监一字［2002］40号）

关于山东省章丘市红旗煤炭集团琅沟煤矿"11·17"特大透水事故调查处理意见的批复（煤安监监一字［2002］52号）

关于湖南省祁东县步云桥镇山塘冲煤矿"1·28"特大瓦斯爆炸事故调查处理意见的批复（煤安监监二字［2002］53号）

关于内蒙古自治区呼伦贝尔盟牙克石市矿产资源开发总公司红旗煤矿一号井"2·11"特大一氧化碳中毒事故调查处理意见的批复（煤安监监二字［2002］54号）

关于贵州省水城矿务局汪家寨煤矿"3·11"特大瓦斯爆炸事故处理意见的批复（煤安监监一字［2002］58号）

关于山西省长治市沁源县七一煤矿"4·19"特大瓦斯爆炸事故调查处理意见的批复（煤安监监二字［2002］66号）

关于云南省文山壮族自治州文山县德厚镇余兴红无证煤矿"1·14"特大瓦斯爆炸事故调查处理意见的批复（煤安监监二字［2002］67号）

关于辽宁省阜新市清河门区河西镇三道壕煤矿"2·28"特大火灾事故调查处理意见的批复（煤安监监二字［2002］68号）

关于江西省宜春市宜丰县新庄镇宜丰县煤矿"4·2"特大瓦斯爆炸事故调查处理意见的批复（煤安监监二字［2002］69号）

关于湖南省娄底市资江煤矿"1·14"特大煤与瓦斯突出事故调查处理意见的批复（煤安监监一字［2002］71号）

关于河南省禹州市新峰矿务局二矿"3.29"特大瓦斯爆炸事故调查处理意见的批复（煤安监监一字［2002］72号）

关于新汶矿业集团汶南煤矿"12·27"特大煤尘爆炸事故调查处理意见的批复（煤安监监一字［2002］74号）

关于山西晋同实业公司大桥煤矿"9·13"特大瓦斯爆炸事故调查处理意见的批复（煤安监监二字［2002］76号）

关于河北省承德市暖儿河煤矿"1·26"特大瓦斯爆炸事故调查处理意见的批复（煤安监监一字［2002］77号）

关于山西省运城市富源煤矿"5·4"特大透水瓦斯燃烧事故调查处理意见的批复（煤安监监二字［2002］83号）

关于重庆市南桐矿务局南桐煤矿"1·31"特大煤与瓦斯突出事故调查处理意见的批复（煤安监监一字［2002］91号）

关于重庆市中梁山煤电气有限公司矿业公司南井"4·22"特大煤与瓦斯突出事故调查处理意见的批复（煤安监监一字［2002］92号）

关于四川省攀枝花煤业（集团）有限责任公司花山煤矿"4·24"特大瓦斯爆炸事故调查处理意见的批复（煤安监监一字［2002］93号）

关于河北省开滦（集团）有限责任公司林西矿业公司"4·25"特大瓦斯爆炸事故调查处理意见的批复（煤安监监一字［2002］94号）

关于安徽省淮北矿业集团公司芦岭煤矿"4·7"特大煤与瓦斯突出事故调查处理意见的批复（煤安监监一字［2002］122号）

关于山西省阳泉市南庄煤炭集团有限责任公司大阳泉煤矿"7·15"特大瓦斯爆炸事故调查处理意见的批复（煤安监监一字［2002］123号）

关于贵州省盘县水塘镇汪家庄煤矿"12·26"等4起特大瓦斯爆炸事故调查处理意见的批复（煤安监监

二字［2002］124号）

关于吉林省白山市社保公司道清小井“7·1”冒顶溃水事故的处理决定（煤安监监二字［2002］125号）

关于湖南省邵阳市武冈市文坪镇红旗煤矿“5·15”特大透水事故调查处理意见的批复（煤安监监二字［2002］132号）

关于陕西省韩城市桑树坪镇西沟煤矿“7·2”特大透水事故调查处理意见的批复（煤安监监二字［2002］133号）

关于江西省乐平市涌山镇原发达一矿“8·14”特大煤与瓦斯突出事故调查处理意见的批复（煤安监监二字［2002］139号）

关于河南省郑州煤业(集团)公司弋湾煤矿新平井“8·9”特大透水事故调查处理意见的批复（煤安监监一字［2002］146号）

关于湖北省松滋市刘家场镇谭家洞煤矿“1·21”特大火灾事故调查处理意见的批复（煤安监监二字［2002］148号）

关于辽宁省朝阳市北票煤业有限责任公司冠山煤矿“5·30”特大瓦斯爆炸事故调查处理意见的批复（煤安监办字［2002］149号）

关于湖南省娄底市新化县温塘镇新源煤矿“5·15”煤与瓦斯突出等5起特大事故调查处理意见的批复（煤安监监二字［2002］150号）

关于山西省霍州市赤峪煤矿劳动服务部煤矿“8·4”特大火灾事故调查处理意见的批复（煤安监监二字［2002］151号）

2002年“全国安全生产月”活动总结

国家安全生产监督管理局

为了适应新形势的要求，增强宣传教育的持久性和实效性，取得更好的宣传效果，经国务院安委会同意，国家安全生产监督管理局（以下简称国家局）决定从2002年起，将已开展了11届的“安全生产周”活动改为“全国安全生产月”，每年6月进行。今年借国务院58次总理办公会和5月14日全国安全生产电视电话会议宣传贯彻的东风，在国家局党组、各级地方政府的重视、领导和各级主管部门的精心组织下，活动开展顺利，6月底已圆满结束。这一期间通过集中宣传，大造声势，在全社会营造了浓厚的关爱生命、关注安全的氛围，达到了预期的效果。现将活动情况总结如下：

一、领导重视，准备充分

为了充分调动社会各界的力量参与此项活动，经过积极努力与协商，2月5日，国家局与中宣部、全国总工会、共青团中央联合发出了《关于开展2002年“全国安全生产月”活动的通知》，提出了今年活动的指导思想、主题、时间和要求。

3月下旬，国家局召开了国家安全生产监督管理体制改革以来的第一次安全生产宣传工作会议，会上明确了2002年安全生产宣传工作的指导思想、工作目标和工作思路，对今年“全国安全生产月”活动进行了动员和部署。提出在“全国安全生产月”活动的第一年，一定要下力量准备好，组织好，务求实效。要求各级宣传教育部门、安全生产监管监察机构以及工会、共青团组织，在地方党委、政府领导下，全力以赴做好组织实施和协调配合工作，共同策划和组织好“全国安全生产月”活动，努力形成全国上下一体的宣传态势，取得更广泛的社会影响和良好的效果。

国家局领导非常重视今年的活动，局长办公会议专门听取了局内有关司关于活动准备工作的汇报，进行了研究和部署，将大型活动责任落实到人。为了搞好今年的活动，成立了活动办公室，为便于各地开展活动，编印了具有指导意义和可操作的《全国安全生产月活动服务指南》。

各地对这项工作非常重视，安全生产宣传工作会议结束后，积极落实，安排部署。为开展“全国安全生产月”活动专门召开会议，下发通知，成立领导小组或活动办公室，制定活动方案，精心组织安排。有些地区还明确规定把“安全生产月”的活动纳入今年的工作内容来考评。我们收到各地报来的活动安排近60份。其中安全生产监督管理部门27份，煤矿安全监察机构和煤炭管理部门近20份，大型企业12份。许多省（市）的领导小组组长都由副省（市）长担任。四川省是省委宣传部、省安全监管局、省总工会、省广电局联合发文开展“全国安全生产月”和“安全生产万里行”的相关活动，省政府办公厅又专门为开展“安全生产月”活动发文，并成立了由副省长黄小祥为组长，省政府秘书长、省委宣传部副部长、省安办主任、成都市副市长、省工会副主席、团省委副书记、省广电局副局长为副组长的领导小组。北京市副市长孟学农、天津市副市长杨栋梁、湖北省副省长周坚卫、内蒙古自治区政府副主席岳福洪、黑龙江省常务副省长张成义、安徽省副省长黄岳忠、河南省副省长张以祥、甘肃省副省长杨志明和云南省安委会主任李新华等省领导或发表署名文章，或作电视、广播讲话。重庆市市长包叙定发表署名文章，号召全市人民《积极开展“安全生产月”活动，努力开创安全生产工作新局面》。6月9日咨询日当天，领导同志们走上街头，亲自参与安全生产知识咨询和宣传活动。甘肃省副省长杨志明风趣地说："咨询人员为群众解答问题，我倒考考他们的水平。"于是，杨副省长把23个部门和企业的咨询人员考了个遍。这一天，我国北方地区普遍降雨，各级领导和广大群众冒雨开展了活动，反映了人们对安全生产的关注。

各部委及一些大型企业也很重视。铁道部、交通部、建设部、教育部、农业部、公安部、卫生部、国防科工委、民航总局、旅游局、林业局和中国石油天然气集团总公司、中国石油化工集团公司、中国海洋石油总公司、中国建筑工程总公司、中国船舶工业集团公司、中国核工业集团公司、中国航天科工集团公司、中国航空工业第二集团公司、中国煤炭工业集团公司、中国电信集团公司等都结合本部门、本行业、本单位实际，对开展"安全生产月"活动作出了具体安排。

二、主题突出，针对性强

活动开展的是否有成效，对工作能否真正起到推动作用，选好主题非常重要。为了确定今年活动的主题，我们进行了调查、论证，召开了几次座谈会，充分听取了各方面的意见，最终确定今年的活动主题为"安全责任重于泰山"。我们是从以下三个方面考虑确定主题的：一是按照"三个代表"的要求，保护人民群众的生命财产安全，各级领导责任重大；二是分析安全生产形势、生产事故发生的原因，特别是存在的问题，多是由于责任制不落实，安全意识不强；三是安全生产是一个系统工程，需要各方面、各层次共同努力。通过"全国安全生产月"这样一个全国性的、集中的安全生产宣传教育活动，对各级领导者、企业经营者、从业者乃至全社会进行一次深入的安全生产教育，提高公众的安全意识，明确各自的安全责任。

三、形式多样，广泛参与

"全国安全生产月"活动是一项全民性、社会性的安全生产宣传普及活动，各地在活动中精心策划，开展了许多丰富多彩的、直观的、形象化的、寓教于乐的宣传活动，吸引全社会广泛参与，做到了电视有影、广播有声、报刊有文，掀起了安全生产宣传教育的高潮。

在今年的活动中，国家局组织了几项比较大的、有影响力的活动，取得了较好的宣传效果。一是开展了"安全生产万里行"活动（另行总结）。二是6月17日在中央电视台播出了一台突出"安全责任重于泰山"主题的大型文艺晚会《祝你平安》。晚会由中央电视台文艺部承办，现场采访了国家局王显政局长。演员阵容强大，主持人是朱军和孙晓梅，蔡国庆、笑林、李国胜、成方圆、解小东、殷秀梅、卢秀梅、杨洪基、叶凡、腾格尔、阎维文、石维坚等一批名家名角出演，整台晚会形式热烈、活泼，紧扣安全生产的主旋律。播出后获得一致好评。三是举办了全国矿山安全知识高层论坛。有国家局领导、安全生产专家和2001年度"十佳矿山企业"的领导和职工参加讨论，6月24日在中央电视台播出，反响很好。四是6月14日在北京亮马河饭店召开了国际安全文化研讨会。有国际劳工组织、美国驻华使馆、日本太平洋兴发公司、英国华杜公司的外国友人及国内安全生产专家60余人出席了会议，发表论文40余篇。对于倡导安全文化，搞好安全文化建设，营造安全生产舆论氛围起到了促进作用。五是与共青团中央联合表彰100个"青年安全生产示范岗"。2001年4月国家局与团中央在全国青年中开展了创建"青年安全生产示范岗"活动，在广泛开展活动的基础上，6月下旬进行了表彰。六是"全国安全生产月"期间与全国总工会联合在厦门召开"安康杯"活动研讨会。会上，开展"安康杯"活动比较好的地区和企业介绍了经验，大家进行了座谈，并为继续开展好这项活动提出了意见和建议。七是举办了领导干部安全生产座右铭书法展。展出了从全国煤炭、纺织、冶金、铁路、交通、化工、医药等行业选送的500多幅作品中评选出的70件佳作。作品真、草、隶、篆诸体皆备，风格多样，内容突出了安全生产，从另一个侧面反映了领导干部对安全生产的关注。

各地开展的活动形式多样。除开展安全检查、专项整治活动外，有文艺演出，事故抢险、逃生演练，各种技能、书法比赛，知识竞赛，演讲比赛，展览会、报告会、研讨会，安全培训，执法宣传，万人签名等，既丰富多彩，又各具特色。

海南从省城海口到天涯海角举行了"全国安全生产月"万人签名活动，咨询日当天中央电视台新闻联播播出了这条新闻。他们还搞了天然气管道事故消防演练，法律法规、安全生产与工人合法权益、劳动卫生与职业病防治等咨询，举办了假冒伪劣产品、交通、消防安全图片展。青岛市政府举办了"安全生产展览会"，展览包括党和国家领导人对安全生产的批示、题词，安全生产成果，安全知识，企业、社区安全，安全器材，劳保服装等内容，并分期分批组织参观，接受安全教育。广西开展了"安全生产八桂行"。由广西桂剧团30多名演职员组成了文艺巡回演出团，先后在百色、桂林等地的大型工矿企业演出，历时20多天，行程近4000多公里，演出16场。所到之处，均受到当地政府和企业职工的热烈欢迎，几乎场场爆满。四川除了开展"安全生产天府行"外，四川煤矿安全监察局还开展了"四川煤矿安全生产天府行"。各煤矿安全监察办事处（站）参加，组织了四个活动组，700余人次分片深入到重点产煤市、县、区、乡，开展宣传教育活动。一路上送去各种安全生产法律法规、宣传挂图、煤矿安全知识书籍，宣讲《煤炭法》、《煤矿安全监察条例》等，把安全知识送到乡镇，送到矿区井口，对县乡政府、煤矿业主、管理人员、煤矿职工、家属开展面对面的宣传。陕西开展了"安全生产三秦行"，河南开展了"安全生产中原行"等活动。济南、鼓浪屿等城市开展了安全进社区活动。把安全监管网络扩展到社区，把安全管理渗透到社区，把安全教育深入到社区，把志愿者队伍组建在社区。

中国远洋运输（集团）总公司在活动中，除张贴招贴画、安全标语、重大事故系列挂图、宣传横幅，营造浓厚的安全氛围外，还为所有的安全员配备安全手册，举办安全知识培训班，组织观看安全生产大型话剧《非常责任》，开展“安全生产为了谁”的大讨论、安全主题演讲、安全文化小品征集等活动，并进行评选。通过这些丰富多彩的活动，增强了职工主人翁责任感，达到了自我教育、自我提高的目的。中国第一汽车集团公司在咨询日活动中，除了各种形式的咨询活动外，一汽的“爱乐乐团”还自编自演了一台内容丰富的安全文艺节目，数千名员工及家属参加了活动，观看了演出，与此同时，对安全生产有了更深的理解和思考。

山西煤矿安全监察局为了搞好“安全生产月”活动，丰富活动内容，与中国劳动保障报合作，整理汇编了一套安全教育读本《警钟》，以本省煤矿1990年以来发生的201起典型事故案例为素材，以讲故事的写法，讲述了一起起造成重大人员伤亡和财产损失的悲惨故事，透彻地分析了事故发生的主要原因，以警示各级领导和企业职工，吸取血的教训。湖南煤矿工会组织《煤炭系统职工安全文艺调演》，并进行了评比。还有些煤矿举办了《煤矿安全规程》知识讲座，在矿上办起了光荣台、警钟台、曝光台，组织“我为安全做贡献”的安全竞赛等。通过多种形式的宣传，使安全生产、人人有责的意识深入人心，唤起人们的责任感。

四、注重实效，强化监管

各地在活动中注重实效，结合本地区、本部门的实际，把活动开展得既有声势，又确有成效。将活动与实际工作相结合，与安全生产大检查相结合，与日常的安全监察工作相结合，与职工安全思想教育结合起来。

山东省韩寓群副省长在山东省安全生产月活动方案上批示：“多做扎实有效的工作，突出专项治理工作的落实，深入做好宣传发动，提高公民和全社会安全生产意识。加大监督检查力度。”省安委会组织专家，明查与暗访相结合，重点督查安全专项整治指标、责任落实和方案实施情况，消除事故隐患。湖南煤矿安全监察局针对安全基础薄弱的特点，开展扎实有效的活动，举办法律法规知识竞赛，组织多个安全监察小分队，深入重点地区、矿区、事故多发矿井，集中治理隐患，全面开展督查。南票矿务局开展深入细致的安全检查，特别加强对生产一线重点地段和环节的检查。对发现的隐患，及时制定整改措施，落实整改责任，明确整改时限，做到不留后患。阜新办事处在“全国安全生产月”期间召开乡镇煤矿典型事故案例分析会，将各县区政府主管煤炭生产的县区长、煤炭局局长和主管乡镇镇长以及发生过事故的煤矿矿长都请来，有100多人参加了会议。请专家剖析了本地区发生的7起典型事故案例，有针对性地提出了防范意见，收到了较好的效果。青海大通矿务局以“全国安全生产月”为契机，为了最大限度地消除事故隐患，遏制重、特大事故的发生，局长带头每周一、四深入井下一线检查安全工作，严格每天早晨调度会制度，组织职工认真学习三大规程，并请人讲解历年的事故案例，不断提高职工的自主保安能力。中国远洋运输（集团）总公司按照交通部的安排，结合本单位实际，在“全国安全生产月”期间，结合“水上运输安全管理年”，开展了“反三违月”活动，积极推动企业安全文化建设，重视观念、态度、品行、道德、修养这些基本的和深层次的人文因素，从而提高全体员工的安全意识，增加安全责任感。

各地、各部门通过卓有成效的活动，提高各级人员意识、安全责任感和综合素质，为实现安全生产工作从以治标为主向治本为主转变，实现安全生产的目标创造了条件。

五、充分发挥舆论宣传、舆论监督的作用，营造关爱生命、关注安全的氛围

各地在开展活动的通知中，都对新闻宣传提出了明确的要求。在活动中，各地电视台、广播电台、报纸、杂志也都紧紧围绕活动主题，利用各种方式，集中进行宣传报道。播出活动新闻，插播公益广告，开办安全生产专题节目，播放安全生产电影电视片等。在“全国安全生产月”期间，尤其在咨询日当天，电影《人命关天》，电视连续剧《当关》在许多地方上映，观众在娱乐中受到了安全教育。河南省要求《河南日报》、河南电视台、省广播电台、《大河报》、《河南工人日报》等新闻单位在对活动进行日常报道的同时，开辟安全生产专栏，在安全生产月期间连续播放、刊登安全生产公益广告。还在省电视台开设“安全知识电视宣传特别专场”，请有关企业参加。福建省在电视台开辟“市长谈安全”专题节目，由在责任制考核中的前四名市长一周一谈，连续播出。在安全检查中，新闻记者随行进行了采访、报道，表扬安全生产先进单位，同时也对存在事故隐患、安全生产工作较差的单位予以曝光，起到了警示作用。

六、体会

从各地反馈的信息看，今年的“全国安全生产月”活动，与历年“安全生产周”相比是领导最重视、规模最大、开展最广泛的。今年活动能够搞到如此规模和取得如此效果，与各地、各部门领导的重视是分不开的。特别是国务院第58次总理办公会和5月14日全国安全生产电视电话会议，极大地推动了“全国安全生产月”活动。安全生产宣传教育工作是一项教育人的工作，只有人真正提高了安全意识，才能促进安全生产具体工作的落实。因此，这项工作不是可有可无的形式，而是安全生产监管工作的一项重要内容。只有通过宣传，使各个层次的人都不同程度地受到教育，提高认识，认清责任，使人们增强安全生产法律意识，明白自己的责任，才能有效地促进安全生产工作，遏制安全事故的发生，落实“安全第一，预防为主”的方针。尤其是煤矿安全监察机构的有针对性的宣传，使一些重点产煤县、乡的领导认识到，搞好安全生产是地方经济得以正常发展的重要前提，是乡镇煤矿生存下去的必要条件。地方经济要发展，乡镇煤矿要生存，就必须增加安全投入；认识到搞好安全生产，是自我保护的有力措施。安全月的宣传教育活动对于增强各级领导的责任感，促进企业加强安全管理，落实安全生产责任制，提高广大群众的安全意识，是十分必要，也是十分有效的。

但是，在安全月期间，连续发生了几起特大事故，特别是在事故现场都有安全生产的宣传标语，有的还十分醒目。这也说明了一些地区、一些单位对安全生产只重表面，只讲形式，并未真正落实。这也对今后的安全生产宣传教育提出了更高的要求。

我们要在“全国安全生产月”活动的基础上，以月促年，进一步加大安全生产宣传教育工作的力度。今年后几个月把广泛深入、扎实有效地宣传贯彻《安全生产法》作为工作重点，使《安全生产法》深入人心，家喻户晓，促进安全生产法制建设，促进安全生产状况的稳定好转。

小煤矿安全生产基本条件

第一条 为深化煤矿安全专项整治，淘汰落后生产能力，依据国家法律法规、国务院有关规定和《煤矿安全规程》，制定小煤矿必须达到的安全生产基本条件。

第二条 本条件适用于乡镇煤矿和年生产能力30万吨以下（含30万吨）的其他各类煤矿。

第三条 小煤矿必须依法取得《采矿许可证》、《煤炭生产许可证》和《工商营业执照》。小煤矿矿长必须取得《矿长资格证书》和《矿长安全资格证书》。

第四条 小煤矿必须有具有设计资质的设计单位编制的符合煤炭工业设计规范的正规设计。安全设施设计必须经煤矿安全监察机构审查同意；竣工后应当经煤矿安全监察机构进行验收。

第五条 矿井必须至少有两个独立的、能行人的、直通地面的安全出口，各个出口间的距离不得小于30米；水平及采煤工作面必须保持至少两个畅通的安全出口；倾角大于45度的安全出口必须设置梯道或梯子间。

第六条 矿井必须采用能够形成负压通风系统的壁式采煤方法；禁止采用非正规、落后的采煤方法。

第七条 采、掘工作面严禁空顶作业，巷道和采煤工作面必须采取可靠的支护措施。

第八条 矿井必须采用两回路供电；井下电器必须有接地、过流、漏电保护装置；严禁由地面中性点直接接地的变压器直接向井下供电。井下使用矿用产品必须有“产品合格证”、“防爆合格证”；属于煤矿安全标志管理目录内的矿用产品，必须具有煤矿安全标志。

第九条 立井、斜井采用绞车提升的必须安装使用矿用提升绞车；严禁调度绞车作为矿井提升绞车使用。

第十条 立井升降人员必须使用罐笼或带乘人间的箕斗，装设可靠的防坠器。倾斜井巷运送人员的车辆上必须装有可靠的防跑车装置。

第十一条 使用绞车提升的斜井和所有上、下山平车场入口处和变坡点处必须设置阻车器，变坡点下方必须安装挡车栏，下部车场必须设躲避硐室。

第十二条 井下严禁使用非防爆柴油机车和畜力运输。

第十三条 矿井必须采用机械通风；主要通风机必须安装在地面，并配备一套同等能力的主要通风机装置作为备用；严禁以局部通风机代替主要通风机。

第十四条 矿井必须有完整的独立通风系统，通风能力满足生产要求；生产水平和采区必须实行分区通风。严禁风井出煤；严禁超通风能力生产。

第十五条 矿井每年必须按规定进行瓦斯等级鉴定，报省（自治区、直辖市）煤炭管理机构审批，并报省级煤矿安全监察机构备案。

矿井的所有煤层必须按规定进行自燃倾向性和煤尘爆炸性鉴定，鉴定结果报省级煤矿安全监察机构和省（自治区、直辖市）煤炭管理机构备案。

第十六条 高瓦斯矿井、煤（岩）与瓦斯突出矿井必须装备矿井安全监控系统。高瓦斯矿井或高瓦斯区煤巷、半煤岩巷和有瓦斯涌出的岩巷的掘进工作面必须采用专用变压器、专用电缆、专用开关，实现风电、瓦斯电闭锁。开采具有煤与瓦斯突出危险的煤层时，必须采取包括突出预测、突出防治、效果检验、安全防护等“四位一体”综合措施。

第十七条 矿井必须建立瓦斯检查、管理和日报审查制度，必须配备数量足够的专职瓦斯检查员和瓦斯检测仪器。瓦斯检测仪器必须定期校验、定期更换药剂，确保准确无误。

第十八条 矿井主要运输巷道、采掘工作面必须有完善的洒水系统；开采有煤尘爆炸危险煤层的矿井，必须有预防和隔绝煤尘爆炸的措施。

第十九条 开采容易自燃和自燃煤层的矿井，必须采取综合预防煤层自然发火的措施。

第二十条 矿井必须有独立、合理的排水系统。受水害威胁的矿井要按规定配备探放水设备。

第二十一条 矿井必须建立完善的通讯系统。矿内外、井上下和主要作业地点通讯必须畅通。

第二十二条 小煤矿必须办理《爆炸物品使用许可证》，方可使用爆破器材。井下爆破作业必须使用煤矿许用炸药和雷管；爆破工作必须由专职爆破工担任，严格执行“一炮三检制”。

第二十三条 小煤矿必须按规定及时填绘反映实

际情况的图纸，并定期向原审批办矿的煤炭管理机构和煤矿安全监察机构报送井上下对照图、采掘工程平面图和通风系统图。

第二十四条 小煤矿必须建立入井检身制度和出入井人员清点登记制度。入井人员必须随身携带自救器和矿灯。

第二十五条 小煤矿必须建立健全岗位安全生产责任制和安全生产规章制度，配备安全技术负责人，聘任安全监督员。

第二十六条 井下作业人员上岗前必须进行安全培训，经考试合格后方可上岗；特种作业人员必须取得操作资格证书，并持证上岗；矿长必须经煤矿安全监察机构培训并取得安全资格证书后，方可任职。

第二十七条 小煤矿必须与就近的救护队签订救护协议。

第二十八条 小煤矿必须与从业人员签订劳动用工合同，并报当地劳动和社会保障部门备案。严禁安排女工和未成年人从事井下劳动。

第二十九条 小煤矿必须为井下作业人员办理意外伤害保险和支付保险费，建立安全风险抵押金制度并缴纳安全风险抵押金。

第三十条 本条件自印发之日起施行。

煤矿安全监察员培训考核办法

第一章 总 则

第一条 为规范煤矿安全监察员培训、考核、发证工作，提高煤矿安全监察员业务素质和执法水平，根据《煤矿安全监察条例》及国家有关法律、法规，制定本办法。

第二条 本办法所称煤矿安全监察员是指直接从事煤矿安全监察行政执法的国家公务员。

第三条 国家煤矿安全监察局负责煤矿安全监察员的培训、考核、发证工作。

第四条 各省级煤矿安全监察局、各煤矿安全监察办事处应当按照本办法搞好煤矿安全监察员培训、考核、发证工作。

第二章 培 训

第五条 煤矿安全监察员培训有以下几种形式：

(一) 资格培训，指新录用的煤矿安全监察员，在从事煤矿安全监察行政执法前必须接受的培训，培训时间为120学时。

(二) 年度轮训，指不同专业的在岗煤矿安全监察员，每年进行一次专业培训，培训时间为40学时。

(三) 特殊培训，指在岗煤矿安全监察员根据需要进行的专门培训，培训时间原则上不超过20学时。

第六条 资格培训主要内容：

(一)《刑法》、《行政处罚法》、《行政复议法》、《行政诉讼法》、《国家赔偿法》、《矿山安全法》、《煤炭法》等有关法律；

(二)《煤矿安全监察条例》、《国务院关于特大安全事故行政责任追究的规定》、《矿山安全法实施条例》等行政法规；

(三)《煤矿安全规程》、煤矿安全监察行政执法规章制度；

(四) 煤矿安全技术、应急救援知识；

(五) 重大、特大事故案例。

第七条 年度轮训主要内容：

(一) 新颁布的法律、法规、规章、规程和标准；

(二) 煤矿安全方面的新技术、新知识；

(三) 煤矿安全监察行政执法经验。

第八条 特殊培训的主要内容由国家煤矿安全监察局根据实际需要确定。

第九条 煤矿安全监察员在从事煤矿安全监察行政执法工作前，必须经过资格培训。未经资格培训或者资格培训不合格的，不准上岗。

第十条 培训结束后，由国家煤矿安全监察局组织考试，考试分理论和论文两部分。

凡考试不合格者，允许补考一次，补考仍不合格的，将重新安排培训。

考试、考核成绩记入个人档案，并作为今后任职资格、奖惩的重要依据。

第十一条 煤矿安全监察员培训经费，由国家煤矿安全监察局负责。差旅费用由所在单位支付。

第十二条 参加培训的煤矿安全监察员，在培训期间其工资、津贴、福利等待遇，原则上不受影响。

参加重新培训的煤矿安全监察员，在培训期间除工资外，不再享有津贴、福利等待遇。

第十三条 负责煤矿安全监察员培训的机构应当具备相应的资质条件，并经国家煤矿安全监察局审查认可。

第三章 考核发证

第十四条 煤矿安全监察员申请《煤矿安全监察员证》，除符合国家公务员和《煤矿安全监察员管理暂行办法》规定的条件外，还必须经过资格培训并考试合格。

第十五条 在煤矿安全监察办事处工作的煤矿安全监察员申请《煤矿安全监察员证》，由其所在煤矿安全监察办事处提出，经所在省级煤矿安全监察局初审并同意，报国家煤矿安全监察局审查批准。

在省级煤矿安全监察局工作的煤矿安全监察员申请《煤矿安全监察员证》，由其所在煤矿安全监察局提出，报国家煤矿安全监察局审查批准。

在国家煤矿安全监察局工作的煤矿安全监察员申请《煤矿安全监察员证》，由其所在司（室）提出，报国家煤矿安全监察局审查批准。

第十六条 省级煤矿安全监察局人事培训部门负责对煤矿安全监察员申请《煤矿安全监察员证》的条件进行初审，并应当自收到申请材料之日起20日内审查完毕，提出书面意见。初审合格的，应当在10日内报国家煤矿安全监察局人事培训司；不合格的，应当及时书面通知申请单位。

国家煤矿安全监察局人事培训司负责审查煤矿安全监察员申请《煤矿安全监察员证》的条件，并应当自收到申请材料之日起20日审查完毕，提出书面意见。审查合格的，应当及时颁发《煤矿安全监察员证》；不合格的，应当及时书面通知申请单位。

第十七条 《煤矿安全监察员证》每三年复审一次。复审由煤矿安全监察员本人或其所在单位在有效期内提出申请，由国家煤矿安全监察局人事培训司或者国家煤矿安全监察局人事培训司委托有关单位负责审验。复审内容包括：

（一）健康检查；

（二）违法、违章记录检查；

（三）参加安全培训情况检查；

（四）按国家有关规定年度考核情况检查。

第四章 监督管理

第十八条 《煤矿安全监察员证》是煤矿安全监察员进行行政执法的有效证件。煤矿安全监察员必须持证上岗。

第十九条 煤矿安全监察员有下列情形之一的，所在单位应当将其《煤矿安全监察员证》收回，交发证机关注销：

（一）调离煤矿安全监察机构的；

（二）已经辞职的；

（三）长期休假或者退休的；

（四）不能履行煤矿安全监察员职责的。

第二十条 煤矿安全监察员有以下情形之一的，由其所在单位暂扣《煤矿安全监察员证》：

（一）被行政拘留的；

（二）受到记过、记大过、降级、撤职行政处分的；

（三）越权执法或者拒绝、拖延履行执法职责，造成不良后果的；

（四）利用《煤矿安全监察员证》牟取私利、违法乱纪的；

（五）未按照有关规定参加每年轮训的。

暂扣《煤矿安全监察员证》的期限由持证人所在单位根据不同情况决定，最短半年，最长二年。在暂扣《煤矿安全监察员证》期间，持证人不得从事煤矿安全监察行政执法活动。

第二十一条 煤矿安全监察员有下列情况之一的，由所在单位收缴其《煤矿安全监察员证》，交发证机关注销：

（一）被开除公职的；

（二）被劳动教养的；

（三）被刑事拘留或判处刑罚的；

（四）被暂扣《煤矿安全监察员证》两次以上的。

被注销《煤矿安全监察员证》的人员不得再从事煤矿安全监察行政执法工作。

省级煤矿安全监察局应在每年年底将当年暂扣和注销《煤矿安全监察员证》的情况向国家煤矿安全监察局人事培训司备案。

第二十二条 《煤矿安全监察员证》不得伪造、涂改、转借或转让。

第二十三条 《煤矿安全监察员证》丢失或损坏的，应向发证机关报告，申请补发新证。

第二十四条 负责煤矿安全监察员培训、考核、发证和复审工作的有关人员滥用职权、玩忽职守、徇私舞弊的，应给予行政处分；构成犯罪的，依法追究其刑事责任。

第五章 附 则

第二十五条 《煤矿安全监察员证》由国家煤矿安全监察局统一监制。

第二十六条 本办法自2002年5月1日起施行。

省(市、区)煤炭工业概况

北京市煤炭工业概况

2002年，北京市煤炭工业在企业改革创新与安全生产整治中，继续发展，稳步前进。全市共有煤矿211个，其中，国有煤矿4个（属北京京煤集团公司），乡镇煤矿（井）207个（在房山区140个，在门头沟区67个）。全年煤炭产量1007万t，比上年（775万t）提高29.94%。其中，北京京煤集团公司产煤629万t，比上年提高14.86%；乡镇煤矿产煤378万t，比上年提高18.37%。全年销售煤炭1019.72万t，其中，北京京煤集团公司销售煤炭639.12万t，乡镇煤矿销售煤炭380.60万t。2002年，全市消耗煤炭2700万t，其中，工业电力消耗煤炭2000万t，民用消耗煤炭700万t。至2002年末，全市煤炭工业有从业人员4.95万人，其中，国有煤矿系统3.24万人，乡镇煤矿系统1.71万人。

2002年，北京煤炭工业在煤矿安全生产专项整治中，按照北京市煤炭管理部门年初制定的“深化整治，规范管理，突出重点，狠抓安全，学习创新，加强调研”的总体思路，进行扎实、细致、有效的工作。于2月20日，由北京市经济委员会、北京市工商行政管理局等部门联合下发《关于对本市乡镇煤矿重新登记的通知》。随后，对市内4个国有煤矿、207个乡镇煤矿进行了严格审查，重新核发了煤炭生产许可证。同时对乡镇煤矿矿长全部重新进行培训、考核，并颁发了矿长资格证书。坚决贯彻国务院安全生产委员会关于“深化煤矿安全专项整治实施方案”的文件，于10月29日至11月底，组成由北京市经委、市国土资源和房屋管理局、市安全生产监督局、市环保局和市公安局等部门人员构成的检查验收组，对房山、门头沟两区和北京京煤集团公司的煤矿安全生产专项整治工作进行检查验收。各煤矿企业也积极按照国家和北京市的煤矿专项整治要求与标准努力进行工作，加大安全技改资金投入，使井下生产系统、安全设施、安全管理、施工方法及质量标准化程度等都有了很大的改善与提高。

在煤矿日常安全生产上，北京市煤炭主管部门加强管理，采取定期检查和不定期检查相结合的方式，加大安全监察力度，并于春秋两季抽调专业人员组成安全检查团，对全市煤矿进行为期1个月的安全大检查。这期间，还通过组织部分乡镇煤矿矿长进行煤矿互检，促其学习先进经验，找出自身差距，自觉进行整改。对出现的生产安全事故，则进行严肃处理。全年共处理煤矿安全事故责任人41人，其中有处级干部8人、科级干部18人。与此同时，加强煤矿安全技术培训工作，对国有煤矿一般工种的工人，由所在煤矿进行培训；对其特殊工种的工人，则由京煤集团公司专业部门进行统一培训。地方乡镇煤矿中特殊工种的工人，先由所在区主管部门进行培训，后由市煤炭管理办公室组织考核。全年共培训矿长480人次，培训特殊工种人员1600人次。此外，还有针对性地组织乡镇煤矿矿长到京煤集团公司和山东、福建等省的先进煤矿企业考察、学习，以提高其管理水平和素质。

2002年，北京市煤炭主管部门加大执法力度，打击非法开采行为。由市区两级领导带队，抽调专业人员成立联合执法工作组，对市界内煤矿进行联合执法和监督。在非法采煤活动集中的地区，加强巡逻。对出现的非法采煤矿点，依法严厉查处，进行彻底炸封。其中，在非法采煤点较为集中的房山区大安山乡和门头沟区清水地区，共炸封非法采煤点410个，拆除工棚521间，没收设备材料26卡车，有力地维护了这些矿区的开采秩序与社会稳定。

在煤炭经营工作上，强制推广使用低硫优质煤。1月与12月，市煤炭主管部门分别会同市环保局、技术监督局等部门联合执法，对市内重点煤炭经营企业和燃煤锅炉的煤质及燃烧后二氧化硫的排放情况，进行执法检查。对查出的2家煤炭经营企业和4家燃用高硫劣质煤的单位进行当场处理。同时，邀请新闻单位予以公开曝光。对昌平区一个燃煤供暖单位存储的高硫煤，则进行变价收购。

北京市煤炭主管部门认真做好煤炭经营企业的年

检换证工作，以此提高煤炭经营企业的资质，打击和取缔非法经营煤炭的行为。在年检中，有2家煤炭经营企业因存在非法经营行为而未能通过年检；经过不懈努力，北京市煤炭生产经营与安全管理工作均提高到一个新水平。

2002年，北京煤炭工业主体企业——北京京煤集团有限责任公司在实现企业跨越式发展的起步之年，深化企业改革，调整产业结构，强化科学管理，实现科技创新，企业改革与生产经营工作取得显著成绩。

在企业改革上，按照现代企业制度的规范要求，启动了新的企业管理体制与机制。集团公司董事会及各专业委员会充分行使职能，在谋划企业发展、重组改制、资本运作、审议投资决策、财务决算以及“民心工程”上，作出50多项决策，推进了企业发展。企业在经营体制上进行创新突破，将煤炭主业推向上市，于12月23日成立了北京昊华能源股份有限公司。对直属的20家二级企业及中小企业，采取规范改制、清理撤并、股份合作、兼并出售等形式，进行投资主体多元化改革。企业的人事、劳动与分配“三项制度改革”向纵深与全面发展，使企业形成了多种用工体制与分配机制的动态管理格局。

在煤炭主产业上，实施优质煤战略，优化资源整合，合理工程部署，加大重点井巷开拓，全年进尺17.44万m。广泛使用柔性掩护支架、锚固耙装等新采煤方法，使优质煤产量大幅度增加，年产达到629.12万t，比上年提高14.86%。煤炭营销工作中，抓好市场优化和货款回收2项工作，全年销售煤炭638.60万t，比上年增幅2.69%。销售的煤炭中，出口煤与工业特供煤占总销量的76.9%。其中，出口煤181.54万t，工业特供煤307.06万t。煤炭销售货款12.08亿元，回收陈欠货款3.41亿元，当期回款率达到百分之百。集团公司企业继续完成北京市政府安排的民用煤保供任务，在民用煤经营价格倒挂的情况下，年保供民用煤35.26万t，维护了北京城区35万住户居民的利益。此外，还在北京地区销售市场煤166万t、燃料油17.3万t。集团公司年煤炭销售收入占全年经营总收入的38.87%。

在房地产业与多种经营上，于年内成立了企业房地产开发协调管理机构，制定、规划了近年要开发房屋建筑70万m^2的目标。在京西地区，兴建了总建筑面积7.5万m^2的“绿岛家园”、“中门寺”、“支架厂”3个居民小区工程；在北京城区，续建与新建了“金泰大厦”、“富地大厦”、“鸭子桥住宅楼”、“海博大酒店（二期）”等房地产项目，开竣工面积29.2万m^2。

在多种经营上，根据市场需要，积极进行结构调整，推进技术革新，在市场拓展与产品更新中取得长足进步。集团公司筹资7261万元，兴建了2条市场销路看好的矸石砖生产线。集团公司化工厂新建的乳化炸药生产线，于4月23日通过国家技术部门鉴定与验收。集团公司控股的昊煜公司投资2000万元，改造其水泥厂生产线，使京强牌水泥年生产能力由9万t提高到25万t。其煤矸石发电厂销售电量1200万kWh，九龙山矿泉公司销售九龙山牌矿泉水8173t。集团公司的系列液压支架、矿山配件、复合板、塑料编织袋、莱勒克巧克力、商贸旅游等非煤产品经营，也取得可观收入。全年房地产与多种经营等非煤收入增幅较大，已占集团公司总收入的60.72%。

在科技创新、企业管理与员工生活上，实施了以采煤方法为龙头的“四项技术”改革，年内用新采煤方法的采煤量占总采煤量的89.12%。企业信息化建设取得进展，为企业现代化管理服务的财务管理核算软件在集团公司内试运行。投入5095万元实施“民心工程”，全年为员工群众办成房屋整修、危电改造、道路整治、暖水管道翻修、居住环境美化等66件实事。经过企业工资制度改革，全年员工工资增幅28.8%。

2002年，企业的经营效绩指标均处于优秀和良好状态。营业总收入30.68亿元，其中：主营业务收入24.30亿元，全员劳动生产率38295元，全员效率1.968t/工，全年利润总额939.6万元。2002年9月，京煤集团公司被中国煤炭工业协会评为全国煤炭工业优秀企业，京煤集团公司党委书记、董事长倪文驹被评为全国煤炭工业优秀企业家。

2002年末，北京京煤集团有限责任公司有总资产53.21亿元，其中：固定资产净值19.18亿元；全年工业总产值（现价）14.28亿元，实缴各种税金1.73亿元；有分公司、子公司、合资企业、直属煤矿与工厂、机关事业单位31个，其中控股的子公司9个；有员工32499人，其中专业技术人员4415人。

（徐贺成）

表1 煤 矿 生 产 规 模

项　目	矿井数 /处	实际年产量 /10^4t	占全区年产量的比例 /%
全省（区）合计	211	1007	100.00
省（区）属煤矿	4	629	62.46
集体及个体煤矿	207	378	37.54

表2 重点煤矿基本情况

局矿名称	地址	邮政编码	实际年产量 /10^4t	年末职工人数 /人
北京京煤集团有限责任公司	北京市门头沟区新桥南大街2号	102300	629.12	32499
长沟峪煤矿	北京市房山区周口店镇周口店村	102451	127.70	2804
木城涧煤矿	北京市门头沟区木城涧	102304	296.50	6727
大安山煤矿	北京市房山区大安山乡	102419	174.89	2780
房山煤矿	北京市房山区河北镇	102415	30.02	1438

表3 重点煤矿主要技术经济指标

局矿名称	原煤产量 /10^4t	商品煤		洗精煤		掘进总进尺 /m	回采工作面平均月产量 /t	掘进工作面平均月进度 /m	采煤机械化程度 /%		掘进装载机械化程度 /%		原煤坑木消耗 /($10^{-4}m^3 \cdot t^{-1}$)	原煤全员效率 /(t·工$^{-1}$)
		灰分 /%	含矸率 /%	产量 /10^4t	灰分 /%				合计	其中：综采	合计	其中：综掘		
北京京煤集团有限责任公司	629.12	15.41	0.06			174372	10621	271.71					27.62	1.968
长沟峪煤矿	127.70	13.88	0.15			21889	15535	191.57					6.68	1.867
木城涧煤矿	296.50	16.57	0.02			126708	7937	316.26					36.58	1.748
大安山煤矿	174.89	14.67	0.06			21407	12991	176.63					28.06	2.681
房山煤矿	30.02					4368	10954	763.64					25.75	1.958

河北省煤炭工业概况

一、概况

2002年是极不平凡的一年，伴随着党的十六大胜利召开，国民经济的快速发展，河北煤炭工业管理体制再次发生较大变化。一年来，全省煤炭行业广大干部职工积极适应这一变化，紧紧抓住煤炭市场相对稳定的有利时机，按照省委、省政府的统一部署，积极推进企业改革，加快结构调整，扎扎实实落实生产、建设、安全等各项工作措施，经过努力，改革、发展、稳定等各项工作都取得了较好成绩，全省煤炭工业经济运行保持了良好发展势头。

煤炭生产稳步增长。全省原煤产量实际完成5757.64万t，增幅6.20%。其中：省属国有重点煤矿完成4779.82万t，增幅9.21%，多数企业比上年均有不同程度增产，增产较多的有：开滦84万t、邢台81万t、峰峰41万t、邯郸25万t；地方国有煤矿原煤产量730.46万t，增幅2.88%；乡镇煤矿完成247.36万t。全省洗精煤产量实际完成1116.35万t，增幅10.41%。其中：开滦501万t，比上年增产63万t，增幅6.19%；邢台261万t，比上年增产17万t，增幅6.99%。

商品煤销量增加，售价提高。全省商品煤销量实际完成5270万t，比上年增销109万t，增幅2.11%。其中：省属国有煤矿销量4166万t，比上年增销259万t，增幅6.64%，增销较多的有：峰峰、邢台、开滦。省属国有煤矿商品煤综合售价184.85元/t，比上年提高8.27元/t。由于销量增加，售价提高，省属煤炭企业实现销售收入85.6亿元，比上年增加10亿元，增长11.7%。

企业经济效益好转，省属煤炭企业补贴前亏损11500万元，补贴后实现利润12123万元，比上年增盈4147万元。亏损企业亏损额24292万元，比上年减亏4438万元。省属煤炭企业实现利税总额100744万元，比上年增加21161万元，增长26.59%。

工业总产值、增加值大幅增长。省属煤炭企业完成工业总产值93.96亿元，比上年提高17.93亿元，增长23.58%；工业增加值46.21亿元，比上年提高9亿元，增长24.19%。

技改、基建投资全面完成。省属煤炭企业全年共完成投资23.33亿元。其中：重点基建项目1项，完成投资4.27亿元；基建项目6项，完成投资5.46亿元；自筹基建项目4项，完成投资1.28亿元；技改项目40余项，完成投资5.17亿元；其他更新改造投资7.15亿元。

安全生产形势比较严峻。全省煤矿共发生各类死亡事故107起，死亡195人，比上年增加6起、13人。其中：省属国有煤矿发生42起，死亡55人，比上年减少2起、多死亡4人，百万吨死亡率1.15；地方国有煤矿发生16起，死亡50人，比上年增加1起、多死亡21人，百万吨死亡率7.38；乡镇煤矿发生49起，死亡90人，比上年增加7起、死亡人数减少12人。

此外，全省煤炭系统涌现出了一大批先进单位和先进个人。先后有3个单位获得“全国煤炭工业优秀企业”称号，2个单位获得“全国十佳洗煤厂”称号，有2名同志获得“全国煤炭工业优秀企业家”称号，1名同志获得“全国煤矿双十佳矿长”称号，2名同志获得“全国十佳洗煤厂厂长”称号。

二、结构调整

劣势企业退出市场，对资源枯竭矿井实施关闭破产是国家对煤炭调整结构的一项重大决策。按照国家经贸委的要求，通过大量的前期准备工作，目前我省峰峰通二矿、邯郸王凤矿、开滦马家沟矿3个项目已经完成财政部审核，邯郸王凤矿已经国家经贸委审批，待进入法律程序，开滦马家沟矿已经职代会通过，待报国家经贸委审批；井陉一矿、三矿和兴隆马圈子矿3个项目已经国家经贸委正式批准立项；峰峰三矿、邯郸康城矿、开滦林西矿3个项目已列入国家经贸委建议计划，债权分割、企业分立工作正在进行。以上9个关闭破产项目全部实施后，将极大地改善我省煤炭工业的经济结构，消灭主要亏损源，为企业扭亏脱困创造良好的条件。在抓好新项目的同时，对已经破产终结的下花园煤矿、峰峰四矿、邯郸郭二庄矿、开滦唐家庄矿进行了遗留问题的收尾工作。

在调整产业结构工作中，各企业坚持以煤为本、多种经营的方针，加大了企业内部产业结构调整力度。特别是经过近几年的发展，多数企业对非煤产业的发展观念有了很大转变，意识到要加快非煤产业发展，必须走质量、规模、效益型的路子。一年来，我省各煤炭企业通过改革、重组和调整，使非煤产业经济增长的质量和效益得到提高，培育新的经济增长点初显成效。2002年，省属煤炭企业多种经营总产值达到38亿元，在工业总产值中所占比重达到44%。

坚持以煤为本，依靠科技进步，推进技术创新，靠产品优势参与市场竞争已经得到各企业的共识。为此，在调整结构中，各煤炭企业认真抓好现有生产水平的技术改造和新井建设，提高产品质量，增强发展后劲。蔚州矿业公司崔家寨矿井、峰峰梧桐庄、大淑村矿井、盛源集团公司宣东二号矿井4个矿井投产前的各项准备工作已基本就绪，沙蔚铁路实现了全线贯通。

三、安全生产专项整治

按照国务院和省政府的部署，2002年全省煤矿进一步深化了煤矿安全生产专项整治工作。制定了《河北省深化煤矿安全专项整治实施意见》，并以省政府办公厅文件印发各地贯彻执行。各地结合实际，研究制定方案措施，落实有关部门和人员责任，促进了煤矿安全生产专项整治工作的深入开展。2002年下半年，省整验办组织对全省通过各级政府验收的乡镇煤矿进行了全面排查、重新审批和分级管理。通过排查，共查出各类不安全问题和安全隐患3700条，已责成专人进行整改，全面排查后又关闭了4个已经通过各级政府验收的小煤矿。为巩固安全生产专项整治成果，对验收不合格和非法生产及死灰复燃的小煤矿进行关闭，省整验办制定了《河北省关闭验收不合格小煤矿检查验收标准》，进一步明确了关闭小煤矿的范围、关闭标准、检查及各级政府签字要求。截至2002年10月底，全省共关闭不合格小煤矿340处，关闭死灰复燃的小煤矿150处。通过安全生产专项整治，乡镇煤矿安全状况明显改善，目前已有933处乡镇煤矿通过省政府整验办组织的验收，发出复工通知书535份。

在安全生产专项整治工作中，各煤炭企业普遍加强安全投入，促进了安全管理基础工作的改善。省煤炭办结合安全生产专项整治，积极争取“一通三防”和安全技改项目国债补助资金和银行贷款，目前，国债补助资金已经落实。各国有煤矿普遍落实了“先抽后采，监测监控，以风定产”的十二字方针，杜绝了重特大瓦斯事故的发生。乡镇煤矿普遍设立了专门安全管理机构和“一通三防”管理机构，完善了矿井通风系统，配备了瓦斯管理设备，建立了安全保障体系。强化了矿长持证上岗管理制度，全年共组织培训4期，给802名培训合格人员发放了矿长资格证。为进一步推动全省煤矿安全生产工作，省煤炭办配合深化煤矿安全生产专项整治工作，在全省煤矿开展了“百日安全无事故”活动，活动期间，杜绝了3人以上重特大事故的发生。

（何振琪）

表1 煤矿生产规模

项目	矿井数/处	实际年产量/10^4t	比例/%
全省合计	98	5757.64	100
省属煤矿	34	4779.82	83.02
地市营煤矿	29	372.12	6.47
县营煤矿	35	358.34	6.22
集体及个体煤矿		247.36	4.29

表2 重点煤矿基本情况

局矿名称	地址	邮政编码	实际年产量/10^4t	年末职工人数/人
开滦集团公司	唐山市新华东道70号	063000	2318.21	104094
峰峰集团公司	邯郸市峰峰矿区	056201	1055.93	55387
井陉矿务局	石家庄市井陉矿区	050100	73.74	9273
兴隆矿务局	承德市鹰手营子矿区	067200	47.18	5658
邢台矿业（集团）公司	邢台市中兴路104号	054021	744.61	25400
邯郸矿务局	邯郸市中华大街56号	056002	331.28	11671
八宝山煤矿	张家口怀来县	075431	27.09	1259
盛源集团公司	张家口市下花园区	075313	79.20	1620
蔚州矿业公司	张家口蔚县	075700	102.58	1200

表3 重点煤矿主要技术经济指标

局矿名称	原煤产量/10^4t	洗精煤		总进尺/m	回采工作面平均月产量/t	掘进工作面平均月进度/m	采煤机械化程度/%		掘进装载机械化程度/%		原煤全员效率/($t \cdot 工^{-1}$)
		产量/10^4t	灰分/%				合计	综采	合计	综掘	
开滦集团公司	2318.21	500.62	10.04	187632	55889	189.68	85.26	77.90	76.00	40.37	4.233
峰峰集团公司	1055.93	293.95	9.98	97287	34602	132.78	95.47	60.88	99.27	4.08	2.178
井陉矿务局	73.74	16.63	9.23	8577	8573	115.87	22.57				1.057
兴隆矿务局	47.18			13450	5936	87.34			48.81		1.154
邢台矿业（集团）公司	744.61	260.19	8.46	56292	51349	169.61	100	88.69	73.64	38.04	4.775
邯郸矿务局	331.28			26149	39524	131.34	95.07	8.26	61.99	0.61	1.913
八宝山煤矿	27.09			16368	4660	124.47					1.039

注：盛源集团公司、蔚州矿业公司为未投产矿井，没有指标。

山东省煤炭工业概况

2002年，山东省煤炭系统生产原煤12836万t，商品煤销量12186万t，分别比上年增长18%和17%；煤炭出口1759万t，比上年增长7%；完成工业总产值380亿元，比上年增长36%；完成工业增加值190.3亿元，比上年增长34%；完成销售收入359亿元，比上年增长30%；完成利税55.9亿元，比上年增长18%。省属重点煤炭企业全部扭亏，实现补贴前盈利6.8亿元，补贴后盈利8.3亿元，均比上年增长2倍。非煤产业固定资产净值达到76.7亿元，实现产值经营额122.6亿元，销售收入117.4亿元，利润5.4亿元，同比分别增长37%、21.6%、21.6%和16.9%。省属重点煤炭企业在岗职工人均收入达到14476元，比上年增长26%。全省煤矿百万吨死亡率为0.81，同比下降46.6%，创历史最好水平。

一、进一步解放思想，树立市场经济新观念

始终把解放思想、更新观念作为克服困难、推动发展的首要环节，针对在困难面前的畏难发愁情绪和等靠要思想、在生产经营管理中的因循守旧和在加快发展上思路不宽、进取意识不强等诸多矛盾和问题，广泛深入地开展了形势任务教育、市场经济教育和"解放思想，更新观念"大讨论，不断组织学习先进地区、先进企业的先进思想和先进经验，有效地推动了干部职工的思想解放和观念转变，树立了立足自我求生存、谋发展的新观念，市场意识、竞争意识、改革意识和创新意识明显增强。

二、深化改革，转换企业经营机制，增强企业发展活力

在兖州、新汶、枣庄、肥城、淄博、龙口6个省属重点煤炭企业都完成了整体改制，临沂矿务局实行了内部改制，初步构筑了现代企业制度的基本框架。大力推进投资主体多元化和经营方式多样化，肥城、龙口、枣庄、新汶、淄博5家煤炭企业利用债转股相继组建新的股份有限公司，目前，全省煤矿已有694户实行了多种形式的改制。列入国家第一批关闭破产计划的5个矿完成了破产终结工作，从源头上消灭亏损1.15亿元。

三、坚持煤与非煤共同发展，加快形成新的产业格局

根据国家产业政策，实施关井压产、淘汰落后生产能力，近年来先后关闭非法开采和不具备安全生产条件的小煤矿191处；巨野煤田梁宝寺和龙固矿井已开工建设；兖州、淄博等企业到省外建矿工作已经展开。大力发展洁净煤技术，加快了煤的气化、液化和水煤浆的研究应用。新汶矿业公司煤炭地下气化形成一定生产能力，枣庄矿业公司水煤浆技术被列入国家火炬开发项目。大力发展煤电、煤化工、煤建材等相关产业，3年共开工和建成煤矸石电厂13处，新增装机容量46.8万kW，建设煤矸石砖厂8座，年生产能力达到6亿块标砖。

四、积极推行管理创新，改变企业粗放的经营状况

紧紧围绕扭亏增盈、提高经济效益这个中心，以落实扭亏增盈责任制为重点，强化对企业经营者的目标考核，把盈亏以及递延资产、地面塌陷补偿费、长贷利息等主要费用的摊销和企业经营者的收入挂钩，推动了扭亏增盈目标的逐级落实。以改进和加强财务、资金、成本、物资、营销管理为重点，持续深入地开展了"管理效益年"活动。全面推行了会计委派制、资金集中运营、倒逼成本、大宗物资统一和比价采购、煤炭营销集中统一管理等一系列切实有效的办法。实行了"巩固省内、扩大省外、大力开拓国际市场"的营销策略，狠抓了体制、网络、队伍"三大工程"建设。

五、依靠科技进步，努力提高生产效率和经济效益

坚持以建设高产高效矿井为目标，不断采用先进适用技术改造传统工艺，提升产业技术水平。省属煤炭企业采掘机械化程度达到92.6%和96.1%，比全国平均水平高出17.6和21.1个百分点。原煤全员效率达到3.95t/工，同比提高20%。加强科技创新体系建设，建立了1个国家级、4个省级技术中心，组建了全省煤炭联合技术开发中心。加大了高技术人才的引进和培养力度，兖州、新汶、淄博矿业公司先后建立了博士后工作站。

六、不断强化基层和基础工作，努力保持和发展安全生产的稳定局面

始终把安全生产作为保稳定、促发展的重要基础，抓住落实安全生产责任制这个关键，深入持久地开展煤矿安全整顿，多层次、全方位、持续不断地开展安全大检查，狠抓各类重大安全隐患的全面排查和综合治理。大力开展了乡镇煤矿停产整顿和国有大矿专项整治活动，全省310处乡镇煤矿全部进行了停产整顿，属于"四个一律关闭"的54处矿井被依法关闭。

七、加强两个文明建设，增强企业的向心力和凝聚力

始终坚持"两手抓，两手都要硬"，突出加强和调整充实了困难企业和困难单位的领导班子，为加快改革脱困提供了有力保证。坚持全心全意依靠职工群众办企业，广泛开展了文明创建活动，狠抓了党风廉政建设，把解决职工群众的生产生活问题摆到突出位置来抓，在困难时千方百计保证职工工资和离退休金的发放，积极落实"三条保障线"，3年来，重点煤炭企业已累计补还拖欠职工工资、集资、医药费等7.1亿元，投入10.7亿元建设职工住宅，为16835户职工解决了住房问题。

表1 煤 矿 生 产 规 模

项　　目	矿井数/处	实际年产量/10^4t	占全区年产量的比例/%
全省合计	441	12836.7	100.00
省属煤矿	76	9699.6	75.56
市县属煤矿	90	2393.1	18.64
乡镇煤矿	275	743.9	5.80

表2 重 点 煤 矿 基 本 情 况

局矿名称	地　　址	邮政编码	实际年产量/10^4t	年末职工人数
淄博矿业集团公司	淄博市淄川区洪山镇	255120	1186.7	31999
新汶矿业集团公司	新泰市新汶	271233	1158.4	49392
枣庄矿业集团公司	枣庄市薛城区泰山路118号	277000	1413.6	60762
肥城矿业集团公司	肥城市王瓜店镇	271608	682.7	33230
兖矿集团公司	邹城市凫山路40号	273500	4072.3	97312
临沂矿务局	临沂市罗庄区罗庄镇	276017	213.3	8304
龙口矿业集团公司	龙口市振兴路249号	265700	370.5	11258

表3 重点煤矿主要技术经济指标

局矿名称	原煤产量 /10^4t	商品煤		洗精煤		掘进总进尺 /m	回采工作面平均月产量 /t	掘进工作面平均月进度 /m	采煤机械化程度 /%		掘进装载机械化程度/%		原煤坑木消耗 /($10^{-4}m^3 \cdot t^{-1}$)	原煤全员效率 /(t·工$^{-1}$)
		灰分 /%	含矸率 /%	产量 /10^4t	灰分 /%				合计	其中：综采	合计	其中：综掘		
淄博矿业集团公司	1186.7	24.35	0.09	8.2	9.07	105251	9505	99.22	48.31	0	85.89		21.28	0.952
新汶矿业集团公司	1158.4	19.9	0	378	8.47	199573	26642	159.69	77.53	0	97.86		25.8	2.101
枣庄矿业集团公司	1413.6	16.55	0	435	7.87	167811	65768	284.37	96.63	72.6	100		24.12	4.017
肥城矿业集团公司	682.7	21.79	0.02	23.9	9.52	127444	23384	165.06	97.3	0	99.73		20.37	1.792
兖矿集团公司	4072.3	15.55	0	1885.9	10.53	172046	222773	253.78	100	97	100		4.98	13.895
临沂矿务局	213.3	19.47	0			46343	14006	137.15	56.78	56.78	75.8		41.27	2.015
龙口矿业集团公司	370.5	27.9	0.1			24311	54041	115.43	89.25	83.84	98.25		27.33	3.114

山西省煤炭工业概况

2002年，山西煤炭行业全面实施省委、省政府“控制总量，调整结构，优化布局，扩大出口，提高效益”的指导方针，全行业上下狠抓关井压产、控制总量、煤炭销售、深化改革、结构调整、安全整治、复产验收、矿井接替、政策法规、关闭破产、体制创新、减员增效、实施再就业工程等项重点工作，都取得了丰硕成果，全省煤炭经济在2000年后半年开始好转的基础上，保持了稳定增长的良好势头。特别是进入2002年以来，全省煤炭经济增长质量和效益创历史最好水平，为全省经济和社会发展作出了重大贡献，山西煤炭工业在全省及全国经济建设中的作用得到了进一步发挥。

一、煤炭产量

全省上报产量为36242万t，同比增加9359万t，增幅为34.81%；实际产量约为4.1亿t（含部分就地转化炼焦用煤约5000万t)，同比增加4000万t以上。在上报产量中：国有重点煤炭企业完成15894万t，同比增加2474万t，增幅为18.44%；地方国有煤矿完成6353万t，同比增加1196万t，增幅为23.20%；乡镇煤矿完成13995万t，同比增加5688万t，增幅为68.47%。

二、煤炭销量

全省完成出省煤炭销量27675万t，同比增加2362万t，增幅为9.33%。

铁路出省销量21090万t，同比增加1310万t，增幅为6.62%。其中国有重点煤炭企业完成12411万t，同比增加918万t，增幅为8.0%。

公路出省销量完成6585万t，同比增加1051万t，增幅为18.99%。

省内铁路销量完成2043万t，同比增加117万t，增幅为6.07%。

三、煤炭出口

全省完成4337万t，同比增加354万t，增幅为8.89%。其中省煤炭进出口集团公司完成1503万t，同比增加140万t，增幅为10.30%。

四、煤炭售价

国有重点煤炭企业吨煤综合平均售价为160.42元（不含增值税等)，同比提高16.75元。

五、销售收入

国有重点煤炭企业实现煤炭销售收入239.83亿元，同比增加68.20亿元，增幅为39.74%。

六、外欠煤款

截至年底，全省累计外欠煤款为55.46亿元，同比减少19.57亿元，减幅为35.29%。

七、制造成本

国有重点煤炭企业吨煤综合制造成本为80.92元，同比上升8.54元。

八、实现利润

国有重点煤炭企业盈利48379万元，同比增盈16168万元，增幅为50.19%。

九、职工收入

国有重点煤炭企业在岗职工人均收入为12233元，同比增加2052元，增幅为20.16%。

十、工业总产值

全省煤炭完成现价工业总产值480亿元，同比增加100亿元，增幅为26.32%。其中国有重点煤炭企业完成260亿元，同比增加49亿元，增幅为23.25%。

十一、安全生产

全省各类煤矿共发生死亡事故184起，死亡479人，比去年同期减少1起，死亡人数减少11人。

十二、煤矿安全整治

全省煤炭行业按照省委、省政府的统一部署，认真贯彻实施国家的关井压产、控制总量政策，狠抓非法煤矿的取缔和布局不合理、不符合安全生产煤矿的关闭工作，淘汰了一批落后的生产能力。深化煤矿安全整治，组织开展了大规模的煤矿安全检查和督查，全省各级各部门和煤炭企业多渠道筹集资金，加大安全投入，标本兼治，认真整改。多数乡镇煤矿的“一通三防”、双回路供电、瓦斯监控等安全设施进一步完善，矿井的安全抗灾能力得到提高。在乡镇煤矿复产验收期间，各级煤矿安全生产专项整顿工作领导小组办公室协同有关部门实行联合办公，依法行政，严格标准，集中审核验收，做了大量艰苦细致的工作，顺利完成了复产验收任务。经省煤矿安全生产专项整顿工作领导小组批准复产的乡镇煤矿为3771个，全部吊销了不符合《乡镇煤矿复产验收标准》矿井的证照，并责令其关闭。深入开展了打击非法煤矿的工作，在各市（地）积极行动和坚决落实的基础上，组织省有关单位人员500多人，组成11个省督查组，从9月10日开始，集中时间、集中力量，深入全省各地开展了近一个月的督查工作，现场监督尚未关闭煤矿严格按照“六条标准”实施关闭。截止到2002年底，已按“六条标准”实际关闭小煤矿909个，淘汰了一批落后的生产能力，促进了煤矿安全状况的稳定好转。

十三、煤炭销售管理

2002年山西省煤炭销售办公室被确定为常设事业单位，明确了职责范围，进一步规范了全省煤炭销售管理。一是认真贯彻落实省政府确定的“保量、提价、回款、清欠”和“努力扩大出口，巩固国内市场”的营销方针，加强对全省年度煤炭订货工作的组织和领导。2002年全省签订重点订货合同16995万t，比上年增加1209万t，煤炭外运合同总量为21298万t，国内订货价格比上年平均增加18.81元/t，实际运行下来，2002年全省煤炭售价提高16.75元/t。二是加强运销计划等重要环节的管理、协调、监督和服务。多次在北京、大同、秦皇岛等地主持召开协调会议，及时解决煤炭出口、运输、港口煤价等方面的棘手问题。三是加大煤炭产量、用户库存量、港口存煤量的调控力度，正确处理销售数量和销售效益的关系，将价格、回款摆在首位，变数量型为效益型。严肃煤炭销售纪律，坚持不销售没有效益的煤，不销售造成拖欠的煤，不销售相互挤占市场的煤，不销售非法生产的煤。各级煤炭管理部门组织纠察队严肃查处无票产、运、销各环节的违法行为，促进了煤炭销售秩序的好转。四是认真研究分析煤炭市场需求变化，及时调整煤炭销售策略。提出“对国际市场要价格服从数量，努力扩大出口，保持国内市场平衡；对国内市场要数量服从价格，保持价格稳中有升”的销售原则，经过各方面的努力，我省煤炭销售出现了连续几年从未有过的“五增一降”的好势头，即：煤炭铁路出省销量、公路出省销量、煤炭价格、销售收入实现了同步稳定增长，煤炭出口增加，煤款拖欠下降。

十四、深化企业改革

国有重点煤炭企业按照建立现代企业制度的要求，加大产权制度改革力度，在建立健全法人治理结构、构建母子公司体制、建立有效制衡机制的基础上，加快了由生产经营型向资本运营型的转变，在体制创新、市场融资方面都取得了实质性进展。国有重点煤炭企业在完成公司制改革的基础上，加快推进股份制改造。阳泉国阳股份公司已获准上市融资，即将上市；大同煤业、潞安环能、晋城蓝焰3家股份公司上市辅导工作已基本结束。国有重点煤炭企业联合、兼并、收购改造地方煤矿取得了显著成果。到目前为止，全省国有重点煤炭企业(包括平朔煤炭公司和太原煤气化公司)已经兼并、收购改造地方煤矿17座，共计投入资金10.6亿元，矿井改造规模由原来的189万t/年，增加到1761万t/年，净增生产能力1572万t/年。其中有8对矿井已基本完成改造，增加生产能力721万t。地方煤矿产权结构调整、集团化经营取得了新进展。各市(地)结合实际，因地制宜地采取联合兼并、资产重组、股份制等方式，推动了地方煤矿产权制度改革，部分市县组建了一批紧密型、小区域的煤炭企业集团。长治市政府制订了以潞安为龙头的发展战略，潞安则以此为契机，突破体制性障碍，大力实施低成本扩张，整合资源，加快向区域化大集团迈进。省煤炭运销总公司和省煤炭进出口集团公司在实体化经营方面迈出了新步伐。两家公司多渠道筹集资金，收购兼并、联合改造地方小煤矿，大力发展煤炭洗选加工，狠抓商品煤基地和出口煤基地建设，对稳定货源供给，提高市场竞争力发挥了重要作用。

十五、结构调整

突出抓了国有重点煤炭企业资源枯竭矿井的关闭破产和新井接替工作，产业布局不断优化。全行业紧紧围绕结构调整这条主线，以市场需求为导向，以洗煤、选煤、配煤、型煤等洁净煤产品和加工转化为切入点，以延伸煤—电—铝和煤—焦—化工两条产业链为目标，以科技进步为支撑，以培育新的经济增长点为方向，挖掘潜力，多方筹集资金，并积极争取国家财政贴息债券的支持，保证了结构调整工作的顺利进行。一是大力发展煤炭洗选加工，加强高产高效矿井建设，突出发展优势项目、优势产品。近5年来，全行业利用地方煤炭专项基金、国债贴息贷款、商业银行贷款、企业自筹等项资金110亿元，投入重点结构调整项目536项。目前已完成高产高效矿井建设100项，新增生产能力4119万t/年；完成煤炭洗选项目209项，新增煤炭洗选能力8115万t/年，原煤洗选率由1999年的33%提高到2002年底的56%；完成煤炭加工转化项目208项，新增各类深加工产品生产能力3000万t。二是大力实施关闭破产工作。轩岗矿务局于2002年1月3日正式进入破产的法律程序，经过多方协调努力，大同煤矿集团公司已整体收购轩岗破产后的资产，企业重组工作已经完成。此外，大同的挖金湾、王村2个矿即将正式启动关闭破产的法律程序；西山、阳泉、潞安、汾西和霍州等企业上报的6个关闭破产矿已获得国家批准，目前这6个矿的破产工作已经启动；另有晋城、汾西、霍州等企业上报的5个关闭破产矿的立项工作也取得了新进展，力争今年获准实施。三是稳步推进国有重点煤矿矿井接替工作。目前，晋城赵庄、潞安屯留2个600万t和阳泉韩庄一期300万t矿井已先后开工建设；大同塔山1500万t和山西焦煤王家岭600万t矿井建设项目各项前期准备工作已基本就绪，开工建设条件基本具备。

十六、实施科教兴煤战略

全省各级煤炭管理部门积极协调组织高等院校、煤炭科研院所开展产、学、研活动，围绕增加品种、提高产品质量、解决安全生产难题，大力开展科技攻关、技术创新活动，国产化综放顶煤开采配套设备、煤矿瓦斯综合治理、锚索支护、计算机系统等新技术得到大面积推广应用，煤炭洗选技术得到优化和提升，科技进步对煤炭经济增长的贡献率明显提高，其中：潞安矿业集团公司科技进步率由原来的42.64%提高到60%以上，晋城煤业集团公司由原来的40%提高到50%以上。大同、西山、潞安、晋城等国有重点煤炭企业连续2年被评为全国煤炭行业“科技进步十佳企业”。煤炭地质勘探、设计施工、煤机制造等领域不断吸收、消化国内外先进技术，推陈出新，先后取得了一批科技成果。全行业着眼于建设高素质人才队伍，努力为职工成才创造条件，一批技术精湛的工人技师脱颖而出，山西焦煤集团公司高级技师栗俊平等获“中华技能大奖”，为山西煤矿职工赢得了荣誉。

十七、规范办矿秩序

根据《中华人民共和国煤炭法》、《山西省煤炭管理条例》的规定，相继出台了《山西省煤炭生产许可证管理制度》、《关于对全省煤矿煤炭生产许可证进行全面清理整顿并进一步加强审查和监督管理的决定》、《关于对省直有关部门和社会团体(公司)开办的煤矿企业实行“属地管理”有关事项的通知》和山西省人民政府办公厅《关于严格开办煤矿和矿井改扩建审批的通知》等政策。规范了煤炭生产许可证的管理，明确了新建、改扩建矿井的审批权限和条件；同时对新建、改扩建矿井在考虑市场容量的基础上，实行“等量置换原则”，根据市场容量变化情况，鼓励发展30万t/年以上规模的矿井，同时关闭年产9万t以下的小煤矿，遏制低水平重复建设，从根本上解决小煤矿过多、事故频发的状况。按照国家的要求，狠抓全省煤矿井下职工意外伤害保险制度的建立。针对小煤矿发生事故后矿主逃逸现象不断增多的问题，把意外伤害保险作为开办煤矿的必要条件，进一步规范办矿秩序。目前，机构设置、管理制度、实施办法等基础性工作基本完成。

（王崇林）

表1 煤矿生产规模

项目	矿井数/处	上报年产量/10^4t	占全省年产量的比例/%
全省合计	4326	36261.34	100.00
省属煤矿	81	15801.24	43.58
地市县营煤矿	478	6539.41	18.03
集体及个体煤矿	3767	13872.68	38.26

表2 重点煤矿基本情况

企业名称	地址	邮政编码	实际年产量/10^4t	年末职工人数/人
大同煤矿集团公司	大同市新平旺	037003	4008.03	95193
山西焦煤集团公司	太原市万柏林区西矿街388号	030053	4019.52	115892
阳泉煤业集团公司	阳泉市北大街5号	045000	1868.59	45932
潞安矿业集团公司	长治市襄垣县侯堡	046204	1392.28	27462
晋城无烟煤矿业集团公司	晋城市北石店镇	048006	1484.33	27847

表3 重点煤矿主要技术经济指标

企业名称	原煤产量/10^4t	商品煤		洗精煤		掘进总进尺/m	回采工作面平均月产量/万t	掘进工作面平均月进度/m	采煤机械化程度/%		掘进机械化程度/%		原煤坑木消耗/($10^{-4}m^3 \cdot t^{-1}$)	原煤全员效率/($t \cdot 工^{-1}$)
		灰分/%	含矸率/%	产量/10^4t	灰分/%				合计	其中：综采	合计	其中：综掘		
大同煤矿集团公司	4008.03					216933	334.00	199.79	98	95	52.06	52.06		4.878
其中：轩岗	180.02													
山西焦煤集团公司	4019.52													
其中：西山煤电	2365.29			782.24	9.88	158358	197.11	241.72	100	90.65	58.30	58.30		6.791
汾西矿业	759.73			230.70	9.57	78926	63.11	217.09	94.85	58.97	24.00	24.00		2.792
霍州煤电	803.16			316.75	9.50	101131	66.93	183.46	100	59.55	5.01	5.01		3.522
华晋焦煤	91.34													
阳泉煤业集团公司	1868.59					122353	155.72	165.63	100	100	43.18	42.83		4.356
潞安矿业集团公司	1392.28			158.04	9.16	58838	116.02	430.98	100	100	87.14	87.14		10.392
晋城矿业集团公司	1484.33					90370	123.69	285.83	100	100	56.69	56.69		7.837
平朔煤炭工业公司	1707.36													
太原煤炭气化集团公司	185.54													

辽宁省煤炭工业概况

表1 煤 矿 生 产 规 模

项　　目	有能力矿井数/处	实际年产量/10^4t	占全区年产量的比例/%
全省合计		5215	100.00
国有重点矿	30	4047	77.60
省（区）属			
地市营煤矿	24	103	1.98
县营煤矿	26	126	2.42
集体及个体煤矿		939	18.01

表2 重点煤矿基本情况

局矿名称	地　　址	邮政编码	实际年产量/10^4t	年末职工人数/人
抚顺煤业集团公司	辽宁省抚顺市	113008	578	37082
阜新矿业集团公司	辽宁省阜新市	123000	925	50211
铁法煤业集团公司	辽宁省铁法市	112700	1679	44944
南票矿务局	辽宁省葫芦岛市南票区	125027	189	16321
沈阳煤业集团公司	辽宁省沈阳市新城子区	110122	676	19972

表3 重点煤矿主要经济技术指标

局矿名称	原煤产量/10^4t	商品煤		洗精煤		掘进总进尺/m	回采工作面平均月产量/t	掘进工作面平均月进度/m	采煤机械化程度/%		掘进装载机械化程度/%		原煤坑木消耗/($10^{-4}m^3 \cdot t^{-1}$)	原煤全员效率/(t·工$^{-1}$)
		灰分/%	含矸率/%	产量/10^4t	灰分/%				合计	其中：综采	合计	其中：综掘		
抚顺煤业集团公司	578	16.77	0.54	281	7.55	10221	94858	85.74	100	100	85.49	23.89	10.68	3.406
阜新矿业集团公司	925	22.22	0.27			59796	45474	159.96	66.86	47.81	84	6.74	34.8	2.022
铁法煤业集团公司	1679	31.16	4.34			78997	141412	234.26	97.11	97.11	99.65	38.56	14.05	7.731
南票矿务局	189	35.51	2.57			57547	19704	176.51	61.73		92.63		79.64	2.232
沈阳煤业集团公司	676	26.73	0.07	244	9.22	64815	25141	105.2	44.62	37.23	72.06	13.41	70.3	2.045

吉林省煤炭工业概况

表1　煤　矿　生　产　规　模

项　　目	矿　井　数 /处	实际年产量 /10^4t	占全区年产量的比例 /%
全省（区）合计		2230.02	
统配煤矿	17	953.28	42.7
省（区）属煤矿	3	88.68	3.98
地市营煤矿	11	276.54	12.4
县营煤矿	13	123.91	5.56
集体及个体煤矿		787.61	35.3

表2　重点煤矿基本情况

局矿名称	地　　址	邮政编码	实际年产量 /10^4t
辽源矿务局	吉林省辽源市	136201	508.21
通化矿务局	吉林省白山市	134300	212.77
舒兰矿务局	吉林省舒兰市	132602	124.78
珲春矿务局	吉林省珲春市	133300	107.52

表3 重点煤矿主要技术经济指标

局矿名称	原煤产量 /10^4t	商品煤		洗精煤		掘进总进尺 /m	回采工作面平均月产量 /t	掘进工作面平均月进度 /m	采煤机械化程度 /%		掘进装载机械化程度/%		原煤坑木消耗 /($10^{-4}m^3 \cdot t^{-1}$)	原煤全员效率 /($t \cdot 工^{-1}$)
		灰分 /%	含矸率 /%	产量 /10^4t	灰分 /%				合计	其中：综采	合计	其中：综掘		
辽源矿务局	508.21					39789	21786	150.46	55.63	55.63	73.59			1.431
通化矿务局	212.77					36652	17053	159.97	85.08		79.17			1.508
舒兰矿务局	124.78					13838	20210	108.79	7.73					1.699
珲春矿务局	107.52					15388	30294	197.43	59.89		73.13			0.859

黑龙江省煤炭工业概况

一、综述

2002年，全省煤炭行业在省委、省政府的正确领导下，全面贯彻落实《全省国有重点煤炭企业改革脱困实施方案》及配套办法，按照2000年规划的“一年改革整顿，两年规范运作，三年效益经营”的改革脱困目标，以结构调整为主线，围绕总量调控、企业改革和煤矿安全专项整治等主要任务，做了大量富有成效的工作，生产经营形势发生好转，呈现出总量上升，亏损减少，活力增强，矿区稳定，经济效益逐步提高的良好态势，主要经济指标可归纳为“八增三降三不欠”，即：煤炭工业总产值增加3.8亿元，增长6.61%；原煤产量增加599万t，增长16.81%；商品煤销量增加425万t，增长13.16%；商品煤售价吨煤提高6.59元，增长4.82%；商品煤销售收入增加7.5亿元，增加16.75%；煤炭货款回收总额增加13.4亿元，增长17.94%，其中货币回款增加14.5亿元，增长33.58%；掘进总进尺增加72534m，增长12.74%；人均工资收入提高674元，增长13.13%。煤炭产品库存减少18万t，降低11.69%；资产负债率降低19.65个百分点；亏损降低：补贴后同比增盈23379万元，其中鸡西矿业集团公司减亏4667万元，鹤岗矿业集团公司增盈5350万元，双鸭山矿业集团增盈9126万元，七煤公司增盈4236万元。运费、电费、工资当年不欠，并补还了部分陈欠。

二、扭亏脱困

1998年国有重点煤矿由中央直属下放地方管理后，省委制定了国有重点煤矿改革脱困方案，计划从2000年起，用3年时间，实现扭亏脱困。3年来，国有重点煤矿进行了改组改制、关闭破产、减人增效等一系列改革措施，实现了脱困目标，2002年与1998年相比，工业总产值增加6.5亿元，增长11.75%；产量增加987万t，提高31.09%；销量增加1034万t，增长9.86%；商品煤销售收入增加9.2亿元，增加5.3%；煤款回收增加26.5亿元，增长43.03%；职工年人均工资增加457元，增长8.5%；企业扭亏为盈，补贴后实现利润122万元，减亏增盈8.2亿元。

三、发展后劲

2002年掘进总进尺完成641895m，比1998年增掘106841m，增加20%，年均增掘26710m，增加5%。矿井“三量”增加，接续紧张状况得到缓解，保证煤炭生产进行正常循环。

四、安全投入

据统计，四大国有重点煤矿2002年用于安全生产设施等投入达22997万元，其中：国家补助7600万元，省补助6200万元，企业自筹9197万元。四大国有重点煤矿的投入分别为：鸡西矿业集团公司投入6674万元，鹤岗矿业集团公司投入6613万元，双鸭山矿业集团公司投入4400万元，七台河精煤投入5310万元。

五、关闭破产

先后已有9个煤矿被国家批准实施了破产，有7个煤矿已列入2002年的国有企业破产新增计划。煤矿亏损源逐步减少，大量的银行贷款本息被核销，破产费用补助已落实到位，一大批资不抵债、资源枯竭的落后煤矿被淘汰，退出煤炭市场，优化了结构。

六、安全生产

2002年，全省煤矿安全生产形势十分严峻，共发生各类死亡事故127起，死亡425人，与上年相比，分别上升了18.8%和61.6%。一是国有重点煤矿虽然事故次数有所减少，但死亡人数大幅上升。四大省属国有重点煤矿发生事故46起，死亡216人，与上年相比，事故次数减少14起，下降23.3%，人数增加73人，上升51%，百万吨死亡率高达4.9，这是历史上少有的现象。二是瓦斯事故大幅上升，因瓦斯事故死亡人数265人，比上年上升105%。三是特别重大事故频繁，发生一次死亡人数超过10人的特大事故4起，占全省煤矿事故总死亡人数的49%。

七、小煤矿专项整顿

2001年6月15日开始，全省除43处国有重点煤矿和8处国有地方煤矿外，其他各类小煤矿全部停产整顿。省政府责成黑龙江煤矿安全监察局牵头，有关部门参加，组成验收组，逐矿逐井地对提出验收申请的1620处矿井进行验收。到2002年4月末，验收合格的矿井1337处，比整顿前的1916处减少589处。2002年7月9日起，全省小煤矿再次停产整顿，使小煤矿的安全素质得到了进一步的提高。

八、安全培训

2002年，全省共举办矿长培训班6期，培训矿长554人次，已有2310名矿长经过合格取得了《矿长资格证书》。全省具备三级煤矿安全培训资格的机构，共培训特种作业人员16730人。全省共有25632人取得了《操作资格证书》。

九、质量标准化

全省煤矿尤其是国有重点煤矿的矿井面貌、生产环境、现场管理等各项安全措施普遍上了一个新台阶。鹤矿集团开展“创建明星矿，争当明星区队”竞赛活动，坚持逐月召开质量标准化建设现场会议，严格落实采、掘、机、运、通系统质量达标规定，坚持动态和静态验收相结合，推动质量标准化水平不断提高。七煤公司坚持达标升级目标不放松，开展月达标、旬检查、评最佳、抓最差活动，使安全质量在保持先进的基础上，又跨入了一个新的台阶。双鸭山矿业集团实施精品战略，全年杜绝了重大事故的发生。

十、安全质量明星矿

2002年继续开展创建安全质量明星矿活动，评选出45个安全质量标准化明星矿，代表了全省煤矿先进的生产力发展水平。其中，国有重点煤矿15个，地方煤矿30个。这些明星矿都是在小煤矿专项整顿和安全专项整顿中涌现出来的，他们将在今后享受一些优惠政策。

十一、安全监察执法

2002年，省局及4个安全监察办事处在对煤矿实施安全监察执法中，共派出人员11581次，检查各类矿井5565次，入井检查11104人次，下达各类执法文书6673份，发现各类隐患9993处，其中重大隐患3220处，现场责令整改5658处，限期整改4335处，停产整顿1107处，隐患整改率达到90%以上。

十二、重大事故

2002年6月20日9时45分，鸡西矿业（集团）有限责任公司城子河煤矿发生一起特大瓦斯爆炸事故（有煤尘参与），造成124人死亡，24人受伤，直接经济损失984万多元。事故发生后，党中央、国务院极为重视和关心，国务院总理朱镕基、副总理吴邦国、国务院秘书长王忠禹作出主要指示，国家经贸委、国家煤矿安全监察局按照党中央、国务院领导的指示精神，立即对事故抢救、善后和事故调查工作做了认真安排，国家经贸委副主任欧新黔、国家煤矿安全监察局局长王显政、副局长赵铁锤、全国总工会书记处书记纪明波、监察部监察室有关负责人和黑龙江省委书记徐有芳、省长宋法棠等率领有关人员立即赶赴事故现场，指导抢险救灾和事故调查处理工作。经调查认为，这是一起责任事故，32名事故有关责任人员受到追究刑事责任、撤职、降级、记大过、记过等处分。

（李文忠）

表1 煤矿生产规模

项目	矿井数/处	实际年产量/10^4t	占全区年产量的比例/%
全省（区）合计	1327	6716	100.00
省（区）属煤矿	41	4450	66.25
地市营煤矿	1286	2266	33.75

表2 重点煤矿基本情况

局矿名称	地址	邮政编码	实际年产量/10^4t	年末职工人数/人
鸡西矿业集团公司	黑龙江省鸡西市鸡冠区	158100	808.5	46587
鹤岗矿业集团公司	黑龙江省鹤岗市向阳区	154100	1402.5	63789
双鸭山矿业集团公司	黑龙江省双鸭山市尖山区	155100	939.2	54667
七台河精煤公司	黑龙江省七台河市桃山区	154600	1300.0	52789

表3 重点煤矿主要技术经济指标

局矿名称	原煤产量 /10^4t	商品煤		洗精煤		掘进总进尺 /m	回采工作面平均月产量 /t	掘进工作面平均月进度 /m	采煤机械化程度 /%		掘进装载机械化程度/%		原煤坑木消耗 /($10^{-4}m^3$·t^{-1})	原煤全员效率 /(t·$工^{-1}$)
		灰分 /%	含矸率 /%	产量 /10^4t	灰分 /%				合计	其中：综采	合计	其中：综掘		
鸡西矿业集团公司	808.5			129.6	9.48	31476	22484	115.57	94.81	27.72	84.01		38.57	1.494
鹤岗矿业集团公司	1402.5			119.2	8.57	12637	26004	117.18	59.80	28.81	80.78		48.31	1.459
双鸭山矿业集团公司	939.2			101.7	8.36	17526	24673	109.71	93.82	26.51	84.24		37.67	1.880
七台河精煤公司	1300.0			363.3	9.63	20256	11900	107.34	49.83	0	83.33		34.26	1.250

江苏省煤炭工业概况

2002年，江苏省煤炭工业管理体制进行重大改革，煤炭行业管理职能移交江苏省经贸委。2002年，全省煤炭系统广大干部、职工认真贯彻党的路线、方针、政策，以"三个代表"重要思想为指导，以改革为动力，以发展为主题，以经济效益为中心，以安全生产为前提，艰苦奋斗，锐意进取，各方面工作取得了较好成绩。

一、煤炭产量保持稳定

全省煤炭产量在矿井关闭破产和全省结束乡镇煤矿开采历史的情况下保持稳定。全省共生产原煤2554.47万t，比上年增加65.02万t。考虑到今年全省乡镇煤矿结束开采的情况，全省原煤产量比去年同期增加164.49万t，增长6.44%。其中，国有重点煤矿徐州矿务集团公司生产原煤1525万t，比去年增加153.38万t，增长9.99%；大屯煤电集团公司生产原煤706.24万t，略高去年；地方国有煤矿生产原煤323.65万t，比去年同期增加12.9万t，增长3.99%。徐州矿务集团公司、江苏天能集团公司原煤产量都创出了历史最好水平。

二、安全生产创历史最好水平

以深化煤矿安全专项整治工作为重点，正确处理安全与生产、安全与效益的关系，始终把安全工作放在各项工作的首位。加强《安全生产法》等安全法律法规的学习与宣传，安全生产责任制得到有效落实。坚持开展"质量标准化，安全创水平"活动，安全基础工作大大加强。坚持管理、装备、培训并重的原则，加大安全投入，重视安全培训，煤矿安全装备可靠性不断增强，职工安全素质有了很大的提高。2002年，全省煤炭企业共发生死亡事故23起，死亡24人，比上年少死亡96人。其中，原煤生产发生死亡事故20起，死亡21人，百万吨死亡率为0.83。杜绝了3人以上重大伤亡事故。全省煤矿安全形势创下了建国以来的较好成绩，也是全国各产煤省安全先进水平。

三、乡镇煤矿的关闭整顿取得决定性成果

按照国办明电［2001］25号和国办发［2001］68号两个文件精神和省委、省政府的部署，对所有不符合规定的乡镇煤矿实施永久性关闭，及时吊销了166处乡镇煤矿的煤炭生产许可证。到2002年5月31日，累计关闭162处。2002年8月，省级验收组通过了所有已关闭的162处乡镇煤矿的省级验收。徐州市政府于5月31日下文，将列入整顿的4处乡镇煤矿整体划给江苏天能集团公司（地方国有）。至此，江苏省就结束了乡镇煤矿的开采历史。我省关闭小煤矿的经验做法，在全国引起较大反响。

四、改革和结构调整工作有所突破

紧紧抓住国民经济新一轮快速发展和煤炭市场回暖的机遇，发挥煤炭行业自身优势，以提升经济总量为目标，加快发展步伐。徐州矿务集团突出煤炭主业，优化生产结构，精心组织生产。涉及14440人的徐州矿务集团3个矿关闭破产工作基本完成。大黄山、董庄和夏桥3对矿井关闭破产是徐州市和我省首次国有重点煤炭企业破产。"三矿两公司"关闭破产，需要一次性安置14440名职工，涉及人员之多，在全国同行业破产企业中少有。在省委、省政府的领导和支持下，经过多方共同努力，3对矿井关闭破产工作进展较为顺利。与此同时，煤炭产业外向发展步伐加快。设计能力30万t的新疆塔城地区铁厂沟煤矿建成投产，全年生产煤炭7.5万t。俄霍布拉克煤矿建设主井、风井已进入巷道掘进。大屯煤电集团在稳定煤炭产量的同时，狠抓电厂技改和电解铝两大重点工程，全力推进煤电铝运一体化经营进程。电厂第一台135MW机组进展顺利；电解铝项目实现开工建设。江苏天能集团、新光集团加快基建矿井建设步伐，年设计能力45万t的徐州龙固煤矿建成投产，成为江苏天能集团的主力矿井。

五、煤矿经济效益全面回升

全省煤矿企业改变了多年亏损的局面，全部实现扭亏为盈。职工收入水平比上年有所提高。

六、科教兴煤战略有新进展

继续大力推进"科教兴煤"战略，积极推广应用新技术、新工艺，不断提高采掘机械化水平。徐州矿务集团公司推广应用了煤巷锚杆支护、无煤柱开采、建筑物下开采、滑移支架放顶煤等多项新技术、新工艺；全年完成科技成果鉴定40项，获各类科技进步奖53项，其中有一项成果获省科技进步一等奖；采煤机械化程度达到76.78%。大屯煤电集团公司采掘机械化程度为100%，综掘机械化程度为23.68%。

七、依法办矿意识进一步提高

高度重视煤炭生产许可证重新核发工作，严格按照国家的法律政策，规范企业生产、安全等各项工作。全省需要进行煤炭生产许可证重新核发的27对国有煤矿，全部按要求重新领取了新的煤炭生产许可证。按照"四个一律关闭"的要求，彻底关闭了全省乡镇煤矿。全省煤炭生产秩序走上了法制化轨道。

（宋旭东）

表1 煤 矿 生 产 规 模

	矿 井 数 /处	实际年产量 /10^4t	占全省年产量的比例 /%
全省合计		1854.95	100.00
统配煤矿	13	1526.44	82.29
省属煤矿	0	0	
地市营煤矿	12	275.32	14.84
县营煤矿	5	53.19	2.87

表2 重 点 煤 矿 基 本 情 况

局（矿）名称	地　址	邮政编码	实际年产量 /10^4t	年末职工人数 /人
徐州矿务集团有限公司	江苏省徐州市淮海西路	221006	1854.95	72479
其中：				
韩桥矿	江苏省徐州市贾汪区		70.99	
权台矿	江苏省徐州市铜山县		197.68	
旗山矿	江苏省徐州市铜山县		178.62	
庞庄矿	江苏省徐州市铜山县		288.08	
夹河矿	江苏省徐州市铜山县		167.04	
义安矿	江苏省徐州市铜山县		63.16	
诧城矿	江苏省徐州市铜山县		81.7	
张集矿	江苏省徐州市铜山县		94.07	
三河尖矿	江苏省徐州市沛县		169.61	
张双楼矿	江苏省徐州市沛县		177.36	
江苏天能集团公司	江苏省徐州市淮海西路	221006	169.22	11761
江苏新光集团公司	江苏省徐州市贾汪区大泉	221131	33.91	3802
连云港市煤炭公司	江苏省徐州市青山泉白集	221137	50.44	5850
扬州市矿务局	江苏省扬州市盐埠路	225001	50.65	2178

表3 重点煤矿主要技术经济指标

局矿名称	原煤产量/10^4t	商品煤		洗精煤		掘进总进尺/m	回采工作面平均月产量/t	掘进工作面平均月进度/m	采煤机械化程度/%		掘进装载机械化程度/%		企业坑木消耗/(10^4m^3·t^{-1})	原煤全员效率/(t·$工^{-1}$)
		灰分/%	含矸率/%	产量/10^4t	灰分/%				合计	其中：综采	合计	其中：综掘		
徐州矿务集团公司	1854.95	24.51	0.07	71.24	9.44	142381	37815	178.82	76.68	60.94	96.06	4.04		3.644
其中：														
韩桥矿	70.99	28.28	0.00	0.00		6641	28050	98.53	83.67		56.21			1.437
权台矿	197.68	24.59	0.00	1.24	13.10	14127	50354	191.16	95.43	64.01	100.00			7.608
旗山矿	178.62	23.70	0.00	1.80	11.40	13802	50336	141.04	84.79	84.79	100.00			6.811
庞庄矿	288.08	23.45	0.00	27.48	8.88	30101	28657	213.45	63.39	63.39	91.21			3.951
夹河矿	167.04	23.20	0.00	36.57	9.21	17326	42263	229.03	74.38	25.04	100.00			8.033
义安矿	63.16	24.32	0.00	4.10	13.18	7836	17616	184.29			100.00			1.199
沱城矿	81.70	40.84	0.00			13436	14965	184.64			100.00			1.310
张集矿	94.07	28.16	0.00			9925	36602	193.89	75.61	75.61	99.40			1.716
三河尖矿	169.61	22.77	0.00			11703	61769	190.01	98.66	83.20	100.00			7.343
张双楼矿	177.36	16.55	0.60			14865	95438	215.62	100.00	100.00	100.00	19.93		6.835
建井处						2619		60.37						

安徽省煤炭工业概况

2002年，安徽省煤炭工业坚持以邓小平理论和"三个代表"重要思想为指导，贯彻落实党的十五届六中全会、中央和省经济工作会议精神，以发展为第一要务，以改革为动力，以创新为灵魂，通过制度、管理和技术创新增强企业的核心竞争力，煤炭工业呈现出快速增长的良好势头，办矿水平逐步提高，安全生产形势稳定好转，为完成"十五"规划目标，全面建设小康奠定了较好的基础。

一、生产经营

2002年，安徽省煤炭行业各项工作都在积极向前推进，煤炭生产经营实现了持续快速增长。全年煤炭产量、销量和销售收入均创新水平，企业经济效益创近5年新高。全年生产原煤6471.68万t，同2001年相比增长20%，其中淮南、淮北、皖北、新集四大矿业集团原煤产量5918.43万t，同比增长15%。通过整顿规范煤炭市场经营秩序，积极开拓国内外市场，加强市场调研和预警预测等措施，全省煤炭销售呈现出较好的发展势头，全年销售商品煤6197.13万t，同比增长1069.07万t，剔除洗选损耗，产销率达100%。商品煤平均售价为197元/t，同比上升30.3元/t。实现销售收入120.8亿元，同比增长43%，其中四大矿业集团实现销售收入110.2亿元，同比增长36.05%。企业经济效益快速增长，全省煤炭行业盈利3.45亿元，同比增盈1.88亿元，增长119.75%，其中四大矿业集团盈利3.33亿元，职工人均收入达11900元，同比提高1200元。

二、改革创新

全省重点煤炭企业以建立现代企业制度为核心，以产权制度改革为突破口，不断完善母子公司体制，坚持制度和管理创新，全面推进企业改革。淮北矿业集团明确界定母子公司事权关系，建立了与母子公司运作模式相适应的考核制度；淮南矿业集团明确集团公司和子公司资产管理责任，实行集中核算，分级管理，分工监管，强化了资产监管和财务监控；皖北煤电公司对任楼煤矸石电厂实施股份制改造；国投新集公司推进企业市场化管理进程，在工作面上进行租赁经营试点。全行业多种经营系统实行的股份制、股份合作制，以及固有资产整体退出等一系列改革措施，也取得较好效果。

全省煤炭企业大力推进以人事分配制度为核心的内部管理机制创新，建立起竞争、激励、约束和风险等高效运行机制；实行全员聘任制、岗位目标责任制等科学的管理制度。省重点煤炭企业推行岗位价值或绩效工资制，坚持"一个突出"，即突出岗位价值，以岗定薪、岗变薪变；体现"二个挂钩"，即工资标准与单位效益挂钩，个人收入与贡献挂钩；做到"三个倾斜"，即收入分配向苦、脏、累、险岗位倾斜，向责任重大、风险大的重点和关键岗位倾斜，向技术岗位倾斜，调动了职工骨干的工作积极性和创造性，切实增强了企业发展的动力与活力。全行业还投资近1900万元，以信息化建设为核心，进一步推进了企业管理创新。

三、建设发展

加快结构调整和技术创新，实现煤炭主业和非煤产业同步发展。我省重点煤炭企业积极运用国家政策，依靠技术改造和创新，进行产业、资本和所有制结构的调整，使经济运行质量有了新的提高。一是做精做大了煤炭主业。全年共完成基本建设项目投资13.19亿元，建成和在建国有矿井4对，改扩建矿井10余对，新建和改扩建选煤厂5个，增强了煤炭主业的发展后劲。淮南矿业集团总投资18亿元，高起点、高标准、高效率建成的张集煤矿于2001年11月投产后，一年生产原煤507万t，提前达产，成为全行业新井建设的典范。淮北矿业集团许疃煤矿新建工程进展顺利，2002年即达到出煤条件。该集团公司利用1.2亿元国债项目资金，采用先进的洗选技术和设备改造现有选煤厂，积极发展洁净煤技术，成为煤业发展的新"亮点"；与中国科技大学、中国矿业大学、北京科技大学等多家科研院校建立紧密的协作关系，进行共性和关键技术研究，均取得较大成果。全省国有大中型煤矿大力推广综采放顶煤和大采高等新工艺、中深孔爆破快速掘进技术、先进的复合支护技术、开采煤层顶板瓦斯抽放技术、现代信息技术等，提高了煤炭主业的科技含量和市场竞争力。二是做活做强了非煤产业。淮北矿业集团投资1.7亿元的杨庄煤矸石电厂已具备开工条件，集团公司电厂已发展到3个，集团公司非煤产业已形成5个年销售收入超亿元的企业。淮南矿业集团拟建大型坑口电厂，与江浙沪合作单位已达成意向，完成了可行性研究。皖北煤电公司任楼煤矸石电厂实现了试运行；该公司通过资本运营手段控股淮北众城水泥有限公司，收购淮北市环保材料厂，均已完成新公司的组建，进一步优化了产业、资本和所有制结构。全行业多种经营系统的整合也在加紧实施。非煤产业的发展，不仅拓宽了煤炭行业的产业链，也培育了新的经济增长点。

四、关闭破产

关闭破产工作平稳有序推进。到2002年底，全省煤炭企业列入国家计划关闭破产的项目共9个，涉及煤炭资源枯竭的10对矿井和资不抵债的2个工厂，职工10.2万人，总资产30.3亿元，负债总额33.4亿元，核呆额21.7亿元。目前，淮北矿业集团相城煤矿和淮南煤矿钢铁厂2个项目的破产已终结。相城煤矿破产后，利用有效资产重组了新兴实业公司，全年实现销售收入3000多万元，利润100多万元。淮南3个项目6对矿井的破产关闭也已接近尾声，核呆额15.49亿元，人员安置基本结束，重组企业已挂牌。淮北矿业集团张庄和沈庄2对矿井的破产重组已进入资产清算阶段。淮南煤机厂、中煤三建梧南煤矿破产项目已经国家批准，淮北矿业集团袁庄煤矿正在争取列入国家破产计划。整个关闭破产进程平稳有序，既保持了矿区和社会稳定，又促进了煤炭产业结构的优化与升级。

五、深化整治

煤矿安全整治工作取得明显成效。全行业认真学习和贯彻国务院安委会印发的《深化煤矿安全专项整治实施方案》以及省政府制定的《实施细则》，牢固树立"安全责任重于泰山"、"安全就是效益"的观念，全面深化煤矿安全整治工作。一是为做到依法安全办矿、管矿，分期分批组织了全省煤矿矿长的任职资格和安全业务培训，不断提高煤矿负责人的安全意识和业务水平。二是按照"一通三防"的要求，在清理整顿小煤矿全面验收的基础上，对全省279处小煤矿重新换发了煤炭生产许可证，并加强监管力度，从源头上促进了煤炭生产秩序好转。三是按照安全生产和深化整治的要求，组织专家对全省314处矿井进行了生产能力核定，对324对矿井的瓦斯情况进行了审查和鉴定。一年来，由于全省煤矿加强领导，落实责任，强化措施，加大事故隐患排查和整改力度，使深化安全整治工作取得明显成效。2002年，全行业事故死亡人数控制在100人以内，全年生产事故起数和死亡人数分别比上年下降23.96%和17.09%，百万吨死亡率1.45为历年最低。四是对不符合规定的各类小煤矿实施关闭。对2001年3月底以前没有申报验收，或经省级检查验收不合格的所有小煤矿，采取了坚决关闭的措施。除此之外，依据国家局制定的《深化煤矿安全专项整治实施方案》、《小煤矿安全生产基本条件》和省局制定的《安徽省深化煤矿安全专项整治实施细则》和《小煤矿安全管理的若干规定》，对破坏资源、技术落后、污染环境和不具备安全生产基本条件的七类小煤矿依法予以取缔、关闭。通过全省各级政府、行业管理部门、煤矿安全监察机构和煤矿企业的共同努力，2002年全省共关闭各类小煤矿113处，加上2001年关闭的229处，整治期间共关闭342处，小煤矿总数由原来的1000多处减少到现在的293处。

六、煤矿事故

2002年，全省煤矿总死亡人数降到了百人以下。全省煤矿共发生死亡事故73起，死亡97人，比2001年，减少23起，减幅为23.96%，死亡人数减少20人，减幅为17.09%。其中：国有重点煤矿发生死亡事故38起，死亡58人，比2001年分别减少1起，增加3人；国有地方煤矿发生死亡事故5起，死亡5人，比2001年分别减少4起，减少死亡6人；乡镇小煤矿发生死亡事故30起，死亡34人，比2001年分别减少18起，减少死亡17人。自煤矿安全监察机构成立以来，全省煤炭生产总死亡事故起数和死亡人数连续2年持续下降，并且2002年降到了百人以下，如果按当年实际原煤产量6700万t计算，百万吨死亡率为1.4，这是继1949年建国以来全省百万吨死亡率最低的一年。

七、矿区形势

矿区形势继续保持稳定。安徽省委、省政府领导多次深入煤炭企业进行调研，帮助解决困难和问题。对全省22509名煤矿下岗职工生活保障金仍实施财政、社保和企业共同承担的"三三制"政策，全年共发放下岗职工基本生活保障金1.0073亿元，其中省财政拨款5350万元。在改革力度加大、经济仍较困难的情况下，全行业各级领导按照"三个代表"的要求，切实转变工作作风，帮助困难职工解决实际问题。淮南、淮北矿业集团对关闭破产企业职工做细致的思想政治工作，确保了破产方案的顺利实施，淮南6对矿井的破产，累计安置人员3.7万多人，直接安置面达90%。

2002年，安徽煤矿安全监察局认真贯彻"三个代表"重要思想和"安全责任重于泰山"的指示精神，严格执法，强化监管，密切合作，全面推进煤矿安全专项整治，全省煤矿安全生产取得了可喜成绩，在全省煤炭产量突破6700万t的情况下，全行业死亡人数首次控制在100人以内，全年生产事故起数和死亡人数分别比上年下降25%和18%，百万吨死亡率为1.4，历年最低。

（杨乃发　倪克祥）

表1　煤　矿　生　产　规　模

项　目	矿　井　数/处	实际年产量/10^4t	占全区年产量的比例/%
全省合计	361	6471.6914	100.00
省属煤矿	33	5918.4340	91.45
地市营煤矿	13	69.7744	1.01
县营煤矿	11	21.6582	0.34
集体及个体煤矿	304	461.8248	7.2

表2 重点煤矿基本情况

局矿名称	地址	邮政编码	实际年产量/10^4t	年末职工人数/人
淮南矿业集团	淮南市洞山	232001	2367.4866	99025
淮北矿业集团	淮北市相山区	235006	1992.8526	89799
皖北煤电公司	宿州市浍水路	234011	836.9563	29466
国投新集公司	淮南市凤台县	232171	721.1385	10509

表3 重点煤矿主要技术经济指标

局矿名称	原煤产量 (10^4t)	商品煤		洗精煤		掘进总进尺 /m	回采工作面平均月产量 /t	掘进工作面平均月进度 /m	采煤机械化程度 /%		掘进装载机械化程度/%		原煤坑木消耗 /(10^{-4} m^3·t^{-1})	原煤全员效率 /(t·工$^{-1}$)
		灰分 /%	含矸率 /%	产量 /10^4t	灰分 /%				合计	其中：综采	合计	其中：综掘		
淮南矿业集团	2367	25.71		110.2	9.66	120447	42783	125.6	62	62	76.10		21.30	4.201
淮北矿业集团	1992	23.68		383.1	9.99	222009	31873	150.7	44	35	92.64		18.61	11.62
皖北煤电公司	837	23.02		113.9	12.9	88236	37497	104.6	63	63	82.31		8.00	1.964
国投新集公司	721	28.77				65689	44340	156.5	77	77	65.55		31.30	3.434

江西省煤炭工业概况

2002 年，在国家局和省委、省政府的正确领导下，在各级地方政府及各有关部门支持、配合下，江西煤矿安全机构、省煤炭行业管理部门和省煤炭集团公司切实履行职责，强化管理，依法行政，严格执法，全省煤矿安全生产形势继续好转，全省煤矿比 2001 年少死亡 20 人，下降 10.1%。

煤矿安全监察执法不断加强。江西煤矿安全监察机构在不断健全完善制度，不断加强煤矿安全监察队伍建设的同时，紧紧围绕矿井监察和事故调查处理两条主线，强化行政执法工作，关口前移，重心下移，尤其是 2002 年 5 月 1 日与省煤炭行业办分离后，煤矿安全监察执法力度进一步加大。开展安全标志、持证上岗和事故责任追究落实等 3 项专项监察活动；加大执法力度，在罚、停、整上下功夫，全面启动事故罚款；对小煤矿以 30 条为标准，制定 30 条监察意见。在监察过程中，紧紧抓住主要矛盾，有针对性地开展工作。一是在监察方向上，把省属国有煤矿列为重点监察方向，对 39 处矿井实行重点监察，把丰城、乐平两个矿务局作为重点监控对象；二是在监察重点上，把煤矿井下作为重点，把"一通三防"和防治水作为重点，把大系统方面的问题作为重点。此外，实行省属国有煤矿矿井安全分类监察制度，对矿井安全评估进行了探索，得到国家局领导的充分肯定。

一年来，经过全体煤矿安全监察员的共同努力，煤矿安全监察工作取得了明显成效，打出了旗帜，树立了形象，得到地方政府和社会各界的肯定和逐步认同。全年共监察各类矿井 3273 个次，制作下达各类执法文书 4779 份，查处事故隐患 14074 条，罚款 83.81 万元，同比增加 8 倍；查处煤矿事故 102 起，在规定期限内结案率 100%；累计处理事故责任人 374 人，其中：刑事处罚 28 人，行政处分 243 人，党纪处分 30 人，公务员中副乡（镇）级以上干部 20 人，煤矿企业矿处级以上干部 51 人。

对省属煤矿矿井实施安全分类监察。为进一步搞好省属煤矿安全监察工作，立足防范，将监察的关口前移、重心下移，并有针对性地实施监察，根据省属煤矿的现状，决定对 39 处省属煤矿矿井实施分类监察。

A 类：对安全隐患严重或自然灾害严重的 19 处矿井，实施重点安全监察。A 类矿井每个月实施 2 次监察，对重大隐患必须及时跟踪监察，并对隐患整改情况进行跟踪调度，重大隐患实行牌板管理。主要监察内容是"六个是否"。即：矿井"一通三防"各项管理制度是否健全并得到有效落实；矿井生产布局及通风系统是否合理；是否存在超通风能力生产及瓦斯超限作业；突出矿井是否采取综合防突措施、瓦斯监控系统是否完善并正常运行；水患矿井的"防治水"措施是否落实等。

B 类：对安全隐患较多，自然灾害较严重的 17 处矿井，实施定期安全监察。B 类矿井每个月实施一次监察，主要监察内容是"两个是否"。即：矿井安全管理机构及制度是否健全和落实；作业现场的劳动条件、生产设备及相应的安全防护设施是否符合"煤矿安全规程"和行业技术规范的要求。

C 类：对安全隐患较少、自然灾害较轻的 3 处矿井，实施一般性安全监察。C 类矿井每季度实施一次监察，主要监察内容是"两个是否"。即：矿井是否按作业规程、操作规程及制定安全技术措施落实兑现；作业场所是否存在违章指挥、违章作业等违法行为。

为切实吸取黑龙江鸡西矿业集团公司"6·20"特大瓦斯爆炸事故的教训，遵照省政府领导的指示，江西煤矿安全监察局牵头，与省煤炭行业办、省煤炭集团公司一道，在庐山召开了全省煤矿安全整治暨安全监察工作会议。会议传达了国务院办公厅《关于黑龙江鸡西矿业集团公司"6·20"特大瓦斯爆炸事故的通报》和全国深化煤矿安全整治会议精神，提出煤矿安全监察局必须做到"三个前移"：一是立足点前移，从事后查处转到事前防范上来；二是关口前移，靠前监察，提前介入；三是重心前移，加强对煤矿安全生产第一线的监察，加强对"一通三防"和防治水的监察，并在"三个前移"中坚持"参与管理不包办，服务基层不代替，安全监察不放松"的原则，在"做实"、"到位"上下功夫。凌成兴副省长在讲话中充分肯定了煤矿安全生产秩序整治和煤矿安全监察工作，要求对煤矿安全监察工作，一是各级政府要支持，二是煤矿企业要服从，三是自身要过硬。会议后，省直有关部门核发证照的速度进一步加快，各地的煤矿安全整治工作进一步深化，煤矿安全监察力度进一步加大，煤矿安全进一步好转。

为促进江西煤矿安全状况进一步好转，推进煤矿安全生产整治工作向纵深发展，1 月 9 日，江西煤矿安全监察局印发《关于加强 2002 年煤矿安全监察工作的决定》（赣煤安发［2002］1 号），对煤矿安全监察工作的指导思想、工作目标和措施等进行了全面安排。

采取硬措施，确保"三会一节"期间安全。为切实贯彻落实省委常委扩大会议和全省烟花爆竹煤矿安全监管现场分析会议的精神，确保"三会一节"（全省经济工作会、全省人大政协会、春节、全国人大政协会）期间的安全生产，江西煤矿采取紧急措施：①小煤矿严格执行省煤矿安全生产秩序整治工作领导小组安排的复产验收的同时，2 月 10 日至 3 月 15 日一律停产；②国有煤矿 3 月 3 日至 3 月 9 日；一律停产检修；③从元月 15 日起，由江西煤矿安全监察局领导带队对省属重点煤矿进行以"一通三防"和防治水为主要内容的安全大检查，同时，各地市对市县国有煤矿进行安全大检查；④由煤矿安全监察办事处，向 4 个重点局矿派驻矿员，萍乡、丰城、乐平各3人，英岗岭局（含新洛公司）2人，同时协助这次安全大检查，吃住均在矿务局，3月15日结束；⑤凡“三会一节”期间发生3人以上事故，加重从严处理责任人，矿长、书记一律撤职；⑥在安全大检查中，对检查出来的问题，该整顿的，要立即整顿；该停产的，要立即停产；对以前检查、监察中指出的问题，未整改的，要采取行政的、经济的处罚，发生事故的，加重处罚。

加大煤矿安全大检查力度。2002年是煤矿安全检查监督力度最大的一年，在元旦、春节、“两会”和中共十六大期间，江西煤矿安全监察局先后组织全省性的煤矿安全大检查6次，与公安、监察、国土资源、工商、煤炭行业办等省直单位联动、配合，做到检查与监察相结合；省煤炭集团公司全年共进行12次安全大检查，共查出事故隐患2700多条，下达整改通知单700多份，责令停产工作面掘进头60多个次。其中力度最大、范围最广的一次是迎接党的十六大而组织进行的一次大检查。

为认真贯彻落实9月25日召开的全国、全省安全生产电视电话会议精神，为党的十六大的召开创造一个稳定的社会环境，遵照省人民政府的要求和安排，由江西煤矿安全监察局负责，省经贸委、省煤炭行业办，省国土资源厅、省监察厅、省煤炭集团公司参加，对全省集中进行了一次煤矿安全生产大检查。

检查的主要内容是：煤矿井下“一通三防”和防治水情况；隐患整改情况；对照《安全生产法》和小煤矿办矿基本条件30条找差距；贯彻落实瓦斯防治“十二字方针”情况；以及非法小煤矿关闭情况等。

检查采取听取汇报、查阅资料、下井监察方式进行，共检查了9个省属重点煤矿和萍乡、宜春、景德镇、上饶、赣州等5个设区市的16个重点产煤县（市、区），共33处省属重点矿井（占总数的84.6%）、6处市县国有煤矿和87处乡镇煤矿（其中关闭矿井43处），共查出事故隐患628条，下达各类执法文书246份，责令4对矿井、1个采区、24个采掘工作面限期停产整顿或停止作业，行政罚款2.2万元，其中乡镇煤矿事故隐患182条，下达执法文书62份，责令2处矿井、18处采掘工作面限期停产整顿或停止作业，行政罚款1.8万元。

增加安全投入，全力整改隐患。积极消除事故危险源，关闭栗背山、焦源等生产矿井。对2001年关闭的22处矿办小井检查核实，严防死灰复燃。在2001年关闭733处乡镇煤矿的基础上，又关闭182处小煤矿。江西煤矿安全监察机构对重大安全隐患实行牌板管理，定人员，定期限，跟踪监察执法，直至隐患解决为止，全年隐患整改率达到70%以上。

在对企业安全隐患限期整改，监督企业完成2700万元国债资金的同时，2002年又帮助国有重点煤矿争取国债资金5540万元；督促省煤炭集团公司及其下属企业安全生产投入1.1亿元，完成205项安全整治项目，其中：7处矿井实现倒水平或完成延深主体工程，8个矿井完成通风系统改造，8个矿井完成排水系统改造，7个矿井建立或完善瓦斯监测系统，10个采区完善生产系统。据估计，全省乡镇煤矿约投入3亿元用于安全整改。

努力构建安全监察和安全生产的支撑体系。一是构建安全信息工程体系。加快安全生产信息网络建设，成立局信息调度中心，建立局域网；加强事故报告和安全监察数据的调度、统计、分析，形成快速反馈的信息网络体系；筹建江西煤矿安全监察网页。二是构建安全生产技术保障体系。制定并颁发《江西省煤矿矿用安全产品安全标志管理暂行办法》、《江西省煤矿安全产品检验管理细则》，共有25家生产厂的130个产品获得安全标志；江西煤矿安全检测中心和煤矿主要固定设备监测站进入实质性组建阶段。三是完善培训体系。按照“坚持标准、合理布局、兼顾实际”的原则，逐步构建起一个比较完善的煤矿安全培训体系，举办二级培训15期25个班，培训矿长890人次，合格率89%；举办特殊工种培训班156期，培训7841人次，合格率82.7%。此外，还举办了2期《煤矿安全规程》师资培训班，培训师资90多人；3期救护小队长培训班，培训100余人。四是构建事故应急救援体系。利用国债资金，完成救护装备投资400万元，新装备救护车辆11辆；参加华东救护协作网活动，完成救护队达标复查；组织开展全省煤矿救护队伍技术大比武活动，对救护队伍进行实战演练和检验。五是按照构建宣传教育体系的要求，学习宣传《安全生产法》，积极组织开展“安全生产月”活动，举行全省煤矿安全知识竞赛活动，在全省开展了杜绝重特大事故活动。

深化煤矿安全整治，巩固整治成果。省煤矿安全生产秩序整治工作领导小组制定、印发了《江西省深化煤矿安全专项整治实施方案》，整治重点是对乱采滥挖资源、技术落后、严重污染环境和不具备安全生产基本条件的小煤矿予以取缔、关闭；国有地方煤矿按照新修订的《煤矿安全规程》进行全面整治；省属国有煤矿强化“一通三防”工作。整治步骤分部署落实、深入整治、督促检查3个阶段。提出了深化整治的主要措施，并在庐山召开全省煤矿安全整治工作会议进行贯彻落实。

与此同时，突出抓了3项工作：一是搞好验收工作。江西煤矿安全监察局把验收工作作为一季度的主要工作来抓，严格对照标准，统一安排，合理组织，克服困难，在短时间内，完成了1046个小煤矿的现场验收工作，共有956处小煤矿通过省级验收。二是做好审核发证工作。对图纸资料不清不详的100多个小煤矿责令限期补充完整的同时，将通过验收的小煤矿，按照“统一政策，部门把关、协调配合”的原则，分30批次、1898矿次送省国土资源厅、省煤炭行业办、江西煤矿安全监察局、省工商局进行审核，对通过4家审核的小煤矿分13批报省政府，共有777处煤矿获得批准。期间，为加快审核发证速度，从5月15日起，在省工商局进行联合办公，至年底，共为753处矿井核发了“四证”，恢复生产。三是“回头看”活动。各办事处对通过审核同意发证的矿井在恢复生产前进行“回头看”，对各种违法行为给予严厉打击，有效地遏制了小煤矿恢复生产时的事故高发。四是打击非法生产活动。针对死灰复燃现象，江西煤矿安全监察局、省煤炭行业办等5部门联合下发了《关于提高矿井关闭质量，严防死灰复燃的通知》，并根据群众举报，省有关部门组成工作组多次赴有关县市，查处煤矿死灰复燃和非法开采问题；各级人民政府及其公安部门，依照省政府制定的有关事故防范暂行规定，严厉处罚死灰复燃和非法开采的业主，严厉追究地方政府对非法生产失察的干部的责任。

深入开展“安全生产月”活动。2002年6月是我国第一个“安全生活月”。江西煤炭系统高度重视，江西煤矿安全监察局，对活动进行了安排布置。活动期间开展安全咨询活动，举办安全知识竞赛和《煤矿安全规程》讲座，开展“杜绝重特大事故活动”，进行安全大检查，充分利用广播、电视、矿报、通讯、板报、宣传车等传媒工具，广泛宣传安全生产政策法规和安全生产知识。仅省煤炭集团公司在“安全生产活动月”期间，就召开安全会议131次，参加人员达28000余人；制作广播电视专题节目575次；安全生产检查矿井102个次，查出安全隐患3100条。通过活动，提高了对安全生产重要性的认识，增强了搞好煤矿安全工作的责任感与自觉性，在全省煤矿营造了“关注安全，关爱生命”的浓厚氛围。

煤矿安全持续稳定好转。2002年，全省煤矿共发生死亡事故102起，死亡178人，在2001年比2000年少死亡30人、下降13.2%的基础上，2002年又比2001年减少20人，实现了年初预定的下降10.1%安全生产目标，实现了党的十六大、国庆节期间的安全生产。尤其是江西煤矿安全监察机构成立以来，煤矿安全监察工作有效地促进了煤矿安全生产，实现了江西煤矿安全的持续稳定好转，使江西在全国煤矿事故多发的五省一市名单上消失了，一举摘除了事故多发省份的帽子。

2002年煤矿安全工作有4个方面的特点：一是通过以遏制重特大事故为目标，加大安全监察力度，全力督促整改大系统隐患的情况下，全省煤矿重特大事故明显下降。一次死亡3～9人的重大事故11起，死亡48人，同比减少8起，少死亡46人，分别下降了42.1%和48.9%；一次死亡10人以上的特大事故2起，死亡29人，同比减少1起，少死亡23人，分别下降了33.3%和44.2%。二是在以省属国有煤矿为监察和整治重点的情况下，省属国有煤矿事故和死亡人数大幅下降，安全状况明显好转。省属国有煤矿全年共发生事故死亡47人，同比少死亡38人，下降了44.7%。其中3～9人事故3起，死亡13人，同比减少3起，少死亡15人，分别下降50%和53.6%。消灭了一次死亡10人以上的事故。这是最近几年来省属国有煤矿安全状况最好的一年。三是乡镇煤矿在相继恢复生产的情况下，死亡人数在控制指标以内，重大事故得到有效遏制。全省乡镇煤矿死亡人数比年初确定的控制目标少死亡6人。重大事故比上年同期减少4起，少死亡29人。四是以“一通三防”和防治水为监察重点，全面落实瓦斯治理“十二字”方针，“一通三防”和防治水方面的事故大幅减少。全省“一通三防”和防治水方面事故中死亡95人，同比少死亡44人，下降了31.7%，其中水患方面消灭了特大事故，重大事故也比上年减少2起，少死亡16人，同比分别下降了50%和66.6%。

福建省煤炭工业概况

2002年，福建省继续按照国务院、国家经贸委对煤炭行业实施总量调控、关闭整顿小煤矿工作要求，做好全省煤炭生产、销售和关闭整顿工作，以安全生产为契机，有效遏制非法煤矿的死灰复燃。煤炭行业在2001年呈现恢复性好转的基础上，继续保持良好的运行态势。

一、经济运行保持平稳态势

1. 煤炭产值增幅较大

2002年，全省实现原煤工业总产值18.26亿元，比上年同期增长38%，其中省煤炭工业（集团）公司总产值7.38亿元。增长幅度大于50%的有省煤炭工业（集团）公司、三明市和龙岩市乡镇煤矿。全年创造工业增加值10.71亿元，比上年增长9%；其中省煤炭工业（集团）公司4.73亿元，比上年增长59%。

2. 原煤生产、销售同步增长

2002年，全省生产原煤1204万t，比上年增长13%。其中省煤炭工业（集团）公司424万t，比上年增长22%；县营煤矿113万t，比上年增长14%；乡镇煤矿667万t，比上年增长8%。

2002年，全省煤炭销售1208万t，比上年增长10%。销售走势呈两头高、中间低的走势，一季度、二季度、三季度、四季度月平均销售分别比上年增长7.7%、1.6%、11.2%、13.8%。其中省煤炭工业（集团）公司销售436万t，比上年增长25%。全省销售电力用煤达275万t，呈历史新高；出省煤180万t，比上年减少20万t，主要是上半年省内煤炭紧张，适当调减了出省煤量。全年产销基本平稳，产销率保持101%。社会库存基本达到较为合理的数量，煤炭市场没有大起大落，保证了我省各重点耗煤企业的正常需求。

3. 煤炭价格平稳回升

2002年，煤炭价格继续呈平稳回升，第一季度全省煤炭产销两旺，煤炭价格达到历史较好水平；进入第二季度，随着煤炭产量的逐月增加，同时也受全国煤价下跌的影响，煤价开始走低，二季度个别地区呈逐月小幅下调，比年初煤价下降 5～15 元/t；第三季度随煤炭产量增多，全省煤价出现全面下降，比年初约降 20～30 元/t，但同比上年仍增加 15～20 元/t；第四季度，随着全国的储煤高峰影响，煤价开始止跌，一些区域、个别煤质煤价有所回升。2002 年上半年煤价比上年同期提高 40～45 元/t，年末比上年同期下降 10～20 元/t，全年煤价基本保持较为合理的价位。

4．经济效益显著好转

2002 年，全省煤炭经济运行保持良好态势，煤价回升，煤炭企业销售收入、利润总额呈平稳增长，县营以上煤矿企业销售收入与利润总额分别比上年增长 55%、80%。虽然第三季度煤炭价格有所回落，但降幅不大，全年煤炭销售收入与利润总额同比增长 30%、45%；企业应收账款同比下降 9%。

二、继续关闭整顿小煤矿工作，改善小煤矿安全生产条件

2002 年，福建省关闭整顿小煤矿督查组继续对重点产煤县进行不间断巡回检查，防止已关闭小煤矿死灰复燃，巩固我省关闭整顿小煤矿成果。同时，根据我省实际情况，按照国家对小型煤矿的安全生产条件要求，逐步提高小型煤矿"三通一防"等各项安全措施，使小型煤矿安全生产条件有了明显改善。2002 年，对全省县营以上的煤矿进行年检换证工作，认真审核，促进了全省各类煤矿朝着依法办矿的方向发展。

三、国企改革进展顺利

至 2002 年末，三明市、龙岩市近 72%地县营煤矿已改制或正在改制为集体、个体经济成分。经过改制，企业经营机制明显改善，活力增加，按照国家对小型煤矿的要求，企业投放矿建资金大大增加，矿井规模有一定提高。2002 年末，全省拥有生产矿井 469 处，年生产能力 1407 万 t。其中：省煤炭工业（集团）公司 30 处—365 万 t/年，原县营煤矿 33 处—159 万 t/年，乡镇煤矿 406 处—883 万 t/年。

四、存在问题

1．企业规模小，市场竞争力弱

福建省受自然资源赋存条件的限制，仅适合以小型矿井的方式开采。由于受井型小的制约，企业经济规模小；同时，矿井服务年限短，企业以获得短期效益为经营理念，使煤炭企业资金积累小，企业经济总量偏小，经济实力难以适应国内外市场激烈竞争的环境。

2．基本建设投入不足，后续乏力

多年来，煤炭市场疲软，煤炭工业基本建设投资不足，导致生产发展与市场需求的矛盾。现有省属 30 处矿井中，到 2004 年底前，由于资源衰竭闭坑的有 14 处，核减生产能力 171 万 t/年，占现有省属矿井的能力 47%。面对旧矿区的资源枯竭，建新区资金缺乏，导致生产矿井接续困难，企业后劲乏力。

表 1　煤　矿　生　产　规　模

项　　目	矿　井　数 /处	实际年产量 /10^4t	占全区年产量的比例 /%
全省（区）合计	469	1204	100
省（区）属煤矿	30	424	35.2
地市营煤矿	0	0	0
县营煤矿	33	113	9.4
集体及个体煤矿	406	667	55.4

表 2　2002 年福建省重点煤矿基本情况

局矿名称	地　　址	邮政编码	实际年产量 /10^4t	年末职工人数 /人
红炭山矿业有限公司	福建省龙岩市红炭山	364014	205	8934
永安煤业有限公司	福建省永安市安砂水东	366021	139	5029
天湖山能源实业公司	福建省永春县下洋	362617	50	1874
邵武煤矿	福建省邵武晒口	354001	30	794

湖北省煤炭工业概况

2002年，全省煤炭管理部门和企业广大干部职工，认真贯彻国家和省政府关于煤炭工业和安全生产的一系列指示精神，围绕安全整治、扭亏脱困和矿区稳定等工作重点，以发展为主题，以调整为主线，团结备斗，努力开拓，克难前进，煤炭经济形势出现好转。

煤炭企业经营状况好转。全省生产原煤781.8万t，同比增长40.77%。省属煤炭企业全年实现销售收入同比增长41.87%，亏损同比下降37.8%。

煤矿专项整治取得阶段成果，煤炭生产与经营秩序好转。专项整治期间，全省共注销煤炭生产许可证184个；炸封和关闭无证或“四证”不全矿井1327处，已通过四级验收矿井702处，全省小煤矿数量已由整治前的2059处减少至现在的732处(含石煤)。非法生产和乱采滥挖得到控制。按照“一证两禁止”的整顿要求，严格煤炭经营企业的年检与执法，取缔了120家不具备经营资格的煤炭经营企业，煤炭生产秩序和经营秩序明显好转。

安全状况好转，矿区形势稳定。全省各类煤矿共发生死亡事故94起，死亡150人，同比事故起数和人数分别下降了27.13%和11.4%，百万吨死亡率下降33.6%。煤矿企业和矿区“两个确保”、“一个低保”工作加强，煤矿企业干部职工精神面貌有了新的变化。

尽管煤炭经济形势和安全状况总体趋好，但工作中仍存在许多问题。一是矿井安全生产整体水平不高，井型小，装备差，条件简陋，开采方式落后，小煤矿从业人员素质不高，防灾抗灾能力脆弱，事故隐患多，煤矿安全生产形势仍然严峻。二是关停整治工作发展不平衡，有的地方非法小煤矿关闭不力。三是行业管理现状与工作要求不相适应，国家对煤炭行业管理的要求越来越高，实际工作难度又在加大，而行业管理机构在弱化，有的地方职能不明确，责任不清，执法监管不力，工作不到位。四是国有煤炭企业近年生产经营虽有好转，但这种好转还只是低水平的，职工收入仍很低，行业还未完全摆脱困境。

2002年1月24～25日全省煤炭工作座谈会在武昌召开。会议确定2002年我省煤炭工作要以邓小平理论和党的十五届六中全会精神为指导，按照“三个代表”要求，适应加入WTO的新形势，以提高经济效益为中心，以扭亏脱困为目标，以安全生产为重点，深化企业改革，推进结构调整，强化企业管理，深化安全整治，全面推进全省煤炭工业的进一步好转，以新的成绩迎接党的十六大的召开。会议确定的2002年的奋斗目标是：原煤产量700万t，国有煤矿消灭3人以上的重大事故，百万吨死亡率控制在6以下；乡镇煤矿不再发生重特大事故，百万吨死亡率控制在10以内；企业亏损额下降30%。

8月27～28日召开了全省煤矿安全专项整治工作座谈会。会上总结交流了前一阶段煤矿安全生产专项整治工作经验，分析了行业面临的形势，部署了下一步深化煤矿安全生产专项整治的工作任务。会议要求，各级政府和煤炭主管部门要进一步提高认识，克服松懈厌战情绪，全力抓好深化煤矿安全专项整治工作；依法行政，强化管理，积极探索行业管理新思路；以实施《安全生产法》为契机，加强安全生产教育和培训工作。狠抓各项工作落实，促进安全生产状况的稳定好转。

10月14～16日召开了省属和重点煤炭企事业党建和思想政治工作座谈会。会上进一步学习了江泽民同志“5·31”讲话精神和“三个代表”重要思想，交流了各单位党的建设、干部队伍建设、精神文明建设和思想政治工作方面的做法和经验，分析了面临的形势和任务。会议要求，各级党委一定要以江泽民“5·31”讲话精神和“三个代表”重要思想为指导，与时俱进，创造性地开展各项工作，以煤炭行业改革发展稳定的新局面迎接党的十六大胜利召开。

按照国务院安全生产委员会的要求和国家煤矿安全监察局的统一部署，国家煤矿安全监察局于10月22～27日对我省煤矿安全工作进行了检查，检查组一行实地查看了黄石、宜昌两市安全生产工作，听取了省安全生产监管局、省煤炭行业办的情况汇报，并与省政府交换了意见。检查组认为，湖北省能认真贯彻落实国务院安委会第三次会议精神和《关于做好当前安全生产工作的通知》要求，各级党委、政府高度重视安全生产工作，层层落实安全生产责任制，开展安全生产大检查，加大专项整治工作力度，加大隐患整改力度，安全生产工作责任明确，措施得力，效果明显。检查组指出了安全生产方面存在的主要问题，并对下一步工作提出了明确的要求。

12月3日召开了全省煤炭经营资格审查办公室主任座谈会。会议提出，要以十六大精神为指导，坚持一个中心——以优化经济环境为中心；围绕两条主线——煤炭经营资格审查，煤炭市场执法；抓好三项工作——煤炭经营资格证书年检，煤炭市场执法检查，队伍自身建设；实现四个目标——全省消灭煤炭执法空白点，取缔无煤炭经营资格证的企业，取缔经营无生产许可证的煤矿，取缔无经营资格证的企业。

12月5～6日省煤炭行业办党组召开中心组学习会。主要议题是深入学习贯彻党的十六大和省委八届二次会议精神，研究部署当前的主要工作。党组要求学习贯彻党的十六大和省委八届二次会议精神，增强做好煤炭工作的责任感。联系实际，进一步深化企业改革，切实转换经营机制；继续深化煤矿专项整治，抓好煤矿安全生产工作；继续整顿煤炭经营秩序，切实规范煤炭经营市场；继续加强和改善党的领导，切实推进党的基层组织建设。以学习贯彻党的十六大和省委八届二次会议精神为动力，坚持两手抓，全面推动煤炭企业改革发展稳定工作。

12月5日中央电视台《焦点访谈》报道了荆门市部分小煤矿无证开采、管理混乱的情况，引起了上级领导的高度关注。国家经贸委、国家煤矿安全监察局、国土资源部组成了以国家煤矿安全监察局副局长赵铁锤为组长的督查组于12月6～12日来到湖北。督察组深入现场，对乡镇煤矿进行全面检查后指出，荆门市部分煤矿存在办矿条件差、验收把关不严、监管工作不到位等问题，并提出了督察意见。荆门市积极行动，在全市进一步开展了小煤矿的关停整治行动。

经省政府同意，省安委会办公室、省煤炭行业办于2002年12月25日联合召开了全省进一步深化煤矿安全专项整治电话会议。进一步贯彻落实国务院和省政府关于关闭整顿小煤矿的一系列指示精神，分析我省煤矿专项整治和煤矿安全生产工作面临的形势，针对当前存在的突出问题，进行再动员、再部署，深入扎实地打好深化煤矿专项整治这场攻坚战，努力实现全省煤炭生产秩序和安全生产状况的稳定好转。

为配合深化煤矿专项整治工作，全省加大了煤矿安全培训工作力度。2002年，省煤矿安全培训中心举办矿长培训班18期，培训矿长985人；举办煤矿瓦检员培训班21期，培训瓦检员1472人。此外，各地和有关部门组织多种形式的安全培训，培训煤矿特殊工种人员6023人。通过培训，煤矿从业人员的安全技术知识得到提高，依法办矿的意识得到增强，为全省煤矿安全生产奠定了良好的基础。

2002年，黄石矿务局以经济效益为中心，围绕目标成本管理，开展了有特色、有成效的工作，一是从实际出发，经过深入调研，反复测算生产经营指标和经济技术指标，制定成本管理目标；二是建立和完善目标成本管理四个体系，即指标体系、挂联体系、监控体系、考核体系；三是坚持召开季度经济分析会，总结经验，推动工作。通过上下的共同努力，2002年煤炭产量完成57.12万t，同比增长15.37%，补后利润1000万元，同比减亏1400万元。

松宜矿务局在长期的安全生产管理中，形成了一套行之有效的常规管理模式。一是建章立制，局矿坚持每月召开安全办公例会，分析安全生产现状，研究安全生产措施，落实安全生产责任，规范安全生产管理。二是落实目标责任，强化安全管理，明确矿长是安全生产第一责任者。三是现场查隐患，打击“三违”，落实安全管理。四是组织专项活动，促进安全管理。同时，加大安全设施投入，改善煤矿生产安全条件。全矿务局实现了全年无死亡事故，并创造了连续16个月安全生产无死亡事故的新记录。

湖北煤机厂层层落实经营目标，以销售为龙头，克服资金困难，大力开拓市场，全年完成工业总产值3866.9万元，同比增长151%，实现销售收入3880万元，同比增长83.6%，均创历史最好水平，一举扭转了连续6年亏损的局面。

近年来，省机电学校以省级重点学校评估为契机，加强教师队伍建设，加强学校内部管理，各项工作逐年上台阶。省教育厅专家组认为，机电学校办学方向明确，办学思路清晰，办学质量良好，办学效益明显，是一所办学有特色、发展有潜力的中等职业技术学校。该校顺利通过了省级重点学校评估，为学校今后的发展奠定了坚实的基础。

（鲁晓敏）

表1　煤　矿　生　产　规　模

项　目	矿井数 /处	实际年产量 /10^4t	占全省年产量的比例 /%
全省合计	811	781.8	100
省属煤矿	6	34.02	4.4
市营煤矿	18	110.2	14.1
县营煤矿	30	99.4	12.7
乡镇煤矿	757	538.18	68.8

表2 重点煤矿基本情况

局矿名称	地址	邮政编码	实际年产量/10^4t	年末职工人数（包括在岗和待岗职工）/人
湖北松宜煤炭矿务局	湖北省枝城市松木坪镇	443314	34.02	3119
黄石煤炭矿务局	湖北省黄石市沿湖路105号	435000	57.12	5528
咸宁蒲圻矿务局	湖北省赤壁市关塘驿镇	437311	13	566
荆门宝源集团	湖北省荆门市东宝区漳河镇安团葛集岗	448123	40.08	1869

河南省煤炭工业概况

2002年是河南煤炭工业取得显著成绩的一年。一年来，河南煤炭行业坚持以邓小平理论为指导，认真实践“三个代表”重要思想，按照省委、省政府的工作部署，解放思想，与时俱进，抓住机遇，奋力开拓，狠抓落实，各项工作都取得了明显进展。

一、煤炭经济运行质量继续提高

截止到2002年12月底，河南省煤炭行业实现工业总产值（现价）173亿元，同比增长28%；实现工业销售产值（现价）170亿元，同比增长24%，产销率达到98%。生产原煤1亿t，同比增长22%，其中：省属煤炭企业产量为5916万t，同比增长16%；国有地方煤矿产量为1871万t，同比增长15%；乡镇煤矿产量为2265万t，同比增长49%。全省国有煤炭企业实现利润10.4亿元，同比增利5.7亿元，其中：6家国有重点煤炭企业在处理一部分潜亏和弥补安全欠账的基础上，实现补贴后盈利4亿元，同比增利2亿元，地方国有煤矿实现利润6.4亿元，同比增长3.7亿元。

二、安全生产好于上年

2002年，河南省进一步建立健全了各级安全生产责任制，完善和推广了重大安全隐患行政责任追究制度，制定出台了《省属国有重点煤矿安全警示制度》，组织开展了不同形式的安全技术培训和安全大检查，尤其是7月份开始的全省煤矿“拉网式”安全大检查，有力地促进了河南省煤矿安全生产形势的稳定好转。同时，不断加大安全投入，仅6家省属国有重点煤炭企业安全投入就达5亿多元，并争取国家安全技改项目补助资金2.45亿元。去年，全省煤炭企业共发生死亡事故134起，死亡285人，全省原煤百万吨死亡率为1.85，略低于上年，其中：国有重点煤矿为0.9，地方国有煤矿为3.43，乡镇煤矿为5.68，均好于全国平均水平。

三、坚持实施科技兴煤战略

2002年，河南省煤炭行业召开了第三次煤炭科技大会，组织了2001年度河南省煤炭科技进步奖评审，评出河南煤炭工业科技进步奖86项。获得河南省科技进步一等奖1项，二等奖4项，三等奖15项。积极发挥煤炭学会等学术团体的作用，举办了2002年采矿科学与安全技术国际学术会议和全国矿山建设学术年会。积极推动行业技术进步，为全省煤炭系统争取到国家第七、第八批国债技术改造项目18个；“三下”采煤技术的研究得到加强；在矿井勘探建设中继续推广应用了三维地震勘探等先进技术；加强了高产高效矿井建设和国有煤矿质量标准化工作；在全省小煤矿强制推广了壁式采煤方法并举办了相关知识培训班，作出了小煤矿必须配备2名以上专业技术人员的规定，提高了小煤矿的生产技术水平。

四、煤矿安全专项整顿稳步推进

2002年，河南省煤炭工业局全力抓好小煤矿的安全检查复工验收工作，制订了小煤矿安全检查验收标准，明确了验收责任，组织了验收队伍，并要求各级验收人员和乡（镇）、县（市、区）、省辖市政府在验收表上逐级签字并加盖公章，经省政府批准后，小煤矿方可进行“四证”换发工作。截止到年底，全省已有1563处小煤矿通过省级验收。煤炭生产许可证换发是整顿小煤矿工作的一个重要环节。河南省制定了详细的生产许可证换发办法，建立了业务处室初审、领导小组成员集体审查的生产证审批制度。至年底，已为900处通过省级验收的小煤矿换发了煤炭生产许可证。同时，加强了矿长资格证的管理，在全省煤炭系统组织开展了煤矿矿长资格证的年审考试工作。

五、煤炭销售联合大见成效

2002年，河南省煤炭行业加强煤炭销售联合，坚持以联合促销售、以联合保煤价的原则，并在煤炭销售工作中大见成效。在2002年全国煤炭订货会上，充分发挥河南煤炭行业销售联合体和煤炭运销协会的作用和优势，积极协调产、运、需三方关系，完成国家重点订货量3771万t，比上年增长208万t，煤炭价格继续回升，圆满实现了价升量增的目标。

六、煤炭经营秩序整顿稳步推进

2002年，河南省煤炭工业局认真做好煤炭经营资格证颁发以来的第一次年审工作。在年审过程中，严格按照国家、省里的有关规定，采取县、市、省三级负责制，自下而上逐级把关。年审取消了153家不符合条件企业的经营资格，有力地维护了广大煤炭生产者、经营者和消费者的合法权益。进一步健全完善了煤炭经营秩序整顿的有关规章制度，加强了煤炭经营执法队伍建设，组织开展了全省煤炭经营执法检查，打击了一些煤炭经营单位掺杂使假、扰乱市场的行为。

七、企事业单位改革进一步深化

2002年，河南省煤炭工业局组织召开了全省煤炭企事业单位改革座谈会，进一步推动了省属煤炭企业和局属企事业单位的体制和机制改革。协助省有关部门健全完善了部分省属煤炭企业的法人治理结构；完成了郑州煤矿机械厂等单位的改制工作；加大了局属单位的三项制度改革力度并收到明显效果。新组建了两所技师培训学院和一所职业技术学院。

八、省属煤炭企业的股权多元化工作有了实质性进展

2002年郑州、义马、焦作、鹤壁和平顶山煤业集团公司等5家省属煤炭企业的债转股协议及实施方案被国家经贸委正式批准。为推动债转股工作的顺利实施，经过河南省政府批准，河南省煤炭局代表省政府，成为债转股煤炭企业的国有资产出资人。这标志着原国有独资的5家煤炭集团公司自此变更为由多方持股的有限责任公司，初步实现了企业股权的多元化，为深化我省煤炭行业改革和健全完善煤炭企业的现代企业制度奠定了基础。

九、关闭破产工作进展顺利

2002年，在加大宣传力度、确保矿区稳定的情况下，河南省完成了列入国家“1440”计划的4个矿井的关闭破产工作。同时，又新向国家有关部门申报关闭破产国有重点煤矿矿井7个，其中，焦煤集团公司朱村、韩王、李封三个矿井破产前的各项准备工作已经完成，国家的正式启动批准文件已经下达，共涉及职工2.36万人，核销生产能力91万t，减少产量61万t，每年可减少亏损4960万元；鹤煤集团公司一矿也已被批准立项，破产后将减少亏损1957万元。上述4矿共争取中央财政资金缺口补助8.6亿元。其他矿的破产前期准备工作也正在进行之中。

十、矿区环境治理工作取得成效

2002年，河南省煤炭行业重点进行了矿区生态的恢复和治理，提高了矿井水和煤矸石的综合利用率。全年治理地表沉陷恢复耕地面积177万m^2，绿化矸石山11座，煤矸石年综合利用量达到350万t。

十一、非煤产业平稳发展

2002年，河南省煤炭行业产业结构调整步伐稳步推进，一批非煤骨干项目竣工投产和上马，如焦煤集团公司1×25MW机组扩建工程和东西部电网联网工程开始建设，义煤集团公司华兴碳酸钡厂竣工投产，曹窑氧化铝厂项目开工等。全省煤炭行业去年实现非煤生产经营总额87亿元，同比增长12%。同时，继续加强了河南煤气化工程建设，工程基建尾工已于年底基本结束，生产系统自10月份起实现了连续运行。全年共生产煤气2995.1万m^3，生产甲醇2.3万t，质量均达到或超过国家标准，提前1个月实现了年初提出的气化厂年底单系列满负荷运转的目标。

十二、东引西进和对外经济技术合作取得成效

为落实河南省委、省政府提出的“东引西进”战略，河南省煤炭工业局积极组织省煤炭企业参加了2002年厦门投资贸易洽谈会，同一些海外机构、公司建立了联系，并达成了3个合作意向。在“东引”方面，永煤集团公司同宝钢集团合资经营城郊矿项目有了突破性进展；在“西进”方面，为了充分发挥河南煤炭工业的生产技术优势，应青海方面的邀请，省煤炭工业局组织部分煤炭企业对青海省海西州进行了考察，并初步确定了下一步的合作开发意向。2002年，河南省加大了对外经济技术合作力度。组团对越南进行了考察，达成了有关意向，并派出数批专家帮助对方完成了方案设计；组织义煤集团公司对印度尼西亚进行了考察并签订了合作意向书。2002年，河南省煤炭行业共组织对外经济技术考察50多批200多人（次）。

十三、加强了行业党的建设和精神文明建设，确保了矿区稳定

认真组织广大干部职工学习“三个代表”重要思想，开展了以“庆党的十六大召开”为主题的系列活动。组织局机关干部进行了WTO有关知识和英语的培训。加强了对省属煤炭企业安全监察部门负责人管理，建立完善了企业领导干部请假制度和煤矿领导干部下井制度。组织召开了中共河南省煤炭工业局第四次党代会和争创“五好”基层党组织活动座谈会，为充分发挥党组织的战斗堡垒作用创造了条件。大力开展了以“爱矿山、做主人，献身煤炭事业”为主题的精神文明建设活动和以创建“文明单位”、“文明煤矿”为载体的精神文明创建活动，并组织召开了全省文明煤矿表彰暨创建研讨会。重视发挥工会组织作用，成功举办了有10000余名职工参加的全省煤炭企业采掘电钳工和矿井通风工技术比武及经济技术创新活动；组织开展了“安康杯”竞赛，全省煤炭系统近30万人次参加；深化了企业的民主管理工作，完善了职代会制度，推进了矿务公开工作并专门下发了有关文件，较好地维护了职工的根本利益。组织开展了学习阳泉煤矿安全生产十二法为主要内容的群众性安全教育活动，举办了全省煤矿《生命颂歌》安全文艺汇演并获全国评选组织大奖第一名。大力组织实施了“送温暖工程”，春节期间，筹措资金近80万元赴困难矿区和企业慰问了特困职工。认真落实老干部的“两个待遇”，全力抓了离休干部“两费”清欠工作，并在10月底前清欠完毕，同时为老同志开展了丰富多彩的文体娱乐活动。重视做好企业困难职工最低生活保障工作，为下岗职工筹集生活费6000万元，保障了下岗职工和企业低收入群体的基本生活，保持了矿区的稳定。

（万战伟）

表1 煤 矿 生 产 规 模

项 目	矿 井 数 /处	实际年产量 /10^4t	占全区年产量的比例 /%
全省（区）合计	2081	10052	100
省（区）属煤矿	50	5916	59
地市营煤矿	21	776	8
县营煤矿	40	1095	11
集体及个体煤矿	1970	2265	22

表2 重点煤矿基本情况

局矿名称	地 址	邮政编码	实际年产量 /10^4t	年末职工人数（平均人数）/人
平煤集团公司	河南省平顶山市矿工路中段	467000	2369	124381
焦煤集团公司	河南省焦作市解放中路 239 号	454002	3651	37452
鹤煤集团公司	河南省鹤壁市红旗街	458000	7110	38211
义煤集团公司	河南省义马市千秋路 6 号	472300	1076	41173
郑煤集团公司	河南省郑州新密市区	452371	8918	43943
永煤集团公司	河南省永城市光明路	476600	5028	9394

表3 重点煤矿主要技术经济指标

局矿名称	原煤产量/10^4t	商品煤		洗精煤		掘进总进尺/m	回采工作面平均月产量/t	掘进工作面平均月进度/m	采煤机械化程度/%		掘进装载机械化程度/%		原煤坑木消耗/($10^{-4}m^3 \cdot t^{-1}$)	原煤全员效率/($t \cdot 工^{-1}$)
		灰分	含矸率/%	产量/10^4t	灰分/%				合计	其中：综采	合计	其中：综掘		
平煤集团公司	2369					203623	21007766	182.12	76.96	72.02	90.06	22.13		3.088
焦煤集团公司	3651			142.8		37360	2815455	118.61	14.11	5.84	10.82	13.53		1.179
鹤煤集团公司	7110					61190	6678993	143.01	41.04	41.04	86.01			2.606
义煤集团公司	1076					55349	9857776	150.19	72.36	72.36	80.09	23.04		3.118
郑煤集团公司	8918					50967	8207888	147.04	45.88	45.88	65.49			2.633
永煤集团公司	5028			88.6		42200	4229700	104.46	40.50	40.50	61.60	7.52		4.077

四川省煤炭工业概况

表1 煤 矿 生 产 规 模

项　目	矿井数/处	实际年产量/10^4t	占全区年产量的比例/%
全省（区）合计	2323	5358	100
省（区）属煤矿	26	1069	20
地市营煤矿	33	545	10
县营煤矿	144	284	5
集体及个体煤矿	2120	3460	65

表2 重点煤矿基本情况

局矿名称	地　址	邮政编码	实际年产量/10^4t	年末职工人数/人
攀枝花煤业（集团）有限责任公司	四川省攀枝花市东区	617066	316.84	18610
芙蓉实业（集团）有限责任公司	四川省宜宾市珙县巡场镇	644501	157.37	10033
广旺能源发展（集团）有限责任公司	四川省广元市旺苍县	628200	103.18	6443
华蓥山广能（集团）有限责任公司	四川省广安市华蓥山市	638650	135.52	4620
达竹煤电（集团）有限责任公司	四川省达州市	635000	147.44	8278

表3 重点煤矿主要技术经济指标

局矿名称	原煤产量/10^4t	商品煤		洗精煤		掘进总进尺/m	回采工作面平均月产量/t	掘进工作面平均月进度/m	采煤机械化程度(%)		掘进装载机械化程度(%)		原煤坑木消耗/($10^{-4}m^3 \cdot t^{-1}$)	原煤全员效率/($t \cdot 工^{-1}$)
		灰分/%	含矸率/%	产量/10^4t	灰分/%				合计	其中：综采	合计	其中：综掘		
攀枝花煤业集团公司	316.84	11.29	0.27	148.11	8.8	54372	8726	123.65	29	—	56.52	—	47.15	1.809
芙蓉实业有限责任公司	157.37	31.32	—	—	—	36679	7712	112.29	1.13	1.13	59.54	—	21.29	1.008
广旺能源发展有限责任公司	103.18	38.69	0.04	—	—	16419	4177	142	—	—	44.06	—	0.06	1.612
华蓥山广能有限责任公司	135.52	29.16	0.03	6.54	11.73	21580	18407	139.84	83.53	76.86	60.70	—	5.22	1.901
达竹煤电有限责任公司	147.4428	16.45	0.28	67.2399	9.72	38590	6117	133.49	0.94	—	75.80	—	25.59	1.27

陕西省煤炭工业概况

一、概述

2002年，通过煤炭战线广大干部职工的共同努力，全省煤炭工业经济运行质量和效益明显提高，出现了产销两旺、整体向上的好局面，多项经济技术指标创历史最好水平，使陕西煤炭经济跃上了一个新台阶，开创了深化改革、加快发展的新局面。

原煤产量：全省共生产原煤9253万t，其中：省属煤矿生产原煤6068万t，比同期增产3189万t，增长110.77%；神东公司生产3185万t，同比增产700.79万t。

国有重点煤矿原煤产量1891万t，比同期增产426万t，增长29.08%；地方国有煤矿原煤产量837万t，比同期增产240万t，增长40.2%；乡镇煤矿原煤产量3340万t，比同期增产2523万t，增长308.81%。省属煤矿原煤产量首次突破6000万t大关，超过全国平均增长29%的水平。

商品煤销量：全省销售原煤5766万t，比同期3743万t增销2023万t，增长54%。其中：国有重点煤矿原煤销量2074万t，比同期增销512万t，增长33%；地方国有及乡镇煤矿原煤销量3692万t，比同期增销1511万t，增长69%。

铁路运量：全省铁路运煤2502万t，比同期增加240万t，增长42%。国有重点煤矿产量、销量增加最多的是铜川矿务局，同比增产205万t，增销183万t。产销增幅最大的是黄陵矿业公司，产量由2000年的28.55万t增加到2001年的66.25万t，2002年达到199.77万t，3年迈出三大步，产量、销量同比分别增长201.54%和144.64%。地方煤矿增幅最大的是榆林市，同比增加销量2076万t，增长359.93%。

库存煤：全省煤炭企业期末库存煤282万t，比期初减少31万t，下降10%。

货款回收：当年国有重点煤矿应收货款21.26亿元，实收19.64亿元，回收率为92%。

工业总产值：国有重点煤矿实现产值197129万元，比同期增加49069万元，增长33.14%；地方国有煤矿实现产值67277.14万元，比同期增加30311万元，增加81.99%。

亏损指标：国有重点煤炭企业补贴前亏损13545万元，比同期亏损21543万元减亏7998万元，同比减亏率为37%，比省经贸委下达减亏20%的目标多减亏17个百分点，补贴后实现利润9710万元，出现连续3年大幅减亏的好势头。榆林市各类煤矿实现税利费共计5亿多元，为地方经济发展作出了重大贡献。

商品煤综合售价：本期为109.08元/t，比同期增加11.87元/t。

原煤单位成本（不含劳保费用）：本期为91.11元/t，比同期上升3.19元/t。

全员工效：本期2.196t/工，比同期1.96t/工，提高0.236t/工。

职工收入：职工平均年收入（按照财务部门口径）8333.37元，比同期6742.18元，增加1591.19元，提高23.6%。

煤矿安全：百万吨死亡率稳中有降，全省共发生事故141起，死亡178人，百万吨死亡率1.92，同比下降43%。其中：国有重点矿百万吨死亡率1.16，下降73%；地方国有煤矿百万吨死亡率2.99，上升25%；乡镇煤矿百万吨死亡率3.8，下降39%。

二、煤矿安全整治工作

2002年，全省上下认真贯彻国务院、省政府深化煤矿安全专项整治的政策，制定了整治和验收标准，扎扎实实按30条标准抓好落实工作，小煤矿整治取得了阶段性成果。全省对2001年没有验收合格破坏资源、技术装备落后不具备安全生产基本条件的318处矿井全部关闭到位；791处验收合格的乡镇煤矿依法领取了“四证”；小煤矿通过深化整顿配备了备用主扇，更换了矿用提升绞车，立井安装了防坠罐笼，主要巷道有了支护，对矿井“三图”进行了实测，安设洒水系统和隔爆设施，进行了瓦斯等级鉴定；乡镇煤矿的百万吨死亡率比2001年下降39%。澄城、白水、彬县、榆阳区等县区基本实现了双回路供电；子长县全面采用了壁式采煤方法；神木县推广使用锚杆支护技术，改变了长期以来巷道不支护的状况。目前，我省煤矿专项治理整顿的进度在全国是靠前的，成效是明显的，矿井总数减少，办矿质量提高，非法采矿、产量过剩、资源浪费、事故多发的混乱局面得到了遏制。

关闭矿井死灰复燃现象基本得到制止。省关井办多次召开会议，不断组织安全大检查，现场解决非法生产问题。安全监察办事处加大执法力度，在关井压产、专项治理整顿等工作中发挥了极大的作用。榆林市政府对两处死灰复燃造成死亡事故的矿井采取断然措施，全市通报，彻底炸毁，对矿主依法拘捕。

发生重大灾情及时组织抢救。在子长县“7·4”水灾事故救灾中，省、市、县领导亲临现场指挥，不惜一切代价全力抢救，使被困井下8天8夜的9名矿工安全脱险，受到了群众的赞扬和省政府表彰。

三、市场开发和经营秩序整顿

运销集团公司团结带领市县和企业运销部门，统筹兼顾，突出重点，内抓管理，外抓市场，通过统一联合销售，集团化运作，大大提高了市场竞争力，使全省煤炭运销连创新高。集团公司加强同铁路和用户的联系，在重点订货、运力调度、价格商谈、合同纠纷处理等重点难点问题上取得了主动。相继解决了电煤调价6元和电方拒付吨煤5元维简费的问题，解决了煤炭企业之间压价竞销造成效益流失的问题。狠抓产品质量和煤炭装运，提高了陕西煤炭企业信誉，出省外运量同比增加了730万t，扩大了全省煤炭的市场空间。狠抓了煤炭经营秩序整顿，严把市场准入和经营资格审查关，对煤炭经营企业实行总量控制和动态管理，使过去1000多家煤炭营销企业减少到目前的304家。2002年年审中又注销了49户不合格的经销单位。对242名煤炭经销执法人员进行了强化培训，提高了执法人员的业务素质，煤炭流通秩序的法制化管理初步形成。2002年，国有重点煤矿结束了因煤炭滞销被迫停产放假的被动局面，煤炭企业之所以出现产量增加，售价上升，扭亏增盈的好形势，运销工作是卓有成效的，同时也证明省煤炭运销体制改革是成功的。

四、依靠科技进步提高生产力水平

首先是机械化水平进一步提高，以综采放顶煤为主的先进采煤技术得到进一步推广。在神华大柳塔煤矿和彬县下沟煤矿的示范作用下，全省综采管理和单产水平进一步提高。陈家山、下石节、玉华、王石凹、黄陵一号等煤矿的综采工作面分别创下一井一面年产100万t水平，实现了安全、高产、高效。其次是信息化带动管理现代化迈出了可喜步伐。利用国债资金完成了部分矿井安全自动监控系统，铜川矿务局投资800万元建立的KJ90和KJ66三个安全生产监控系统，可以在局办公楼监控井下200多个工作点的瓦斯、一氧化碳、二氧化碳、温度、风量和风门开关等现场作业的实时数据和生产情况，出现有害气体超限或其他异常情况能及时报警，从而在防灾害、防事故方面有了有效手段。各矿务局自筹资金600多万元解决了财务管理电算化，用计算机代替手工记账，实现了计算机联网，数据共享。第三，瓦斯防治技术有了新发展。煤科西安分院在铜川矿务局陈家山煤矿试验成功了井下长距离、大直径、水平定向钻孔抽放瓦斯的新技术，最长钻距达到860m，成功地解决了掘进、回采期间的瓦斯预抽问题，使接续紧张的综采巷道准备提前3个月完成任务，回采工作面瓦斯涌出量比过去降低了33%。这项新技术，把巷道抽放改为钻孔抽放，为防治瓦斯突出，提高掘进效率，探明采区地质灾害提供了新的手段。第四，地质勘探技术取得新突破，找到了新的煤炭资源。煤田地质局冲破了黄土塬区煤炭地震勘探的禁区，获得了我国煤田地质系统黄土塬区第一条高质量的时间剖面，并成功地用于地质解释，从而使我国黄土塬区地震勘探向前迈出了关键的一步。在韩城老矿区外围乔子玄区找到了4亿t低硫煤，为韩城矿区的稳定发展提供了资源保障。在麟游北部找到了优质、低硫煤11亿t。为解决宝鸡地区缺煤的局面和麟游县脱贫致富奠定了基础。

五、加大投入调整布局增强发展后劲

从国有煤矿到地方煤矿的各级领导能够正确处理投入与产出、安全与效益的关系。在煤炭基础设施建设上的投入也是创水平的。铜川、蒲白、韩城矿务局和黄陵矿业公司筹措资金完成了玉华、朱家河、象山和黄陵一号井的基建尾工，先后投产或试生产，新增生产能力330万t。铜川矿务局投入2.3亿元补还了多项安全生产欠账，对瓦斯监测、抽放、黄泥灌浆等系统进行了改造，新建了安子沟风井。用锚注技术彻底解决了下石节运输斜井的软岩支护问题。新增了综采、综掘设备，使井下生产环节得到改善。黄陵矿业公司自筹资金1.5亿元，对生产系统进行了完善改造，实际生产能力已达到400万t水平，并进行了二号井建设的前期准备工作。9家煤炭企事业单位筹资近4亿元，开发彬长大佛寺煤矿。渭北老矿区战略转移开始起步。地方煤矿多方引资，多元投资实行跨地区、跨行业、多元化的联合重组，取得较好效果。榆林、咸阳引进资金和技术对小矿进行联并、改造，使地方煤矿从技术装备、人员素质到管理水平得到了整体提高。乡镇煤矿为提高办矿标准，平均投入在50万元左右，技术装备水平有了较大提高。煤炭就地转化初具规模。榆林市生产铁合金焦264万t，生产煤焦油25万t。子长县试验成功了低温干馏煤炭焦化工艺，准备新上的10万t履带式焦化生产线，已经通过技术论证。煤炭焦化为煤炭就地转化、延长产业链、提高产品附加值打开了新路子。铜川矿务局完成了关闭市区，稳住东区，向北转移的战略调整。北区三矿优质煤产量已占到全局9矿总产量的54.13%，实现了增产增收。国有重点煤矿争取到17个国债技改项目，总投资7.94亿元，正在有步骤地实施。这些项目完成后将进一步提高煤矿的生产能力和安全装备水平。

六、深化企事业单位改革工作

4个矿务局顺利完成了4个煤矿的破产工作，做到了"规范操作，稳定实施"。资产重组新设立了7个有限责任公司，实行股份制民营化经营，转变了机制，运行正常，效益良好。苍村煤矿破产已经启动，进展顺利。桃园煤矿关闭破产各项准备工作已经就绪，二季度即将进入法律程序。企业改制稳步推进，铜川、韩城、澄合、三个局债转股的公司制改造基本完成。组建陕西煤业集团公司报审的准备工作全部就绪，彬长矿区开发建设有限责任公司经省政府批准，完成了注册登记，即将挂牌运行。陕西省能源职业技术学院成立后，提高了办学等级，扩大了招生规模，在校生达到6000多人。7所技工学校，面向社会培养人才，招生3000多人，均创历史最高纪录。铜川煤技校连续2年招生人数和毕业生安置名列全省技校之首。企事业单位内部三项制度的改革不断深化，生产单位、后勤服务分灶吃饭和自负盈亏的机制初步形成。

七、矿区形势基本稳定

随着经营状况的好转，各局、公司普遍调整了职工工资，按规定提高了离退休人员和病亡、工亡遗属的各项待遇，兑现了伤残职工一次性补助金。通过低保解决困难职工的生活问题，加大了对困难职工、伤残人员等弱势群体扶持力度。新建了职工住宅楼16幢，投资改善了矿区供水、供电、供暖和道路等公用设施。同时，各级党政领导把稳定作为压倒一切的工作来抓，在加强政策宣传、思想政治工作和法制教育的同时，认真解决职工生活中存在的实际问题。妥善处理集体上访104起，涉及5361人。对不稳定因素较多的破产企业通过制定预案，加强领导，加大工作力度，维护了矿区的基本稳定。

八、存在的问题

一是产业集中度低，优质资源开发利用程度低。地方煤矿平均单井规模只有4万t左右。4大矿务局都集中在煤质差、开采成本高的渭北矿区，严重影响着煤炭经济发展。二是煤炭行业多年来低位运行，投入不足，设备老化、接续紧张，后劲乏力。职工收入远低于各行业平均水平。三是企业负担沉重，分离办社会职能的工作没有实质性进展。4大矿务局共有学校等社会性机构305个，从业人员1.7万多人，年净支出2.6亿元。四是产业产品结构和经营方式单一，深加工和转化能力差。五是以运定销、以销定产的局面在短时期内难以改变。六是企业改革不到位。已改制的企业大多数未形成产权清晰，责权明确的现代企业制度和灵活高效的运行机制。七是安全生产基础不牢靠。多数小煤矿达不到30条标准的要求。

（李传新）

表1　煤　矿　生　产　规　模

项　目	矿井数/处	实际年产量/10^4t	占全省年产量的比例/%
全省合计	110	6103.32	100.00
省营煤矿	28	1892.15	31.00
市营煤矿	6	113.67	1.86
县营煤矿	75	816.10	13.37
乡镇及个体煤矿		3281.40	53.76

表2　重点煤矿基本情况

局矿名称	地　址	邮政编码	实际年产量/10^4t	年末职工人数/人
铜川矿务局	陕西省铜川市红旗街	72700	781.91	29241
蒲白矿务局	陕西省蒲城县罕井镇	71551	174.09	7784
澄合矿务局	陕西省澄城县南大街	71520	180.11	8432
韩城矿务局	陕西省韩城市金塔东路	71540	345.90	17511
陕西煤炭建设公司	陕西省铜川市七一路	72700	76.97	2835
崔家沟煤矿	陕西省铜川市耀县杏树坪	72710	113.28	劳改矿
车村煤矿	陕西省黄陵县店头镇	72730	25.68	611
黄陵矿业公司	陕西省黄陵县店头镇	72730	194.21	2318

表3 重点煤矿主要技术经济指标

单位名称	原煤产量 /10^4t	商品煤		洗精煤		掘进总进尺 /m	回采工作面平均月产量 /t	掘进工作面平均月进度 /m	采煤机械化程度 /%		掘进装载机械化程度/%		原煤坑木消耗 /(10^{-4} $m^3 \cdot t^{-1}$)	原煤全员效率 /(t·工$^{-1}$)
		灰分 /%	含矸率 /%	产量 /10^4t	灰分 /%				合计	其中：综采	合计	其中：综掘		
铜川矿务局	781.91	23.36	0.10	—	—	66378	35416	138.90	75.42	72.52	67.93	32.35	28.84	2.021
蒲白矿务局	174.09	24.25		—	—	18258	23347	205.58	55.42	0.00	15.31	0.00	15.04	1.922
澄合矿务局	180.11	22.46		—	—	19063	21593	174.51	46.51	0.00	97.50	0.00	3.66	1.577
韩城矿务局	345.90	20.83		71.75	9.63	29458	31173	150.83	0.0	0.00	97.44	0.00	12.04	2.373
陕西煤炭建设公司	76.97	21.69		—	—	7322	17225	256.19	81.50	0.00	0.00	0.00	16.07	2.477
崔家沟煤矿	113.28	17.90	0.08	—	—	14604	43400	247.53	0.00	65.29	0.00	0.00	35.19	1.235
车村煤矿	25.68	1.25		—	—		17325	0.00	0.00	0.00	0.00	0.00	2.14	2.558
黄陵矿业公司	194.21	21.47	0.08	—	—	14963	129827	306.00	100.00	100.00	100.00	100.00	2.70	8.720

甘肃省煤炭工业概况

2002年，是甘肃省煤炭工业和煤矿安全监察发展史上具有极其重要意义的一年。一年来，全省煤炭工业经济持续发展、效益提升，省属煤炭企业经济运行状况创近20年来最好水平：全省累计生产原煤2365.51万t，同比增产332.50万t，增长16.36%；省属企业累计完成工业总产值（现价）17.74亿元，同比增加3.41亿元，增幅23.79%；完成工业增加值8.36亿元，同比增加1.69亿元，增幅25.34%；实现产品销售收入203035万元，同比增收65780万元，增长47.93%；累计商品煤销量1687万t，同比增销472万t，增长38.85%，当年产销率为102.12%，实现利润2208万元；直属单位职工年平均收入9924元，同比增长17.14%。同时，全省煤矿安全生产状况总体稳定、趋向好转：全年生产原煤2365.51万t、发生各类死亡事故45起，死亡69人，百万吨死亡率为2.87，与上年相比降低7.4%，与全国平均水平相比低38.15%，其中：省属煤矿为0.91，连续3年保持在1以下；地（县）国有煤矿为5.57，同比降低4.5%；乡镇煤矿为8.82，同比上升2.6%。总之，全省煤炭系统的各项工作都取得了较好成绩，继续保持了全省煤矿安全生产状况和煤炭工业健康发展的好势头，维护了矿区和职工队伍的稳定。

一、强化煤矿安全监察，促进煤矿安全生产形势好转

各级煤矿安全监察机构、煤炭管理部门和煤矿企业严格落实安全生产责任制，明确各自所承担的任务，加强安全监察、检查和管理，使全省煤矿安全生产状况保持了比较平稳的势头。煤矿安全监察机构始终把煤矿安全监察行政执法工作作为全部工作的重点来抓，把立足点始终放在防范事故上，变事后监察为前瞻性的事前监察，加强了对各煤矿企业安全生产责任制的监察和安全生产基础工作的监察，做到标本兼治。集中力量开展了数次大规模的安全监察活动，覆盖全省8个产煤地市和所有省属煤矿，共抽查、检查矿井714处，查出各类事故隐患4306条，下达各种执法文书1223份，其中现场整改通知单492份、限期整改通知单610份、停产整顿通知单104份、关闭通知单17份，消除了一批事故隐患。开展了瓦斯防治重点矿井的全面监察，将全省20对重点监控矿划分为5个重点监控责任区，派出5个调查组对重点监控区进行监察和调查，分组包干，落实责任，严密防范和监控。根据全省煤矿安全生产中存在的问题和隐患，采取相应对策，把全省主要采煤地区划分为6个监察责任区，实行分片包干，责任到人，对重点区域、重点矿井采取定人、蹲点监察，进行重点监控，确保煤矿安全生产。继续深化煤矿安全专项整治活动，集中力量开展了机电运输及安全标志、“一通三防”、矿山救护、安全保障、矿井工程承包施工、煤矿设计等六项安全专项监察，推动了矿井的基础设施建设，提高了防灾抗灾能力。同时，从加强现场监督监察入手，不断加大行政执法、处罚力度，向地方政府提出监察建议书48份，对全省510处矿井实施检查监察3087次，平均每个矿井6.1次，覆盖面达100%；制作现场检查笔录2426份，下达各类行政执法决定书1047份，行政罚款25.97万元；严格执行“四不放过”原则，依法严肃查处各类事故，事故结案率达96%。突出“关爱生命，关注安全”的主题，自上而下地广泛开展了多种形式的安全生产宣传教育活动，提高了各级煤矿安全生产管理部门、煤矿企业和广大从业人员的安全生产意识，促进了安全生产工作；组织开展了全省乡镇煤矿的整顿验收工作，关闭了一大批不符合整顿验收标准的矿井，有效地减少了事故源，使全省乡镇煤矿的数量大幅度下降而安全生产条件得到了较大改善；在认真开展行政执法、依法监察的同时，逐步制定和执行了年度煤矿安全监察执法计划、执法责任制、执法报告统计分析、跟踪监察执法、事故隐患监察举报、信息发布、安全综合评价、事故隐患责任追究、安全设施设计审查等十二项制度，初步建立起了综合配套的煤矿安全监察执法体系。

此外，煤矿安全监察机构的党风廉政建设和反腐败斗争也取得了明显成效，形成了“党组统一领导，党政齐抓共管，部门各负其责，群众支持参与”的反腐倡廉领导体制和工作机制，实行了党风廉政建设责任制监督检查、报告、民主测评制度，认真开展了树立正确的“权力观”教育活动，重点抓了党风党纪教育、廉洁从政教育以及公正执法、文明执法和优良作风传统的教育，提高了广大党员干部的党性觉悟和遵纪守法的自觉性，并从基层单位聘请了32名特邀廉政监督员，对各级煤矿安全监察机构和人员的行政执法行为进行全方位监督。

二、继续深化改革，加快企业组织结构调整

在省委、省政府的直接领导下，经过各方的共同努力，华亭地区的三大煤炭企业（华亭矿务局、华亭矿区建设管理委员会、华亭县煤矿）实现了联合，成立了全省最大的煤炭企业——华亭煤业集团有限责任公司，彻底扭转了多年来华亭矿区条块分割、各自为政、体制不顺、无序竞争、效益低下的局面，当年实现了整体扭亏为盈，盈利4932万元。兰州矿灯厂等一批中小企业的改制工作逐步推进，并取得显著成效。在阿干煤矿、山丹煤矿的关闭破产工作接近尾声的同时，不失时机地抓住机遇利用国家政策，尽量解决煤炭企业的历史遗留问题，经过几年的努力，窑街煤电公司一矿、靖远煤业公司宝积山煤矿和红会三矿3个项目正式列入国家关闭破产计划，各项前期准备工作基本就绪，另外窑街煤电公司天祝煤矿、靖远煤业公司王家山煤矿、华亭煤业集团公司安口煤矿3个关闭破产项目列入国家关闭破产建议计划。

三、加大煤炭企业内部改革改制的力度

省属煤矿企业窑街煤电公司、靖远煤业公司、华亭煤业集团公司等，根据各自的实际深化改革改制，在内部控制制度、组织结构调整等方面做了大量工作成效显著。华亭煤业集团以完善内部控制制度为主，实现了统一销售、集中管理资金、执行岗位技能工资分配制度等新举措，为规范经营、上市创造了条件；窑街煤电公司进一步规范公司制管理体制，利用剩余资源和边角煤柱组建成立了金河煤业公司，为企业结构调整、职工安置和矿区稳定创造了条件；靖远煤业公司对公司机关机构进行了改革减员近200人，还进行了工资分配制度的改革试点等。通过上上下下的共同努力，煤炭企业经济形势处于历史最好时期并继续向好的方向发展。

四、科技进步工作成绩斐然

根据全省煤炭工业"十五"发展规划制定的目标，有计划、有步骤地实施了窑街煤电公司"劣质煤电厂(二期)"、"一矿一号井技术改造"和靖远煤业公司"王家山煤矿集中生产技术改造"、煤矿救护装备更新改造等项目，取得了显著的经济效益，有的在国内甚至世界上都达到了领先水平。还组织完成了一批科研项目，有11项科研成果通过了省级技术鉴定，9项科技成果获奖，其中3项获国家安全生产科技成果奖、2项获甘肃省优秀新产品成果奖、4项获甘肃省科技进步三等奖。

五、全系统养老统筹和再就业工作取得新成绩

省属煤炭企业的各级社保经办机构抓住有利时机，加大工作力度，同有关部门密切配合，积极筹措资金缴纳基本养老保险费，基金征缴率大幅度提高，保证了离退休人员基本养老保险金的按时足额发放。同时，积极创造条件，寻找就业渠道，使2619名下岗职工实现了再就业，还优先做好下岗职工基本保障生活费和城镇居民最低生活保障金的按时足额发放。

与此同时，全系统的规划发展、煤炭勘探开发、调度信息、后勤服务、多种经营、老干部和老职工管理以及宣传教育、精神文明建设、职工思想政治工作等各项工作都有不同程度的进步，取得了较好成绩。

表1　煤　矿　生　产　规　模

项　目	矿　井　数 /处	实际年产量 /10^4t	占全区年产量的比例 /%
全省（区）合计	510	2365.51	100.00
省（区）属煤矿	32	1652.12	69.85
地市营煤矿	4	26.50	1.12
县营煤矿	35	278.70	11.78
集体及个体煤矿	439	408.19	17.25

表2　重点煤矿基本情况

局矿名称	地　址	邮政编码	实际年产量 /10^4t	年末职工人数 /人
窑街煤电公司	甘肃省兰州市红古区	730080	331.02	18516
靖远煤业公司	甘肃省白银市平川区	730913	438.09	20559
华亭煤业公司	甘肃省平凉地区华亭县	744100	822.59	11815

表3 重点煤矿主要技术经济指标

局矿名称	原煤产量/10^4t	商品煤		洗精煤		掘进总进尺/m	回采工作面平均月产量/t	掘进工作面平均月进度/m	采煤机械化程度/%		掘进装载机械化程度/%		原煤坑木消耗/(10^{-4} $m^3 \cdot t^{-1}$)	原煤全员效率/(t·$工^{-1}$)
		灰分/%	含矸率/%	产量/10^4t	灰分/%				合计	其中：综采	合计	其中：综掘		
窑街煤电公司	331.02	17.51	0.05			38379	25627	181.90	60.09	49.42	87.75		21.37	2.62
靖远煤业公司	438.09	12.76	0.03			40231	26084	131.67	79.31	79.31	22.57	14.23	19.51	2.59
华亭煤业公司	822.59	11.20	0.41	34.42	6.30	49004	44137	132.49	79.74	79.74	65.90	51.94	18.42	4.18

宁夏回族自治区煤炭工业概况

表1 煤矿生产规模

项目	矿井数/处	实际年产量/10^4t	占全区年产量的比例/%
全省(区)合计	30	1818.19	100.00
区属煤矿企业	16	1570.48	86.38
地市营煤矿			
县营煤矿	14	154.33	8.49
集体及个体煤矿		93.38	5.14

注：1. 矿井处数为3万t以上矿井数；
2. 实际年产量包括3万t及以下矿井数。

表2 重点煤矿基本情况

局矿名称	地址	邮政编码	实际年产量/10^4t	年末职工人数/人
亘元集团公司	宁夏回族自治区石嘴山市石嘴山区	753200	236.97	12354
一　矿	宁夏回族自治区石嘴山市石嘴山区	753200	100.16	4162
二　矿	宁夏回族自治区石嘴山市石嘴山区	753200	136.81	4583
太西集团公司	宁夏回族自治区石嘴山市大武口区	753000	647.60	20340
一　矿	宁夏回族自治区石嘴山市大武口区	753300	89.86	2077
二　矿	宁夏回族自治区石嘴山市大武口区	753300	132.69	3258
红　梁	宁夏回族自治区石嘴山市大武口区	753300	66.79	1865
乌兰矿	宁夏回族自治区太西集团乌兰煤矿	753300	86.98	2625
白芨沟矿	宁夏回族自治区石嘴山市白芨沟	753003	201.41	3779
大峰矿	宁夏回族自治区石嘴山市大峰沟	753004	69.87	1632
灵州集团公司	宁夏回族自治区灵武市古窑子	751409	564.87	9498
灵新矿	宁夏回族自治区灵武市磁窑堡镇	751409	204.79	1813
羊场湾矿	宁夏回族自治区灵武市磁窑堡镇	751409	68.46	609
石沟驿矿	宁夏回族自治区灵武市磁窑堡镇	751409	76.23	1190
磁窑堡矿	宁夏回族自治区灵武市磁窑堡镇	751409	100.03	1869
宁煤集团公司	宁夏回族自治区银川市民族北街	750001	121.04	4427
汝箕沟矿	宁夏回族自治区平罗县汝箕沟镇	753404	121.04	3027

表3 重点煤矿主要技术经济指标

局矿名称	原煤产量 /10⁴t	商品煤		洗精煤		掘进总进尺 /m	回采工作面平均月产量 /t	掘进工作面平均月进度 /m	采煤机械化程度 /%		掘进装载机械化程度 /%		原煤坑木消耗 /(10^{-4} $m^3 \cdot t^{-1}$)	原煤生产人员效率 /(t·工$^{-1}$)
		灰分 /%	含矸率 /%	产量 /10⁴t	灰分 /%				合计	其中：综采	合计	其中：综掘		
合计	1570.48	14.52	0.62			124101	27102	131.20	35.59	34.72	54.12	7.90	22.54	2.858
亘元集团公司	236.97	20.28	0.00			23072	29863	127.50	40.05	40.05	89.21	2.98	27.95	2.271
一矿	100.16	19.92	0.00			10252	24670	146.62	0.00	0.00	82.01	0.00	39.12	2.102
二矿	136.81	20.54	0.00			12820	35930	115.46	72.18	72.18	94.96	5.36	19.78	2.435
太西集团公司	647.60	14.85	0.14			46388	28908	114.63	42.31	40.07	84.15	4.33	17.67	3.103
一矿	89.86	28.39	0.00			6649	21046	129.41	0.00	0.00	81.09	0.00	17.71	3.142
二矿	132.69	29.89	0.00			13070	23670	117.59	0.00	0.00	88.01	0.00	13.99	2.317
红梁	66.79	32.52	0.00			6780	19846	169.04	0.00	0.00	83.88	0.00	26.17	2.501
乌兰矿	86.98	27.79	0.00			8912	24109	68.29	65.05	65.05	86.68	0.00	25.07	3.408
白芨沟矿	201.41	9.31	1.10			9469	61163	149.17	92.67	86.22	92.19	21.23	17.68	3.984
大峰矿	69.87	8.78	0.26			1508	24889	187.33	0.00	0.00	0.00	0.00	7.24	3.696
灵州集团公司	564.87	11.47	0.11			43581	26267	156.59				13.04	26.00	3.061
灵新矿	204.79	11.84	0.05			8705	57635	200.95	31.84	31.84	13.04	65.31	8.81	5.789
羊场湾矿	68.46	11.55	0.09			6641	21858	150.66	84.39	84.39	65.31	0.00	29.10	2.485
石沟驿矿	76.23	14.51	0.21			8618	18245	125.54	0.00	0.00	0.00	0.00	57.44	2.047
磁窑堡矿	100.03	9.69	0.18			7974	19429	152.76	0.00	0.00	0.00	0.00	40.99	2.594
其他	115.35					11643			0.00	0.00	0.00			
宁煤集团公司	121.04	14.87	6.59			11060	20070	134.96	10.78	10.78	16.80	12.81	22.24	2.333
汝箕沟矿	121.04	14.87	6.59			11060	20070	134.96	10.78	10.78	16.80	12.81	22.24	2.333
洗煤部分														
大武口洗煤厂				149.23	10.48									
太西洗煤厂				183.85	5.62									

云南省煤炭工业概况

2002年，全省煤炭行业广大干部和职工以邓小平理论和“三个代表”重要思想为指导，以经济效益为中心，以加快发展为主题，紧紧围绕实现经济增长、安全生产和生活小康三个目标，不断深化企业改革，转换机制，加强专项整治，努力开拓市场，煤炭经济运行总体形势趋于好转。全省煤炭产量增幅较大，市场供需基本平衡，经济运行质量和效益有所提高，与省政府签订的经济考核目标和安全责任目标全面完成，企业改革稳步推进，发展步伐加快，各项工作取得新的成绩。

一、煤炭产量增长较快，经济运行保持平稳

2002年，全省共生产原煤3066.25万t，同比增长26.73%。其中：省煤炭局直属煤矿生产327.50万t，同比增长6.22%；省监狱局属煤矿生产609.47万t，同比增长6.99%；地县国有煤矿生产259.35万t，同比增长3.54%；乡镇煤矿生产1869.33万t，同比增长44.06%。

全省共生产洗精煤246.25万t，同比增长17.08%。其中：省属煤矿增长12.93%；乡镇煤矿增长15.65%。全省煤炭产品运量、销量持续增长，社会库存量逐步下降。全年商品煤累计销售3107.53万t，同比多销74.12万t。年末，全省商品煤库存量为47.12万t，同比减少9.06万t。

2002年，全省煤炭行业职工收入有所增加，省煤炭局属企业在岗职工人均年收入7994元，同比增长7.8%。有5124户职工11018人进入了当地城镇居民最低生活保障线，每季获得民政部门补助170万元，极大地缓解了煤矿职工家庭困难，下岗职工和离退休职工基本生活得到了保障，维护了矿区和社会的稳定。

二、专项整治不断深化，安全状况逐步好转

全省各级政府、煤矿安全监察、煤炭管理部门和有关部门狠抓煤矿安全专项整治和深化工作，加强领导，落实责任，全面整治。省属国有煤矿按照“十二字”方针，重点进行了矿井瓦斯治理；乡镇煤矿依照《小煤矿安全生产基本条件》进行了安全设施条件的整治。各地县财政和煤矿企业自筹资金8000多万元，更换完善了一批安全设施设备，改造通风系统，改进采煤方法，提高了煤矿安全装备水平，改善了安全生产的基本条件。省属一平浪、兴云、后所、田坝、恩洪等煤矿重点装备了瓦斯抽放系统、监测系统和通风系统，瓦斯治理取得明显成效。淘汰了一大批破坏资源、污染严重、生产方式极其落后的小煤矿。全省煤矿矿井数已由整治前的2782对减少为1782对，其中已通过省级验收并同意恢复生产的有1449对，占保留矿井总数的81.3%。截至2002年底，已复核《矿长资格证》1332户，占91.93%；核发《采矿许可证》924户，占63.71%；完成《煤炭生产许可证》图纸资料审查1374户，占98.82%，已颁发602户；颁发《营业执照》500多户。在专项整治期间，全省共取缔非法矿井20000多处(次)，非法私挖乱采得到了有效遏制。

通过煤矿安全专项整治，一些地州从源头上初步遏制了事故多发的势头，安全生产形势有了明显好转，宣威、师宗、沾益、华坪等县市杜绝了一次死亡3人以上的重大事故。省煤炭局直属煤矿全面完成了与省政府签订的安全责任目标，杜绝了一次死亡3人以上的重特大事故，原煤百万吨死亡率、千人死亡率和千人重伤率分别为3.62、0.27和0.22，全面低于考核指标，是近年来安全状况较好的一年。

三、行业管理不断加强，企业改革步伐加快

行业管理方面，一是制定了2002年《全省地县国有、乡镇煤矿行业管理工作实施意见》，确定了地县国有、乡镇煤矿行业管理的工作主题、工作目标、工作思路和工作要点，切实加强了对全省煤炭行业管理的指导，强化了“统筹规划、组织协调、提供服务、监督检查”的行业管理职能，改善了全省煤炭行业管理的状况。二是认真安排落实了地方煤矿基建资金、安措资金及项目资金计划。全年共安排地方煤矿基建项目106个，安排省补资金1000万元。安排煤矿安全技措补助资金项目97个，资金500万元，用于地方煤矿安全技术改造，安全设施补套和矿山救护安全培训项目。三是全力争取省政府、省财政对地方煤炭行业的政策支持。保留了乡镇煤矿维简费提取政策；认真细致地开展了乡镇煤矿基础资料和数据的调研工作，向省经贸委提出了我省地方煤炭工业发展规划的意见；对全省地县、乡镇煤矿的安全专项整治、关闭取缔非法开采小煤矿工作等进行了全面的指导、检查和督察，促使乡镇煤矿逐步走上依法办矿、依法治矿的轨道。

企业改革方面，一是各地州县市煤炭企业改革步伐加快。文山、楚雄、红河、曲靖以及宣威、富源、师宗、弥勒、华坪、沾益等地州县市的一批国有煤矿改革工作效果显著，促进了企业的发展。师宗、富源等县成立了煤炭行业管理办公室，加强了煤炭行业的管理。华坪县调整充实了国企改革领导小组，对全县煤炭产业实施“扶优扶强”的政策，对骨干煤矿企业给予扶持帮助，鼓励实行企业兼并，走以一业为主、多业发展，上规模、上档次的路子。沾益县以县煤炭局为核心，联合7个煤矿和县煤炭供销公司、罗木矿区变电所等10个经济实体，组建了“沾益县煤炭工业有限责任公司”，使全县煤炭产业走上了规模化、集约化发展路子。师宗县煤炭集团公司在原有基础上按《公司法》和建立现代企业制度的要求，重组成立了“云南师宗煤业有限责任公司”，对全县煤炭产品实行统一经营、统一供货，增强了企业市场竞争能力。同时，县选煤厂、焦化厂等企业在公司内部全面实行了人事制度改革，搞活企业内部管理，提高了企业经济效益。二是省局直属煤炭企业改革稳步推进。完成了以优势企业为核心组建混合所有制、跨行业的大型云南煤炭企业集团的组建方案，并已上报省政府；抓紧进行了羊场沙背冲、一平浪星小煤矿、田坝四号煤矿的关闭破产工作，制定了实施方案，关闭破产预案及破产费用审核等工作已完成，预计2003年上半年可正式启动，进入法律程序；煤炭化工厂、煤炭基建公司的政策性破产计划正在积极争取之中；省局直属企业与省局脱钩方案已初步形成；企业职工持股会工作在继续推进，已组建的12户职工持股会正积极参与各企业及企业二级单位的改制；企业内部"三项制度"改革进一步深化，"五大保险"及其他配套改革已逐步健全和完善。

四、基本建设顺利推进，重点项目取得新进展，技术改造力度加大

2002年，全省煤炭系统完成基本建设投资总额12872万元。按构成分，矿建工程完成2249万元；土建工程完成4969万元；安装工程完成416万元；设备工具器具购置完成2389万元；其他费用完成2849万元。

依法加强了煤炭基本建设管理。编制完成了《2002～2010年云南省煤炭开发规划》，并已报国家经贸委审查通过。组织和参与完成了建设项目的设计、审查及评审工作，组织进行了《云南煤液化预可研》项目评估、《老厂矿区总体规划》、《白龙山矿井预可研》设计预审、《云南小煤矿建设基本规范》、《云南省煤炭资源有效供给能力评价》、《小发路优质无烟煤矿区总体开发方案》等评审工作；参与了昭通猴子沟、张家岩、文山州普阳等煤矿项目的设计审查工作。配合省计委完成了先锋露天煤矿首期工程65万t/年、可保煤矿30～60万t/年扩建工程和富源大坪、宽塘煤矿扩建工程竣工验收工作。配合经贸委组织完成了一平浪、田坝、后所、恩洪、兴云等5矿的安全技术改造项目的竣工验收工作；组织完成了昆明煤机总厂迁并调整工程的竣工验收工作。

重点项目积极推进，结构调整力度加大。委托化二院编制的《云南煤液化厂预可行性研究报告(代项目建设书)》已完成，并在昆明召开了项目评估会，省内项目资金落实已有重大进展。先锋煤业公司国有资产已划拨省煤炭工业局管理，工作进展顺利。

煤层气勘探已取得新进展，中联公司和云南煤田地质局与美国远东能源有限公司联合进行风险勘探协议已在北京签署，并于2002年9月在恩洪矿区南部老书桌清水沟区块开工钻探。

滇东电厂供煤配套项目已按省政府要求编制完成了《老厂矿区总体规划》和《白龙山矿井预可行性研究报告》，已上报国家计委审批，中咨公司于2月已进行了项目评估。

技术改造力度加大。组织编制完成了第三批国家重点技术改造"双高一优"项目导向性计划18项，其中12个安全技改专项项目经省经贸委审定后上报了国家经贸委。省属煤矿完成了恩洪煤矿二号井、来宾煤电公司二号井、田坝煤矿二号井和羊场煤矿杨家井等4个煤矿的矿井改扩建工程，共完成技改投资1588万元。恩洪、羊场、后所和兴云煤矿选煤厂均进行了重介工艺选煤技术改造，增加了洗煤能力，有效提高了经济效益。田坝煤矿二号井、后所煤矿打磨沟井完成了矿井通风系统改造，恩洪煤矿新村二号井和一平浪煤矿、兴云煤矿庆云井完成了矿井瓦斯抽放和监测系统的技术改造，累计完成1232.47万元的安全技术改造工程。一批地县国有煤矿和乡镇骨干煤矿结合煤矿安全专项治理和关闭、取缔非法矿井工作加大了矿井技术改造力度。富源、宣威、师宗、麒麟、华坪、泸西、弥勒、宜良等8个重点产煤县区通过省级验收的837对矿井中，有834对矿井实现了"五消灭"，826对矿井配齐了"五小件"，241对矿井建成了壁式采煤工作面，11对矿井装备了瓦斯监控系统。

五、科技教育巩固发展，专题研究成效明显

2002年，全省煤炭行业各企事业单位认真贯彻落实科教兴煤战略，科研、教育不断巩固和发展。

依靠科技进步，提高科技含量。昭通小发路、煤田地质局、煤炭科研所等单位的3个科研项目进入了省科技项目库，争取到省科技厅科研经费330万元。昭通小发路无烟煤深加工、恩洪矿区煤层气开发两个项目首次被列入省重点攻关项目；煤炭科研所的部分项目被列入省科技厅扶持项目，争取到项目经费430万元。昆明煤机总厂针对乡镇煤矿实际，开发研制了SGD—280型系列刮板输送机，并通过了省级鉴定。省属煤矿企业组织开展了全面质量管理小组创优活动，获得国家煤炭工业表彰的优秀"QC"成果11项，省质量技术管理协会表彰的"QC"成果11项；后所、恩洪、一平浪煤矿和煤机总厂被评为省质量管理活动优秀企业。

加强教育培训，提高职工队伍素质。全省煤炭行业全面加强职工教育培训工作。分别在省高级技校和后所煤矿举办了各类煤矿的采煤工、采掘电钳工、矿井维修电工、钳工、煤质化验工等工种近200人的培训班；在煤田地质局和高级技校分别举办了省局直属机关事业单位工人技术等级培训班，涉及10余个工种400余人；省煤矿安全培训中心共举办矿长任职资格培训、复训班7期、培训、复训各类煤矿矿长1366人；培训副矿长、井长、区长、煤管所所长、主管煤矿安全的乡镇长等安全管理人员2337人，组织了新版《煤矿安全规程》培训班，共培训1947人；地县煤矿安全培训中心和省属煤矿安全培训室共举办特种作业人员培训、复训班20期，共有3380人经过培训、复训后持证上岗。为推进职业技术教育，在原省工程技术学校的基础上组建了"云南能源职业技术学院"，为煤炭行业培养高素质的管理人员、技术人员奠定了良好基础。

省煤炭学会、煤经会、技术咨询委员会及机关有关处室协同配合，结合我省煤炭科技发展实际，开展了多次专题调研课题研究，先后完成了《2002～2010年云南省煤炭生产开发规划》、《云南省小煤矿建设基本规范》、《云南省煤炭工业局直属煤矿"一通三防"存在问题及对策》等课题研究，对全省煤炭工业的发展起到了积极的推动作用。

六、党的建设继续加强，精神文明迈出新步

全省煤炭行业各级党组织各地州县市煤炭管理部门把学习“三个代表”重要思想与工作实际相结合，与时俱进，开创工作新局面。沾益县煤炭局开展了抓行风、整顿矿风矿纪活动；师宗县煤炭局结合实际开展了“没有安全，一切等于白干”的思想教育活动；华坪县煤炭局加强党风廉政建设和警示教育活动。省煤炭局党组举办了直属单位领导干部理论骨干读书班，加快了干部人事制度改革，召开了直属单位党政干部学习党的十六大精神会议，联系煤炭工业实际，研究全省煤炭行业改革、发展、奔小康的新思路、新举措。全省煤炭行业各级党的组织建设不断加强。

全省煤炭行业精神文明建设不断加强。各煤炭企业以各种形势开展了为“十五”计划建功立业的精神文明创建活动，加强了企业文化建设，深入开展了公民职业道德教育，广泛开展了不同类型、不同规模、形式多样、丰富多彩、职工喜闻乐见的群众性文化体育、娱乐活动，推进了企业文化建设的健康发展。涌现了一批精神文明先进单位和先进个人。

存在的主要问题：一是产业集中度低，矿井规模小，散乱无章，竞争无序，抗灾能力弱；二是技术落后，企业产品单一，资源配置不合理；产品附加值低，形不成产业链，经济效益差；三是投入不足、设备老化、接续紧张、税负过重，企业办社会支出大，自我发展能力不强；四是体制不顺、机制不活、比较优势受制，想做大的做不大，该淘汰的淘汰不了。这些深层次的矛盾和问题，严重影响了我省煤炭企业经济效益和市场竞争力的提高，制约着我省煤炭工业的健康发展。也是造成云南煤炭大资源、小产业、事故多发的主要原因。

2003 年，全省煤炭行业工作要以邓小平理论和“三个代表”重要思想为指导，认真贯彻党的十六大精神，以改革为动力，以经济效益为目标，加强行业管理，深化专项整治；加快结构调整，进行行业优化整合；深化改革，强化管理；加快技术进步，加强安全管理，促进安全状况稳定好转；加强精神文明建设，提高职工生活水平，促进全省煤炭工业快速、持续、健康发展，加快煤炭行业小康建设步伐。

（马全林）

表 1　煤　矿　生　产　规　模

项　　目	矿　井　数 /处	实际年产量 /10^4t	占全区年产量的比例 /%
全省（区）合计	72	3139.01	100.00
省（区）属煤矿	20	944.17	30.08
地市营煤矿	16	114.85	3.66
县营煤矿	36	148.19	4.72
集体及个体煤矿	—	1931.80	61.54

表 2　重点煤矿基本情况

局矿名称	地　　址	邮政编码	实际年产量 /10^4t	年末职工人数 /人
一平浪煤矿	云南省禄丰县一平浪干海资	651217	45.48	2646
耒宾煤电公司	云南省宣威市耒宾镇	655402	23.55	1712
羊场煤矿	云南省宣威市大松树	655411	37.87	3948
田坝煤矿	云南省宣威市田坝镇	655407	37.54	3278
后所煤矿	云南省富源县刘家湾	655500	83.68	3185
恩洪煤矿	云南省麒麟区新村	655005	30.04	1072
圭山煤矿	云南省石林县圭山	652206	15.99	1171
可保煤矿	云南省宜良县汤池	652105	20.70	805
兴云煤矿	云南省富源县庆云乡	655000	34.51	1081
小龙潭矿务局	云南省开远市小龙潭	661001	535.74	3446
凤鸣村煤矿	云南省宜良县凤鸣村	652102	38.02	815
陆东煤矿	云南省麒麟区东山镇	655004	20.42	2289

表3 重点煤矿主要技术经济指标

局矿名称	原煤产量/10^4t	商品煤		洗精煤		掘进总进尺/m	回采工作面平均月产量/t	掘进工作面平均月进度/m	采煤机械化程度/%		掘进装载机械化程度/%		原煤坑木消耗/(10^{-4} $m^3 \cdot t^{-1}$)	原煤全员效率/(t·工$^{-1}$)
		灰分/%	含矸率/%	产量/10^4t	灰分/%				合计	其中：综采	合计	其中：综掘		
一平浪煤矿	45.48	11.43	0.02	45.70	10.48	27371	10341	164.82	—	—	—	—	103.37	1.567
末宾煤电公司	23.55	—	—	—	—	—	—	—	—	—	—	—	—	—
羊场煤矿	37.87	16.47	—	28.76	11.64	11109	6261	127.75	—	—	—	—	110.72	1.225
田坝煤矿	37.54	18.79	—	18.97	10.94	13156	7222	100.34	—	—	—	—	82.84	0.766
后所煤矿	83.68	20.99	—	25.04	11.84	14718	12420	182.20	—	—	—	—	27.09	1.640
恩洪煤矿	30.04	11.03	—	25.83	10.88	4394	20280	119.30	—	—	—	—	77.50	1.350
圭山煤矿	15.99	17.74	1.00	15.76	10.62	9081	6405	112.11	—	—	—	—	202.69	1.101
可保煤矿	20.70	23.67	0.08	—	—	—	—	—	—	—	—	—	—	3.142
兴云煤矿	34.51	17.49	—	14.25	11.35	6073	14224	124.19	—	—	—	—	78.96	1.061

新疆维吾尔自治区煤炭工业概况

2002年，我局在国家局和自治区人民政府的领导下，以“三个代表”重要思想为指导，全面落实自治区和国家局的工作部署，强化监察，依法行政；落实责任，深化整治；调整结构，加强管理，基本上实现了年初提出的工作目标。

一、煤炭生产、销售

2002年，新疆生产原煤3098.68万t。全区国有重点煤矿全年销售煤炭643.59万t，比上年增加69.21万t，增长12.05%；其中调往区外195.84万t，增加33.34万t，增长20.5%。

二、扭亏增盈

国有重点煤矿及局属企业补贴后实现盈利4628万元，实现工业增加值7.45亿元，比上年增长34.23%(现价计算)。国有重点煤矿从业人员全员效率3.25t/工，比上年增长17.84%。

三、企业改革

新疆煤矿化工厂顺利实现了改制，乌鲁木齐煤矿设计研究院的改制方案已经自治区批准实施；和布克赛尔县在联合销售的基础上，组建了煤炭联合公司；拜城铁喇矿区走联合发展的道路，成立了铁喇煤炭公司。在引进资金方面，由江苏徐州矿务集团投资的年产90万t库车俄霍布拉克矿区于7月28日奠基动工；新疆乌鲁木齐矿业(集团)公司投资在库尔勒塔什店建立年产60万t的煤矿；哈密煤业（集团）公司投资建设年产30万t的昌吉硫磺沟3号井于8月开工建设。这些项目的建设，为自治区调整煤炭工业结构，解决南疆缺煤问题都发挥了很好的作用。

四、劳动和社会保障

国有重点煤矿企业建立再就业中心4个，分流下岗职工490人，再就业人数18人，占下岗职工总数的3.7%；下岗职工100%进入再就业服务中心，100%领到了基本生活保障金。全系统所有企事业单位中均实行了养老保险社会统筹，覆盖26045人，领取养老金的离退休人员14898人，养老金社会发放率100%。

五、煤矿整顿

截至2002年底，全区有各类矿井709个。其中：持两证（采矿许可证和煤炭生产许可证）矿井680个（其中，国有重点煤矿13个，地方国有煤矿181个，乡镇集体及其他煤矿486个)，持证率96%；持单证矿井29个。年检矿井680个，占应年检矿井的96%。2002年，全区关闭非法和布局不合理矿井269个。

六、科技兴煤

2002年，国有重点煤矿采煤机械化程度85.6%，比上年上升3.6个百分点。其中：综采85.6%，综掘机械化50.6%，掘进装载机械化50.6%。

开展了以下科研项目：煤炉烟尘固硫剂研究；环保型水煤浆应用与研究；新疆特低灰煤生产活性炭技术的产业开发；煤炭清洁燃烧技术示范项目；小煤矿安全可靠评价体系的研究；小煤矿通讯安全管理信息系统开发；PLC可编程序控制中小型提升保护装置；瓦斯漏电闭锁自诊断煤电钻综合保护装置研制。

七、煤田灭火

加强对煤田灭火工作的管理。经自治区人民政府批准，出台了《新疆煤田火区管理办法》，并将已完成灭火任务的铁厂沟、奇台北山、阜康白杨河、小黄山、小龙口五大煤田火区移交地方政府管理。在昌吉州政府和国土资源厅的支持配合下，依法取缔了硫磺沟、大黄山、小龙口等火区内的非法开采行为，保护了灭火成果。硫磺沟煤田火区的灭火任务可提前半年完成。

八、煤矿安全

2002年，新疆各类煤矿共发生伤亡事故149起，死亡197人，同比减少4起、23人，事故起数和死亡人数分别下降2.6%和10.5%。国有重点煤矿原煤生产百万吨死亡率0.25。其中哈密和乌鲁木齐两大集团公司百万吨死亡率为0，实现了安全生产。各类煤矿没有发生10人以上特大事故。

国有地方煤矿发生死亡事故31起，减少23起；死亡46人，减少35人；百万吨死亡率4。乡镇集体煤矿发生死亡事故114起，增加22起；死亡147人，增加16人；百万吨死亡率12。同时，全年全区基建矿井发生死亡事故2起，死亡2人，较上年减少6起7人。

九、煤矿安全专项整治

按照国家煤矿安全监察局要求，继续深入开展煤矿安全专项整治。2002年的整治工作有以下特点：

一是把安全监察行政执法与深化整治结合起来。以监察促整治，以整治提高监察效果。制定《新疆小煤矿基本安全生产条件(2002)》，明确深化整治的标准。结合实际，制定了《自治区深化煤矿安全专项整治方案》，明确了整治的指导思想、工作重点、方法步骤和具体措施。各地都成立了领导小组，制定本地区深化煤矿安全专项整治方案。各级政府分管领导带队，深入煤矿检查，督促煤矿企业对照《煤矿安全规程》和2002年小煤矿基本安全条件进行整治，要求煤矿企业按照“四定”(定负责人、定整改内容、定整改时间、定整改措施)制定整治方案，收到较好效果。在专项整治期间，局机关先后8次组成4个督查组，分别由局领导带队，出动1600多人次，深入到国有重点煤矿和南北疆683处煤矿进行抽查和督查，查出问题和隐患3120条，并及时与地方政府和煤炭企业交换意见，促进了全区煤矿安全专项整治工作。二是目标明确，注重实效。明确了对破坏资源，技术落后、污染环境和不具备基本安全生产条件的8类小煤矿实施关闭，即：已关闭又擅自生产的矿井；2002年1月31日之前没有达到验收标准的矿井，验收恢复生产后管理严重滑坡，现已达不到小煤矿基本安全条件的矿井；“四证”不全的矿井；2002年2月28日之前没有按规定重新申领煤炭生产许可证的矿井；没有列入规划，擅自开工建设的非法矿井；开采高灰高硫的矿井。对国有重点煤矿，按照新的《煤矿安全规程》进行检查，并做到了“四个一律停产整顿”。按照专项整治方案，对全区各地州市应关闭的288处矿井下达了关闭通知，明确了关井时限。各地煤炭管理部门，对关井工作抓得紧，抓得实，到年底，关井269处，基本上实现了年初提出的工作目标。国有重点煤矿3个集团公司，在2年的专项整治中，为提高矿井安全技术装备水平，投资4.5亿元。地方国有煤矿也加大了对煤矿的安全投入。三是坚持标准，严格验收。到年底全区75%的煤矿通过了地州市组织的验收，煤矿安全监察机构对验收的复查面达到了40%。

十、安全生产管理

一是开展安全大检查。煤管局组织了6轮规模较大的安全大检查，并参加自治区安委会组织的两轮安全大检查。局领导实行分片包干，分别负责国有重点煤矿和南北疆的安全大检查，把安全大检查与行政执法紧密地结合起来，对在安全大检查中发现的隐患和问题，及时地与地方政府和煤矿企业交换意见，及时整改。二是开展“百日安全无事故”活动。突出“一通三防”、顶板管理和防治水3个重点，加大对事故隐患的整改力度。局组织参加了自治区组织的2次大型活动，配合新闻单位编发新闻稿件61篇。库尔勒办事处在《新疆经济报》上刊登了举报信箱和举报电话，每月向地方政府发布安全信息，充分发挥舆论监督作用。部分地州市举办了“长城杯”安全知识问答、有奖电视安全知识竞赛等活动。三是落实安全生产责任制，强化安全管理。在年初把2002年煤矿安全生产指标分解到各地州市，各地州市的主管领导与自治区签订了安全生产责任书。各地州市、县(市)煤炭管理部门与煤矿企业，煤矿企业与井队层层签订安全生产责任书，建立了三级安全生产管理机构，充实安全技术管理人员，强化现场管理，把煤矿安全责任制落到了实处。三个国有重点煤矿企业强化安全目标管理，完善安全生产责任制，在强化管理、加大技术改造力度，实现本质安全方面都有了新的突破。四是开展质量标准化安全创水平活动。从7月开始，对3个国有重点煤矿企业的质量标准化情况进行了一次全面检查，重点检查了采、掘、机、运、通的达标情况，查出主要问题179项，并在哈密煤业集团召开了质量标准化现场会。12月进行了质量标准化检查验收，哈密煤业集团一井、二井达到了行业级标准；乌鲁木齐矿业集团的五个矿达到了省级标准；新疆焦煤集团的两个矿达到省级标准。国债资金安全配套项目已通过验收，国补资金救护装备已全部到位。五是加强培训工作。坚持“管理、装备、培训”三并重的原则，各地州市都落实了三级培训机构。新疆煤矿安全技术培训中心共举办矿（井）长培训班9期，培（复）训448人次，培训质量有所提高。按照国务院68号文件的要求，重新核发了矿长资格证书。

十一、煤矿安全监察执法

一是加强了对关闭整顿小煤矿的行政执法，对应该关井的矿井和没有按6条标准关实关死的矿井，向所属地方政府发送了通报，督促其尽快关闭。二是结合深化整治，依法加大煤矿安全监察的力度。局和两个办事处全年共出动4783人次，监察矿井890处，查出安全隐患和问题4127条，下达各类执法文书2847份，对277处违法违规的矿井实施了行政处罚，推动了深化专项整治工作。三是加大对煤矿事故的查处力度。按照国务院302号令和“四不放过”原则，在事故调查中，主动征求地方政府和有关部门的意见，做到了事故调查处理公开、公平、公正，真正起到了惩治责任者，教育广大群众，防止同类事故再次发生的作用。对全年197起事故的处理，做到了法律依据充分、定性准确、处罚得当，在法定时间内结案率达到了100%。

十二、煤田地质勘探

基础地质方面，2002年完成机械岩芯钻探工作量11071m，完成槽探工作量8037m^3，水文地质填图359km^2，地形测量29km^2，电法勘探物理点2008个。验收钻孔14个，特甲级孔率100%，是近年来完成社会地质任务最好的一年。获得地质大调查等国家、自治区地质工作项目10个，签订社会地质项目合同67个。煤田地质局编制的煤田地质勘探规划，自治区人民政府已经批准，即将实施。

十三、煤矿设计

乌鲁木齐第一工业设计研究院全年完成合同135项，合同总额1639万元，其中煤炭行业合同额1136.45万元，占合同总额的69%，这是设计院10年来主业合同额最多的一年，全年共完成产值1033万元，创历史最好水平。完成文件设计93部、施工图（折一号图）2404.68张，CAD绘图率100%。

10月18日，新疆维吾尔自治区煤炭工业协会成立，国家煤矿安全监察局副局长赵铁锤及中国煤炭工业协会常务副会长乌荣康、自治区人民政府副主席艾力更·依明巴海到会祝贺并讲话。它的成立，为加强煤炭企业与政府的沟通、开展技术服务创造了条件。

表1 煤矿生产规模

项目	矿井数（有两证矿井）/处	实际年产量/10^4t	占全区年产量的比例/%
全区(省)合计	680	3098.68	100.00
区(省)属煤矿		1209.93	39.04
其中：国有重点煤矿	13	738.81	23.84
地州属煤矿		183.94	5.93
县属煤矿		538.81	17.38
乡镇及其他煤矿		1166	37.62

注：重点煤矿为：新疆乌鲁木齐矿业(集团)有限责任公司、哈密煤业(集团)有限责任公司、新疆焦煤(集团)有限责任公司。

表2 国有重点煤矿基本情况

局矿名称	地址	邮政编码	实际年产量/10^4t
新疆乌鲁木齐矿业(集团)有限责任公司	新疆维吾尔自治区乌鲁木齐市东山区	830027	352.26
新疆哈密煤业(集团)有限责任公司	新疆维吾尔自治区哈密市三道岭	839003	307.27
新疆焦煤(集团)有限责任公司	新疆维吾尔自治区乌鲁木齐市南山矿区	830025	79.25

表3 重点煤矿主要技术经济指标

局矿名称	原煤产量/10^4t	商品煤		洗精煤		掘进总进尺/m	回采工作面平均月产量/t	掘进工作面平均月进度/m	采煤机械化程度/%		掘进装载机械化程度/%	原煤生产人员效率/(t·工$^{-1}$)
		灰分/%	含矸率/%	产量/10^4t	灰分/%				合计	其中：综采	合计	
新疆乌鲁木齐矿业(集团)有限责任公司	352.26	16.17	0.16			21387	252756	8738	81.38	81.38	50.62	2.91
新疆哈密煤业(集团)有限责任公司	307.27	8.29	0.57			4470	135729	5590	100	94.14	85.77	4.05
新疆焦煤(集团)有限责任公司	79.25	8.79		48.43	8.79	6796	61701	4344	37.71	37.71	28.33	2.56

（金永祥）

人事、机构、体制

关于华北矿业高等专科学校等16家单位更名的通知

（安监管司办字［2002］42号）

各有关在京事业单位：

根据中央机构编制委员会办公室《关于国家安全生产监督管理局所属事业单位调整的批复》（中央编办复字［2002］102号），现将有关在京事业单位更名及加挂牌子情况通知如下：

1. 华北矿业高等专科学校（中国煤矿安全技术培训中心）更名为华北科技学院（中国煤矿安全技术培训中心）；

2. 煤炭工业经济运行中心更名为国家安全生产监督管理局（国家煤矿安全监察局）调度中心；

3. 国家煤炭工业局机关服务中心更名为国家安全生产监督管理局（国家煤矿安全监察局）机关服务中心（对外开展工作可使用机关服务局的印章）；

4. 煤炭工业人才交流培训中心加挂国家安全生产监督管理局（国家煤矿安全监察局）职业安全技术培训中心的牌子；

5. 煤炭工业通讯信息中心更名为煤炭工业通信信息中心，加挂国家安全生产监督管理局（国家煤矿安全监察局）通信信息中心的牌子；

6. 煤炭工业基本建设咨询中心更名为国家安全生产监督管理局（国家煤矿安全监察局）矿山救援指挥中心；

7. 中国煤炭报社更名为中国安全生产报社，加挂中国煤炭报社的牌子；

8. 煤炭总医院加挂国家安全生产监督管理局（国家煤矿安全监察局）矿山医疗救护中心的牌子；

9. 煤炭工业档案馆加挂国家安全生产监督管理局（国家煤矿安全监察局）档案馆的牌子；

10. 国家煤炭工业局外事中心更名为国家安全生产监督管理局（国家煤矿安全监察局）国际交流合作中心；

11. 煤炭工业展览中心加挂国家安全生产监督管理局（国家煤矿安全监察局）安全生产宣传教育中心的牌子；

12. 国家煤炭工业局西郊招待所更名为国家安全生产监督管理局（国家煤矿安全监察局）西郊招待所；

13. 国家煤炭工业局东四招待所更名为国家安全生产监督管理局（国家煤矿安全监察局）东四招待所；

14. 国家煤炭工业局东单招待所更名为国家安全生产监督管理局（国家煤矿安全监察局）东单招待所；

15. 国家煤炭工业局盔甲厂招待所更名为国家安全生产监督管理局（国家煤矿安全监察局）盔甲厂招待所；

16. 国家经贸委安全科学技术研究中心（国家经贸委事故调查分析中心）更名为国家安全生产监督管理局安全科学技术研究中心（国家安全生产监督管理局事故调查分析中心）。

外事中心职能配置内设机构及人员编制方案

根据国务院批准的煤矿安全监察管理体制改革实施方案及国家安全生产监督管理局（国家煤矿安全监察局）“三定”方案的有关规定和中央机构编制委员会办公室中编办字［1999］55号文件精神，按照精简、统一、效能的原则，制定外事中心职能配置内设机构和人员编制方案。

一、主要职责

1. 承担国家安全生产监督管理局（国家煤矿安全监察局）因公出国（境）人员护照、签证（签注）、赴港澳通行证的申办以及护照通行证的收缴和管理工作；负责组织出国（境）人员出国（境）前的培训工作。

2. 承担国家安全生产监督管理局（国家煤矿安全监察局）的外事、外专经费管理工作；负责因公出国（境）团组和人员用汇计划申请及核销工作。

3. 与外国政府、国际组织和机构、社团及工矿商贸企业开展经济技术交流与合作。

4. 协助国家安全生产监督管理局（国家煤矿安全监察局）办公室（外事司）开展国际交流与合作。

5. 组织本系统各类人员境内外培训；接受国家安全生产监督管理局(国家煤矿安全监察局)引智领导小组委托，承担本系统引进国外智力工作。

6. 组织或承办境内外各类展览及会议。

7. 负责涉外安全评价、检测检验、危险辨识、资质认证的业务工作。

8. 负责信息与科学技术咨询服务及翻译工作。

9. 负责中国煤炭工业协会的国际交流与合作业务。

10. 承担国家安全生产监督管理局(国家煤矿安全监察局）交办的其他事项。

二、内设机构

根据上述主要职责，外事中心设5个职能处室。

1. 综合处（财务处）

负责中心文秘、档案、信息、保密、印鉴管理、行政事务、人事、党务及财务管理工作。

2. 合作处（培训处）

负责开发和管理政府间及多边和工矿商贸企业之间的合作项目；组织境内外人员培训；承担引进国外智力工作。

3. 技术交流处（会议展览处）

负责组织国内外科学、技术、文化交流与合作；组织或承办境内外展览及会议。

4. 信息与科技处

负责信息与科学技术咨询及翻译服务；负责涉外安全评价、检测检验、危险辨识、资质认证等业务工作。

5. 出国服务处

负责国家安全生产监督管理局（国家煤矿安全监察局）因公出国（境）人员护照、签证（签注）和赴港、澳通行证的申办及护照、通行证的收缴管理工作；组织出国（境）人员出国前的培训工作；为出国（境）人员提供相关服务。

三、人员编制

外事中心人员编制45名。中层干部职数15名。

煤炭工业展览中心（安全生产宣传教育中心）职责范围机构设置及人员编制方案

根据国务院办公厅批准的国家安全生产监督管理局（国家煤矿安全监察局）“三定”方案（国办发［2001］1号）和中央机构编制委员会办公室关于国家安全生产监督管理局所属事业单位调整的批复（中央编办复字［2002］102号）精神，以及局长办公会议原则通过的《安全生产宣传教育体系方案》，按照精简、统一、效能的原则，制定煤炭工业展览中心（安全生产宣传教育中心）职责范围、机构设置及人员编制方案。

煤炭工业展览中心（安全生产宣传教育中心）为国家局所属事业单位，主要承担煤炭工业和安全生产方面的展览及安全生产宣传教育的组织实施工作，为全国安全生产监督管理和煤矿安全监察工作提供舆论支持和思想保障。

一、主要职责

1. 负责宣传安全生产法律法规和方针政策，拟定安全生产宣传教育工作规划或方案；

2. 负责策划和组织开展“全国安全生产月”、“安全生产万里行”等全国性的安全生产宣传教育活动；

3. 负责承办国家局在京直属单位报刊的年检、登记等日常工作事宜；

4. 负责联系在京新闻单位，组织接待新闻记者的采访、报道活动，承办国家局新闻发布会等有关具体事宜；

5. 组织、指导、协调安全生产影视、音像、广告、图片、画册、宣传画、书刊等宣传品的制作、发行和安全文化产业的开发；

6. 承办由中国煤炭工业协会和国家局主办或参与的展览，积极承办其他方面的展览；

7. 负责联系有关安全生产宣传教育机构，为地方、行业、企业、社区的安全生产宣传教育活动提供咨询、服务；

8. 开展安全文化建设方面的理论研究，联系有关企业、事业单位和中介组织；

9. 完成国家局交办的其他事项。

二、机构设置

根据上述主要职责，煤炭工业展览中心（安全生产宣传教育中心）设4个部（室）。即：办公室（人事部、财务部)、宣传策划部、新闻办公室、展览部。二级机构为：安全文化研究所。

三、人员编制

煤炭工业展览中心（安全生产宣传教育中心）事业编制70名。其中：主任1名，副主任3名，中层干部职数15名。

安全监察局省级机构

单位名称	地址	邮政编码	单位总机电话
河北煤矿安全监察局	河北省石家庄市华安街80号	050051	(0311) 7026931
山西煤矿安全监察局	山西省太原市并州北路219号	030012	(0351) 4090343
内蒙古煤矿安全监察局、内蒙古自治区煤炭工业管理局	内蒙古呼市新城西街43号	010010	(0471) 6961166
辽宁煤矿安全监察局	辽宁省沈阳市大东区天后宫路59号	110042	
吉林煤矿安全监察局	吉林省长春市朝阳区眼延安大街11号	130012	(0431) 5955901
黑龙江煤矿安全监察局	黑龙江省哈尔滨市南岗区97号	150001	(0451) 3630011
山东煤矿安全监察局	济南市堤口路141号	250031	(0531) 5951222
江西煤矿安全监察局	江西省南昌市省政府大楼	330046	
河南煤矿安全监察局	河南省郑州市金水路20号	450003	(0371) 3936551
湖南煤矿安全监察局	湖南省长沙市新军路3号	410011	(0731) 2226121
重庆煤矿安全监察局	重庆市渝中区五一路71号	400010	(023) 63849208
四川煤矿安全监察局	四川省成都市人民东路1号	610013	(028) 6630427
贵州煤矿安全监察局	贵阳市北京路57号	550004	
云南煤矿安全监察局	云南省昆明市白塔路329号	650011	(0871) 3169071
陕西煤矿安全监察局	陕西省西安市和平路东11道巷2号	710001	(029) 7427704
新疆煤矿安全监察局	新疆维吾尔自治区乌鲁木齐市友好南路68号	830000	(0991) 4522611
安徽省煤矿安全监察局	安徽省合肥市长江中路2号	230008	
甘肃省煤矿安全监察局	甘肃省兰州市天水路279号	730000	(0931) 8822888
宁夏煤矿安全监察局、宁夏回族自治区煤炭工业管理局	宁夏银川市文化西街24号	750001	(0951) 5045931

对外经济贸易合作

中国中煤能源集团公司

中国中煤能源集团公司（简称中煤集团公司，英文简称 ChinaCoal），是中央管理的国有重要骨干企业。公司所属全资子公司和控股公司 36 户、分公司 5 户、控股公司 2 户、境外机构和公司 7 户，另有参股企业 12 户。拥有 2 家控股上市公司。公司注册资本金 45.4 亿元，境内资产总额 357 亿元。前身是经国务院批准成立于 1982 年 7 月的中国煤炭进出口总公司；1997 年组建中国煤炭工业进出口集团公司；1999 年重组后由中央企业工委管理；2003 年在中煤建设集团公司并入后，更名为中国中煤能源集团公司。

公司经营范围包括：组织所属企业煤炭开发开采、煤炭洗选加工、煤炭焦化和制气、煤层气开发、电力生产、电解铝生产和铝材加工、煤矿机械设备制造、科研、勘察、设计、工程和设备招投标、工程建设施工和监理；自营和代理各类商品及技术的进出口业务，包括煤炭出口，其他国家规定的专营进出口商品和国家禁止进出口等特殊商品除外；经营进料加工和“三来一补”业务，开展对销贸易和转口贸易；煤炭经营；矿产品和机械设备的国内销售。焦炭、煤炭制品的销售。

目前，公司拥有大屯煤电集团有限责任公司、平朔煤炭工业公司、太原煤炭气化集团有限责任公司、北京煤矿机械厂、张家口煤矿机械有限公司等大型生产企业；中煤建设集团公司、中煤第一建设公司、中煤建筑安装工程公司、中煤第五建设公司等大型施工企业；煤炭工业西安设计研究院、煤炭工业邯郸设计研究院等大型设计研究企业；所属境外机构和公司有香港环能贸易有限公司、中煤集团公司驻日代表处、中日石炭株式会社、中煤集团公司驻汉城代表处、中煤集团公司驻欧洲代表处、比利时欧发公司、中煤美国公司；还拥有煤炭深加工、煤焦化、煤电铝、煤机装备的产业链条；在十个主要煤炭港口设有机构，负责煤炭的储配、除杂、化验和装船；有一批熟悉煤炭设计、建设、生产、营销的专业人才队伍。

到 2002 年年底，集团公司拥有煤矿 18 处、能力 4900 万 t/年；发电装机容量 62.4 万 kW；机焦生产规模 300 万 t；煤矿装备制造能力 9 万 t/年。公司年销售收入 230 亿元；进出口额 18.3 亿美元；煤炭贸易量约 8000 万 t，其中出口 4760 万 t。

中煤集团公司正在重点构建煤炭、煤焦化、煤电铝、煤矿机械装备、科研设计、工程施工、煤层气和咨询服务业等业务板块，加强与国内重点煤炭、电力、运输等大型企业的联合。按照提高产业集中度，延伸产业链，提高竞争力和实现规模效益的要求，努力建设具有国际竞争力的大企业集团。

中国中煤能源集团公司
地　　址：北京市东城区安定门外大街乙 88 号
邮政编码：100011
电　　话：(010) 64287188（查询）
电子邮件：CNCIEC@CHINACOAL．COM
传　　真：(010) 64287166
网　　址：WWW．CHINACOAL．COM

主要管理和业务部室

办　公　室	
电话 (Tel)	(010) 64287286
传真 (Fax)	(010) 64270511
人力资源部	
电话 (Tel)	(010) 64287199
传真 (Fax)	(010) 64287199
发展计划部	
电话 (Tel)	(010) 64209169
传真 (Fax)	(010) 64209169

续表

经营管理部	
电话（Tel）	（010）64287115
传真（Fax）	（010）64287137
资产财务部	
电话（Tel）	（010）64287337
传真（Fax）	（010）64287337
工程建设管理部	
电话（Tel）	（010）64287211
传真（Fax）	（010）64270533
安全生产管理部	
电话（Tel）	（010）64287110
传真（Fax）	（010）64270499
审　计　部	
电话（Tel）	（010）64287192
传真（Fax）	（010）64287182
法律事务部	
电话（Tel）	（010）64287120
传真（Fax）	（010）64287197
监察部（纪委）	
电话（Tel）	（010）64287243
传真（Fax）	（010）64287177
管理信息中心	
电话（Tel）	（010）64287263
传真（Fax）	（010）64287377
风险资产管理中心	
电话（Tel）	（010）64287264
传真（Fax）	（010）64287251
党委工作部	
电话（Tel）	（010）64287303
传真（Fax）	（010）64270541
党委组织部	
电话（Tel）	（010）64287282
传真（Fax）	（010）64287227

续表

离退休人员管理中心	
电话（Tel）	（010）64287380
传真（Fax）	（010）64287214
服务中心（实业公司）	
电话（Tel）	（010）64287118
传真（Fax）	（010）64287166
工　会	
电话（Tel）	（010）64287172
传真（Fax）	（010）64287166

集团公司子公司

中国煤炭综合利用集团公司	
地址	北京市安定门外和平里北街21号
邮编（Zip）	100713
电话（Tel）	（010）64463766
传真（Fax）	（010）64208118
中国煤炭物产集团公司	
地址	北京市安定门外和平里北街21号
邮编（Zip）	100713
电话（Tel）	（010）64463605
传真（Fax）	（010）64273450
中国煤矿工程机械装备集团公司	
地址	北京市安定门外和平里北街21号
邮编（Zip）	100713
电话（Tel）	（010）64237830
传真（Fax）	（010）64214010
平朔煤炭工业公司	
地址	山西省朔州市1号信箱
邮编（Zip）	038506
电话（Tel）	（0349）2052114

续表

传真（Fax）	（0349）2055488
大屯煤电（集团）有限责任公司	
地址	江苏省沛县
邮编（Zip）	221611
电话（Tel）	（0516）4025202
传真（Fax）	（0516）4025204
北京煤矿机械厂	
地址	北京市房山区城关镇矿机南路1号
邮编（Zip）	102400
电话（Tel）	（010）69314724
传真（Fax）	（010）69311624
中国煤炭销售运输总公司	
地址	北京市安外和平里北街21号
邮编（Zip）	100713
电话（Tel）	（010）64463678
传真（Fax）	（010）64216786
中国地方煤矿总公司	
地址	北京市东城区安定门外大街200号
邮编（Zip）	100011
电话（Tel）	（010）64290643
传真（Fax）	（010）64263761
中煤生产技术开发公司	
地址	北京市安定门外和平里北街21号
邮编（Zip）	100713
电话（Tel）	（010）64463548
传真（Fax）	（010）64214279
中国煤炭进出口公司	
地址	北京市东城区安定门外大街乙88号
邮编（Zip）	100011

续表

电话（Tel）	（010）64287389
传真（Fax）	（010）64287353
中国煤炭开发公司	
地址	北京市东城区安定门外大街乙88号
邮编（Zip）	100011
电话（Tel）	（010）64287342
传真（Fax）	（010）64287343
中国煤炭海外开发公司	
地址	北京市东城区安定门外大街乙88号
邮编（Zip）	100011
电话（Tel）	（010）64287106
传真（Fax）	（010）64287104
中煤集团连云港公司	
地址	江苏省连云港市墟沟东大街
邮编（Zip）	222042
电话（Tel）	（0518）2310509
传真（Fax）	（0518）2317401
中煤集团江苏公司	
地址	江苏省南京市北京西路15—1号
邮编（Zip）	210024
电话（Tel）	（025）6635320
传真（Fax）	（025）3305411
中煤深圳公司	
地址	广东省深圳市福田中心区深南大道4009号投资大厦14楼C1—C2区40号
邮编（Zip）	518002
电话（Tel）	（0755）5107230
传真（Fax）	（0755）5104088

续表

上海中煤实业总公司	
地址	上海市浦东东方路899号中煤大厦四楼
邮编（Zip）	200122
电话（Tel）	（021）58743885
传真（Fax）	（021）58800903
中煤建设集团公司	
地址	北京市东城区和平里北街21号
邮编（Zip）	100713
电话（Tel）	（010）64463007
传真（Fax）	（010）64214914
中煤第一建设公司	
地址	河北省邯郸市丛台东路56号
邮编（Zip）	056002
电话（Tel）	（0310）7159996
传真（Fax）	（0310）7159555
中煤建筑安装工程公司	
地址	河北省邯郸市丛台东路52号
邮编（Zip）	056002
电话（Tel）	（0310）7209852
传真（Fax）	（0310）3012841
中煤第五建设公司	
地址	江苏省徐州市淮海西路241号
邮编（Zip）	221006
电话（Tel）	（0516）5755636
传真（Fax）	（0516）5752310
张家口煤矿机械有限公司	
地址	河北省张家口桥东区工业路6号
邮编（Zip）	075228
电话（Tel）	（0313）2013308
传真（Fax）	（0313）2017708

续表

煤炭工业西安设计研究院	
地址	陕西省西安市和平门外雁塔北段64号
邮编（Zip）	710054
电话（Tel）	（029）7850473
传真（Fax）	（029）7855534
煤炭工业邯郸设计研究院	
地址	河北省邯郸市滏河北大街114号
邮编（Zip）	056031
电话（Tel）	（0310）7106463
传真（Fax）	（0310）3014959
中煤国际技术咨询开发公司	
地址	煤炭局办公楼前353
邮编（Zip）	100713
电话（Tel）	（010）64463406
传真（Fax）	（010）64212657
北京中煤贸发有限责任公司	
地址	河北省邯郸市滏河北大街114号
邮编（Zip）	100713
电话（Tel）	（010）64463605
传真（Fax）	（010）64273450
中煤吉林进出口公司	
地址	长春市延安大路11号
邮编（Zip）	130012
电话（Tel）	（0431）5914113
传真（Fax）	（0431）5911937

分　公　司

中煤集团秦皇岛分公司	
地址	河北省秦皇岛市民族路252号
邮编（Zip）	066001

续表

电话（Tel）	（0335）3061863
传真（Fax）	（0335）3066897
中煤集团天津分公司	
地址	天津市和平区曲阜道85号国贸大厦15—17层
邮编（Zip）	300042
电话（Tel）	（022）23112550
传真（Fax）	（022）23301377
中煤集团青岛分公司	
地址	山东省青岛市黄岛区崇明岛路105号
邮编（Zip）	266500
电话（Tel）	（0532）6856546
传真（Fax）	（0532）6856544
中煤集团日照分公司	
地址	山东省日照市石臼镇黄海一路94号
邮编（Zip）	276826
电话（Tel）	（0633）8332371
传真（Fax）	（0633）8333510
中煤集团黑龙江分公司	
地址	黑龙江省哈尔滨市南岗区一曼街162号
邮编（Zip）	150001
电话（Tel）	（0451）3622208
传真（Fax）	（0451）3622209

控股公司

太原煤气化（集团）有限责任公司	
地址	山西省太原市和平南路83号
邮编（Zip）	030024
电话（Tel）	（0531）—6019396
传真（Fax）	（0351）—6019395

续表

上海中煤大厦有限责任公司	
地址	上海浦东东方路899号
邮编（Zip）	200122
电话（Tel）	(021)58306666
传真(Fax)	(021)58305555
中煤实业有限责任公司	
地址	北京市东城区安定门外大街乙88号
邮编(Zip)	100011
电话(Tel)	(010)64287128
传真(Fax)	(010)64287166
中煤焦炭化产品有限公司	
地址	北京市东城区安定门外大街乙88号
邮编(Zip)	100011
电话(Tel)	(010)64287193
传真(Fax)	(010)64287392
中煤集团秦皇岛进出口有限公司	
地址	河北省秦皇岛市民族路252号
邮编(Zip)	066001
电话(Tel)	(0335)3061863
传真(Fax)	(0335)3066897
天津中煤进出口有限公司	
地址	天津市和平区曲阜道85号国贸大厦15—17层
邮编(Zip)	300042
电话(Tel)	(022)23112550
传真(Fax)	(022)23301377
中煤集团青岛有限公司	
地址	山东省青岛市黄岛区崇明岛路105号
邮编(Zip)	266500
电话(Tel)	(0532)6856546

续表

传真(Fax)	(0532)6856544
中煤集团日照有限公司	
地址	山东省日照市石臼镇黄海一路94号
邮编(Zip)	276826
电话(Tel)	(0633)8332371
传真(Fax)	(0633)8338510
中煤招标公司	
地址	北京市东城区安定门外大街乙88号
邮编(Zip)	100011
电话(Tel)	(010)64287126
传真(Fax)	(010)64287189

参股企业

中联煤层气有限责任公司	
地址	北京安定门外大街甲88号
邮编(Zip)	100011
电话(Tel)	(010)64298288
传真(Fax)	(010)64298388
华晋焦煤有限责任公司	
地址	山西省柳林沙曲
邮编(Zip)	033300
电话(Tel)	(0358)4302118
传真(Fax)	(0358)4302068
江泰保险经纪股份有限公司	
地址	北京安定门西滨河路22号神华大厦7层
邮编(Zip)	100011
电话(Tel)	(010)64485688
传真(Fax)	(010)64485699

续表

福建三梅有限责任公司	
地址	福建泉州市田安路北段阳光大厦六层
邮编(Zip)	362000
电话(Tel)	(0595)7781070
传真(Fax)	(0595)7781070
大同煤业股份有限公司	
地址	山西省大同市新平旺
邮编(Zip)	037003
电话(Tel)	(0352)7021684
传真(Fax)	(0352)7052416
海南煤海有限责任公司	
地址	海南省海口市海甸四东路6号中煤大厦
邮编(Zip)	570000
电话(Tel)	(0898)66269013
传真(Fax)	(0898)66255664
北京西郊宾馆	
地址	北京市海淀区王庄路18号
邮编(Zip)	100083
电话(Tel)	(010)62322288－2682
传真(Fax)	(010)62311142
贵州盘江精煤股份有限公司	
地址	贵州省盘县
邮编(Zip)	553000
电话(Tel)	(0858)3700327
传真(Fax)	(0858)3700800
中国民生银行	
地址	北京市海淀区复兴路甲3号
邮编(Zip)	100038
电话(Tel)	(010)68579345
传真(Fax)	(010)68579343

续表

交通银行	
地址	上海市仙霞路 18 号
邮编(Zip)	200336
电话(Tel)	(021)62751234
传真(Fax)	(021)62757227
中煤信托投资有限责任公司	
地址	北京市东城区安定门外大街 2 号
邮编(Zip)	100013
电话(Tel)	(010)64482088
传真(Fax)	(010)64482055

境外机构

日本代表处	
地址	日本东京都千代田区九段南 3 丁目 7 番 2 号　安齐第二 4F
电话(Tel)	(0081)332342493
传真(Fax)	(0081)332342494
汉城代表处	
地址	韩国汉城特别市龙山区东子洞 12—5 番地碧山大厦 12 层
电话(Tel)	(0082)27275181
传真(Fax)	(0082)27275183

续表

欧洲代表处	
地址	比利时布鲁塞尔 1150,好来松大街 42 号
电话(Tel)	(0032)27702940
传真(Fax)	(0032)27626029
香港环能贸易有限公司	
地址	香港九龙尖沙咀梳士巴利道 3 号星光行 808—810 室
电话(Tel)	(00852)27351909
传真(Fax)	(00852)27306130
中日石炭株式会社	
地址	日本东京都千代田区九段南 3 丁 7 番 2 号　安齐第二 4F
电话(Tel)	(0081)332342493
传真(Fax)	(0081)332342494
欧洲发展有限公司	
地址	比利时布鲁塞尔 1150,好来松大街 42 号
电话(Tel)	(0032)27702940
传真(Fax)	(0032)27626029
中煤美国有限责任公司	
地址	美国加利福尼亚工业城 250 区卡斯顿街 17870 号
电话(Tel)	(001)6269131313
传真(Fax)	(001)6269131319

CORPORATION PROFILE

China National Coal Industry Import & Export (Group)

Corporation (CNCIEC) is a major national mainstay enterprise, which combined coal production and trade, integrated utilization of coal and coal mining machine manufacturing. By the end of 2001, it has 42 wholly owned and holding company enterprises, its assets was RMB22.5 billion, the owner's equity reached

RMB7.7 billion, and registered employees were 57 thousand.

The predecessor of CNCIEC was China Coal Import & Export Corporation, which was formed in July 1982 at the approval of the State Council. It was a national unified coal industry company that is engaged in foreign trade and economic cooperation. It was renamed as China National Coal Industry Import & Export Corporation in 1992. In 1997, China Coal Industry Import & Export Corporation, which was the core enterprise, together with China Coal Sales and Transportation Corporation, China Local Coal Mines Corporation, China Coal Production Technology Development Company and Pingshuo Coal Industry Company, jointly established CNCIEC. In May 1999, other eight companies—China National Coal Comprehensive Utilization Group Corporation, China National Coal Material Industrial Group Corporation, China National Coal Mining Engineering Equipment Group Corporation, Datun Coal & Electricity Corporation Ltd, Taiyuan Coal Gasification (Group) Corporation Ltd., and Beijing Coal Mining Machinery Factory was incorporated into the Group. And since then, CNCIEC has been one of the major state owned mainstay enterprises under the management of Enterprise Working Committee of the Central Committee of the Party.

At Present, CNCIEC has already established trade and economic cooperation relationship with more than 50 countries and areas all over the world; it has built up quite perfect supply and distribution channels and information service networks both at home and aboard. It has formed an integrated economic entity, including production, distribution, transportation, import & export and technical consulting of coal, coke, coal gas, electricity generating, coal mining machinery, mineral products, and mine construction. And CNCIEC has extended its investment to hightech, finance, construction material and chemical industries. In order to adapt to economic globalization and WTO entry, CNCIEC is now restructuring to set up a perfect modern enterprise system and to strengthen the core competitiveness. By 2005, the annual sales income will reach RMB25 billion, trade volume of coal 100 million tons, coal supply 100 million tons, and volume of profits will be double that of 2000.

Total industrial output value of CNCIEC in 2001 was RMB5.438 billion, 13.13% increased than that of 2000; total sales income reached RMB19 billion, 43.75% increased; total profit was RMB0.31 billion, 34.15% increased; total coal trade volume reached 75.33 million ton, 25.03% increased; the export of coal reached 50.84 million ton, 29.67% increased. CNCIEC ranked the fourth of the 200 largest exporters in China, and the fifteenth of the 500 largest import/export traders in China. Its main product output in 2001 was as follows raw coal production was 25.10 million ton; washed coal 13.11 million ton; coal gas 217.06 million cubicmeter; electricity generating 1.02411 billion watt; coal mining machine manufacturing 27187 ton.

CHINA NATIONAL COAL GROUP CORP.

Address: No88, Andingmenwai treet, Dongcheng District, Beijing, China Post Coad: 100011

Tel: 86—10—64287188

E—mail: CNCIEC@CHINACOAL, COM

Fax: 86—10—64287166

Http: //www. CHINACOAL. COM

科研成果

GP－16 型高喷台车的研制

完成单位：煤炭科学研究总院北京建井研究所
北京中煤矿山工程有限公司
签定日期：2002 年 4 月 10 日

高喷台车是高压喷射注浆工艺方法的主机，高喷工艺在水利、城建、市政、冶金、煤炭等行业的地下防渗帷幕和软基加固中有很广泛的应用，比如水利大坝的防渗帷幕、高层建筑基坑的防渗帷幕、市政设施基础加固、边坡护坡、竖井过流沙层等工程的应用等。

该项目立足于研制地下工程特殊施工技术中高压喷射注浆工法的施工设备，经过对其市场前景的充分调研，结合工程实际应用情况，成功地研制了高喷注浆专用设备 GP－16 型高压喷射注浆台车。该机具有以下性能及特点：

(1) 台车的结构和工作性能参数与高喷工法结合紧密，针对性强，可以完成旋、定、摆高喷工艺的施工，整机设计合理，操作方便，适用面广，工作可靠。

(2) 台车充分考虑了高喷工法的特点，设计了大高度钻架，减少了施工中辅助工作时间和故障发生率，大大提高了施工效率和施工质量；钻架高度可调，增加了台车对施工现场的适应性。

(3) 台车采用调速电机控制动力头提升速度，采用低速大扭矩马达控制动力头卡盘旋转速度，可实现无级调速，系统功率安全系数高，可靠性好。

(4) 设计了由液压马达、液压卡盘、电磁换向阀、副绞车天轮油缸等组成的液压系统，成功地实现了动力头的旋转及摆动、液压卡盘的松紧、副绞车天轮的前后移动及配合动力头纵向微调的控制。

(5) 在钻具组合设计上，研制了 φ76 三列管成套机具，提高了定、摆喷的定向精度，减少了故障发生率。

(6) 台车的调平、定位和定向装置操作简单、精度高。配套高喷机具轻便、工作可靠。

经北京凿岩机具产品质量监督检验中心检测、北京广播电视大楼基坑帷幕工程施工中的工业性试验和煤炭信息研究院查新表明，该机结构设计合理，技术先进，具有创新性，是一种高效、经济、实用、可靠性高的高压喷射注浆工法的施工设备，该机的综合性能在同类型产品中达到国际先进水平，居国内领先水平。

EBJ－120TP 型掘进机

完成单位：煤炭科学研究总院太原分院
平顶山煤业集团公司
签定日期：2002 年 5 月 11 日

由煤科总院太原分院与平顶山煤业集团合作研制开发的 EBJ－120TP 型掘进机，是在总结国内外同类机型优缺点的基础上开发的新型掘进机，其主要特点是：

(1) 机身矮，结构紧凑，适合于中等断面巷道掘进；

(2) 采用小直径截割头，单刀力大，截齿布置合理，破岩过断层能力强、切割振动小、工作稳定性好；

(3) 星轮装载机构采用液压马达直接驱动，取消了减速器，提高了装载机构的可靠性；

(4) 采用无支重轮履带行走机构，性能可靠，维护量小；

(5) 采用“三高”硬质合金和真空炉钎焊淬火一次完成新工艺生产的截齿，截齿强度高，耐磨，损耗小；

(6) 液压系统采用自动加油系统全封闭油箱，确保了油液清洁度；

(7) 电气系统采用了可编程序控制器(PLC)作为主控制器，并采用电子保护和断路器保护相结合的方式，保护功能强，具有工况检测和故障诊断功能；

该机在平顶山煤业集团一矿进行井下工业性试验，从 2002 年 1 月 28 日至 4 月 27 日共生产 90 天，累计进尺 792m，折合标准煤巷进尺 1108.8m，其中最高日进尺 21.1m，最高月进尺 401m（折合标准煤巷进尺 561.4m）。试验期间，未发生影响生产的故障。

鉴定委员会认为：该机在总体设计、适应性、可靠性上达到了同类产品的国际先进水平。该机的研制成功，将进一步提高我国采掘机械的研究制造水平，对提高我国综掘机械化程度，提高劳动生产率，缓解采掘比例失调，具有积极的促进作用，是我国煤矿实现高产高效集约化生产的理想掘进设备。为我国煤矿中型断面煤及半煤岩巷掘进机械化提供了理想的换代机型。

MYV20－A 本质安全型智能称重显示器

完成单位：煤炭科学研究总院北京高新技术开发中心

签定日期：2002 年 3 月 18 日

随着电子称重业及控制技术的发展，带动着煤炭行业也在不断地进步，增产增效，开源节流一直是煤炭行业在做的事情，对于落后的设备需要改造，落后的技术需要更新，把煤矿建设成高产高效现代化矿井是至关重要的，本项目的研制成功在煤矿称重控制业中将会起到一个重要作用，减员增效，实时监控、储、装、运现代化，给现代化管理注入了新鲜活力，这和煤矿的快速发展相适应的，因此该产品具有广阔的市场。

MYV20－A 本质安全型智能称重显示器主要应用于瓦斯及煤尘爆炸危险存在的煤矿井下，作为称重计量控制系统的称重控制显示仪表，其主要功能有：

（1）适用于所有电阻应变式称重传感器；

（2）具有多级数字滤波功能，抗干扰能力强，性能稳定；

（3）丰富的软件管理功能；

（4）具有远程数据通信功能，与微机通信可进行上位管理，提高管理水平；

（5）称重显示器具备与可编程序控制器 PLC 的接口；

（6）功能数据存储；

（7）具有自诊断功能及错误显示功能。

该产品设计思想正确，技术先进，结构紧凑，功能齐全，外形美观。经工业性试验证明，抗干扰能力强，运行稳定可靠，是煤矿井下称重控制系统中理想的智能称重显示器，具有良好的推广前景。

LY1500/865－10 型连续运输系统

完成单位：煤炭科学研究总院太原分院
神华集团有限责任公司

签定日期：2002 年 7 月 22 日

LY1500/865－10 型连续运输系统是在研究国外同类先进机型的基础上研制出的新一代国产连续运输系统。该机的研制成功，将进一步提高我国连采后配套运输机械的研究制造水平，对提高我国连采后配套运输机械化程度，提高劳动生产率，具有积极的促进作用，是我国煤矿实现高产高效生产的理想运输设备。

LY1500/865－10 型连续运输系统的主要特点和技术创新为：

（1）将刮板输送技术和履带行走技术有机结合，同时具有行走、破碎、转载和运输的功能，结构紧凑，布局合理，移动灵活，适应性强，能随连采机一起前进、后退，完成连续运输。

（2）系统与国产胶带运输机相结合，能较好地适应软岩地板条件。

（3）系统各单元之间采用全方位回转的铰接结构与可前后移动的滑行小车相结合的联接方式，使系统具有较强的适应巷道转弯和底板起伏功能。

（4）首次将 PLC 可编程控制器应用到连续运输系统中，各单元之间通讯方便、可靠，使系统实现同步移动，并且有运行状况及故障原因中文液晶显示。

（5）履带行走机构采用内藏式、小体积、高可靠性行星减速器传动机构，并具有无级调速功能。

（6）运输传动采用闭式液压系统，实现软起动。

该机于 2002 年 4 月 1 日至 6 月 30 日在神东矿区哈拉沟矿进行井下工业性试验，为期 90 天，共出煤 29.8 万 t，其中最高日产煤量 7000t，最高月产煤量 12.5 万 t。

鉴定委员会认为：LY1500/865－10 连续运输系统属于国内首创，总体技术达到了国际先进水平。它的研制成功，使连续采煤机后配套运输系统实现连续化，提高了连采工作面生产能力。该产品的应用，可替代进口，减少投资，经济效益和社会效益显著。

露天煤矿边坡蠕动变形破坏过程中的动态控制技术

完成单位：煤炭科学研究总院抚顺分院

签定日期：2002 年 10 月 12 日

课题在全面分析蠕动边坡变形、失稳破坏类型及影响因素的基础上，运用底摩擦模型试验，数值模拟分析等手段，针对蠕动边坡地下水压动态规律，采矿开挖效应和软弱夹层的蠕动特征，提出了蠕动边坡稳定性的动态分析方法，建立了蠕动边坡加速变形的中长期预测和临滑预报修改模型。

课题以研究蠕动边坡稳定性及其变形、失稳的预测与控制为中心，取得如下技术成果：

（1）蠕动边坡变形、失稳灾害类型的提出及影响因素的研究，制定了蠕动边坡的动态稳定性研究及边坡变形、失稳预测理论研究的思路。

(2) 软弱夹层非线性蠕动变形特征分析，明确了其力学强度的变化、本构关系的非线性特征，软弱夹层抗剪强度随时间降低的特性研究，为蠕动边坡动态稳定性理论分析提供了依据。

(3) 基于软弱夹层非线性流变特性建立了蠕动边坡动态稳定性分析方法，利用蠕动边坡坡面岩移监测资料，建立的蠕动边坡加速变形的中长期预测方法和蠕动边坡临滑时间预报修改模型，实现了蠕动边坡稳定性及其变形、失稳的趋势预测，实例分析结果可靠、实用，从而为科学地制定控制蠕动边坡变形破坏奠定了基础。

(4) 根据稳定蠕变与非稳定蠕变态势建立了蠕动边坡变形、失稳动态控制原理，并形成了具有实际意义的蠕动边坡动态控制技术体系。将以上成果成功地应用于多个露天矿山边坡岩体的蠕动变形与稳定控制项目中，指导了矿山生产实践，从而验证了研究成果的科学性，有效性和实用性。具有推广应用前景。

课题基础资料翔实可靠，理论与方法科学、先进、具有创新性，研究成果达到了国际先进，国内领先水平。

树脂锚固剂专用树脂的研究

完成单位： 北京中煤矿山工程有限公司
邢台矿业集团显德汪煤矿

近年来，树脂锚固剂以其承载快，使用方便等特点在煤矿井下得到广泛应用。应用范围从锚杆扩大至锚索，使用量逐年扩大。目前，国内树脂锚固剂的生产厂家已达几十家。

树脂锚固剂专用树脂的研究，对降低生产成本，保证和提高树脂锚固剂质量，具有重要意义。

通过选择廉价填料及稳定剂，采用简单的生产工艺，成功的研制了树脂锚固剂专用树脂，该树脂与原用不饱和树脂相比具有成本低，活性高，固化收缩小，贮存期长达6个月等特点，成果处于国内先进水平；

用该专用树脂生产的锚固剂经煤炭工业北京锚杆产品质检中心检测，各项性能指标达到了煤炭行业标准MT146.1—95的要求，通过邢台矿业集团显德汪煤矿井下应用证明可满足生产要求。

存在问题和改进意见：①填料的掺量，对该树脂的抗压强度影响很大，工业生产时应严格控制。②专用树脂是在不饱和树脂基料上加水等填料混合而成的新型树脂，希望进一步研究其稳定性，可靠性。

BQD1—20/660（380）K型矿用隔爆便携式开关

完成单位： 煤炭科学研究总院太原分院
签定日期： 2002年7月12日

BQD—20/660（380）K型矿用隔爆便携式开关主回路采用断路器、接触器和电子保护，从而减小开关体积和重量。断路器的过流分断，减少了更换熔断器的维护工作量。电子保护具有整定方便、动作可靠等优点。该产品设计合理，各项性能指标符合煤矿井下电气设备有关要求。该产品在交流50Hz、额定电压660V（380V）的条件下，能直接控制容量在15（10）kW以下的鼠笼型三相异步电动机，具有短路、过载、断相、漏电闭锁等保护功能，并能显示故障和工况，适用于煤矿井下小型离散电机的控制。

该产品的研制成功，有效地减少煤矿井下小型用电设备因过载、断相、漏电等因素而引起的设备损坏，同时可有效的避免或减少人身触电伤亡事故及因电气引起的火灾事故，使煤矿井下小型用电设备的使用更安全、更可靠，提高设备的利用率和有效工作时间。

近年来，该项目研制的开关已先后在神东精煤公司、西山煤电集团、潞安矿务局、峰峰矿务局、邢台矿务局等地销售200余台，得到了用户的认可，获得了良好的经济和社会效益。

HRKG—3型煤灰熔融性测定仪的研制

完成单位： 煤炭科学研究总院煤化学研究所
评议日期： 2002年4月18日

HRKG—3型煤灰熔融性测定仪是在原煤灰熔融性测定仪的基础上，经二次开发研制的新型换代产品。

仪器炉体采用硅酸铝棉纤维材料，提高了炉体保温性能，减小了炉体体积近一半，减轻炉体重量约2/3；改进控温系统及关键元器件，延长了仪器使用寿命；研制出测定图像合成的时钟计时器，实现了录像机自动时间录入功能，提高了测定仪的检测功能。仪器的外观简洁、美观、大方。

该仪器已由煤化所煤质仪器研制中心进行了小批量生产。由于成本降低同时性能有较大的提高，已取得了较好的经济效益。

煤炭地下气化可行性调研

完成单位：煤炭科学研究总院北京煤化所
天地科技股份公司开采所事业部
评议日期：2002 年 4 月 12 日

煤炭地下气化是将煤炭在地下通过与通入的气体剂发生化学反应，直接将固体煤转化成煤气的过程。作为一项独特的煤炭化学开采方式，已有一百多年的发展历史。煤科总院作为煤炭行业的龙头，为掌握该技术的发展动态，探索我院发展煤炭地下气化的可行性，于 2001 年 8 月成立了“煤炭地下气化可行性调研组”，组织人员开展国内外煤炭地下气化发展现状的调研。内容主要包括：国内外煤炭地下气化工艺发展的历史；煤炭地下气化技术原理及实际生产运行的操作控制；煤炭地下气化的适应性；目前国内地下气化技术的主要问题、解决的办法及发展趋势等。

本项目通过调研，基本掌握了国内外煤炭地下气化工艺技术发展的历史和现状，论证了煤炭地下气化原理及工艺特征、地下气化实际生产过程所用的检测和控制技术手段、目前国内外发展地下气化存在的主要问题等。还较详细地论证了地下气化技术在国外发展情况和我国地下气化技术开发的特点，指出了技术本身的局限性，在此基础上，提出了发展我国煤炭地下气化的适宜条件及地下气化今后的发展趋势。根据现有资料，对地下气化的经济性作了粗略的评估。

锚杆钻机试验台

完成单位：煤炭科学研究总院测试中心
评议日期：2002 年 4 月 18 日

该项目是根据锚杆钻机生产厂家和煤矿现场使用锚杆钻机的实际情况提出来的，已经部分实现产业化；在今后若干年内锚杆钻机试验台在锚杆钻机出厂检验、煤矿维修锚杆钻机与回转类机具检验等方面有良好应用前景，可取得良好的经济效益。

取得成果：

(1) 研制出锚杆钻机出厂性能检测和维修后性能测试的综合试验台。改进目前试验台加载系统在轻、重载荷运转时不稳的状况，能够平稳地测量气动锚杆钻机最大转矩。

(2) 调整锚杆钻机试验台加载方法，既可以采用手动加载方式，又可以采用自动加载方式。

(3) 开发出锚杆钻机试验台数据分析处理系流，采用多种性能参数随机采样与即时处理，同时绘制输出功率曲线和效率曲线，自动确定气动锚杆钻机最大功率点。

DWH、DWL 环保型单体液压支柱

完成单位：天地科技股份有限公司开采所事业部
评议日期：2002 年 4 月 22 日

DWH、DWL 环保型单体液压支柱以水为工作介质，从根本上解决了长期以来外注式单体液压支柱向地下排放乳化液，污染地下水资源的问题，对于环境保护具有重大意义。

该支柱采用了高耐蚀的碱性锌镍电镀技术，在多年研究实践的基础上又进行了改进，并全面应用于支柱的油缸、活柱和三用阀等主要零部件，统一规范了表面处理工艺。结构上，在保持原有支柱管材和加工工艺基本不变的前提下，实现了活柱与活塞的一体化，解决了活柱与活塞配合面的锈蚀问题，此外在顶盖、底座等结构部位也进行了优化，进一步减少了材料消耗，降低了支柱成本。所采用的碱性锌镍电镀工艺与传统的氰化电镀工艺相比，不仅大大减轻了电镀过程中对环境的污染，而且减少了电镀工序，明显提高了效率。

本产品在通过技术鉴定后，已开始面向全国支柱（三用阀）生产厂进行技术转让，目前已与 6 家支柱生产厂和 2 家三用阀生产厂签订了技术转让合同，取得技术转让 50 万元，预计今后若干年内将具有良好的市场推广前景。

评议委员会认为，该型支柱采用高耐蚀碱性锌镍合金镀层，成功地用水代替了乳化液作为工作介质，具有重要的环保效益，同时节省了乳化油，具备良好的经济效益。支柱加工工艺简单，成本基本接近普通乳化液支柱，适合批量生产，是一种更新换代的支柱产品，具有良好的推广应用前景。

大断面巷（隧）道掘进通风除尘成套装备

完成单位：煤炭科学研究总院重庆分院
评议日期：2002 年 3 月 26 日

本项目的研究开发，为大断面巷（隧）道掘进提供了通风除尘成套装备及技术，解决了大断面、长距离巷（隧）道的通风、粉尘及瓦斯等问题，改善了掘进作业的劳动卫生条件；同时开发的风机 CAD 设计软件，提高了我国矿井防爆型通风机的开发设计水平，使风机的性能在样机加工前便能通过计算机自动设计，达到最优化。

项目取得了5项重要研究成果：(1) 2×55kW对旋式局部通风机及新一代FD I I系列风机；(2) 高强度、低阻、低漏风率矿用风筒；(3) 涡流控尘装置；(4) 旋流除尘器；(5) 大断面巷（隧）道掘进通风除尘成套工艺技术。

项目研究成果整体达到了国际先进水平，其中，2×55kW对旋局部通风机填补了国内空白，达到了德国、日本、英国和波兰20世纪90年代中期的技术水平；FD I I 2×15kW对旋局部通风机效率达到85.7%，处于同类风机的世界先进水平；涡流控尘装置填补了国内控尘技术的空白，达到了国外同类技术的先进水平；旋流除尘器达到了高效除尘、高效脱水的技术要求，其主要技术指标超过了MT159—1995《矿用除尘器》的规定，满足了煤矿井下的使用要求，填补了我国煤矿高效湿式旋流除尘器的空白；强力风筒处于国内领先水平。这些研究成果既能配套使用，也能单独使用，具有很强的灵活性和适用性。

矿井火灾多参数监测预报系统

完成单位：煤炭科学研究总院抚顺分院
评议日期：2002年3月26日

该项目在融合煤科总院抚顺分院“六五”、“七五”、“八五”和“九五”期间相继研究、开发和生产出的ASZ—Ⅱ型矿井火灾早期预测预报系统、KJF火灾监控系统、KJS5000型胶带火灾监控系统、BZJC型瓦斯泵站监控系统和FDZB-1A型风电瓦斯闭锁装置的基础上，开发出了一套集多参数矿用传感器于一体、网络功能完善、具备矿井瓦斯突出监测、矿井火灾预测预报、技术性能先进且符合我国煤矿安全生产实际需要的综合性大型监测监控系统。

该研究内容在原项目的基础上，扩充了许多内容，主要是矿井环境监测和矿井安全生产监控功能。环境监测主要监测煤矿井下各种有毒有害气体及工作面的作业条件，如甲烷、一氧化碳，氧气浓度、风速、温度、顶板压力、空气压力、烟雾和粉尘浓度等；生产监控主要是监控井上、下主要生产环节的各种生产参数和重要设备的运行状态参数，如煤仓煤位、水泵状态和排水量、提升机、局部通风机、压风机、胶带机、采煤机、开关、磁力起动器、供电运行状态等参数。

该项目研究完成的KJF2000矿井安全生产综合监控系统，是一套集煤矿安全生产监控和管理决策于一体的网络化计算机综合监控系统。系统设计合理，工作稳定，数据准确，功能完善，其技术成果经专家鉴定委员会评定认为达到了国内领先水平。

通过近1年对39套系统的推广应用表明：该系统功能完善、设计合理、工作稳定、监测数据准确可靠，适合大、中、小型煤矿推广使用。研究成果为产业化研究奠定了坚实的基础。

矿用蜂窝状全双工无线电通讯系统

完成单位：煤炭科学研究总院常州自动化研究所
评议日期：2002年3月26日

常州自动化研究所成功研究开发了KT14A型矿用蜂窝状全双工无线电通讯系统。鉴于煤矿对移动调度无线电通讯系统的需求，在研制与完善KT14A系统同时，通过技术移植方式，派生了KTW3型矿用机车无线电通讯装置，共开发完成了井上井下调度机、小区发射机、小区接收机、无线电手机等16种设备。

通过划分小区方法，采用有线/无线相结合的原始性分布收发讯创新组网技术，有机的将矿用调度网与矿用无线电通讯相结合，实现了流动人员的全双工无线电通讯与移动设备（如架线机车）调度无线电通讯。解决的关键技术：

(1) 采用分布收发讯技术扩大了无线电通讯覆盖范围，尽量消灭死角。

(2) 对中继小区中的发射机与接收机采用远方供电技术。

(3) 将常用的中继站控制器设计成井下本安智能接讯器。

(4) 将常用的接入网设计多路成本安接续器。

(5) 解决机车用的高输入的逆变电源。

(6) 井上/井下调度指挥机。

(7) 分布接收机。

(8) 分布发射机。

(9) 具有电磁兼容性高频阻波器。

其创新点：

(1) 组网方式、总体布局、系统功能、成套设备具有创新性。

(2) 全方位的互联互通。

(3) 优异的扩展性与兼容性。

(4) 提出了原始性创新的分布收发讯理论。

(5) 有机地将矿井原有调度网与分布接收机和分布发射机天线复用。

(6) 中低频（1～3MHz）自动搜寻信道的大哥大手机硬件设计。

(7) 具有自主知识产权新的电路设计：

低压差大电流恒流源电路设计；高输入高效率DC/DC变换器；无工频变压器的矿用本安电源；分布发射机；分布接收机；有线/无线接口；大功率安全栅；隔爆兼本安不间断电源在线全自动保护技术；电源的

安全栅；双向 2/4 转换无掉字；低功耗的音控技术；分散式矿用本安耦合器；本安智能接续器软硬件。

系统经过国家指定检验机构型式检验与防爆性能检验，共取得了 16 种煤矿安全标志认证。KT14A 系统与 KTW3 系统装置首次在煤矿中采用有线无线相结合的分布式收发讯技术，解决了矿井流动人员、矿井移动设备的井下无线电通讯问题，同时也可用于其他相类似行业。该系统经过 3 个月工业试验，综合技术指标达到了国际先进水平，取得了较好的经济效益。

TY6/20FB 型井下防爆低污染中型客货胶轮车

完成单位：煤炭科学研究总院太原分院
评议日期：2002 年 3 月 26 日

TY6/20FB 型井下防爆低污染中型客货胶轮车的研制项目是为了适应我国煤矿高产高效矿井发展的需要而提出的，其目标是研制适合于我国煤矿井下运输特点的无轨辅助运输设备，提高煤矿生产的辅助运输效率，实现减员增效以提高煤矿企业的经济效益，同时，开辟我国煤矿井下无轨防爆低污染胶轮车的技术研究开发领域，填补国内空白，缩短与国外同类技术的差距。

该项目研究的无轨胶轮车是一种新型的矿用辅助运输设备，该设备综合了国外同类车型的优点，运输速度快，故障率低，性能优良，运行可靠，操作维护方便，其技术特点为：

(1) 车型为前后机架铰接式，全液压转向，转弯半径小，操纵灵活，可快换车厢进行人员和货物运输。

(2) 采用高通气性网式进气防爆栅栏，软连接水波纹排气管和水冷却净化装置。

(3) 采用液力机械式传动，具有自动适应载荷变化功能，制动系统采用气顶油双管路工作制动。

(4) 采用光电超速和瓦斯报警失气自动停车装置，安全保护全气化，设有 8 种安全保护系统，保护齐全。

该车在神东矿区井下连续使用近 2 年，运行正常，能满足生产需要。2000 年 3 月，通过了国家煤矿安全监察局组织的鉴定，整机性能指标达到国际先进水平。

该项目研制的胶轮车，在条件适宜的矿井中是一种能力大、机动灵活的辅助运输设备，在我国具有广阔的使用前景。该项技术也为产业化发展打下了良好基础。

TY6/20FB 型井下防爆低污染中型客货胶轮车的研制成功，有效解决了我国胶轮车一直依赖进口的状况，不仅解决了市场急需，而且充分利用其在价格和服务等方面的优势替代了进口产品，为我国传统煤炭产业的升级换代、改善我国辅助运输落后状况提供了可靠的技术支撑和保障，加速我国煤炭工业由劳动密集型向技术密集型转化，促进煤炭企业生产技术上水平、上档次，同时带动了国内机械、电子、液压、制造等相关产业的发展，具有比较明显的经济效益和社会效益。

先进单位和个人

先进单位

2002年度全国煤炭工业双十佳煤矿名单

（排名不分先后）

神华集团神府东胜煤炭有限责任公司榆家梁煤矿
神华集团准格尔能源有限责任公司黑岱沟露天煤矿
中国中煤能源集团大屯煤电(集团)有限责任公司龙东煤矿
开滦精煤股份有限公司范各庄矿业分公司
山西焦煤集团西山煤电股份有限公司杜儿坪煤矿
山西焦煤集团汾西矿业(集团)有限责任公司柳湾煤矿
潞安矿业（集团）有限责任公司漳村煤矿
大同煤矿集团有限责任公司燕子山煤矿
阜新矿业（集团）有限责任公司海州露天煤矿
鹤岗煤矿集团公司南山煤矿
兖矿集团有限责任公司东滩分公司
枣庄矿业（集团）有限责任公司新安煤矿
山东省济宁市太平煤矿
永城煤电（集团）有限责任公司陈四楼煤矿
义马煤业（集团）有限责任公司耿村煤矿
湖南资兴矿业集团有限责任公司周源山煤矿
铜川矿务局下石节煤矿
靖远煤业有限责任公司魏家地煤矿
宁夏煤业集团有限责任公司灵新煤矿
新疆乌鲁木齐矿业（集团）有限责任公司六道湾煤矿

第八届(2002年度)全国煤炭工业优秀企业名单

（排名不分先后）

神华集团神府东胜煤炭有限责任公司
神华集团准格尔能源有限责任公司
中国中煤能源集团大屯煤电（集团）有限责任公司
中国煤炭进出口公司
开滦（集团）有限责任公司
峰峰集团有限公司
大同煤矿集团有限责任公司
山西焦煤集团公司
潞安环保能源开发股份有限公司
山西省大同市东周窑煤炭集团有限责任公司
内蒙古霍林河露天煤业股份有限公司
抚顺矿业集团有限责任公司
铁法煤业（集团）有限责任公司
江苏省扬州市煤炭工业公司
安徽省皖北煤电集团有限责任公司
煤炭工业合肥设计研究院
福建省永安煤业有限责任公司
萍乡矿业集团有限责任公司
淄博矿业集团有限责任公司
山东省济宁市鹿洼煤矿
平顶山煤业（集团）有限责任公司
永城煤电（集团）有限责任公司
郑州煤矿机械集团有限责任公司
松藻煤电有限责任公司
甘肃省华亭煤业集团有限责任公司
宁夏煤业集团有限责任公司

新疆哈密煤业（集团）有限责任公司
中煤建设安装工程公司
中煤建设集团工程公司
广州中煤江南基础工程公司
西安煤航现代测绘工程公司

2002年度“煤炭工业科技进步双十佳矿井”

阳泉煤业（集团）公司一矿
晋城无烟煤矿业集团公司凤凰山矿
平顶山煤矿（集团）公司六矿
枣庄矿业（集团）公司蒋庄矿
淄博矿业（集团）公司许厂矿
大屯煤电（集团）公司姚桥矿
龙口矿业集团公司北皂矿
山西焦煤集团公司马兰矿
潞安矿业（集团）公司五阳矿
山西焦煤集团公司西铭矿
淮北矿业（集团）公司祁南矿
靖远煤业（集团）公司王家山矿
太西集团有限责任公司白笈沟矿
开滦（集团）公司钱家营矿
大同煤矿集团有限责任公司州窑矿
皖北煤电（集团）公司恒源煤电公司
新汶矿业（集团）公司协庄矿
永城煤电（集团）公司陈四楼矿
抚顺矿业（集团）公司老虎台矿
新汶矿业（集团）公司翟镇矿

2002年度全国煤炭行业（部级）等级处名单

肥城矿业集团鲁泰工程有限公司
中煤第三建设公司第二十九工程处
中煤五公司第五工程处
中煤第三十一工程处
中煤第四十九工程处
河南矿业建设第三工程公司
唐山开滦建设（集团）有限责任公司建筑工程分公司

2002年度全国煤炭行业先进施工企业名单

江西中煤路桥工程有限公司
福建联美工程建设有限公司
北京中煤地技术装备公司
中煤第五建设公司孟巴煤矿工程项目部
肥城矿业集团鲁泰工程有限公司
甘肃煤炭第一工程公司
峰峰矿务局建筑总公司
山东临沂华建工程有限责任公司
中煤地质工程总公司
中煤第五建设公司第三工程处
陕西煤炭建设公司第五工程处
太西集团宁夏建筑安装工程有限责任公司
中国煤炭地质总局光华地质基础工程公司
山东华新建筑工程集团有限责任公司
宁夏煤炭基本建设公司第五建筑分公司
中煤第一建设公司特殊凿井处
宁夏煤炭基本建设公司第十建筑分公司
山西金信建筑有限公司
中国煤田地质总局华盛水文地质勘察工程公司
江西省矿山隧道建设总公司
福建煤炭工业基本建设有限公司
中煤一公司第四十九工程处
徐州矿务集团工程建设有限公司华新分公司
宁夏煤炭基本建设公司第一建筑分公司
中煤一公司第三十一工程处
邢台矿业工程有限责任公司
中煤第三建设公司设备安装公司
四川煤矿基本建设工程公司
宁夏煤炭基本建设公司第七建筑分公司
中煤建安公司第六十八工程处
中煤一公司第十工程处
中煤第三建设公司机电安装工程处
吉林省宏城建筑安装工程有限公司
大同煤矿集团宏远工程建设有限责任公司
山西宏厦建筑工程第三有限公司
河南矿业建设第三工程公司

2002年度安全生产监督管理先进单位名单

北京市朝阳区安全生产委员会办公室
北京市门头沟区安全生产委员会办公室
天津市塘沽区安全生产监督管理局
天津市西青区安全生产监督管理局
河北省石家庄市安全生产监督管理局
河北省保定市安全生产监督管理局
山西省晋城市安全生产监督管理局
山西省朔州市安全生产监督管理局
内蒙古自治区兴安盟经贸委安全生产监管科
辽宁省沈阳市安全生产监督管理局
辽宁省朝阳市安全生产监督管理局
吉林省长春市安全生产委员会办公室
吉林省四平市梨树县安全生产委员会办公室
黑龙江省哈尔滨市安全生产委员会办公室
黑龙江省绥化市安全生产监督管理局
上海市松江区安全生产监察局
上海市长宁区安全生产监察局
江苏省无锡市安全生产监督管理局
江苏省镇江市安全生产监督管理局
浙江省杭州市安全生产监督管理局
安徽省铜陵市安全生产监督管理局
安徽省马鞍山市安全生产监督管理局
福建省莆田市安全生产监督管理局
福建省石狮市安全生产监督管理局
江西省南昌市安全生产监督管理局
江西省上高县安全生产监督管理局
山东省莱芜市安全生产监督管理局
山东省邹城市安全生产监督管理局
河南省焦作市安全生产监督管理局
河南省汝州市安全生产监督管理局
湖北省鄂州市安全生产监督管理局
湖南省怀化市安全生产监督管理局
湖南省岳阳市安全生产监督管理办公室
广东省中山市安全生产监督管理局
广东省惠州市安全生产监督管理局
广西壮族自治区梧州市安全生产监督管理局
广西壮族自治区柳州地区安全生产监督管理局
海南省海口市经济贸易局安全生产管理监督科
重庆市九龙坡区安全生产监督管理局
重庆市南岸区安全生产监督管理局
四川省自贡市安全生产监督管理局
四川省广元市安全生产监督管理局
贵州省贵阳市安全生产委员会办公室
云南省曲靖市富源县安全生产监督管理局
云南省思茅地区景谷傣族彝族自治县安全生产监督管理局
西藏自治区拉萨市经贸委安全生产监督科
陕西省榆林市安全生产监督管理局
陕西省西安市雁塔区安全生产监督管理局
甘肃省兰州市安全生产监督管理局
甘肃省武威市凉州区安全生产监督管理局
青海省海北藏族自治州门源回族自治县安全生产监督管理局
青海省西宁市大通回族土族自治县安全生产监督管理局
宁夏回族自治区吴忠市安全生产监督管理局
宁夏回族自治区隆德县安全生产领导小组办公室
新疆维吾尔自治区昌吉州安全生产监督管理局
新疆维吾尔自治区克拉玛依市安全生产监督管理局
大连市经济技术开发区劳动人事局劳动安全监察处
宁波市安全生产监督管理局
青岛市安全生产监督管理局
厦门市安全生产监督管理局
深圳市安全生产监督管理局
新疆生产建设兵团农四师安全生产委员会办公室

2002年度煤矿安全监察先进办事处名单

邯郸煤矿安全监察办事处
邢台煤矿安全监察办事处
大同煤矿安全监察办事处
西山煤矿安全监察办事处
赤峰煤矿安全监察办事处
乌海煤矿安全监察办事处
锦州煤矿安全监察办事处
铁法煤矿安全监察办事处
延吉煤矿安全监察办事处
七台河煤矿安全监察办事处
淮南煤矿安全监察办事处
萍乡煤矿安全监察办事处
济宁煤矿安全监察办事处
淄博煤矿安全监察办事处
郑州煤矿安全监察办事处
常德煤矿安全监察办事处
万州煤矿安全监察办事处
宜宾煤矿安全监察办事处
广元煤矿安全监察办事处
盘江煤矿安全监察办事处
曲靖煤矿安全监察办事处
榆林煤矿安全监察办事处
平凉煤矿安全监察办事处
大武口煤矿安全监察办事处
奎屯煤矿安全监察办事处

2002年度安全生产监督管理先进单位

北京市朝阳区安全生产委员会办公室
北京市门头沟区安全生产委员会办公室
天津市塘沽区安全生产监督管理局
天津市西青区安全生产监督管理局
河北省石家庄市安全生产监督管理局
河北省保定市安全生产监督管理局
山西省晋城市安全生产监督管理局
山西省朔州市安全生产监督管理局
内蒙古自治区兴安盟经贸委安全生产监管科
辽宁省沈阳市安全生产监督管理局
辽宁省朝阳市安全生产监督管理局
吉林省长春市安全生产委员会办公室
吉林省四平市梨树县安全生产委员会办公室
黑龙江省哈尔滨市安全生产委员会办公室
黑龙江省绥化市安全生产监督管理局
上海市松江区安全生产监察局
上海市长宁区安全生产监察局
江苏省无锡市安全生产监督管理局
江苏省镇江市安全生产监督管理局
浙江省杭州市安全生产监督管理局
安徽省铜陵市安全生产监督管理局
安徽省马鞍山市安全生产监督管理局
福建省莆田市安全生产监督管理局
福建省石狮市安全生产监督管理局
江西省南昌市安全生产监督管理局
江西省上高县安全生产监督管理局
山东省莱芜市安全生产监督管理局
山东省邹城市安全生产监督管理局
河南省焦作市安全生产监督管理局
河南省汝州市安全生产监督管理局
湖北省鄂州市安全生产监督管理局
湖南省怀化市安全生产监督管理局
湖南省岳阳市安全生产监督管理办公室
广东省中山市安全生产监督管理局
广东省惠州市安全生产监督管理局
广西壮族自治区梧州市安全生产监督管理局
广西壮族自治区柳州地区安全生产监督管理局
海南省海口市经济贸易局安全生产管理监督科
重庆市九龙坡区安全生产监督管理局
重庆市南岸区安全生产监督管理局
四川省自贡市安全生产监督管理局
四川省广元市安全生产监督管理局
贵州省贵阳市安全生产委员会办公室
云南省曲靖市富源县安全生产监督管理局
云南省思茅地区景谷傣族彝族自治县安全生产监督管理局
西藏自治区拉萨市经贸委安全生产监督科
陕西省榆林市安全生产监督管理局
陕西省西安市雁塔区安全生产监督管理局
甘肃省兰州市安全生产监督管理局
甘肃省武威市凉州区安全生产监督管理局
青海省海北藏族自治州门源回族自治县安全生产监督管理局
青海省西宁市大通回族土族自治县安全生产监督管理局
宁夏回族自治区吴忠市安全生产监督管理局
宁夏回族自治区隆德县安全生产领导小组办公室
新疆维吾尔自治区昌吉州安全生产监督管理局
新疆维吾尔自治区克拉玛依市安全生产监督管理局
大连市经济技术开发区劳动人事局劳动安全监察处
宁波市安全生产监督管理局
青岛市安全生产监督管理局
厦门市安全生产监督管理局
深圳市安全生产监督管理局
新疆生产建设兵团农四师安全生产委员会办公室

2002年度全国煤炭行业（部级）等级队名单

中煤建安公司第六工程处芜湖工程项目部
陕西煤炭建设公司第五工程处第二作业队
陕西煤炭建设公司第五工程处第三作业队
陕西煤炭建设公司第五工程处第五作业队
陕西煤炭建设公司第五工程处勉宁隧道队
中煤三建机电安装处唐口项目部
肥城矿业集团鲁泰工程有限公司二工区
肥城矿业集团鲁泰工程有限公司机电安装工区
临沂华建工程公司第六公司掘进一队
临沂华建工程公司第六公司掘进二队
峰峰矿务局工程处土建工区
峰峰矿务局工程处机电安装队
中煤第二十九工程处2901队
中煤第二十九工程处2904队
中煤第二十九工程处2907队
中煤第二十九工程处2908队
中煤第二十九工程处2909队
中煤第二十九工程处青年队
中煤第三十工程处3004队
中煤第三十工程处3006队
中煤第七十一工程处7101队
中煤第七十一工程处7103队
中煤第七十一工程处7109队
中煤第七十一工程处宿州师专项目部
中煤第七十一工程处土建三队
中煤第七十一工程处机电安装公司

中煤五公司第一工程处 108 队
中煤五公司第一工程处 109 队
中煤五公司第一工程处 110 队
中煤五公司第二工程处 207 队
中煤五公司第二工程处 213 队
中煤五公司第三工程处唐口项目部矿建队（半年）
中煤五公司第三工程处梁宝寺项目部矿建队（半年）
中煤五公司第三工程处新驿项目部矿建队（半年）
中煤五公司第四工程处 401 队
中煤五公司第四工程处 410 队
山东华新建筑工程集团公司莱新铁矿掘进队（半年）
山东华新建筑工程集团公司第九项目部
中煤第十工程处安装公司
中煤第十工程处矿建一队
中煤第十工程处矿建六队
中煤第十工程处矿建八队
中煤第十工程处矿建九队
中煤第十工程处矿建十二队
中煤第三十一工程处矿建一队
中煤第三十一工程处矿建二队
中煤第三十一工程处矿建三队
中煤第三十一工程处矿建六队
中煤第三十一工程处矿建八队
中煤第三十一工程处矿建十一队
中煤第三十一工程处矿建十五队
中煤第三十一工程处矿建十六队
中煤第三十一工程处矿建二十队
中煤第三十一工程处矿建二十一队
中煤第四十九工程处多种经营公司
中煤第四十九工程处安装二工区机电安装队
中煤第四十九工程处白音诺尔项目部矿建一队
中煤第四十九工程处矿建二队
中煤第四十九工程处白音诺尔项目部矿建四队
中煤第四十九工程处济二项目部矿建五队
中煤第四十九工程处第一凿井项目部矿建六队
中煤第四十九工程处济二项目部矿建八队
中煤第四十九工程处曲江项目部矿建九队
中煤第四十九工程处矿建十队
中煤第四十九工程处崔家寨项目部矿建十五队
中煤第四十九工程处郭二庄项目部矿建十七队
中煤第四十九工程处第四凿井项目部矿建二十一队
中煤第四十九工程处崔家寨项目部矿建二十二队
中煤第四十九工程处东庞项目部矿建二十四队
中煤第四十九工程处矿建二十八队
中煤一公司工程公司肥城项目部矿建二队
中煤一公司工程公司武安金色花园项目部土建一队
河南矿业建设第三工程公司建筑装饰公司
河南矿业建设第三工程公司机电安装公司
河南矿业建设第三工程公司掘进一队
河南矿业建设第三工程公司开拓一队
河南矿业建设第三工程公司开拓二队
河南矿业建设第三工程公司开拓三队
河南矿业建设第三工程公司开拓六队
唐山开滦建设(集团)有限责任公司建筑工程分公司李子权项目部
唐山开滦建设(集团)有限责任公司建筑工程分公司卞明生项目部
唐山开滦建设(集团)有限责任公司建筑工程分公司张建军项目部
中煤第五建设公司孟巴工程项目部矿建一队
中煤第五建设公司孟巴工程项目部矿建三队
中煤第五建设公司孟巴工程项目部土建队
中煤第五建设公司孟巴工程项目部安装队
同煤集团宏远工程建设公司矿建工程部掘进一队
同煤集团宏远工程建设公司矿建工程部掘进二队
同煤集团宏远工程建设公司高栓新项目部
同煤集团宏远工程建设公司陈源祥项目部
同煤集团宏远工程建设公司李树平项目部
同煤集团宏远工程建设公司丁小新项目部
同煤集团宏远工程建设公司朱新芝项目部
同煤集团宏远工程建设公司傅茂林项目部
同煤集团宏远工程建设公司孙奋项目部
同煤集团宏远工程建设公司马夺项目部
同煤集团宏远工程建设公司吴祥项目部
同煤集团宏远工程建设公司第一机电工程部
同煤集团宏远工程建设公司第二机电工程部
同煤集团宏远工程建设公司第三机电工程部
同煤集团宏远工程建设公司第四机电工程部

注：矿建队 67 个单位、土建队 22 个单位、安装队 12 个单位。

2002年度煤炭工业高产高效矿井(露天)名单

(共134处)

一、国家级高产高效矿井（露天）24处

序号	省（区）	隶属企业	矿井名称	序号	省（区）	隶属企业	矿井名称
1	神华集团公司	神东煤炭公司	大柳塔矿大柳塔井	12			漳村矿
2	神华集团公司	神东煤炭公司	榆家梁矿	13	辽宁	铁法煤业集团公司	大兴矿
3	神华集团公司	神东煤炭公司	补连塔矿	14			大隆矿
4	神华集团公司	神东煤炭公司	大柳塔矿活鸡兔井	15			晓南矿
5	神华集团公司	神东煤炭公司	上湾煤矿	16		国投新集能源公司	新集二矿
6	神华集团公司	准格尔煤炭公司	黑岱沟露天矿	17	安徽	淮南矿业集团公司	张集矿
7	中煤进出口集团公司	平朔煤炭公司	安太堡露天矿	18	山东	兖州煤业公司	东滩矿
				19			济三矿
8	华能集团公司	伊敏煤电公司	露天矿	20			兴隆庄矿
				21			鲍店矿
9	河北	邢台矿业集团公司	东庞矿	22			南屯矿
				23	甘肃	华亭煤业集团公司	华亭矿
10	山西	潞安矿业集团公司	王庄矿	24		靖远煤业集团公司	大水头矿
11			常村矿				

二、行业级高产高效矿井（露天）88处

序号	省（区）	隶属企业	矿井名称	序号	省（区）	隶属企业	矿井名称
1	神华集团公司	神东煤炭公司	哈拉沟矿	5			龙东煤矿
2			大海则矿	6		太原煤气化公司	嘉乐泉矿
3			乌兰木伦矿	7	河北	开滦集团公司	钱家营矿
4	中煤进出口集团公司	大屯煤电公司	姚桥煤矿	8			范各庄矿

续表

序号	省（区）	隶属企业	矿井名称
9			唐山矿
10			荆各庄矿
11		邢台矿业集团公司	邢台矿
12	山西	大同煤矿集团公司	燕子山矿
13			四台矿
14			马脊梁矿
15			同家梁矿
16			忻州窑矿
17		潞安矿业集团公司	五阳矿
18		山西焦煤集团公司	杜尔坪矿
19			马兰矿
20			官地矿
21			西铭矿
22			屯兰矿
23			西曲矿
24			东曲矿
25			镇城底矿
26		山西焦煤集团霍州煤电公司	三交河煤矿
27		山西焦煤集团汾西矿业公司	贺西矿
28		阳泉煤业集团公司	一矿北丈八井
29			三矿
30		临汾市乡宁县	申南凹焦煤公司
31	内蒙古	呼煤集团大雁煤业公司	二矿
32			一矿
33		霍林河煤业集团公司	南露天矿
34		扎赉诺尔煤业公司	灵泉矿
35			灵北矿
36	辽宁	抚顺矿业集团公司	虎台煤业分公司
37		阜新矿业集团公司	海州露天矿
38			艾友矿
39			孙家湾矿
40		铁法煤业集团公司	小康矿
41			晓明矿
42			大明一矿
43	江苏	徐州矿务集团公司	权台矿
44			张双楼矿
45			庞庄矿庞庄井
46			夹河矿
47	安徽	淮南矿业集团公司	谢桥矿
48			潘三矿
49		淮北矿业集团公司	朱庄矿
50			朔里矿
51		皖北煤电集团公司	任楼矿
52			百善矿

续表

序号	省（区）	隶属企业	矿井名称	序号	省（区）	隶属企业	矿井名称
53		国投新集能源公司	新集一矿	72			六矿
				73			四矿
54			新集三矿	74			十二矿
55	山东	淄博矿业集团公司	许厂矿	75			先锋矿
56			岱庄矿	76		义马煤业集团公司	耿村矿
57			葛亭矿	77			杨村矿
58		枣庄矿业集团公司	蒋庄矿	78		永城煤电集团公司	陈四楼矿
59			付村矿				
60			新安矿	79	陕西	黄陵矿业公司	一矿
61		兖州煤业公司	济二矿	80		铜川矿务局	玉华矿
62		新汶矿业集团公司	翟镇矿				
63			协庄矿	81		咸阳市彬县煤炭公司	下沟煤矿
64			良庄矿	82	甘肃	华亭煤业集团公司	砚北矿
65			鄂庄矿				
66		龙口矿业集团公司	梁家矿	83		靖远煤业集团公司	魏家地矿
67			北皂矿	84			红会一矿
68		肥城矿业集团公司	白庄矿	85	新疆	哈密煤业集团公司	井采公司
69			曹庄矿				
70		济宁市济宁矿业集团公司	鹿洼矿	86		乌鲁木齐矿业集团公司	碱沟矿
				87			小红沟矿
71	河南	平顶山煤业集团公司	一矿	88			大洪沟矿

三、省级高产高效矿井（露天）22处

序号	省（区）	隶属企业	矿井名称	序号	省（区）	隶属企业	矿井名称
1	神华集团公司	神东煤炭公司	马家塔露天矿	2	中煤进出口集团公司	太原煤气化公司	炉峪口矿

续表

序号	省（区）	隶属企业	矿井名称
3	山西	大同煤矿集团公司	雁崖矿
4			晋华宫
5			大斗沟矿
6			云岗矿
7		山西焦煤集团霍州煤电公司	辛置煤矿
8		阳泉煤业集团公司	新景矿
9		晋城无烟煤业集团公司	古书院矿
10			王台铺矿
11			凤凰山矿
12	辽宁	抚顺矿业集团公司	西露天矿
13		沈阳煤业集团公司	西马矿
14		铁法煤业集团公司	小青矿
15	吉林	辽源矿务局	梅河三井
16	山东	兖州煤业公司	北宿煤矿
17	河南	平顶山煤业集团公司	十矿
18		郑州煤炭工业集团公司	超化矿
19			裴沟矿
20			米村矿
21		鹤壁煤业集团公司	三矿
22			四矿

先进个人

2002年度全国煤炭工业双十佳矿长名单

（排名不分先后）

曲金田　神华集团神府东胜煤炭有限责任公司大柳塔煤矿矿长
祁和刚　中国中煤能源集团大屯煤电（集团）公司姚桥煤矿矿长
杜和平　神华集团包头矿业公司阿刀亥煤矿矿长
杨德林　邯郸矿业集团有限公司云驾岭煤矿矿长
李鸿双　山西晋城无烟煤矿业集团有限责任公司古书院矿矿长
李树奎　山西潞安矿业（集团）有限责任公司五阳煤矿矿长
李贵生　山西焦煤集团公司汾西矿业集团水峪煤矿矿长
王水金　山西省乡宁县地方国营台头煤矿矿长
刘英志　七台河矿业精煤（集团）有限公司龙湖分公司经理
来存良　兖州煤业股份有限公司兴隆庄煤矿矿长
陈　杰　新汶矿业集团有限责任公司鄂庄煤矿矿长
赵　洁　枣庄矿业（集团）有限责任公司高庄煤矿矿长
陈玉贵　肥城矿业集团有限责任公司白庄煤矿矿长
胡德进　郑州煤炭工业（集团）有限责任公司超化煤矿矿长
杨　恒　鹤壁煤电股份有限公司第三煤矿矿长
刘银志　平顶山煤业（集团）六矿矿长
种欣睿　铜川矿务局王石凹煤矿矿长
温克珩　靖远煤业有限责任公司大水头煤矿矿长
李宽让　宁夏煤业集团有限责任公司大峰露天煤矿矿长
余先国　新疆哈密煤业（集团）有限责任公司井采公司经理

第八届（2002年度）全国煤炭工业优秀企业家名单

（共34人　排名不分先后）

杨　中　开滦（集团）有限责任公司董事长
王金力　神华集团神府东胜煤炭有限责任公司董事长
赵森林　邢台矿业（集团）有限责任公司总经理
郭俊元　河北省邯郸市紫山特钢集团有限公司总经理
彭建勋　大同煤矿集团有限责任公司董事长
李　仪　山西焦煤集团西山煤电股份有限公司董事长
柴久茂　山西焦煤集团汾西矿业（集团）有限责任公司董事长
贺贵元　山西省兰花煤炭实业集团有限公司董事长
董文学　内蒙古霍林河煤业集团有限责任公司总经理
尹　亮　抚顺矿业集团有限责任公司总经理
李忠勤　鹤岗矿业集团有限责任公司董事长
侯　仁　七台河矿业精煤（集团）有限责任公司董事长
朱宜存　安徽恒源煤电股份有限公司董事长
陈胜利　福建煤电股份有限公司董事长
徐绍芳　萍乡矿业集团有限责任公司董事长
耿加怀　兖矿集团有限公司董事局主席
梁兴泰　肥城矿业（集团）有限责任公司董事长
马厚亮　淄博矿业集团有限责任公司董事长
付文安　枣庄矿业（集团）有限责任公司总经理
吴元峰　山东省建新矿业集团董事长
李永新　鹤壁煤业（集团）有限责任公司董事长
陈雪枫　永城煤电（集团）有限责任公司董事长兼总经理
付永水　义马煤业（集团）有限责任公司总经理
罗瑞锋　湖南省煤炭坝能源有限公司董事长兼总经理
高仰才　陕西省黄陵矿业有限责任公司经理
何元纲　甘肃省华亭煤业集团有限责任公司董事长兼总经理
毛鹏茜　窑街煤电有限责任公司董事长兼总经理
张文江　宁夏煤业集团有限责任公司总裁
姚　伟　新疆乌鲁木齐矿业（集团）有限责任公司董事长
田　会　中煤国际工程设计研究总院院长
金晨钟　中煤第五建设公司经理
蒋尧荣　中国煤炭地质总局浙江煤炭地质局局长
刘占胜　张家口煤矿机械有限公司总经理
焦承尧　郑州煤矿机械集团有限责任公司董事长兼总经理

2002年度全国煤炭工业优秀矿长名单

（共45人　排名不分先后）

李宝山　神华集团神府东胜煤炭有限责任公司上湾煤矿矿长
田爱民　神华集团准格尔能源有限责任公司黑岱沟露天煤矿矿长
刘　勇　中国中煤能源集团平朔煤炭工业公司安太堡露天煤矿总经理
王来旺　山西神州煤电焦化股份有限公司嘉乐泉煤矿矿长
谷祖雨　峰峰集团有限公司九龙矿矿长
刘双勇　开滦（集团）有限责任公司荆各庄矿业分公司经理
赵德勤　河北省磁县六合工业有限公司董事长兼观台煤矿矿长
郭　海　大同煤矿集团有限责任公司马脊梁矿矿长
徐　成　大同煤矿集团有限责任公司燕子山矿矿长
王玉宝　山西焦煤集团西山煤电股份有限公司杜儿坪矿矿长
孙玉福　山西潞安矿业（集团）有限责任公司石圪节煤矿矿长
路斗恒　山西省义棠煤业有限责任公司董事长兼总经理
王国君　沈阳煤业（集团）有限责任公司林盛煤矿矿长
李守义　抚顺矿业集团有限公司西露天煤矿矿长
王继波　铁法煤业股份有限公司晓南煤矿矿长
马占江　吉林省长春市双顶煤矿矿长
吴业臣　双鸭山矿业集团有限公司集贤煤矿矿长
李正军　徐州矿务集团有限公司庞庄煤矿矿长
王世森　淮北矿业集团有限责任公司朔里煤矿矿长
张　俊　皖北煤电集团有限公司任楼煤矿矿长
牛宜廷　安徽省淮北市房庄煤矿矿长
郑盛端　福建省永安煤业有限责任公司仙亭矿矿长
陈文阶　福建煤电股份有限公司苏一煤矿矿长
胡运生　萍乡安源实业股份有限公司安源煤矿矿长
傅鉴源　英岗岭矿务局东村煤矿矿长
李位民　兖州煤业股份有限公司济宁三号煤矿矿长
杨德彬　淄博矿业集团有限责任公司葛亭煤矿矿长
赵文启　枣庄矿业（集团）有限责任公司新安煤矿矿长
阚世光　枣庄矿业（集团）有限责任公司付村煤矿矿长
马亿刚　山东省宏河矿业集团有限公司董事长兼总经理
郑同社　郑州新登企业集团有限公司总经理
丁开舟　平顶山煤业（集团）八矿矿长
黄建伟　义马煤业（集团）有限责任公司耿村煤矿矿长
陈万虎　焦作煤业（集团）有限责任公司演马庄矿矿长

黎开勋　贵州水城矿业(集团)有限责任公司大河边煤矿矿长
吴汉东　陕西省崔家沟煤矿矿长
史义祥　陕西省宝鸡戚家坡煤业有限责任公司董事长
于　峰　陕西省彬县煤炭有限责任总公司下沟煤矿矿长
吕世宏　甘肃华亭煤电股份有限公司砚北煤矿矿长
魏　东　甘肃华亭煤电股份有限公司华亭煤矿矿长
杨元生　窑街煤电有限责任公司一矿矿长
梁习明　靖远煤业有限责任公司魏家地煤矿矿长
顾学达　云南省一平浪煤矿矿长
周　弘　青海煤业集团有限责任公司立井矿矿长
周强文　新疆焦煤(集团)有限责任公司主焦煤公司经理

2002 年度全国煤炭行业先进施工企业经营者名单

（38 名）

李建国　中煤地质工程总公司涿州建筑工程公司经理
叶新辉　福建联美工程建设有限公司副总经理
刘占库　北京中煤地技术装备公司总经理
丁成华　中煤第五建设公司孟巴煤矿工程项目部总经理
段建年　中煤第五建设公司长江机械厂厂长
王振奎　肥城矿业集团鲁泰工程有限公司总经理
刘建新　甘肃煤炭第一工程公司经理
乔勋德　峰峰矿务局建筑总公司总经理
魏延福　山东临沂华建工程有限责任公司总经理
赵忠厚　中煤第五建设公司第三工程处处长
李兆杰　山西庆恒建筑（集团）有限公司总经理
张超晖　陕西煤炭建设公司第五工程处处长
李太淮　太西集团宁夏建筑安装工程有限责任公司经理
黄维清　中国煤炭地质总局光华地质基础工程公司总经理
闫复华　山东华新建筑工程集团有限责任公司经理
张　宾　宁夏煤炭基本建设公司第五建筑分公司经理
钱乔国　中煤第五建设公司第五工程处处长
陈东海　中煤第一建设公司特殊凿井处处长
崔跃发　宁夏煤炭基本建设公司第十建筑分公司经理
付汉江　山西金信建筑有限公司总经理
关文博　中国煤田地质总局华盛水文地质勘察工程公司总经理
管恒耀　江西省矿山隧道建设总公司经理
张建立　中煤一公司第四十九工程处处长
李　哲　唐山开滦建设(集团)有限责任公司建筑工程分公司经理
闫金鲁　徐州矿务集团工程建设有限公司华新分公司副总经理
王玉平　宁夏煤炭基本建设公司第一建筑分公司经理
张双英　中煤一公司第三十一工程处处长
李跃辉　邢台矿业工程有限责任公司总经理
许才霞　中煤第三建设公司设备安装公司经理
李光荣　四川煤矿基本建设工程公司总经理
李玉田　宁夏煤炭基本建设公司第七建筑分公司经理
郑立泉　中煤建安公司第六十八工程处处长
蒲耀年　中煤一公司第十工程处处长
李惠民　中煤第三建设公司机电安装工程处处长
蒲以诚　吉林省宏城建筑安装工程有限公司经理
韩东先　大同煤矿集团宏远工程建设有限责任公司总经理
安小剑　山西宏厦建筑工程第三有限公司总经理
张世芳　河南矿业建设第三工程公司经理

2002 年度模范安全生产监察员名单

（14 人）

冯广存　邯郸煤矿安全监察办事处
刘　根　大同煤矿安全监察办事处
孟凡杰　锦州煤矿安全监察办事处
韩敬和　七台河煤矿安全监察办事处
卜庆林　济宁煤矿安全监察办事处
薛纯运　河南煤矿安全监察局
冯　景　咸阳煤矿安全监察办事处
吴　刚　库尔勒煤矿安全监察办事处
孙培德　上海市杨浦区安全生产监察局
童第云　江西省景德镇市安全生产委员会办公室
刘少玲　山东省济南市安全生产监督管理局
黄兴初　广东省汕尾市安全生产监督管理局
陈庚文　四川省成都市安全生产监督管理委员会办公室
张汉民　陕西省宝鸡市安全生产监督管理局

2002 年度安全生产监督管理先进个人名单

（91 人）

王保树　北京市安全生产监督管理局
王德昆　北京市宣武区经贸委安全生产监督管理监察科

李有敏　北京市门头沟区安全生产委员会办公室
季恩孝　天津市北辰区安全生产监督管理局
庞琼珍　天津市开发区劳动人事局（安全生产监督管理处）
孙连德　天津市津南区安全生产监督管理局
王　辉　河北省安全生产监督管理局
刘义和　河北省保定市安全生产监督管理局
朱存柱　河北省石家庄市安全生产监督管理局
胡德照　山西省太原市安全生产监督管理局
段建华　山西省大同市安全生产监督管理局
戈　壁　内蒙古自治区经贸委安全生产处
刘虎胜　内蒙古自治区鄂尔多斯市经贸委安全监督管理科
贾海臻　内蒙古通辽市经贸委安全生产监督管理科
王永利　辽宁省安全生产监督管理局
宋多金　辽宁省辽阳市安全生产监督管理局
王长春　辽宁省本溪市经贸委安全监察处
叶德福　吉林省安全生产委员会办公室
吴向远　吉林省安全生产委员会办公室
卜庆安　吉林省安全生产委员会办公室
孙绪兴　黑龙江省七台河市安全生产监督管理局
伊文琦　黑龙江省大庆市安全生产监督管理局
魏丙新　黑龙江省安全生产监督管理局
李嘉梁　上海市闵行区安全生产监察局
李选民　上海市虹口区安全生产监察局
倪建明　江苏省南通市安全生产监督管理局
吴其华　江苏省宜兴市安全生产监督管理局
李　宁　江苏省南京市安全生产监督管理局
戴　蔚　浙江省丽水市安全生产委员会
赵圣荣　浙江省舟山市安全生产委员会办公室
赵春桥　安徽省经贸委安全生产监督管理局
于勤周　安徽省淮北市安全生产监督管理局
李治赢　安徽省凤阳县安全生产监督管理局
吴生瑜　福建省长乐市安全生产监督管理局
戴　洁　福建省安全生产监督管理局
赖尾兴　福建省泉州市安全生产监督管理局
廖少敏　江西省新余市安全生产委员会办公室
范瑞林　江西省九江市安全生产监督管理局
林　东　山东省安全生产监督管理局
韩学君　山东省东营市河口区安全生产监督管理局
马天希　河南省安全生产监督管理局
潘京洛　河南省洛阳市经贸委安全生产监督管理局
郑金泉　河南省郑州市安全生产监督管理局
邓文荣　湖北省安全生产监督管理局
史文新　湖北省宜昌市安全生产监督管理局
李上玉　湖北省武汉市安全生产委员会
王自力　湖南省经贸委安全生产监督管理局
肖育斌　湖南省邵阳市安全生产监督管理局
龚智慧　湖南省益阳市安全生产监督管理办公室
林贵友　广东省顺德市容桂区安全生产委员会办公室
夏克军　广东省珠海市安全生产监督管理局
陈家良　广西壮族自治区安全生产监督管理局
李伟强　广西壮族自治区梧州市安全生产监督管理局
谢　彬　广西壮族自治区桂林市安全生产监督管理局
廖　强　海南省安全生产监督管理局
曾祥文　海南省三亚市经贸局安全生产科
沈国祚　海南省安全生产监督管理局
白德模　重庆市大足县安全生产监督管理局
罗雯盛　重庆市渝北区安全生产监督管理局
杨秀荣　重庆市秀山县安全生产监督管理局
李双全　四川省广安市安全生产监督管理局
肖成新　四川省眉山市安全生产委员会办公室
蒙秉生　贵州省经贸委安全生产局
孙　杰　贵州省毕节地区安全生产委员会办公室
刘绍银　贵州省习水县安全生产委员会办公室
张　滇　云南省安全生产监督管理局
方国林　云南省昭通市安全生产监督管理局
刘东明　云南省红河州安全生产监督管理局
白　央　西藏自治区安全生产监督管理局
黄　平　西藏自治区安全生产监督管理局
扎西平措　西藏自治区拉萨市经贸委安监科
马延平　陕西省安全生产监督管理局
陈晓东　陕西省汉中市汉台区安全生产监督管理局
彭洋明　甘肃省嘉峪关市安全生产监督管理局
周忠金　甘肃省安全生产监督管理局
杨国旺　甘肃省成县安全生产监督管理局
胡志华　青海省安全生产监督管理局
戴朝鼎　青海省海东地区土族自治县安全生产监督管理局
阿存财　青海省海北藏族自治州安全生产监督管理局
方　仁　宁夏回族自治区银川市安全生产委员会办公室
王寿文　宁夏回族自治区惠农县经贸局安全生产委员会办公室
马少生　宁夏回族自治区吴忠市安全生产监督管理局
张永朝　新疆维吾尔自治区昌吉州安全生产监督管理局
玛依努尔　新疆维吾尔自治区安全生产监督管理局
张建新　新疆维吾尔自治区哈密地区安全生产监督管理局
张旭璐　大连市安全生产监督管理局
徐国宝　宁波市安全生产监督管理局
孟广华　青岛市安全生产监督管理局
张福发　厦门市安全生产监督管理局
姚　亮　深圳市安全生产监督管理局
吕宏俊　新疆生产建设兵团农一师安全生产委员会办公室

2002 年度煤矿安全监察先进办事处名单

（25 个）

邯郸煤矿安全监察办事处
邢台煤矿安全监察办事处
大同煤矿安全监察办事处
西山煤矿安全监察办事处
赤峰煤矿安全监察办事处
乌海煤矿安全监察办事处
锦州煤矿安全监察办事处
铁法煤矿安全监察办事处
延吉煤矿安全监察办事处
七台河煤矿安全监察办事处
淮南煤矿安全监察办事处
萍乡煤矿安全监察办事处
济宁煤矿安全监察办事处
淄博煤矿安全监察办事处
郑州煤矿安全监察办事处
常德煤矿安全监察办事处
万州煤矿安全监察办事处
宜宾煤矿安全监察办事处
广元煤矿安全监察办事处
盘江煤矿安全监察办事处
曲靖煤矿安全监察办事处
榆林煤矿安全监察办事处
平凉煤矿安全监察办事处
大武口煤矿安全监察办事处
奎屯煤矿安全监察办事处

2002 年度优秀煤矿安全监察员名单

（127 人）

于振旗　张家口煤矿安全监察办事处
李江红　邢台煤矿安全监察办事处
张　祥　唐山煤矿安全监察办事处
白卫生　河北煤矿安全监察局
牛银海　河北煤矿安全监察局
李建生　河北煤矿安全监察局
张志斌　西山煤矿安全监察办事处
侯　斌　临汾煤矿安全监察办事处
李　俊　大同煤矿安全监察办事处
李忠有　西山煤矿安全监察办事处
阎令飞　阳泉煤矿安全监察办事处
许晋维　吕梁煤矿安全监察办事处
胡慧松　长治煤矿安全监察办事处
崔云高　长治煤矿安全监察办事处
祁　砖　阳泉煤矿安全监察办事处
王志杰　山西煤矿安全监察局
王小花　山西煤矿安全监察局
董魁武　赤峰煤矿安全监察办事处
张　瑞　包头煤矿安全监察办事处
杨全威　乌海煤矿安全监察办事处
韩俊庆　海拉尔煤矿安全监察办事处
王占宽　内蒙古煤矿安全监察局
朱凌晨　内蒙古煤矿安全监察局
郑　飞　内蒙古煤矿安全监察局
赵跃飞　内蒙古煤矿安全监察局
宁亚文　辽宁煤矿安全监察局
王如城　辽宁煤矿安全监察局
胡德胜　沈阳煤矿安全监察办事处
满学东　沈阳煤矿安全监察办事处
金绍宝　锦州煤矿安全监察办事处
刘国树　阜新煤矿安全监察办事处
高庚昕　铁法煤矿安全监察办事处
李鹏程　吉林煤矿安全监察局
张国林　吉林煤矿安全监察局
赵清源　辽源煤矿安全监察办事处
何立坤　白山煤矿安全监察办事处
赵永鑫　延吉煤矿安全监察办事处
马和平　延吉煤矿安全监察办事处
刘　广　鸡西煤矿安全监察办事处
谭永福　鹤岗煤矿安全监察办事处
姜兴国　双鸭山煤矿安全监察办事处
周晓明　黑龙江煤矿安全监察局
张茂静　黑龙江煤矿安全监察局
袁贵斌　黑龙江煤矿安全监察局
卢海利　黑龙江煤矿安全监察局
徐　林　江苏煤矿安全监察局
杨树民　徐州煤矿安全监察办事处
徐建春　徐州煤矿安全监察办事处
张向农　安徽煤矿安全监察局
赵元放　淮北煤矿安全监察办事处
张公水　淮北煤矿安全监察办事处
张　毅　淮南煤矿安全监察办事处
徐维骏　淮南煤矿安全监察办事处
陈太和　皖南煤矿安全监察办事处
陈文华　萍乡煤矿安全监察办事处
韩昌顺　萍乡煤矿安全监察办事处
杨水石　宜春煤矿安全监察办事处
付帅水　景德镇煤矿安全监察办事处
郑学平　江西煤矿安全监察局
李金平　江西煤矿安全监察局
冷家俊　淄博煤矿安全监察办事处
孙登峰　淄博煤矿安全监察办事处

张成功　泰安煤矿安全监察办事处
张学常　枣庄煤矿安全监察办事处
赵日峰　山东煤矿安全监察局
宇仁茂　山东煤矿安全监察局
李国财　山东煤矿安全监察局
杨文杰　山东煤矿安全监察局
王　进　郑州煤矿安全监察办事处
张灵召　洛阳煤矿安全监察办事处
毋济州　鹤壁煤矿安全监察办事处
丁　安　平顶山煤矿安全监察办事处
崔立志　商丘煤矿安全监察办事处
许胜铭　河南煤矿安全监察局
张法民　河南煤矿安全监察局
陈　滨　常德煤矿安全监察办事处
王训生　衡阳煤矿安全监察办事处
朱峻华　郴州煤矿安全监察办事处
杨力强　娄底煤矿安全监察办事处
贺德安　湖南煤矿安全监察局
栗建军　湖南煤矿安全监察局
梁大树　常德煤矿安全监察办事处
唐　敏　重庆煤矿安全监察办事处
严　锦　綦江煤矿安全监察办事处
牟维华　万州煤矿安全监察办事处
王春晓　重庆煤矿安全监察局
郝杰生　重庆煤矿安全监察局
姚友江　重庆煤矿安全监察办事处
朱银彬　攀枝花煤矿安全监察办事处
包希强　宜宾煤矿安全监察办事处
刘　明　四川煤矿安全监察局
庞　华　达州煤矿安全监察办事处
梁　达　四川煤矿安全监察局
李怀兵　广元煤矿安全监察办事处
郭　刚　攀枝花煤矿安全监察办事处
陈晓辉　贵州煤矿安全监察局
姜学鸣　贵州煤矿安全监察局
钟启超　遵义煤矿安全监察办事处
刘长华　水城煤矿安全监察办事处
李　涛　盘江煤矿安全监察办事处
郭晓明　林东煤矿安全监察办事处
张子金　曲靖煤矿安全监察办事处
沈庆孟　曲靖煤矿安全监察办事处
朱成雄　红河煤矿安全监察办事处
刘朝明　大理煤矿安全监察办事处
裘兴荣　云南煤矿安全监察局
杨　华　曲靖煤矿安全监察办事处
高兴宏　渭南煤矿安全监察办事处
强春林　榆林煤矿安全监察办事处
刘高文　铜川煤矿安全监察办事处
白长安　陕西煤矿安全监察局
李晓恒　陕西煤矿安全监察局
吴　锋　陕西煤矿安全监察局
康习勤　甘肃煤矿安全监察局
陆立洽　甘肃煤矿安全监察局
侯登科　兰州煤矿安全监察办事处
郑太平　兰州煤矿安全监察办事处
祁　炜　平凉煤矿安全监察办事处
马　毅　灵武煤矿安全监察办事处
宫文童　大武口煤矿安全监察办事处
陈　向　灵武煤矿安全监察办事处
刘孟伟　大武口煤矿安全监察办事处
康宏中　灵武煤矿安全监察办事处
边德运　奎屯煤矿安全监察办事处
田光雄　新疆煤矿安全监察局
谢玉成　奎屯煤矿安全监察办事处
罗树志　库尔勒煤矿安全监察办事处

2002 年度模范安全生产监察员名单

（14 人）

冯广存　邯郸煤矿安全监察办事处
刘　根　大同煤矿安全监察办事处
孟凡杰　锦州煤矿安全监察办事处
韩敬和　七台河煤矿安全监察办事处
卜庆林　济宁煤矿安全监察办事处
薛纯运　河南煤矿安全监察局
冯　景　咸阳煤矿安全监察办事处
吴　刚　库尔勒煤矿安全监察办事处
孙培德　上海市杨浦区安全生产监察局
童第云　江西省景德镇市安全生产委员会办公室
刘少玲　山东省济南市安全生产监督管理局
黄兴初　广东省汕尾市安全生产监督管理局
陈庚文　四川省成都市安全生产监督管理委员会办公室
张汉民　陕西省宝鸡市安全生产监督管理局

2002 年度优秀煤矿安全监察员名单

（127 人）

于振旗　张家口煤矿安全监察办事处
李江红　邢台煤矿安全监察办事处
张　祥　唐山煤矿安全监察办事处
白卫生　河北煤矿安全监察局
牛银海　河北煤矿安全监察局

李建生　河北煤矿安全监察局
张志斌　西山煤矿安全监察办事处
侯　斌　临汾煤矿安全监察办事处
李　俊　大同煤矿安全监察办事处
李忠有　西山煤矿安全监察办事处
阎令飞　阳泉煤矿安全监察办事处
许晋维　吕梁煤矿安全监察办事处
胡慧松　长治煤矿安全监察办事处
崔云高　长治煤矿安全监察办事处
祁　砖　阳泉煤矿安全监察办事处
王志杰　山西煤矿安全监察局
王小花　山西煤矿安全监察局
董魁武　赤峰煤矿安全监察办事处
张　瑞　包头煤矿安全监察办事处
杨全威　乌海煤矿安全监察办事处
韩俊庆　海拉尔煤矿安全监察办事处
王占宽　内蒙古煤矿安全监察局
赵圣荣　浙江省舟山市安全生产委员会办公室
赵春桥　安徽省经贸委安全生产监督管理局
于勤周　安徽省淮北市安全生产监督管理局
李治瀛　安徽省凤阳县安全生产监督管理局
吴生瑜　福建省长乐市安全生产监督管理局
戴　洁　福建省安全生产监督管理局
赖尾兴　福建省泉州市安全生产监督管理局
廖少敏　江西省新余市安全生产委员会办公室
范瑞林　江西省九江市安全生产监督管理局
林　东　山东省安全生产监督管理局
韩学君　山东省东营市河口区安全生产监督管理局
马天希　河南省安全生产监督管理局
潘京洛　河南省洛阳市经贸委安全生产监督管理局
郑金泉　河南省郑州市安全生产监督管理局
邓文荣　湖北省安全生产监督管理局
史文新　湖北省宜昌市安全生产监督管理局
李上玉　湖北省武汉市安全生产委员会
王自力　湖南省经贸委安全生产监督管理局
肖育斌　湖南省邵阳市安全生产监督管理局
龚智慧　湖南省益阳市安全生产监督管理办公室
林贵友　广东省顺德市容桂区安全生产委员会办公室
夏克军　广东省珠海市安全生产监督管理局
陈家良　广西壮族自治区安全生产监督管理局
李伟强　广西壮族自治区梧州市安全生产监督管理局
谢　彬　广西壮族自治区桂林市安全生产监督管理局
廖　强　海南省安全生产监督管理局
曾祥文　海南省三亚市经贸局安全生产科
沈国祚　海南省安全生产监督管理局
白德模　重庆市大足县安全生产监督管理局
罗雯盛　重庆市渝北区安全生产监督管理局
杨秀荣　重庆市秀山县安全生产监督管理局
李双全　四川省广安市安全生产监督管理局
肖成新　四川省眉山市安全生产委员会办公室
蒙秉生　贵州省经贸委安全生产局
孙　杰　贵州省毕节地区安全生产委员会办公室
刘绍银　贵州省习水县安全生产委员会办公室
张　滇　云南省安全生产监督管理局
方国林　云南省昭通市安全生产监督管理局
刘东明　云南省红河州安全生产监督管理局
白　央　西藏自治区安全生产监督管理局
黄　平　西藏自治区安全生产监督管理局
扎西平措　西藏自治区拉萨市经贸委安监科
马延平　陕西省安全生产监督管理局
陈晓东　陕西省汉中市汉台区安全生产监督管理局
彭洋明　甘肃省嘉峪关市安全生产监督管理局
周忠金　甘肃省安全生产监督管理局
杨国旺　甘肃省成县安全生产监督管理局
胡志华　青海省安全生产监督管理局
戴朝鼎　青海省海东地区土族自治县安全生产监督管理局
阿存财　青海省海北藏族自治州安全生产监督管理局
方　仁　宁夏回族自治区银川市安全生产委员会办公室
王寿文　宁夏回族自治区惠农县经贸局安全生产委员会办公室
马少生　宁夏回族自治区吴忠市安全生产监督管理局
张永朝　新疆维吾尔包治区昌吉州安全生产监督管理局
玛依努尔　新疆维吾尔自治区安全生产监督管理局
张建新　新疆维吾尔自治区哈密地区安全生产监督管理局
张旭璐　大连市安全生产监督管理局
徐国宝　宁波市安全生产监督管理局
孟广华　青岛市安全生产监督管理局
张福发　厦门市安全生产监督管理局
姚　亮　深圳市安全生产监督管理局
吕宏俊　新疆生产建设兵团农一师安全生产委员会办公室
朱凌晨　内蒙古煤矿安全监察局
郑　飞　内蒙古煤矿安全监察局
赵跃飞　内蒙古煤矿安全监察局
宁亚文　辽宁煤矿安全监察局
王如城　辽宁煤矿安全监察局
胡德胜　沈阳煤矿安全监察办事处
满学东　沈阳煤矿安全监察办事处
金绍宝　锦州煤矿安全监察办事处
刘国树　阜新煤矿安全监察办事处
高庚昕　铁法煤矿安全监察办事处
李鹏程　吉林煤矿安全监察局
张国林　吉林煤矿安全监察局
赵清源　辽源煤矿安全监察办事处
何立坤　白山煤矿安全监察办事处
赵永鑫　延吉煤矿安全监察办事处
马和平　延吉煤矿安全监察办事处
刘　广　鸡西煤矿安全监察办事处

谭永福　鹤岗煤矿安全监察办事处
姜兴国　双鸭山煤矿安全监察办事处
周晓明　黑龙江煤矿安全监察局
张茂静　黑龙江煤矿安全监察局
袁贵斌　黑龙江煤矿安全监察局
卢海利　黑龙江煤矿安全监察局
徐　林　江苏煤矿安全监察局
杨树民　徐州煤矿安全监察办事处
徐建春　徐州煤矿安全监察办事处
张向农　安徽煤矿安全监察局
赵元放　淮北煤矿安全监察办事处
张公水　淮北煤矿安全监察办事处
张　毅　淮南煤矿安全监察办事处
徐维骏　淮南煤矿安全监察办事处
陈太和　皖南煤矿安全监察办事处
陈文华　萍乡煤矿安全监察办事处
韩昌顺　萍乡煤矿安全监察办事处
杨水石　宜春煤矿安全监察办事处
付帅水　景德镇煤矿安全监察办事处
郑学平　江西煤矿安全监察局
李金平　江西煤矿安全监察局
冷家俊　淄博煤矿安全监察办事处
孙登峰　淄博煤矿安全监察办事处
张成功　泰安煤矿安全监察办事处
张学常　枣庄煤矿安全监察办事处
杨　华　曲靖煤矿安全监察办事处
高兴宏　渭南煤矿安全监察办事处
强春林　榆林煤矿安全监察办事处
刘高文　铜川煤矿安全监察办事处
白长安　陕西煤矿安全监察局
李晓恒　陕西煤矿安全监察局
吴　锋　陕西煤矿安全监察局
康习勤　甘肃煤矿安全监察局
陆立洽　甘肃煤矿安全监察局
侯登科　兰州煤矿安全监察办事处
郑太平　兰州煤矿安全监察办事处
赵日峰　山东煤矿安全监察局
宇仁茂　山东煤矿安全监察局
李国财　山东煤矿安全监察局
杨文杰　山东煤矿安全监察局
王　进　郑州煤矿安全监察办事处
张灵召　洛阳煤矿安全监察办事处
毋济州　鹤壁煤矿安全监察办事处
丁　安　平顶山煤矿安全监察办事处
崔立志　商丘煤矿安全监察办事处
许胜铭　河南煤矿安全监察局
张法民　河南煤矿安全监察局
陈　滨　常德煤矿安全监察办事处
王训生　衡阳煤矿安全监察办事处
朱峻华　郴州煤矿安全监察办事处
杨力强　娄底煤矿安全监察办事处
贺德安　湖南煤矿安全监察局
栗建军　湖南煤矿安全监察局
梁大树　常德煤矿安全监察办事处
唐　敏　重庆煤矿安全监察办事处
严　锦　綦江煤矿安全监察办事处
牟维华　万州煤矿安全监察办事处
王春晓　重庆煤矿安全监察局
郝杰生　重庆煤矿安全监察局
姚友江　重庆煤矿安全监察办事处
朱银彬　攀枝花煤矿安全监察办事处
包希强　宜宾煤矿安全监察办事处
刘　明　四川煤矿安全监察局
庞　华　达州煤矿安全监察办事处
梁　达　四川煤矿安全监察局
李怀兵　广元煤矿安全监察办事处
郭　刚　攀枝花煤矿安全监察办事处
陈晓辉　贵州煤矿安全监察局
姜学鸣　贵州煤矿安全监察局
钟启超　遵义煤矿安全监察办事处
刘长华　水城煤矿安全监察办事处
李　涛　盘江煤矿安全监察办事处
郭晓明　林东煤矿安全监察办事处
张子金　曲靖煤矿安全监察办事处
沈庆孟　曲靖煤矿安全监察办事处
朱成雄　红河煤矿安全监察办事处
刘朝明　大理煤矿安全监察办事处
裘兴荣　云南煤矿安全监察局
祁　炜　平凉煤矿安全监察办事处
马　毅　灵武煤矿安全监察办事处
宫文童　大武口煤矿安全监察办事处
陈　向　灵武煤矿安全监察办事处
刘孟伟　大武口煤矿安全监察办事处
康宏中　灵武煤矿安全监察办事处
边德运　奎屯煤矿安全监察办事处
田光雄　新疆煤矿安全监察局
谢玉成　奎屯煤矿安全监察办事处
罗树志　库尔勒煤矿安全监察办事处

双十佳煤矿介绍

枣庄矿业集团新安煤矿

新安煤矿是枣矿集团新崛起的一座现代化高产高效矿井。矿井位于微山湖东畔，微山县留庄镇境内。1998年8月1日开工建设，通过采用新的建井和管理机制，以较快的速度建成投产，实现了枣庄矿区建井史上的六个“最”，即：投资最省，速度最快，用人最少，成本最低，效率最高，效益最好。2002年1月1日矿井正式投产，2002年在册员工1800人。在投产时间较短的情况下，该矿立足于理念创新、实践创新，推进超常规跨越式发展，创造了辉煌业绩。2002年度被山东省煤炭工业局、山东省煤炭行业协会评为全省煤炭行业“十佳煤矿”，被中国煤炭行业协会命名为高产高效矿井、全国煤炭行业“双十佳煤矿”。

一、创新管理，强化经营，实施品牌战略

该矿在管理上树立思想上的高境界，工作上的高标准，管理上的严要求，以先进的企业文化建设引领企业发展，以质量标准化夯实安全基础，以新型动态管理机制的建立提高工作效率。坚持不断调整办矿思路，丰富“新安模式”内涵，实行全员动态用工制度，竞争上岗，优胜劣汰，达到了员工能进能出，干部能上能下，收入能高能低，大力推行一岗多责、一职多能的工作方式，提高了工作效率。坚持用品牌战略推动效益的提高，提出了“产品见人品，质量存生命”的质量观，实施了ISO9001质量管理体系认证，赢得了市场信誉，创出了新安煤炭品牌。通过大搞质量标准化，投产当年即建成了行业级质量标准化矿井。并在经营管理中实施“分线经营”，引进内部市场化管理机制，实行全员成本核算、后勤有偿服务等改革举措，并且积极开展回收节约、修旧利废、节支降耗活动，企业经济效益稳步提高，全年实现上缴利润1.45亿元，原煤制造成本71元/t。

二、科技兴矿，采掘并举，实现高产高效

该矿在边建设、边生产的过程中，充分发挥广大工程技术人员的作用，大力推进技术创新和技术改造，《复合水体下采煤提高开采上限的研究与实践》等科研成果获得了省级奖励。该矿引进综采放顶煤开采技术，通过探索和实践，放顶煤开采煤炭回收率达到了90%以上，在综采队实行“一队两面”管理方式，煤巷掘进全部使用了综掘机，提高了单产单进水平，生产效率大大提高。该矿积极推广新材料、新技术、新装备，改革巷道支护形式，降低了成本，保证了安全。在接续上，远近结合，合理布局，采用一次采全高综放开采技术，降低了万吨掘进率。并对各生产单位实行目标管理激励方式，充分调动了员工的工作积极性，建成了百万吨综采队，2002年全年生产原煤170万t，完成掘进进尺14000m，建成了高产高效矿井。

三、突出安全，从严治矿，创造了稳定良好的安全生产环境

在安全管理上，该矿一直把安全工作当作“高于一切、重于一切、压倒一切”的政治任务来抓，做到了“三个坚持”，即坚持教育、管理、装备并举的安全工作思路，倾注全力实施了质量标准化建设，以最短的时间建成了质量标准化矿井，改善了矿井安全生产环境；该矿通过加强安全培训，实施安全“十三法”宣教，上齐上全各类安全设施和装备，强化现场管理，规范员工安全生产行为，提高了安全装备水平，推进了依法治矿；坚持搞好隐患排查治理，加大安全监督检查力度。矿每月、区队每周、班组每班都进行隐患的排查工作，并实行隐患闭合整改。各类安全监督检查保持了不断线，每周组织各种全方位安全检查不少于3次，青安岗、群监会等群众安全活动贯穿其中，推行了安全隐患闭合整改的办法，形成了全方位的安全监督检查和隐患治理体系，有效地消灭了现场隐患；坚持重奖重罚原则，加大事故分析处理力度，在各级管理人员中，包括班组长都推行了安全风险抵押金制度，员工工资按“三三四”比例支付，季度安全奖实行实现安全目标累进奖励，对区队“三大员”实行隐患连带处罚，执行事故经济赔偿制和事故升级处理的办法，明确安全一票否决制，实行安全行政责任追究制，从而使矿井安全形势保持稳定发展的趋势，2002年全年杜绝了伤亡事故的发生，实现安全生产。

四、培育企业理念，弘扬先进文化，推进矿井跨越式发展

该矿坚持以人为本的办矿思路，强化员工队伍建设，坚持科技兴矿，人才兴矿，大力建设独具特色的企业文化，提出了“集员工智慧，铸新安辉煌”的企业核心理念，整合企业精神，确立了战略目标和方针。并且明确了企业的安全观、价值观、发展观、作业观、教育观、成本观、质量观等管理理念。通过开展企业文化“六大工程”建设，即：政治核心工程、环境形象工程、灵魂塑造工程、品牌锻造工程、安全文化工程、区队文化工程，丰富了企业管理手段，提高了管理水平，美化了矿山环境，提升了企业形象，改善了员工素质，增强了企业凝聚力，在全矿形成了心齐、气顺、劲足、实干的良好局面。

目前，新安煤矿全体员工在矿长赵文启、党委书记王均才的带领下，以落实枣矿集团大集团战略为契机，围绕着新安煤矿的发展壮大，正努力实施矿井改扩建工程，继续深化企业改革，争取将新安煤矿建设得更加美好，创造更辉煌的业绩。

开滦精煤股份公司范各庄矿业分公司

开滦精煤股份公司范各庄矿业分公司，是我国第一座自行设计、自行建造的年产400万t的大型现代化矿井。近年来，他们以建设全国同类矿井的示范型矿井为目标，以实施战略管理为主线，以企业文化建设为载体，推进科技进步，强化管理创新，企业核心竞争力得到明显增强，实现了"三个文明"协调发展。连续10年实现年度创利超亿元，先后被命名为"全国特级质量标准化矿井"、全国煤炭行业"文明煤矿"、"河北省思想政治工作先进单位"，2003年又被评为2002年度"全国双十佳煤矿"。

一、推进科技兴企战略，原洗煤产业实现了全面升级

一是加大科技投入，着力提高矿井现代化水平。他们瞄准世界一流水平，先后引进了先进的轻放、综放工艺及设备，在原有机械化水平达100%的基础上，着眼单产单进水平的提高，通过优化设计、简化系统，实现了生产的集约化。原煤生产人员效率由1999年的3.48t/工，提高到了2003年的12t/工，工作面单产由4.08万t增长到8.33万t；二是全方位实施技术改造，实现了主营产业的全面升级。瞄准建设"中国北方大型现代化煤炭洗选加工基地"目标，实施了投资8000万元、历时两年的洗煤厂技术改造工程，实现了洗煤生产的自动化、网络化、信息化、系统化，原煤入洗量达到年500万吨以上能力。三是依托机制创新，推动科技进步。制定并实施了《技术管理创新奖励考核办法》，先后建立并实施了"五小"成果奖、管理创新奖、技术操作优胜奖、经理特别奖等，实行了创新项目跟踪管理、责任追究和月评月奖等奖励约束机制，有效地调动了广大科技人员及全体员工参与技术创新的积极性。

二、与时俱进，深化改革，初步形成了现代企业管理新机制

几年来，他们把坚持引导思想、引导观念、引导思路作为推进改革的首要任务来抓，不失时机地开展了全员解放思想、转变观念教育，引导员工树立了"不进则退、慢进也是退"，"改革是发展的根本动力"等新思想、新观念，并在此思想引领下，强力推进两个方面的改革：一是管理体制改革，顺利实现了工厂制向公司制转型，走过了由原来的利润中心向主辅分离、精干主业的过渡，完成了规范的现代企业制度改造，生产、成本中心的定位全面入轨，为做精做强主业提供了有力的体制保障。二是三项制度改革，探索并实施了管理技术人员逐级聘任聘用制，全面实施了合同制管理，推行了岗效工资，"上岗凭技能，收入靠贡献"的分配政策基本形成；规范了劳动用工管理、转岗培训和下岗再就业双向选择制度。员工人数由1999年的10300人下降到2003年的6150人，实现了企业减人工作的无振荡进行。

三、依托管理创新，着力提高经济运行质量，企业的竞争力全面提升

一是实施安全管理创新，确保了矿山安全稳定。他们牢固树立了"安全第一、生产第二"的安全理念，积极推行了"五无十化"管理法、全员全方位全过程的安全确认和工序化管理，进一步规范了管理和操作行为；实施了员工遵章守规保证金制度和安全生产一票否决制，构建并初步形成了安全生产长效机制，在本质安全型企业建设方面迈出了实质性步伐。2003年通过了国家经贸委职业安全健康管理体系认证。二是强化了质量管理，促进了煤炭产品质量的优化升级，通过了ISO9002质量管理体系认证，精煤批合格率达到了100%。三是不断加大成本管控力度，企业宏观经济调控能力和市场竞争意识普遍增强，实现了原煤制造成本连续5年递降。四是实施文化管理创新，全面推进了RMDC（精细管理、双向控制）管理法，使企业管理日趋精细化、规范化、标准化，实现了员工作业的日清日结，强化了员工与管理人员的双向互动控制，员工规范作业的意识显著增强，员工参与管理的积极性明显提高。

四、加强和改进党建和思想政治工作，为企业的改革与发展提供了强有力的政治保证

一是立足于现代企业制度的规范运作，对原有计划经济条件下形成的企业党组织的责任定位、工作方式、领导方法、运行机制、评价标准等进行梳理和整合，构建了包含目标、责任、推进、保证、评价五大系统的党建工作系统化体系，规范了党的工作程序，提升了党的工作水平，党组织的政治核心作用、战斗堡垒作用和党员的先锋模范作用得到了充分发挥。二是着眼于增强思想政治工作的针对性和实效性，积极构建了以舆情监测网、基础政治网、重点人群网、文化阵地网、思想政治研究会为框架的"四网一会"思想政治工作保证体系，扩大了思想政治工作覆盖面，增强了针对性，在保证和促进企业改革发展中发挥了显著作用，其做法受到中国企业思想政治工作研究会和全煤政研会的充分肯定。三是落实"依靠"方针，不断加强了企业的民主政治建设。通过落实公司和区科两级职工代表大会制度、工资平等协商制度，厂务公开、民主测评等，引导员工从源头参与管理，确保职工群众对企业管理的参与权、知情权、监督权得到充分实现。

张庚寅，男，现任开滦精煤股份公司董事、开滦精煤股份公司范各庄矿业分公司党委书记，唐山市人大代表。所主持的《"四网一会"思想政治工作保证体系》项目获中国政研会优秀研究成果一等奖。2003年度被河北省企业工委命名为"优秀党务工作者"。

刘宏军，男，现任开滦精煤股份公司范各庄矿业分公司经理，兼任《矿山测量》杂志编委会委员。曾连续

3年被开滦集团公司评为“优秀科技工作者”，所主持的《范各庄矿三一二胶带巷区域深层底板隐伏岩溶陷落柱综合探查》项目曾获2001年度中国煤炭工业协会优秀技术成果一等奖。

铜川矿务局王石凹煤矿

铜川矿务局王石凹煤矿发扬“务实、创新、高效、富民”的企业精神，依靠技术进步，科学管理，使企业逐步迈上了高产高效、安全低耗、文明经营的良性发展轨道。从1998年开始，一举甩掉了亏损帽子，生产经营6年迈出六大步，1961年到2003年累计生产原煤3431.8万t，实现盈利1.16亿元，职工人均年收入达到11829元，成为铜川矿务局第一利润大户和骨干矿井。安全工作从2000年起连续4年实现安全生产，跨入全局先进行列，被评为质量标准化矿井。党建工作连续5年获全局第一，矿党委被局评为先进党委。宣传工作连续7年名列全局前茅，思想政治工作多次荣获省、市、局先进称号，矿井被评为全国双十佳煤矿，连续4年被局评为效益先进单位和先进集体。

一、依靠科技进步求发展

1997年，针对企业连年亏损、生产经营陷入困境的状况，王石凹煤矿党政班子审时度势，提出了“挖潜节能求生存，科技进步增效益，机制转换添新路”的工作思路，把发展采掘机械化，上综采、淘汰落后生产工艺，走科技兴矿之路列入重要议事日程。在矿务局的大力支持下，投资1500万元，购置了一套轻型综采设备，年底投入生产，月产达到5.1万t，相当于此前4个炮采面的总和。在此后的一年里，王石凹煤矿相继投入两套综采设备和一套ZY35型综采设备，初步形成了一井两面集约机械化生产的高产高效矿井，采掘机械率达到100%。机械化程度的大提高，极大地解放了生产力，促进了生产大发展，矿井面貌发生的根本变化。从1998年开始，在每年停产1～2月的情况下，平均年产达到110多万吨，全矿最高日产达到6678t，月产达到15.7万t，单产水平达到65万t以上，年产水平达到146万t，全员工效由“九五”初期的1.519t/工，达到现在的2.965t/工。除基本还清历史遗留欠账外，净盈利1.16亿元，增加了企业发展后劲，为老矿复兴储备了资金，创造了条件。

二、依靠技术创新添活力

王石凹煤矿积极推行技术革新，先后推广应用了“不动地表开采”、“光面爆破”、“锚杆支护”等十多项新工艺、新技术，并相应实施了矿井提升、地面选运、矿井通风等改造工程；优化生产设计，合理生产布局；进行支护革新，大胆采用锚网喷支护、桁架支护、水泥卷铁丝锚杆支护，成功地进行了综采过切眼、老巷和两套综采同时搬家倒面开采等大型生产工程，降低了生产成本，提高了生产效益，每年增加提升能力37万t，节电40万kWh，节约费用20多万元。

三、依靠制度创新严管理

近年来，王石凹煤矿把制度创新作为从严管理的大事来抓，实施了以市场为目标的转制工程和以划转分流为重点的配套改革工程。在机构改革方面，精简科室，区队、生产辅助单位实行工长制，定编减员。机关科级干部和一般干部实行竞争上岗，优化了队伍结构，进行工作标准化考核，填写《工作日志》，末位淘汰。科室由原来的19个减到现在的11个，基层单位由20多个减少到10个，干部职工人数由原来的6543人，减少到现在的3820人。在管理体制方面实行切块管理，在成本管理上，以控制费用、降低成本为中心各项经济指标，全员共担风险，全员工资浮动。各单位材料费用超耗一律工资抵补，严格考核兑现。通过强化内部管理，原煤制造成本逐年下降，由1997年的110.34元，下降到2003年的67.9元。矿井从1998年开始扭亏为盈，当年实现利润607万元。此后5年又分别实现利润1276万元、2037万元、2424.4万元、2752.8万元和2546万元，6年迈出六大步，累计实现利润1.16亿元。

同时，认真落实各级领导安全责任制，先后投入安措资金1459万元，对矿井系统进行完善和改造，提高了矿井抗灾能力。通过加强管理，该矿连续4年实现安全生产，轻伤率同比下降52%。

四、依靠产品质量，开拓销售市场

王石凹煤矿实施名牌战略，坚持强化煤质管理，把产品质量视为企业生存和发展的命根子，成立了以矿长、党委书记为组长，各业务科室负责人为成员的煤质管理领导小组，建立、健全了从采面设计到回采、运输、销售全过程、全方位的煤质管理体系，强化售后追踪服务，赢得了宝鸡、渭河、洛阳等电厂的信赖，在激烈的市场竞争中站稳了脚跟。2003年，王石凹煤矿销量达到151万t，超矿井设计生产能力31万t，全年实现利润2546万元，经营效益再次跃居全局行业榜首。

五、依靠两手抓，精神文明建设协调发展

在抓生产经营的同时，王石凹煤矿始终坚持“两手抓，两手都要硬”的方针不动摇，以物质文明打基础，用精神文明作保证。坚持围绕经济抓党建、抓好党建促经营的工作思路，始终把党建工作贯穿于生产经营和精神文明建设的全过程，积极深化创先争优活动，落实党建目标和任务，使党组织的政治核心作用、党支部的战斗堡垒作用和党员的先锋模范作用得到充分发挥。千方百计为职工办实事，职工收入逐年增加，人均收入达到11829元，矿区环境得到改善，保证了企业生产经营走上健康发展的道路。先后有8个基层单位被省、局评为“六好区队”。矿先后被省计委、省总工会、铜川市委评为思想政治工作先进企业，并荣获全国双十佳煤矿称号。矿工会被省工会授予“先进企业工会”称号，党风廉政建设、档案管理工作成效显著，多次被评为省级先进集体。

靖远煤业有限责任公司魏家地煤矿

靖远煤业有限责任公司魏家地煤矿，是1989年12月15日建成投产的。年设计生产能力150万t，井田面积23.5km²，地质储量3.09亿t，可采储量2.32亿t。

矿井属煤与瓦斯突出矿井，煤层中瓦斯储量丰富。根据地质勘探和井下现场实测资料鉴定，可采煤层瓦斯含量28.58亿m³，是既产煤又产气的双重能源基地。矿井自然灾害严重，煤尘具有爆炸性，爆炸指数为29.25%。煤层易自燃发火，最短期为21天，是全国煤炭系统35座安全管理重点矿井之一。机械化装备及开采技术先进，实现了一井一面年产150万t的生产规模。“九五”期间被原煤炭部列为全国高产高效重点发展矿井之一。该矿坚持高产高效矿井建设，集约化生产，科学管理，保持了经济运行质量、效益稳步提高，安全生产持续稳定健康发展，职工生活继续改善，环境生态建设稳步推进，形成了“一井一面”年产150万t，实现利润1062万元以上，高产高效快速发展的良好态势，具体表现在8个方面：

一是安全生产实现历史最好水平，截至2004年5月31日，实现安全生产2491天无重伤以上人身事故，无火害、瓦斯、煤尘困扰矿井。

二是原煤生产跨越式发展。2003年生产原煤150.7233万t，最高单产16.53万t，最高日产7423t。

三是回采工效突破38t/工。2003年全员工效10.43t/工。

四是原煤生产成本有了新的突破。原煤综合成本控制在93.96元/t，综放工作面直接成本控制在11.31元/t。

五是技术装备达到省内同类型矿井最好水平。采掘机械化程度分别达到100%，主绞提升系统采用德国GHH公司ϕ4×4多绳摩擦轮提升机，先后投资2800万元，装备具有国内领先水平的KJ－95型矿井环境瓦斯集中监测和工业电视自动化监控等系统，大巷运输、千米掘进皮带运输系统。

六是管理向信息化、工业监控自动化、规范化、科学化、现代化迈进。被国家煤炭局、中煤协会评为全国煤炭工业“双十佳”煤矿、全国煤炭系统文明矿、全国设备管理“十佳”优秀单位、行业级高产高效矿井、行业级质量标准化矿井，省级文明单位，科技进步先进单位。

七是经济效益显著，2001年实现利润593万元，2002年实现利润1300万元，2003年实现利润1062万元，近3年实现经营利润2955万元。2003年职工人均收入15000元；煤炭销售150万t，销售收入1.80亿元。

八是生产技术取得新突破。复杂条件下综采放顶煤综合技术、沿空送巷、跨上山无煤柱开采、瓦斯综合治理、综合防灭火技术、瓦斯综合利用、松软煤层工作面切眼大断面锚网、锚索支护等技术研究成果，先后荣获甘肃省科技进步二、三等奖，甘肃省煤炭工业局科技进步一、二、三等奖。

一、解放思想，坚持走高产高效矿井建设的路子

魏家地矿于1990年装备了104分层开采综合机械化采煤面，由于矿井地质条件复杂，煤层节理极发育，顶板破碎，起伏变化大，高投入低产出，近4年时间未采完一个工作面，加之两个炮采工作面，致使矿井安全生产管理难度大、产量低、效益差、成本高、亏损严重，生产一直处于被动局面。1990～1995年底，累计生产原煤152万t，年均25.3万t，累计亏损4100万元，矿井面临关停的境地。矿领导班子解放思想，统一认识，审时度势，提出依靠科技进步，建设高产高效矿井，走集约化生产之路。在甘肃煤炭工业局、中国矿大等有关单位专家教授及原靖远矿务局的大力支持下，完成了《靖远矿务局魏家地煤矿缓倾斜具有煤与瓦斯突出易燃特厚软煤层综采放顶煤技术研究》课题，经甘肃省科学技术委员会组织国内著名专家工程院院士钱鸣高、戚颖敏，原煤炭工业部总工程师尚海涛等专家委员鉴定评审后认为，“该项技术已达到国内外先进水平”。并指出：“在煤与瓦斯突出条件下的综采放顶煤技术成功的应用填补了国内空白，是一次大胆的尝试，是我国采煤方法改革技术上的创举”。应用该项技术，1996年当年生产原煤71万t，实现经营利润156万元，矿井一举扭亏为盈，工作面直接工效32.63t/工，成本11.07元/t，打破了阻挠矿井发展的坚冰，扬起了高产高效快速发展的风帆，取得了显著的社会效益和经济效益。

二、优化生产布局，科学管理集约化生产

1996年以来，该矿紧紧围绕“双高”矿井建设，强化技术措施，加快生产环节改造，优化生产布局。根据矿井地质复杂程度，布置了跨上山走向长度1200m、工作面长度150m孤岛无煤柱跨上山表外储量开采的综采放顶煤工作面，多回收煤炭资源170万t，增加经济收入2.2亿元，实现了连续生产2年不搬家；积极探索研究软煤层综合机械化快速掘进技术，采用S100型、星光75型综掘设备，创单进260米的掘进水平，在开拓、掘进工作面全面推行了岩巷锚喷、煤巷锚网、锚索支护新技术以及千米沿空送巷技术；在运输系统上，改造装备了大巷及千米掘进皮带集中运输，运输能力达到了600～800t/h以上。

三、抓技术装备，解放和发展生产力

“科学技术是第一生产力”。技术装备是建设“双高”矿井的关键。经过认真考究反复论证，该矿积极引进先进综采设备，配备ZTF4400－18/30端头支架、ZFGB4000－17/28过渡支架、ZFSB3600－17/28中间支架共84副综采放顶煤自动液压支架，进行工作面顶板支护、推溜、拉架、放煤；配备MG200/500－QWB采煤机，进行工作面割煤、装煤；配备SGD－630/220型前后部刮板输送机、SZZ－730/160转载机运输煤炭，2001年生产原煤78万t，2002年生产原煤102万t，

2003 年生产原煤 150 万 t，实现了“双突”矿井条件下的跨越式发展。正确树立和强化“人、机、环境”管理意识，加强技术服务，提高设备运转率。特别注重综采队伍建设，在加强一年一次集中培训的基础上，大力培养高学历、高技术的职工队伍，使综放队中专以上学历的人员达到 58%，培养了一批工人技师，造就了一支技术精湛、素质优良、特别能战斗的职工队伍。强化后勤保障体系，提高服务质量，强制定期维修与保养，并重点抓好采煤机特殊配件、非标准件的储备与供应，使开机率达到 80%以上。在此基础上进行了集中皮带运输改造、主井筒检修、箕斗提速、计量仓自动化改造等一系列措施，为矿井的可持续发展和不断增强竞争力，获得了广阔的生存和发展空间，在“人、机、环境”3 个方面得到了强有力的保障。

四、安全强企，保持矿井的持续稳定健康发展

安全生产管理是煤矿永恒的主题，该矿认真贯彻落实“三个代表”重要思想，突出“安全责任重于泰山”这一主题，坚持“安全第一、预防为主”的方针和高瓦斯矿井“先抽后采、监测监控、以风定产”的十二字方针，坚持安全科技保障体系建设、安全长效机制建设，装备完善了具有国内领先水平的 KJ－95 矿井环境瓦斯集中监测和工业电视监控系统、SZ－Ⅱ型防灭火束管监测系统、PSA－500 氮气防灭火系统、中央风井黄土灌浆系统、SK－60 型瓦斯抽放系统、风电瓦斯闭锁装置等安全保障系统。积极推行安全“金字塔”管理格局，严格落实“一通三防”为重点的安全管理责任制和“四位一体”防突措施，制定了矿领导总值班、中夜班下井制度，安全重奖重罚、职务责任风险抵押、重大项目领导签字负责制等行之有效的管理办法和措施。大力开展科研攻关、技术研究，结合矿井实际，研究采用了以注氮、灌浆为主，凝胶、黄土充填和砂浆封闭为辅的综合防灭火技术；以抽放、优化通风、煤层注水为主，压气局部通风机、顶板巷排放为辅的综合瓦斯、煤尘防治技术。强化安全培训教育，营造安全文化氛围；强化生产技术管理，积极推广新技术、新工艺、新方法，大力推进矿井质量标准化，从而保证了安全生产，推动了矿井生产经营的稳定发展。

五、管理创新，深化企业改革

该矿认真总结经验，针对经营管理中预算、绩效、考评、价格、结算体系不够完善以及经营检查、赔偿、考核管理机制不够精细，经营成本控制与收益不对称，生产辅助工作质量差等弊端和问题，采取了一系列改革措施。

一是积极推行岗位绩效工资改革，打破了沿袭半个多世纪的制度工资制，工资向技术含量高、责任重大、苦、脏、累、险岗倾斜，实现工资与绩效考核的统一结合，充分体现了按劳分配的原则。二是进行了机构调整改制，改制后的机构形成了六部、二室、二中心、三公司。实行市场化运作，矿对采、掘单位的产量、进尺按质按量收购，以票据形式结算工资；销售公司按定价、定量销售，超价部分发放销售人员工资奖金；物资供应公司按发出材料的贷差额核支工资；保卫科改制为保安公司，矿按重点岗位把保安经费划转到各单位，保安公司通过有偿服务挣工资；物业公司实行市场化管理，有偿服务，对职工食堂、浴池、单身楼、草坪、花园、人工湖等进行竞标经营权出售管理办法，节约了人力，减少了大量的工资支出，又增加了企业收入。供应公司、销售公司、保安公司等由管理职能部门转为服务职能部门，提高了服务质量和工作效率。三是加大企业管理经营考核职能。实行生产与辅助单位的链式管理，实行有偿服务，如矿车使用、设备检修等辅助工作均按内部价格以票据形式结算工资，对影响生产的各种因素均实行赔偿制度，逐步建立了检查、考核、赔偿机制。四是对小车费、接待费、电话费等经费全部实行个人承包划转，节约自有，超支自付，形成了有效约束管理机制，全面提升了企业经营管理水平。

六、坚持以人为本，创建企业文化

近年来，该矿坚持“以人为本，以德治矿”的企业文化建设，尊重知识，尊重人才，更新知识，注重学习，建立学习型企业，走出了“教育、建设、管理、发展”紧密融合，同步运行，与时俱进，培育发展的企业文化建设的新路子。在企业精神文明建设中，把加强党的建设、领导班子和职工队伍建设放在首位，纳入经济考核责任制，坚持同安排、同检查、同考核。以培育“四有”职工为目标，大力创建职工文化阵地，职工培训教育中心、电教室、图书室、阅览室、灯光球场等文化设施齐全完备，各种文艺演展赛活动丰富多彩。职工学文化、学技术蔚然成风，先后有 860 名职工报考各类大中专院校，有 620 名职工取得了大中专学历证书。与高校联合办学，开办综合机械化采煤、计算机应用大专班 3 个，在校学员 124 人。该矿注重矿区绿化、美化、净化、亮化环境建设，先后投资近 340 余万元用于植树造林、种草种花和园林化建设。全矿共有绿化面积 366.63 亩，绿化覆盖率 30.82%，人均占有绿化面积 30.48m^2，使矿区形成春有花、夏有荫、秋有果、冬有青，亭台楼阁古色古香、鲜花盛开、绿树成荫的花园式矿井。

面对全面建设小康社会的发展新形势，该矿大力实施科技兴煤战略，将不断加强新型工业化进程，创建团结、高效一流的领导班子和职工队伍；绿化、美化、净化环境一流的花园式矿区；安全稳定一流的生产组织管理系统；高产高效一流的现代化生产矿井，努力实现年产 200 万 t 以上、人均工效 12t/工以上、利润 4000 万元以上的近期目标，并以科技进步为动力，促进经济全面腾飞，把魏家地煤矿建设成一流的现代化矿井。

永城煤业集团公司
陈四楼煤矿

永煤集团陈四楼煤矿位于河南省永城市境内，是国家“八五”、“九五”重点建设项目。陈四楼矿设计生产能力240万t/年，1997年11月6日建成投产，服务年限为65年。矿井配套工程年洗选能力240万t的洗煤厂也同期投入使用。

陈四楼煤矿井田面积73km²，储量3亿多吨。煤种为低灰、特低硫、特低磷、高发热量的优质无烟煤。煤炭产品有筛末煤、末精煤、洗小块、洗中块等品种。2001年获得了《出口煤炭质量许可证》，2002年通过ISO9001国际质量体系认证。煤炭销往韩国、日本等国家，在国内、国际煤炭市场上均享有良好的声誉，在日本被誉为"中永一号"。

陈四楼煤矿现有职工3000人，其中中高级职称人员133人、研究生5人。主要采煤队伍有4个，其中综采队2个，炮采队2个。陈四楼煤矿装备了世界上一流的采煤、提升和运输设备，已达到日产超过万吨的生产能力。

投产几年来，陈四楼煤矿煤炭产量和经济效益不断提高，2000年产量182万t，利润291万元；2001年达到275万t，利润1.4亿元；2002年又迈上新的台阶，产量达到331万t，效益达到2.7亿元。2003年产量达到361万t，实现利润3.1亿元。陈四楼煤矿职工收入也逐年增加，1999年人均工资10178元，2000年为11594元，2001年为13848元，2002年为16021元。陈四楼煤矿成为河南省煤炭系统"效益最好、单井产量最高、人均工资最高"的矿井。

一、推进管理变革，提高企业运行效率

陈四楼煤矿坚持大力开展"三化"管理工作，对管理系统实施规范化、制度化和市场化管理。建立了管理系统评估制度，不断修改完善各项管理制度，在系统的执行能力上狠下功夫，努力提高管理系统的运行效率。"三项制度"改革不断迈出新的步伐。在管理人员中全面开展了绩效考核工作，打破了干部和工人身份，实行了管理人员聘任制，半年一考核，全年一总评，一年一任免，能者上，庸者下。2002年，有8名中层管理人员因考核成绩不佳被免职。为处理好党委、支部工作和生产经营管理工作的关系，该矿提出党委、支部工作"到位不越位"原则，使党建和政治思想工作既在职责上分工明确，又在工作中密切配合，目标上协调统一。为提高中层干部自我检测和自我提高能力，陈四楼煤矿提出了管理测评、自我评测的五项标准，即：有无对自己职责的认识、有无解决问题的素质、有无解决问题的方法、有无解决问题的魄力、有无良好的业绩。用这五项标准帮助和督促各级领导干部加强学习，提高素质，提高创新能力。建立了内部劳务市场制度，工作成绩不佳的职工进入劳务市场参加有偿培训，培训合格才有机会被重新挑选上岗。工资分配上彻底打破了大锅饭的分配制度，实行工资总额与效益挂钩，职工工资和个人完成任务情况挂钩，上不封顶，下不保底。2002年，采煤队部分职工年收入最高达近5万元，最低只有1.1万元。按绩效定薪酬，按绩效定职位升降、定人员去留的现代企业分配用人制度已基本形成。构建了完善的内部市场体系和三级核算管理制度，实现了市场化管理的新突破，形成了"三级核算体系"和"五环节运行"的良好格局。把科室纳入市场化管理，实现了成本管理与市场化管理的有机结合。首创内部市场化管理"时间买卖制"，时间就是金钱、时间就是效益的观念已深入人心。

二、实施产品战略，提高产品质量

顾客满意的产品质量和合理的产品结构是企业赖以生存发展的基础。为此，矿专门成立了煤质管理领导小组，把煤质和产品结构作为重要内容纳入目标考核，拉大结算差价，完善管理机制。严格按照ISO9001质量管理体系的要求进行质量管理，不断完善质量管理体系，保证产品的优良品质和质量的稳定性。实行了产品质量收购制，灰分超标没收。实行了煤质事故追究制，把煤质问题和安全问题一样列入事故范畴进行责任追究。综采采用单向割煤和提高块煤专用滚筒技术，炮采采用改进型微差爆破技术，工作面最高块煤率最高可达38%。煤流系统采用省煤科院螺旋煤仓技术和自行研制的块煤防破碎装置。在局部地质条件发生问题、影响煤质时，启动全工作面煤质调配调度系统，在煤流系统中进行调配，保证产量和煤质，保证市场的需要。2002年，原煤发热量6210×4.18J/g，含矸率2.07%，块煤率在21%以上。产品销往宝钢、武钢、马钢等知名企业，产品质量可以满足不同顾客的需求。

三、着力科技创新，为企业发展提供技术保障

加强生产技术管理是降低生产风险的有效方法。陈四楼煤矿十分重视信息技术在生产管理中的运用，以信息化改造和提升传统产业来全面提高矿井管理水平和技术水平，即在煤矿采掘、辅助运输、输配电、通风、瓦斯监测、排水洗选加工及装车等环节，已经较为广泛地应用了自动化控制技术，使调度监控网络系统覆盖了全矿采、掘、机、运、通、水、电等生产环节。为提高职工开展科技创新的积极性，陈四楼煤矿设立了内部技术市场，负责对生产技术成果的管理、评估和"交易"。技术成果开发人可以按该项技术在生产中创造效益的大小来获得一定比例的收益，最高奖金额近10万元。2002年，陈四楼煤矿产生科技成果40项，其中10项获得省级奖励。在生产中产生较大影响的技术成果有：成功地探索出适合陈四楼煤矿开采地质条件下轻型综采设备配套工艺；炮采工作面高产高效工艺；微差爆破技术改进工艺；锚索加锚杆加固老巷技术；封堵底板出水技术；提高新生界覆盖层下煤炭回采上限技术等。职工积极参与技术创新活动，提交"五小"科技成果和合理化建议85项。劳务工邵兴建在全省煤炭系统通风技术比武中，获得第一名的好成绩，被授予"河南省技术能手"称号。技术管理的进一步加强，保证了安全生产，创造经济效益3000多万元，科技贡献率达到11.5%。

四、加强精神文明建设，保持企业健康协调发展

陈四楼煤矿在总结其建设和发展历史的基础上，提出了"诚信务实，创新争先"的企业精神。在全矿广泛开展了公民道德进万家活动。开展了效能监察工作和矿务公开工作，从源头上消除了可能存在的腐败问题。坚持“矿长接待日”制度，认真倾听职工的意见和建议。2002年投入资金100多万元对职工“两堂一舍”和通勤条件进行改善，工业广场改造投入资金50多万元。矿内生产生活条件不断改善，职工思想觉悟和敬业奉献精神不断提高。

2002年，陈四楼煤矿获得全国煤炭系统“双十佳煤矿”、“高产高效矿井”、“科技进步十佳矿井”、“安康杯竞赛优胜单位”和河南省“文明煤矿”、“质量标准化矿井”、“安全生产先进单位”、“科技先进集体”和商丘市“文明单位标兵”等荣誉称号。

2003年，陈四楼煤矿煤炭产量达到350多万吨，利润超过3亿元。以陈四楼煤矿为主体企业，由宝钢、沙钢、武钢、煤科总院和中国矿大等为发起人的龙宇能源股份公司8月份挂牌成立，上市准备工作正在顺利进行。

鹤岗煤矿集团公司南山煤矿

南山煤矿是鹤岗煤矿集团公司的主力煤矿。2002年，生产原煤277万t，超计划47万t；开拓、回掘进尺完成32000m，超计划5700m；盈利727万元，超利607万元；质量标准化建设在集团公司验收中始终保持第一名，实现安全生产。2000年，在全省夺得煤炭产量、安全质量、经济效益“三个第一”，被黑龙江煤炭工业局授予“龙江第一大矿”；2001年，被黑龙江省委授予“先进基层党组织”；2002年，被黑龙江省政府授予“省第九届劳模大会模范集体”；2000年、2001年、2002年连获全省“十佳明星矿”、全国“安康杯”竞赛优胜企业；连续多年被市委、市政府和集团公司党委授予先进集体标兵、党风廉政建设先进集体、思想政治工作先进集体、先进党委光荣称号。

一、抓好安全，稳定大局

2002年以来，南山矿把安全工作作为全矿工作成败关键。切实加强安全思想教育，制定下发《加强职工安全思想教育工作实施意见》及考评细则，利用广播和有线电视开展安全思想教育，全矿干部职工安全达标认识明显提高。加强安检队伍建设，实行全员风险工资，强化重点区域、重点场子安全检查，全年共进行安全检查51次，查出安全隐患3239条，制止违章作业29次，查获“三违”人员155人次，罚款25万元。深入开展质量标准化建设，坚持“以工作面为核心，以‘一通三防’为主线，以系统治理为重点，以硐室、小川达标为突破口，开拓、掘进先行”的工作思路，坚持每季一项重点达标工程，每月一个安全主题，高质量完成了300绞车道等重点达标工程。选树推广“双学、八推”10个单位达标经验，狠抓落后队质量，全矿质量达标水平明显提高。在做好安全工作的同时，矿战略性调整生产节奏，用2个综采队高产高效稳定全矿产量，2002年，2个综采队双双突破百万吨，改写了集团公司没有百万吨队的历史。

二、扩大抽放，加强防火

把防火工作作为稳定全矿生产形势的首要任务，把扩大抽放能力作为全矿长期的、持之以恒的战略性大事。在防火方面，严把设计规程关，完善消防火系统，采取快采快掘、分段准备、多点出煤、随掘随采、采后及时封闭等措施，各系统分别与采区签订防灭火合同，落实防灭火责任。加大打钻、灌浆、喷碹力度，全年共打钻11000m，灌浆70000m^3，防灭火喷碹3500m。在瓦斯抽放方面，确定“以抽为本，综合治理”的工作思路，加大瓦斯抽放投入，增加钻机和人员，将232采煤队调整为开拓队，全年增加开拓延米3000m，完成抽放钻孔590个，比2001年增加304个，比2000年增加361个，抽放瓦斯总量突破1100万m^3。

三、大上基础，全力调整

该矿以集团公司加大生产和“一通三防”投入为契机，调整战略重点，深入开展“一通三防”基础工作会战，认真做好“控爆”和“防火”工作。调整生产节奏，将232调出采煤战线，235为综采扒一分层，两个排放队给综采让路，让两个综采队创水平、夺高产。调整主排系统，投入资金1000余万元改造南北主扇，改造后每分钟可增加风量1万m^3。调整开拓布局，232采煤队调整为两个开拓队，加快了北五外、七层五段、西三区八号面、三水平等重点区域的开发。调整抽放人员和设备，新增一套抽放泵，增加人员23人，管路1300m。调整供暖方式，对矿属南山地区房屋进行“汽改水”改造，年节约煤炭4万t。调整供电系统，利用废旧钢铁自制电缆桥架，打电缆孔，铺设电缆3500m。调整支护方式，掘进系统成功试验锚杆支护，全年掘进完成锚杆支护530m，节约资金32万元。调整主运系统，对南北皮带大修，更换皮带滚500个，钢带机300m。调整主提系统，更换新井钢丝绳自动平衡悬吊装置，改造电控系统，更换副井罐座，增加提升能力，年可多提煤50万t。

四、强化管理，降成提效

该矿实行系统承包经营，落实岗位经济责任，推广四采区块段承包经验，全矿经营成本逐年下降。加强煤质管理，动力Ⅰ号煤入洗量提高3%，块煤含矸率下降1.25%，售价提高0.53元；对矿和经贸煤厂上秤管理，利用有线电视监控，杜绝跑、漏煤现象；加强设备管理，实行二级租赁，提高设备使用率，加快设备周转率；加强材料管理，实行“一个专控”、“两个跟踪”、“三项验收”、“四个调剂”，成立大型材料管理组，对大型材料和民用物资双向跟踪、管理、调剂、建账、设卡，节约材料投入140万元；加强用电管理，全矿吨煤电费下降0.2元；深入开展节支降成活动，组建专业回收队，收废旧钢铁制做锚网支护铁垫板，修复大小电机450台，风机130台，开关38台，潜水泵180台，铁棚子880架，节约资金180万元。

五、关心职工，加强党建

该矿关心职工生活，为11名特困职工子女减免学费5万余元。经与民政部门协调，已有1013户特困户正式进入社会低保。对铁东地区进行“汽改水”改造，对红旗小区住宅楼进行采暖大修，提高了职工冬季供暖质量。投入资金200多万元，引进先进的更衣吊篮系统，装修改造更衣室，改善了职工洗浴和更衣条件。加强地面环境建设，改造工业广场花坛，建篮球场，安设彩灯，为西山职工住宅区和红北街安设路灯，矿容矿貌焕然一新。坚持矿务公开，向职工公开主要生产经营指标、工资、奖金和干部任免等热点、焦点问题，畅通了民主监督渠道。加强矿区两级班子建设，调整充实科级班子17个，将68名中青年人才选拔到矿区领导岗位。坚持“三会一课”制度，对全矿在职党员进行全员培训，受教育面100%。加强党组织建设，发展新党员83名，新增积极分子150名。以党建带团建，把11名优秀青年人才选拔到团干部岗位。开展党风廉政教育，对全矿245名在职副科级以上干部进行廉政考核，合格率达98%以上。加大信访案件查处力度，共受理群众信访举报22件，处分违纪人员12人。加强企业文化建设，突出抓好安全文化和成本文化，确定安全理念、矿风、战略目标、战略重点、战略措施及文明员工行为规范，针对井上下各专业工种、岗位特点及操作中的注意事项，编制50多个岗位工种的安全歌谣，完善考评体系，量化了考评标准，推进了三个文明同步发展。

潞安矿业（集团）公司
漳村煤矿

漳村煤矿矿长　王志清

漳村煤矿是潞安矿业(集团)公司下属的一座国有特大型矿井，先后被原煤炭部首批命名为现代化矿井、部特级质量标准化矿井、部特级高产高效矿井，国家环境保护委员会命名为“全国环境保护先进企业”。2003年被中煤技术协会命名为“科技创新型矿井”，被中国煤炭企业协会命名为“2002年度全国文明煤矿”，被中煤协会命名为“全国双十佳煤矿”，被中国能源化学工会授予“功勋矿井”和“功勋采煤队”。

漳村矿于1958年建井，先后经过两次改扩建，设计生产能力为150万t/a，实际年生产能力达到300多万吨。矿附设一座年入洗能力为240万t的现代化选煤厂和一座设计能力为22万t/a的煤气化厂。

矿井主采煤种为贫瘦煤，低硫，低灰，高热，是工业企业理想的动力用煤。主导产品有精煤、优质动力煤、高炉喷吹煤等。其中，14级混煤和28号洗动煤分别被山西省评为省优产品；高炉喷粉煤由于流动性好，转换比高，硫分低，深受大型钢铁企业用户青睐，同时还远销国外。

近年来，漳村矿以实现全面、协调、可持续发展为目标，以“增强矿井发展后劲”和“提高职工生活质量”为根本标准，积极应对市场挑战，根据矿井井型和资源的限制，确立了“实施内涵式发展，建设更高更新更美更具特色现代化矿井”的战略目标。在这一战略思想的指导下，2003年各项生产经营指标均实现了历史性的大跨越，经营质效创历史最好；矿井发展后劲持续增强，职工生活质量不断提高，更高更新更美更具特色现代化矿井建设初见成效。

一、主业精干高效

在双高矿井的建设和发展上，漳村矿紧紧结合井型和资源等条件，合理定位，探索具有本矿特色的高产高效之路。该矿的特点是井型适中，主要装备和资源都不利于更大限度地增产，实际生产能力只能保持在300万t以内。这样的井型，最适合搞“一矿、一面、一条运输线、日产万吨”的“四一型”生产模式。该矿抓住这个优势，围绕“四一型”生产格局，坚持科技兴矿战略，紧紧依靠先进科学技术和经济适用性技术，不断优化采区设计，完善环节系统，合理集中生产，逐步实现采煤集约化、掘进高效化、主运集控化、辅运简捷化、队伍专业化、管理信息化，提高了单产单进水平，使双高矿井建设不断取得新的突破和新的发展，基本形成了精干高效的矿井生产体系和模式，提高了矿井的市场竞争能力和抗风险能力。全年一队一面共生产原煤318.1万t，同比增产60.5万t，提高23.5%；全员工效实际完成13.518t/工，同比提高19.9%；平均单产实际完成25.995t/（个·月），同比提高21.9%；平均单进实际完成511.84m/（个·月），同比提高5.9%；实现利润10856万元，同比增加6160万元，提高131%；

该矿坚持以人为本，狠抓责任落实，创新安全机制，提升安全装备水平，努力建设本质安全型矿井，安全生产得到持续稳定健康发展，截至目前安全生产周期已达1900多天。

二、多经步入规模效益轨道

在煤与非煤并重的发展思路下，漳村矿多种经营产业也得以迅速发展。立足煤，延伸煤，大力发展煤基多联产，对矿煤气化厂进行了二期扩建，上马了煤气发电项目，煤—焦—化、煤—电—化产业链得到拉长变粗；充分利用技术、资金整合地方煤矿。同时，利用新机制上马新项目，实现投资主体多元化，多经济增长步入规模效益型道路，2003年完成销售收入2.01亿元，同比增加1.03亿元，增长106%；实现利润657万元，同比增长290%，创建矿以来历史最高水平。

三、职工生活质量不断提高

该矿坚持以人为本，坚持高起点、高标准、高质量，以“为民、富民、安民、乐民、便民、育民”为宗旨，加强社区党建和居民自治建设，充分整合社区资源，全面拓展社区功能，不断提高服务质量，努力改善生活条件，逐步实现了“组织管理清晰化、社区环境优美化、文化娱乐大众化、治安防范网络化、生活服务规范化、医疗卫生便民化、培训教育实用化、经济功能社会化”，促进了人与自然的和谐共处，营造了一个文明祥和、环境优美、管理有序、生活便利、服务完善、治安稳定的社区。漳村社区先后被评为“省级文明示范社区”、“省级爱国卫生标兵单位”、“市文明小区”等。

居民生活环境不断改善，职工收入逐年攀高，2003年，全矿人均收入达到2.4万元，同比提高18%。

四、企业管理跨上新台阶

漳村矿不断创新管理，激活机制，先后通过了ISO9001质量体系、环境与职业安全健康管理体系认证，完善了内部市场体制，实现了内部市场化经营；大力建塑强势企业文化，努力创建学习型组织，加强精神文明创建，企业管理跨上了新台阶，企业优势竞争力得到了进一步的增强。

2004年，漳村矿将以党的十六大和十六届三中全会精神为指针，以科学的发展观和正确的政绩观为统领，按照建设“中国潞安”能化大集团的战略要求，突出“内涵式经济增长主线”，加速“主业、多经”两业发展，推进“三项制度、主辅分离”两项改革，引深“企业文化、文明矿区、学习型组织”三个创建，实现“职工生活质量不断提高”这一根本目标，高标准、高质量、高效率推进更高更新更美更具特色现代化矿井建设，为建设“中国潞安”作出新的更大的贡献。

矿长简介：

王志清，漳村煤矿矿长，矿业工程硕士，采矿高级工程师。1965年8月出生，1987年毕业于阜新矿业学院采矿系采矿工程专业。历任漳村煤矿综采队技术员、副队长、队长，安监处副处长、生产副矿长，2002年8月任漳村煤矿矿长。

王志清同志致力于煤炭开采研究与煤矿生产管理，在矿井集约高效方面取得了突出成就，2003年获得“第十二届孙越崎青年科技奖”、“2002年度煤炭工业科技进步矿井先进工作者”。

铜川矿务局下石节煤矿

陕西铜川矿务局下石节煤矿位于铜川市耀州区境内，现有职工2700多人，井下1个综采面、2个综掘面，拥有现代化的安全监控、生产、机电运输系统，是全国100对高产高效矿井之一。

近年来，该矿把实践“三个代表”与建成大型高产高效现代化矿井、推动企业跨越式发展的战略目标结合起来，针对制约矿井发展的生产规模小、管理层次低等“瓶颈”问题，坚持以效益为中心，以市场为导向，依靠管理创新增强企业自身实力，依靠科技兴矿提高矿井核心竞争力，并致力于改善矿区面貌、提高职工群众生活水平，使矿区实现了物质文明、政治文明、精神文明共同发展。2000年生产原煤75万t，2001年生产原煤103万t，2002年生产原煤135万t，2003年生产原煤161万t，各项指标再创历史新高，保持了矿井持续、稳定、健康发展。矿井先后荣获省级先进集体、中国统配煤矿总公司质量标准化矿井、省煤管局“六好区队”优秀组织单位、能源部和铜川市思想政治工作优秀企业、省煤炭系统理论学习先进单位、省级文明单位、市、局先进党委、陕西省委先进基层党组织等多项荣誉称号。

一、与时俱进深化改革，坚持走管理创新之路

管理是企业永恒的主题，创新是企业发展的动力。基于这个认识，该矿针对生产、经营中存在的问题，敢于打破常规，求新存异，通过“调整、优化、转换、减负、挖潜、拓展”六方面措施，深化改革，细化管理，提高效益。

“调整”就是调整生产结构，先后撤销5个工艺落后的采掘工作面，形成了“一井一面”集约化的生产布局，使现在一个综采面的年产量达到过去4个采面产量总和的两倍。

“优化”就是优化管理机构，将机关科室精简、合并为6个，人员由340多人减为130多人，并积极推行减人提效，优化劳动力结构，使全员工效由以前的1.857t/工提高为现在的2.581t/工。

“转换”就是转换机制，以利润经营为目标，在全矿推行责、权、利相统一的自负盈亏机制，实行分类管理和内部市场化管理，建立激励约束机制，极大地调动了各方面的积极性。

“减负”就是以公司制改革为目标，成立了后勤保障总公司，实行主业、后勤双轨运行的管理机制，逐步剥离企业的社会职能，加快了社会化管理进程。

“挖潜”就是学习邯钢经验对内挖潜，建立以生产技术为中心的全员成本管理体系和目标成本管理体系，严格落实费用转化、工资负亏，使制造成本由1998年的124.71元/t、1999年的86.35元/t降低为2002年的68.2元/t。

“拓展”就是以实施名牌战略为手段拓展市场，坚持产运销全过程的煤质管理，所生产的长焰煤在被省质量技术监督局评为“优质环保煤”的基础上，又被国家质量检验协会评为“质量信得过产品”，并申请注册“蛇山牌”优质长焰煤商标，矿井连续多年实现了产销平衡。

二、瞄准高产高效目标，坚持走科技兴矿之路

该矿把“科技是第一生产力”的思想贯穿到管理之中，制定了“以可持续发展为目标，有计划地实施技术改造，建成高产高效矿井”的长远战略构想，带领全矿职工群众，坚持实施科技兴矿战略。

第一，坚持“安全第一、预防为主”的方针，在狠抓安全生产管理的同时，着力提高安全装备水平，投资447.3万元主持建成瓦斯抽放系统、注氮工程，投资

176 万元升级矿井安全集中监控系统。2002 年，实现 900 多天无重大事故，质量标准化连续三年达行业级标准。

第二，坚持开展科研项目攻关，近年来共完成科研项目近 30 项。其中，推行综采放顶煤一次采全高的开采方式，煤层注水软化煤体、预裂爆破等提高综采放顶煤新工艺项目被评为“陕西省职工经济技术创新暨陕西省职工技术改进优秀成果”二等奖，达到了国际领先水平，使综采面月产保持在 10 万 t 以上，最高月产达到 12 万 t，比以前产量增大了一倍；煤层大断面锚索支护试验项目达到了国内领先水平：采取锚注、锚喷等高强度综合支护工艺进行软岩支护试验初步解决了巷道支护难问题，荣获局软岩支护研究项目一等奖，达到了国内领先水平；矿井采后卸压瓦斯抽放技术项目达到了国内领先水平。

第三，抓薄弱环节，投资 173.9 万元进行主运输绞车、皮带机改造，筹备 2004 年对生产系统全面进行改造，彻底解决运输环节不畅问题。

第四，加大信息化建设力度，研发应用集生产、经营，人事、物资等管理项目为一体的 CMMS 煤矿综合管理系统，建成了矿内局域网；投资 150 万元建立矿井工业监控系统，在安全生产、经营管理中发挥了重要作用。

三、忠实实践“三个代表”，坚持走文明创建之路

该矿始终把发展先进文化、改善职工生活当作头等重要的大事来抓。第一，坚持两个文明建设一起部署，一起落实，加强民主管理，实施矿务公开，开展创建活动，该矿在被评为省级文明单位的基础上，正在向全国“文明矿”迈进。第二，把企业安全文化建设与企业文化建设相结合，深入落实安全文化建设“二十法”，既强化了安全教育，又弘扬了“求实、创新、团结、奉献”的企业精神。第三，始终把职工群众的利益放在首位，仅 2002 年，为职工群众办成了 10 件实事好事。一是投资近 1000 万元完成引水工程建设并投入使用；二是投资 55 万多元改善学校教学条件；三是投资 59 万元购置自动生化分析仪，建立职工康复中心；四是投资 2 万多元为离退休职工活动中心添置健身、娱乐器材；五是投资 136 万元重修矿自用公路 2.4km，解决了运输路状差的老大难问题；六是建成广场花坛、装饰彩灯等设施，投资 84 万多元改建厕所、护坡等设施和进行屋面处理，加大植树绿化力度，推进花园式矿井建设；七是关心职工生活，给生活困难职工发放补助款 6 万元，走访慰问离退休、伤病职工 103 人；八是对 376 名女职工和 180 多名工程技术人员进行健康普查；九是给 189 名困难职工子女提供助学款 1.9 万元，使贫困学生无一辍学；十是坚持举办职工歌会、戏曲文艺晚会、社火、卡拉 OK 大赛、书画展、电影月等活动，倡导文明、健康的新风尚。

矿领导简介：

刘生江，男，1995 年任采煤工程师专业技术职务。1981 年 7 月至 2002 年 2 月，曾在铜川矿务局东坡煤矿先后担任采煤、掘进技术员，生产科技术员、副科长、副总工程师、生产副矿长；2002 年 3 月至今，任下石节煤矿党委书记。

高明秀，男，1995 年任机械高级工程师专业技术职务；1982 年 8 月至 2001 年 4 月，曾在铜川矿务局下石节煤矿先后担任机采队技术员，安监处主任工程师，安监处副处长、处长，生产副矿长；2001 年 4 月至今，任下石节煤矿矿长。

神华准格尔能源公司
黑岱沟露天煤矿

黑岱沟露天煤矿隶属于神华准格尔能源有限公司，地处内蒙古自治区鄂尔多斯市准格尔煤田中部。开采范围 42.36km²，设计生产能力 1200 万 t，煤质为低硫、低磷、高灰熔点，较高挥发分的中灰长焰煤，是良好的动力用煤。

自 1999 年正式投产以来，煤炭产量和全员效率大幅度提高，促进了公司的全面发展。回顾几年来的建设历程，露天矿主要抓了以下六个方面的工作。

一、以销定产，科学组织生产，确保了生产任务的完成

露天矿牢固树立以销售为龙头，以市场为导向，进而扩大生产规模的观念，通过扩大市场份额，增加煤炭销售量，直接扩大了煤炭生产，以销促产成效显著。

露天矿按照市场和用户对煤质的要求及时调整产品结构，合理组织生产，使露天矿优质绿色环保煤的品牌效应不断扩大，为用户所认可和青睐。产销量逐年以 150 万 t 左右的幅度递增，特别是 2002 年露天矿的产量为 1021 万 t，比 2001 年增加 380 万 t，超额完成了公司下达的生产任务，跃居全国同类露天煤矿的前列，为 2003 年的全面达产奠定了坚实的基础。

二、通过加强经营管理，加大了成本控制力度

露天矿紧紧围绕工作重点，以控制成本为主线，制定了全面的经营管理办法。矿内给各单位核定了成本费用指标，各单位积极采取节能降耗措施，加大了成本控制力度。去年露天矿入洗原料煤成本比公司核定的 46.93 元/t 降低了 1.11 元/t，全年累计节约成本 1365 万元。

三、强化安全管理，确保了安全生产

露天矿一贯以“安全第一，预防为主”的生产方针为指导，坚持“管理、装备、培训”三并重的原则，全面贯彻落实国家的安全生产法律、行业法规和煤矿三大规程。近年来实行了风险抵押金制度，进行质量标准化考核。在工作中摆正了生产与安全的关系，有效地保证了生产及各项任务的完成。截至目前，露天矿已实现了安全生产 1200 多天。

四、推进科技创新，优化生产工艺

露天矿牢固树立“科学技术是第一生产力”的思想

理念，从优化采矿设计入手，大胆进行技术革新，取得了明显的成效。

1. 利用连续工艺系统成本低的特点，采用组合台阶开采工艺，增加了轮斗挖掘机的采掘量。

通过技术革新，将轮上土剥离由原设计的单斗—卡车间断工艺改为两台皮带车配轮斗进行组合台阶连续工艺开采，实现了轮斗采掘单斗量的开采方式，采掘高度达到 31m，提高了轮斗采掘量，每年可减少单斗系统剥离量 170 万 m^3，同时将胶带移设距离由原来的 40m 一移改为现在的 80m 一移，提高了生产效率。

2. 优化采排关系，科学调整排土场设计参数。

露天矿原设计有东排土场、北排土场、西排土场等五个排土场。通过先后改变东排土场参数、北排土场扩容和改造出入沟、修改西排土场的设计境界，排土场容量增加了 470 万 m^3，缩短运距 1800m，提高卡车能力 25%，还减少了征地 1000 亩。

3. 实施非工作帮残煤井工开采，降低生产成本，提高了资源回收率。

黑岱沟露天煤矿开采非工作帮残煤在国内尚无先例，特点是不需矿井前期投资直接建巷出煤，而且所开采的残煤热值较高，每年可配采大量的劣质煤，从而降低了露天矿的剥采比，节约了成本，也为国家回收了大量煤炭。

五、深化改革，主辅分离，减员增效

近年来，露天矿不断深化改革，将后勤、绿化等生产服务职能剥离出来，使煤炭生产主业人员大幅度减少，提高了露天矿的全员工效。2000 年，公司将为露天矿服务的选煤厂、生活服务部从露天矿分离出去，划出 670 人。同时在矿内大力实施机构重组，矿机关科级建制由 15 个缩减为 8 个，矿机关工作人员由 131 人减为 39 人，一人几职，一专多能，达到了精干高效的目的。

六、贯彻落实党的路线、方针、政策，积极推行矿务公开

露天矿以邓小平理论、江泽民“三个代表”重要思想和党的十六大精神作为党建、精神文明建设的重要思想，积极开展思想政治工作。以生产经营为中心，把党委工作与行政工作紧密结合起来。同时推行矿务公开，增加了各项工作的透明度。让职工参与到矿内的重大决策和事项中来，达到了使职工知矿情、明矿旨，依靠工人阶级办好企业的目的。

随着企业经济效益的不断提高，职工的生活水平也显著提高。2002 年，露天矿职工平均年收入达 21700 多元。物质文明的发展促进了精神文明的建设，整个矿区的经济、文化事业繁荣昌盛，在社会上树立了良好的企业形象。

尽管露天矿在方方面面取得了如此辉煌的成就，但是也面临着当前更高的挑战。

根据国家能源工业战略西移、发展少数民族地区经济的长远目标，距露天矿 60km 处又兴建了托克托电厂，90km 处兴建了岱海电厂，它们计划燃用露天矿低热值煤。预计到 2005 年，对露天矿煤炭需求量将达到 2300 万 t 以上，因此只有扩大生产规模才能满足市场的需要。为此，沈阳煤矿设计研究院为露天矿做了改扩建可行性研究，扩建时将采用吊斗铲倒堆工艺。

黑岱沟露天煤矿扩建后，必将进一步增强市场竞争能力，也为露天煤矿的发展提供了机遇。为此，黑岱沟露天煤矿将抓住机遇，深化改革，开拓创新，与时俱进，将露天煤矿建设成为“中国第一，世界一流”的特大型现代化露天煤矿。

优秀企业介绍

神华集团有限责任公司

神华集团有限责任公司（简称神华集团）是于 1995 年 10 月经国务院批准，按《公司法》组建的国有独资公司，是中央直管的 53 户国有重要骨干企业之一。神华集团法人代表是陈必亭，集团公司办公地点位于北京市东城区安定门西滨河路 22 号。神华集团在国家计划和中央财政实行单列，享有对外融资权、外贸经营权、煤炭出口权。神华集团以能源为主业，集煤矿、电厂、铁路、港口、航运为一体，实施跨地区、跨行业、多元化经营，是我国最大的煤炭企业，在国民经济中占有重要地位。目前，神华集团拥有全资及控股子公司 30 家，职工约 9 万人。截止到 2002 年年底，总资产达 1026 亿元。

神华集团负责统一规划和开发经营神府东胜煤田的煤炭资源和与之配套的铁路、电厂、港口、航运船队等项目，实行矿、路、电、港、航一体化开发，产运销一条龙经营，并开展与上述产业相关的国内外投融资、贸易等业务；开发和经营房地产，物业管理以及科技开发等相关实业。

神府东胜煤田位于中国陕西省榆林地区和内蒙古伊克昭盟境内。属世界八大煤田之一，已探明煤田含煤面积 3.12 万 km^2，地质储量达 2236 亿 t。目前正在开发建设的矿区规划面积 3481km^2，地质储量 354 亿 t。该煤田赋存条件好，煤质属低灰、特低硫、特低磷、中高发热量，为优质动力、冶金和化工用煤，也是国家有关部门推荐的城市环保洁净煤。

2001 年年底，黄骅港基本建成投产，标志着拥有 4000 万 t 煤炭生产能力、810km 铁路、3000 万 t 港口吞吐能力的神华一期工程已基本建成，建设工期提前

3 年、投资节约 10%。

共有 28 个矿，35 对矿井，2002 年生产原煤 7733 万 t。神华集团所属神东煤炭公司，建设速度快，煤炭生产技术装备先进，劳动生产率高，煤炭产量大幅度递增，连续两年实现千万吨级跨越，创造了煤炭企业发展的奇迹，技术经济指标在国内乃至世界居于领先地位。2002 年，神东煤炭公司生产原煤 4643 万 t，全员原煤生产率达到 71.49t/工。其中大柳塔矿和榆家梁矿，是世界上最先成为单井单面年产原煤超过 1000 万 t 的矿井，全员原煤生产率分别达到 117.82t/工和 122.74t/工。

电力方面，已经运营的全资及控股电厂装机容量为 476 万 kW。在建电厂规模 360 万 kW，国务院已批准立项 360 万 kW。自有电厂的建设，为神华煤销售提供了稳定的市场。

建成并投入运营 4 条铁路，共计 1292km。其中，包（头）神（木）线 170km，年运输能力 1000 万 t；神（木）朔（州）线 270km，年运输能力 6000 万 t，2004 年 6 月年运输能力达到 8000 万 t；朔（州）黄（骅港）线 588km，年运输能力为 6885 万 t，远期年运输能力将达到 1 亿 t 以上；大（同）准（格尔）线 264km，年运输能力 1500 万 t，远期年运输能力将达到 4000 万 t。

黄骅港一期年吞吐能力为 3000 万 t，2004 年年底二期建成后年吞吐能力将达到 8000 万 t。

2002 年，神华集团商品煤销售 7773 万 t，主营业务收入 258 亿元，还本付息 56.02 亿元，利润总额 23.19 亿元。集团综合实力大幅度提高。神华集团已连续两年在国务院五部委对全国 169 家中央企业进行综合效绩考评中，位居全国煤炭行业第一。

神华集团最终将成为一个以煤为基础，以煤、电、油为主要产品，以配套的运输优势，向国内外提供优质能源产品的跨行业、跨地区的大型能源集团，进入到中国特大型企业的前列。

抚顺矿业集团有限责任公司

抚顺矿业集团有限责任公司是由原抚顺矿务局改制而组建的国有独资公司，现为全国最大 500 家工业企业和辽宁省 100 强企业之一。建国 50 多年来，共为国家生产煤炭 4.8 亿 t，上缴利税 58 亿元，曾被誉为中国的“煤都”，并先后荣获“全国五一劳动奖状”、国家“质量标准化矿务局”、“全国煤炭工业优秀企业”、“重合同守信用企业”及“辽宁省五一奖状”、辽宁省“思想政治工作先进企业”等荣誉称号。

近年来，面对日趋激烈的市场竞争环境及因实行“保城限采”使煤炭可采储量锐减的现实，集团公司在辽宁省委、省政府的正确领导下，重新理清了改革与发展的思路，加快了建立现代企业制度和结构调整步伐，确立并组织实施了以“一矿一厂一气”为骨干项目的转产转型工作思路。特别是 2002 年以来，在新一届领导班子带领下，广大员工与时俱进，顽强拼搏，全面深化企业内部改革，全面强化企业经营管理，全力推进转产转型工作，生产经营成果创十年来历史最好水平，煤炭产量、经营总收入、经济效益、安全生产、原油产量、水泥产量、重点工程建设及转产转型、员工收入 8 个方面均实现了新突破，尤其是安全生产创历史最好水平，企业呈现了蓬勃发展、蒸蒸日上的良好局面。

一、安全形势保持稳定

公司上下坚定不移地贯彻执行“安全第一、预防为主”的方针，以安全工作的“十靠”、“十化”为指导，以“一通三防”为核心，以安全质量达标为手段，以“质量标准化、安全创水平”活动为载体，突出超前预防，加大检查力度，从严落实责任，加强现场管理，狠抓隐患整治，抓点带面，全面推进，有效地控制了各类事故的发生。坚持对安全工作实行重奖重罚，设立了“一通三防”奖励基金，加大了安全投入，解决了一批历史遗留的安全欠账。强化了员工的安全培训和教育，增强了员工的安全意识，提高了员工的安全技能，始终保持了稳定的安全生产局面。

二、经济总量稳步增长

在煤炭主业方面，公司重点加大了煤矿的生产准备工程力度，简化生产系统，合理集中生产，加强生产组织，搞好精采细收，努力提高工作面单产，并加强了选煤厂的技术改造，提高了根据市场需求适时调整产品结构的能力，促进了经济效益的提高，全年实现收入 124383 万元，同比增加 4942 万元。在非煤经济方面，通过实施内部拉动、强化市场营销、拓展服务领域、积极开发新产品、强化设备改造、堵塞管理漏洞、抓好费用收缴、降低能源消耗等有效措施，千方百计增产增收，全年非煤收入实现 129784 万元，同比增加 9735 万元，呈现了煤与非煤齐头并进的良好发展势头。

三、经营管理得到加强

公司狠抓了市场营销工作，加强销售力量，完善营销策略，调整用户结构，使产品售价稳中有升，并保持了淡季不淡、旺季更旺的喜人局面。加大了清欠工作力度，有效遏制了应收账款上升势头，减少了资金的社会无偿占用。推行目标成本管理，千方百计压缩成本支出，强化资产的管理和调剂，压缩储备资金占用，实现经济合理运行。加强了物供管理，成立了质量管理监督办公室，严格执行“五联审”制度，减少中间环节，采取比价和招标采购办法，规范采购行为，降低采购成本，全年物资采购成本按可比口径下降了 434 万元。严格控制集团内工程、配件加工和设备检修外委，成立了汽车维修总部，对全公司各种车辆实行集中统一维修，年节约汽车维修费用 1000 余万元。

四、企业转产获新进展

集团公司在资金比较紧张的情况下，千方百计筹措资金，加快调整，加大投入，加速建设，重点转产骨干项目进展顺利。东露天矿恢复工程前期准备工作基本就绪；页岩烧结砖厂一期工程已于 2001 年 12 月 20 日正式投产；水泥厂扩建项目土木工程按期完工；向抚顺特钢和电瓷厂输送煤层气的管路和设施工程全部竣工；天宝大厦和总医院外科大楼正式对外营业。招商引资工作成效明显，与外商就引进小颗粒炼油技术、装置和项目融资签署了初步意向书。引进日本博光株式会社资金折合人民币500万元，合资成立了抚顺虎博洁净煤公司。

五、企业改革继续深化

公司对庆威公司和北龙公司进行了股权调整，由参股公司变为控股公司；重新调整派驻各子公司监事会，强化了监事会的职能作用，促进了子公司的经营管理工作。推进了三项制度改革，实行处级干部承诺制和末位戒勉谈话制，在部分单位实行中层管理人员竞聘制；坚持以产定人、以效益定人原则，严格定编定岗，实行竞争上岗，减少临时用工，清退返聘人员。认真组织实施了并轨工作，加大了再就业工作力度，多渠道鼓励、扶持和帮助下岗及并轨人员实现再就业。并开展了“心连心”千人走访慰问和扶贫帮困、“结对子”活动，切实帮助困难员工解决生活中遇到的各种困难，努力改善员工的生活质量。

六、企业形象逐步改善

随着经济形势的不断好转，公司全面加强了企业文化建设。一方面，以“绿都抚顺”建设为契机，加强了精神文明建设，开展“花园式工厂”创建活动，认真抓好“企业文化年”活动，不断丰富员工的业余文化生活，既振奋了员工精神，又使企业面貌焕然一新。另一方面，坚持以人为本，加强员工队伍建设，提出了争做合格干部的15条标准，开展干部警示教育，加强对干部的监督和考核，并根据工作业绩对部分干部进行了调整，提拔了一批政治素质过硬、工作能力强的干部。开展了“学、练、比”和“双百、双十”竞赛活动，调动了广大员工学技术、钻业务的积极性，提高了员工队伍的整体素质。

今后一个时期，公司将在保安全、增总量、深化改革，强化管理和提高员工生活水平的同时，着力抓好产业结构调整，力争用三到五年的时间完成发展战略转移，初步形成“煤炭、油母页岩综合利用、煤层气、机加工、建材”五大支柱产业并举，多种经营共兴的发展格局，实现企业的可持续发展。届时，抚矿集团公司将以崭新的姿态展示在世人面前。

开滦（集团）有限责任公司

开滦集团公司始建于1878年，至今已有126年历史，是国有特大型煤炭企业。近年来，开滦集团公司全面贯彻党的基本路线，坚持把党的改革开放政策与开滦实际相结合，在快发展、大发展、全面发展战略目标引导下，加快结构调整，完善现代企业制度，积极推进技术创新、管理创新和企业文化建设，全力打造现代化新型企业，让百年开滦基业长青，企业经济实力进一步增强。2003年营业收入63亿元，是河北省百强企业和全国500强企业。被中宣部、国家经贸委推荐为“深化改革、扭亏为盈”先进典型，并荣获全国“五一”劳动奖状和全国优秀企业“金马奖”、全国煤炭工业优秀企业等称号。

一、经济建设保持稳定发展

公司按照造就具有鲜明个性的区域经济型骨干企业的发展定位，在快发展、大发展、全面发展战略目标的引导下，以煤炭生产为基础，延伸煤基产业链，实施产业化规模发展战略，促进了经济建设快速健康发展。2003年实现企业利润7290万元，是1999年的2.61倍；总资产达到131亿元，比1999年提高了51.6%；原煤产量达到2409万t，比1999年提高了18.6%；营业收入达到61亿元，比1999年提高了76.4%；上缴税金为5.01亿元，比1999年增长了75.4%；用于企业发展的投入大幅度增加，2003年内部投资达到9.19亿元，比1999年提高了1.53倍，企业实力明显增强。

二、产业产品结构调整取得突破

面对发展机遇，公司强化紧迫感，永不满足现状，坚持发展为第一要务，调整转型，做精做强。以专业化重组为契机，大胆改革，初步形成了煤业、多经、经贸、服务按专业化方向发展的新格局，促进了企业改制工作，促进了经营机制的转换，促进了精细化管理；以“三个基地”建设为标志，优化了资源配置，增强了企业核心竞争力。按照河北省政府决定，蔚州矿区并入开滦，增强了企业发展后劲；以衰老矿井退出和非煤项目整合为重点，加快了煤炭主业精干高效、非煤产业规模化发展的步伐，煤炭产业推进了产业升级和生产经营的集约化，非煤产业加大投入形成新的经济增长点，2003年非主营业务收入占企业总收入的比重达到20.68%。

三、构建了先进企业制度管理框架

按照产权明晰、权责明确、政企分开、管理科学的现代企业制度特征，公司构建了母子公司管理体制，组建了精煤股份公司，实施了产权制度改革试点；推进了非煤厂点的改组改制，积极开展了与民营企业的互动与合作；以领导人员能上能下，员工能进能出、收入能增能减为切入点，加快了企业经营机制的转换，建立了人力资源市场，初步形成了劳动力市场化配置，公开招聘、竞争上岗人员达到了管技岗位人员变动人数的80%以上；推进管理科学，进行了预算管理、绩效评价、成本控制和专业化重组等管理创新的实践，实现了预算指标闭合，工作业绩与效绩评价相结合，促进了经济运行质量的提高；以“精细管理、双向控制”（简称RMDC）现场管理法的推广应用为标志，企业文化建设健康发展，提升了企业的产品形象、管理形象和员工队伍形象，提高了企业管理水平。开滦集团公司有14项企业管理现代化成果荣获省煤炭行业优秀成果奖。

四、科学技术贡献率明显提高

该公司坚持以科学技术推进生产力的发展，不断改进生产管理和生产工艺，使生产方式由粗放型向集约型转变。2003 年集团公司的科学贡献率达到 55%，比 1999 年提高了 10.1 个百分点；采煤机器化程度达到 89.37%，比 1999 年提高了 22.2 个百分点；科技进步直接创效 2.28 亿元，比 1999 年增长了 3 倍；"双高"矿井和"双高"区队取得历史性突破，2003 年有 7 个单位达到高产高效矿井标准，工作面单产和原煤工效率同比分别提高 11.91%和 9%，精煤产率和洗选效率分别提高 1.11 和 4.2 个百分点，全员效率达到 5.2t/工，比 1999 年提高了 4 倍多。信息化建设步伐加快，矿区计算机联网率达到了 85%，开发了一批管理应用软件，促进了管理的现代化。以创建国家级技术中心为主导的技术创新体系已经形成，博士后科研工作站已经进入项目研究开发，双边和多边技术协作取得明显进展。

五、员工文明素质和生活水平明显提高

随着企业的发展，员工文明进步和生活水平得到提升，通过民主评议企业管理人员、实施厂务公开等渠道，保证了广大员工参与管理的民主权利；通过落实劳动法、工会法、集体合同和劳动合同，有效地维护了员工的合法权益；员工的主人翁意识进一步增强，爱岗敬业蔚然成风，涌现出一大批赵国锋式的好矿工；员工思想进一步解放，对改革的承受能力不断增强；员工文化素质得到提高，集团公司 2003 年用于员工的培训投入达到 1948 万元，比 1999 年提高了 37.1%；员工收入水平有较大提高，2003 年在册员工人均收入 14339 元，比 1999 年提高了 57.1%，增强了企业的凝聚力和员工的归属感。

华亭煤业集团公司

华亭煤业集团公司是原华亭矿区的华亭矿区管委会、华亭矿务局和平凉地区华煤集团（包括华亭煤矿）三户国有骨干企业联合改制的大型国有煤炭企业，于 2002 年 4 月 24 日正式挂牌成立。

公司成立后，认真贯彻党的十六大、十六届三中全会精神，各项工作取得巨大成绩。经过两年的努力，集团公司在原煤产量、销售收入、利润、缴纳税金、职工收入 5 个方面比组建前的 2001 年翻了一番，两个文明建设同步发展。集团公司呈现出超常规跨越式发展的强劲势头，经济效益排名省属大型企业第五名，先后荣获"全省优秀企业"、"全省职工职业道德建设'双十佳'单位"、"全国职工职业道德建设先进单位"、"省级文明单位"、"甘肃省先进基层党组织"、"全省思想政治工作优秀企业"、"诚信纳税大户"等荣誉称号。

一、按照省委省政府的正确决策迅速组建大集团

华亭矿区是甘肃省储量最大、煤质最好的一块煤田，已经探明的保有储量 33.7 亿 t。煤质优良，具有高挥发分、高化学活性、高发热量和低灰、低硫、低磷"三高三低"的特点，是优质的民用、动力、化工和气化用煤，赋存条件好（瓦斯含量低、煤层平均厚度 32.65m）。

华亭矿区的开发始于 20 世纪 70 年代，到 20 世纪末，先后建成隶属关系不同的大小煤矿数十个，其中国有骨干煤炭企业 3 个，即华亭矿区管委会、华亭矿务局、华亭县煤矿。由于条块分割的管理和受利益驱使，企业间争资源，抢市场，压价销售，无序竞争，矛盾尖锐，纠纷叠起。到联合改制前的 2001 年，3 户企业总产量 560 多万 t，总的局面是有资源的包袱重，有效益的资源枯竭，为矿区开发做过贡献的陷入困境。这一切，阻碍了矿区的大规模开发，资源优势无法转变为经济优势，严重制约了矿区煤炭企业发展、平凉区域经济发展乃至全省经济的发展。

21 世纪，党中央、国务院实施西部大开发计划，采取一系列措施调整煤炭工业结构。省委省政府抓住这一有利时机，果断决策，组建华亭煤业集团公司，并于 2001 年 11 月和 2002 年元月成立了指导小组和筹备领导小组。筹备领导小组按照"省上指导，企业组建，地县支持，分步实施"的原则，与各方反复协商，编制《组建方案》，经 2002 年 3 月 1 日省政府常务会通过批准。

华亭煤业集团公司的成立，打破了体制造成的种种障碍，以资产、资源为纽带迅速整合在一起，彻底解决了矿区多年来"三败俱伤"的老大难问题，符合煤炭行业规模化、集约化发展趋势，符合发展先进生产力的要求。

二、坚持用发展的办法解决前进中的问题，快速提升生产能力

集团公司成立后，原 3 户企业之间遗留问题和矛盾很多，要完全解决这些问题和矛盾需要很长时间的"整合"，同时市场出现了多年未遇的回升。是待"磨合"好再发展还是用发展的办法解决前进中的问题？集团公司坚定地选择了后者，并且始终坚持"不争论"，聚精会神抓经营，一心一意谋发展，全力以赴干事业，在充分发挥现有生产能力的同时，快速提升生产能力。集团公司对矿区资源进行优化配置，扎实有效地推进生产矿井技术改造。

（1）打造千万吨级现代化高产高效矿井。华亭煤矿和砚北煤矿是集团公司的两个主力矿井，集团公司组建以前，两矿隶属关系不同，虽然只有一墙之隔，却互不来往，视为冤家对头。华亭矿曾是地方煤矿一枝花，但资源已经枯竭，面临着矿井关闭、出路难觅的窘境；砚北矿是国家重点建设的现代化矿井，但基本建设不配套，缺乏技术和资金，设计能力年产 300 万 t，1998 年底试生产后，连续 3 年产量徘徊在 90 万 t 上下。集团公司成立后，立即对两矿的资源、资金、技术、人才进行优化组合和配置，使两矿的发展势头迅猛异常。2002 年，华亭矿产煤 325 万 t，比上年增产 39 万 t，2003 年产煤 416 万 t；2002 年，砚北矿从上年的 94 万 t 一跃达到 225 万 t，一年增产 131 万 t，2003 年产煤 350 万 t，而且今后 3 年每年增产 100 万 t！2006 年达到 600 万 t，比设计能力翻一番。集团公司已确定将华亭煤矿和砚北煤矿合并为华砚煤矿，年产1000万t的改扩建工程正在施工，3年内可建成千万吨的现代化矿井。

(2) 变小矿为大矿。山寨、策底、福利3个矿原先都是年产不足10万t的地方小煤矿，后来虽然隶属关系不同，但实质上没有多少改变，是矿区出了名的穷矿。集团公司成立后，通过收购、重组，将这3个矿合并为一个新的山寨矿，调整加强了领导班子，同时制定技改方案。仅仅一年多的时间，弱小贫穷已不复存在，生产经营、安全生产、职工收入等都明显好转。2003年4月21日，山寨矿120万t技改工程开工，28个月后，一个具有21世纪先进水平的现代化矿井建成投产。山寨矿的前景一片灿烂，山寨矿的职工笑逐颜开。

(3) 老矿焕发青春。马蹄沟煤矿和杨家沟煤矿是华亭矿区的老矿。杨家沟矿建于1970年，1978年试生产，设计年生产能力30万t。由于产量低人员多，经济效益很差，且所剩资源不多，前景堪忧，职工情绪不稳。马蹄沟矿建于1983年，直到1996年才投产，设计生产能力45万t。由于建设周期过长，投资利用率低，基础设施不完善，虽然还有三四千万吨可采储量，可是地面、井下脏乱差。两矿共有全民所有制职工2678人，长期拿着低工资而且常常拖欠。2002年6月，集团公司果断决策，将马、杨两矿优势互补、合并重组为新的马蹄沟煤矿，选拔组织能力强、生产技术强、群众观念强的领导班子。同时投资9000多万元，全面改造马蹄沟井，建成年产120万t的高产高效矿井，2003年10月竣工，新的马蹄沟矿2003年产量达到153万t，比2001年翻一番多。这个矿的井下地面发生了翻天覆地的变化。

(4) 兼并两矿实力增。2003年3月10日，集团公司以非凡的气魄兼并了东邻的崇信县新窑和新柏煤矿为子公司。这两个矿是县办国有煤矿，设计年生产能力各45万t，是崇信县的两颗明珠；可是由于近年来势单力薄，投入不足，管理不善，因而发展缓慢，产量不高，资不抵债。兼并后，公司为这两个子公司分别投资1亿多元进行技术改造，两年内建成两对120万t的现代化矿井，届时这两个矿的年销售收入达到2亿多元，税金2000多万元，成为崇信县财政收入的支柱。

此外，陈家沟煤矿经过改扩建，由2001年45万t一跃成为百万吨矿井；东峡煤矿经过技术改造年产已达到70多万t，到2006年产量可达到120万t。

从2002年到2004年这三年，集团公司固定资产投资10亿元。到2006年，所属8个矿经过技术改造，每个矿都成为年产120万t以上的现代化高产高效矿井，全集团生产能力将达到2000万t，进入全国同行业煤炭产量10强，成为西北产能最大、人均产能全国一流（2000t）、具有国际竞争力的知名品牌企业。这样的发展速度，在华亭矿区发展史上是空前的，在全省工业发展史上也是创纪录的。

三、高举改革、创新旗帜，建立充满活力的新机制

(1) 统一产品销售，消除不良竞争，比重组前吨煤价格提高了20多元，仅此一项，2003年增收2.5亿元。

(2) 集中优良资产和优势资源组建了股份公司，培育核心竞争力，走生产经营型兼资本运营型之路。

(3) 积极推进主辅分离，成立了非煤产业总公司，大力发展非煤产业，企业办社会部分实行专业化统一管理，激发了方方面面的活力。

(4) 实施科技创新战略，建立科技发展基金，确立科技进步项目。科技创新取得丰硕成果。

(5) 按现代化企业制度要求，制定出台50多种基本管理制度，使企业步入规范化、制度化管理轨道。

(6) 推进三项制度改革，出台了《管理人员选任考核办法》、《岗位绩效工资框架方案》、《劳动用工管理办法》和《富余人员安置办法》，实行竞聘任职、竞争上岗、岗变薪变的用人用工和分配制度，内退富余人员900多人。三项制度改革取得阶段性成果。

(7) 按照厂务公开的规定，实施“阳光工程”，对重大建筑工程、大型设备和大宗物资采购一律实行召公开招标。共招标24次，总金额达1.83亿元，比市场调查最低价节约资金2494万元。

党的十六届三中全会和甘肃省委十届四次全委会议以来，通过认真学习和领会精神实质，我们认为集团公司以往改革创新的力度还很不够，要真正做大做强做优集团公司，成为具有国际竞争能力的名牌企业，还必须进一步深化改革，不断创新。真正建立现代产权制度，实现投资主体多元化，完善法人治理结构，从而使集团公司成为经营机制更具活力的现代化大集团。

四、实践“三个代表”重要思想，全面推进小康矿区建设

集团公司良好的经营业绩，为推进小康矿区建设奠定了雄厚的物质基础。在保证国有资产增值的前提下，使全体职工共享改革发展的成果，过上富裕的小康生活。首先，在岗职工工资普遍提高了一倍以上，同时下功夫安置下岗职工再就业，原华亭矿务局共有下岗职工1801人，我们通过各种渠道安置再就业1544人，愿意上岗的基本安置完毕。其次，补发了历年拖欠的职工工资、离退休人员养老金和职工医药费2000多万元。第三，加快住宅建设速度。2002年，354户职工迁入新居，2003年又投资5000多万元开工新建8栋住宅楼和3栋单身职工公寓。2004年还要兴建8～10栋住宅楼。到2005年，人均住房面积将达到15m²，成套率达到95%。第四，认真抓好扶贫解困工作。困难职工家庭由公司组建时的1326户下降到185户。采取了领导干部结对帮扶、工会补助等办法，使特困户的生活得到基本保障。第五，投资50万元解决了马蹄沟煤矿职工吃水难问题，投资400万元硬化了安口至马蹄沟矿道路；新购置了8辆大轿车，解决了几个生产矿职工上下班交通不便问题。第六，整合医疗教育机构，提高医疗、教育质量，解决职工就医和子女上学入托问题，解除职工后顾之忧。此外，装修和设施一流的集团公司办公大楼投入使用；各二级单位及生产矿的办公楼及工业广场、浴池、食堂、各生活小区，经过更新设施、

绿化、硬化、亮化、净化、美化，面貌焕然一新，为职工创造了较好的工作和生活环境。

回顾两年的工作，归纳起来就是：华亭矿区长期发展缓慢的根本原因是体制障碍，而集团公司成立以来快速发展的根本原因是由于打破旧的体制，优化了资源市场配置；始终坚持用“三个代表”重要思想统揽各项工作，集团公司决策正确，二级单位执行得力，全体职工工作到位；正确处理改革发展与稳定的关系、主业和非煤产业的关系，全局和局部的关系以及规划长远发展和抓好当前工作的关系。短短两年时间一个千万吨级的大型煤炭企业已经崛起于陇东大地，展现在世人面前。我们相信，到2006年，华亭煤业集团一定能成为年产2000万t，经济效益持续增长的全国知名企业。

西安煤航现代测绘工程公司

西安煤航测绘工程公司(煤航测绘工程院)是煤炭行业中惟一从事地理信息产品和具有全球定位系统、全数字摄影测量系统、精密工程测量及计算机开发综合应用研究能力及首批获得国家甲级测绘资格证书和建设部甲级工程勘察证书的高科技企业。公司于1993年获得煤炭地质勘察功勋单位；1996年通过了ISO9001国际质量体系认证；1998年被国家测绘局评为全国测绘质量优秀单位；1999年通过了西安市高新技术企业资格证书；2002年又捷报频传，荣获全国煤炭工业优秀企业。近年来，公司先后被评为西安市人民政府“重合同、守信用”单位，工商行政管理局“重点保护企业”，地方税务局“诚信纳税先进单位”及西安市高新区“百强企业”荣誉称号。

公司遵循“以高新技术为依托，以市场需求为导向，视产品质量为生命”的宗旨；坚持“以追求最大利润、向管理要效益”为奋斗目标；秉承“以人为本，管理兴企”的经营理念和“竭诚服务、精益求精”的服务宗旨，以经济建设为中心，积极开拓市场，充分调动和发挥广大职工的积极性和创造性，实现了持续健康、快速发展的可喜局面。

一、科学的管理，忠诚的服务，团结的队伍，辉煌的业绩

公司现有专业技术人员204人，其中高级工程师28人，工程师40人，党团员比例占80%以上，是一支既有良好的政治素养和专业技能，又充满朝气、敢于拼搏奉献、“特别能战斗”的测绘专业技术队伍，是国内一流的产、学、研一体化的数码测绘基地。近年来，公司管理层始终坚持以人为本。内抓管理，外树形象。精诚服务，勇拓市场。本着“开拓创新、争创一流”的企业精神，提出了“实施一流管理、提供一流服务、建立一流队伍、创造一流业绩”的具体目标，采取多种切实可行的措施，加强政治思想建设和业务技术创新，不断提高队伍整体素质，着力营造“文明，廉洁、高效、务实”的工作氛围和部门形象。职工们始终发扬“爱我煤航，忠于企业”的精神，团结一致，众志成城，取得了公司年产值增长率30%以上的骄人成绩。

几十年的风雨兼程，几代人的奋力拼搏，煤航测绘人跋山涉水，南征北战。几经沧桑，测大地方圆；几度春秋，绘神州经纬。用青春和汗水谱写了一曲曲可歌可泣、动人魂魄的奋斗之歌，他们的航迹划破风风雨雨，足迹踏遍山山水水。

公司先后承担完成的科研工程项目获国际和省（部）级以上大奖50余项。如《昭陵古墓遗址定位研究》获联合国颁发的“发明创新科技之星奖”；美国弗吉尼亚正射影像图工程获美国数字地球公司颁发的“质量信得过证书”；香港工程1：500，0.25m等高距精密测绘技术列入《中国企业新记录》；《1：2000，1：5000航测地形图》获全国科学大会奖；《大同矿区1：1000航测数字化工程》获“国家优秀工程勘察金质奖”，产生了一批典型的样板示范工程。

二、以人为本，勇拓市场，科技领先，成果显著

风雨兼程路，一腔测绘情。近年来，公司按照ISO9001系列标准建立质量管理与保证体系，坚持“引进来”与“走出去”相结合，加大人才的培养力度和科技攻关步伐，从更高层次上实现了与国际经济技术合作和竞争，2000年至今，先后有12名技术人员赴美国、英国、日本进行技术交流和培训。继1990年巴西项目后，公司不断应用大比例尺全数字测绘技术，参与国际竞争，以良好的企业信誉和雄厚的技术实力，连续五次中标“香港西部铁路及东铁扩建航测工程”，创汇3000多万港币。2002年岁末刚刚完成香港九龙南环线KGS801项目，2003年岁首又接到中标香港沙田至中环SGS801项目的喜报，均以强大的实力和优质服务在香港打下了良好的基础，为香港的“一国两制”和繁荣昌盛做出了积极的贡献。2000年至今，通过美国地球数据有限公司，先后承担了美国田纳西州、弗吉尼亚州等众多项目，实现了跨国际的强强联合，使煤航在测绘行业中率先闯入美国市场，目前已跨入欧洲的测绘行列，与13个国际公司签订了长期合作协议。目前，公司国际航测工作量已占测绘公司总工作量的50%左右，已为巴西、德国、英国、西班牙、加拿大、比利时、挪威、日本等10多个国家和香港地区提供了专业技术服务和地理信息数字产品。

近年来，面向市场，煤航测绘人再以自己聪明的才智和辛勤劳动，率先研究开发并大规模生产大比例尺航空测绘地图产品，为国内外城市规划、资源开发、市政管理、房产地籍、交通旅游等提供数字摄影测量、工程测量、非地形摄影测量、三维景观模型、地理信息系统等全方位、多品种专业技术服务，谱写了一次次“二次创业”的凯歌。

三、质量兴企，打出信誉，创新经营，诚信服务

质量是企业的生命线，为不断强化质量管理工作，公司采取质量管理办法与经济杠杆相结合的措施，以“诚信、高效、专业、服务”为宗旨，加强对过程产品的质量控制，及时对产品存在的质量问题进行统计分析，制订纠正措施，严格按照ISO9001标准执行。2003年，公司向23个测区提交产品，合格率为100%，优良率达94.3%以上。陕西省测绘产品质量监督检查站连续3年对公司产品质量进行定检，各项指标均获得优秀的好成绩。在创新经营方面，一是严格按照ISO9001质量管理体系中“以顾客为关注焦点”的原则，加强服务意识，不论是在招标前、生产过程中，还是在产品提供后，都把为客户提供优质产品服务、技术服务以及周到的售后服务作为工作重点。正是凭借这样的服务意识，赢得了客户的满意，也赢得了许多回头客，4次“数字北京”项目的中标就足以说明这一问题。二是在经营项目的过程中，积极与客户沟通，向客户提出合理化建议，以达到低成本、高效率的目的。特别是在标书制作方面，在满足客户招标文件要求的基础上，公司加入了自身特色的内容，如质量及售后服务承诺、针对本项目的合理化建议、项目工程组管理人员职责、图文并茂等，同时注重标书文件包装的美观，大方，这些创新措施已初见成效。三是针对不同客户，采取不同的经营方式，主动为客户做项目可行性研究报告、立项报告等，这些为用户所想的经营理念赢得了客户的信任和赞誉。

四、内强素质、外树形象、活动丰富、催人奋进

企业文化的核心就是培养和创造一种符合企业实际、催人向上、开拓创新、永争一流的企业精神。近年来，公司在生产任务十分繁忙的情况下，始终坚持两个文明一起抓。坚持“以科学的理论武装人，以正确的舆论引导人，以高尚的情操塑造人，以优秀的成绩鼓舞人”的理念，组织广大党员身体力行“三个代表”的思想，扎扎实实开展创建“好班子”活动。在职工中广泛开展多种形式为主题的教育活动，帮助职工树立正确的理想信念，培养文明的道德情操和针对从事不同工序以及不同层面职工群众的特点，不断创新群众性学习活动载体，构建职工学习平台。一是在全体党员中开展“我爱测绘，奉献测绘”，“学模范，创一流”，“创先争优”，“一个党员、一面旗帜”等活动，唱响主旋律，打好主动仗，取得了业务工作和党务工作的“双丰收”。在2003年突如其来的“非典”疫情中，公司一方面做好抗击“非典”的各项工作，一方面想方设法加大生产经营力度和管理工作。2003年度截止到7月20日，共签订国内外大小合同25个，1～6月份生产总值和利润总额分别完成计划的120%和140%，谱写了一曲曲“干群同心”抗击“非典”的凯歌，树立了良好的企业形象。2002年、2003年，公司党组织连续被评为“煤航局先进基层党组织”，并积极争创“中央企业优秀基层党组织”。二是充分发挥工会、共青团在企业文化建设中的积极作用，活跃职工业余文化生活，增强了企业的凝聚力和战斗力。2003年，公司团支部被评为“全国五四红旗团支部”和“陕西省优秀红旗团支部”。工会获局“模范职工小家”荣誉称号。三是不断组织开展奉献意识，热心公益，回报社会活动，以实际行动实践“三个代表”重要思想和支持西部大开发战略，增强职工的荣誉感和归属感。

“长风破浪会有时，直挂云帆济沧海”。成绩、荣誉和赞誉都已成为过去，面对激烈的市场竞争，在企业发展的道路上，没有鲜花和地毯，机遇和挑战并存，困难和希望同在。在漫漫的征途中，公司决心继续以“优秀企业”为精神鼓舞，脚踏实地，共谋发展。胜不骄、败不馁，一步一个脚印地走下去，以更加坚定的信念，高昂的斗志，更好的服务来赢得市场，打造煤航测绘的航空母舰。

淄博矿业集团有限责任公司

淄博矿业集团有限责任公司董事长　马厚亮

中国企业500强、山东省136家重点企业集团之一的淄博矿业集团有限责任公司（以下简称淄矿集团），是以煤为主、多种经营、综合发展的大型现代化企业集团。公司横跨山东、陕西、河南3省，分布于淄博、济南、济宁、咸阳、洛阳5市，总面积920km²。

至今已有百年开采历史的淄博矿区堪称中国煤炭工业的一个缩影。20世纪，经历了德国、日本、国民党的统治，解放后回到人民手中。1953年成立淄博矿务局后，伴随着共和国前进的脚步，一代代矿工发扬国家主人翁精神和煤矿工人特别能战斗的光荣传统，共生产煤炭近3亿t，为国民经济发展做出了重要贡献。进入20世纪90年代后，由于长期开采造成的资源枯竭、煤炭行业整体滑坡和历史包袱沉重等原因，企业一度陷入困境。面对前所未有的困难，淄矿集团提出了“只要精神不滑坡，办法总比困难多”的口号，大力加强思想工作，不断深化内部改革，转换经营机制，强化企业管理，广大干部职工始终保持着自强不息、与时俱进、顽强拼搏、务实创新的精神状态，经受住了客观困难和市场竞争的双重考验，使企业赢得了生存和发展的空间。一方面，在进行矿井挖潜改造、找煤扩量的同时，大力发展替代产业，努力实施老矿区转产，以高科技含量、高附加值、高效益项目带动非煤产业发展，构建起了以精细化工、新材料、煤炭资源综合利用为主导的产业格局，2003年非煤产品销售收入15亿元。与此同时，加快新矿区的开发，分别用28个月、24个月和23个月建成了年设计生产能力分别为150万t、150万t和60万t的3个现代化矿井，迅速形成了年产800多万t优质煤炭的规模，与年产500万t原煤的老矿区形成了合力，使煤炭总量上升到1200多万t。截止到2003年底，企业资产总额由1995年的17.5亿元提高到71亿元；销售收入从1995年的14亿元提高到41亿元。2000年以来，淄矿集团先后获得“全国质量管理先进企业”、“全省思想政治工作先进单位”、“省级文明单位”、“全国煤炭系统优秀企业”、“全国‘五一’劳动奖状”等荣誉称号，并从1985年起一直保持了“全国思想政治工作优秀企业”的荣誉称号。

2003年，淄矿集团提出了“第三次创业”跨越式发展的奋斗目标，按照链条式发展思路，着力构建煤电化、煤电材两大煤基产业链，培植多个优势非煤产业群。年设计生产能力分别为300万t、150万t、120万t的唐口煤矿、亭南煤矿和淄正煤矿正在紧张建设之中，将相继在2006年前投产。届时，淄矿集团煤炭总量将达1500万t以上。到2005年，全公司销售收入将超过50亿元，利税总额6亿元。到2010年，销售收入将达100亿元，利税总额10亿元。一个“优而特、富而强”的淄矿集团将以全新的面貌展示在世人面前。

领导简介：

马厚亮同志于1974年12月在枣庄矿务局魏庄煤矿参加工作，历任魏庄煤矿团委干事、党办秘书、团委副书记。1983年9月至1985年7月，在山东煤炭干部学校企业管理班学习；1985年7月至1988年2月，历任兖州矿务局组织部科长、团委副书记；1988年2月至1998年7月，历任兖州矿务局鲍店煤矿党委副书记兼副矿长、党委书记兼第一副矿长；1998年7月至2002年2月，任兖州矿业集团公司党委副书记、董事；2002年2月至今，任淄博矿业集团有限责任公司董事长、党委副书记。先后被授予山东省优秀共产党员、全国煤炭系统“石圪节精神奖”、全国煤炭行业优秀企业家等荣誉称号。

永城煤电集团有限责任公司

永城煤电集团有限责任公司(以下简称永煤集团)是一个拥有职工1万余人的省属国有大型企业，总投资80亿元。2000年，永煤集团还是年亏损额高达1.18亿元的河南省工业企业第二亏损大户，国家投入的近10个亿的资本金由于连年亏损减少到不足5个亿，负债高达98%以上，濒临破产边缘，成为全省的一大包袱。2000年以来，永煤集团新一届领导班子理清发展思路，锐意开拓进取，适时地明确了企业的发展方向，提出全面推进产品、产业、产权三个结构调整，使企业走上了良性循环的发展轨道，一年迈出一大步，3年实现了从追赶式到跨越式的飞速发展。2001年盈利2600万元；2002年盈利1.4亿元，人均利税5万元；2003年实现利税5亿元，其中利润3.1亿元，人均利税10万元，人均利润达6.6万元，比2003年全国工业企业500强人均利润1.7万元高出4.9万元，居全国前列、全省第一的领先地位，成为全省国企改革的排头兵。

一、调整产品结构，整合各种资源，提高产品市场竞争力

改进采煤工艺，提高产量。通过科学论证，从2001年开始，永煤集团确立了适合矿区实际的“宜综则综、宜炮则炮”的工艺模式，每年增加煤炭产量140万t，增加销售额3个多亿。

调整产品结构，提高块煤率。永煤集团先后投入1亿多元对井下的生产工序和地面的洗选加工系统进行了技术升级，煤炭产品品种已经从原来的两三种增加到将近20个，其中独创性开发了“小粒子煤”等品种，产品吨煤增值了300%以上，整个公司的综合块煤率从几年前的5%提高到20%以上，每年增加效益过亿元。

引入标煤概念，提高产品质量。实行了煤炭折标计量方法，以标准煤为计量单位，按5500×4.18kJ发热量为标准，低于这一标准的不仅不算产量，还要进行处罚，促进了产品质量大幅度提高。洗精煤被日、韩等国誉为“中永一号”，畅销东南亚，在同等情况下，永煤集团的煤炭价格比别的企业要高出20%。

二、调整产业结构，拉长产业链条，拓展企业发展空间

拓宽资源领域，壮大主业。一方面稳固本地矿区煤炭资源，另一方面积极到外地开办新矿，进行资源扩张。2003年9月6日，永煤集团与平煤集团联合成立永平煤电集团有限公司，开发河南省汝州矿区。该矿区煤炭储量35亿t，可开采100年以上。建成后，汝州矿区将成为一个销售收入200亿元的特大型能源基地。另外，在贵州、河南投资的永贵公司、瑞龙公司，2004年内都可投产。

煤炭产品就地转化，提高附加值，减小煤炭市场波动对企业发展的影响。通过拉长煤—电、煤—煤化工产业链，目前永煤集团将拥有和控制90万kW左右的电力规模，每年可就地消耗煤炭400万t。投资50亿元可年产50万t甲醇的煤化工项目已与荷兰壳牌公司签订技术转让协议、与西班牙BBE公司签订气化炉设备引进合同。项目建成后可年耗煤炭200万t。

大力发展相关非煤产业，拓展企业续存空间。继与宝钢集团共同出资成立了“上海宝晟能源有限公司”，开展煤炭、钢材等进出口业务之后，2003年9月，永煤集团收购了中国煤炭投资信托公司11%的股权，开始涉足资本市场。今后3年，永煤集团将涉足电力、钢铁、化工、建材、燃料、高新技术等各个领域，形成“以煤为主，一业特强，多业并举，综合发展，优化升级”的产业格局。

三、调整产权结构，增强企业活力

吸引战略投资者，改变单一产权形式。2003年3月1日，永煤集团与中国最大的钢铁企业宝钢集团正式建立了战略伙伴关系，签约成立“河南正龙煤业有限责任公司”，开创了全国煤钢合作的先河。截止到2003年10月，永煤集团已经联合国内知名企业20多个，相继成立正龙煤业、宝晟能源、天龙公司、龙宇股份、瑞龙公司等多家新公司。

整合内部资源，积极开展债务重组和资本运营。目前，永煤集团下属的煤炭和电力单位都已经与国内优势企业组建了永煤集团控股的股份制企业，企业综合实力进一步增强，国有资本得到了保值增值，由原来的不足5个亿增加到21个亿，企业负债由2000年的98%降低到现在的67%。

吸纳国际资本，打造全新的永煤集团。为改变母公司仍然是国有独资、机制不活的状况，永煤集团提出，在分离辅业的基础上，以优良的生产经营性存量资产作为出资，吸纳国外知名企业资金，参与母公司产权制度改革。2003年9月22日，永煤集团与宝钢集团、巴西CVRD公司联合签署了《合作备忘录》，宝钢集团、巴西CVRD公司都明确表示要参与永煤集团的母公司改制，目前，尽职调查工作已基本结束，合作意向也已经明确，合作成功后，永煤集团将成为中国最大的中外合资煤炭企业，不但吸纳了发展资金，还可以通过CVRD公司把生产经营和资本运作渗透到国内外更广阔的领域，实现跨行业、跨地区、跨国界的战略发展目标。

三年来，永煤人解放思想，更新观念，努力拼搏，辛勤经营，永煤集团发生了翻天覆地的变化，尤其是2003年，企业实现了历史性跨越，与2001年相比，煤炭产量增长了92%，利润提高了11倍，职工收入翻了一番，彻底改变了永煤集团的“丑小鸭”形象，由过去河南省的“包袱”变成了财富，由过去被兼并的对象变成了煤炭行业全国之强、河南最强。

新疆哈密煤业(集团)有限责任公司

新疆哈密煤业(集团)有限责任公司位于新疆哈密三道岭矿区，是自治区直属的六个大型企业之一，位列自治区2003年30强工业企业，是新疆主要的出疆煤生产基地。集团公司的前身是始建于1958年的哈密矿务局，2001年1月18日经自治区人民政府批准改制为新疆哈密煤业(集团)有限责任公司。是以煤炭生产为主，集电力、棉纺、建材、冶金、化工、仓储于一体的大型企业集团。2002年度获得全国煤炭工业优秀企业称号。

集团公司依托三道岭矿区，积极实施低成本扩张战略，先后绝对控股了协力纺织股份有限公司，相对控股新天怡石材有限责任公司，收购了哈密市砂墩子煤矿和昌吉硫磺沟煤矿，形成了以集团公司本部为主的东部矿区和以昌吉硫磺沟为主的西部矿区。加大了对现有生产矿井的技术改造力度，生产能力由改制前的270万t提升到500万t以上，机械化水平达到了100%。

一、2002年各项指标完成情况

(1) 煤炭生产：全年计划生产煤炭295万t，实际生产煤炭307万t，完成年计划的104%，比上年同期多生产53.3万t。

(2) 煤炭销售：全年计划销售煤炭295万t，实际销售煤炭304.4万t，完成年计划的103.19%，其中：完成铁路外运226万t，完成年计划的113%，比上年同期增加35.6万t。

(3) 商品煤质量：灰分8.29%，含矸率0.57%，水分14.02%，含硫0.39%，发热量达到23.39MJ/kg。

(4) 劳动生产率：实物劳动生产率达到4.01t/工，价值劳动生产率达到26975元/(人·年)。

(5) 成本：原煤完全成本控制在了90元/t以内。

(6) 经济效益：实现补贴前盈利265万元，交纳各种税金4187万元，工业增加值达到26841万元。

(7) 安全：原煤百万吨死亡率为零。

(8) 货款回收：零款回收率为100%，老货款有一定下降。

(9) 人均收入：年人均收入达到16145元。

二、2002年所做的主要工作

一是大力发展煤炭主业，努力形成东西部矿区共同发展的战略格局。抓住国家实施产业结构调整和关井压产政策的有利时机，加大了东西部矿区矿井技术改造的力度。东部矿区形成了3个疆内独有的百万吨以上的矿井。对西部矿区投入6000万元，使其达到90万t的生产能力，并留有180万t的发展潜力。集团公司的总体生产能力也达到了500万t，提前两年实现了十五计划的奋斗目标。

二是发挥质量优势，拓展销售市场，增加煤炭销量。坚持以市场为导向，抓住国家关井压产政策，发挥煤炭质量优势，积极拓宽市场，提高市场占有率。集团公司全年煤炭销售总量超出上年近50万t，增幅达20%以上。

三是依靠科技兴煤战略发展煤炭生产，生产组织得到合理调整。我们继续坚持科技兴煤战略，在资金十分紧张的情况下，坚持不减少生产投入，努力加大对现有矿井的技术改造，采煤和掘进机械化水平都达到了100%，提高了矿井的生产能力和适应市场的能力，企业的生产后劲不断增强，经济实力进一步提高。

四是进一步强化安全管理，实现了安全生产奋斗目标，认真贯彻党中央国务院对安全工作一系列重要批示，继续坚持“安全第一、预防为主”的安全生产方针和“管理、装备、培训”三并重的原则，努力加大安全投入，进行安全管理创新，取得了原煤百万吨死亡率为零的好成绩。实现了“一通三防”40年无死亡事故，44年无瓦斯、煤尘爆炸事故。

五是继续强化企业内部管理，努力提高经济效益。集团公司继续按照“以财务管理为中心，以成本控制为目标，以资金管理为重点”的原则，进一步强化了财务管理、资金管理，严格成本控制，加强物资采购供应管理，企业管理水平进一步提高。使原煤完全成本控制在了90元/t以内，实行招标采购的资金额度占集团公司总采购资金的94.7%。

六是加快三项制度改革的步伐。按照国家经贸委、人事部、劳动和社会保障部《关于深化国有企业内部人事、劳动、分配制度改革的意见》的要求，大力推进分配制度、用工制度和人事制度改革，充分调动了广大员工的积极性，促进了劳动生产率的提高。全年实物劳动生产率达到了4.01t/工，价值劳动生产率达到了26975元/（人·年）。

七是加快了非煤产业的发展。利用国家产业结构调整政策，通过资产重组控股了协力纺织股份公司和新天怡石材有限责任公司。继续发展电力、建材、冶金、化工等非煤产业，使这些产业得到了长足进步，非煤产业在整个集团公司经济结构中的比例进一步提高。

八是加强党的建设和精神文明建设，促进企业两个文明建设协调发展。各级党组织能认真学习贯彻党的十六大精神和"三个代表"重要思想，积极参与企业重大问题决策，切实发挥基层党组织的战斗堡垒作用和党员的先锋模范作用，深入开展党风廉政建设和文明单位创建活动，落实职工代表大会制度和厂务公开制度，调动了员工的积极性。

枣庄矿业(集团)公司 蒋庄煤矿

被誉为"鲁南明珠"的枣庄矿业（集团）公司蒋庄煤矿是一座设计年产150万t的国有大型机械化矿井，1989年6月建成投产，同时配建一座年入洗150万t的现代化洗煤厂。2002年9月30日，总装机容量2×12MW的矸石热电厂建成发电。建矿15年来，该矿累计生产原煤2578万t、洗精煤928万t，连续7年上缴利润过亿元，成为枣矿集团的支柱矿井。矿井于1999年通过ISO9000国际质量认证，1号、2号、3号精煤和动力煤畅销国内市场及日本、韩国、新加坡等国家和地区。2003年，原煤产量、掘进进尺、商品煤销量、上缴利润等9项主要经济技术指标在2002年攀登建矿以来历史新台阶的基础上再一次刷新历史新纪录。

一、"双基建设"打造"平安矿井"

坚持"安全第一，预防为主"的方针，以精细管理为切入点，以管理创新为突破点，以流程精品工程为闪光点，关口前移抓质量，重心下移抓班组。通过创新实施主导工序链式管理、全员"三三二二"安全结构工资、安全质量班评估管理和安全隐患追问分析等一系列先进管理手段，实现了质量标准化建设由注重治标向标本兼治的深刻转变；通过不定期召开质量标准化现场会，选典树标，奖优罚劣，大搞"精品工程"创建，实现了质量标准化建设由井下单位向生产、辅助、地面所有岗位的全方位延伸；通过强化班组长的物质、精神、政治三重激励手段，建立健全程序化、数据化、精细化的班组流程控制体系，探索出了一条以打牢"双基"为根本的"本安型"矿井建设之路，矿井被省煤炭工业局命名为2003年度首批"全省煤矿安全生产'双基'建设先进单位"。

二、"科技兴煤"换得"乌金滚滚"

坚持以煤炭主业为中心，以高产高效矿井建设为主线，以创新统揽全局，严格系统化、科学化、现代化管理，积极采用新技术、新设备、新工艺，优化采区设计，简化生产流程。靠超前开拓南七新采区保大接续，靠实施重点迎头目标管理保小接续，靠推广应用轻型支架、电牵引煤机、综掘机等新装备提高工效，提高生产科技含量。2003年，在头多面广、条件差、环节复杂等诸多不利条件下，创出了原煤班产3500t，月产24.5万t，年产277万t的历史新纪录。全年完成商品煤销量256.6万t，原煤综合成本94.6元/t，原煤效率8.48t/工。

三、"开源节流"赢得"效益倍增"

首先是加大资源回收增效益。针对矿井资源总量日益下降，特别是三层煤不断萎缩的现状，积极推行资源目标管理，优化设计，精采细采，严控采高，狠抓浮煤清理和两巷卧底。2003年多回收煤炭4.9万t，多增效益900万元；其次是狠抓煤质管理增效益。坚持抓源头、保龙头，强化煤质管理，严把采、制、化、储、装、运各道关口，确保了"三零加一百"目标实现，精煤回收率同比提高了3%，全年多回收精煤2万余t，多增效益200万元；第三是规范内部市场增效益。不断细化指标分解，强化过程控制，量化目标考核，严格奖罚兑现，实现了内部经营管理规范化和经济效益最大化，2003年，全矿共计节约材料、修理、安装、大型材料费560万元，实现利润16508万元。

四、"大非煤"战略打下"半壁江山"

着眼于矿井的可持续发展，聘请专家教授对非煤发展号脉把诊，勾画五年发展蓝图提动力；精简机构，优化厂点，重组人员，强化内部改革增活力；自主开发溜子、托辊、风筒、电焊条、高分子材料等40多个生产服务项目，并以煤矸石热电厂为依托，建成投产了年产3000万块的粉煤灰免烧砖厂，使电厂废弃灰渣资源变废为宝，形成了煤、电、建材、机械加工为一体的综合性企业。2003年，非煤总收入、产值及利润分别完成9162万元、8655万元、1210万元。

五、"三大工程"求得"民心思进"

始终把增加职工收入、改善生活环境、提高生活质量作为身体力行"三个代表"的"三大工程"。以解决热点、难点问题为重点，2003年走访慰问困难职工、工病亡职工家庭2000多人次，发放各类救济金、低保金17万元，办理助学金、互助金、减免学杂费1.4万元。以环境治理为突破口，全面开工实施了"两塘（堂）一舍"（澡塘、食堂、职工宿舍）改造维修、社区路面硬化、厂区绿化以及厕所、垃圾、线路、住房、饮用水治理为重点的"五项治理、六项整治"工程，大大改善了职工的工作、生活环境。

六、企业文化搭起“文明大厦”

以塑造先进企业文化为着力点，通过实施“211”企业文化建设系统工程，及时导入学习型组织创建、REM精细化管理、“6S”文明规范等先进管理经验，使矿井的文明之花绽放光辉。矿井先后荣获了“部级质量标准化矿井”、“部级高产高效矿井”、“全国煤炭科技进步十佳矿井”、“全国文明煤矿”、“煤质管理工作标准化矿井”、“中国煤炭企业现场管理优秀单位”等20多项省部级荣誉称号。涌现出了“省人大代表”、“全国煤矿双十佳矿长”、“全国五一劳动模范”，“全国优秀班组长”等一大批先进个人。原山东省省长张高丽、副省长韩寓群来矿视察时曾给予了肯定和赞许。

峰峰集团有限公司

峰峰集团有限公司
董事长　张文学

峰峰集团有限公司是以生产优质主焦煤和动力煤为主的国有特大型煤炭企业，520户国家重点企业之一。2002年，峰峰集团以“三个代表”重要思想和党的十五届六中全会以及十六大精神为指导，紧紧围绕企业“改革、调整、扭亏”中心任务，以作风建设为切入点，大力推进体制创新、管理创新、科技创新，加大了结构调整力度，与时俱进，开拓创新，开创了改革、发展、稳定工作的新局面。2002年，集团公司原煤产量实际完成1158万t（比上年增产143万t），创历史新水平；精煤产量实际完成293.9万t（比上年增产19.2万t），创近4年来最好水平；实现销售收入230603万元，实现盈利1055万元，比上年减亏增盈5911万元，扭转了自1998年以来连续4年亏损的局面；集团公司资产总额417556万元，净资产146035万元；原煤全员效率实际2.17t/工，比上年提高了0.11t/工；百万吨工死亡率0.947，比上年降低了0.586；职工人均收入首次突破1万元，比上年增加2021元，增长24.77%。

一、体制创新

按照“完成五大任务，实现五大跨越”的战略目标，积极推行“五个一批”，即：做大做强一批、专业化重组一批、关闭破产一批、放开搞活一批、主副分离一批，全面推进企业体制结构战略性改组。

加快了企业公司制改革步伐。2002年4月份班子主要领导调整以来，把公司制改革作为重点工作来抓。按照建立现代企业制度的要求，完成了公司制改革前的各项准备工作。公司揭牌在即。

为了构建与公司制相适应的管理体制，按照精简、效能、精干和层次分明、职责清晰、权责明确的原则，对集团公司机关机构进行了改革和调整，将集团公司机关职能部门由原来的28个减少到20个，职能部门管理人员由原来的435人减少到300人以内。

加快了产权制度改革步伐。按照有进有退、产权多元化的改革方针，对一批具有一定规模、经营效益较好、有发展潜力的多经企业进行了资产重组和公司改制。2002年，峰峰集团相继改组了峰煤电业、阳光煤气、峰煤建材、洁能煤化等14个公司制企业，公司累计注册资本金5546万元，其中社会法人股1240万元，企业内部职工持股1811.9万元。参与改制的企业员工2122人。

进一步深化了劳动、人事、分配三项制度改革，规范了劳动用工合同管理，变身份管理为岗位管理；改革了原有的管理人员任命制，实行了管理人员双向选择、竞争上岗、择优聘用的选人用人机制；职工工资增长执行“两低于”的分配原则，内部实行分配多元化，工资标准定在岗位，工资分配联挂效率和效益等经济技术指标，形成了能高能低的分配机制。

二、科技创新

为解决资源量不足的问题，2002年，峰峰集团重点对“三下”和“下组煤”做好试采可行性研究和分析，研究解决呆滞煤量开采的技术问题，进而解放呆滞煤量，延长矿井寿命。

为增强企业发展后劲，峰峰集团加快了羊东区延深、九龙矿二水平延深、薛村矿三水平西翼延深等6项重点工程建设和3项重点采区准备，加大了资金投入，并对重点工程实行“资金、质量、工期”三大控制，落实责任制，为保持矿井可持续发展奠定了基础。

按照生产集约化和高产高效的要求，加强了装备技术改造，巩固和发展了轻放采煤新工艺。集团公司采掘机械化程度巩固在90%以上，其中轻放及综采机械化程度达到64.8%，平均单产达到4.3万t/月，工作面效率达到21t/工。洗煤工艺实现了以跳汰为主向重介为主的转变，增强了市场竞争力。

推进了企业信息化建设。集团公司重点在财务管理、煤炭运销、物资供销、计划统计等方面初步建立起了局域网络管理系统，以信息化建设带动了管理工作的创新和升级。

三、管理创新

进一步深化了成本管理。峰峰集团改变过去单纯靠增产提价增效的思想观念和发展模式，树立了新的管理理念。突出以成本管理为核心，改革成本管理机制，在集团公司生产系统建立了两级成本管理体制，集团公司、矿生产管理部门设立成本管理中心，改变过去由集团公司、矿财务部门进行结果成本分析管理为生产过程的成本管理，形成了以生产成本管理为中心的全员、全过程、全方位的成本管理体系，生产成本得到了有效控制。

进一步强化了资金管理。建立了内部资金结算中心，健全了财务资金管理制度，实行了财务资金集中统一管理、统一账户、统一结算、统一借贷，严格实行资金收支预算管理。

进一步强化了煤炭销售和物资供销管理。为充分发挥集团优势，有效配置和使用资源，增强市场竞争力，峰峰集团对煤炭销售管理体制、物资供应体制进行了重大改革。组建了煤炭运销公司，煤炭运销体制实行了集中管理，产品统一销售、货款统一结算，使煤炭产销量和货款回收率均达到100%；组建了物资供销公司，矿（厂）设立了物资供销站，资产、人员集中统一管理。实行了物资配送制，建立了"集中采购、集中储备、集中配送"的新型物资供销体制和运行机制，发挥了集团采购优势，降低了采购成本和储备成本，堵塞了管理漏洞，加快了物资流转。

进一步强化了工程项目设计和施工建设招投标管理。加大了物资招标采购力度，2002年物资招标采购金额达到1.44亿元，占局管物资采购的56.5%，降低采购成本10.8%。

四、结构调整

在企业结构调整上，积极稳妥地实行资源枯竭矿井关闭破产工作。集团公司6个资源枯竭矿井列入国家关闭破产计划，已有一个矿按照国家矿山关闭破产政策和法律程序实施了关闭破产。被列入第二批关闭破产项目的通二矿已经国家批准，各项破产工作准备就绪。

在产业结构调整上，按照"煤与非煤并重"的发展方针，加快了多种经营发展步伐，积极构建煤与非煤并重的发展格局。依托矿区资源优势，面向两个市场，重点在煤炭洗选加工、电力、焦化、建材、机械制修、工程施工、种植养殖、商贸服务、物业开发与管理等产业发展上下功夫，扩充新的经济增长点。2002年竣工投产了薛村矿洗煤厂、小屯矿洗煤厂、羊渠河煤气电站项目，共计投资2427万元；在建新项目4个，共计投资11167万元；拟开工项目6个，投资概算2.6亿元；前期准备项目2个，投资估算2.9亿元。峰峰集团正在向着综合发展的方向跨越。

五、精神文明建设

峰峰集团以贯彻六中全会精神为切入点，狠抓党的作风建设，坚持把作风建设摆在"龙头"位置，先后实施了一系列刹风整纪、加强管理、深入一线等转变作风的举措，营造了正气兴企的良好氛围，取得了显著成效。以创建学习型企业为目标，注重思想政治建设，加强政治理论学习，干部职工的思想政治素质有了明显提高。坚持以领导班子建设为重点，全面加强党的建设，开展了"转作风、树形象、促发展"党建系列活动，促进了党组织和党员"三个作用"的发挥，增强了党组织的凝聚力和战斗力。坚持以人为本，不断加强和改进企业思想政治工作，围绕企业改革调整、生产经营管理、维护稳定等开展主题教育活动，并以"九争创"活动为载体，大力开展了"以德兴企，以德育人"和精神文明创建活动，树立了企业诚信形象，提高了企业竞争力。积极推进了企业民主建设，坚持抓好矿务公开、扶贫帮困阳光工程和下岗职工再就业工作，为企业改革与发展创造了良好的环境。

通过物质文明和精神文明建设，峰峰集团的各项工作卓有成效。由于企业具有较高的信誉度和良好的社会形象，先后获得质量标准化局、国家二级企业、河北省"重合同守信用"企业、全国用户满意企业、中国煤炭工业优秀企业、河北省百强企业等荣誉称号。峰峰集团党委先后被河北省委、邯郸市委评为"先进基层党组织"、"红旗基层党组织"和河北省"思想政治工作优秀研究会"。

领导简介：

张文学，男，1972年12月参加工作，历任峰峰矿务局生产处副科长、副处长，牛儿庄矿矿长；1994年5月任峰峰矿务局副局长；1997年11月任河北省煤炭工业管理局副局长；2000年3月任河北煤矿安全监察局副局长；2002年4月任峰峰矿务局局长、党委书记；现任峰峰集团有限公司董事长、党委书记。

扬州市煤炭工业公司（扬州市矿务局）

扬州市煤炭工业公司（扬州市矿务局，下同）现有王庄煤矿和拾屯煤矿两对生产矿井（均在徐州），设计能力39万t/a。1990年以来，为适应煤炭生产和多种经营"两块经济"共同发展的要求，先后在扬州市区投资兴建了蓝天大厦、市煤炭工业供销公司和太阳石商场；在徐州矿区投资兴办了煤矿变电所和维扬食品有限公司纯净水生产基地。

多年来，在省局和市委、市政府的正确领导下，公司立足行业实际，积极实施煤炭生产和多种经营"两块经济"共同发展的战略目标，物质文明建设和精神文明建设成绩显著，始终保持了持续、稳定、健康发展的态势。公司（局）连续两届被中国煤炭工业协会授予"全国煤炭工业优秀企业"的荣誉称号，被誉为全国地方国有煤矿的一面旗帜。2003年，两矿共产原煤46.61万t，煤矿全员效率、吨煤成本、吨煤电耗、万吨煤坑木消耗等主要经济技术指标始终保持全省地方煤矿先进水平，有的已达全国地方矿先进水平。全系统实现销售收入14597.59万元，实现利税2473.8万元，较好地实现了预期目标；职工人均收入14441元，再创历史新高。截止到2003年年底，王庄煤矿、拾屯煤矿已连续安全生产2454天和3248天，创造了连续生产原煤346万t无死亡的安全新记录。全公司实现了连续安全生产6周年，持续18年煤炭生产百万吨死亡率低于国家局、省局下达的考核指标，公司连续11年（1993～2003年）被评为全国煤炭行业质量标准化矿务局。多年来，连续被省局、经贸委评为全省煤炭系统安全生产先进单位，被市安委会评为安全生产优秀企业，受到了市委、市政府和省局、国家局领导的一致好评。

一、企业改革取得新突破

为适应社会主义市场经济的要求，进一步增强企业市场竞争力，全局普遍推行了资产经营责任制和经营者年薪制，对多种经营单位全部推行了风险抵押、租赁经营的承包制，从根本上改变了“负盈不负亏”的状况，转换了经营机制，增强了企业活力。市煤机厂成功改制为民营企业——高扬机电有限公司后，按《公司法》建立起法人治理结构，并根据改制企业的相关政策，本着“彻底改，改彻底”的要求，采用增资扩股方式积极筹措资金，对全部职工实行工龄买断、身份置换，使国有企业职工由“企业人”变为“社会人”，企业焕发出新的生机和活力，当年就扭亏为盈。目前，非煤企业改制正在有序展开，年内可完成全部改制工作。在企业三项制度改革方面，各单位全面推行岗位技能工资和计件工资制，向技术、业务骨干倾斜，体现“效率优先，兼顾公平”的原则，有效地调动了职工的积极性。各单位普遍制定了统一的招用工办法，对在职职工实行优胜劣汰，形成了能进能出的用工机制；积极推行干部竞聘上岗制度，打破了过去干部终身制、一贯制和能上不能下的传统做法。此外，全系统各单位认真做好全体职工的社会统筹保障工作，做到了应保尽保。

二、企业管理水平再上新台阶

面对市场新形势，全局坚持以经济效益为中心，苦练内功，全面加强成本管理、质量管理和资金管理，企业运行质态不断改善。全系统普遍建立成本核算体系，坚持比价采购制度，积极推广应用新技术、新工艺、新成果，鼓励干部职工技术革新，提合理化建议，努力节支降耗，争取市场竞争中的价格优势。为赢得市场，煤矿始终坚持诚信原则，优化生产布局，合理配采，稳定了客户，争得了市场。针对部分单位债权较多，公司及时出台了“新债扣息还本，老债一事一策，签订清偿责任书”的《债权清偿责任追究办法》。由于局领导重视，各单位敢于动真碰硬，有效地遏制了新的不良债权的发生。

三、煤矿安全生产创造新纪录

针对我市煤炭系统安全生产周期较长、部分职工或多或少滋生骄傲自满和麻痹松懈思想的情况，公司和两矿在职工中狠抓“反骄破满，居安思危”的思想教育，有效防止了各类事故发生。一是按照国家局、省局和地方政府的要求，认真组织各单位学习国家及煤炭行业有关安全生产的法律、法规，统一思想，真正在全局上下树立起“安全第一”的意识。二是层层落实安全生产责任制。公司、矿两级领导带头执行煤矿安全检查制度、安全生产办公会制度，经常深入井下现场抓安全。局还明确各级领导的安全责任，与各单位签订安全生产责任状，实现安全风险抵押，进一步强化了各级领导的安全意识。三是狠抓矿井质量标准化工作。质量标准化是煤矿安全的根本，长期以来，坚持标准常抓不懈，按季对煤矿进行高标准、严要求、全方位的检查和不定期抽查，两矿的质标水平不断提高。四是强化现场管理和安全监管责任，督促两矿完善干部跟班制度，特别是加强中、夜班的监管，有效地减少了煤矿的“三违”，提高了安全可靠性。五是结合企业实际，积极开展各项安全活动，组织安全培训，加大安全、技改投入，促进了煤矿安全管理水平的提高。

四、精神文明建设迈出新步伐

近年来，公司始终坚持“两手抓，两手都要硬”方针，致力于提高企业的精神文明建设水平，为企业改革发展创造了良好氛围。公司和各单位利用各种形式，加强对干部职工的职业道德和形势任务教育。在全体职工中广泛宣传《公民道德建设实施纲要》，深入开展争创“青年文明号”、“十佳青年”、“岗位能手”、“文明新风户”等活动，组织广大党员和职工参加救因济贫、向灾区捐款捐物、义务献血、义务劳动等，增强职工的公德意识。围绕时代主旋律和企业生产经营，开展群众性精神文明创建活动，极大地丰富了职工的文化生活。加强法制宣传教育和社会治安综合治理工作，坚持依法治企，积极化解内部矛盾，保证了改革的顺利进行和全局的稳定。全局创建文明单位工作取得显著成绩，王庄煤矿连续6年保持省级文明单位称号，2002年又被评为全省企务公开先进单位，拾屯煤矿继续保持省级文明单位称号，蓝天大厦多年保持市级文明单位和十佳宾馆称号，变电所继续保持徐州市供电系统“标准化变电所”称号。

企业单位介绍

抚顺煤科自救器气密检查仪厂

抚顺煤科自救器气密检查仪厂位于辽宁省抚顺经济开发区，是煤矿用自救器气密检查仪的专业生产厂。

自救器如漏气失效，将危及佩戴矿工的生命。因此，煤安字〔1996〕第266号文颁发的《煤矿自救器管理规定》要求：各矿井必须配备气密检查仪以便对自救器定期检查，对于受剧烈撞击有可能漏气的自救器则应随时进行检查；以及将检查结果记入台账等（第15～17条）。

该厂生产的ZJ系列自救器气密检查仪，是由煤炭科学研究总院抚顺分院从事矿山救护仪器研究的高级工程师吴永活设计的。按正压原理工作，“干法”检查，对被检查的自救器丝毫无损，15s即可检查1台。深受煤矿的欢迎。

1983年,用于检查过滤式自救器的ZJ—1型自救器气密检查仪研制成功后,新华通讯社向全国发出照片报道。照片的说明文字是:"辽宁抚顺煤炭研究所工程师吴永活主持设计成功ZJ—1型自救器气密检查仪,填补了国内煤矿安全仪器的一项空白"(详见《光明日报》1983年8月14日头版)。之后,在(84)煤安字第1071号文颁发的《煤矿自救器使用管理办法》中,还专门规定了用ZJ—1型仪器检查时自救器气密合格的标准(第7条)。

1985年,用于检查化学氧自救器的ZJ—2型自救器气密检查仪,获首届煤炭工业科技成果交易会银质奖(详见原煤炭工业部科技情报所出版的《煤炭信息》1985年7月15日头版)。

由于ZJ系列自救器气密检查仪具有"湿法"检查所无可比拟的优点,故在煤炭行业标准《MT/T5016—96矿井通风安全装备标准》第2.5.2条中推荐煤矿采用。为使煤矿操作标准化、规范化,1996年11月,原煤炭工业部还专门为ZJ系列自救器气密检查仪制定了操作规程(详见《煤矿工人技术操作规程·通风安全》P116自救器工)。

该厂除生产整机外,还供应气密检查仪配件及自救器专用称重仪TD2000型电子天平。

ZJ系列自救器气密检查仪技术特征

型号	用　　途	工作压力/kPa	压力计精度/级	检查时间/s	外形尺寸/mm	质　量/kg
ZJ—1	检查煤矿用各种型号过滤式自救器的气密性	5.3±0.3	2.5	15	300×290×330	11
ZJ—2	检查煤矿用各种型号化学氧自救器的气密性	5.3±0.3	2.5	15	380×300×460	20
ZJ—2A	专门检查煤矿用小型化学氧自救器的气密性,如AZH—20A、AZH—20W、OSR—20、ZH—15和2YH—15等型号	5.3±0.3	2.5	15	330×310×370	15
ZJ—2B	国家煤矿防爆安全产品质量监督检验中心和部级安全仪器检验站,以及自救器生产厂和修复厂等单位,用于化学氧和过滤式自救器的高压气密性检查	5.3±0.3 13.34～14	2.5	15	380×300×480	22

山西省沁水县煤炭工业局

沁水县位于山西省东南部。该县历史悠久,物宝天华。境内煤、铁、水资源丰富,尤以煤炭资源丰富而著称。全县含煤面积2400km²,占总面积的90.4%。煤炭工业日益成为沁水的支柱产业。目前,全县拥有生产矿井49座(51坑),实际生产能力815万t。

2003年,全县煤炭行业狠抓安全整顿,投入安措资金1亿多元。新购主要通风机24台,抽放泵16台,备用柴油发电机组20台、新增容量4200kW,部分矿实现了双回路供电;建成了煤矿"数字安全"信息网络监控系统,实现了省市县矿四级联网。原煤产量达到561.5万t,比上年增长24%。上缴税金1.32亿元,增长60%。全行业提供财政收入占全县财政总收入的74.7%,比上年提高8个百分点。

法人代表:芦喜善

河南省巩义市煤炭管理局

河南省巩义市煤炭管理局位于巩义市新华南路23号。巩义市煤炭管理局是巩义市政府一个行政职能部门,编制43人。局机关由办公室、安全监察科、生产技术科、运销管理科和两个煤管站组成。煤管东站管辖米河、新中、大峪沟、北山口、小关5个乡镇的乡村煤矿;煤管西站管辖涉村、夹津口、西村、鲁庄4个镇的乡村煤矿。局直属管辖有一个编制40人的矿山救护队。局下属公司有巩义市煤炭工业总公司、巩义市煤矿供应公司、巩义市鑫达外运公司和华中运销公司。行业主管有河南省大峪沟矿业集团公司、金鼎矿业集团公司、瑶岭煤矿、新中矿业集团公司等5个国营煤矿和40个乡镇煤矿,有职工12000人。

巩义市南依嵩山,北临黄河,东距郑州74km,西距洛阳75km,陇海铁路、310国道、连云港至霍尔果斯高速公路穿市而过，交通十分便利。巩义市物产丰富，目前已探明的矿产资源24种，其中含煤面积达110km²，占全市总面积的10.5%，地质总储量17亿t，已探明储量8.5亿t，可采储量5.5亿t，年产原煤300万t左右。铁路年发运量200万t，产品销往两湖、两广、安徽、浙江、河南、江苏等地。巩义市主要生产一号煤和二号煤，发热量在（6000～7000）×4.18kJ，挥发分为4%～6%，是化肥、化工、冶炼、发电等工业的主要原料。另外还有风化煤储量2000万t，有待开采利用。

巩义市煤炭开采历史悠久，煤炭事业蓬勃发展。20世纪80年代，巩义市被确定为全国重点产煤县（市）之一。为巩义市成为综合实力全国百强县（市）之一做出了巨大贡献。五六十年代仅煤炭行业上缴财政收入就占当时全县（市）的50%。金鼎矿业集团公司（原上庄煤矿）20世纪70年代为河南省大庆式企业，全国煤炭工业十面红旗之一。河南大峪沟矿业集团公司（原大峪沟矿务局）于1991年原煤产量突破100万t，成为全省地方煤矿的大型企业，巩义市市区惟一的十八层三星级贝克大酒店为该公司的下属企业。河南新中矿业集团（原新中煤矿）的净化水厂直供中国铝城503厂生产生活用水。

书　　记：张振国
局　　长：王红生

四川省煤田地质局

四川省煤田地质局是省煤炭资源地质勘察主管部门，下属一三五队（泸州）、一三七队（达州）、一四一队（德阳）、地质测量队、地质勘察设计研究院、测绘工程院、档案馆等7个在编事业单位和中成煤炭建设（集团）公司一个单编企业。全局现有在职职工2015人，离退休职工1735人。各类专业技术人员644人，其中高级职称98人，中级职称249人，初级职称297人。四川省煤田地质局的主要职责是：贯彻执行国家关于地质矿产勘查的法律、法规和方针政策；研究制定全省煤田地质勘查中长期规划和年度计划，并组织实施；负责为四川省煤炭工业可持续发展提供后备资源；负责为全省煤炭产品质量技术检测，承担煤田地质勘查资质管理、煤田地质勘探管理、资源评估工作；负责所属煤田地质勘查单位的行业管理、行政管理、国有资产管理、确保国有资产保值增值；负责全省煤田地质科学研究及档案管理；负责全省煤田地质系统思想政治工作、精神文明，确保职工队伍稳定。

近年来，四川省煤田地质局认真履行煤田地质勘察职能，致力于四川省煤炭工业的可持续发展，加快结构调整，积极发展产业经济。在地质勘察主业方面，通过提升装备实力和核心技术的市场竞争力，全面推广绳钻新工艺，取代旧的普通工法，并已接近同行业先进水平。2003年完成的煤田地质工作主要有：按照省政府加快古叙矿区开发的指示，做好古叙矿区一批骨干矿井的精查勘探。为配合华蓥山市的龙滩电煤开发，开展华蓥山矿区龙门峡等井田的勘探。为开发新型洁净能源，实施并完成我省第一口煤层气预探井。继续在川西雅荣地区、攀枝花东部地区开展找煤地质工作。做好全省小煤矿储量核实、矿山环境地质评价、煤矿劳动安全评价工作。高效率、高质量地完成《四川省煤炭资源有效供给能力的科研报告》，为省政府工作提供决策依据。

2003年，四川省煤田地质局重视和加强工程地质勘察和工程施工业。勘察工作区域延伸到西藏、重庆、云南、山西、贵州等地，主要的项目有中尼公路曲水至竹卡段工程地质勘察、国道318线海子山至竹笆笼公路改建地质勘察、垫江至邻水高速公路勘察等，全局共完成了较大规模的工程地质勘查项目50余项。此外，局地勘院进入紫坪铺水利枢纽工程地质灾害治理等领域，并首次进入山西，承揽了太原—澳门高速公路煤矿采空区灾害治理工程。中成集团申报获准了水电工程总承包二级资质。在保持市政、土建、桥梁、装修等方面优势的基础上，向环境保护工程和教育设施工程拓展领域，这些工程的质量、信誉度都得到了省市有关领导的高度肯定和赞扬。

2003年在工业三产方面，增加投入完成一批印务、机械、餐饮行业的改扩建工程。泸州一三五、德阳百丰两座印务厂房建成投产；德阳一四一机械厂，在保持联轧机生产的基础上，形成大中型设备及配件的生产能力；三是天辰楼宾馆评上了“三星级”宾馆，以优质一流的服务赢得了客户的好评。

2003年全局经济工作总量达到21340万元，与2002年同比增长4473万元，增长率为26.5%。上缴税金720万元。

双十佳矿长介绍

宁夏煤业集团有限责任公司

大峰露天煤矿矿长

李 宽 让

一、简介

李宽让，男，汉族，中共党员，大学本科学历，高级工程师。1956年9月出生于陕西扶风县，1978年参加工作，历任采煤队队长、调度室主任、副矿长、矿长等职。2001年荣获宁夏第六届优秀青年企业家称号，2003年荣获全国煤矿“双十佳”矿长称号。

二、事迹

大峰露天矿位于贺兰山腹地，是一座露井合一的综合性矿井。2003年，原煤产量首次突破80万t，实现利润2776万元，连续安全生产12周年，在闻名遐迩的太西煤故乡连创佳绩，捷报频传。大峰矿能够在重重困难中立于市场潮头，靠的是企业有一位唯实管理、善于创新的领路人。他，就是大峰露天矿矿长李宽让。

李宽让矿长1956年9月出生于陕西扶风县，中共党员，大学本科学历，高级工程师，历任原石炭井矿务局一矿掘进队队长、采煤队队长、调度室主任、副矿长、矿长等职，1999年11月走马上任大峰露天矿矿长。他对煤炭事业满腔热忱，有着强烈的事业心和责任感。参加工作20多年来，一步一个脚印，勇于进取，乐于奉献，以真诚效力企业发展，以朴实无华谱写人生华章。在担任大峰矿矿长期间，面对煤炭市场的激烈竞争、矿井防灭火投入增加、露天大型设备更新等困难条件，不辱使命，逆境搏击，恪尽职守，带出了一个团结务实、作风过硬的领导班子，开辟了大峰矿高产、高效、安全稳定的新局面，为此，他多次受到上级领导的表彰。2001年荣获宁夏第六届优秀青年企业家称号，2003年荣获全国煤矿“双十佳”矿长称号，并光荣地出席了石嘴山市第十一届人民代表大会，为宁夏煤业集团的改革和发展做出了突出贡献。

“说干就干，干就干好”是李宽让几十年如一日的工作信条。“太西”优质无烟煤以其“三低六高”的特性，享有“煤中之王”的盛誉。在打造“太西煤”品牌战略上，他清醒地认识到，大峰矿生产的无烟煤煤质虽好，但并非天生丽质。他纠正部分人“皇帝女儿不愁嫁”的错误认识，提出“内抓管理降消耗、外拓市场促增收”的工作思路，加强生产过程的管理。对内，他从完善管理制度入手，建立起完整的指标体系、责任体系和考核体系，为生产经营和安全生产提供了可靠的制度保证。对外，他从产品销售、拓展煤炭市场入手，积极走访用户，广泛征求用户意见。针对市场需求不断调整生产布局，生产适销产品，实现了原煤销售利润的最大化，2003年实现销售收入11652.92万元。

在煤矿摸爬滚打了20多年的矿长李宽让时刻告诫自己，安全是煤矿生存的根本，是煤矿最大的效益，是职工最大的幸福。他与全矿干部职工一起，在安全管理上狠下功夫，坚持“安全重在管理、管理重在现场、现场重在落实”的原则，努力消除人的不安全因素和物的不安全状态，营造安全稳定的生产环境。大峰露天矿的安全生产史证明，要实现安全生产，露天火区爆破是难点，井工“一通三防”是关键。安全管理的重点要放在火区高温爆破和瓦斯治理上。首先，坚持从严管理、依法治矿，认真贯彻执行国家煤矿安全法律、法规，依法规范企业安全管理和职工行为。针对全矿生产单位职工素质参差不齐的实际状况，加强对职工的安全业务技术培训，开展“一帮一、一对红”，师徒互助保安、职工自主保安活动；对特殊工种职工，坚持持证上岗制度，进行特种形式的教育培训和技术练兵，职工的整体安全素质稳步提高。其次，完善管理制度，强化现场管理，坚持干部深入一线，靠前指挥，每次露天采场火区爆破必须有矿领导现场指挥，井工生产班组班班有领导，严格执行一工程一规程、一变化一措施，力求做到责任到位、措施到位、管理到位。对重点地区和生产环节实行每天24小时不间断安全监控，搞好火源、尘源控制，做到防患于未然，杜绝了重大事故的发生。三是扎实开展质量标准化安全创水平活动，坚持高标准、高起点、严要求，从细微处着手，从点滴做起，针对不同时期、不同岗位和环境的客观实际，找准关键点，定好标准、措施和目标，提出露天求严、井工求精的目标，使“精品工程”向全方位发展，向深层次拓展，严格动态达标考核，变被动突击抓质量为主动及时抓质量，2002年露天质量标准化达到部级标准，产品通过ISO9000质量体系认证，为安全生产奠定了坚实的基础，2003年8月21日实现连续安全生产12周年，保持宁夏回族自治区煤炭行业安全生产的最长周期。

作为一名有头脑的企业家，李宽让的目光不仅仅停留在眼前的生产经营上。他既考虑眼前，更谋划长远，从机制、体制入手，对全矿的生产经营进行了大大小小的“手术”，为企业的长远发展除去了羁绊，增添了后劲。他上任不久，就开始对职工分配制度进行改革。在生产单位试行岗位效益工资，打破级别界限，按岗位的责任大小、技术含量高低、苦脏累险程度、贡献大小决定职工的收入。推行矿内工资二次分配制度，各基层单位将本单位职工的岗位工资和计件超额工资（或奖金）捆在一起作为活工资进行分配，活工资的比例占工资总额的35%～60%，其余部分作为死工资用以保护老职工利益和保障职工的基本生活。从而打破长期存在的“干好干坏一个样、干多干少一个样、技术高低一个样”的分配体制上的“大锅饭”，极大地调动了职工的工作积极性和主动性。

激烈的市场竞争归根结底是人才的竞争。针对技术工人年龄偏大、青工学技术积极性不高、设备故障不能及时排除的实际，李宽让矿长按照“眼睛向内、立足本矿、强化培训、解决问题”的思路，确定了“干什么学什么、缺什么补什么”的培训原则，大力倡导“在工作中学习、在学习中工作”的学习氛围，创新培训机制，突出培训效果，采用矿集中培训与基层培训相结合；走出去与请进来相结合；培训与岗位练兵、技术比武相结合的方法，使职工由过去的“要我培训”变为现在的“我要培训”。每年对技术比武的优胜者给予每月一定数额的岗位技术补贴，比武落后的职工给予降薪处罚，以此调动职工学技术、钻业务的积极性，初步实现“精一门、懂两门、会三门，达到一职多能”的职工培训目标。

他还积极改革用人机制，在坚持党管干部的基础上，拓宽选人用人的途径和渠道，先后多次在全矿青年职工中公正、公开、公平地选聘机关管理人员和技术人员。按照干部“四化”方针和德才兼备的原则，采用年度民主评议的定性评价和季度绩效考核相结合的办法，把静态考核与动态管理有机结合，做到全面、公正、准确地评价干部，使每一个干部肩上既有压力，也有动力，形成“不改革、不提高、不发展就等于自我淘汰”的思想，实现了干部能上能下，形成了激励机制，激活了用人机制。

“众人拾柴火焰高”。作为一矿之长，他晓得管好一个企业，一个人能力再大也是微不足道的，只有调动方方面面的积极性，才能办好企业。他首先从转变矿风做起，在领导干部中大力提倡“干就实干、管就严管、抓就真抓”，顾全大局，勇于奉献的工作作风，对副职坚持和衷共济、用人不疑的原则，落实责任，充分放权，使副职有责有权，大胆工作，既发挥了副职的积极性，又搞好了班子团结。各级领导干部认认真真做事形成风尚，一级做给一级看，一级领着一级干，在全矿蔚然成风。一个团结务实、奋发向上，充满激情和活力的领导班子群体，在企业生产经营的舞台上大展身手。

从百米井下一步一个脚印走上领导岗位的李宽让，尽管工作忙了，事务多了，但他那矿工特有的朴实、勤奋、清正的作风没有变。他的做人原则是“实实在在做人，认认真真做事”。工作中他严格要求自己，要求大家做到的，自己首先做到，要求别人不做的，自己坚决不做，赢得全矿干部职工的拥戴。

他唯实管理，作风严谨。矿每次安全办公会前，他都要到井下采煤工作面或掘进工作面摸情况，亲自到露天掌子面、高段舍场了解情况，他善于发现和解决问题，哪怕是小隐患、小问题也难逃过他的眼睛。平时忙于生产经营事务，他就挤时间利用双休日深入现场，有时白天开会应酬，他就夜晚下井。每逢安全生产的关键时刻，他都坚持在一线指挥。2002年6月25日，大峰矿羊齿采区工作面发生了罕见的老顶大面积来压，当场压断单体支柱123根，损坏支柱166根，压折损坏π型钢梁41根，损坏三用阀100支，因工程质量过硬，未造成人员伤亡。险情发生后，他连续48小时坐镇指挥，直到工作面恢复了正常生产；露天火区爆破，他亲临现场指挥，直到成功爆破；矿井通风、供电系统机电设备检修，他井上井下现场指挥，一直坚持到检修完毕。在他的影响和带动下，全矿各级领导纷纷自觉深入一线，深入现场，靠前指挥，区队长井下跟班，现场解决问题。“安全重在管理、管理重在现场、现场重在落实”深深植根于全矿干部、职工心中，成为他们的自觉行动。

冰清玉洁廉自身，煤海创业不了情。几年来，他一心扑在工作上，节假日、星期天也顾不上休息，孩子上学远行，他顾不上送送，老人和妻子有病顾不上侍候。他常说，家中的事再大也大不过矿上的事，干工作要尽职尽责，不能留下遗憾。他有一个坚定不移的信念：领导就是服务。因此，讲奉献不讲索取，带头执行领导干部勤、廉制度，不贪不占、律己从严、管好身边的人，严格按上级有关规定办事。他积极支持和推进矿（队）科务公开工作，坚持安全生产重大事项公开，职工关心的热点问题及时公开，增强企业管理工作的透明度。他以“实实在在做人，认认真真做事”的人格魅力，受到了职工群众的信任。

“说干就干，干就干好”。成绩已然过去，辉煌源于未来。宁夏煤业集团“北部挖潜、南部发展”，建设亿吨大矿的宏伟蓝图，昭示着李宽让带领全矿1800多名干部职工，朝着更高、更新的目标奋进。我们坚信，大峰露天煤矿一定会做强、做富、做美，大峰矿的未来更加辉煌！

枣庄矿业（集团）有限责任公司

高庄煤矿矿长

赵　洁

一、简介

赵洁，山东省枣庄市人，中共党员，大学文化，经济师。1972年参加工作，1979年6月至1984年11月任枣庄矿务局第一工程处工资科定额员；1984年11

月至1994年11月任第一工程处工资科副科长、科长、经营管理科科长；1994年11月至1997年6月任第一工程处副处长；1997年6月至1999年5月任枣庄矿业集团公司八一煤矿副矿长兼高庄井长；1999年5月至2001年2月任枣庄矿业集团公司第五工程处处长；2001年2月～12月任枣庄矿业集团公司八一煤矿矿长；2001年12月至今任枣庄矿业集团公司高庄煤矿矿长。

二、事迹

高庄煤矿是矗立在微山湖畔的一座现代化矿井，矿井于1998年2月移交生产管理，矿井最初设计为21万t/a的旱采小井，后设计建设为90万t/a的全水力化采煤矿井，2002年实施矿井技术改造工程后设计生产能力达到180万t/a。矿井技改当年就生产原煤162万t（比2001年净增51万t），2003年产量又猛增到218万t，创造了较为显著的经济效益。新世纪以来，矿井建设蒸蒸日上，两个文明建设协调发展，2001年被枣庄市授予“市级文明单位”称号，2003年4月荣获“2000～2003年度山东煤炭工业先进单位”称号，赵洁同志也荣获2002年度“振兴枣庄立功奖章”、2003年度山东省和全国“双十佳矿长”称号。

赵洁同志任高庄煤矿矿长后，即确立了以发展统揽全局的指导思想，把建设高产高效高度文明的现代化矿井作为奋斗目标，突出中心抓效益，把握主题抓发展，谱写了一篇篇创业的华章。

开拓篇——以高度的责任感和强烈的事业心大力推动矿井技术改造工程，加快推进高产高效矿井建设

他为做大煤炭主业、实现生产能力和经济效益的不断提高，付出了艰辛的努力。在上级的正确领导下，赵洁带领职工全力以赴实施了矿井技术改造工程，利用一年的时间，投资1个多亿，使矿井设计生产能力从90万t跃到180万t，在枣庄矿区矿井建设史上创出了建设周期最短、速度最快、投资额最少的新纪录，从根本上解决了生产接续问题，矿井综合生产能力和经济效益大幅提高，生产工艺也由单一水采变为综采、水采、高档多种采煤方式。在矿井技术改造关键时期，该同志连续数月不休班，既从宏观上定计划拿方案，又经常到现场促进度抓质量，保证了工程施工的优质高效。为充分利用好技改资金，对整个工程模拟市场化运作，各单项工程及设备都尽量在全国招标，仅设备招标采购就节约资金400万元，从而在投入9000余万元资金后即实现了技改出煤目标。

稳定篇——牢固坚持党的“安全第一”方针，认真做好安全“天”字号大事，以安全促发展

消灭事故，确保安全，实现安全局面的持续稳定，是赵洁同志不懈追求的目标，他坚持把安全管理放在各项工作的首位来抓，坚持深入井下一线了解情况，白天工作太忙，就在晚上下井，在周六、周日下井，这已成了他的惯例。他牵头建立健全了领导分工负责制，自上而下层层签订了安全生产目标奖惩责任状，对安全生产工作实行切块承包和抵押金制度。在安全管理中坚持做到建章立制严、现场管理严、考核兑现严，以铁心肠、铁手腕抓安全。通过努力，高庄煤矿2002年度获山东煤矿工会群众安全工作竞赛优胜单位、山东煤矿“创新杯”竞赛优胜单位，2003年度被山东煤矿安全监察局评为“煤矿安全监察A级矿井”，目前已连续安全生产1590天以上，正向安全生产五周年的目标迈进。

创新篇——坚持以改革统揽全局，实现了机制创新、管理创新、科技创新

赵洁同志思想解放，敢为人先，在工作创新上，大刀阔斧地进行了一系列改革。第一，大力深化内部分配制度改革，实行全员绩效工资，职工个人收入与工作量和矿井整体效益密切挂钩。第二，大力实施机关机构改革和用人机制改革，第三，积极推行内部市场化管理，建立了三级核算体系，健全了工作量验收，收入分配以及其他相关管理制度，通过完善价格、结算、考核体系，建立了适应市场经济的新型企业体制和内部运行机制。为实现企业管理的现代化，高庄矿成立伊始该同志就认真抓好了ISO9000质量体系认证工作，并一次性通过审核认证。第四，积极推进企业改制，对多种经营厂点进行股份制改造并收到较好成效，赵洁同志还紧紧围绕安全生产和经济效益的提高，带领广大职工开展了一系列技术革新改造和科技攻关活动，进一步完善优化了水采、综采、高档生产工艺。为解决好矿井水达标排放和含煤废水的回收利用问题，该同志牵头实施了净水器工艺系统技术改造，年创效在200万元以上。在他的带动下，高庄矿完成了一批技术含量较高的科技成果，《高庄煤矿地测空间管理系统的研究》还获得了山东省科技进步三等奖、枣市庄科技进步一等奖。

凝聚篇——坚持以人为本，职工队伍建设和企业文化建设等得到全面发展

为了求得生产和生活配套设施的同步发展、相互促进，赵洁同志在聚精会神抓矿井建设、实现了矿井安全生产跨越式发展的同时，还呕心沥血狠抓了职工生活配套设施的建设，近两年投资2000余万元新建了四栋职工宿舍楼、改造完善了职工生活区供水、供暖设施，并努力以企业效益的提升带动职工收入的增长。该同志高度重视文明煤矿创建，着力抓好企业理念、环境形象、阵地文化、安全文化、精品亮点、职工行为等六大工程，实现了该矿方方面面工作的高起点。

把高庄煤矿建成高产高效、国内一流的现代化企业，是赵洁同志孜孜以求的目标，在他的带领下，高庄矿人正以党的十六大精神为指针，搏击煤海唱大风，使高庄煤矿这颗明珠在微山湖畔更加夺目。

兖州煤业股份有限公司兴隆庄煤矿矿长

来 存 良

一、简介

来存良，男，1960年生，山东邹城人，中共党员，工程硕士，高级工程师，现任兖矿集团兴隆庄煤矿矿长，济宁市人大代表。先后获得“中国十大杰出企业家”、“全国煤炭工业双十佳矿长”等省部级以上荣誉称号50多项，为中国煤炭工业的振兴和国际采矿技术的发展作出了积极的贡献。

二、事迹

来存良，历任兴隆庄煤矿主采队技术员、党支部书记、队长及副矿长等职务，现任兖矿集团兴隆庄煤矿矿长、党委副书记，济宁市人大代表、中国技术经济研究会企业分会常务理事、中国煤炭学会开采专业委员会委员、中国煤炭工业学会第五届岩石力学与支护专业委员会委员、煤炭工业技术委员会集约化矿井专业委员会委员、《煤矿开采》杂志编委会副主任。他始终以强烈的创新意识和奋发向上的激情，全身心地投入煤炭事业，使兴隆庄煤矿实现了跨越式发展。特别是2003年，生产原煤702万t，是矿井设计产量的2.3倍；完成利润3亿元，在实现行业八连冠的高起点上，经济效益继续保持了全行业领先水平。

他大力实施科技兴煤战略，积极参与煤炭开采与装备技术研究，先后主持完成了30多项科研项目，获得省部级以上科技进步奖励20余项，解决了许多重大技术难题，创造出了显著的经济效益和社会效益。其中，作为主要研究人员完成了国家“九五”重点科技攻关项目——“缓倾斜特厚煤层高产高效综放开采成套装备与工艺研究”的试验任务，工作面月产、年产分别突破了42万t和400万t，回采工效达到了193.5t/工，获得了2002年度中国煤炭工业科学技术进步一等奖。主持完成了国家“十五”科技攻关项目——“年产700万t高效洁净生产矿井建设”，平均回采工效达313t/工，工作面月产原煤63万t、年产680万t，多项技术指标刷新全国最高纪录，整体技术达到国际领先水平，完善了综放核心技术，进一步确立了综放核心技术在国际上的领先地位。该项目的重要研究专题“600万t综放工作面设备配套与技术研究”，获得了中国煤炭工业科技进步十大科技成果奖。在2003年中国煤炭高层论坛上，他惟一以矿长身份应邀发表演讲，介绍了兴隆庄煤矿建设高产高效示范矿井的经验，引起了国内外煤炭界的极大关注。

他以超前的思维，积极引入世界最先进的管理理念，使矿井在管理上实现了与国际水平接轨。在全行业率先通过了质量体系、环境体系、计量体系和职业安全卫生体系的认证。瞄准建成世界最具创新力煤矿的目标，在中国煤炭行业和山东省首家创建学习型企业，并率先获得了AA级学习型企业单位称号。坚持品牌制胜战略，大力实施煤质管理“三零工程”(零缺陷、零杂质、零投诉)，精煤万吨含杂率降到了0.5kg以下，出口精煤和动力煤获得了“中国知名出口品牌”称号，煤炭产品质量达到国际领先水平。灵活调整营销策略，拓市场、快装运，在煤炭市场波动较大的情况之下始终保持了产销两旺。积极构建倒逼成本、比价购销和内部市场机制，促进了内部经济运行质量的逐步提高，矿井各项工作呈现出了蓬勃协调发展的良好势头。突出的业绩也使他先后获得了“中国十大杰出企业家”、“新世纪中国改革百名优秀人物”、“优秀企业技术经济专家”、“全国煤炭工业双十佳矿长”、“全国煤炭系统百位功勋人物”、“山东省十佳煤矿矿长”、“煤矿安全生产优秀矿长”、“山东省煤炭系统专业技术拔尖人才”等省部级以上荣誉称号50多项，为中国煤炭工业的振兴和国际采矿技术的发展作出了积极的贡献。

抚顺矿业集团有限责任公司副总工程师
兼老虎台矿矿长

张 德 利

一、简介

张德利，男，汉族，中共党员，1954年9月出生，河北省景县人，大专文化，工程师。1973年在抚顺矿务局老虎台矿参加工作；1973～1991年，在老虎台矿采煤二区任工人、副队长、采煤四区副区长；1991～1993年，在北京煤炭管理干部学院学习；1994～1997年，任抚顺矿务局老虎台矿副矿长；1998～2000年12月，任抚顺矿务局老虎台矿矿长。2001年7月被任命为抚顺矿业集团有限责任公司副总工程师，兼老虎台矿矿长。

张德利多次获得辽宁省劳动模范、抚顺市劳动模范等荣誉称号。曾当选为第七届全国人大代表。2001年荣获第六届“全国煤矿双十佳矿长”称号。

二、事迹

张德利从事煤矿工作已经32个年头，先后担任过副队长、队长、副区长、副矿长，1998年任老虎台矿矿长。近年来，他带领矿党政一班人坚持走从严管理，科技兴矿的发展之路，矿井保持了正规化生产，实现了年年超产，年年盈利，步入了良性发展的快车道。老虎台矿先后被授予全国文明矿、全国“双十佳”煤矿、全国煤炭行业高产高效矿井、省文明单位、省花园式企业等荣誉称号。他本人也先后被评为全国煤矿“双十佳”矿长、抚顺市劳动模范和抚顺矿业集团公司特等劳动模范、安全模范。

1. 坚持把安全生产作为保大局、保效益、保稳定的头等大事来抓

他常说：“安全就是煤矿的生命，是员工的最大利益。”近年来，随着矿井开采的延深，瓦斯、冲击地压、煤与瓦斯突出等各种自然灾害威胁越来越严重，他从实际出发，始终把安全工作作为保全局、保稳定的大事来抓，时刻坚持“严”字当头，继承和发扬老虎台矿从严依法治矿的企业精髓，时时从严，处处从严。坚持以人为本，从严管理，加强员工安全素质和矿井质量标准化“两个基础”，狠抓干部责任制和现场管理“两个强化”，建立了“以贯彻规程措施为核心，以落实责任制和标准化为重点”的安全管理运行机制，把从严管理贯穿到生产全过程。重点突出一通三防，依靠科技治理隐患，努力加大安全投人，采用新技术、新工艺、新设备、新材料解决一通三防新问题，形成了较为完善的通风、防火、防瓦斯、防尘系统，探索和积累了防冲击地压、煤与瓦斯突出的经验。多年来，全矿没有发生一起一通三防重大事故，2001～2003年，百万吨死亡率分别控制在0.33、0.32和0.31，创出安全生产历史最好水平。

2. 坚定不移地走科技兴矿之路，提高矿井科技含量

他从矿井长远利益出发，坚持可持续发展，科学组织生产。在充分调查研究的基础上，大上综采机械化，走出了一条在特厚煤层上综采的新路子，机械化程度达到了100%，形成了矿井东、中、西3个百万吨高产面；在特厚煤层大胆引用锚网支护技术，开创了国内此项技术在特厚煤层应用的先河，有效地控制了防突、冲击地压对矿井的破坏；对洗选系统进行了5次滚动式的技术改造，引进了国外先进的全自动动筛跳汰设备，形成了集自动化控制、跳汰、浮选为一体的联合工艺流程，大大提高了洗煤收率；面对矿井资源日趋减少，他积极组织寻求开辟保证经济总量的新途径，合理回收有效资源，在－330m水平试上普采并形成规模，保证了精煤总量。2001～2003年，共生产煤炭933万t，超产91万t，曾创出最高月产35万t、日产14000t、单产20万t的3个历史之最，企业迈入了全国高产高效矿井的行列。

3. 全面加强经营管理，积极探索企业在市场经济条件下的生存发展之路

他常说：“我们不能靠多出煤增加效益，要靠管理管出高效益，这样，煤矿才能实现可持续发展。”基于这种经营理念，他坚持外抓市场，内抓管理，确立了“保持经济总量，强化经营管理，靠内部管理挖潜增效益”的经营工作思路，实施了以销定产，以市场定品种，以质量保信誉的营销战略，以二级精煤和五级中块为主导产品，开发绿色煤炭，打开了煤炭市场。煤炭产品通过了ISO9002质量体系认证。同时，他还深化改革，减人提效，强化用电管理，开发井下自然涌水，大上自制加工项目，修旧利废，回收复用，减少外委工程，并把瓦斯作为第二商品销售。2002年，由于加强了内部管理，全年节资5000万元。煤炭产量虽然与2001年持平，利润却继续攀升。此外，还积极引进新项目，在矿业集团公司领导下，与日本博光株式会社合资，组建了虎博洁净煤公司，在选煤厂新上了煤泥水深加工项目，已于2003年9月29日正式投产，年创利润可达600万元。由于他把经济效益的着眼点放在了从严科学管理上，多方挖潜堵漏，收效显著，2001年至2003年共实现利润5亿元，实现了经济效益的重大突破。

4. 全心全意依靠员工办企业，增强了企业的凝聚力

在日常工作中，他十分注意摆正自己的位置，广泛团结班子一班人，尊重员工民主权利，凡涉及企业经营决策和发展战略等重大问题，都与党政班子成员一道研究、确定，并提交员工代表大会审议通过后方付诸实施。坚持企务公开、民主议事制度，尤其对人事管理、分配政策等敏感问题，都增加透明度，自觉接受广大员工的监督和批评。他始终把提高员工生活质量作为办好企业的出发点和落脚点，努力改善员工生活条件，增强企业凝聚力。几年来，新修了矿街路面，绿化、美化、硬化面积4万多平方米；改造了选煤厂、检修中心、山南、矿内“馨苑花园”工业园区，新建了长安广场、琥珀健身休闲广场和虎西离退休职工活动场所。他还在员工中开展互助互济活动，走访慰问、联点交友，科级干部与困难员工结对子，每年为困难员工发放救济款就达40多万元，还为员工发放米、面、油等实物，员工工资收入逐年提高。每年都适时举办各种文体、娱乐活动，使地区到处呈现出政通人和，安居乐业的喜人景象。

5. 廉洁自律，勤政务实，在员工中树立了良好形象

多年来，他一心扑在工作上，始终带头执行领导干部下井规定，在工作中几乎没有节假公休日，经常深入井下了解情况，解决问题，他的实干精神在员工中有口皆碑。他注重廉政建设，在员工群众关注的热点问题上从不搞特殊化，一贯要求各级干部不该拿的不拿，不该吃的不吃，不该去的地方不去。尤其对自己的子女、亲属要求非常严格，一律不许以他的名义在矿里办私事，谋私利；在物资采购上，制定了部门“五联审”制度，明确责任，货比三家，严格物资管理；对待工程承包一律采用招标办法，以实力定厂家，严格控制“感情”工程，增加对外招标的透明度；在奖金分配这个敏感问题上，设立举报电话，聘请员工代表为廉政建设监督员，在研究分配方案和开资日实行直接监督。尤其是近几年，随着职位的提升，找他办事的人多了，可他不管是朋友，还是亲属，只要是不符合规定的，他都一口回绝，从不送人情、批条子。他的模范作用带动了各级干部，感染了广大员工，在全矿普遍形成了廉政勤政的良好风气，矿党政班子也赢得了广大员工的称赞和依赖。

鹤壁煤电股份有限公司三矿矿长

杨 恒

一、简介

杨恒，男，1970年7月出生，中共党员，研究生学历，工学学士、工商管理硕士学位，高级工程师。

杨恒同志1989年9月至1993年7月在辽宁阜新矿院采矿系学习，1993年8月至2002年8月分别在鹤壁煤业(集团)公司八矿、五矿、九矿工作，期间分别担任采煤技术员、助工、副科长、科长、副总工程师、副矿长、矿长等职，2000年10月获得天津大学管理学院科学与工程专业研究生证书，2002年5月取得美国南加利福尼亚大学MBA学位。2002年8月至今在鹤壁煤电股份有限公司三矿任矿长。

二、事迹

鹤壁煤电股份公司主力矿井三矿，2002年全矿生产原煤135万t，实现销售收入2.4亿元，利润9689万元，职工人均收入1.267万元，百万吨死亡率为零，被评为全国134家高产高效矿井之一。荣获河南省煤炭系统先进集体、安全生产先进单位等荣誉称号。这些成绩的取得是矿长杨恒同志忠实地履行岗位工作职责，努力在实践中践行"三个代表"重要思想，坚持全心全意依靠职工办企业，坚持实施科技兴矿战略，严格管理，大胆改革，不断取得三个文明建设新成果工作的体现。

杨恒同志尊重知识，尊重人才，始终坚持走科技兴矿之路。他针对制约三矿安全生产的巷道失修、瓦斯涌出量大，地压大等难题，成立了技术攻关小组，制定和完善激励机制，充分调动了科技人员的工作积极性。①从采区设计和巷道布置入手，大力推广应用煤巷锚网支护技术和锚索新工艺。2002年全矿煤巷锚网巷道支护达90%以上，年节约支护材料费用约100万元。同时有效地控制了采区巷道易变形的难题。②根据三矿地质情况，按照"发展轻放，适量高档，限制炮采"的思路，走矿井高产高效之路。他把主要精力放在两个轻放采煤队的单产提高上，同时组织技术人员攻关。对工作面瓦斯采用顶板裂隙抽放、巷抽、本煤层抽放等综合治理措施，使工作面瓦斯抽出量与风排瓦斯量持平，解决了瓦斯危及安全生产的问题，工作面增产2万a/月左右。为了鼓励广大科技人员的积极性，杨恒提出在全矿技术岗位上设津贴奖，凡是在全矿关键技术岗位上能独当一面、有创新和突出贡献的，不论身份，均给予重奖。2002年，全矿用于发放津贴和奖励科技有功人员的奖金约30万元。近年来先后在《煤矿安全》、《中州煤炭》等杂志上发表论文10余篇，他主持和参与的科研项目中获省煤炭科技进步一、二、三等奖各一项，获市科技进步奖两次，获集团公司科技进步奖10余项。

杨恒同志注重实施"人本管理"的治矿方略，运用所学的管理知识，引入现代企业管理理念，把"人本结合"的管理，当成发展企业的根本，利用一切方式方法，增强职工的主人翁意识，特别是以支持工会建立"职工之家"为载体，把实行矿务公开、落实依靠方针、提高职工素质、增强企业的凝聚力与向心力作为搞好企业的重大举措加以推行。把调动、发挥职工的积极性与企业管理结合起来，推行矿区内部模拟市场体系，共组织制定了20余项经营管理制度，以成本控制为中心，强化职工全员全过程参与成本管理，实施群众监督，把经济指标与职工利益直接挂钩，让职工既有压力又有动力，促进了企业发展。由于采取了这些措施，2002年三矿成本控制到84.01元/t的历史最好水平，年实现利润9689万元。

在安全管理上，杨恒认真落实党的"安全第一"的方针、政策，把搞好安全生产、维护职工合法权益作为实践"三个代表"的具体体现，始终把安全生产放在各项工作的重中之重来抓。三矿是一座有45年开采史的老矿，前几年由于煤炭市场的疲软，安全历史欠账较多，严重影响了企业健康发展，他抓住当前煤炭市场好转的有利时机，积极筹措资金1000多万元，用于"一通三防"瓦斯抽放泵站及管路的改造，提升、运输、煤楼加固、专用回风巷的补欠工程。目前三矿的通风、运输、提升、排水等几大系统均改造装备完毕，消除重大不安全隐患，大大提高了矿井的抗灾能力，2002年三矿取得了行业级质量标准化矿井称号，百万吨死亡率为零。

在企业可持续发展之路上，杨恒按照"煤与非煤产业并重"的原则，在积极发展煤炭主业的同时，大力发展非煤产业，调整产业结构，培育新的经济增长点，积极探索企业在市场经济条件下的可持续发展之路。确定了"创新、发展、巩固、提高"的非煤产业发展八字方针，以千方百计实现职工的就业和再就业、安置企业富余人员、努力提高职工家庭收入、共同奔小康为出发点，大力支持、发展第三产业。共投资2000余万元建成了集娱乐、休闲、健康、餐饮为一体的豫北最大的"康乐村"，安置下岗职工和待业青年293人。"康乐村"被鹤壁市命名为市四大龙头带动战略的关键工程之一，被国家旅游总局评为"AA"级旅游景点。目前，三矿下属的三兴集团(原三矿劳动服务公司)已发展成为拥有18个分厂，职工1325人，固定资产3240万元，年营业额超亿元的大型综合性企业。

由于工作业绩突出，杨恒同志先后荣获全国煤炭系统“双十佳矿长”、河南省优秀青年企业家、河南省煤炭系统劳动模范、十佳矿长、鹤壁市“五一”劳动奖章、鹤壁市十大优秀青年、集团公司劳动模范、优秀青年知识分子等荣誉称号。

展望未来，杨恒同志深感任重道远，他决心带领广大职工坚定信心，迎接挑战，开拓进取，再铸辉煌。

七台河矿业精煤（集团）有限责任公司龙湖分公司经理

刘英志

一、简介

刘英志，男，汉族，1963年10月出生，大学文化，1987年7月毕业于黑龙江矿业学院采矿工程系，中共党员，高级工程师。参加工作17年来一直奋战在煤海第一线，历任采煤段队技术员、技术主管、生产科长、副总工程师、副矿长、行政矿长。2003年4月任七台河矿业精煤（集团）有限责任公司龙湖分公司经理。曾先后荣获原东煤公司“煤海一等功臣”、七台河市扶贫标兵、七煤集团公司劳动模范、中国煤炭工业“双十佳”矿长等荣誉称号。

二、事迹

刘英志同志1987年毕业于黑龙江矿业学院采矿系，现任七煤集团公司龙湖分公司经理，他参加工作17年来，一直奋战在七台河矿区煤炭生产的第一线，他从采煤段队的技术员做起，历任技术主管、生产科长、副总工程师、副矿长、矿长、经理等职务。多年来，他以踏实的工作作风、优秀的管理才能和开拓创新的改革意识，赢得了矿区干部员工的广泛拥护。特别是在担任龙湖分公司经理工作期间，他一心扑在工作上，凭借多年的生产工作经验和管理才能，坚持以人为本，不断地激发全体员工的工作潜能，使龙湖分公司的产量、效益、安全等各项经营指标逐年攀升，为龙湖分公司的改革和发展做出了突出的贡献，在七台河百里矿区一枝独秀。

1．崇高的使命感

17年煤矿井上井下的摸爬滚打，逐渐使刘英志成为一位生产、经营管理的行家里手。与他一起工作过的同志都说：“刘英志是位工作作风严谨、谦虚、务实的好同志、好领导”。2003年4月，在七煤矿业集团公司新立煤矿担任矿长的刘英志带着党组织的信任与重托，走上了龙湖分公司经理职务。上任后，面对分公司生产条件极为恶劣、生产区域分散、运输线路较长、井下瓦斯突出、原煤产量徘徊不前的局面，刘英志心中沉甸甸的，但他毫无怨言。“沧海横流，方显英雄本色”，强烈的事业心、崇高的使命感，增强了他战胜困难的信心和勇气。白天，他深入井下和工人打成一片，了解生产具体情况、存在的问题，晚上下井抓生产，每当遇到井下工作面搬家、跳面，遇到井下贯通，遇到瓦斯超限等特殊情况，他都亲临现场处理问题，问题不解决，隐患不排除，决不离开，并与分公司专业领导一道深入基层、井下研究解决制约生产的薄弱环节，寻对策、找办法。面对种种制约煤炭生产发展的不利条件，刘英志经理率领广大干部员工发扬敢啃硬骨头的拼搏精神，立足长远发展，不搞短期行为，在保证采掘关系协调，保证生产后劲的前提下，硬是创造了薄煤层开采的奇迹，2003年原煤生产完成163.9万t，创建矿以来历史最好水平。

2．安全是最大效益

“煤矿生产，安全为天。安全是职工最大的福利，也是企业最大的效益，安全搞不好，生产经营无从谈起。”这是刘英志同志经常说的一句话。为实现安全生产，为企业创最大效益，就必须确保安全生产。为此，刘英志经理在抓好日常性的安全工作的基础上，坚持以质量标准化建设为主线，重点突出瓦斯煤尘管理，加强机电运输、顶板、火工品等专项治理工作。一是增加安全投入，克服一切困难保证安全。2003年投入安全资金264万元，为安全生产提供了可靠保证。二是坚持“以人为本”，严格进行安全培训，强化职工的岗位技能和自我保安意识。三是持之以恒地抓质量标准化建设，杜绝形式主义，坚持动态的生产过程的达标，建立了安全生产的长效机制。2003年成功地迎接了全煤现场会参观检查，受到兄弟煤炭企业的广泛赞誉。矿井先后荣获七煤集团公司质量标准化竞赛第一名、黑龙江省“在建矿井明星矿”和省“安康杯竞赛优胜企业”等荣誉称号。共接待国家、省、市、兄弟局矿的参观学习达4600余人次，跨入了部级质量标准化行列。

3．走“科技兴企”之路

“科技是第一生产力”。刘英志同志作为一名工程技术人员，他深深体会到了这句话的真正内涵，确立了坚定不移地以科技进步为先导，全面实施“科技兴矿”的发展思路，他强调分公司广大干部职工树立科技意识，增强“科技兴矿”观念。他积极支持鼓励技术创新活动，像通风、生产、开拓、机电等系统的小改小革，有力地推动了企业进步。进行了主井提升系统改造，提高了矿井提升运输能力，有效地促进了煤炭产量的提高。同时推进企业管理创新工作，实行了成本目标管理，动态管理，实行“物流”管理制度；把经营指标层层分解、层层落实到井区，严肃承包制度，实行风险抵押；整顿劳动用工管理和加大机构重组力度，向科学管理要效益。2003 年分公司实现利润 1917 万元，增盈 402 万元，居集团公司前列。

4. 情系矿工

刘英志同志始终牢记全心全意依靠职工办企业的宗旨，切实维护职工的利益，关心职工生活，尽心尽力地多为职工办实事、办好事。他常说："勿以善小而不为"，事关职工群众的事一件都不是小事。上任伊始，为职工免费提供洗浴用品，解决了职工通勤、看病吃药难问题，出台了向苦、脏、险、差一线倾斜的《工资分配办法》，建立了副科级以上领导与困难职工"一帮一"扶贫对子，解决了困难职工家属子女就业问题。节假日会同工会等有关部门走访困难户，慰问伤病住院职工，让他们感受到组织的温暖。建立了民主接待日和企务公开制度，对职工提出的问题逐一解答，条条有回音，件件有落实。增强了广大职工与企业同呼吸、共命运、心连心的责任感。

在工作生活中，刘英志同志以身作则，率先垂范，他深知"其身正、不令而行，其身不正，虽令不从"的道理。他要求别人做到的，自己首先做到，要求别人不做的，自己坚决不做，言必行、行必果。时至今日，龙湖分公司的廉政之风有口皆碑，班子的自身建设得到不断加强，形成了一个团结协作、求真务实的领导集体。"双考"一类班子，分公司党委也先后两次被黑龙江省委授予"先进基层党组织"的光荣称号，从而在分公司形成了一股无坚不摧强大合力。

今日的龙湖分公司，在以刘英志同志为主的领导班子带领下，正焕发着勃勃的生机。他们将以崭新姿态、优异的成绩迎接新的挑战，再创辉煌。

铜川矿务局王石凹煤矿矿长

种欣睿

一、简介

种欣睿，男，1962 年 10 月出生，陕西省长安县人，1996 年加入中国共产党，研究生文化，正高职高级采矿工程师。2000 年 5 月至今，担任铜川矿务局王石凹煤矿矿长。被陕西省、铜川市、铜川矿务局评为省青年企业家、铜川市十大杰出青年、局十杰青年、劳动模范，2002 年和 2003 年分别荣获全国"优秀矿长"、全国"双十佳矿长"称号。

二、事迹

2000～2003 年，王石凹煤矿生产经营连年实现飞跃，四年生产原煤 516.8 万 t，实现利润 1.16 亿元。成为铜川矿务局第一利润大户。矿井连续 4 年被铜川矿务局评为效益先进单位和安全生产、双文明矿井，并荣获了全国"双十佳煤矿"称号。

1. 科学管理促发展

种欣睿担任王石凹煤矿矿长以来，审时度势，在继承和发扬传统先进管理经验的同时，不断在科学管理、机制创新上下工夫，在人本管理上做文章，大力推行"以产定编、以编定岗、以岗定资、以资定人、职能交叉"的管理模式，理顺经营与非经营的关系，撤销合并重复岗位，全矿管理机构和职工人数分别净减 53.5% 和 57.3%。采掘工作面由原来的 14 个减少到 7 个，机关科室由 19 个减少到 11 个，人数由原来的 232 人减少到 147 人，分流 85 人。原煤辅助单位合理设置岗位工种，重新定岗定员，进一步优化劳动力结构，单位由原来的 20 多个减少到 10 个，减员分流职工 221 人。2002 年，在机关科级干部和一般干部中引入竞争上岗机制，一批德才兼备的优秀人才脱颖而出。与此同时，他积极推进现代企业建设，逐渐建立了一套适应企业发展的管理制度。2003 年，全矿共生产原煤 146.4 万 t，超设计能力 26.4 万 t，最高月产达到 15.7 万 t，日产达到 6678t，单产水平达到 65 万 t 以上。全员工效提高到 2.96t/工，职工年均工资达到 11829 元，较 4 年前提高 25%。

2. 围绕成本增效益

种欣睿认为，成本管理是企业经营的核心。工作中，他坚持以产品成本的高低论效益，实行"成本否决制"内部模拟市场运行，将完全成本涵盖的所有经济业务活动，全部纳入目标成本范畴，由内部银行根据每月全矿采掘指标和工作任务，对各单位材料费、配件费、电力成本费、修理费、工资等费用统一下达指标，每周考核，控制使用，超耗用工资抵补，形成了以生产技术部门为中心的生产成本管理模式，优化采面设计，尽量减少设备站用，减少投入。通过强化成本管理，实施成本战略，全矿原煤生产成本由 1998 年的 110.34 元/t 下降到 67.9 元/t，利润连年增加，2000 年实现利润 2037 万元，2001 年为 2424.4 万元，2002 年为 2752.8 万元，2003 年实现利润 2546 万元，4 年超局下达利润计划 360.2 万元，有效提高了经济运行质量，为企业连年实现利润上台阶打下了坚实的基础。

3. 科技创新添活力

技术创新是企业发展的动力和关键。四年来，种欣睿矿长大胆应用新技术，多次参加高难度的技术设计攻关。他主持的《巷道支护技术推广与应用》《大走向连续式开采巷道布置》《综采面切眼大断面锚杆支护》等科研项目分别荣获铜川矿务局煤炭科技成果一、二、三等奖。在矿井技术改造上，他注重技术与资金投入，对主井提升箕斗进行改造，增加提升能力 37 万 t；对主要通风机进行改造，每年节约电费 40 多万元；推广应用水泥卷铁丝锚杆支护技术，每年节约费用 20 多万元；对原煤筛选系统进行改造，有效提高煤质和煤炭销售，去年销售达 152 万 t。与此同时，种欣睿还先后应用了“不动地表开采”“光面爆破”“锚网喷支护”“激光导向”等10多项新工艺和新技术，为建设高产高效矿井奠定了基础。

4. 提升安全严管理

种欣睿矿长把安全工作作为实践“三个代表”重要思想、实现管理创新的重要内容来抓，始终坚持党的安全生产方针，每周召开一次安全办公扩大会，每旬召开一次安全生产分析会，每月召开一次安全生产总结动员会，及时对安全工作进行落实把隐患消灭在萌芽状态。同时，他在安全管理体制上实行创新，建立安全激励机制，把安全指标与干部安全风险抵押、质量结构工资和业务科室工作挂钩，促进矿井安全，连续3年实现安全生产，矿井质量标准化保持了行业级标准。

5. 凝聚人心保稳定

老矿包袱重，困难多，种欣睿矿长从实践“三个代表”重要思想、关心解决职工群众生活入手，增强企业凝聚力和竞争力。一是先后解决了职工家属医改前医药费和到期住房保证金90万元，补发了原来拖欠职工的3个月工资，保证职工工资按时足额发放。二是投资59万元，修缮危房1.5万m^2。投资百余万元对职工宿舍楼进行公寓化改造，更新职工更衣室设施，解决了职工吃水紧张状况。三是出资7万元，对全矿女职工进行了妇科病检查。四是开展扶贫帮困活动，发放慰问金30多万元。五是投资近百万元对矿区进行绿化，对矿区道路进行硬化改造。组织科级以上干部与困难职工结对子，使部分困难职工脱贫。通过实施聚心工程，维护了安全、团结、发展的大好局面，激发了职工的积极性，促进了各项工作全面发展。面对成绩，种欣睿矿长没有满足，他抱着追求卓越的信念，按照“深化三项制度改革，规范管理体制，提高综合效益；突出采掘接续，注重质量管理，实现安全生产，加大技术改造力度，树立新的管理理念，建设高产高效矿井”的总体思路，创造性的开展工作，使王石凹煤矿生产经营在上新台阶，2004年提出了年产160万t的宏伟目标，一季度共生产原煤46万t，超额完成了计划任务，实现了首季开门红，创建矿40余年来最高纪录。

靖远煤业有限公司大水头煤矿矿长

温克珩

一、简介

温克珩，男，汉族，1959年出生，中共党员。甘肃省靖远县人。本科学历，在读硕士研究生。历任技术员、队长、科长、副矿长、矿长。首批企业法律顾问执业资格获得者。主持或参与了近20项科研成果，3项获中煤协会科技进步奖，3项获甘肃煤炭工业局科技进步奖。现任靖煤公司大水头煤矿矿长、白银市大鹏工贸有限责任公司董事长。2002年获“全国煤矿双十佳”矿长称号，被白银市委市政府表彰为“精神文明建设先进个人”。白银市平川区第五届人大代表。

二、事迹

温克珩同志自2002年担任靖煤公司大水头煤矿矿长以来，以其超人的胆识，卓越的管理才能，认真践行“三个代表”重要思想，遵循改革创新、跨越发展、以人为本、勇创一流的经营理念，狠抓安全生产、经营管理及“两个文明”建设，以“管理创新、制度创新、机制创新”为切入点，积极探索高瓦斯矿井开采和现代企业的治理规律；在工作中不断推陈出新，充分运用新技术、新方法管理矿井，4年来，生产原煤415万t，上缴国家税金8601.51万元，实现盈利14944.07万元。职工人均收入从上任时的10000元上升到14000多元，企业效益持续稳定增长，安全、生产、销售、成本、工效、利润等8项经济指标在省内同行业保持了领先水平。矿井被中煤协会先后授予“全国行业级高产高效现代化矿井”、“全国双十佳煤矿”、“全国煤炭行业特级高产高效矿井”；社会治安综合治理和禁毒工作均被甘肃省政府评选为先进单位；环境绿化建设被国家煤炭工业局绿化委表彰为全国煤炭行业造林绿化先进单位，连续7年被白银市委、市政府命名为“文明单位标兵”。

4年多来，温克珩矿长带领着全矿职工在改革的大潮中凭借着管理和科技双轮并转，克服了一系列困难闯过了一道又一道险峻的关口。

在安全生产管理上，他严格管理制度，把重点放在现场管理上，严抓工程和工作质量，平均每月下井15次以上，坚持正规循环作业，加强采掘进现场管理，组织职工认真学习《安全质量标准化标准细则》，坚持上标准岗、干标准活。从矿井实际出发，完善制定了6类657项管理制度，有效地促进了各生产环节的现场管理和生产系统的科学合理。坚持并做到了技术、安全、生产三位一体。注重安全投入和各类安措工程质量，改善了作业环境，坚持“以人为本，科学管理，安全高效”的安全理念，运用矿长令的形式提高安检员、瓦检员的待遇和职责权力，狠抓质量标准化和安全创水平，在矿井内部实行了安全风险抵押制，安全第一责任者责任制，安全一票否决制。使历年百万吨死亡率保持为“零”。加大了安全投入，安装完善了安全监测及工业电视系统，各工作面掘进面及重要场所都安装了摄像头，实现了对生产全过程的微机监测监控，改善了作业环境，提高了矿井的安全指挥、生产、调度、防火、抗灾能力，确保了安全生产。

在经营管理上，他主持施行了对管理人员进行德能勤绩等全方位的量化考核，采取优胜劣汰的方式，激发管理人员对岗位的珍惜，使人人有了危机感和责任感。在分配上，建立了以计件工资及以技能、职责、工作是为依据评分的内部分配形式，稳步拉开不同岗位、井下一线与面辅助人员的收入差别，从根本上解决了分配上的“大锅饭”，建立起了有效的激励机制。在成本控制上，推行全员目标控制法，即矿总成本目标确定之后，采取成本倒法，以承包的形式将成本指标逐层分解到部（队）班（组）、岗位及个人并与分配挂钩。在物资采购中，制定了采购流程图，不断落实、规范物资招标采购管理制度，纪监委、供销公司用料单位等部门全过程、全方位参与、监督，节约了采购成本，并在井口实行各生产单位集中供料，节约了人工工资。在内部改革中，大胆尝试产业结构调整，以多经为基础，跨行业联营，成功地组建了白银市大鹏工贸有限责任公司，结构矿井资源、技术和人员结合优势，筹建了瓦斯电站和洗煤场，积极培育新的经济增长点。2004 年，挖潜降耗，整合工效，制定了生产原煤 165 万 t，盈利 6000 万元的宏伟目标。

在科技创新上，注重加大科技投入，加快技术攻关和科研成果转化步伐，努力构建科技人员宽松的创业平台。设立了科技创新奖励基金，每年奖励科技创新资金达 15 万元以上。坚持每年给各单位下发科技创新课题，建立了 QC 技术攻关小组，建立了以矿党政为核心，以工程技术人员为骨干，广大职工共同参与的技术创新保证体系，着力提高对工程技术人员的各种待遇等。4 年来有 19 项科技创新成果通过了甘肃省科委和中煤协会的鉴定，其中 3 项获中国安全生产科技进步三等奖，3 项获甘肃省煤炭工业局科技进步二等奖。两项达到国内领先水平。并应用实施了瓦斯燃炉改造技术，降低了劳动强度，提升了企业整体管理水平。

在环境绿化和精神文明建设中，4 年来，矿井绿化覆盖由上任初的 24％上升到 28％。地面环境建设实施园林化，职工居住公寓化，文教卫生标准化，文化娱乐经常化，集中供热水暖化，矿井建设城镇化。在文化教育方面，有文化广场、健身馆、游泳馆、水上乐园、图书馆、游艺室等娱乐场所，以及广播电视台、职工秦腔自乐班、文化艺术团、文联、篮球队等载体和形式。认真实施矿务公开，积极进行民主管理，建立困难职工扶助基金，帮扶职工孩子上学、婚丧、嫁娶等困难。企业在温克珩同志的带领下，班子有正气，队伍有士气，矿井有朝气。为矿井实施跨越发展战略奠定了坚实的人文基础。4 年来，矿井先后被授予甘肃省委先进基层党委、靖煤公司先进集体等光荣称号。他个人被靖煤公司授予“劳动模范”光荣称号。

温克珩同志的成长得益于他勤于学习、善于思考。他在当机电技术员时就谦虚好学，即使在走上领导岗位后仍然求学不倦，曾先后在北京煤炭干部管理学院、西安科技学院学习。他撰写的《试析企业奖金分配中存在的问题及相应对策》、《浅谈怎样实施目标成本管理》分别被《煤炭经济情报》刊发，他主持或参与研究的《综放面高应力破坏及动压下锚网支护快速掘进回撤通道技术》等 6 项科研项目获得大奖。

风劲帆满，百舸争流，温克珩同志在成绩面前没有满足，在矿井实现跨越发展的新的起点上，正瞄准更高的目标，迈着有力的脚步，满怀信心地带领大水头煤矿全体职工，奋力前行，去创造更加美好的明天。

哈密煤业（集团）有限责任公司

井采公司经理

余 先 国

哈煤集团有一位开拓进取、务实求新、勇于创业的科技领头人，他就是哈煤集团井采公司经理余先国同志。为了发展祖国边疆的煤炭事业，他从一个采煤工成长为一名重要岗位的管理者，以强烈的责任感和出色的管理才能把一个落后的矿井建设成为现代化企业，成为全疆煤炭行业的一面旗帜。曾多次被评为自治区、煤炭厅、哈煤集团劳动模范，2003 年 12 月被中国煤炭工业协会评为“全国煤矿双十佳矿长”。

一、让老矿井焕发青春活力

哈密煤业（集团）有限责任公司井采公司位于新疆哈密西北部的三道岭矿区，东距甘肃酒泉市 700 余公里，西距乌鲁木齐市 520km，交通落后，自然条件十分艰苦，其前身是原哈密矿务局一矿、北泉煤矿。随着原哈密矿务局企业改制成集团公司，2001 年 2 月 5 日经资产重组合并为现在的井采公司。

余先国上任伊始，按照公司制经营模式，进一步解放思想、更新观念，克服地处偏远、矿井老化等不利因素，加大矿井环节技术改造力度，带领科技人员对两井进行了大量的调查、研究、分析、论证，提出了“依靠科技进步，加快环节改造，实现三年三大步”的发展目标，为井采公司勾画出了美好的蓝图。2001 年对一井采煤工艺进行改造，由高档普采改为综采放顶煤；2002 年对二井主提升系统进行改造；2003 年对一井主提升系统、通风系统再次进行改造，井采公司在原煤生产、安全、利润指标等方面 3 年迈出三大步，实现了跨越式大发展。2003 年公司原煤生产达到 211 万 t，实现利润 9315 万元，2001～2003 年连续 3 年迈入行业级“双高”矿井行列，使老矿井焕发了青春活力，实现了几代井采人的梦想。

没有改革意识的干部不配当领导干部，也不是一个真正的共产党员。余先国同志是一个时刻怀着强烈改革意识的开拓者，在他的主持下先后进行了以三项制度为主的各项改革，推行了定编定员、竞争上岗等改革实践，充分调动了广大职工的积极性，促进了企业稳步发展。余先国同志胸怀大局意识，在集团公司不断扩展，需要大量熟练工人、管理技术人员的时刻，为各兄弟矿输送了大量的人才，有时是成建制的输送，为兄弟矿和集团公司的发展提供了可靠的保证。

二、践行“三个代表”

余先国同志是矿工队伍里成长起来的领导干部，

从工人到班长，从班长到队长，从队长到经理，无论地位怎么变，共产党员的本色始终没有变，在全公司干部职工心目中，他是个能力强、作风正派的好经理、好党员，他一年到头大多数时间是在矿上、在井下生产现场度过的。2002 年 11 月 9 日，一井 4141F 工作面上隅角气体超限，反应异常，他马上意识到情况紧急，立即带人下井检查，发现煤层有发火的征兆，存在重大安全隐患，他当即向集团公司做了汇报，并成立了抢险救灾指挥部，带领员工拉开了抢险救灾的战斗序幕，4141 工作面是井采公司一井惟一正在回采的工作面，整个工作面的全套装备价值 4000 多万元，一旦起火势必造成一井全面停产，直接影响到集团公司的整体效益，直接、间接损失将达 8000 万元，余先国同志深感肩头的压力，在关键时刻，他力排众议，和技术人员果断确定了处理隐患方案，并亲自带领员工战斗在抢险救灾第一线，在现场指挥抢险救灾工作，连续 7 天 7 夜没回家，直到隐患被消除，他这才松了一口气。

怎样衡量一个干部的廉政，余先国同志自有他自己的标准："就是利为民所谋、权为民所用、情为民所系"。走上公司领导的岗位后，依然保持着廉洁勤政的本色。在井采公司成立之初，有人找他要官，被他严正拒绝；在矿山工程招标上有人请他吃饭送礼，被他推出门外。别人说他不开窍，他说：我要开了窍就对不起广大职工，对不起党的培养。余先国同志作风非常朴实，日常上下班和员工一样坐车。余先国同志就是这样，没有架子，不讲排场，平易近人，在员工眼里他是工友、是兄弟，大家有话愿意跟他讲，他平时也经常深入到员工中去，与大家谈心，听取员工们对改革、对管理工作的意见和建议，不断改进工作。

一个企业能否健康发展，取决于一个主要领导者的作风如何，取决于整个领导班子的团结。余先国同志很注重公司领导班子整体效能的发挥，坚持在重大问题上要集体研究，集体讨论。对企业党建、精神文明建设工作，他也是经常过问和关心，并给予人力和物力上的大力支持，使井采公司迈入自治区级文明单位的行列。同时，余先国同志还非常注重政治理论和科技知识的学习，充分利用业余时间学习邓小平理论、党的方针政策、市场经济理论和经营管理知识，不断提高自己的科学决策水平。面对成绩和荣誉，他没有当成是包袱，而是作为一种激励和鞭策，他决心和公司党政一班人团结公司广大职工一道继续拼搏，开拓进取，把井采公司两个文明建设不断推向前进。

肥城矿业集团公司白庄煤矿矿长

陈 玉 贵

一、简介

陈玉贵，男，汉族，1967 年 9 月参加工作；中共党员，采矿高级工程师，大专文化程度，山东莒县人。1968 年 9 月至 1983 年 10 月任肥城矿业集团公司曹庄煤矿采煤一区技术员；1983 年 11 月至 1986 年 4 月任肥城矿业集团公司曹庄煤矿采煤三区区长，1986 年 5 月至 1991 年 5 月任肥城矿业集团公司曹庄煤矿地测科科长；1991 年 6 月至 1995 年 3 月任肥城矿业集团公司曹庄煤矿副总工程师；1995 年 4 月至 1995 年 4 月～2001 年 12 月，历任肥城矿业集团公司白庄煤矿安监处处长、生产副矿长；2002 年 1 月至今任肥城矿业集团公司白庄煤矿矿长。先后荣获集团公司劳动模范、省安全管理优秀干部、省煤炭工业劳动模范、泰安市优秀企业家等荣誉称号。

二、事迹

近年来，肥城矿业集团公司白庄煤矿上缴利润由 2000 年的不足 2000 万元上升到 2002 年的 6036 万元，产值 3 亿元，上缴利税 1 亿元，全矿实现超常规、跨越式发展。2003 年 1～11 月份，原煤产量、掘进进尺、精煤产量、销售收入、非煤产业、上缴利润再次大幅度超计划、超同比。特别是安全产煤 1219129t，提前 45 天完成集团公司下达的计划指标，实现利润 6578 万元，超同期 1048 万元；先后被评为全国煤矿"高产高效矿井"、"全省十佳煤矿"和"省级文明单位"。辉煌的业绩，凝聚着该矿矿长陈玉贵这个铁骨铮铮汉子的聪明才智和满腔热血。2003 年，他被授予全国煤炭系统"双十佳矿长"荣誉称号。

建立长效安全机制。陈玉贵抓安全，坚持管理、培训、装备并重的原则，多管齐下抓防范。他健全完善了以生产责任制为核心的安全管理制度，构建了横向党政工团妇，纵向区队、班组的安全生产责任包保体系，层层签订"定岗位、定责任、定标准、定人员、定效果"，安全状况与经济收入挂钩的"五定一挂"安全目标责任书，把安全管理的压力层层传递到干部、职工、百米井下。并先后实行了"入井宣誓制"、"安全生产监察制"、"安全信息反馈闭锁制"、"全天候干部盯班制"以及"安全风险保证金"和"职工家属安全协助保障金"制度，使安全管理形成了"凡事有章可循，凡事有人管理，凡事有监督考核，凡事有奖有罚"的长效机制。同时，他运用木桶理论，狠抓薄弱环节的管理和排查，严格按照大班抓查岗、小班盯现场的要求，组织查岗小分队进行"零点行动"，使各类检查天天有、不断线，将"三违"隐患降到了最低限度，确保了现场时刻处于有效的监控之中。坚持科技保平安，每年投资几百万元，对矿井提升、通风、排水系统进行改造，并及时更新、配齐、增上各种安全检测设备；同时以应知应会工作为重点，建立了安全培训中心和安全长廊，加强职工的安全意识和素质培训。建矿以来，先后四次安全生产过千天，百万吨死亡率始终保持在0.5以下。

创新生产经营管理，他按照“有责任、有压力、有权力、有利益”的原则，以高产高效为目标，积极推行“链式管理法”，实行“三联一挂”重奖重罚考核制度，将生产辅助单位与采掘区队挂联考核，将竞争机制、约束机制、激励机制引入生产管理的全过程。并制定了《白庄煤矿安全生产责任制度》，将全年生产任务通过优化配比，结合采场实际和各生产区队工作能力，分解落实到每个区队、班组、人头，层层签订责任书，并将末位淘汰机制引入到安全生产中，极大提高了干部职工的工作积极性；大力推广高新技术和实用技术，先后投资200多万元推广使用了锚网支护、端头连锁防倒前探梁支护，增上了大功率、无链电牵引采煤机和双中链刮板运输机等先进设备，使生产效率提高了10%以上，极大提高了单产、单进水平，全员工效达到2.3t，回采工效达到12t。现场管理上狠抓工程质量的检查验收，全方位、全过程的实施质量标准化，严格执行“工程质量不定期动态浮动定级验收制”和工程质量责任追究7项制度，保证了头头面面、条条线线、台台件件，时时检验、时时达标。营销管理上坚持以“质”取胜，强化煤质检验，严格监督检查，从生产源头抓起，做到合理配采，分打分装分运，加强拣选力度，严把装车发运关，煤炭发热量始终保持在5800×4.18J/g，煤炭发运合格率达到100%，维护了“白庄煤”品牌的信誉。成本管理上，按照先进性和合理性的原则，采用倒逼成本法，将各种费用指标层层分解承包到区队、班组、人头，形成了“自上而下层层包、自下而上层层保”的经营管理格局，将管理的触角延伸到了每个岗位，做到了节约一切开支、挖掘一切潜力、堵塞一切漏洞、杜绝一切浪费，通过废旧物资的回收复用、物资招标、降低电耗、减少计划外支出，使吨煤成本比考核指标下降了3元，同比降低了8.3元/t。

改革经济体制增活力。在管理体制上，他大力推行了统分结合，分块管理、分块核算、分灶吃饭、分别反映经营成果的“五部”管理体制，管理手段实现了由行政手段为主向利益驱动的经济手段为主的转变。在经营机制上，加快了主辅分离改革，率先在集团公司实行了物业收费改革，趟出了一条“专业化管理、企业化经营、市场化运作、社会化服务”的新路子。在产权制度上，率先在集团公司对非煤系统下属的公司进行了民营化改制，使之真正成为了自主经营、自负盈亏、独立核算的经济实体。并对非煤产业实行了股份合作制，租赁经营制，年薪制和个体经营制，实现了企业的多元化发展。在经济分配上，率先实行了职工工资集体协商制和效益工资制，使工资分配向采掘一线倾斜，向技术管理岗位倾斜，向创效益的岗位倾斜。在人事管理上，不断拓宽选人、用人渠道，实行末位淘汰制，科区级干部实行公开招聘、岗位竞争制。在产业结构上，拉长企业产业链，增上了具有煤矿优势的矸石热电厂，为企业发展注入了强大的生机和活力。

陈玉贵牢固树立“群众利益无小事”的思想。把提高职工生活水平，作为凝聚企业合力、焕发职工热情、促进工作发展的大事来抓，只要对企业和职工有益的事情就全力去做。去年以来，先后兴建了9栋家属楼，新打了两眼深水井，改造了供水、供电管道和线路，装备了普教、幼教、职教设施，扩建了幼儿园，修缮了职工花园，进一步美化绿化了矿区环境，为区队职工学习室装备了空调、电视、消毒柜等设施，改善了职工的班中餐质量，配套完善了老年康乐园、文娱中心、图书馆，并大幅度提高了职工收入，预计全年职工人均收入将达到1.6万元，从而为全矿职工家属营造了紧张有序的工作环境、优美舒适的生活环境、健康向上的文化环境、团结和谐的人际环境和安全稳定的治安环境。2003年该矿被山东省文明委授予“省级文明单位”荣誉称号，并被省煤管局推荐为肥城矿区申报全国文明煤矿的惟一单位。

科学的发展战略等于成功的一半。面对未来，陈玉贵审时度势、运筹帷幄，制定了旨在加快企业发展的“3.6.1.2”工程战略。即经过3年的艰苦奋斗，将白庄煤矿建设成为一个年产值达到6亿元，利税1亿元，职工人均收入2万元的企业强盛、职工富裕、环境优美的大型现代化矿井。

优秀企业家介绍

安徽恒源煤电股份有限公司

董事长、党委书记

朱宜存

一、简介

朱宜存，男，汉族，安徽舒城人，1961年10月出生，1993年8月入党，硕士学位，高级工程师。

1981年9月至1985年7月在淮南矿业学院采煤系学习。1985年7月至1991年12月在刘桥一矿采煤三区、技术科任助理工程师。1992年1～11月在刘桥一矿安监处任采掘科长。1992年12月至1995年8月任刘桥一矿副总工程师。1995年9月至1998年1月任刘桥一矿党委委员、总工程师。1998年2～11月任刘桥一矿党委委员、副矿长。1998年11月至2000年11月任刘桥一矿党委委员、矿长。2000年12月至2001年11月任恒源公司党委委员、董事长、总经理。2001年12月至今任恒源公司党委书记、董事长。

由于管理科学、业绩卓著，2000年至2003年，朱宜存先后荣获安徽省淮北市"优秀青年企业家"、安徽省"十大杰出青年企业家"、"全国'五·一'劳动奖章"、全国煤炭系统"优秀企业家"等荣誉称号。

二、事迹

2000年年底，朱宜存任安徽恒源煤电股份有限公司董事长兼总经理，后改任公司董事长、党委书记。

"恒源煤电"是以皖北煤电（集团）公司原刘桥二矿优质资产为基础，联合省内外4家企业，于2000年12月29日共同发起创立的股份制企业，是安徽省首家以煤电为题材的上市公司。公司注册资本8160万元，总股本8160万股。

朱宜存大手笔挥写辉煌篇：公司股份制运作3年来，三个文明建设各项工作均创历史最好水平，实现了超常规、跳跃式发展。

1. 煤炭产量逐年递增。矿井原设计年生产能力60万t，2002年经二期改扩建，核定年生产能力为150万t。2001～2003年，累计生产原煤514万t。

2. 经济效益大幅攀升。2001～2003年，每年实现净利润分别为4270万元、6052万元和6360万元，每股收益分别为0.52元、0.74元和0.78元。2002年公司跻身"全国煤炭工业100强"行列。

3. 安全创出高水平。在2003年实现"安全四周年"和第四个"安全年"的基础上，保持了持续稳定的安全形势。截至2004年3月20日，公司实现安全生产1567天，创矿井投产以来最长的安全周期。

4. 企业及全员综合文明素质显著提高。2002年文明创建一年完成"三级跳"：公司相继被评为淮北市、安徽省"文明单位"和"全国文明煤矿"。

由于朱宜存管理科学、业绩卓著，2000～2003年，先后荣获淮北市"优秀青年企业家"、安徽省"十大杰出青年企业家"、"全国'五·一'劳动奖章"，全国煤炭系统"优秀企业家"等荣誉称号。

1. 开创现代化管理新局面

面对市场竞争日趋激烈和企业制度创新的新形势，朱宜存以企业家的战略眼光和韬略来定位和创新管理，深化改革，重塑机制。构建大政治、大安全、大经济、大文明的"四大格局"，并实现了良性互动；实施产业发展、管理创新、科技进步、市场营销、质量兴企的"五大战略"，提升了企业的综合素质和现代化水平。企业管理突出制度管理、人本管理、科技兴企等现代化管理的鲜明特征。

创新安全管理，他恪守"安全是企业最大的政治、最大的效益、最大的稳定、最好的形象、员工最大的福利"的安全理念，构建党政工团齐抓共管，全员参与的"大安全"管理格局。抓安全首先紧紧抓住"人"这一最活跃的因素，着力提高员工安全素质：员工培训、考核合格率和特殊工种持证上岗率均达100%；以多种形式加强安全宣传教育，增强了全员居安思危、反骄防松的安全意识。倡导"没有任何事情比人命关天的事情重要"的人文关怀理念，要求各级管理人员潜心安全心理研究，从工作、生活、思想等方面无微不至地关心员工：消除因疲劳厌战、精神状态不佳、士气低落等因素而产生的不安全因素。加强制度建设，实行"法制化"管理：把各项规章制度和措施落实到全过程，全方位的安全管理；建立和完善"全员安全责任制"，"事故及隐患排查、整改责任追究制"、"工程质量终身责任追究制"等制度，并实行"安全一票否决"制度，充分体现"安全至上"的理念。强化现场管理：实行全过程、"系统流程"安全管理制度和"现场'零缺陷'生产"管理制度。随着安全周期不断延长，他及时引入"预警性反危机"理念，使员工树立了"保安全只有起点没有终点"的安全意识；强化安全危机管理，使"只有不到位的管理，没有保不住的安全”的管理思想，贯彻到每一个管理环节。

创新经营管理，朱宜存着力建立企业“内部市场”，使内外“两个市场”在机制上实现“共振”。按专业细化、完善经管制度，使各项经营活动有章可循。实行煤炭产品内部收购制，物资供应、部件加工、设备修理和服务等以质论价、经济核算，确立了各单位的内部市场主体地位。各项经济指标细化量化，分解到单位、落实到人头，动态考核、奖罚兑现。他与各单位负责人签订生产经营目标责任合同，明确责权利。同时实行中高层管理人员风险抵押金制度，考核其安全（质量）、产量（任务）、成本（效益）、文明创建“四大指标”，月度考核、奖罚兑现。经营竞争机制的建立，使人人千方百计挖潜增效。与市场化管理相适应，自上而下建立了严密的经营监督网络，制定依“法”监督及处罚的各项制度：对从市场源头到企业内部的各项经营活动，提前介入，全程监督，有效堵塞了经营漏洞，规范了经营行为，初步建立了“法制经济”体系。树立全新的营销理念，利用多种形式树立企业的社会形象和产品品牌；严格从生产源头到装车外运各环节的煤质及煤质监督责任制；按市场需求组织生产，并根据市场变化及时调整营销策略。优质的“恒源煤”畅销华东地区，远销日本、韩国等国际市场。公司加入国际商会，通过ISO9002国际质量标准体系认证，为开拓更宽广的国际市场铺设了“绿色通道”。2003年公司被评为“中国煤炭系统企业形象信誉AAA级单位”。

朱宜存大力实施科技兴企战略，不断完善科技创新体系，加大投入，强化了保障机制。积极组织科技攻关，多项创新成果获市级以上奖项。优化生产设计和布局，提高了资源回收率，优化了人力资源配置和劳动组合，实现了合理集中生产和规模效益，万吨掘进率逐年下降。深化支护改革，形成整套的动态设计方法。利用网络、计算机信息技术，把系统理论与方法应用于安全管理，建立了安全信息管理系统。目前，采掘生产机械化分别达到63%、98%；高档普采和4层煤炮采，均达到国家行业甲级队标准。各项管理的信息化程度和科技含量显著提高。2002年公司科技贡献率达到42%，被评为全国煤炭行业科技进步“双十佳矿井”。

着眼于企业未来发展，朱宜存实施产业和产品结构调整战略。设备、技术国际领先，年洗选能力150万t的选煤厂于2003年4月正式投产，并产生显著的经济效益。公司股票上市融资后，6个拟投资项目将分步实施，公司生存空间将进一步扩大。

2. 谱写企业文化新篇章

“以‘文化力’提升创造力和竞争力”，是朱宜存的一项核心治企方略。股份制运作之初，公司即重新设计，整合以企业价值为核心的企业文化理念，建立了企业视觉识别系统及企业文化建设组织机构和工作制度，并编印了企业文化手册，形成了富有时代特征和企业特色的“恒源文化”体系。

他积极倡导“精英团队”的文化理念。打造现代化的管理精英群体：要求中高层管理人员具备政治过硬、人格高尚，知识丰富、管理科学，富有创新意识和锐意进取精神等综合素质，并按这一标准，建立了公平竞争、优胜劣汰的用人机制。他以“人人是人才，关键在培育、在挖掘”的人才观，打造精英员工队伍。公司持续开展以增强“十种现代意识”和“内在素质”为内容的“员工综合文明素质教育”活动；建立规范的企业人才市场和激励机制，搭建了优秀员工施展才华和脱颖而出的平台。

创建学习型企业，朱宜存明确提出“以发展继续教育，充实职业教育和强化岗位培训”“塑造学习型员工”的创建思路。以学习型班子、学习型党支部、学习型科（区）等7个学习型组织，构建学习型企业的基本框架，相应建立了动力机制和投入机制；按“7C”标准，建立了检查考核体系。全力推进“学习工作化、工作学习化”，提升了全员整体素质。

坚持人本管理，朱宜存注重“人心经营”。实施“温暖工程”：他率先垂范，带领公司中高层管理人员参加了帮扶困难员工（1+1）活动，想方设法为员工排忧解难，营造了浓厚的家园氛围。实施“小康工程”：员工的福利待遇和现代化生活水平迅速提高。实施“民主工程”：建立员工参与、监督企业管理的保证机制，充分发掘全员智慧，推进企业民主政治建设。实施“民安工程”：加强社会治安综合治理，突出抓好治安防范。公司虽地处皖豫交界，三矿相连的复杂环境，却保持了“无黄赌毒，无刑事犯罪”的一方净土，2002年获安徽省“社会治安综合治理工作先进集体”称号。温暖、凝聚和鼓舞人心，使员工自觉地将个人命运与企业命运融为一体，营造了上下同欲、全员同心的企业氛围，增强了企业改革发展的内在动力。

朱宜存积极倡导、激励全员追求卓越，实施，“名牌工程”。井下以质量达标、安全文明生产为重点，创建文明工程、达标工程和特优工程；地面努力实现环境净化美化、服务优质化、工作高效化、科室标准化和行为规范化。全员在各项工作中争一流、创“名牌”，不断创出新佳绩，获得新荣誉。

巨笔挥写创业史，而今迈步从头越！面对新的机遇与挑战，朱宜存瞄准更大目标。以管理优势、科技优势、资本优势和人才优势、员工素质优势、企业文化优势，立志将企业做大做强。坚持以发展为主题，以结构调整为主线，实施可持续发展战略：实现生产经营向资本运营的飞跃，快步向集团化、集约化、规模化和国际化迈进，加快产业结构战略性调整，最终把企业建设成为集煤电、建材、化工、高科技等多产业多产品为一体的，具有竞争实力的大型现代化企业。

枣庄矿业（集团）有限责任公司

副董事长、总经理

付文安

一、简介

付文安，男，1945年12月出生，中共党员。毕业于山东大学采矿专业。曾担任采煤技术员、生产工程师、副矿长、矿长、党委书记、矿务局副局长、集团公司副总经理、副董事长。现为枣庄矿业集团公司副董事长、总经理，教授级高级工程师。兼任中国矿业大学研究生导师、山东科技大学教授、山东省水煤浆工程技术研究中心主任。

二、事迹

付文安同志现任枣庄矿业集团公司副董事长、总经理，教授级高级工程师，一直从事煤矿技术和管理工作，探索并开辟了枣庄矿区的高产高效之路，为国家煤炭事业作出了突出贡献。多次被评为全国煤炭工业技术创新优秀人才、优秀企业家，2002年以来被评为全国煤炭系统劳动模范、山东省煤炭工业劳动模范。

以"三个代表"为指导，坚持更新观念，与时俱进，认真确定工作思路，实现了矿区经济的稳健发展。近年来，付文安同志把贯彻"三个代表"落实在行动上，必须千方百计加快发展，用发展拓展企业的生存空间，用发展来解决企业存在的矛盾和问题。他和董事长江卫同志反复研究，提出了"建成主业突出、结构合理、核心竞争力强、综合实力雄厚、有一定抵御市场风险能力、有广阔发展前景、跨区域、跨行业、跨所有制的大型企业集团"的总体思路，规划了企业总收入2003年完成48亿元、2005年完成60亿元、2010年完成100亿元的阶段发展目标。省委工作会议召开后，又进一步调高发展目标，规划企业总收入到2005年完成70亿元、2008年完成100亿元，提前两年实现原规划2010实现的跨入过百亿企业的大集团发展目标。这些构想既非常符合上级要求又十分贴合枣庄矿区实际，有力地促进了企业发展。

注重发挥经理层的工作合力，狠抓落实，强化管理，圆满完成了生产经营目标。围绕实施大集团发展构想，付文安同志作为全面负责生产经营管理的总经理，积极带领经理层狠抓目标落实。一是大抓原煤增产。他充分发挥多年来从事井下生产的自身优势，多次召开办公会研究生产布局，经常深入井下解决现场问题，与生产口的同志一道抓接续保稳产，实现了原煤大幅增产。二是努力抓好市场销售。他和分管运销的同志经常跑用户、跑铁路，分析研究市场，及时调整营销策略。根据市场实际，多次召开会议，强调增加精煤产量，实施精煤战略，优化了产品结构。反复强调抓质量，严格政策奖优罚劣，从而实现了效益最大化。三是认真抓好重点工程建设。2003年，开展了煤炭"五大重点工程"、非煤"五大重点项目"建设，建设任务非常繁重，仅井筒就开挖了6个，非煤大项目概算总投入16亿元，都是建局以来所没有的。为确保大项目顺利建设，从项目确立、设计到施工，在诸多的重点环节上，付文安同志都认真部署，并充分调动和发挥经理层各位成员的积极作用，一环扣一环地抓好实施，使这些大项目建设圆满完成了既定目标。2003年全公司实现了以煤为本、综合发展。完成原煤产量1593万t，同比增加179万t。完成煤炭总销量1452万t，同比增加162万t；完成煤炭销售收入34.7亿元，同比增加4.9亿元；完成非煤及其他收入23.4亿元，同比增加9.2亿元；完成企业总收入58.1亿元，同比增加14.1亿元；实现利润3291.9万元。以上指标均创出历史最好水平。

进一步强化安全首位意识，强调抓基础严管理，促进矿区保持了持续稳定的安全局面。安全生产是职工的最根本利益，是煤炭企业实现可持续发展的最根本保证。只有安全好，才能集中精力抓改革谋发展。作为总经理，特别是又分管过多年的安全生产，付文安同志深刻体会到安全工作的重要性。为此，不管形势如何发展，都始终把安全作为"天字号"大事来抓。他在多次会议上反复强调安全，在抓工作落实上首先突出安全。要求矿区上下变着法子、想着点子、铺下身子抓安全。始终把建立健全安全管理长效机制作为主攻方向，把强抓"一把手"稳抓"双基"、狠抓"三违"作为安全管理的重点，在宏观上注重把关导向，进一步更新了安全理念，不断推进了质量标准化建设，努力提高了职工安全意识和安全技能，实现了安全形势的持续好转。2003年百万吨死亡率为0.188，创出了建局以来最好水平。

按照上级指示和大集团发展要求，以建立现代企业制度为方向，努力创新管理，推动了市场化管理，集约化经营、多元化发展。2003年，枣矿集团公司进一步推行了公有制的多种有效实现形式，加大了力度，对新上项目实行了多元化投资，在发展国有资本、集体资本和非公有资本等参股的混合所有制经济上进行了积极的探索。进行了主辅分离的前期准备和物业管理改革试点。积极推进了资源枯竭矿井关闭破产。进一步完善内部市场化管理、深化三项制度改革，增强了发展活力。积极创新管理，按照大企业发展的要求，在营销、资金、物资供应等方面继续加大了集中管理力度。可以说，按照大集团战略的总体部署，付文安同志认真贯彻董事会的决策，实施了一系列改革和创新，使矿区各个方面都出现了新气象，向市场化管理、集约化经营、多元化发展迈进了一步。

自觉坚持全心全意依靠工人阶级的方针，切实尊重职工主人翁地位，充分发挥了职工群众的积极性和创造性。付文安同志认为，在任何时候、任何情况下，都必须维护职工利益，把职工利益放到第一位，并切实实现好、维护好、发展好，切实把提高职工生活质量作为一切工作的出发点和落脚点。他正确处理经营者与职工主人翁地位的关系，通过职代会、厂务公开、平等协商等形式，积极维护了职工合法权益。通过开展各类培训和技术练兵、技术比武、群众性技术创新等活动，最大限度地发掘了职工当家作主和干事创业的能力和活力。积极为职工办实事，提出并大抓了后勤“五项治理活动”，开展了生活环境的综合治理，初步解决了住房、行路、吃水、用电等问题，初步解决了煤矿黑脏乱差问题，使矿区面貌一新，建成了一批花园式单位和文明小区。

始终致力于煤炭生产技术的研究、创新和实践，组织领导的科研项目填补了一系列国内空白。为实施“科技兴煤”战略作出了突出贡献。付文安兼任山东科技大学教授、山东矿业大学研究生导师，在长期从事管理的同时，积极开展煤矿生产建设技术的研究。在薄煤层和厚煤层开采、光爆锚喷施工、采掘支护形式、矿井技术改造、矿井水治理、矿井防灭火、通防安全监测监控系统等方面，进行了积极有效的探索，许多技术创新达到国际或国内领先水平，填补了一系列国内空白。近两年，他组织研发的“高浓度水煤浆燃料”项目于2002年获国家科技进步二等奖、全国煤炭工业十大科技成果第一名。“废弃矿井复水的技术与方法”项目于2003年获山东省政府科技进步一等奖，这是该年度全省煤炭系统惟一的一项一等奖，填补了集团公司和枣庄市历史上获省科技进步一等奖的空白。他还撰写发表了大量的学术论文。其科研成果和技术论著多次受到表彰和专家好评。

华亭煤业集团有限责任公司

董事长、总经理

何 元 纲

何元纲同志是个“老煤矿”，1969年到窑街矿务局一干就是33年，从采煤队工人、班长、党支部书记到科长、矿长（党委书记）、副局长、总经理，每个岗位都脚踏实地，恪尽职守，受到各方面，特别是职工群众的赞誉。是一个既有丰富煤炭实践经验，又有理论知识，具有管理大企业、大集团公司能力的企业家。

2002年，省委省政府审时度势，决定组建华亭煤业集团公司。何元纲同志任省指导小组成员、筹备组组长；4月24日，集团公司正式挂牌成立，任董事长、总经理、党委副书记。

华亭煤业集团公司是由原矿区管委会、华亭矿务局和平凉华煤集团（包括华亭县煤矿）3户企业联合改制组建的。由于隶属关系不同，利益难以统一，联合重组酝酿了3年多，终因各方(包括地方政府、国家开发银行兰州分行)争执未能达成一致。在这种情况下，能不能圆满完成省委省政府交给的联合重组的艰巨任务，对何元纲同志是一次严峻的考验。

1月12日筹备大会之后，按照“省上指导，企业组建，地县支持，分步实施”的原则，开始了华亭矿区历史上具有里程碑意义的联合改制攻坚战。何元纲率领筹备组一班人，一手抓组建，一手抓生产经营，成立了清产核资、安全生产、销售协调、治安保卫、送温暖等9个专业小组，各项工作紧张有序地展开。其中编制《组建方案》是组建工作的重中之重。在短短的49天时间里，何元纲同志亲自动笔，工作不分白天晚上，不计节假日，从矿区到省城400多公里，9次奔赴兰州与省上8个厅局和开发银行负责同志讨论推敲，同时多次与地、县领导协商修改，《组建方案》于3月1日获得省政府常务会批准。但何元纲同志因劳累过度，腿脚浮肿，走路一跛一拐。

集团公司成立后，在他的主持下，又紧锣密鼓，高效运作，立即进行重组剥离工作。集团公司初步形成了现代企业制度框架，在全省煤炭系统体制改革方面率先迈出了步伐。

在筹备组建期间和集团公司成立之初，工作千头万绪，各方面关系需要“磨合”，同时，煤炭市场出现了多年未遇的回升势头。是四平八稳，待“磨合”好各种关系再图发展，还是抢抓机遇大发展，用加快发展的办法解决前进中的问题?何元纲同志排除各种干扰，发动职工制定了集团公司“两步走”发展战略，果断决策，提出了2002年完成原煤产量800万t，比上年净增200万t的生产奋斗目标。结果当年全公司完成823万t，比上年净增214万t。同时，在他的主持下，正确处理当前利益和长远利益，突出抓了资源配置和高产高效矿井建设工作，快速提升生产能力。完成了陈家沟矿主提升改造项目，使其能力从45万t提高到100万t;完成了东峡矿的技改工程，使其能力从30万t提高到60万t；马蹄沟矿120万t改扩建工程2003年10月竣工；华砚矿1000万t改扩建工程于2002年年底开工建设；2003年3月10日，又成功兼并了崇信县新窑、新柏两矿，投资2亿多元，进行大规模技术改造，2004年年底竣工，到2005年，两矿产量分别达到120万t，成为崇信县乃至平凉市新的经济增长点；2003年4月21日，山寨矿120万t技改工程也开工建设。集团公司所属8个生产矿，经过2～3年的技术改造，成为百万吨以上能力的现代化高产高效矿井，到2006年集团公司生产能力将达到2000万t，届时，集团公司将成为西北产能最大，人均产能全国一流（2000t）的煤炭企业。与此同时，何元纲同志抓住市场回升的机遇，亲自分管销售工作，采取多种办法，促销提价，实现了经济效益最大化。2003年，集团公司原煤产量、销售收入、利润、缴纳税金、人均工资五大指标比联合改制前的2001年翻了一番，呈现出超常规跨越式发展的强劲势头。全年完成原煤1237.8万t，销售收入10.45亿元，利税2.28亿元，提前两年实现了集团公司第一步建成千万吨级大型能源企业的战略目标，跨入全国煤炭产量20强，实现了将华亭矿区的资源优势向经济优势转变的历史性跨越。经济效益排名省属大型企业前5名，被省政府命名为"优秀企业"，被中国煤炭工业协会授予"全国煤炭工业优秀企业"，何元纲同志被省政府授予"优秀企业家"，被中国煤炭协会授予"全国煤炭工业优秀企业家"称号。

集团公司原3户企业曾分别属中央、省、县管理，企业管理机制和规章制度大不相同。集团公司成立伊始，统一规范各项管理制度是当务之急。何元纲同志没有简单修订完善制度，而是利用这个契机，立足改革，大刀阔斧地进行制度创新。他亲自主持，按照国务院办公厅转发的《国有大中型企业建立现代企业制度和加强管理的基本规范（试行）》[2000]64号文件的要求，制定了50多项基本管理制度，使集团公司各项管理很快步入规范运作。制度改革难度最大的是工资分配制度。过去3户企业因效益不同，职工实际工资相差一倍多，建立统一的工资分配制度难度之大可想而知。何元纲同志安排组建工资改革领导小组，抽调精兵强将，分赴省内外十多家先进企业进行学习调研，经全集团上上下下反复酝酿讨论，历时半年制订了《岗位绩效工资框架方案》，2002年10月全面试行，不仅过去工资低的同志满意，而且过去收入高的人也因工资有一定提高较为满意。制度改革震动最大的是劳动用工和人事制度改革。在人事方面，实行公开竞争上岗，择优聘用，先后有4批17名"四化"干部通过公开竞争被充实到中层管理岗位；经年终考核，有4名末位的被解聘，5名考核排名靠后的降一级工资和谈话帮助；各下属单位基层管理人员也推行公开竞争上岗，优胜劣汰，岗变薪变。一个崭新的人事制度已基本确立。在用工方面，46名铁路专用线工作人员和23名救护队员实行公开招聘，900余名富余人员内退，精干了队伍。制度改革收效最明显的是采购制度改革。何元纲同志按照"厂务公开"的要求，坚决实行设备、大宗材料和建筑工程公开招标，两年来，全集团共招标24次，总金额1.83亿元，比市场调查最低价节约投资2494万元。招标不仅节约了大笔投资，而且有效地从源头上预防和遏制了腐败。党的十六届三中全会和省委十届四次全委会以后，何元纲同志又带领一班人立即进行以建立现代产权制度为核心的整体股份改制工作，为此做了大量的考察调研和方案制定工作，经省政府批准后，准备用3～6个月完成改制任务，使集团公司更加充满活力，加快发展步伐。

何元纲同志忠实地实践"三个代表"重要思想，时刻把职工群众的根本利益挂在心头，摆在重要议事日程上。他正确处理改革发展和团结稳定的关系、全局和局部的关系，使全体职工共享改革发展的成果，用良好的经营业绩和群众看得见、摸得着的实惠凝聚人心，调动各方面的积极性，有效地推进了小康矿区建设。首先，在岗职工工资待遇增加一倍的同时，下功夫安置下岗职工再就业，原华亭矿务局下岗职工1081人，通过各种渠道安置再就业1544人，愿意上岗的基本安置完毕。其次，筹资2000多万元补发了历年拖欠职工工资和离退休人员养老金，报销了拖欠的职工医药费。第三，加快住宅建设速度。2002年354户职工迁入新居，2003年投资5000多万元开工新建8栋住宅楼和3栋单身职工公寓，2004年计划新建8～10栋住宅楼，到2005年，人均住房面积达到15平方米，成套率达到95%。第四，认真抓了扶贫解困工作。困难职工家庭由公司组建时的1326户下降到185户；采取了领导干部结对帮扶、工会补助等办法，使特困户的生活得到基本保障。何带头帮扶2户，捐款捐物。第五，投资50万元解决了马蹄沟煤矿职工吃水难问题，投资400万元硬化了安口至马矿道路；新购置了8辆大轿车，解决了几个生产矿职工上下班交通不便问题。第六，整合医疗教育机构，提高医疗、教育质量，解决职工就医和子女上学入托问题，解除职工后顾之忧。此外，各二级单位及生产矿的生产厂房、工业广场、各生活小区经过更新设施、绿化、硬化、亮化、净化、美化，面貌焕然一新，职工有了一个较好的工作和生活环境。

何元纲同志勤勉尽职，具有良好的工作作风和崇高的人格品质魅力，健康的身体，乐观的情绪和旺盛的精力，使许多年轻人都自叹不如；他广博的知识、创新的锐气和宽阔的胸怀赢得各级领导干部的赞誉和全体职工的拥护；他廉洁清正、勤政为民、鞠躬尽瘁"先天下之忧而忧，后天下之乐而乐"的精神。为各级领导做出了表率，具有极强的感召力。

窑街煤电有限责任公司董事长、总经理

毛鹏茜

一、简介

毛鹏茜，男，汉族，甘肃泾川人。1949年11月生，中共党员。西北师范大学毕业，大学学历，高级经济师。1968年7月至1971年9月任泾川县商业局干事；1971年9月至1975年6月西北师范大学物理系学习；1975年6月至1976年6月任平凉师范学校教师；1976年6月至1987年8月任华亭矿务局安口煤矿干事、团委书记、科长、纪委书记；1987年8月至1991年10月任

华亭矿务局教育处处长、宣传教育处长；1991 年 10 至 1995 年 4 月任华亭矿务局杨家沟煤矿、东峡煤矿党委书记、矿长；1995 年 4 月至 2002 年 4 月华亭矿务局副局长、党委书记；2002 年 5 月任窑街煤电有限责任公司董事长、总经理，党委常委。先后荣获甘肃省煤炭系统优秀矿长、煤炭系统优秀党务工作者、甘肃省优秀企业思想政治工作者、甘肃省优秀企业家、2002 年度全国煤炭工业优秀企业家等称号。

二、事迹

窑街煤电有限责任公司是由甘肃省政府、中国信达资产管理公司、中国华融资产管理公司共同出资，将成立于 1958 年的窑街矿务局重组为股份制公司。2003 年末地质储量 82720 万 t，有 3 个生产矿，实际生产能力 330 万 t。还有一对年设计能力 150 万 t 的在建矿井、一个 5 万 kW 的劣质煤热电厂和 19 个附属工业生产及多种经营单位。公司拥有资产总额 32.02 亿元，在册职工 18336 人，离退休人员 8057 人，还管理着 4 个农村 6645 名农民，是一个以煤为主，煤电联营，兼有铁路运输、建筑建材、硅铁冶炼、供电供水、机械修造、文教卫生、农林产业的综合性企业。

毛鹏茜同志任窑街煤电有限责任公司总经理、董事长以来，身体力行“三个代表”重要思想，坚持改革创新，强化科学管理，推进企业发展。2002 年以来，公司连续创造煤炭产量、电力生产、产品销售、货款回收、全员效率、人均收入历史最好水平。2003 年公司被评为甘肃省优秀企业，他本人荣获甘肃省优秀企业家、中国煤炭工业优秀企业家等称号。

锐意改革，以创新精神谋划企业发展。毛鹏茜同志针对公司规模小、人员多、负担重、条件差等企业实情，和班子成员一起，精心组织实施公司发展战略及十年发展规划，带领广大职工在克服困难中奋发图强，在改革创新中加快发展，坚持执行“以煤为主，煤电联营，多业并举，综合发展”的企业方针，提出了实施“4978”系统工程，把公司总产值（现价）提高到 10 亿元、利税 1 亿元的发展思路。“4978”系统工程的具体要求是：①实现 4 项发展目标：煤电生产要有新发展，安全管理要有新提高，企业重组要有新思路，项目建设要有新突破。②抓好 9 个建设项目：坚持抓筹资建项目，加快三个生产矿增能提效改造，抓好海石湾基建矿井投产，筹备天祝新井建设，实施矿区采煤沉陷综合治理，加强矿井“一通三防”安全技改，建设劣质煤热电厂三期工程，进行非煤产业技术改造，利用土地优势开发农林产业，完成两个资源枯竭煤矿破产重组，五年后公司煤炭产量达到 550～600 万 t，实现“做强煤炭主业、做大热电产业、做优非煤产业”目标。③开展 7 项科技攻关课题：“三下”采煤技术研究，CO_2 与煤（岩）防突，矿井瓦斯油气防治，矿井综合防灭火技术，短壁工作面高产高效技术，巷道快速掘进与支护技术，安全信息网络与监测系统。④强化 8 项专业管理：以建立现代企业制度为目标，提高生产、技术、计划、财务、成本、资金、质量、营销管理水平，推动项目建设，促进企业发展，提高职工收入。通过实施“4978”系统工程以来，企业面貌进一步发生变化，改革发展深入进行，生产经营成绩显著，公司名列中国煤炭工业 100 强第 47 位。

严细管理，以科学态度转机建制。毛鹏茜同志把实现企业经营目标的重点，放在强化企业基础工作上，抓管理创新，抓机制转换，抓经济效益。大力推行“经济责任、加压驱动、激励约束”三位一体的经营机制，在实行科学管理中做到“四个坚持”：坚持以安全质量为重点，突出现场技术管理，提升煤电生产能力，2003 年创造原煤产量、电力生产新纪录。坚持以企业改革为动力，贯彻执行政策法规，推进破产重组工作，加快了企业股份制改造的进度。坚持以项目建设为载体，加大筹措资金力度，增强企业发展的基础，去年是公司发展史上资金筹集最多、项目建设最快的一年。坚持以经济效益为中心，强化市场营销，提高企业管理水平，公司连续 7 年保持盈利，实现了增产增销、创收创效的目标。

心系群众，以求实作风办好企业。毛鹏茜同志认真贯彻执行党的路线、方针和政策，把密切联系群众、维护职工利益作为工作的基本点，发扬民主，科学决策，为办好企业呕心沥血。经常深入基层，体察实情，制订措施，解决困难职工的实际问题。带头发扬艰苦奋斗、勤俭办企业的优良作风，尽职尽责抓公司改革发展，一心一意为职工群众谋利益，把“三个代表”重要思想落到实处。

攀枝花龙洞焦化有限公司法人代表

李 春 艳

一、简介

李春艳，男，48 岁，吉林省辽源市人，大学文化，中共党员，经济师，高级经营管理者。

李春艳同志曾获得：攀枝花矿务局标兵、攀枝花矿务局优秀共产党员和先进生产（工作）者、攀枝花市“发展攀枝花城市集体经济先进个人”、攀枝花矿务局“劳动模范”、攀煤（集团）公司“厂务公开工作先进个人”等荣誉称号。管理论文《解放思想、拓宽思路、精干主体、发展化工》先后获《辉煌篇章》大型文集一等奖，《东南亚经济与中国可持续发展学术交流会》一等奖；“2002 年龙马精神杯社会实践与理论创新贡献奖”一等奖，《中国改革前沿理论文献大系》特等奖，编入《中华名人论文大全》。

二、事迹

李春艳同志1999年8月调到攀煤（集团）公司龙洞煤焦厂任厂长、党委副书记；在任龙洞煤焦厂厂长期间，认真贯彻党的十六大精神，实践“三个代表”重要思想。始终坚持说实话、办实事、求实效的企业经营原则，不断推进企业管理改革，产品结构调整，推广应用新技术、新成果；主持制定企业的营销战略策划以及企业的资本运作。使企业没有因为国家关闭小井，交通运输整顿，原料煤市场供求关系的巨大变化等客观原因而影响企业限产和停产，并保持年生产量、销售量、年产值连续增长的良好势头。

心系龙洞、心系职工、为民办事、实施民心工程、形象工程，稳定工程。一是投资50万元开通光纤程控电话，彻底结束龙洞建厂（矿）30年来通讯难的问题。二是投资16.5万元改造闭路电视系统，丰富职工文化生活。三是促成通信、联通两公司在龙洞建立手机发射基站，手机通话全国漫游。四是改造职工生活用水管路，装表计量，实现24小时供水。五是率先在攀煤集团公司实行岗位工资货币化改革，提高职工收入，调动职工积极性。六是改造职工住宿条件，创造良好生活环境。七是购置垃圾车，修缮垃圾池，修建便道、绿化、美化环境，创建文明小区，创造美好生活环境。八是装修医院和购进B超机，创造良好就医环境和条件。九是在生产一线修建休息室，为职工创造良好的工作环境。十是投资180万元，对井下供水系统进行改造，解除井下供水系统的隐患问题。企业亏损从1998年的766.36万元降为1999年的598.49万元，2000年降为399.41万元，2001年降为259.99万元。3年减亏幅度分别达到22％、33％、35％。不仅补发了拖欠职工长达7个月的工资，还使职工同期收入累计增加1350元。

2003年5月企业改制，李春艳任攀枝花龙洞焦化有限责任公司党委书记、董事长、总经理。作为公司经营决策者，始终坚持以市场为导向，以产品质量为基础，始终坚持以追求企业利润最大化为目的，维护股东利益为宗旨。一年来，公司的生产经营活动做到了按章办事、依法经营、科学合理，企业经营机制不断完善，已初见成效。

依法经营，守法经营。严格遵守国家法律法规，依法经营，照章纳税；严格公司财务制度，不断完善公司财务管理体系；重大措施和重大决策在监事会的监督下由董事会集体研究决策；涉及及公司用工、分配等重要问题，扩大公司管理层人员参与，充分讨论，做到科学决策。一年来，企业生产经营活动受到工商、税务、银行等机构的高度评价，企业被攀枝花市评为2003年度诚信私营企业。

摒弃旧俗，管理创新。首先制定各项规章制度、行为规范和规程，实现公司组织行为的统一协调的非人性化管理。采取制度化的强制性管理，要求公司员工严格“照章办事”，协调和规范员工的行为，改掉国有企业传统意识和惰性行为；其次是创新和植入“以人为本，诚信经营，管理创新，团结奉献”的管理理念作为公司新的企业精神。采用激励和情感交融的人性化管理，充分发挥企业团队的主观性和创造性，提高企业团队的内在凝聚力。公司的一切活动，包括制定分配等激励政策，都坚持以人为中心，充分调动人的积极性为目的。树立员工“视厂如家”、“厂兴我荣”的企业主人翁精神。三是投入部分资金，搞好企业形象，在公司推行管理人员统一着装，文明办公。实现办公系统现代化，管理网络化，企业管理水平升华到一个新的层次。四是认真开展以人为中心的企业管理活动，做好管“人”的工作，管好人用好人，努力把公司人力资源这个最具活力和惟一具有创造力的核心资源充分调动起来，让公司上下充满活力。

转变观念，将市场经营变成经营市场，走活三步棋。一是走活了资金紧缺这步棋，把有限的资金运作变成了资本运作。二是走活了产品销售价格主动权这步棋，使公司的产品销售价格创历史最好水平。三是走活了资源紧缺这步棋，使公司2003年的生产不但没有因原料短缺受影响，而且年终库存量还创下了历史最高水平。

2003年公司累计生产焦炭85277t；生产焦油2134t；销售焦炭90758t，销售焦油2267t，实现销售收入：4711万元；实现利润：401.80万元，上缴税金：268万元；股东投资综合回报率达到35.90％。

员工年均收入情况：2003年（5～12月）公司员工月均收入811.85元，年均收入9742.20元；如加上公司代缴费用45.27％计算，人均月收入1179.37元，年收入达到14152.44元；改制后公司员工工资与过去相比月平均增加了301.52元，提高了59％；与原总公司攀煤集团公司职工月平均收入686元相比，月平均增加125.85元，年增加收入1510.20元，公司员工收入比攀煤集团公司职工收入提高了18.3％。2003年，龙洞焦化公司的员工得到了真正的实惠。

李春艳同志以他崇高的人格魅力，独特的经营之道，卓越的领导才华，谦和的工作态度，忘我的工作精神，扎实的工作作风，赢得了员工和广大客户的诚服，在攀枝花市西区民企中树立了良好形象。龙洞人为第一次甩掉企业亏损的帽子而感到心情舒畅和激动，更为有李春艳同志这样致富的好带头人而感到骄傲和自豪。

郑州煤矿机械集团有限责任公司

董事长兼总经理

焦承尧

一、简介

焦承尧1985年7月毕业于中国矿业大学机械制造专业，先后担任分厂技术员、生产调度、分厂副厂长、分厂厂长、总厂副厂长、厂长等职。1991年1月至1992

年元月，公派到日本丰田汽车公司研修，1997 年经原煤炭工业部审批任高级工程师。现任郑州煤矿机械集团有限责任公司董事长兼总经理。

二、事迹

郑煤机集团公司（原郑州煤矿机械厂）是我国设计制造煤炭综采支护设备—液压支架的龙头企业，曾有过辉煌的历史，我国第一台矿用液压支架就在这里诞生。然而自 1993 年以来，因受经营机制和思想观念的束缚及煤炭产业政策的影响，企业一直在困境中挣扎，连续亏损 8 年，累计拖欠职工 8 个月工资，生产几乎停顿，人心涣散，领导班子几经更换，但始终未能走出困境。

2000 年 7 月，37 岁的焦承尧受命于危难之中。在焦承尧的带领下，郑煤机集团公司 3 年来销售收入平均增长 65.54%：全员劳动生产率平均增长 67.51%：在岗职工年均收入平均增长 23.84%；2002 年扭亏为盈，实现利润 1569 万元；2003 年实现利润 2087 万元。再次占据了国内煤机（支架）行业领头地位，跻身于中国机械工业 500 强和全国煤炭工业 100 强，被中国煤炭工业协会授予“全国煤炭工业优秀企业”。焦承尧同志也先后荣获“全国煤炭工业优秀企业家”、“河南省煤炭系统劳动模范”、“河南省创新经营管理者”、“河南省十大改革新闻人物”、“郑州市劳动模范”、“郑州市十佳优秀青年经营管理者”等荣誉称号。

焦承尧上任伊始，就提出了解放思想，励精图治，艰苦奋斗，实现企业扭亏脱困的目标。开展了“思想、作风、纪律”三项整顿工作，围绕“市场、成本、资金、管理”四项重点开展经营活动。在较短的时间内恢复了生产，凝聚了人心。仅用了 1 年多的时间，就基本摆脱了困境。随着煤炭市场的好转，焦承尧又提出了企业跨越式发展的目标，引导干部职工广开思路，超前认识，打破常规，敢于胜利。2002 年郑煤机实现新的突破，销售收入达 3.49 亿，结束了长达 10 年的亏损历史，仅用 1 年时间就完成了 3 年规划目标。2003 年实现销售收入 5.027 亿，创同行业最高水平，再一次续写新的辉煌，为郑煤机第二次创业奠定了基础。

焦承尧同志十分重视对我国经济发展形势的研究，认真分析煤机（支架）市场的走势，从战略发展的高度细化分解市场。制定了以市场为导向，以产品为核心的市场开发战略，建立了科研先行的市场开发机制，建立了一支强有力的科研开发、市场营销队伍。他亲自参与矿访和招标，每年出差在 150 天以上，行车 8 万 km。以他的热情和诚实，树立了企业领导人良好的市场形象，以其丰富的专业知识和业务技能，被用户誉为“专家厂长”。

郑煤机集团公司是一个国有老企业，焦承尧同志按照现代企业制度的要求，积极地推进企业的各项改革，完成了工厂制向公司制的转变；按照科研开发、市场营销、生产管理、经营管理 4 条主线合理地设置机构；部分实现了国有资产退出、主辅分离：中层干部一律实行竞聘制、任期制、岗薪制、考核淘汰制。用工制度的改革采取减少“固定工”增加“协议工”等灵活多样的方式。分配制度的改革坚持一岗一薪、易岗易薪的原则，注重拉开简单劳动和复杂劳动的差距，形成了技术人员协议工资制；销售、清欠人员承包工资制；中层干部岗薪制；一线工人完全计件工资制及辅助管理人员岗效工资制等全新的分配制度。2003 年，员工人均年收入是郑州市职工平均收入的 1.8 倍。

焦承尧同志始终把创新作为一切工作的出发点，特别强调细化管理工作，以“降成本”为主线，推行适合企业特点的目标成本考核机制，建立了三级考核体系。几年来，减少支出近千万元，降成本 2200 万元。建立了以生产制造信息化为核心的企业资源信息管理系统，实现了办公自动化，使销售、技术、采购、库存、财务、质量、人力资源、生产、客户管理、决策等经营管理全过程实现微机联网、资源共享，对提高管理的精确度及管理效率，发挥了重要作用。

焦承尧同志始终强调班子的学习、团结、务实、高效，把创建学习型企业作为常抓不懈的重要工作，提出和制定了集团公司创建学习型企业的 6 个目标。即促进企业形象塑造；促进员工整体素质提高；促进产品质量的提高；促进创新意识的进一步增强：促进企业文化的形成；促进人才的吸纳和成长。建立了相应的激励机制，形成了企业良好的学习氛围，职工的思想观念不断更新，市场意识、竞争意识普遍增强，培育了企业务实、创新、永不满足的企业精神和敬业、奉献、热爱企业、超越自我的团队精神。

在企业快速发展的过程中，焦承尧同志时刻保持清醒头脑，始终瞄准国际先进水平，确立了企业长远发展的目标。即思想观念上的跨越；技术创新上的跨越；制度和体制上的跨越；管理水平的跨越；产品结构的跨越；获利水平的跨越；产权改革上的跨越：创新机制的跨越。可以相信，把郑煤机集团建设成为产权清晰、权责明确、政企分开、管理科学、参与国际经济大循环的现代企业集团已经为期不远。

邢台矿业（集团）有限责任公司总经理

赵 森 林

一、简介

赵森林，男，汉族，1954 年 4 月生于河北省获鹿县，中共党员，高级工程师，1977 年 9 月毕业于山西矿院采煤专业，同年 9 月到邢台矿工作，1987 年 11 月任邢台矿副矿长、代矿长，1992 年 12 月任邢台矿矿长，1995 年 3 月任邢台矿务局副局长，1997 年 10 月任邢矿集团董事、副总经理，1999年8月兼任河北金牛能源股份有限公司经理，2002年1月至今，任邢矿集团总经理。

二、事迹

赵森林同志坚持四项基本原则，讲学习、讲政治、讲正气，认真贯彻党和国家的路线、方针、政策，按照"三个代表"的重要思想，与时俱进、锐意改革、勇于创新，坚持物质文明建设和精神文明建设两手抓、勤政廉洁，依靠科技进步，积极推行先进的生产技术和生产工艺，在煤炭生产的开采技术研究、新技术运用，以及企业改革等方面取得了重要创新成果和成功实践，在企业职工中有崇高的威望、较强的凝聚力和良好的社会形象。

1. 组织实施了公司改制工作

1997年10月原邢台矿务局改制，成立了邢台矿业（集团）有限责任公司，实现了由工厂制向公司制的转变。与此同时，邢矿集团重组煤炭生产优良经营性资产，独家发起募集设立河北金牛能源股份有限公司，并于1999年9月9日在深交所挂牌上市，融资7.65亿元，为公司发展注入新的活力。在改制上市过程中，邢矿集团先后兼并了石家庄煤矿机械厂、河北煤炭科学研究所、省属地方矿井章村矿和显德汪矿等亏损单位，通过加强管理和深化公司制改革，石煤机、显德汪矿均扭亏为盈；煤研所实现企业化经营，销售收入突破1000万元；章村矿大幅度扭亏。企业规模进一步扩大，总资产由"九五"初期的19.7亿元提高到2002年底的44.69亿元，利税总额实现15.16亿元。

2. 制定"精电煤"产品战略，优化产品结构

组织进行各矿洗煤厂技术环节改造，提高洗精煤能力和精煤质量，全公司洗精煤产量由"八五"期末的170万t提高到现在的260万t。同时，加大洁净煤开发力度，成功生产出水煤浆产品，填补了河北省洁净煤产品空白。到2002年，邢矿集团已经实现自1985年投入产出总承包以来连续18年盈利。

3. 依靠科技进步，实施减员提效

邢矿集团首次成功使用4.5m厚煤层一次采全高国产支架，填补了国内空白。《煤矿开采重大新技术新工艺项目》、《煤巷锚杆支护成套技术研究项目》分别获得1996年、2000年河北省省长特别奖。1996～2002年连续6年被评为煤炭行业"科技进步十佳企业"。利用先进的采掘技术，邢矿集团的单产单进水平一直处于国内同行业领先地位。由于劳动效率的提高，减员提效成果显著。

4. 实施"煤与非煤并重"战略，大力发展非煤产业

为了解决部分矿井资源不足和可持续发展问题，在做好煤炭主业的同时，加大非煤产业发展力度，把集团公司带入了更快的发展轨道。近几年，先后投资约12亿元进行非煤项目建设，主要项目有：西郊矸石热电厂、水泥厂技术改造、玻璃纤维、氢氧化钾、金盛磁材、花生蛋白、六氟磷酸锂等，目前各重点工程进展顺利，一些投产项目已取得较好的经济效益和良好的社会效益，为邢矿集团最终实现可持续发展奠定了坚实的基础。

5. 积极推进三项制度改革工作

为进一步加强企业管理，提高经济效益，结合邢矿集团实际，确定了分配制度改革方案，建立了以"岗位工资制度"为主要形式的分配制度，在坚持继续向一线员工倾斜的基础上，加大向管理和技术岗位倾斜力度。用工制度改革实施以后，突出了按岗位特点和工作业绩确定劳动合同期限的用工特点，实现用工管理的法制化，逐步形成了员工"能进能出"的新机制。人事制度改革进一步完善了民主测评体系，打破干部终身制，逐步实现了"能上能下"，增强了管理人员的责任感和紧迫感。

在赵森林同志的带领下，邢矿集团多项工作名列河北省煤炭行业第一：盈利能力、利润水平第一；第一家成功使用国产4.5m高架综采设备的企业；河北金牛能源股份有限公司是省内煤炭行业第一家上市公司；单产单进水平全省同行业第一；是河北省第一家精煤生产通过ISO9002国际质量体系认证的企业。

赵森林同志先后被授予"中国煤炭工业优秀企业家"、"煤炭工业技术创新优秀人才"、"河北省劳动模范"等荣誉称号，1996年和2000年两次荣获"河北省省长特别奖"，曾获"国家科技进步奖"、"电子工业部科技进步奖"、"河北省企业家创业奖"。

彬县煤炭有限责任公司董事长兼总经理

何万盈

一、简介

何万盈，男，汉族，中共党员，生于1950年10月，大专文化程度，工程师，曾任原彬县百子沟煤矿采煤技术员、井长、矿长，1998年元月至今任彬县煤炭有限责任公司董事长兼总经理，2003年2月兼任陕西省彬长开发建设有限责任公司副总经理，曾获中国煤炭工业优秀企业经营者（金钟奖），全国煤矿优秀矿长、全国煤炭工业优秀企业家、陕西省劳动模范等殊荣。

二、事迹

何万盈同志在煤矿工作了近30年，凭着对煤炭事业的热爱和执著追求，使他具备了丰富的专业技术知识和很强的管理才能。他目光敏锐，善抓机遇，决策果断，思维超前，有强烈的改革创业意识、顽强拼搏的创业精神和求真务实的领导作风。在他的带领下，彬县煤炭有限责任公司在煤炭市场疲软的困境中改革创新、蓄势待发，在市场复苏的新形势下久积的力量迅速转化为竞争优势，使一个地方国有煤矿的开采洗选技术达到了国内先进水平，进入全国煤炭企业100强。近6年累计上缴国家利税8070.8万元，年均上缴1345万元。企业总资产由他上任前的9811万元猛增到现在的3.26亿元，产量由51万t上升到210万t，年上缴国家利税由538万元增长到3450.8万元，职工年收入从4536元增长到13684.3元，企业的规模、产量、效益均居陕西省地方煤矿之首，也成为县利税大户和县域经济的支柱企业。彬县煤炭有限责任公司有过成功的昨天，迈着坚定的步伐迎来成熟的今天，正在信心百倍地走向更加辉煌的明天，这不凡的业绩中包含着企业领军人物何万盈同志的创业情怀和奋斗历程。

锐意改革，谋求发展。何万盈同志1995年上任原彬县百子沟煤矿矿长时，面临的最大难题是矿井老化、机构臃肿、管理粗放、销售困难、新建矿井资金短缺。他果断进行改革，一是1998年成功地完成了企业股份合作制改造；二是对百子沟五矿、下沟矿实行内部模拟法人经营承包制，对公司机关部室实施目标责任管理，对医院、食堂逐步剥离；三是改革人事、用工、分配制度。合并机构，精简人员，干部实行聘任制，推行全员竞争上岗机制，精简机关部门7个，压缩富余人员500余人，建立了符合煤矿发展实际的管理体制和运行机制，大大提高了工作效率。

科技创新，强基固本。他在任技术员、矿长时先后改造了百子沟四矿、五矿，使老矿井产量、效益倍增。担任公司董事长兼总经理后，很快将一个名不见经传的地方国有煤矿引入科技兴企的康庄大道，始终如一地带领员工发扬“团结拼搏，艰苦创业，依靠科技，勇攀高峰”的企业精神，自力更生，艰苦奋斗，多方筹资，投资1.4亿元，于1997年10月建成了陕西省地方煤矿中规模最大、机械化程度最高的生产矿井——下沟矿。2000年3月又和煤科总院北京开采研究所共同合作，投资3319万元，对下沟矿进行改造，采用国内最先进的采掘技术和设备，变高档普采为综合机械化开采采煤法，引进了锚网支护、光面爆破、激光定向等新技术新工艺，矿井机械化程度达到了100%，煤炭安全生产技术水平迈上了新台阶，产量由45万t提高到90万t，吨煤直接成本降低到15.43元，比技改前减少16.31元，块煤率由原来的20%提高到80%，直接工效由原来的5.72t/工提高到35.74t/工，全员工效由原来的3.5t/工提高到5.82t/工。投资效益显著，相当于投资3000万元，在一年时间里又新建了一个45万t的矿井，不但引进了资金和技术，而且探索出一条中小煤矿技术改造的发展道路，该项目被陕西省经贸委评为“九五”技术改造优秀项目。2001年12月召开的全国煤炭工业第五次科学技术大会，把这种企院合作、利用先进科学技术改造传统产业的做法，作为中小煤矿发展的一种模式——陕西彬县模式，给予了很高的评价，并作为国有地方煤矿改革发展的一面旗帜，在全国煤炭行业进行推广。何不盈认为，创业无止境，不断创新才是企业持续发展的惟一出路，才能把事业做强做大，企业才能始终立于不败之地。在他的带领下，2002年又投资925万元和煤科总院上海运输研究所进行合作，迅速完成了下沟矿提升系统的改造，改箕斗提升为30度大倾角皮带运输提升，矿井年产量又从90万t提高到150万t，该项目在我国目前尚属首例。

践行宗旨，情系职工。他忘我工作，清正廉洁，始终严格执行财会制度，在新建矿井、技术改造过程中，从不乱花一分钱。出差不住高档饭店，不计个人得失，千方百计为企业改革发展谋想，倾心煤炭事业，情系企业职工，把为职工办实事、谋福利作为自己的重要职责，表现出了一个共产党员克己奉公、廉洁自律的优秀品格。近年来美化绿化矿区26000多m^2，植树6900棵，植草14980m^2，职工住宅楼实行公寓化管理，企业被授予省市级文明单位，矿井被命名为花园式矿井。公司机关从山区搬进了县城，配备了现代化的办公设施，集资修建了职工家属楼，整个公司呈现出勃勃生机，广大员工的精神面貌发生了深刻的变化。

做大做强，再创辉煌。作为企业的领头人，他始终有极强的超前意识；作为一名共产党员，他以自己的行动实践着“三个代表”的要求；作为一名企业家，在改革发展的大潮中，他依然自如地挥洒着大气魄、大手笔，十六大精神更加坚定了他与时俱进，创新进取的信心和决心。在聘请专家“会诊”、股东及职工代表会讨论的同时，他带领班子成员潜心研究，果断决策，制定了“十五”期间的发展目标，紧锣密鼓地组织实施改革改造的宏伟蓝图。一是按照现代企业制度的要求，加快推进两个置换，健全法人治理结构，建立规范的投资主体多元化的混合所有制股份公司。二是加快实施“科技兴企”战略，下沟矿300万t技改项目，已被国家经贸委、国家计委以国经技投资［2002］548号文件批准立项，列为国家重点改造项目计划(第八批国债专项资金项目)，该项目计划投资17767万元，对下沟矿地面生产系统、筛选系统、提升系统、通风系统、供电系统、安全监控系统及环保系统进行配套改造，建一座300万t的洗煤厂，装备一套210万t/a的综放工作面，2003年已开工建设，2004年将建成投产，2005年达产达效，使单井生产能力达到300万t。这两件大事在全公司引起强烈反映，得到了干部职工的赞同和支持，目前300万t技改项目完成投资1.5亿元，股份制改革取得实质性进展。

何万盈同志的领导作风以务实著称，心直口快，说到做到，作风严谨，工作扎实，他以高超的领导艺术、求实的工作作风、优良的思想品质和显著的工作实绩，赢得了上级领导的肯定和职工的爱戴，他勤勤恳恳、兢就业业，为发展煤炭事业无私地奉献着自己的光和热，为提高企业的综合竞争能力和经济效益做出了重大贡献。

抚顺矿业集团有限责任公司总经理

尹　亮

一、简介

尹亮，男，现年52岁，研究生学历。现任抚顺矿业集团有限责任公司总经理，先后被评为抚顺市特等劳动模范、抚顺市优秀企业家、辽宁省勤政廉政工作先进个人和中国杰出企业管理人才。

二、事迹

自1993年以来，尹亮同志先后在不同的单位担任领导职务，所到之处，都是凭着自己的管理才能和强烈的责任感及事业心，留下了令人称颂的辉煌业绩。1993年，他出任抚矿运输部砂石厂厂长，仅用一年多的时间，使该厂一举减亏400万元；1996年，出任抚矿十一厂厂长，还是用一年的时间，奇迹般地将这个濒临“破产”的火工厂变成国内同行业标准化企业；1999年8月，他挑起了抚顺矿务局副局长兼西露天矿矿长的重任，又创造了一个百年老矿“起死回生”的奇迹，使该矿当年同比减亏增盈8795万元。

2002年1月，尹亮同志正式担任抚矿集团公司总经理。这个由抚顺矿务局改制组建而成的国有特大型煤炭企业，曾为国家经济建设做出过突出贡献。近年来，由于诸多原因，企业的生存和发展一度陷入空前的危机。面对重重困难和压力，尹亮同志显示出了一名现代企业家所具备的风范。在广泛调查论证的基础上，把先进的经营理念和科学的管理方法融入到企业的生产经营当中，建立了一系列科学、严格的规章制度，大力推行目标责任管理，并在全公司范围内轰轰烈烈地开展了“经营管理年”活动，使企业经济效益在较短时间内实现了大幅度攀升。安全生产创出了十几年从未有过的好水平，员工收入比2001年人均增加2000多元，企业面貌发生了翻天覆地的变化，百年矿区重新焕发了勃勃生机。

为了找到适合矿区长远发展的新路，他带领一班人下现场，跑市场，确定了“一矿一厂一气”的转产思路，并坚持两条腿走路，一方面，奔波于国家、省、市有关部门之间，积极寻求政策扶持和资金支持，另一方面，穿梭于国内外大企业之间，全力以赴地开展招商引资工作。在他的努力下，抚矿集团公司的转产转型工作取得了很大进展，一批转产项目相继开工、建设、投产。

作为有着悠久历史的抚顺矿区，下岗的人多、困难的人多是不容回避的现实。特别是从2002年开始，抚矿集团公司在全省率先实施了下岗职工基本生活保障向失业保险并轨工作，先后将13810名下岗职工列入并轨范围。这无论对企业还是对社会来说，都是一种巨大的压力，处理不好就会造成社会的不稳定。为了妥善解决好这个问题，尹亮同志提出了大力实施再就业工程的主张，在他的倡导下，集团公司很快就确定了27个再就业项目，仅2003年就投入近千万元资金，安置了5187人再就业，并形成了八大再就业基地。这一经验和做法在全省再就业工作会议上曾做过专题介绍。

永城煤电集团有限责任公司
董事长兼总经理

陈雪枫

一、简介

陈雪枫，男，生于1958年9月，原籍河南开封，汉族，中共党员，1982年1月毕业于中国矿业大学选煤专业，曾任义马矿务局观音堂矿矿长、副局长、副总经理，鹤壁煤业集团副董事长、总经理等职，现任永煤集团董事长、总经理、党委副书记。

二、事迹

一个企业要发展必须要有与时俱进的发展思路，思路决定出路，思路对于一个企业来说就是“生命线”。如何找到适合企业实际的正确思路，关键取决于是否有一个思路清晰，敢于创新的领导人，一个好的领导人可以成就一个企业。永煤集团的发展之路就是一个思路找到出路的最好例证。陈雪枫同志于2000年7月受命于危难之时，调任永煤集团总经理，副董事长、党委副书记，当时的永煤集团资产负债率高达98%以上，亏损额以每年一个多亿的速度递增，职工最高曾连续6个月没发工资，产品质量不稳定，市场竞争力弱，永煤集团被当作一个“包袱”处于被人兼并甚至破产的边缘。

面临困境，为了找到永煤集团发展的正确思路，陈雪枫同志深入一线，深入基层，对永煤集团的实际情况进行了充分详细地调查、了解，对存在的问题、面临的困难以及所处的优势进行了科学分析和论证，提出了全面推进产品、产业、产权结构调整的改革发展思路。

有了思路，就有了出路。陈雪枫同志以对党组织，企业和职工群众高度负责的精神和企业家的雄才大略，顶住了一切压力，坚定不移地朝着既定的目标，锐意开拓进取，在永煤集团大刀阔斧地开展了管理创新、科技创新和制度创新：自2001年起，通过对采煤工艺的改造，年平均增加煤炭产量140万t，增加销售额3个多亿；通过对矿井防治水的研究，避免了淹面事故，年节约费用5000多万元；开展了“标杆队”劳动竞赛，创出了年产煤炭70万t的全国炮采队纪录；推行以市场化为主的“三化管理”，在全公司引入了市场机制；实施全面质量管理目标，通过了ISO9000质量体系认证；培育了“中永一号”品牌，产品畅销华东地区和日本、韩国；开展债务重组和资本运营，国有资产由原来的不足5个亿增加到21个亿，企业负债由2000年的98%降低到现在的67%；制定“靠大联大做大”的发展战略，开创全国煤钢合作的先河；与世界500强前50名的CVRD合作，积极推进产权多元化改革，计划将永煤改组为中国最大的中外合资煤炭企业；组建了龙宇能源，永平公司、永贵煤业等多家公司，把主业做大做强；产权制度改革整体方案在河南省首家得到批复，辅业剥离后形成“四自”主体；多元化运营，大力发展非煤产业，增强了企业存续能力。

陈雪枫同志把权力看作责任，身先士卒，克己奉公，在他的日程表上，除了企业，就是企业的员工，他没有星期天，没有节假日，每次从外地谈项目回来，第一件事就是深入到井下看望生产一线的职工。他时刻把关心职工生活、为职工解决实际困难放在头等重要位置，2003年永煤集团实现了无一户特困职工的目标。

3年来，在陈雪枫同志的辛勤经营下，永煤集团发生了翻天覆地地变化，由一个负债沉重、严重亏损的企业变成了河南省的利润大户。2001年赢利6000万元，实现扭亏为盈；2002年盈利1.4亿元，位居全省利润10大户第七位，全省煤炭企业首位；2003年上缴利税4.9亿元，其中利润3.1亿元，人均创利税6.6万元，人均收入2.2万元，达到全国同行业一流和全省第一的水平，人均利润4.1万元，比2003年全国工业企业500强人均利润1.7万元高出3.4万元。2003年，陈雪枫同志被授予全国煤炭企业优秀企业家荣誉称号，永煤集团也被授予全国煤炭工业优秀企业和河南省文明单位称号。

今日的辉煌，并不等于明日的辉煌。陈雪枫同志着眼于永煤集团未来的发展，提出了“不做任期永煤，要做百年永煤”的理念，集思广益制定了永煤的发展战略：力争2004年实现利润5亿元，进入全国工业企业500强；2006年完成销售收入70亿元、利税12亿元；2010年，煤炭产量达到2500万t、销售收入120亿元、利税20亿元，早日把永煤集团建设成为“中国同行业综合质量最优、经济效益最好、核心竞争力最强的无烟煤精品基地”，为全面建设小康社会目标的最终实现做出积极的努力。

湖南省煤炭坝能源有限公司党委书记、董事长兼总经理

罗瑞锋

一、简介

罗瑞锋，男，1958年6月生，中共党员，1976年3月参加工作，大学学历，在读硕士研究生，高级经济师，湖南省劳动模范，第十四届湖南省优秀企业经营者，全国煤炭工业优秀企业家，湖南煤炭学会第六届副理事长，中南大学第三届MBA联合会副秘书长，历任湖南省永兴县煤炭公司经理，永兴县煤炭开发办副主任，永兴县煤炭贸易总公司总经理、党委书记，永兴县经贸委主任、党委书记，中共永兴县委工交政治部部长。现任湖南省煤炭坝能源有限公司党委书记、董事长、总经理。

二、事迹

罗瑞锋同志于1998年3月调湖南省煤炭坝能源有限公司任党委书记、董事长、总经理。上任以来，罗瑞锋带领公司党委、董事会一班人，求真务实，开拓创新，坚持“以煤为主，多业并举，三步走”发展战略，树立“励精图治求发展，全群奋起创一流”的企业精神，在艰难和曲折中，团结和带领公司3万员工家属挽救了一个濒危的企业，开创了公司改革发展和稳定的新局面。

（1）安全效果持续稳定。1998年以来，杜绝了重大安全事故，安全效果持续稳定。1998年实现安全年；1999年被长沙市人民政府授予“安全生产目标管理合格单位”；2002年在全省深化煤矿安全专项整治活动中，公司参检矿井全部验收合格；2003年安全生产创40年来最好水平，被评为“湖南省煤炭安全生产先进单位”。

（2）原煤生产稳步增长。1998年完成原煤生产79.7万t，1999年和2000年原煤产量稳定在78万t，2001年完成产煤80.5万t，2002年完成87万t，2003年完成产煤87.65万t，与1997年相比增幅达31.2%。

（3）经济效益稳步提高。在1992年亏损1400万元的基础上，1998年减亏700万元，1999年以后连续5年整体增盈，资产负债率下降了39.16个百分点，银行信誉由B级升到AA级。入库税金也大幅度上升，1998年公司上缴税收657万元，比1997年翻一番，1999年实现761万元，2000年增至805万元，2001

年、2002 年分别达到 1200 万元和 1450 万元，2003 年实现税收 1800 万元，连续两年被长沙市人民政府授予“利税过 1000 万元企业”。

(4) 职工收入和福利普遍提高。1997 年职工人均收入仅 4867 元，1998 年达到 6367 元，1999 年和 2000 年分别达到 6900 元和 7560 元，2001 年增至 8389 元，2002 年达到 9378 元，2003 年突破万元大关达到 10080 元，比 1997 年翻一番。公司还偿还了 1997 年职工工资款 1500 万元和电厂集资款 728 万元。为在职职工和离退休人员全部办理了各类保险，使职工的后顾之忧得到根本解决。

(5) 企业发展后劲明显增强。1999 年，公司投资 2300 万元完成电厂二期工程，年创利能力达到 1800 万元。2001 年开工的－350 水平深部煤层开拓延深工程已完成工程量的 80%，可延长矿井寿命 15 年。2000 年投资 700 万元组建了湘东矿业公司，年产原煤 8 万 t。2001 年公司控股了中美合资湖南麓山天然植物制药有限公司，并追加投资 2300 万元，实施 GMP 搬迁技改，可实现产值 1.8 亿元，年利税 1800 万元。2003 年公司投资近 500 万元收购了株洲攸县高陂煤矿，同时，公司在省府长沙投资 8000 万元兴建了公司总部办公楼和职工居住楼。

(6) 廉政建设成效显著。多年来，罗瑞锋同志认真学习党风廉政建设的有关规定，全面落实党风廉政建设责任制，加大厂务公开力度，自觉做廉洁自律的表率。5 年来，共拒退礼金礼物 30 余万元，公司其他领导自觉拒退礼金礼物 50 余万元，使公司领导班子的威望和凝聚力得到不断提高。

6 年来，公司总资产共增值 2.1 亿元，资产负债率由 1997 年 79.5% 下降到 2002 年的 40.4%。罗瑞锋同志也因工作业绩突出，荣获“省劳动模范”、“安全生产先进个人”、“先进工作者”、“优秀共产党员”、“优秀党务工作者”等光荣称号，2000 年被长沙市人民政府记二等功，2002 年被评为“第三届湖南青年企业经营者鲲鹏奖获得者”，荣获“第十四届湖南省优秀企业经营者”、“全国煤炭工业优秀企业家”等光荣称号，当选为长沙市第九届政协委员、湖南煤炭学会第六届副理事长和中南大学第三届 MBA 联合会副秘书长。

通过近几年的努力，矿容矿貌焕然一新，生产生活秩序稳定，企业凝聚力、向心力不断增强，公司呈现出生机勃勃、昂然奋进的繁荣景色。公司的进步也得到了上级领导的好评，省人民政府副省长郑茂清于 2003 年 3 月 30 日，以《创新要有新思路——湖南省煤炭坝能源有限公司的启示》一文，在《湖南经济报》上给予充分肯定。公司在罗瑞锋同志为首的党委、董事会的领导下，继续朝着现代化企业集团的目标昂首迈进。

开滦（集团）有限责任公司
党委书记、董事长

杨　中

一、简介

杨中，男，汉族，1950 年 3 月生，江苏淮安县人，1968 年 10 月参加工作，1978 年 11 月加入中国共产党，1994 年 12 月毕业于中央党校经济管理专业，大学文化，高级经济师。历任开滦矿务局唐山矿技术员、采区副区长、工程师、计划科副科长、供应科科长、副矿长，开滦矿务局经营办公室副主任、劳资处副处长，钱家营矿矿长，开滦矿务局副局长等职，现任开滦（集团）有限责任公司党委书记、董事长。

二、事迹

杨中同志现任开滦（集团）有限责任公司党委书记、董事长；河北煤业集团董事长、党委书记。杨中同志自 1999 年年底任职以来，面对纷繁复杂的市场经济，坚持把党的改革政策与开滦实际相结合，带领领导班子躬身实践“三个代表”重要思想，坚定不移地推进企业的发展，全力打造现代化新型企业，让百年开滦基业长青，改革和经济发展都取得了显著成效。员工文明进步和生活水平得到提升，现代企业制度初步建立，产业产品结构调整取得突破，科学技术贡献率明显提高，经济建设持续健康发展，企业实力明显增强。杨中同志 2001 年被河北省委、省政府命名为河北省优秀企业家；2002 年度被评为全国煤炭工业“优秀企业家”。

1. 坚持以改革的思想谋划思路推进企业发展

杨中同志以改革统揽全局，始终把目光和精力投向发展。他主动适应形势变化，站在企业改革发展的最前列，主持制订了开滦 10 年发展规划战略，确定了开滦调整、转型、做精、做强的战略指导思想，并在集团公司党代会提出“全力打造新型现代化企业，让百年开滦基业长青”，为开滦集团公司的长远发展明确了方向。杨中同志按照建立现代企业制度要求和管理科学的特征，提出了实施专业化管理的思路，对开滦延续了 50 多年的计划经济管理体制、组织机构进行大刀阔斧的改革，构建了母子公司管理体制；组建了精煤股份公司，实施了产权制度改革试点；推进了非煤单位的改组改制，积极开展了与民营企业的互动与合作，加快了非煤产业规模化发展的步伐；实施了业务流程再造，组织推行了销售代理制、物资配送制、招标采购制、财务预算制等现代管理手段；提出了“三个基地”建设目标，优化了资源配置，增强了企业核心竞争力；以领导人员能上能下，员工能进能出、收入能增能减为切入点，加快了企业经营机制的转换。通过一系列改革措施，提升了企业管理水平，促进了企业发展。

2. 坚持民主充分发挥领导班子的整体功能

杨中同志讲党性、讲原则，注意发挥班子的集体智慧和整体功能，调动每个班子成员的积极性。在管理工作中，他强调靠政策和机制导向基层单位的经营行为，靠制度和规定规范企业管理，强化激励监督。他亲自主持制定了开滦集团公司党委会、董事会、经理层的职责权限、规范运作程序和《党组织工作规则》、《董事会工作规则》、《总经理工作规则》等制度规定。他讲团结、讲正气，坚持在改革发展的实践中加强班子建设，确定了按“四过硬”、“五强”、“五个模范”的标准建设领导班子、领导干部和党员队伍的举措，加强党风廉政建设，提高各级领导班子整体素质，发挥了各级干部和广大党员推进各项工作落实，实现开滦改革与发展的带头作用。

3. 以进取精神不断自我否定推进管理创新

杨中同志具有强烈的创新意识，他敢于不断否定自我，增强改革发展的压力和动力。在煤炭行业首家推行了企业预算管理；在各公司推行市场化、契约化管理，实行了煤炭销售代理制和用户信用管理，积极开发出口市场，巩固和扩大市场份额；以人为本探索人—机—环境安全文化管理模式，有效地控制了重特大事故的发生。2000年开滦集团公司被河北省企业管理协会评为煤炭行业惟一的“明星企业”。他大力倡导技术创新，自2000年以来，开滦集团公司在他的支持下先后完成科研和新技术应用项目991项，创效益6.147亿元，科技创新有12项获得国家专利权。煤层顶底板水害防治对策及水文信息研制、特厚煤层建下离层注浆开采技术研究分别荣获煤炭工业十大科技成果奖和煤炭工业优秀科技成果奖。2001年开滦集团公司被河北省发明协会等7个单位命名为河北省重点发明创造单位，并获得煤炭工业“2001年科技进步十佳企业”称号。2002年集团公司科技贡献率达到55%。他以先进的理念为先导，提出重塑开滦企业文化，促进文化力向经济力转变，把开滦的企业文化定位为“以人为核心的经营管理文化”，组织对开滦集团公司深厚的文化底蕴挖掘，提炼出具有开滦特色的企业文化理念系统，总结推行了“精细管理、双向控制”(RMDC) 管理法，着眼于企业生产现场每一天、每一人、每一处、每一事，实施精确、细致、规范、严格管理；全面导入企业VI视觉识别系统，提升企业形象，促进了企业物质文明与精神文明建设的共同发展。

鹤岗矿业集团有限责任公司董事长

李忠勤

李忠勤同志现任鹤岗市委常委，鹤矿集团公司董事长、党委书记。作为企业的主要负责人，始终以推进企业改革发展为己任，带头践行“三个代表”重要思想，廉洁奉公，务实创新，具有较高的威望和工作能力。

立场坚定，政治素质过硬，具有较强的政治敏锐性，始终与党中央保持高度一致。能够认真贯彻落实党的路线、方针，政策，结合企业实际，创造性地开展工作。善于学习，勤于思考，自觉加强党性锻炼和修养，树立科学的发展观和政绩观，政策理论水平较高，顾大局、识整体，能够正确把握企业内外部形势，在保证企业改革发展方向、维护职工群众根本利益等重大原则问题上，思想敏锐，立场坚定，具有较高的政治觉悟和驾驭复杂局面的能力。

思想解放，工作思路清晰，具有较强的把握大局，驾驭全局的组织领导能力和改革创新意识。能够认真贯彻省委、省政府的工作部署，善于团结同志一道工作，充分发挥和调动班子成员的聪明才智，坚持民主集中制原则，率领班子成员制定符合鹤矿集团实际的发展思路，并取得显著成效。2000年主持制定了改革脱困实施方案，确立了“一年改革调整、两年规范运作、三年效益经营”的改革发展战略。推进产权制度改革，积极探索投资主体多元化，在完成了机电总厂、水泥厂等14个基层单位改制的基础上，与中国信达、华融资产管理公司共同发起创立了多元投资主体的鹤煤集团公司。推进关闭破产和重组上市工作，完成了原新一矿、兴山矿和振兴矿破产重组，正在积极操作岭北矿、大陆矿破产重组工作；积极开展资本运营，富安能源股份公司已完成工商注册，进入了上市辅导期。

善于抓大事，谋全局，具有战略眼光和实干精神。重视煤矿发展后劲，组织制定开拓超进补贴政策，加快推进矿井技术改造，积极倡导推广和应用新技术、新工艺，几年来新上6套综采、综放设备及其他生产装备，发挥厚煤层优势，推广放顶煤开采工艺，促进了煤炭产量大幅攀升。始终把安全生产当作煤矿的头等大事，制定《鹤矿集团公司党委关于建立煤矿安全思想教育长效机制的决定》，突出“一通三防”重点，加强质量标准化建设，持续开展“一通三防”基础工作会战，矿井防灾抗灾能力得到增强。重视管理创新，适时提出把工作重心由上总量、达规模转移到加强管理、内涵挖潜上来，强化成本、资金、物资供应、工程计划管理，扎实开展“成本效益年”活动。求真务实，脚踏实地，作风扎实，节假日、星期天从不休息，深入到井下一线，调查研究，解决问题，工作紧张时经常“连轴转”，有强烈的事业心和责任感。

工作务实，政绩突出，赢得了上级组织肯定和职工群众的好评。由于煤炭市场的影响，历史遗留的问题及改革前进中出现的新情况，企业遇到了前所未有的困难。2000年以来，同班子成员率领干部职工积极推进企业改革脱困，保证了企业困而不散、难而不乱，整体形势稳定好转。2003年企业原煤产量1481万t，比1999年增产405万t，年均增产101万t；连续两年实现补后盈利，比1999年减亏1.51亿元，年均减亏3800万元；职工收入逐年提高，企业资产总值和所有者权益逐年增加。现在初步扭转了困难局面，企业实现了恢复性好转。在原省委企业工委连续几年的考核和民主测评中都受到很高评价，被中国煤炭工业协会授予全国煤炭工业优秀企业家光荣称号，并被鹤岗市委、鹤岗市人民政府授予2003年度人民功臣光荣称号。

坚持"两手抓、两手硬"，深怀爱民之心，具有廉洁奉公的好品格。重视企业党建、精神文明和思想政治工作与经济工作的有机融合，坚持抓班子，带队伍，强化"两风"建设，基层班子的战斗力明显增强；加强党风廉政建设，带头向全体职工做出廉洁自律承诺。始终把职工群众的安危冷暖挂在心上，千方百计提高职工收入，改善职工生活，经常到生产浴池、保健食堂和困难职工家中了解情况，解决生活中的实际问题；积极开展"走千家、访百户、送温暖"等扶贫救助活动，企业政治局面保持稳定。

鹤壁煤业（集团）有限责任公司
董事长、党委书记

李永新

一、简介

1971年2月鹤壁市石林乡下乡；

1974年2月～1991年8月任鹤壁矿务局八矿工人、副科长、科长、工程师、矿副总工程师，其间在焦作矿院学习，获工学学士学位；

1991年9月任鹤壁矿务局多种经营局常务副局长兼劳动服务总公司总经理，鹤壁矿务局多种经营总公司总经理、党委书记；

1995年8月任鹤壁矿务局副局长；

1997年9月任鹤壁矿务局局长；

1999年12月至今任鹤壁煤业集团公司董事长、党委书记；

2000年10月，天津大学"管理科学与工程"专业研究生毕业；2002年4月，获美国南加州大学工商行政管理（MBA）硕士；

2001年9月至2002年1月中共中央党校第37期地厅级干部进修班毕业；

1997年9月、1998年11月分别被聘为焦作工学院名誉教授、中国矿业大学兼职教授；

2004年4月17日，任天津大学研究生院工程硕士兼职导师。

二、事迹

李永新努力实践"三个代表"重要思想，牢固树立以人为本的科学发展观，把发展作为第一要务，实施制度创新、管理创新和技术创新，依靠科技进步，大力调整产业产品结构，使企业取得了显著的经营业绩：2003年创煤炭产量、销量、销售收入、利润、经营总额、职工收入等历史新高。

在制度创新上，设立了鹤壁煤电股份公司，今年有望上市融资成功。2002年5月实施了债转股，实现了投资主体多元化。鹤煤（集团）公司产权制度改革整体方案已经省国企改革领导小组办公室批复，拟将辅业国有资产大部或全部退出，目前做好了改制各项基础性准备工作。建立起一套干部能上能下、员工能进能出、工资能增能减的激励和约束机制。连续6年在员工收入上实行上不封顶下保底（300元/人·月）的工资与绩效挂钩考核分配办法，连续3年在16个基层生产单位的经营者中推行了年薪制，连续5年实施了民主评议矿处级干部及末位淘汰制度，先后有38名同志因考评不称职被淘汰，对83名同志分别进行谈话或诫勉。公开选聘了12名公司和矿井地测副总工程师，公开选拔了9名公司副总工程师和23名矿（厂）总工程师后备人选。在技术创新上，他依靠科技进步，大力推广综采放顶煤，2003年放顶煤产量达到653万t，占回采总产量的96.6%，减少成本支出7271万元。开采工艺总体技术达到国内先进水平，他主持的大倾角轻型支架综采放顶煤技术研究先后被评为河南省科技进步一等奖、中国煤炭工业十大科技成果、中国煤炭工业科学技术二等奖。在管理创新上，他坚持"四控一降"（控制消费资金、自有资金、基建资金、贷款规模，降低成本）和"五个归一"（银行存款账户、工程资金计划、资金使用审计、工程设计委托、多经项目评审归一），把住资金收、支两个关口，保证了企业"血脉"畅通。在煤电主业和非煤发展上，他抓住机遇不放松，亲自组织调研论证，选择总投资125.98亿元，可实现经营总额39亿元的24个项目，作为鹤煤可持续发展战略的重要组成部分。其中四、九矿改扩建，范县、台前煤田勘探，整合安阳煤田等项目完成后，煤炭产量可突破1000万t。二、八矿煤炭洗选项目已经开工，新建和扩建三、四、六、九、十矿选煤厂项目即将开工。2×135MW综合利用热电联产、同力水泥三期正在建设之中；与省建投、市经投合资2×600MW电厂项目（鹤壁市电厂三期），总投资49.96亿元，是鹤壁市历史上最大的工程项目，三大主机已经订货，争取6月份开工建设；五矿年产6000块煤矸石烧结砖项目已完成前期准备工作，5月份开工建设；这些项目建成后，集团公司经营总额可达到60亿元。在党的组织建设上，他用科学的管理模式、现代化管理方法去完善党建工作的工程管理控制系统，努力探索党建工作新机制，提出党建工作的“1416”工程，使党群工作和精神文明建设结出了累累硕果，鹤煤被全国能源化学工会树为“职工之家”建设的一面旗帜。他坚持堂堂正正做人，清清白白为政，踏踏实实工作，默默无闻奉献。带出了好风气，带出了好班子，带出了好队伍。

他注重学习，勤于思考，科研政研论著成绩斐然。先后参加了天津大学工商硕士研究生班、中共中央党校第37期地厅级干部进修班等学习。曾主持完成43项科研和技改项目，社会和经济效益显著，27次获得省、市级现代化管理和科技进步等奖励。发表科技、管理等文章143篇，其中有12篇被评为省部级优秀学术论文及社会科学优秀成果奖，41篇被国家和省级科技管理刊物采用或出版。他撰写的《国企改革实证研究》（86万字）一书，由当代中国出版社出版发行，2002年被河南省煤经会评为特等奖。他的诗集《秋色为谁欢呼》，2003年11月由中国文联出版社出版发行，2004年1月9日由中国文联诗刊社组织的“李永新诗歌作品《秋色为谁欢呼》研讨会”，在北京人民大会堂召开，专家学者给予了很高评价，并于2004年3月再版发行。

李永新作为领航人，由于他渊博的学识和卓越的管理才能，集团公司多次荣获煤炭质量信得过企业、重合同守信用企业、信用AAA企业、安全生产先进单位、质量标准化矿务局、河南省“五一”劳动奖状等荣誉称号。“鹤翔牌”筛混煤被评为2002年全国用户满意产品。鹤煤又被评为全国煤炭工业优秀企业、中国优秀企业。李永新曾被国家煤炭工业技术委员会授予：全国2000年度煤炭工业技术创新优秀人才；被河南省企业联合会、企业家协会授予：河南省优秀企业经营管理者；被河南省经贸委等7厅、委授予：河南省质量管理小组活动卓越领导者；被中国煤炭工业协会评为全国煤炭工业优秀企业家；被中国企业联合会、中国企业家协会评为：中国优秀企业家；被中国煤炭职工政研会授予：全国第七届石圪节精神奖。曾被授予全国劳模，享受国务院工程技术津贴。他主持的大倾角轻型支架综采放顶煤技术研究，2001年获全国煤炭工业十大科技成果奖，2002年获河南省科技进步一等奖。他曾被中国矿大聘为兼职教授、被焦作工学院聘为名誉教授，被天津大学研究生院聘为工程硕士兼职导师。

福建煤电股份有限责任公司

董事长、党委书记

陈胜利

一、简介

陈胜利，男，福建厦门人，1950年9月生，1971年9月参加工作。1979年10月入党，大专学历，高级工程师。现任福建省煤炭工业（集团）有限责任公司董事、福建煤电股份有限公司董事长、党委书记。

曾获得“福建省优秀企业家”、“福建省劳动模范”等光荣称号，并当选福建省第10届人大代表，荣获2002年度“全国煤炭工业优秀企业家”称号。

二、事迹

闽西煤炭资源丰富，产量占全省2/3。位于闽西的福建煤电股份有限公司近年来创下了一个又一个奇迹般的纪录，实现了一次又一次新的跨越，成为福建煤炭行业一颗耀眼的明珠。这其中，饱含着福建煤炭工业集团董事、福建煤电股份有限公司董事长、党委书记陈胜利同志的心血和汗水。

早在1998年初，时任闽西省属煤矿管委会主任、龙岩矿务局局长的他在省公司领导的支持下，从战略发展的高度，对闽西境内的四个矿务局（矿）先后实施了战略性重组与合并，并于2000年顺利完成了4个局（矿）的彻底合并，有效避免了同业竞争和压价倾销、搞乱市场等损害企业利益的行为，大幅度提高了企业经济效益。去年，根据省煤炭集团的工作布置，在原红炭山矿业公司的基础上，分设成立了福建煤电股份有限公司，同时进入了上市前的辅导阶段。

他具有强烈的事业心、责任感和开拓创新能力，勤政廉洁，工作方法与管理讲求创新，注重实效，并把不断做强做大企业，推进企业的稳步发展作为自己的崇高使命和奋斗目标，他善抓机遇，决策科学，工作雷厉风行，依靠全体班子的整体合力，团结和带领广大干部职工创造了辉煌业绩，谱写了改革发展的新篇章。

1．舞龙头，抓销售

作为企业的第一把手，他始终注意抓好煤炭销售这个“龙头”工作，特别是在前几年行业性煤炭市场低迷、供过于求、销售严重滑坡、矿井面临停产、企业的生存与发展遭遇严峻挑战的危难时期，亲自披挂上阵，带领一支精兵强将，冒着高温酷暑，持续下广东、跑浙江、访省内，开辟新的煤炭市场。创业之初是何等艰难，尤其是在省外开拓市场更为艰辛，他带着众人兵分数路，到沿途水泥企业、火电、热电等行业一家一家地拜访，现场寻找用户，推介产品，了解市场行情与需求。几番艰辛之后，他终于组织在外省逐步建立了销售网络，在省内也形成了相对稳定的销售网点，在稳定老用户的同时，充分发展了新用户，有效缓解了销售压力，确保了生产经营的正常，当年还实现盈利。

根据市场调查中掌握的用户需求信息，他还指导增加块煤筛选、销售，并亲临井下现场指导爆破方法，提高块煤率，满足用户的不同煤种需要，最大限度地提高了产品附加值，提高了企业经济效益。

2. 抓机遇，善决策

长期的经营管理造就了他作为企业家特有的市场洞察力和驾驭能力，他平常总是以清醒的头脑、锐利的眼光观察市场，搜寻并冷静地分析每一条信息，寻找新的机遇和发展项目。

2001年下半年始，全国煤炭供应趋紧，福建作为产量自给不足的省份，煤炭更是空前紧张，价格也呈恢复性上涨的喜人势头，在全煤行业扬眉吐气的大好形势下，他没有过多乐观。作为一个成熟干练和顾全大局的企业家，他深知，我们仅有的一点产量既要保具有长期稳定供需关系的老用户，又要执行按省政府要求保省内重点用户的保价供应调度令，市场虽好，但大量的煤炭由省政府限价调度，不许卖市场煤就享受不到好价格，效益也很难上新台阶。经过一番深思熟虑后，他果断决策，在全公司开展了以“降成本、提效益、增后劲、促发展”为主题的“高产高效”全员劳动竞赛，最大幅度地提高了产量，为满足煤炭需求，稳定福建市场做出了贡献，同时，经济效益也得到了较大幅度的提高。

2002年3月，当获知省内有一家军工企业要与部队脱钩，需售让给企业经营的信息后，他知难而进，在省领导的支持下，组织精干人员与省军区领导几经磋商后，以绝对的优势和胆识、气魄击败众多竞购者，最后以1800万元买下了一个完整的炸药厂，并连续作战，以闪电般的速度，仅用3天时间就成功接管了该厂，停产2天后就恢复了正常生产运转，并使该厂当年盈利600多万元，创下了企业购并史上的最佳纪录。另外，在谈判收购期间，陈胜利同志雷厉风行的作风和显现出企业家的雄才大略与气质，及其决策果断等魄力，令省军区许多领导折服。

3. 抓项目，促发展

在他组织的科技创新创效等项目上，去年依靠地质找煤新增储量500多万吨、采出量300多万吨、科研项目3项获国内首创、6项获国家先进、6项获省内先进，先后为企业创效上亿元。

为确保生产的稳定与发展，他未雨绸缪，紧锣密鼓地研究老矿挖潜、矿井的扩建以及新矿井的建设工作，并落实到了责任部门与项目责任人，以期进一步搞好规模经营，实现规模经济效益，不断做强做大企业。

在关心职工生活方面，除了每年使职工增收7.5%以上，让职工共享企业发展果实外，他还带头与困难职工家庭挂钩，每年拿出1000多元为困难职工子女就学解急难。他还每年拨出700万元，用于职工困难补助及离退休老同志节日慰问。

此外，他还注重抓管理创新、制度创新等工作，取得显著成效。今年公司生产经营继续呈现良好态势，2003年原煤产量完成年计划108.42%，比2002年提高4.82%，煤炭销量完成计划110.67%，比2002年提高14.12%，营业收入比2002年提高9.45%，利润比2002年提高30.02%，经营性现金净流量完成年计划146.07%。

在陈胜利及其一班人的带领下，福建煤电在向做强做大的目标大步迈进中，留下了一串串闪光的足迹。近年来，企业先后荣获“全国先进基层党组织”、“省级文明单位”、“省级先进企业”、“福建工业300强、全省企业形象300佳”、“福建省五一劳动奖章”等荣誉称号，他个人也荣获“福建省优秀企业家”、“福建省劳动模范”称号，并当选福建省第10届人大代表，荣获2002年度“全国煤炭工业优秀企业家”称号。

山西兰花煤炭实业集团有限公司董事长

贺贵元

一、简介

贺贵元，男，1949年生，中共党员，大学学历，在职研究生，高级经济师，工商管理高级专家，全国煤炭行业优秀企业家，山西省政协委员，中共晋城市委候补委员，晋城市人大代表。现任亚美大宁能源有限公司董事长、山西兰花科技创业股份有限公司董事长、山西兰花集团公司董事长兼党委书记。

1969年1月至1980年5月在空军高炮部队服役，历任排长、连指导员、营副教导员；1980年5月至1986年8月在空军三零厂工作，历任科长、党办主任、工会主席；1986年8月至1999年2月任晋城市体改委副主任、主任；1997年5月，任山西兰花煤炭实业集团有限公司董事长；1998年12月兼任山西兰花科技创业股份有限公司（上市公司）董事长。2000年10月兼任中共山西兰花集团公司委员会书记。

二、事迹

贺贵元同志1997担任兰花集团公司董事长以来，在市委、市政府的亲切关怀下，以一个优秀企业家的风范，团结和带领广大员工，开拓创新，争先发展，取得了显著的经营业绩。5年间资产规模由组建时的7.42亿元增至26.59亿元，增长2.6倍，净资产从3.47亿元增长到13.3亿元，增长2.5倍。5年累计实现利税6.8亿，上缴煤炭基金5.2亿元。公司先后两次从证券市场募集资金5.8亿元，有力地保障了公司产业和产品结构调整的顺利进行。他本人因工作成绩突出，先后荣获“山西省优秀企业家”、“晋城市功勋企业家”、“山西省五一劳动奖章”、“山西省养老保险标兵”等称号和“山西省证券融资突出贡献奖”，为晋城市乃至山西省的产业结构调整和推进现代企业制度改革做出了突出贡献。

2002年，贺贵元同志以实际行动认真实践“三个代表”重要思想，带领全体员工，抓住机遇，争先创优，取得了公司有史以来的最好业绩，经济效益居全省54户优势企业前4名。全年共实现工业总产值24192万元，比上年增长66.4%；实现销售收入73553万元，比上年增长47.02%；实现利税23472万元，比上年增长109.2%；上缴煤炭基金14953万元，比上年增长26.7%；实现利润12059万元，比上年增长150.81%。

兰花集团组建之初，贺贵元同志就以一个现代企业家的战略眼光提出“以煤为本、煤与非煤并重、走科技创业之路”的发展思路，制定了“提升主业、挺进高科、优化结构、异军突起”的结构调整方针，将公司定位于“资源＋高科技”。1998年11月12日，公司A股股票在上交所成功发行，兰花股份的成功上市，为公司开辟了资本市场的直接融资渠道，五年来企业累计从证券市场融资5.8亿元，保证了企业飞速发展的资金需求。为保持企业的可持续发展，他又组织和实施了一系列卓有成效的改革和内部整合，建立和完善了公司的法人治理结构，建立健全了各项规章制度，理顺了公司管理体制及集团公司与股份公司的关系。在他的领导下，公司在结构调整、机制创新、管理创新、技术创新、人力资源开发、企业文化建设等方面成效显著。

2002年，公司继续坚持“调整、改革、创新、发展”的方针，以企业发展为主题，以产业结构调整为主线，以技术进步为先导和动力，积极采用先进适用技术优化和提升传统产业。产业结构和产品结构调整初见成效。

公司煤炭生产能力由上市前的300万t增加到目前的510万t，新增能力210万t，2002年就建成年产超百万吨的现代化高产高效矿井2座，而且各矿现在均采用了轻型综采、综采放顶煤等现代化开采技术，配备了现代化的选煤厂，提高煤炭产品的洗选加工能力，煤炭洗选加工能力由147万t提升到238万t，在增加产品品种的同时提高了产品档次。去年伯方分公司的洗精煤就成功地打了宝钢市场；公司化肥生产能力由上市前的4.5万t增长到目前的近20万t，目前，新增8万t合成氨技改工程正在有条不紊地进行，建成后公司将具备30万t大颗粒尿素的生产能力。2002年8月，又出资2亿元投资晋城大化肥1830项目，为加快晋城200万t化肥基地的建设做出了巨大贡献。此外，公司向新材料领域积极迈进，出资组建的兰花华明纳米材料有限公司，生产的纳米级超细碳酸钙产品市场前景广阔。

在内部运行机制改革方面，他着眼于提高公司的运行效率和质量，完善了有关机构的设置。在股份公司新一届董事会中设立了1/3的独立董事，分别是财会金融、法律、产业等方面的专家，并注重充分发挥独立董事的作用，进一步完善了公司治理结构；在董事会下设了战略、审计、提名、薪酬与考核专门委员会，各委员会中独立董事人数占到2/3，为董事会的科学决策提供了参考意见，有力地促进了公司的规范运作。在财务管理上实现了以现金流量为核心，总公司统一资金调度，分公司重点抓成本考核的良性互动，提高了资金的使用效率，节约了资金成本。对大宗材料改过去的零散采购为集中统一的招标采购，提高了对供应商的砍价能力，大大降低了采购成本，此外，还着手开始进行劳动工资体制改革，将分阶段实施岗位工资制度，对高级管理人员则建立了绩效激励机制，充分调动起全体员工的积极性和创造力。

在管理创新方面，他始终重视加强内部管理、提高企业抗御风险的能力，确定2002年为公司管理创新年，重点推行了全面预算管理、内部市场化管理和企业信息化管理三大管理，管理水平整体迈上了一个新台阶。全面预算管理坚持效益优先的原则，提高了公司的管理效率，降低了成本；内部市场化管理使公司基层单位之间，基层单位与企业间的协作关系和管理关系变为等价交换、价值结算的经济往来关系，极大地挖掘出人、财、物等资源的增值潜力；信息化管理使公司及时地对生产经营进行全程监控，使决策依据科学准确及时，为今年公司业绩的大幅增长奠定了基础。

在技术创新方面，依托省级技术中心，借助外脑，不断提高技术装备水平，提升自主开发能力。在百万吨矿井中应用了先进的综采放顶煤技术，取得了良好的经济效益。在化工企业中，重点对落后的生产工艺进行改造优化，降低了能耗，提高了效益。

公司要保持持续健康快速的发展，就需要不断地提高人员的素质。为此，贺贵元同志要求公司在引进高素质人才的同时，注重提高现有人员的能力，采取走出去和请进来的方式，加大培训力度。一年来，公司累计培训员工27398人次，其中技术工种892人次，特殊工种576人次，有23名同志圆满完成MBA学习，21名技术骨干参加了中国矿大“工业工程”硕士研究生课程班进修，对63名后备干部进行了大规模的素质培训，先后聘请了首都经贸大学的知名教授、国家经贸委综合司邓志雄副司长就财务管理、人力资源管理、企业信息化管理等进行了专题讲座。聘请北京兴华会计师事务所对财务人员进行了业务培训。通过培训大大提高了员工的综合素质和专业水准。

兰花的企业文化建设从无到有，初步确立了“创新赢得明天”的经营理念，“合力向上，奋进不止”的企业精神，“鼓励进步、宽容失败、拒绝平庸”的兰花环境。“以制度规范人、以机制激励人、以文化塑造人、以价值回报人”的以人为本的企业文化大气候正在形成。优秀的具有兰花特色的企业文化，对内凝聚了强大的精神力量，提高了管理效能，增强了管理团队的协作度；对外树立了企业良好的信誉度及品牌形象，展示了企业的价值观，提高了美誉度，增强了企业的核心竞争力，促进了企业快速健康稳定的发展。

面对入世后越来越激烈的市场竞争，贺贵元要求兰花人要有与国内外大集团大公司竞争的危机感、紧迫感，加快发展，继续开拓创新，坚持把兰花建成世界一流企业目标不动摇，实现煤电化多元发展的产业格局不动摇，三大一活一统一（“三大”指大市场、大科技、大品牌，“一活”指资本经营要活，“一统一”指统一的企业文化）的发展战略不动摇。力争在3～5年时间里实现“1116工程”，即1000万t煤炭、100万t尿素、120万kW电、6万t精细化工，集煤电化为一体的产业格局。公司也将成为资产达到100亿元，年销售收入46亿元，利税18亿元，利润10亿元的具有国际竞争力的大型集团公司。

七台河矿业精煤（集团）有限责任公司 董事长、党委书记

侯　　仁

一、简介

侯仁，男，汉族，1953年10月出生，1971年1月参加工作，1982年6月入党，大学学历，中国煤干院采矿专业毕业，澳门科技大学MBA工商管理学硕士，经济师、工程师，现任七煤（集团）公司董事长、党委书记。

侯仁同志从事煤矿工作33年，先后任鹤岗矿务局南山煤矿技术员、区长，南山公司经理，南山煤矿矿长，鸡西矿务局副局长，七煤（集团）公司总经理。

侯仁同志曾先后获黑龙江省党风廉政建设先进个人、中国煤炭协会“双十佳矿长”等荣誉称号。

二、事迹

20世纪末，作为黑龙江省四大国有煤矿之一的七台河矿业精煤（集团）有限责任公司，还在依靠省政府的政策性亏损来维系着企业的经济运行。如今，这个公司从低谷中崛起，告别了亏损，实现了盈利。七煤公司2003年经营实现了“八增四降”。“八增”即：原煤产量完成1410万t，比2001年增产375万t；精煤产量完成440万t，比2001年增产110万t；商品煤收入完成194293万元，比2001年增收43979万元；职工平均工资达到9040元，比2001年增加1328元；利润550万元，比2001年增盈4268万元；上缴税金完成16500万元，比2001年增加4563万元；固定资产净值412816万元，比2001年增加30240万元；净资产达到88949万元，比2001年增加9573万元。“四降”即：原煤单位成本完成100.73元/t，比2001年下降7.12元/t；拖欠工资比2001年下降19287万元；百万吨死亡率为1.3，比2001年下降1.05；应收账款98171万元，比2001年下降13729万元。在这块1115km^2的矿区大地上，10万矿工和20万家属到处在称赞着能让他们吃上饭、吃饱饭的好班子、好董事长侯仁，夸奖着为他们一心谋发展、铁心树正气、尽心办实事的好干部。

1. 一心谋发展

七煤集团公司在实践中得出结论：生存，必须靠产量规模效益；发展，只有靠内涵挖潜、开拓创新。

深化企业改革，实现管理增效。为了进一步理顺生产关系，集团公司先后将龙湖煤矿和龙湖选煤厂，新建煤矿和七台河洗煤厂进行了合并重组，成立起龙湖分公司和新建分公司，通过矿厂合并，资产重组，使这两个分公司产生了1+1>2的整体效益。将工程建设总公司里的矿井建设分离出来，成立了矿建公司，为企业矿井开发、保后劲提供了可靠保证。他们还对供电系统实行了统一管理，2003年，吨煤电耗下降1.2kWh，增收节支电费4000万元。

实施“二次精煤战略”，靠品牌创效。这个公司有6座现代化洗煤厂，过去，精煤年产仅在300万t左右。2002年，在煤炭市场价格走低的形势下，侯仁果断做出决定，主打精煤这张牌。先后投入805.8万元，对洗选设备、工艺进行更新改造，把精煤产量提升到年产440万t新水平，而且精煤质量、品种均能满足用户的需求。精煤产品连续3年获得国家质量检验信得过的殊荣。在占领东北煤炭市场的同时，又先后开发了南方市场和国外市场。矿工辛辛苦苦挖出的煤炭卖出去了，货款百分之百收回来了。不但连续两年未拖欠职工工资，而且还补还了2个多亿的陈欠工资。补发陈欠医药费3321万元，补还铁路运费1948万元，补电电费1686万元。

开展质量达标会战，补还安全欠账。“向安全质量标准化要效益。”这个提法恰恰体现了企业领导者“以人为本”的经营理念。侯仁经常向大家阐述一个观点，企业创效，做大做强，最终是为了给矿工谋利造福。那么，为矿工创造安全整洁的劳动环境，就是为矿工谋最大的利，造最大的福。近两年，公司筹集资金1亿多元，全部投入在安全质量标准化建设上。目前，矿矿井井，地面井下的质量标准化已达到了全国同行业领先水平。国家煤矿安全监察局于2003年10月20日在这个公司召开了全国煤矿安全质量标准化现场会。2004年，七煤集团正着手股份制改造，加快新项目开发，要建一座百万吨焦化厂，加快热电厂三期扩建及30万t粉煤灰水泥厂的建设。

2. 铁心树正气

2003年6月，七煤集团公司两级干部调整轰动了整个七台河矿区。被提拔或调动的干部纷纷感慨地说：“做梦也没敢想，能提拔到我们头上啊！”广大群众则不住地称赞：“这批干部选得好，都是我们身边能干的人，我们打心里佩服。公司这样选人用人，我们看到了企业的希望……”

这次干部调动，可不是个简单的事情，一下子调整了213名干部，提拔副处级以上的干部就有74名，这么大的动作，如果有失误，那将给整个公司的工作造成极大的影响。然而，这种担心却被放心所代替。集团公

司对调动、提拔的干部提出了必须服从组织分配，按时上岗，15天不准回家，尽快熟悉情况，进入角色的要求，并让被提拔的干部在电视、报纸上公开做廉政勤政的承诺。这些干部走马上任后，连续15天，甚至有的连续一个月不回家，吃住在单位。他们白天调查走访，处理事务，晚上再换上工作服深入井下。一个多月过去了，各单位的煤炭产量稳定增长，安全无事故，质量标准化建设天天有新变化，职工队伍稳定，矿区秩序安定。

公司领导在选人用人上不看感情重民情，不看资历看能力。不唯文凭重水平。在选拔干部上必须要过好"五关"，即基层举荐，群众"海选"，民主评议，党委委员会投票，最后还要在报纸、电视上公示监督。这次选用的干部未发现一人有重大问题。在这213名干部中，有的同志公司领导根本不认识，只因群众评价好，拥护率高，政绩突出，就被选了上来。

3. 尽心办实事

在全国重点煤矿中，谁最苦？井下一线矿工最辛苦；谁最难？伤残弱势群体最困难。在大力发展煤炭生产的同时，侯仁时刻都把职工的冷暖放在心上，在资金能力有限的条件下，他们想尽一切办法，尽心尽力为职工办实事，把暖流送进了千家万户。

2003年春暖花开的季节，全公司8个大矿的职工浴池改造工程陆续启动，改造后的浴池，池浴、淋浴、蒸气浴、更衣箱、烘干室等各项设施完备，标准达到了星级。

一件件工作服、热乎乎的浴池水，香喷喷的大面包，就是这一点一滴的小事儿，实事儿，体现了公司的一份爱，融洽了干群一片情，连起了上下一条心。

七煤公司在岗职工为77434人，特困户占到了1/10。公司提出的口号是，决不让一户困难职工掉队。他们采取补发拖欠工资，发放救济粮，发动捐资助学，筹集扶贫贷款等多种形式，向贫困家庭伸出了援助之手，将使一大批特困家庭3年内实现脱贫。党的温暖，企业的关怀，让这些贫困职工感动不已。

宁夏煤业集团有限责任公司总裁

张文江

一、简介

张文江，男，汉族，大学文化，中共党员，高级工程师，原任石炭井矿务局局长，2000年3月至2002年12月任太西集团有限责任公司董事长，党委副书记，2002年12月以来任宁夏煤业集团有限责任公司总裁、党委副书记。2002年6月9日在宁夏回族自治区第九次党代会上被选为第九届委员会委员，是宁夏回族自治区企业界惟一进入自治区党委班子成员。2001年度和2002年度连续两年获得全国煤炭工业"优秀企业家"荣誉称号。

二、事迹

1. 获得的主要荣誉

（1）2001年太西集团有限责任公司被中国质量管理协会全国用户委员会评定为"全国用户满意企业"，是全国煤炭行业和宁夏回族自治区获此殊荣的惟一单位；同年，被中国质协、全国总工会、共青团中央、中国科协联合命名为"全国质量管理小组活动优秀企业（100家）"；2001年12月28日太西集团有限责任公司完成债转股工作，召开第一次股东大会，中国华融、信达资产管理公司成为太西集团有限责任公司股东。

（2）2002年5月太西集团有限责任公司荣获宁夏回族自治区"五一劳动奖状"；2002年6月太西集团有限责任公司被中国消费者基金会评定为"诚信经营单位"；2002年6月20日，太西集团有限责任公司整体通过中国新时代质量体系认证中心ISO9000：2000版认证，西部地区通过最新版本的煤炭企业集团只有太西集团一家；2002年6月9日在宁夏回族自治区第九次党代会上，张文江同志被选为第九届委员会委员，是宁夏回族自治区企业界惟一进入自治区党委班子成员；2002年太西集团有限责任公司被宁夏回族自治区授予"2002年度自治区经贸工作先进企业"。

2002年12月中国质量万里行工作指导委员会授予宁夏煤业集团"中国质量万里行全国先进单位"。

张文江同志，2003年9月荣获宁夏2002年度经济人物之首。

2003年12月27日荣获"中国经济十大新闻人物"。

（3）在获得以上荣誉的同时，企业还连续13年被石嘴山市评为"重合同、守信用"先进单位和宁夏回族自治区首届"重合同、守信用"先进单位。

2. 取得的突出业绩

从2000年太西集团有限责任公司挂牌成立和授权经营以来，紧紧围绕国有企业3年实现转机建制和扭亏脱困两大目标，坚持以经济效益为中心，不断强化内部管理，层层落实责任制，积极争取享受国家一系列优惠政策，不断减轻企业负担，充分调动广大员工的积极性，完成了改革、脱困两大历史性任务，企业经营走出了亚洲金融危机后的低谷，并保持了良好的发展势头，较好地完成了各项经营指标。

2001年太西集团实现超产、超销、超运、超利和增收，超额完成了全年经营指标，企业各项工作健康、稳步推进。完成大井产量546.16万t，同比增产24.88万t；完成商品煤销量511万t，同比增销41.4万t；完成工业总产值87560万元，比计划增加3560万元；完成销售收入101275万元，比计划增加8806万元；实现利润2016万元，同比增加1460万元，上缴税金9700万元，同比增加2072万元。职工人均收入达12544元，比2000年增加2244元，增幅21.89%，实现了年初公司董事会提出的职工人均收入增加2000元的目标。

百万吨死亡率始终居全国同行业先进水平，2001年百万吨死亡率0.167，连续11年实现百万吨死亡率

1以下。

2002年太西集团持续超产、超销、超运、超利和增收，超额完成各项经营指标。完成大井产量647.6万t,同比增产36万t；完成商品煤销量895.65万t,同比增销46.54万t；完成工业总产值59290万元，比计划增加106.11万元；完成销售收入100499万元，同比增加8370万元；实现利润3056万元，同比增加5346万元；职工人均收入达13156元，实现了年初经营工作会议和董事会提出的目标。

2002年11月，在自治区党委、政府做出组建宁夏煤业集团有限责任公司的决定后，张文江同志立即召集集团公司班子成员会议，推出了精心设计的组建方案，使宁夏煤业集团的组建，从集团初步机构框架的出台到实施方案的完成，从管理体制的建立到人员的全面到位，从组织机构的完善到相关制度的建立，从“财务集中，市场统一，安全管住，投资拢住，经营放开”的新思路的实施到集团公司八大发展战略的提出并开始运作，均是按照自治区党委、政府对国有煤炭企业实施战略重组和做强做大煤炭企业，以工业化推动实现宁夏跨越式发展的要求和思路进行的。组建方案紧扣原太西、亘元、灵州、宁煤集团4个国有重点煤炭企业的实际，做到了生产正常，安全稳定，思想不乱，队伍不散，工作不间断，资产不流失，全面地达到了组建煤业集团的预期目的。

宁夏煤业集团公司的组建充分显现出：企业经济总量扩大，经济实力集束增强；企业资产规模扩大，资产质量提高，投融资功能大大增强；市场集约度提高，控制力增强；矿产资源的配置和人力资源的配置达到了高度协调和统一；规范的决策体制和合理的决策程序形成了科学的决策机制，保证了决策的正确性等优势。

4家企业整合后，截至2002年末，煤炭生产总量达到1573.98万t，占全区煤炭总产量的86.58%；工业总产值达20.63亿元，占宁夏工业总产值的5.5%；完成工业增加值13.1亿元，占全区工业增加值的14.2%。完成商品煤销售1538.81万t，实现销售收入22.63亿元；实现利税总额19710万元，其中利润1461万元。

2003年对宁夏煤炭工业来说具有划时代的意义，集团生产经营开局良好。社会各界关注的省级区域内国有煤炭企业的深度重组——宁夏煤业集团成功地完成了组建后，步入健康发展的轨道。一年来，在自治区党委、政府的正确领导下，我们以“三个代表”重要思想为指针，深入贯彻党的十六大及十六届三中全会精神，充分发挥集团领导团队集体的智慧，紧紧依靠广大员工，用现代企业的管理方法和手段设计企业的运行机制，用新体制、新机制和新的管理方式来经营运作企业，用战略方针和超常规的方略推动发展建设，用改革和发展的办法解决存在的矛盾和问题，各方面工作齐头并进，协调发展，既取得了省级区域国有煤炭企业深度重组的成功，同时也取得了宁夏煤炭工业有史以来的最好成绩。总体表现是：生产经营大上台阶，发展建设快步猛进，整体运行迈上轨道，社会形象普遍看好。

生产经营大上台阶是指市场集约度提高，市场控制力增强，增产增销增盈。宁夏煤业集团的组建，消除了原4个集团在市场中的恶性竞争，改善了控制市场的基本条件，拓展了市场空间，带动了煤矿生产能力的全面发挥，由重组前的以销定产转变为以销促产。产量、销量、销售收入、利润等同步高速增长，超过了重组前4家国有煤炭企业之和。煤炭产量、商品煤销量均突破1800万t，分别达到1857万t和1934万t，分别比重组前增长15%和19.16%，百万吨死亡率0.275，达到全国先进水平。实现销售收入35.23亿元，同比增加4.92亿元，增长12.23%；完成工业产值31.16亿元，同比增加5.56亿元，增长21.7%，占宁夏工业总产值的比重由2002年的5%提高到8%；完成工业增加值17.52亿元，同比增加4.42亿元，占宁夏工业增加值的比重由2002年的14%提高到15%；创利税2.64亿元，同比增加0.67亿元，增长34%。

义马煤业（集团）有限责任公司总经理

付永水

一、简介

付永水，1952生，中共党员，高级经济师，1971年参加工作，先后任义马矿务局常村煤矿技术员、采煤队长、调度室主任、新安煤矿副矿长、耿村煤矿副矿长、杨村煤矿矿长、义马矿务局安监局局长、鹤壁矿务局副局长；2001年5月担任义马煤业（集团）有限责任公司总经理。

二、事迹

2002年，在上级的正确领导下，付永水紧紧抓住企业发展这个“第一要务”，忠实履行“三个代表”，与集团公司党政班子成员一道，恪尽职守，勤奋工作，全心全意依靠广大职工群众，坚持走创新之路，赢得了义马矿区18万职工、家属的衷心拥护，使义煤集团这个多年来一直处于困境中的特大型煤炭企业真正实现了二次创业。

1. 善抓机遇，果断决策，全力以赴组织义煤集团再创千万吨

2001年9月份，面对煤炭市场持续好转的有利时机，付永水第一个提出要把义煤集团的煤炭产量恢复到千万吨水平的设想，并通过分析论证和实战演习得到了公司上下的认可。为保证千万吨目标的实现，付永水集中企业人力、物力、财力，先后投入8000多万元，

购置10套综采支架；投入2000多万元，更新改造设备；投入2000多万元，用于开延工程，一方面保证了井下设备的高效运转，一方面确保了采掘正常接替。他还多次深入各矿进行调研指导，要求各矿精心组织安排，开足马力生产，力争多超产。2002年义煤集团不仅提前一个月实现千万吨，而且全年原煤产量达到1076万t，创历史最高水平，其中有6个矿创建矿最高产量纪录。

2. 强化营销，加强管理，为企业实现扭亏为盈尽职尽责

2002年，根据煤炭市场发生的新变化，付永水提出，要以质量赢得市场，以价格占领市场，以感情巩固市场，以服务扩大市场；他还主持制定了“火车、汽车一起上，内贸、外贸一起抓，局矿两个积极性一齐要”的营销策略，取得了明显的效果：2002年铁路运量突破900万t，地销煤量达到130万t，煤炭总销量达到1031万t，创历史最高水平，并实现了义马煤出口“零”的突破。为发挥集团优势，增强市场竞争力，他提出对销售实行“五统一”和“收购制”，保住了市场，保住了煤价，保住了大用户。在他的努力下，义马开通了3个直达专列，一年增销煤炭130多万吨。

为实现企业效益最大化，他坚持依靠科技进步，积极推广新工艺、新技术，坚持集约化生产，切实做到了减人提效，全公司20个采煤队比过去40个采煤队的产量还高；他提出对维简、折旧资金实行统一管理，真正实现了集中力量办大事；他不断完善物资招标采购制度，通过加大修旧利废、回收复用力度，2002年节约采购资金1150万元；他坚持实行经营管理督察考核，奖罚兑现，奖出了积极性，罚出了责任心；为遏止花钱大手大脚现象，他及时提出“八不准”、治理整顿企业内部“四乱”、深入开展“双增双节”活动等，引起了各单位的重视，促进了企业效益的提高。

由于管理到位，措施得力，2002年企业在消化以往年度潜亏挂账8500万元、补还往年铁路运费2300万元的同时，一举实现扭亏为盈；所有者权益净增2264万元；经济总量达到20亿元，较2000年翻了一番，并有18项指标创出历史最高水平。

3. 着眼长远，谋求发展，为义煤的振兴增强后劲

在抓好煤炭主业的同时，他提出要大力发展非煤产业，要把实施“大多经”骨干带动战略与“上一、调二、扩三”的方针结合起来，推动非煤产业健康稳步发展。2002年共投入资金1亿元，建成了跃进电厂二期、观音堂电厂三号炉、华兴碳酸钡厂、科技培训中心和耿村矿选煤厂，安置了人员，发挥了效益；同时，集中力量上新项目，投入资金2亿多元，开工建设了观音堂电厂二期和氧化铝项目，为非煤产业的大发展创造了条件。

4. 真心实意为职工群众办实事，赢得了干部职工的衷心拥护

付永水担任总经理以来，共为职工补发了13个月工资3亿元，退还集资款本息6000多万元；2002年职工人均收入达到9136元，加上补发工资达到11242元，较2000年翻了一番还多。他主持制定了推行岗效工资的改革方案，公司人均增资209元，是历史上工资增幅最大的一次，使职工群众真正从企业的改革发展中得到了实惠。同时，义煤的发展也带动了地方经济的繁荣，2002年企业共实现利税19835万元，2002年年底义马矿区居民存款较上年增加了3亿元，有力地拉动了地区经济的增长，使义煤成为河南煤炭行业的一个亮点。

优秀矿长介绍

山西义棠煤业有限责任公司

党委书记、董事长、总经理

路斗恒

一、简介

路斗恒，高级经济师，硕士研究生，男，1963年1月生，山西孟县人，中共党员，山西义棠煤业有限责任公司党委书记、董事长、总经理，山西省晋中市政协委员，晋中市企业家协会副会长，中共介休市委候补委员，连续3届当选为介休市人大代表。

二、事迹

跨入新世纪，路斗恒同志带领全体员工秉承“发掘无限、创新每天”的经营理念，弘扬“务精务实、至高至远”的企业精神，树立“以人为本、依章治企”的管理思想，坚持“以煤为主、加工转化、做精做强”的发展思路，培育具有自身特色的企业文化。用现代科学技术改造传统采掘工艺，用现代经营手段改进传统管理模式，用现代公司制度改革传统经营机制，成功抵御了市场风浪，创造了公司逆势前进、顺势飘红的奇迹。各项指标逐步攀升，一年一个新

台阶，一年一个新变化，一次次刷新了建矿历史的最高水平。矿井的综合生产能力和持续发展能力在晋中煤炭系统独树一帜，受到社会的广泛关注。

具有多年基层管理经验和较高经济理论素养的他提出了“以改革求生存，以改革促发展”的兴企战略，于2000年8月由四方股东出资组建了山西义棠煤业有限责任公司，实现了有44年开采历史的义棠煤矿由工厂制向公司制的成功转型。面对复杂多变、竞争激烈的市场，他深深地认识到昔日粗放经营方式、单一发展格局、淡薄的质量意识已完全不能适应市场的需要，于是他及时提出了“调整结构，提高质量，加工转化，项目开发”的经营方针。以他为首的党政一班人果断做出了加大低硫主焦煤产量，限产高硫下组煤的决策，通过3年的艰苦努力，使上下组煤的产量比例由原来的1∶2调整为3∶1。同时将煤质纳入生产部投入产出承包的合同中进行考核奖惩，并在晋中首家使用了具有选矸领先技术的复合式干法选矸机，使企业在占领原煤市场中赢得了主动。在新项目的开发上，他立足当前生产，放眼长远发展，以超人的胆识和魄力，经实地考察，集思广益，科学论证，选择了市场潜力大、具有高附加值的煤炭地下气化生产γ-丁内酯、气相白炭黑等精细化工产品的高科技项目；为实现企业可持续发展，他领导公司积极稳妥地引进乌克兰螺旋钻薄煤层采煤机实施开采优质薄煤层主焦煤项目，并着手开展120万t矿井技改工作。矿井60～120万t/a技改工程项目作为公司的战略工程，已被列为晋中市“双百项目”重点工程之一，项目总投资7000余万元，全部工程在2006年6月底完成，截止2003年已完成投资2500万元。将安全工作作为常讲常新的主题来狠抓。组织制定出台了科学的、操作性强的《义棠煤业公司安全管理实施细则》，全力提高装备水平，引进综合掘进机成套设备，推广使用锚杆支护新工艺……，近几年在安全方面共投入了3700万元。初步实现了企业生产、采购、库存、销售、工资、固定资产、账务等计算机网络化管理，搭建了公司网络信息自助平台，从而进一步加快了公司管理创新步伐，使管理工作逐步走上了规范化、科学化、制度化的轨道。他特别注重企业文化建设，在企业内部和社会上组织开展了一系列丰富多彩的企业文化活动，使干部职工的思想观念发生了质的飞跃并形成了良好的社会效应，公司内部凝聚力明显增强，企业的社会地位显著提高。

他团结同志，勤奋工作，以一位舵手的高度责任带领义棠煤业全体干部职工劈波斩浪，奋勇向前。他把今后3年的战略目标定位于“建设百万吨矿井”上，以党的十六届三中全会精神为指针，忠实实践“三个代表”，积极推进企业“二次改制”，进一步建立完善法人治理结构和不断创新经营机制，经营管理逐步向制度化、信息化、网络化迈进。并借鉴先进企业管理经验，结合自身实际，以煤为源，扩大加工转化能力，实施产业联动工程。通过乌克兰螺旋钻薄煤层采煤机，建立高档普采工作面，提高技术装备水平，从根本上提升企业的安全生产条件和市场竞争能力。到2006年，原煤生产能力将达到120万t/a，洗选能力达到120万t/a，年销售收入达到2亿元，年创利税6000万元，利润3000万元，人均年收入达到18000元，公司的综合生产能力和经济效益保持全国同类企业领先水平，把公司建成集约高效、安全文明的现代企业。

路斗恒同志是介休市特级劳动模范，被晋中市委、市政府评为“双百项目先进个人”，多次被省、市企业家协会评为“跨世纪杰出企业家”、“优秀企业家”“优秀青年厂长（经理）”，被山西省委授予“三晋英才”、“一代煤海英杰”称号。2003年4月荣立山西省劳动竞赛委员会个人二等功，全煤系统“优秀领导干部”，2002年、2003年被中国煤炭工业协会评为“全国中小煤炭企业优秀管理者”、“全国煤炭工业优秀矿长”。

青海煤业集团有限责任公司立井矿矿长

周　弘

一、简介

周弘，男，汉族，高中文化，1957年7月14日生，中共党员、矿建高级工程师、中国测绘学会会员、青海省测绘学会会员，现为青煤公司立井矿矿长。

1973～1974年在立井矿掘进一队工人；1975～1984年在矿生产科工作，测量员；1984～1986年在西安矿院学习；1987～1990年在矿生产科做矿建设计；1990～1993年在矿开拓科任副科长；1993～1998年任开拓科科长，兼任开拓队队长；1998～2000年任开拓副矿长；2000年至今任立井矿矿长。

二、事迹

生在矿山、长在矿山的周弘同志，于2000年年底任青海煤业集团有限责任公司立井矿矿长。

在他经营承包的4年内，强化内部经营承包方案，分解量化考核各生产单位各项经济指标，建立健全一整套安全生产责任制；狠抓“三项制度”改革，打破干部终身制，合并撤销机关重叠机构，从机关到地面精简400余人充实一、二线工作，并做好下岗人员妥善安置。

面对粗放型管理现状，他提出：以降低成本为中心，狠抓基础管理。矿属13个生产单位、班组全部建立成本管理明细表和成本台账，并将井下班组的生产安全指标与科室经济利益挂钩，每月末召开一次工资审批会，严格按分配靠效益、收入靠贡献的原则当月兑现。

他勤奋好学，1973年高中毕业参加了煤矿工作，踏着父辈的足迹，曾在掘进队干过掘进工，后来在矿生产科测量组当过测工，一干就是10余年，期间在一些老牌大学生的熏陶下学到了许多煤矿知识，后来在西安矿业学院进修一年，攻读测量专业，并成为中国测绘学会会员。自学统计与预算，又获得原煤炭部颁发的预算资格证书。现为立井矿惟一一位矿建高级工程师和持有统计与预算资格证的管理者。

功夫不负有心人。1990年组织上聘任他为开拓科副科长；1993～1998年任开拓科科长兼开拓队队长、党支部书记；1998年3月任开拓生产副矿长；2000年12月任矿长。

任矿长以来，他坚持安全第一的指导思想，逐级签订安全目标责任书，坚持每月召开一次全矿干部参加的安全月会，每季召开一次安全例会和经济分析会，使安全工作实现了连续974天无死亡的好成绩，并连续两年无重伤以上工伤事故。

2000～2003年是立井矿生产系统大调整、采区延深工作迫在眉睫的非常时期，他积极主动向公司领导反映采区延深工程外包计划，同外包工程队谈合同、定计划，给本矿运输队等单位压担子、定任务、定措施。另一方面，狠抓采区大调整，合理提出采区由西向东大转移等各项工作计划与安排。他夜以继日不分昼夜地工作致使咽喉出现炎症讲不出话来，他怕耽误工作不去医院就诊，是在本矿工作的妻子实在看不下去了，请医生到他办公室诊治、输液。矿区离他家也只有2公里，而且有小车，但是在工作面收尾搬家或机械运输系统发生故障时，虽有分管的副矿长、调度主任，但他仍放心不下，坚守岗位，不是在井下，就是在调度中心。2001年大年三十，家家户户团团圆圆吃饺子，而他由于井下运输巷道发生冒顶，坚守在井下事故现场。他作为矿长，他常告诫大家：处理一个小隐患，等于避免一起大事故。基于这样的思想，管理者们把消除隐患当作清理事故的源头。他把员工的安全培训教育工作放在首位，指定专人负责抓此项工作，他认为安全生产虽然天天喊、月月抓，有过好的成绩，容易让员工产生麻痹厌烦心理。而企业安全生产的“核心”就是制止人的不安全行为，因而完善岗位安全责任制，强化全员安全意识，开展安全培训，成为消除人头脑中安全隐患的有效手段。

他把产品质量比作企业的命根子，首先是严格执行制度，做到产品分装分运，决不让有含矸煤渗入到产品里去。有一次他夜里下井抽查煤质情况，恰巧有一采煤面冒顶出现矸石，正往煤仓里混运时被他发现，他立刻停止作业，将矸石分拣出来，交接班时提上井倒入矸石堆，而且对跟班队长作了罚款，通报处理。当时有些人不理解，但他讲产品质量是用户满意不满意的关键，坑害顾客等于坑害自己，砸自己的饭碗。后来大家渐渐认识到煤质的重要性了，宁肯不出煤，决不让不合格产品到客户手里。

其次，抓全员的工作质量，尤其是辅助岗位和机关工作人员的工作质量，制定了机关各科室同生产安全、效益经济挂钩，并且做到挂证上岗，组织有关人员每半年进行民主考核一次，实行末尾工资下幅10%，连续3年末尾实行换岗制。使全员服务质量、工作质量有了明显改变，激发了员工积极进取、爱岗敬业的精神。形成了一种珍惜工作岗位，不串岗，不干与工作无关的事，自觉地参与到生产经营中关心企业的氛围，有力地推动了矿区两个文明建设。

为推动科技兴矿，积极参与科技创新工作。2001年他大胆提出并派技术人员到山东、淮南等地学习掘进锚网支护，回矿后积极进行试验，同年掘进锚网巷道600余米，锚网试验成功。成功后他不敢落后，不愿从外地进口原料，组织技术人员成立攻关小组，相继成立锚固剂加工车间，至2002年年底通过有关专家鉴定已批量生产，现正在办理商标注册手续，不久向全省客户供应锚固剂及相应的配套产品。

采掘延深工程竣工后，要铺设大倾角胶带。他组织召开专题会议，抽调精干力量，将1200米长的胶带及配套设备赶运现场，给公司立下军令状，只用20天时间顺利按期安装成功。

3年来，他带领员工以企业内部改革为突破口，使管理机制逐步适应市场经济要求，积极推进矿务公开制度，努力做到七大公开，即：重大决策公开，各大经济指标及财务报表公开，审批、分配工资公开，人事管理公开，奖励、处罚公开，干部住房面积公开，招待费用公开，不断使立井矿矿务公开工作得到强化，党群、干群关系得到升华，赢得了全矿广大员工的拍手称赞。取得了明显成效。

2000年销售收入达到2649.7万元，职工收入年均7344元。

2001年销售收入达到4440.0万元，员工收入年均9360元。

2002年销售收入达到4564.3万元，员工收入年均10680元。

2003年销售收入达到5020.9万元，员工收入年均9870.78元。

利润：2000年为576.38万元；2001年为1041.7万元；2002年为1212.36万元；2003年为1690.7万元。

全员工效：2000年为0.74t/工；2002年为1.324 t/工；2003年为1.312t/工。

华亭煤电股份有限公司华亭煤矿矿长

魏　东

一、简介

1993年7月毕业于西安矿业学院采矿专业，并在华亭煤矿参加工作，历任华亭煤矿综采队技术队长、技术科科长、总工程师等职务，2002年5月任甘肃华亭煤电股份有限公司华亭煤矿矿长。中共党员，采矿工程师。在他的领导下，华亭煤矿2003年原煤产量达到416万t，安全无轻伤以上事故，创造了良好的经济效益和社会效益，被授予"甘肃青年五四奖章"、"全国煤炭工业优秀矿长"的荣誉称号。

二、事迹

今年35岁的华亭煤矿矿长魏东，自1993年西安矿院采矿系毕业来到了华亭煤矿，把自己的理想和抱负播撒在了这片煤炭资源丰富的土地上，成为科技兴矿排头兵。10年来，他负责和参加了华亭煤矿45万t、300万t矿井改扩建工程，改革完善了矿井采煤方法、综掘工艺、支护技术、提升运输及"一通三防"系统，将设计能力15万t的华亭煤矿改造发展为生产能力400万t的全国高产高效矿井，并为此付出了艰辛的劳动、智慧和汗水，终于结出了丰硕的果实。2003年华亭煤矿原煤产量达到416万t，仅发生轻伤2人次，安全无轻伤以上事故，华亭煤业集团公司。华亭煤电股份公司授予他劳动模范、优秀党员、增收节支先进个人、先进科技工作者等10多项荣誉称号。2003年5月份，被团省委授予"甘肃青年五四奖章"；12月份，被中国煤炭工业协会授予"全国煤炭工业优秀矿长"。

魏东同志在多年的生产经营管理当中，不断学习、实践国内外先进的采煤方法和工艺，加大资金投入，引进新技术、购置新装备、采用新工艺，持续创造新高，使企业发展充满了活力和竞争力。近年来，魏东同志主持或参与完成科技投入1.8亿元，完成科技成果45项，其中国家级5项，省部级13项，创造直接经济效益1.2亿元。仅2003年，负责完成6项科技攻关项目，5项科技项目通过省技术厅鉴定：《急倾斜特厚易燃煤层多分层同采高压力综放面顺槽及切眼锚杆支护技术研究》等2项被鉴定为国际先进水平，《高应力软岩大巷高强度锚杆喷射混凝土支护技术研究》等3项被鉴定为国内先进水平。获得甘肃煤矿安全监察局、甘肃省煤炭工业管理局科技进步奖7项：《大倾角深槽型带式输送机作矿井主提升机的研究应用》等4个项目获得一等奖，《内部银行管理在企业生产经营中的应用》等3个项目获得二等奖。这些科技成果的应用推广，使矿井的生产力要素更趋合理，生产效率大幅度提高。回采工效达到61.42t/工，同比增加20.66t/工；原煤工效达到13.48t/工，同比增加4.15t/工；巷道锚杆支护率达到100%，年节约支护费用513万元。

为满足当前企业竞争发展的要求，他全力培养务实创新、善管理、业务精、素质高的科技人才和管理人才，积极健全激励机制、优化创业环境、严格考核制度，多渠道、多途径培养、选拔人才。在2003年度推荐和提拔处级干部2人，调整和新聘科级干部27人（其中正科级15人、副科级12人）、队级干部31人，并对生产经营中涌现出的28名技术能手和生产骨干重新签订了劳动用工合同；平均每年进行职工培训1200人次以上，特殊工种的持证率达到100%，形成了优胜劣汰、竞争上岗的良性机制，锤炼出了一支年轻化、知识化、敢打硬仗、勇于吃苦的干部队伍，为企业的高速发展储备了丰富的管理、技术人才梯队资源。

魏东同志在多年从事煤矿企业技术、管理工作中，不但技术过硬、业务精通，还学习了丰富的企业管理理论、积累了成熟的行业管理经验，具有较高的管理决策水平，充分起到了企业发展"领头雁"的作用。在现场管理中，他以"从我做起、向我看齐"为口号，以身作则，经常深入一线、靠前指挥，重大工程亲自跟班负责。为搞好安全生产监察工作，他建立了群监组织和青岗网络，实行"安全一票否决制"，推行安全影响"月底补给制"，有效地提高了现场管理水平；在成本管理中，推行"成本倒算法"，逐级核算，分解指标，定额管理，绩效兑现；在物资采购中，建立询价制度，采用大宗招标，健全购用档案，竞价择优，与厂家互馈信息、完善技术；在煤场管理中，实行"三不装"（原料煤装车车号不对不装车、车辆不卫生不装车、票据不对不装车）、"五杜绝"（社会车辆装车杜绝大车除皮、小车装煤、杜绝多水箱装煤，杜绝一车多号和一号多车装煤，杜绝三无车辆装煤）、"三对口"（出门证、计量站、销售营业室数据口径一致），有效杜绝了产品流失。

2003年，他带领全矿干部职工精心组织、合理部署、大胆突破、攻克难点，根据年初确定的"强化五个观念、加强五项管理、抓好五件大事、实现五个目标"的"四个五"工作思路，紧紧围绕建设"高技术含量、高效率、高效益、高度安全、高度文明"的"五高"矿井开展各项工作，全年生产原煤416.24万t，完成年计划的138%，同比增长91.25万t，提前65天完成全年改扩建任务，共完成改扩建进尺5140m，占年计划4062m的126%，百万吨死亡率为零，实现利税1.2亿元，利润8000万元，在产量、进尺、安全、原煤工效、回采工效、单产单进、产品质量、实现利润、科技成果、职工人均收入等方面创全集团、全省10个第一，跨入全国先进矿井行列，被中国煤炭工业协会评为"全国特级高产高效矿井"，成为甘肃省乃至西北五省区的第一大矿井。

新的一年，魏东提出了努力开创高产高效矿井建设的新局面，把矿井发展和企业文化创建有机结合起来，着力营造现代企业新型发展观和效益观，营造"三个环境"、构筑"五种体系"的发展思路。华亭煤矿将在他和全体干部职工的共同努力下，在新的起点上实现更大的发展，迎来更加辉煌的明天。

华亭煤电股份有限公司砚北煤矿矿长

吕 世 宏

吕世宏，这位来自甘肃静宁一个普普通通的农家子弟，在煤海中整整奋战了15个春秋。从一名技术员到生产科副科长、科长、矿长助理、副矿长、矿长。多年来的工作经历，使他积累了极为丰富的煤矿生产经营管理知识。他始终保持着对事业孜孜以求，勇于开拓，勇于创新的精神。曾发表科技论文4篇，获省、地、县科技进步奖20余项，获甘肃省“煤炭优秀科技工作者”称号，获集团公司“劳动模范”、“优秀共产党员”和“技术创新能手”称号，2003年又获得了“全国煤炭工业优秀矿长”荣誉。

吕世宏同志注重管理创新，走出了一条创新发展之路。为解决采掘接替问题和全面提高产量，2002年投入2000余万元，装备了3套综掘设备和1套综采设备，矿井形成了“三保二”的综采格局，采掘机械化达到100%。通过管理创新与机制创新，加大生产调度指挥，在综采公司极力采用台阶加价法，极大地调动了广大职工的积极性和创造性，日产可以稳定在1万t以上，月产稳定在30万t左右，也创造了最高月产39万t、最高日产1.59万t的历史好成绩。全矿提前46天完成了300万t原煤生产任务，实现了矿井设计生产能力，年累计完成原煤生产350.68万t，也为矿上提出的3年迈出三大步战略奋斗目标，跨出了具有里程碑意义的一步。通过加大投入与深化管理，保障了掘进设备，实现了掘进综掘和基建施工综掘，为完成全年掘进任务和基建任务打下了坚实的基础，完成掘进进尺9816m，基建进尺3428m，解决了采掘接替。

在安全管理上，坚持“安全第一、预防为主”的思想不动摇，狠抓职工安全教育不放松。深入开展百日安全活动和以“一通三防”为主要内容的机电运输、顶板管理3个会战，极力改善安全基础设施，强化各级领导干部的安全责任，实行安全指标“一票否决制”。积极开展矿井质量标准化工作，大力创建“文明硐室”、“精品工作面”、“文明机房”等，使矿井质量标准化在达到行业级标准的基础上，有了更进一步的提高。同时，不断加强安全监察力度，安检员、安全员、青年岗员和成立的安全纪检小分队等齐抓共管、群防群治，有力的遏制了“三违”，促进了矿井安全生产。

在产品管理上，从源头抓起，严格回采工艺，对矸石采用分装分运，并加强地面手选捡矸，确保产品的低灰品质。针对煤场管理存在的薄弱环节，下大力气，抓根治本，出实招，求实效，使煤场管理工作成效显著，实现年销量324万t，取得了月销量32万t，日销量1.49万t的历史好成绩，在股份公司煤场评比中获得第二名。

在成本管理上，积极借鉴“模拟市场核算，实行成本否决”的邯钢经验，充分发挥内部银行的作用，将各单位材料消耗与工资挂钩考核，“横包到边，纵包到底”，奖罚逐月兑现。制定并实施了《生产影响奖惩办法》、《砚北煤矿综采工作面材料回收管理办法》和《砚北煤矿业务招待费管理办法》等十余种基础管理制度，并成立了修旧利废中心，加大了材料回收、整形、复用力度，有效地控制了成本，使成本达到了26.96元/吨，成为全集团公司成本最低的矿井。

在用人机制上，积极推进三项制度改革，对运输一队队长实行公开竞聘，打造干部能上能下的制度平台，真正体现“能者上，平者让，庸者下”。建立能进能出的用工机制，对基层实行分权管理，真正体现责、权、利三者的统一，极大地调动了广大干部职工的积极性。在实行岗位绩效工资的基础上，加大计件包干覆盖面，坚持岗变薪变，按贡献大小参与分配，职工收入明显增长，全矿人均年收入同比净增3000元。进一步完善机构改革，转变干部工作作风，实现了高效运作。

吕世宏同志坚持走科技兴矿之路，做科技创新的带头人，在继续完善锚网锚索支护技术、端头支架改造技术、工作面预爆破技术等一批重大科技成果的基础上，为了进一步加快推进高产高效矿井建设，他组织并完成了“急倾斜特厚易燃煤层高地压区高产高效技术研究与应用”；完成了“综采工作面倾角、采高及卧底控制和应用技术”；完成了“可伸缩带式输送机软启动技术研究与应用”；完成了“雷电浪涌保护装置研究与开发”；完成了“软岩巷道高强度锚网支护技术研究与应用”，这五项科技成果均顺利通过集团公司科技组的验收。同时，他更是积极参与和大力引导广大工程技术人员，充分发挥群体聪明才智，针对实际问题，积极开展小革小改活动，全矿共完成小革小改174项，极大地提升了矿井的科技含量和综合实力。在集团公司举办的首届“五小”技术比赛中他有四项获奖，其中一等奖2项，鼓励奖2项。更值得一提的是在省煤炭工业科技成果评比中，他有6项科技成果获奖，其中获省煤炭工业科技进步一等奖3项，三等奖3项。

心系职工之苦，这是吕世宏同志不变的作风。投入55万元购置通勤车，解决了职工上下班乘车难问题；投入10万余元购置更衣柜，使下井职工都具备了更衣条件；为了从根本上解决单身职工的居住问题，在南风井建造了单身职工公寓楼，并在全集团公司范围内通过公开招聘服务员36名，较好地解决了部分职工子女就业问题；对职工子女借读费进行报销，为职工解除了后顾之忧；与集团公司房改办协商，有56名职工住进了成套房，缓解了长期困扰职工工作和生活的住房问题等。

在矿井改革发展中他非常注重环境建设工程。去年以来，以打造一流形象和争创全国文明煤矿为目标，以突出“亮化、净化、绿化、美化”为重点，多角度、全方位加大投入，使矿容矿貌发生了历史性地变化，矿井跨入了全国“文明煤矿”行列。大力开展精神文明“十创建”活动，积极实行矿务公开，对重大问题采用征求职工代表意见、开党政联席会等形式讨论决定。拓宽民主渠道，实现科学决策，并不断加强思想政治建设和干部作风建设，积极开展各种文体活动，千方百计丰富职工文化生活，为各项工作的开展营造良好的文化氛围。

立足现实，着眼未来，不断创新，永不自满，这是他不变的工作思想。面对2004年，他又富有创造性地提出了“精细化管理”工作思路，确定了强化十项管理措施和要完成八大奋斗目标，为矿井改革与发展勾画了一幅宏伟蓝图。

谈到砚北煤矿的未来时，吕世宏自信地说：要把砚北煤矿建设成“装备一流、管理一流、环境一流、效益一流”的高产高效现代化特大型矿井，使砚北煤矿真正成为甘肃一流，在全国高产高效矿井中占有一席之地的现代化大型矿井。

大同矿业集团有限责任公司
燕子山煤矿矿长

徐　成

一、简介

1. 1973年1月至1978年8月，大同矿务局云冈矿工人，运销站宣传员、团支部书记

2. 1978年8月至1987年6月，云冈矿团委干事、副书记，集体企业公司经理，机电科党支部书记

3. 1987年6月至1990年1月，云冈矿多种经营公司党支部书记，党委工作部副部长，组织部部长

4. 1990年1月至2000年10月，云冈矿党委副书记，挖金湾矿党委书记，马脊梁矿党委书记

5. 2000年10月至今，燕子山矿矿长

二、事迹

徐成同志，怀着对煤炭事业的无限热忱和振兴煤炭事业的壮志雄心，脚踏实地，执著追求，在百里煤海一干就是30年。从操作者到经营者，从工人到干部，始终是员工群众的贴心人，经营管理的佼佼者。特别是2000年年底，担任燕子山矿矿长以来，凭着对待工作一丝不苟的认真态度和求真务实的严细作风，带领广大员工积极进取，奋勇开拓，使一个连年亏损的矿井一举扭亏为盈，不但创造了矿井产量、掘进进尺、出口煤、员工收入等多项建矿历史最高纪录，而且连摘“高产高效矿井”和“双十佳矿井”两项全煤桂冠，奏响了矿山腾飞的嘹亮号角，展示了一个优秀企业管理者的卓越组织领导才能。

思路决定出路，定位决定地位。到任之初，徐成矿长就与新班子成员从战略的高度，全局的视角，确立了该矿“打好翻身仗、追求新突破、奋力展宏图”的三年矿井发展规划，并从企业制度改革上着手进行了大胆有益的探索尝试。按照“职能定位、整合机构、精简人员”原则，将原机关32个科室重组为13个部室、120名定员的决策中心，并大力推行“四个三”作风建设和“6S”行为培养，锤炼了一支高效精干的决策管理队伍。同时强化民主政治建设，严格干部任用程序，出台新绩效工资考核制度，加快推进主辅分离，不但建立起强有力的激励与约束机制，而且为生产经营注入了巨大动力。以矿医院为例，原月营业额不足5千元，经徐成同志奔走协商，使其顺利与集团公司三医院实行联合经营、主辅分离、独立核算，重组了领导班子、建立了新的机制，当月收入就猛增至5万元，2002年全年经营总额突破120万元，2003年达到186万元，创集团公司矿办医院最好纪录。

以生产为根本、以安全为前提是煤矿生产经营的一个显著特点。针对矿井复合层顶板稳定性差，工作面全部处在火区下开采的巨大困难，徐成同志引入全新的管理理念，在全矿持续开展了“顶板、机电、安全、成本、技术、质量”6个管理硬仗，有效地规范了生产经营组织运作。通过推行“两强一快”顶板管理法、MQ采煤法和“32714”巷道施工法，推广使用锚索、锚栓、护帮网联合支护新工艺，杜绝了漏顶事故的发生，解放了矿井生产能力；通过在生产队组建立台阶加价、一体化考核、二次分配和四对口发放机制，激发了队伍的积极性、主动性，形成了队队夺高产、月月创水平的局面，不但创出原煤日产1.8万t、月产40.0462万t、季产114万t等多项建矿历史最高纪录，而且年产量由3年前的250万t增至420万t，掘进进尺由3年前15528m增至27400m，年创利润由－2790万元增至1259万元，矿井生产经营实现了质的飞跃。

为群众谋利益既是我们一切工作的出发点和落脚点，又是我们实现企业腾飞的根本途径。徐成同志始终站在忠实践行“三个代表”重要思想的政治高度，把员工群众拥护不拥护、赞成不赞成、满意不满意作为一切工作的出发点，3年共承诺兑现好事实事40多件。其中建立了后勤调度室，24小时值班，随时受理群众生活问题，提高了后勤保障质量；狠抓了文明住宅小区建设，实行了物业管理；改建了职工浴室，整修了单身公寓，成立了光彩事业基金会，建成了敬老院，使全矿员工群众享受到了人性化服务；兴建了时代广场，文化活动广场、怡园、祥园等，健全了休闲娱乐设施，全矿工作与生活环境实现了净化、绿化、亮化、美化、舒适、方便。矿南山坡自建房居民几十年吃水难问题，在徐成同志亲自督促过问之下，仅一周时间就彻底解决，万分感激之余，居民们自发组织起来，敲锣打鼓将一面饱含敬意与爱戴的锦旗郑重地送到徐成同志手里。

在全矿总体工作蓬勃发展之际，徐成同志又以创新的思维、超前的眼光，为濒临破产、失业人数不断增多的矿非煤产业各网点的生存发展做了精心的部署规划。通过政策上支持，资金上扶持，逐渐盘活了旧网点，启动了新项目，采用股份制改造扩建了鑫隆机械修造厂、预制厂；重组了服装厂、工程队、粉刷队；兴建了天天美食城、日日纯净水厂等实体，推动非煤产业驶入健康发展快车道。特别是发挥区域优势、全部筹集社会闲散资金建设的占地 30000m² 商贸城一、二期工程，呈现出购销两旺的强劲势头，不但安置了大量下岗待岗员工，而且开辟了非煤产业发展的崭新模式。2002年矿非煤总产值实现 1280 万元，同比翻两番，2003 年再攀新高峰，产值突破 1500 万元。

如今，燕子山矿靓了，燕子山人笑了，全矿员工正以崭新的姿态投入到实现第二个三年发展规划的奋斗中，一如徐成同志常说的“历史给了我们机遇，我们要让历史辉煌！”

枣庄矿业(集团)付村煤业有限公司经理

阚世光

一、简介

阚世光，男，汉族，中共党员，大学文化，1956年出生，山东枣庄人。1977年在枣矿集团柴里煤矿参加工作，从一名掘进工干起，曾担任掘进工区区长、生产科科长、柴里煤矿袁堂井书记、井长，后调任付煤公司经理。先后被评为山东省劳动模范、2002 年度全国煤炭工业优秀矿长，并连续两次荣获枣庄市“五一”劳动奖章，连续 7 年被评为集团公司劳动模范。

二、事迹

枣矿(集团)付村煤业有限公司，是 20 世纪 90 年代末建成投产的大型国有重点煤矿。矿井设计年生产能力 120 万 t，现已稳定在 200 万 t 以上。从 2000 年到 2002 年年底，生产原煤 593.52 万 t，完成销售收入 112035 万元，实现利润 17219 万元，矿井质量达国家级，创出了 1015 天的安全周期，非煤总产值突破 8000 万元大关。矿井通过了 ISO9002 质量体系认证，先后被评为全国百家高产高效现代化矿井之一，质量、服务、信誉 AAA 级企业、安全程度评价 A 级矿井等多项荣誉称号。这些成绩的取得，离不开一个求真务实，团结进取的领导集体，更离不开他们的带头人——经理阚世光同志。

1. 搞优化，夯实基础

上任之初，面对矿井接续紧张，安全管理难度大，成本高效益低的困难，他深入到井下、基层进行了广泛地调研，在全面分析论证的基础上，坚持把解决采场中长期接续放到矿井发展的突出位置，全力组织开拓掘进会战。通过加强领导、目标管理、精心组织，确保了会战成功，有效地缓解生产接续紧张的矛盾。同时，全面优化矿井生产系统，大搞井下生产治理调整，投入一定资金改造胶带、轨道，提高运输能力，为矿井合理调整开拓布局，奠定了坚实的基础。

他时刻突出抓好安全生产的第一要务，以质量标准化建设为突破口，抓质量、保安全，在矿井上下掀起了大搞质量标准化建设的热潮。从改变职工的质量意识入手，响亮提出了“夯实基础上台阶，严格标准抓质量”的口号，加强对干部职工的质量意识教育。并严格质量的管理考核。从全公司范围内聘任专职质量验收员，抓质量一丝不苟，严尺子寸寸不让。在井下采掘面的施工质量上，建立了工程施工档案，加大奖罚力度，实行质量的终身负责制。

2. 严考核，提高效益

他针对矿井经营管理基础薄弱的实际，健全完善管理办法，大力推进内部市场化经营。组织制定了涉及公司 60 余项管理的《经营管理办法》，把经营指标层层分解到区队、班组，做到压力均摊，关口前移。为了从源头上控制成本支出，强化班组核算，推行“成本动态管理”，实施全员、全方位、全过程的倒逼成本，把成本构成与员工经济收入挂钩，实现了班组材料消耗、产量进尺和经济收入的日清日结。他还主张采取财务资金预算、物资采购合同会审和签订经营目标责任状等方式，不断压缩各类费用开支，有效地降低了生产成本。

他积极创新煤炭质量管理，实施零杂质、零缺陷、零投诉“三零”工程。严格按照 ISO9002 质量体系标准，实行动态化的煤质抽检监测，建立了从开采、储装、运输、分选、分装、发运、到售后服务的“一条龙”质量考核体系。大力实施洗选工艺技术改造，确保了外运精煤合格率 100%，打造出“付村煤”品牌。

3. 争一流，创新管理

付煤公司作为瓦斯异常区矿井，集高瓦斯和煤层自然发火和煤尘强爆性于一身，安全隐患大，处理不好容易酿成重大事故。他始终不渝地坚持“安全第一、预防为主”的方针，实施安全管理创新，建立群防群治、防治结合、以防为主的超前治理型、预防型的安全管理机制。针对矿井“一通三防”的实际，提出了“树立大通防意识，构筑大通防体系”的思想，坚持以风定产、以瓦斯定产，完善各类监测、检查、监控体系。上齐了双风机双电源自动切换装置，做到了对局部通风定时的监测监控，一举解决了矿井长距离通风的难题。与此同时，针对岩层破碎巷道易于变形，组织工程技术人员开展支护攻关，推广应用了锚网、锚索等支护形式，解决矿井通风不畅的问题。

在人事管理上，他大力实施“人本活力工程”，加大干部人事制度和用工、分配制度改革力度，推行管理人员考核竞争上岗、淘汰下岗和公开竞聘制度，建立了一支精干高效的管理人员队伍。同时完成了医疗体制和车辆改革，收到良好的成效。

他注重加强人才队伍建设，积极组织技术比武、科技练兵活动，提高了干部职工的整体素质。并实行项目承包责任制，组织工程技术人员，进行科技攻关，取得科技成果多项，其中在“一通三防”的治理上，达到国内先进水平。他又专门设立了创新基金，提高技术人员的待遇，从而在公司上下形成了人人讲创新，人人参与创新的浓厚气氛。

4. 强机制，发展三产

他坚持走煤电联营、多元化发展之路，以职工入股的方式，建成了装机容量2×12MW的煤矸石热电厂，收到了十分可观的经济效益和社会效益。利用电厂优势，调研新上了电炉铸造和硅锰合金生产项目，均具备了试生产能力，产品销售前景看好。同时，新近调研立项一批高科技含量、高附加值的非煤项目，生产规模不断壮大，发展势头强劲，逐步成为公司的“半壁江山”。

他加快三产改革改制步伐，对非煤各厂网点，按照一厂一策、自我发展的原则，推行了租赁、拍卖等方式，独立经营，自负盈亏，使其进一步推向市场，增强经营者的风险意识，提高了非煤产业的生存竞争能力。

5. 当好家，心系职工

他抓安全生产、经营管理是行家，抓精神文明建设也是把好手。总结提炼了“团结务实、创新奉献”的企业精神，制定了职工职业道德规范。并把文明创建延伸到井下工作面、巷道、迎头、硐室，形成了有个性的企业文化，激发了干部职工的积极性、主动性和创造性。他始终把稳定放到重要位置，加强内部治安综合治理和信访稳定工作，实施了封闭式管理，为公司的发展创造良好的环境。

他把改善职工的工作生活环境，当作提高矿井整体素质的重要内容。在公司经济效益不断攀升的同时，稳步提高职工的收入，提高了职工的生活水平。挤出资金整修了道路，美化了工厂，改造了浴室、宿舍、办公楼及餐厅。新建了集绿化、灯光、舞美、休闲、娱乐为一体的大型安全文化广场，改善了职工的生活、娱乐、工作环境，使职工感受到了企业的温暖。

面对过去的成绩，他没有沾沾自喜。展望公司明天，他豪情满怀地提出，力争到2006年把付煤公司建成主业强、非煤壮、具有市场竞争力的明星矿井，确保完成原煤产量260万吨，实现利润1.5亿元，非煤总收入过亿元。付煤公司的明天将会更加美好！

义马煤业（集团）有限责任公司
耿村煤矿矿长

黄建伟

一、简介

1973年参加工作，先后任组长、班长、副队长、队长、副矿长，2000年任耿村煤矿矿长，2003年10月任义煤集团副总经理。曾荣获全国煤炭系统科技进步矿井先进工作者、河南省煤炭系统劳动模范、十佳矿长等荣誉称号。

二、事迹

2000年，黄建伟带着领导的殷切嘱托和万余名职工、家属的希望，走上了耿村煤矿矿长的岗位。面对刚刚复苏的煤炭市场，他集思广益，果断提出“以人为本，科技兴矿，质量取胜”的发展战略。3年来，他始终坚持把新技术推广应用和不断提高职工素质，作为大力发展生产力和保持矿井可持续发展的一项重要工作来抓，使矿井发展步入快车道，一年一个新台阶。2000年以来，原煤产量连年保持在200万t以上，2002年，该矿以迎接矿井投产20周年为契机，外抓机遇，内强管理，坚持创新，加快发展，各项工作取得了历史新突破：生产原煤267.6万t，实现利润1.165亿元，双双创出矿井发展史上最好水平。

黄建伟认为，坚持科技创新，提高矿井的科技含量，是实现高产高效矿井的主要途径。耿村矿平均煤厚为6～15m，属极易自燃煤层，煤质变化较大，分层开采困难，开采成本高。为解决这一技术难题，他不断加大科技投入，亲自组织和带领科技人员针对生产实际进行技术攻关，《易自燃煤层综放开采技术研究》和《易自燃煤层回采巷道支护技术研究》、《易自燃煤层综放面工作设备配套技术研究》、《易自燃煤层综放面防灭火技术研究》等成果，先后获得河南省煤炭工业局科技进步特等奖、河南省科技进步二等奖、全国煤炭工业科技进步三等奖，并取得了良好的经济效益，综放工作面最高年产达160万t、月产达24.6万t、日产达10116t。由于综放技术的广泛应用，原煤生产纪录不断刷新，2002年全矿创出月产33万t、季产87万t和年产267.6万t的最高纪录。

黄建伟坚定不移地把加强管理，提高经济运行的质量和效益，作为建设高产高效矿井的有效措施来抓。3年来，在他亲自主持下，围绕增产增收，节支降耗，先后建立健全了一系列规章制度，并通过指标分解，成本倒算，把任务和责任一并落实到区队、班组和个人，充分调动了生产区队和职工当主人、强管理的积极性，规范了经济工作秩序。对经济运行过程中出现的问题，通过经济活动分析会，及时掌握情况，分析原因，研究对策，采取有效措施，实现了成本逐年降低、利润不断提高。2002 年吨煤成本控制在 59 元以内，为全年利润突破亿元大关奠定了坚实的基础。为使该矿在残酷的市场竞争中立于不败之地，他始终坚持以质量取胜的理念，注重从源头上把好煤质关，不断优化产品结构，尤其是 300 万 t 入选能力选煤厂的投入使用，为提高煤质和产品市场信誉创造了条件。2002 年，全矿销售煤炭 254 万 t，增加了企业的经济效益。

黄建伟始终把安全工作放在第一位。从质量标准化抓起，加大质量标准化投入，全面强化现场管理，使质量标准化工作保持了行业级，为安全生产创造了条件。3 年来，矿井安全生产保持良好的发展态势，实现了煤炭生产百万吨死亡率为零的目标。

煤炭企业是资源开采型企业，未雨绸缪，是一个企业领导者应有的素质。在抓好煤炭主业的同时，黄建伟把煤与非煤并重作为矿井发展的战略措施之一，千方百计发展壮大非煤产业，不断培育新的经济增长点。先后通过股份合作制、承包经营等手段，对非煤企业进行产权制度改革，积极推动非煤企业进行产权制度改革，激发了非煤企业活力，全矿 3 个非煤公司、11 个生产厂点都呈现出产销两旺的可喜局面，尤其是该矿生产的脲醛树脂非金属矿用托辊、高压胶管、泡花碱等产品远销省内外，深得用户好评，为矿井的可持续发展注入了新的活力。

坚持党的全心全意依靠工人阶级办企业的方针，按照“三个代表”重要思想的要求，积极推行企务公开，不断加大企业文化和精神文明建设力度，是黄建伟“以人为本，强企兴矿”的重要措施之一。3 年来，他千方百计筹措资金，先后改建了职工公寓、职工餐厅、职工游艺楼、体育馆、生活区桑浴中心、耿村市场、矿区生态公园等一大批造福职工群众的体育文化设施，并定期组织开展多种形式的群众性文化活动，丰富了职工的业余文化生活，改善了矿区面貌和职工的生活质量，深得职工家属的信赖。黄建伟也先后荣获全国煤炭工业科技进步矿井先进工作者、河南省煤炭系统劳动模范和十佳矿长、三门峡市综合治理先进工作者等荣誉称号。2000 年以来，他所领导的耿村矿先后荣获全国“五一”劳动奖状、全国科技创新型矿井、河南省煤炭系统安全生产先进集体、三门峡市综合治理先进集体和文明单位标兵等称号。

皖北煤电集团有限公司任楼煤矿矿长

张　　俊

一、简介

张俊，中共党员，1963 年 3 月生，1986 年 7 月毕业于安徽理工大学（原淮南矿业学院）机电专业，2002 年获得安徽工商学院工商管理硕士学位，省十届人大代表，省五一劳动奖章获得者。1999 年 12 月担任任楼煤矿矿长，带领全矿员工，扎实苦干，使企业走上了健康发展的道路。2003 年，全矿生产原煤 230 万 t，销售收入实现 3.74 亿元，上缴利税 1.41 亿元。作为一名领导干部，他高度重视科技和经济创新工作，先后被安徽省、淮北市评为 2002 年度经济创新工作先进个人，他主持编写的《煤炭生产矿井水害防治技术研究》项目，被煤炭工业技术委员会评为 2001 年煤炭工业十大科学技术成果，参与编写的《导水陷落柱水害的预防与超前治理技术研究》，被安徽省科技委员会评为 2001 年度科技进步三等奖，由他主持实施的任楼煤矿综采放顶煤技术项目，填补了国内中厚煤层综放技术项目空白，为任楼矿建成高产高效矿井提供了可靠的技术支撑。

二、事迹

任楼煤矿隶属于皖北煤电集团公司（原皖北矿务局），现为集团公司主力矿井之一，是国家重点建设的国有大型矿井，1997 年 12 月 30 日正式投产，设计产量 150 万 t，可采原煤储量达 1.77 亿 t，设计服务年限 84 年。至 2003 年年底，矿井胜利投产 6 周年。在以张俊为首的矿领导班子的带领下，投产 6 年来，原煤产量、销售收入和实现利税连年递增，6 年累计生产原煤 1135.96 万 t，实现销售收入 16.64 亿元，上缴利税 3.80 亿元，资产总额达 5.73 亿元，比投产之初净增 1.2 亿元，成为淮北地区产量最高的矿井之一，呈现出“产量高、安全好、效益增、环境优、矿区稳”的良好发展态势。

在他的科学管理下，该矿于 2000 年年底通过了 ISO9002 国际质量体系认证，2002 年通过了 ISO14001 国际环境体系认证，成为全省惟一一家拥有两张国际通行证的煤炭企业，连续 3 年被评为全国煤炭行业高产高效矿井，2003 年被评为全国双十佳矿井；连续 6 年被评为“淮北市环保先进单位”，连续两年被评为“淮北市节水先进单位”；文明创建成效显著，先后被评为“集团公司文明单位标兵”、“淮北市文明单位标兵”、“安徽省文明单位”和“全国煤炭系统文明单位”，矿工人村被评为“安徽省级文明社区”。

1. 创新安全管理，强化现场安全监督和现场跟班制度，全面落实安全生产责任追究制度

几年来，张俊同志坚持围绕科技兴企和管理创新，提出了“安全无大小、隐患无大小”和“安全生产、我的责任”安全理念，并贯穿到安全生产的全过程中，通过加大责任追究力度，传递安全压力，全矿员工，尤其

是各级管理干部摆正了安全与生产、安全与效益、安全与稳定的关系，增强了管理干部的现场管理力度和安全责任意识，干部工作作风明显改善。仅2002年，有12名中层副职以上管理人员因安全管理不到位或未及时完成矿下达的任务指标分别受到行政降职、撤职的处理。2003年，矿出台《科、区长考核打分制》等措施，量化管理，他本着“管理、装备、培训”三并重的原则，巩固和提高了行业级高产高效矿井和行业级质量标准化矿井的水平，百万吨死亡率始终控制在国家规定的范围之内。他提倡培育安全文化，以文化的力量唤醒员工的自保意识，使安全管理进入了文化管理的新层次。在技术管理方面，他从规范措施入手，在全矿班队长以上管理人员中开展了规范措施管理专项活动，抓住“围绕实际定措施，围绕措施抓落实”这条主线，对照现有作业规程和施工措施进行认真学习、自查，并对查出的问题及时整改，提高了管理人员的科学管理水平。在此基础上，他提倡对隐患实行跟踪落实的闭合管理，把隐患消灭在萌芽状态。此外，他还组织了技术部门开展顶板专项治理、五查三反、强化安全管理等活动，通过超前管理，有效地扼制各类安全事故的发生。

2. 立足技术创新，着力发挥机械化效能，坚持走高产高效的，发展道路。

企业要想发展，关键在于技术创新，张俊同志深深地懂得这一点。在他工作的几年中，经常组织全矿技术人员，开展技术讨论，在采用传统炮采技术的同时，邀请科研院校对综采工艺进行论证，组织人员开展技术攻关，成功克服了地质条件的诸多不利因素，率先在皖北矿区实现了厚煤层综采放顶煤开采工艺。投产六年来，全矿在生产方面的创新成果有40多项，创造直接经济效益上亿元。在市场持续好转的大环境下，他带领全矿上下依靠科技进步，精心组织生产，发挥采掘机械化效能，2003年原煤产量突破230万t，刷新了产量新高。通过优化设备配置，引进高性能综采设备，大幅提高了单产水平。地面选煤运输系统经过改造，达到了300万t的运输能力，生产调度实现集控化操作，方便了生产管理。同时，顶住井下巷道修护量大的压力，积极组织矿压规律研究，在支护技术改革上迈出了坚实的一步。

3. 严抓煤炭质量管理，创收增效树形象

在煤质管理上，张俊同志视质量为生命，质量为效益，2000年率先在全公司通过ISO9002质量体系认证，并始终严格按照体系运行管理规定，从生产源头到销售全过程认真进行把关，真正把“零缺陷”的质量目标和“让客户钟情”的质量方针落到实处。环保型绿色煤炭在竞争中赢得了市场和用户，不仅站稳了脚跟，而且树立了企业的良好形象。此外，企业顺利通过认证机构的监督审核，促进了质量管理工作再上新的台阶，每年仅煤质提升一项就可以为企业增收500多万元。

4. 和谐自然，造福社会，搞好环保体系认证工作，拓展企业管理内涵

“展示谦虚顺和风范，遵循人和百兴古训，推崇绿色煤炭品牌，营造企业生存空间，发展自我奉献社会，重塑形象报效祖国”是张俊同志对企业宗旨的诠释。多年来，他带领的矿领导班子注重环保建设，先后制定了《污染源头治理办法》、《矿区噪声处置办法》、《工人村村容和环境卫生管理办法》等制度措施，有效地维护了广大员工和居民的切身利益。为充分体现“和谐自然，造福社会”的企业宗旨，在他的牵头带动下，经过近一年的努力任楼煤矿顺利通过ISO14001环保体系认证，提升了企业整体形象，实现了企业经济效益与社会效益良性协调发展。

5. 建立企业文化，培育独特的企业精神

几年来，该矿通过开展“一月一功臣、一季五创新、一年十英雄”活动和导入形象识别系统，培育了“诚信、独创、卓越”的企业精神，构成了坚忍不拔、团队学习、敢争一流、乐于奉献的精神体系。2003年，该矿的企业文化建设又进入创建学习型企业的新阶段。

6. 转变经营机制，企业改革有序推进，煤与非煤双轮驱动

外拓市场，苦练内功，抓好主业，多元发展，是张俊同志的经营理念和发展思路。几年来，任楼煤矿非煤产业的发展，倾注了他无数的心血。在做好原煤主业的基础上，他超前思维，依靠科技进步，努力开发科技含量高、市场前景好的产品，大力延伸煤炭产业链。近年兴建的电厂、化工厂、热镀锌管厂和工人村超市，都是以有限公司的形式运作，经营状况良好。经过几年的发展，该矿非煤产业规模从无到有、从小到大，全部实现了由安置型向市场效益型的转变，现已形成拥有非煤厂点15个、资产近亿元、年销售收入达6000多万元的工业园区，成为该矿可持续发展道路上又一闪光的经济增长点。

7. 广开民主渠道，推行矿务公开，实现人本化管理

推行矿务公开工作是加强企业管理，建立现代企业制度，依靠员工办好企业的内在要求。几年来，在他的倡导下，该矿完善了矿务公开制度，凡遇到大宗采购、员工福利、住房分配、人事变动等问题，他都通过职工代表大会、座谈会、公开公示等形式解决，并从2000年起，实行了矿长接待日制度，接待员工来访，切实为员工办实事、办好事，拉近与员工的距离，受到了员工的好评。

2003年，在张俊同志的带领下，通过全体员工的共同努力，任楼煤矿的各项事业得到了蓬勃发展，全年各项经济指标完成情况均创投产6年来最好水平。

潮平两岸阔，风正一帆悬。经过6年的艰苦创业，任楼煤矿一跃成为皖北矿区一个璀璨的新星，成为皖北煤电集团公司的骨干生产矿井和新的经济增长点。昂首前进的任楼煤矿始终以“三个代表”重要思想为指导，解放思想，与时俱进，不断为“十六大”提出的加快发展、富民强国、全面建设小康社会的奋斗目标做出新的更大的贡献。

峰峰集团有限公司九龙煤矿矿长

谷祖雨

一、简介

1974年至1995年7月，谷祖雨在峰峰矿务局羊渠河矿工作（历任技术员、副区长、区长、调度主任、焦化厂副经理）；1988年9月至1990年9月，中国矿业大学企业管理专业学习（函授）；1995年8月至1999年10月，峰峰矿务局通二矿常务副矿长；1999年11月至2000年10月，峰峰矿务局黄沙矿矿长；2000年9月至2002年12月，河北省委党校经济管理专业本科班学习（函授）；2000年11月至今，峰峰集团公司九龙矿矿长。

二、事迹

位于冀南大地的峰峰集团公司九龙矿，是一座设计年生产能力120万t的矿井。近3年来，九龙矿经济效益由大幅亏损实现大幅提升，一年一个新台阶，3年迈出三大步。在1999年、2000年2年亏损额高达5200万元的情况下，2001年实现利润833万元，2002年实现利润2415万元，2003年实现利润4641万元，成为峰峰集团公司矿井第一盈利大户。其中原煤产量、精煤产量、利润、电厂发电、多经产值和人均收入等六项主要指标创建矿以来最高水平。这一令人瞩目的成绩倾注了矿长谷祖雨的辛勤和汗水。

1. 务实的工作作风，为企业经济效益迅速提升奠定坚实基础

2000年11月，谷祖雨由黄沙矿矿长调任九龙矿矿长。当时的九龙口矿连年亏损，当年亏损额高达2805万元。面对该矿严峻的困难形势，谷祖雨到任后，没有做动员报告，没有发号施令，也没有新官上任三把火，而是扑下身子，深入基层，深入井下，深入到干部群众中，进行深入细致的调查研究；他与广大职工一起研究、探讨“制约企业发展的症结是什么？”、“制约企业效益提高的关键问题在哪里？”……通过调研，掌握了大量的一手资料，他与班子成员一起统一思想，确立了“转变工作作风，全面推行四个创新”的工作思路。围绕这一思路，他以作风建设为切入点，以创新工作为内容，身体力行，真抓实干。他坚持每月下井10多次，是峰峰集团公司诸多矿长中下井最多的。他把解决制约生产发展、矿井安全的瓶颈问题作为下井工作的重点，遇到问题，与生产技术人员一道研究，拿方案，定措施，围绕方案和措施狠抓落实。为进一步转变全矿干部工作作风，提高管理人员责任心，他对管理人员深入现场解决问题提出了新的要求，把区、科长下井次数由原来的每月12次增加为15次，把大班人员入井时间由原来的每天早8点改为7：30时，把每早的碰头会时间由原来的7：30时改为7点等等。朴实无华、严细务实的工作作风，不仅得到了职工的认可，同时也影响和带动了各级管理人员，带出了一支作风过硬的职工队伍，为创新企业管理、谋求矿井长远发展奠定了坚实基础。

2. 创新的工作实践，使企业经济效益走上快车道

企业要发展，必须在创新上有所成就。谷祖雨对此有着深刻的认识。为此，他结合矿井实际，在创新上大胆实践，形成了一整套符合九龙特色的创新模式，使企业经济效益走上了快车道。

以轻放工艺为主导，全面推行技术创新。高档普采是峰峰集团公司成功的回采工艺技术，但高档普采效率、产量和效益与先进的轻放工艺相比有相当差距。为实现技术上的突破，谷祖雨针对井深压力大、煤层薄、赋存条件差的状况，从创新科技理念，精心实施科技创新入手，制定了推广使用轻放工艺科学完善的技术方案，在该矿煤层较厚的北翼地区先行使用，逐步推广。并以轻放工艺为核心，在开掘专业推行综掘装备、锚网索支护和三掘三喷新工艺；在机电专业先后对主副井提升系统进行电控技术改造；在运输专业更新了43kg大道轨、更换了高阻燃性能的南北翼主皮带；在洗煤专业对浮选、排矸系统进行技术改造，应用了在线测灰仪新技术；在煤质管理方面根据南北翼煤质肥瘦优劣不同的状况，从采区设计入手推行科学配采方法，并加大矿外配煤降灰力度。一系列科技新举措，使该矿形成了以轻放为主体、高档为辅助，轻、高结合，优势互补的回采生产新格局。既提高了安全系数、回采效率和单产水平，又降低了劳动强度、万吨掘进率和人员使用率。2003年回采单产和回采工效分别达到36681t和16.639t，同比分别提高2000t和0.025t；原煤产量和精煤产量分别达到1500088t和809470t，双双刷新了历史纪录。

以打造市场机制为核心，全面推行制度创新。为解决机制不活、效率不高、士气不旺、职工积极性不高的问题，他加大了企业内部改革力度。以三条线管理为框架，将矿属单位区别性质划分为原煤、精煤、实业3个部，资产界清、核算分账，人员分开，建立内部银行，完善价格体系，使部与部、单位与单位之间形成有偿经济往来关系，构建了模拟市场新机制。为深化三项制度改革，搞活用人机制，真正形成职工能进能出，干部能上能下，上岗靠竞争，收入凭贡献，优胜劣汰、合理流动的用人机制，在全矿推行了聘任制，能者上，平者让，庸者下，劣者汰。在基层单位内部推行了“百分考核、末位淘汰”制，竞争上岗，兼职并岗、减人提效。在分配政策上，按照“绩效相连、拉开档次、兼顾公平”的原则，实行岗效工资，以岗定薪、易岗易薪，向一线和苦脏累险，高技术、高效益岗位倾斜，全方位、多层次地与效益、安全、成本联挂，极大地调动了职工积极性。

2001年以来全矿有6个采煤队次和21个掘进队次达到纲要水平，确保了矿井的稳产高产。

以成本管理为核心，全面推行管理创新。成本管理是企业经营管理的核心，是企业管理的永恒主题。为解决煤矿"粗放"型管理弊端，他始终坚持"以人为本，管理至上"的经营理念，大力推广邯钢经验，以市场为导向，以目标利润为基础，倒算成本，层层分解，严格考核，兑现奖惩，形成全员、全过程、全方位的成本管理体系，使成本管理目标化、规范化，原煤和洗煤成本逐年下降。2003年原煤制造成本和洗煤加工费分别为97.8和20.88元/t，同比分别降低4.16和0.08元/t。为创新营销管理，他对内建制度、强素质、苦练内功；对外拓市场、抢机遇、大树品牌，在2001年销售淡季仍实现了煤炭产品零库存，当年收回旧欠款1008万元。为创新安全管理，他以控制"一通三防"、重大事故为重点，定制度，抓质量，创"精品"，构建长效动力机制和齐抓共管联动体系，安全状况逐步好转。截止到目前已实现连续安全生产近15个月，跨入集团公司先进行列。

以产业链延伸为主渠道，全力推进产业结构创新。为谋求矿井长远发展之路，扩充新的经济增长点。他积极推行了"以煤为本，煤与非煤并重"的矿井发展新战略。他加快以煤为龙头的产业链建设，紧紧抓住矸石电厂这一环保型绿色项目，建机制，夯基础，定指标，抓考核，促使电厂生产快速健康发展。2001年创出当年投产当年盈利的新水平；2002年发电8500kWh，盈利70余万元，刷新了同类电厂历史纪录；2003年发电1.2亿kWh，实现利润200万元，再创历史新高。与此同时，他把电厂二期扩建工程又摆上重要日程，计划再增加一机（1.2万kW机组）、二炉，使电厂形成三机四炉规模，使本矿的矸石、煤泥得到充分利用，力争电厂发电量、经济效益再创新水平。他按照延伸产业链的发展思路，瞄准了该矿电厂余热这一优势资源，投入400余万元改造供暖系统，并与专家联手，筹建热带鱼养殖场；在把电厂粉煤灰用于井下喷浆拌料的同时，合资筹建以粉煤灰为原料的免烧轻型砖场，使该矿的产业链得以不断延伸。该矿多经产值已由2000年的2680万元，增加到2003年的5430万元。

3. 实施凝聚工程，为企业提高经济效益注入活力

谷祖雨从事煤矿工作多年，与职工一起摸爬滚打，对职工有着浓厚的感情。他时时关心职工群众，体贴职工冷暖，把为职工办实事、办好事作为联系群众，检验"三个代表"履行优劣的一个标准。针对厂区职工就餐环境差，条件简陋的现状，对职工餐厅进行了全面改造装修，并健全了各项管理制度，大大改善了职工就餐环境和就餐质量。为解决厂区内职工休闲、娱乐场所，他亲自谋划，把原厂区花园建成了集"休闲、娱乐、健身"为一体的职工乐园。近3年来，他和班子成员一起，克服资金紧张等困难，先后投入上千万元为职工群众办了20余件实事好事。由于谷祖雨真心实意为职工办实事，解决实际困难，有效地凝聚了职工。勤政廉政，务实创新，以身作则是谷祖雨工作的行为准则。他要求别人做到的，自己首先做到。常年来，他虽然患有腰腿疼痛等慢性疾病，但从没有休息过一个完整的星期天，没有接受过任何单位个人的请客、送礼。他办公室19英寸的电视已修复多次仍图像不清，至今不让更换。3年来，他先后拒礼拒贿十余次，上缴无法拒收的礼金共计36000多元。

谷祖雨务实创新、率先垂范、廉洁自律的工作作风，不仅带出了一支过硬的干部职工队伍，也使各项工作卓有成效。党风廉政建设、企业文化建设、矿务公开工作、思想政治工作、计划生育、综合治理、文教医疗卫生等工作，连年分获省、市、局先进单位、红旗单位称号，2002年九龙矿被集团公司、邯郸市先后命名为"文明矿"、"文明单位"、"花园式单位"，并被中国质量学会、中国企业家联合会授予"全国煤炭系统百家诚信企业"称号。他本人也连年被评为先进工作者、峰集"特等四有标兵"、"优秀共产党员"、"科技工作先进个人"，2001年荣膺"邯郸市劳动模范"称号，2002年被中国质量学会、中国企业家联合会授予"全国煤炭系统百位功勋人物"称号，2003年被中国煤炭工业协会授予"全国煤炭优秀矿长"称号。

彬县煤炭有限责任总公司下沟煤矿矿长

于　峰

一、简介

于峰，男，现年34岁，中共党员，采煤工程师，1985年参加工作，1990年毕业于淮北煤炭大学采煤专业。曾任彬县煤炭有限责任公司安监科科长、安全生产部部长、下沟矿矿长等，全国优秀矿长、陕西省安全生产先进工作者、咸阳市经济技术创新标兵。

二、事迹

于峰始终如一地认认真真学习，踏踏实实干事，端端正正做人，从一个普通的工人到采煤技术员、安监科科长、生产技术科科长、安全生产部部长到总经理助理兼下沟矿矿长，把青春年华和火热的激情奉献给了矿山事业，工作中表现出极强的进取精神和创新意识。除干好本职工作外，他抽时间挤时间，深入钻研专业技术知识，曾在《陕西科技》、《西安矿业学院报》等报刊杂志上发表了《百子沟四矿上行开采可行性研究》、《软岩矿物成分及破坏机理分析》、《降低矿井通风费用的节能技术研究》、《下沟矿软岩巷道支护研究》等多篇论文，并获得奖励。特别是走上领导岗位后，能够将专业

理论与安全生产技术管理实际紧密结合，创造性地开展工作，很快成长为一名年轻有为的知识型管理干部和优秀矿长。

1. 投身矿井技术改造，为建设高产高效矿井做出突出贡献

下沟煤矿是彬县煤炭有限责任总公司投资 1.49 亿元，于 1997 年 10 月建成的一座现代化水平较高的生产矿井，是开发彬长煤田的试验矿井，原设计生产能力 45 万 t/年。2000 年公司党委、董事会决定聘用于峰同志任下沟矿矿长，这是对他知识和能力的进一步考验。实践证明他没有辜负公司领导和全矿职工的期望，凭借自己丰富的专业知识和求实创新的实干精神，带领全矿干部职工在科技兴矿的道路上取得了一次又一次的成功。公司 2000 年投资 3319 万元，改革下沟矿采煤方法，变高档普采为综合机械化开采，2002 年 1～4 月投资 925 万元对矿井提升系统进行升级改造，变 8t 箕斗提升为 30°大倾角胶带提升，2003 年又启动了 300 万 t 的技改项目，这对下沟矿来说要承担大量的具体工作任务。于峰同志是一矿之长，又是公司的主要技术骨干，在矿井技术改造过程中，既负有管理责任又承担技术任务。从工程项目的可行性论证、设计研讨、施工管理到许多技术细节的处理，他都参与其中，并提出了好多建设性的意见和建议，除此以外，他还得全盘抓好矿井的安全生产、经营管理、后勤服务及矿区文明建设等各项工作，他每天晚上 12 点前没有睡过觉，没休过节假日，忘我工作，抽不出时间去咸阳看望住院的母亲。2001 年 5 月的一天由于劳累过度他晕倒在工作现场，在县医院仅住了四五天，病情稍有好转马上出院，投入紧张的工作。有付出就有收获，实干才能创出实绩，在公司领导的有力支持下，他带领下沟矿干部职工，在依靠科技进步、改造传统产业的道路上迈出了可喜的步伐，取得了十分显著的实效，2002 年下沟矿单井生产能力由 54 万 t 提高到 150 万 t，2003 年生产原煤 155 万 t，在陕西省地方国有煤矿中实现了 3 个第一：即第一个采用综合机械化放顶煤技术；第一个采用综合机械化掘进技术；第一个采用煤巷锚杆支护技术。为陕西省地方煤矿升级改造做了很好的示范和探讨。2002 年下沟矿被中国煤炭工业协会命名为全国 100 家高产高效矿井之一，于峰同志也被中国煤炭工业协会评为全国优秀矿长，被咸阳市劳动竞赛委员会评为职工经济技术创新标兵，并被评为省市安全生产先进工作者。

2. 强化现场管理，努力提高安全生产管理层次和水平

在担任下沟矿矿长的两年多时间里，他始终把提高安全生产技术管理水平作为工作重点，从提高干部职工队伍的整体素质入手，硬件和软件齐抓，安全和生产并举，干实事，求实效。一是采取灵活多样的方式，强化安全教育，提高职工自主保安和互助保安意识，进行全方位、多层次的培训教育，取得了良好的效果；二是在全面提高生产技术管理水平上下功夫。进行综放技改后，对矿井的各项工作特别是技术管理工作提出了新的要求，在公司领导、北京开采研究所专业技术人员的支持下，他力主全面提升矿井的技术素质，并身体力行，建章立制，强化培训，积极开展多层次的技术创新活动，增加产品的技术含量。三是强化现场管理，层层落实安全生产责任，级级负责，干部职工的工作实绩直接与工资奖金挂钩，激发了严抓现场管理的积极性。在于峰同志的带领下，下沟矿这颗西部的煤海明珠已稳步迈上安全高效的新台阶。

3. 进行制度创新，促进矿井经营管理工作上台阶上水平

创新是各项工作的灵魂，于峰同志担任下沟矿矿长后，之所以能很快打开新局面，关键是他敢想敢做，敢于创新，善于管理。能够将技术创新、制度创新、管理创新紧密结合，积极转换经营管理机制。一是实行全员竞争上岗制度，推行岗位效益技能工资制，建立了良性的动态用人机制；二是实行矿务公开，提高工资分配的透明度，杜绝了干部侵占职工利益的行为，维护了职工群众的利益；三是严格实行材料定额管理，矿井生产成本控制为 17.57 元/t，取得较好的经济效益。

4. 抓好矿区精神文明建设，树立良好的企业形象

他在工作中能够统筹兼顾，把物质文明和精神文明建设同部署、同安排、同落实，一手抓生产经营，一手抓矿区文明，努力改变矿容矿貌，对矿区 30 多亩闲置空地全部进行了绿化，制作了大型霓虹灯广告牌，净化美化了环境，经常性地组织开展丰富多彩的文化娱乐活动，寓教于乐，活跃了职工生活。

由于于峰同志思想上追求进步，工作中求实创新，成绩十分突出，为企业及县域经济的发展做出了较大的贡献。

河北省磁县申家庄煤矿矿长

王 俊 杰

王俊杰同志 1969 年参加工作，30 多年来刻苦学习，努力钻研采煤技术，由一名采煤工成长为技术科长到矿长，付出了辛勤的汗水和心血。特别是他走上矿长岗位后，敢于解放思想，敢于技术创新，坚持“科技兴矿”的战略方针，使申家庄煤矿甩掉了多年炮采等落后工艺，实现了采、掘、运机械化，生产效率和经济效益大幅度提高。近几年还新建了洗煤厂和矸石电厂，使企业总资产由 1986 年的 1506 万元增加到 1.85 亿元。17 年累计产煤 622.9 万 t，洗精煤

177.25万t，发电2.69亿万kWh，实现利税2.8亿元，上交利税2.12亿元。王俊杰同志先后被能源部授予“全国能源工业劳动模范”、被邯郸市委、市政府评为“优秀专业技术拔尖人才”、中国煤炭工业协会授予“全国煤矿优秀矿长”、全国总工会授予“全国‘五一’劳动奖章”等55项荣誉称号。

1. 靠科研为企业找出路

王俊杰同志上任后，原有的可采资源所剩无几，虽然省煤炭厅新划给960万t资源，但大部分在岳城水库洪水位线下。为了企业的生存，他跑北京、请专家进行咨询，在专家的指导下，他带领科技人员进行了5年的水体下试采科研工作，收集整理了大量的技术资料，总结出几万字的水体下试采研究报告，1990年通过了煤炭工业技术咨询委员会等组织的技术鉴定，1990年该项目获河北省煤炭厅“科技进步成果一等奖”，1992年获能源部“科技进步成果三等奖”。2002年，根据水利部门的要求，重新对“岳城水库下采煤对水库安全的影响评估”和“岳城水库下采煤专题研究”，组织专家进行论证，获得了海委的批准。截至目前，已安全采出水体下煤炭622万t。

2. 靠技术创新构筑新优势

王俊杰懂得科技是第一生产力的内涵。1987年，他首先在采煤工艺上进行技术创新，推广高档普采当年成功，使回采工作面单产提高三倍多。随着生产的发展，煤仓、运输、车场等环节已不适应需要，他改车场、上胶带、建煤仓，采取集中生产，实现了一矿一井一面。2000年，他又积极进行技术创新，率先在地方煤矿推广轻放支架，放顶煤一次采全高新技术，当年原煤产量由1999年的38万t提高到65万t，产量翻了一番，回采工效由原来的3.2t/工提高到18.5t/工，原煤全员效率由0.63t/工提高到4.18t/工，当年实现利税突破2000万元。在采掘生产过程中，他先后推广了中厚煤层分层开采、高档普采、一次采全高、光爆锚喷、工字钢支护、液压支架、锚梁网支护、轻放支架、运输胶带化等先进工艺技术，使企业增产节约效益明显，2000～2001年连续两年被中国煤炭工业协会评为全国“煤矿支护先进单位”，采煤机械化达到100%，掘进机械化75%，运输机械化90%。

3. 靠安全投入提高抗灾能力

安全生产是煤矿的头等大事。他紧紧抓住这条主线，在依法办矿和建立完善的安全生产责任制前提下，舍得投入800多万元，一是对主要通风机进行改造，由原来的70B2—18号更换为2KZ—DN_D20风机，保证了矿井通风的需要。二是增强排水能力，随着矿井开采延深，建立了两级排水系统，排水能力达到2600m^3/h。三是购置风筒3000m，局部通风机2台，便携式瓦斯报警仪62台，上了一套矿井瓦斯遥测报警系统。四是主要进回风巷安装防尘防火管路5000m，三通喷雾设施40余处，巷道隔水棚5组等。五是井下实现了双回路供电。由于作业环境的改善和严格的安全管理，近3年来基本实现安全生产无事故，17年未发生一起重大伤亡事故。

4. 靠科学管理实现效益新突破

管理是企业实现经济效益增长的重要途径之一。王俊杰吸收消化邯钢经验，针对原材料消耗高、管理粗放的弊端，制定了“成本目标控制”，三级网络管理。月初按产品市场价格及年度计划给各单位下达成本控制目标，材料进入计算机管理，当日反映出来，月底严格考核兑现，节约有奖，超耗重罚，通过近3年的成本目标控制管理，使吨煤成本平均下降了20元左右。同时，还创新了岗位控工管理，对非生产单位，按岗位不同、单位、工种不同分别进行用工控制，仅此一项，年节约资金100多万元。对非生产性开支实行先计划申请，后审批支出，使资金有计划、有重点、有价值的合理高效使用，保证了生产发展的需要，年节支降耗达1000多万元。

5. 靠抢抓机遇谋求新发展

为提高企业在市场中的竞争能力，他还坚持“以煤为主、多业并举”的方针，打破产品单一的格局，利用本矿优势，先后新建了年入洗能力21万t的洗煤厂，去年又投资1500万元进行年入洗能力60万t的改造，使之与矿井配套。根据市场需要生产洗精煤，2003年销售收入16481万元。投资8000多万元，建起了2×6000kW的矸石发电厂，不但解决了洗煤厂的矸石、中煤等污染，而且还创造了较好的经济效益，2003年销售收入1318万元。

6. 靠改善职工生活提高凝聚力

作为矿长兼党委书记的王俊杰，紧紧依靠职工办企业。在经济发展的同时，为解决企业地处偏僻、文化生活枯燥的问题，先后为职工新建了单身宿舍旅馆化楼、双职工家属住宅楼、职工子弟学校楼、职工俱乐部、图书馆、电视厅、卡拉OK舞厅、有线电视等，活跃了职工的文化娱乐生活，陶冶了职工情操，使职工感受到企业大家庭的温暖和优势。矿工会连续几年保持了“省模范职工之家”的称号。职工的经济收入随着企业经济的发展而逐年提高。2001年职工人均年收入由1987年的1300元提高到2100元；职工的出行基本上实现了摩托化。

山东宏河矿业集团有限公司董事长、
总经理兼邹城市横河煤矿矿长

马亿刚

一、简介

马亿刚，男，汉族，1952年11月生人，山东邹城市人，研究生文化程度，工学硕士学位，工程技术应用研究员职称。现任邹城市市长助理、山东宏河矿业集团党委书记、董事长、总经理，兼邹城市横河煤矿矿长，系中国企业家协会会员、中国煤炭工业协会理事。

二、事迹

马亿刚同志参加工作后从事煤矿技术、企业管理工作近30年，积累了丰富的企业管理理论和工作经验，有很强的技术、管理、协调、组织、领导、调研能力，他严于律己，廉洁勤政，善于学习，务实创新，为地方煤炭事业和经济发展做出了突出业绩。近年来，多次受到上级党委、政府和行业部门的表彰，荣获全国煤炭工业优秀矿长，山东省优秀全企业家，全国中小煤炭企业优秀管理工作者，当代中国杰出管理人才，山东省“富民兴鲁”劳动奖章，山东煤炭行业专业技术拔尖人才，山东省煤炭局优秀科技管理干部，济宁市劳动模范、优秀科技工作者、“五·一”劳动奖章、质量管理先进工作者，邹城市劳动模范、专业技术拔尖人才等荣誉称号，并两次被济宁市委、市政府荣记三等功，连续5次被评为邹城市优秀经营者，连续3次被评为邹城市优秀党委书记。在2001年宏河集团年终总结大会上，全体员工向马亿刚同志敬赠了“心血铸矿，无私功高”的荣誉匾牌。其业绩被收入《当代杰出共产党人》、《中国专家大辞典》等多部大型典籍。

1985年以来，马亿刚参与主持了邹城市横河煤矿矿井建设全过程的工程技术管理和安全生产工作。为该矿设计、筹建、发展到崛起，为济宁市、邹城市效益骨干企业做出了突出贡献。1998年年初他任矿长兼党委书记到1999年年初改制为矿业集团任董事长、总经理以来，面对市场的风云变幻，他以建设有中国特色的社会主义理论和党的基本路线为指导，模范实践“三个代表”重要思想，适应市场经济发展和国家产业政策要求，团结带领集团公司领导班子成员和4300多名干部职工，始终坚持“以煤为主，煤与非煤并重”的发展战略和“保安全，抓资源，争创新，求发展”的治企方针，发扬“团结奋进、严细实恒、多元一体、共兴宏兴”的企业精神，以建立现代企业制度为方向，全心全意依靠职工群众办企业，促进了企业各项事业协调健康发展。在企业发展上，为做大做强企业集团，在抓好主业的前提下，采取租赁、兼并、新建等形式，扩大规模，不但壮大了集团实力，而且使6个停产、半停产濒临倒闭企业的2000余名职工重新上岗就业，社会经济效益显著。在深化内部改革上，结合企业特点，按照建立现代企业制度的要求，创新内部经营机制，构建了独具特色的“四四制”管理模式和经营机制；在企业管理上，狠抓基础管理和人本管理，提出了企业安全管理的新理念，创造出了独具特点的“三三制”管理方法。同时，坚持科技兴企，加强企业精神文明建设和企业文化建设，认真履行企业的社会责任，在马亿刚同志的正确领导下，宏河集团全员解放思想，与时俱进，干事创业，加快发展，使企业规模、整体经济运行质量、核心竞争力、经济效益及职工收入连年上台阶。企业已从单一的煤炭生产经营发展成以煤为主，集煤炭生产、造纸、涂料和橡塑制品生产、汽车工程车维修、电器制造、餐饮、纸制品和纸品加工等为一体多元化经营的大型现代化矿业集团。设计年生产能力45万t的核心企业横河煤矿2001年安全生产原煤突破百万大关，实现销售收入2.146亿元，利税总额4600.85万元，利润总额2310万元，同比增长了45.3%、21.54%和37.29%。2002年集团实现销售收入2.75亿元，利税总额7053万元，利润总额3924万元，同比增长了27.98%、56.5%和69.84%。在利税利润增长的同时，职工福利待遇逐年提高，2002年全员年人均工资福利收入达14727元，同比增长了13.5%，核心企业横河煤矿职工年人均工资福利收入16752元，同比增长了11%。2003年实现销售收入3.109亿元，利税总额8176.5万元，利润总额4436.31万元，分别比2002年增长了16%、16%和13%，2003年全员年人均工资福利收入达16928元，比去年增长了11%，核心企业横河煤矿职工年人均工资福利收入19149元，同比增长了7.9%。集团实现利润连续6年位居邹城市市直工业企业第一；利税连续3年位居邹城市第一，居济宁市工业企业前列。上交税金连年递增，2002年上交税金4731.02万元，比2001年的2947.47万元增长了60.54%，2003年达5184.65万元，比2002年增长了10%。2001、2002年连续两年在省委组织部、省财政厅、省经贸委、省劳动厅、省发展委组织的企业效绩评价中被评价为优级企业，2003年企业效益在同行业同类企业中位居前列。企业先后荣获中国煤炭工业地方国有煤矿行业特级质量标准化矿井，中国重质量、讲诚信、守规则企业，山东省效绩评价优级企业、省模范职工之家、省市“特级AAA信用优良企业”、“安全生产先进单位”、“安康杯竞赛优胜单位”、“省地方工交系统利润大户”、“省煤炭局科技工作先进单位”，济宁市“纳税过千万元贡献大户”、“安置分流下岗职工十佳企业”、“质量管理先进单位”、“社会治安综合治理模范单位”、“思想政治工作优秀企业”，邹城市“功勋企业”、“文明单位”等多项全国和省市级荣誉称号。

马亿刚同志在抓好企业改革、管理和发展的同时，把科技知识应用于实践，结合实际，潜心研究，不断进行科技攻关和创新，近年来有10多项成果获省部级和地市级科技成果奖励，并出版有专著，发表论文多篇。主持的“煤矿安全管理系统设计及应用研究”等项目，有2项获原煤炭部部级优秀成果一等奖、一项获二等奖。主持的“厚冲击层及厚含水松散层下开采防砂防水煤岩柱工程地质研究”项目，达到国际先进水平，获省煤炭局科技进步成果特等奖、济宁市科技进步一等奖，该项目可使宏河集团多采煤炭1027万t，在实际应用中已采出600多万吨，经济效益和社会效益巨大。著有《网络计划技术与应用》、《煤炭企业安全管理系统分析与设计》、《煤炭工业经济增长方式转变的三大关键问题》等著作、论文，并由煤炭工业出版社出版及在国家级刊物上发表。

陕西省崔家沟煤矿矿长

吴汉东

一、简介

吴汉东，男，汉族，中共党员，生于1953年10月，陕西省铜川市人，大专学历，高级经济师。

1972年12月至1982年7月在崔家沟煤矿安全办、四中队、机电科任电工、计划员；1982年7月至1984年2月任崔家沟煤矿37中队中队长；1984年2月至1990年10月任崔家沟煤矿供应科副科长、科长；1990年10月至1995年9月任崔家沟煤矿副矿长；1995年9月至1999年8月任煤矿常务副矿长、党委副书记；1999年8月至今任崔家沟煤矿矿长、党委副书记。

二、事迹

陕西省崔家沟煤矿地处铜川市西北部，这里山大沟深，自然环境艰苦，一群特殊的采煤人长年累月扎根于此，为党的监狱和煤炭事业默默无闻的奉献着，矿长吴汉东同志便是他们的领路人。

崔家沟煤矿始建于1958年，90年代以后，由于煤炭市场疲软、管理粗放、投入不足、工艺落后、经济一度滑坡，干部职工人心涣散，士气低落。1999年，吴汉东同志在困境中走上矿长岗位，在党委的领导下，他带领崔家沟煤矿不断深化改革，抢抓机遇，积极引进新设备，努力提高管理水平和人员素质，抓好营销工作，搞好安全生产，使煤矿逐步走出困境，呈现出强劲的发展劲头。连续3年被省监狱局评为红旗单位，2001年以来，煤矿先后被陕西省委、省人民政府授予人民满意的政法单位、陕西省先进集体，被司法部评为安全生产先进单位，吴汉东同志被评为司法行政系统廉勤兼优领导干部并荣立个人三等功。

吴汉东同志是一个有胆有识，真抓实干的开拓型领导干部。他与党委一班人团结协作，开拓进取，坚持走科技兴矿之路，果断引进具有国内先进水平的综采放顶煤设备，提高采煤机械化水平，淘汰了落后的炮采工作面，建立起了一个现代化矿井，生产水平有了质的飞跃，2001年原煤产量在徘徊10年后首次突破100万t的大关，2002年生产原煤110万t，2003年生产原煤150万t。他高瞻远瞩，运筹帷幄，科学把握煤炭市场的发展方向，大胆决策，自筹资金开工建设二水平接续工程，向着年产250万t的目标迈进。

吴汉东同志高度重视销售工作，立足市场，采取灵活多样的方法，全面开拓煤炭市场，确立了“立足电煤、巩固省内、发展大户”的营销战略，不断强化服务理念，定期走访用户，及时了解客户需求变化，努力抓好煤质，树立了诚信经营的良好信誉。他还千方百计做好铁路部门的工作，打破了运输“瓶颈”的制约，使煤炭产销率位居全省国有煤矿之首，产销率达到96%以上，2002年受到了司法部的高度赞扬。狠抓管理，建立了严格成本考核体系，从物资采购、入库、发放、回收等环节入手，细化、量化管理；对全矿用水、用电科学调度，严格管理，减少了浪费。吨煤成本逐年下降，利润不断上升，被群众誉为“好管家”，2001年实现利润650万元，2002年实现利润960万元，2003年实现利润1553万元。

在安全生产工作中，吴汉东同志认为安全生产是煤矿的生命线。他狠抓安全生产，建立了安全目标责任制，层层签订责任书，狠抓五大工程质量，推行新工艺，实施标准化管理，建立安全生产流动、循环、检查新机制，加强对重点工程、重要时段的现场控制，有效地减少了隐患的发生。坚持每天召开生产、安全调度例会，及时解决生产问题，查处安全隐患。完善了预防、监督、检查、处理机制，实现了安全生产管理的操作规范化、作业程序化、质量标准化。先后投资1000多万元建立瓦斯监测监控自动网络系统，建成了瓦斯抽放站，健全了井上、井下通讯指挥系统，更新了矿井通风设施，改善安全装备水平，实现了安全生产持续稳定。

在日常的工作中，吴汉东同志总是吃苦在前、冲锋在前。选煤楼上，有他拣矸的身影；每年除夕的夜晚，大墙内总传来他亲切的声音。2002年6月15日14点，杏树坪2100采面顶板老空区突遇透水，水流来势凶猛，达150～200m^3/h，前顺槽被淹，车场被淹，水仓已满，中央变电所危在旦夕，险情严峻。面对灾情，吴汉东同志沉着冷静，一面稳定大家情绪，制定紧急抢险措施，一面身先士卒，跳进不断上涨的已淹没大腿的积水中，冒着生命危险，深一脚浅一脚地往前挪着，查看灾情。在他的镇定指挥下，广大干职工群情振奋，斗志高涨，日夜奋战，终于在最短的时间内战胜了水魔，恢复了生产。

平朔煤炭工业公司安太堡露天煤矿

总经理、党委副书记

刘　勇

一、简介

刘勇，男，汉族，山西大同市人，1962年4月16日出生，1986年7月由中国矿业学院毕业分配至平朔安太堡露天煤矿，历任采矿部值班经理、部门经理及矿副总经理，现任矿总经理、党委副书记；1986年7月

加入中国共产党，工程学士学位，高级工程师，在职博士研究生。2002年获“山西省第十三届青年企业家”称号；2003年被中国煤炭工业协会评为全国煤炭工业优秀矿长。

职业经历：

1982年9月至1986年7月，中国矿业大学采矿系露天专业学习，学制四年，各门功课合格并获学士学位。

1986年8月至1996年4月，山西平朔安太堡露天煤矿采矿部，运输卡车及轮式推土机操作员；历任采掘工长、矿坑道路维护及工程机械工长、生产班带班总工长、值班经理及部门副经理。

1996年5月至2000年2月，平朔安太堡露天煤矿采矿部，部门经理，负责全矿生产管理，参与重大工程设计与研发，1998年7月兼任采矿部党总支书记。

2000年3月至2001年6月，平朔安太堡露天煤矿安全监察站站长（副总经理），负责全矿安全生产组织管理及监督检查，并对全矿重大工程、重大事项进行审核。

2001年7月至2002年9月，平朔安太堡露天煤矿，任副总经理、党委副书记，兼安监站站长。

2002年10月至2003年3月，平朔安太堡露天煤矿代总经理、党委副书记，全面负责矿党政工作。

2003年4月至现在，平朔安太堡露天煤矿，任总经理、党委副书记。

二、事迹

平朔安太堡露天煤矿是我国煤炭行业最早、最大的对外合作项目，设计年产原煤1533万t，1982年开始筹备，1985年7月开工建设，1987年9月正式投产。现任安太堡矿总经理、党委副书记的刘勇同志，自1986年大学毕业后，就投入到了安太堡矿的建设事业中。在担任矿主要领导以来，面对企业内外交困、艰辛复杂的客观环境，他求真务实，改革创新，开拓进取，勇攀新高，为安太堡矿的高速稳定发展做出了积极贡献。

2000年3月，刘勇同志任安太堡矿安监站站长（副总经理），分管全矿安全工作，他从讲政治的高度认识和管理矿山安全问题，严格贯彻“安全第一，预防为主”的方针，不断加大安技措费用的投入力度，强化职工安全培训工作，积极推行全员安全风险抵押制度，实现了全年事故总起数比控制指标下降11%的良好成效。2001年7月，他调任矿副总经理、党委副书记，面对设备老化、剥离欠量、矿坑煤源几近枯竭等严峻的客观实际，身体力行“三个代表”的重要思想，按照“科技兴矿，创新增效”的指导方针，逐步推行“三项制度”改革。同时进一步加大安技措费用投入，成功实施了卡车视盲镜、紧急呼救器的技术改造工程，为杜绝矿山的恶性交通事故奠定了基础。2001年，安太堡矿完成采剥总量9612万m^3，超计划12万m^3，生产商品煤1318万t，超计划8万t；商品煤单位成本94.48元/t，达到了平朔公司指标要求。安全工作成绩显著，事故起数比2000年下降20%，并实现了全年安全生产无死亡事故的目标。

2002年，特别是10月份全面负责安太堡矿党政工作后，刘勇同志面对的是参加工作以来最为严峻的挑战。受矿坑转向影响，设备布置和生产组织极其困难，生产效率不能正常发挥；煤源紧张的局面进一步加剧；设备老化的状况短时间不可能得到缓解，成本压力进一步加大；大宗消耗的降低已非常困难；资金筹措也有一定的难度。在严酷的市场环境中，企业生产经营举步维艰。为此，他从企业客观条件、经营理念入手，按照“改革创新，务实求效，增收节支，扭亏增盈”的总体指导思想，不断强化、细化日常管理，加强党建工作和精神文明建设，进一步推动了全矿两个文明建设的健康发展。

一是严格采剥工程的按计划发展，矿坑生产基本步入良性循环。二是进一步深化“三项制度”改革，并出台了《职工再培训管理办法》。三是加强成本考核，将浮动工资的20%作为成本奖，严格考核兑现。四是制定了《安太堡矿创收留成管理办法》。五是封存了45台老化严重、维修频率高、配件消耗高、效率低、产出低、安全系数低的设备，实行“五定一考”设备包机制度。六是把质量管理作为一项系统工程，提上重要议事日程，将浮动工资的10%用于质量考核，按月考核，重奖重罚。七是强化安全管理，完成了矿“三大规程”的修订工作，并出台了《事故责任者追究制度》。八是加强党建工作，对基层党组织进行了换届选举，调整了部分管理人员，建立了管理人员每月一次的廉政教育制度，强化了文明创建工作。

2002年安太堡矿采剥运总量完成9239万m^3，完成计划的102.67%，生产商品煤1318万t，完成计划的102.97%；商品煤单位成本93.21元/t，比平朔公司考核指标降低0.25元/t；安全工作取得较好成绩，全年发生事故24起，比2001年下降52.9%；减员提效工作取得实效，实现减员156人；对外服务创收1000多万元；修旧利废节支约1000万元；废旧物资回收140多万元；煤泥回收纯收入170多万元；安太堡矿也被评为全国文明煤矿。

刘勇同志一贯倡导科技兴矿的发展战略，积极推进技术革新，在任采矿部经理期间就成功实践了1300搭桥等创效工程，近两年完成的选矸车间提质降硫改造和煤泥回收两项技改工程，每年可少使用四号煤63万t，年回收煤泥35万t，不仅提高了企业的经济效益，而且为克服低硫煤不足的困难和增加商品煤生产灵活性注入了新的活力。

刘勇同志始终坚持民主集中制原则，积极推进民主决策、民主管理，坚持重大事项集体讨论决定，充分发挥工会组织及职工代表的参政议政和监督作用。目前，全矿职工团结一致，矿区环境整洁，职工思想稳定。在他的带领下，安太堡人正以满腔的热情和积极进取的精神，重塑企业形象，增强企业活力，为把安太堡矿建设成为“高效、安全、健康、环保”的绿色矿山奋勇拼搏！

抚顺矿业集团有限责任公司

西露天矿矿长

李守义

李守义同志，在2002年度里，解放思想，大胆改革，创新机制，较好地完成了各项工作任务。2002年全矿实现利润4122万元，超计划1122万元。

他坚持科学组织生产，保持了生产持续稳定，全年完成煤炭生产277万t，超产22万t，完成剥离1531万m^3，超产231万m^3。他进一步解放思想，转变观念，深化改革，逐步建立了与企业发展相适应的新机制。他把干部人事制度改革作为改革的首要内容，对干部的提拔和使用本着“能者上，庸者下，平者让，任人唯贤”的原则，实行干部竞聘上岗，任前公示，任后承诺制，主动接受群众的监督。为了深化劳动组织改革，减少富余人员，矿长李守义同志，结合生产结构和工艺的不断变化，采取合并队、组，实行多工种兼职作业等措施，转岗分流1006人，清退劳务用工235人，外委劳务170人，节省劳务费638万元。达到了减人不减产、增产不增人的目的。

不合理的生产环节是制约全矿生产效率的关键。为确保生产环节更加顺畅，最大限度地减少生产、机电各环节之间的影响，矿长李守义同志加大机构改革力度，将南机电厂的选煤提升系统检修人员划归选煤厂管理，将机务段、采剥段检修人员划归检修厂管理，达到了设备修用一体化，实现了设备计划检修。主要采矿设备出动率：电铲提高1.6%，电机车提高1.9%，自翻车提高14%，108t采矿汽车提高5.9%，别拉斯汽车提高2.6%，选煤小时处理量提高220t，提升系统小时处理量提高了400t。

他常说，企业管理永无止境，必须从严从细管理好每一个环节。他是这么说的也是这么做的。针对不合理的分配制度，对有量可计、工作量饱满的岗位实行设备租赁和计件工资制。对无量可计的工种岗位重新核定了计时工资标准，使分配透明度进一步提高，员工的生产热情不断高涨。严格执行物资采购五联审、旬报和采购业务公开制度，节约采购费用410万元，严格控制成本支出，吨煤成本比计划降低了1.29元，管理费比计划降低5万元。在保证完成生产任务的基础上，所有用电设备全部采取躲峰用谷措施，一年来，全矿电力消耗大幅度下降，同比节电3122.6万kWh，节支1092.8万元。

他始终坚持从严治矿的方针，明确工作职责，强制落实各级干部安全责任制。确定了安全工作行政领导负责制的原则，严格落实《西露天矿各级干部从严查处三违考核管理办法》，全矿各级干部较好地履行了安全职责，全矿实现了安全生产。

他始终把关心员工生活、稳定员工队伍作为落实“三个代表”思想的重要举措，千方百计为员工群众办好事、办实事。在保证工资、奖金按时足额发放的基础上，返还丧葬费390万元、并轨及退休人员住房公积金948万元，补偿并轨人员经济补偿金1288万元，补还拖欠在岗和离退休员工工资1477万元，集体劳动费163万元，风险抵押金3万元，保持了职工队伍的稳定。

淄博矿业集团有限责任公司

葛亭煤矿矿长

杨德彬

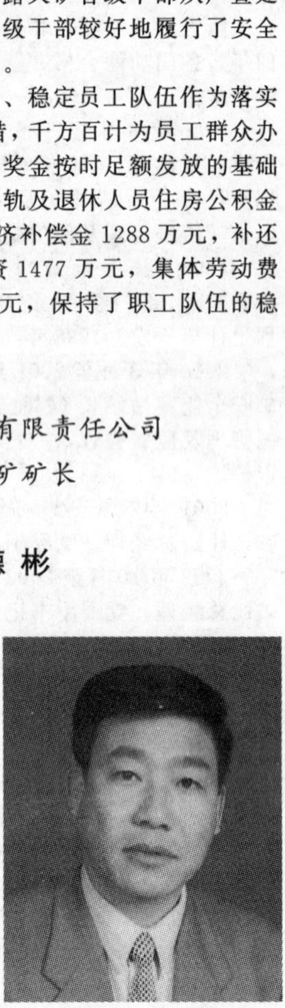

杨德彬同志自担任葛亭煤矿矿长、党委书记以来，认真贯彻执行党的安全生产方针，不折不扣地落实上级决策，团结带领全矿干部职工，脚踏实地，求真务实，深化改革，强化管理，与时俱进，开拓进取，以建设高产高效矿井为目标，实施科技兴矿，依靠人性化管理，强化思想政治工作和精神文明建设，坚持“不求规模最大，但求效益最佳”的经营理念，全面完成了上级下达的目标和任务，取得了优异的成绩。2002年，全矿生产原煤1303998t，比设计能力60万t超产703998t，超幅117.33%。在投产的第2年，矿井实现了产量比设计能力翻番，保证了安全生产，创出了同类矿井的高水平，受到了上级领导的充分肯定和好评。葛亭煤矿被授予2002年度中国煤炭工业协会高产高效现代化矿井，全国煤炭行业优质工程单位，山东省煤炭工业局、山东煤矿工会“开元杯”先进单位，淄博市总工会“振兴淄博”劳动奖状，淄矿集团公司文明单位，济宁市“花园式”单位等荣誉称号。他本人被评为2002年度山东煤矿十佳矿长、全国煤矿优秀矿长。

一、狠抓精细管理，实现稳产高产

2002年，该矿遇到了搬家撤面次数多、安装工作量繁重、现场条件变化大等种种不利条件，杨德彬同志迎难而上，超前安排，精心组织，加强管理，落实指标，量化考核，克服了各种困难，全面完成了任务指标，取得了优异的成绩。为保证安全和生产，该同志大力加强技术创新工作，不断探索符合现场的采煤方法和放煤工艺，特别是积极探索大倾角综采放顶煤技术、防止煤层自然发火技术、煤层提高开采上限技术和村庄下厚煤层开采技术等，合理平衡煤质和回采率关系，精产细产，稳产高产。2003年全矿共生产原煤1303998t，矿井原煤产量迈上了一个新台阶。

二、加大开拓掘进工作力度，确保生产接续

立足长远，超前考虑，加快了－500水平开拓掘进速度。认真组织了1307工作面掘进会战。大力开展掘进“上纲要、创水平、保接续、保发展”竞赛活动，抓重点，抢进尺，在断层多、变化大、基岩风化支护困难的情况下，取得了明显成效。2003年全矿完成掘进总进尺10006m，首次突破万米大关，其中开拓进尺完成3455m，比计划超进955m。在加快掘进速度的同时，抓好重大生产准备工作和配套工程建设，保证了生产平稳发展。

三、加大措施，强化安全管理

认真落实上级指示精神，从完善制度入手，先后制定了一系列安全管理规定，落实了安全生产责任制和行政责任追究制，实行了安全风险抵押。充实了安监力量和区队管理干部职数，加大对现场的监督检查力度。实行了矿值班领导组织召开班组长班前会制度，对关键地点和薄弱环节重点安排，重点强调，高度重视。制定了《关于强化安全质量管理的规定》，实行严重违章连带处罚制度。以建立安全长效机制为目的，深入扎实开展安全管理规范季和煤矿安全程度评价活动。重新修订了安全岗位责任制。制定了《葛亭煤矿技术管理规范》等10项安全管理规范和《矿长安全办公会议制度》等10项制度。突出了防灭火这个安全工作的重中之重，加大了安全设施投人，先后完善了安全监测系统、束管检测系统、灌浆系统和注氮系统，采取了打防火墙、喷洒阻化剂、均压通风、加强监测等手段，使瓦斯得到有效控制。强化安全教育培训工作，夯实安全基础。投资20多万元建立了安全培训中心和安全长廊，以应知应会工作为重点，加强了职工的安全意识和素质培训。全面推行安全教育“五项制度”。加大安全投入，加强安全设施建设。2003年共投入安全技措资金237万元。以实现动态过程中的质量标准化为目标，坚持每月上、中、下旬组织工程质量验收，井下的工程质量和文明生产有了明显的提高。狠抓了质量达标工作，从基础工作入手，严格标准施工，使达标工作一季一个新台阶，季季达到特级质量标准化矿井标准。

四、强化经营管理，提高经济运行质量

强化市场营销，最大限度地提高经济效益。根据市场的变化，及时调整煤价，确保最佳经营效益。2003年全矿共销售煤炭1301445t，完成销售收入25415万元。实现了产销平衡，货款回收率达到100%。大力降本降耗，制定了废旧物资回收奖励办法，提高了废旧物资的回收和复用。通过对全矿负荷的及时调控，实行避峰填谷，有效地降低了电耗，2003年累计节约电费约20万元；对物资、材料、设备严格实行了竞价招标采购制度，招标金额977万元，比预算资金节约141万元。积极探索新型物流管理途径，完成了物资超市的建设。2003年吨煤成本完成83.28元/t，比计划降低8.72元/t；全矿实现利润10107万元，比计划超7107万元。

五、加强理论学习，不断提高政治素质、决策能力和管理水平

该同志坚定不移地贯彻执行党的路线、方针、政策和上级一系列指示精神，按照江总书记“三个代表”的要求，从加强自身政治理论学习入手，树立与时俱进的思想观念，不断提高自身的政治理论水平，保持了与党中央的高度一致。认真学习“三个代表”重要思想和上级政策，不断提高政策理论水平，进一步解放思想，转变观念，增强创新意识。始终保持了一种与时俱进、立足实际的精神状态，思想解放，观念更新，不断适应新型矿井发展的需要。推行人性化管理，在人员少的客观条件下，实行动态管理，既挖掘出了职工的劳动潜能，又确保了职工思想稳定，心情舒畅，劳动效率明显提高。2002年全矿回采效率达到了35.03t/工，全员劳动效率达到了8.02t/工。该同志清正廉洁，全面落实党风廉政建设责任制。带头遵守党纪政纪，要求下级和职工做到的，自己首先做到；要求别人不做的，自己首先禁止。带头廉洁勤政，处处为人表率。不断加强党建和思想政治工作，强化职工的安全教育，狠抓文明创建活动。该同志以身作则，率先垂范，作风务实，埋头苦干。经常深入区队，深入基层，与干部职工座谈，掌握基层和现场实际情况。对待职工平易近人，不摆架子，艰苦朴素，实实在在，为广大干部树立了榜样。

大同煤矿集团有限责任公司

马脊梁矿矿长

郭　海

一、简介

郭海，男，1965年出生，山西省山阴县人，汉族，中共党员，在职研究生，高级工程师。1983年7月大同煤校毕业后分配到马脊梁矿，先后担任技术员、技术主管工作，1990年5月任马脊梁矿机电科副科长，1994年9月任马脊梁矿机电科科长，1996年2月任马脊梁矿生产副矿长，2000年10月任马脊梁矿矿长。先后荣获2001年度大同市优秀企业家、2001年度山西省优秀企业经营者、2002年度山西省优秀企业家、2002年度山西省优秀青年企业家等称号，2002年5月被山西省委、省政府授予被省委省政府授予个人三等功，2002年8月获山西省科协“金牛特等奖”，2002年度被评为全国煤炭工业优秀矿长。

二、事迹

郭海担任马脊梁矿矿长以来，带领全矿广大干部员工，面对困难，立足长远，改革创新，拼搏进取，2000年至2002年累计生产原煤931.69万t，创利税1.896亿元，安全实现了低控，员工收入分别增长了26.8%、14.75%和29.1%，矿井质量标准化连续9年保持原部特级标准，1996年以来保持了“行业级高产高效矿井”和“行业级质量标准化矿井”，被评为2002年度“全国煤炭工业科技创新型矿井”，近年来被省委省政府授予五一劳动奖章、“模范企业”、“文明单位”、“集体一等功”等荣誉称号。

1. 强科技重创新，建设高产高效矿井

坚定不移地走高产高效之路。他抓住时机，瞄准国际最高水平，不断扩充先进的煤炭生产装备，提高技术含量，大搞技术改造和技术创新，依靠科技进步，不断合理改进生产工艺，优化并改造生产环节，形成了“一井三面三套综采三百万吨”的集约化生产格局，使设计能力180万t/年的矿井，实现了跨越式的发展，年产量一举突破了300万t，2000年为275.17万t，2001年达到了330.99万t，2002年达到了331.53万t。3年中共完成技术进步和技术革新236项，有184项获局级以上科技进步奖，创直接经济效益7356万元，有1名同志被评为山西省优秀青年技术创新能手，3名同志获省技术“金牛奖”。由他本人主持的《大同“两硬”条件国产综采装备双高工作面开采技术研究》获2002年度煤炭工业十大科技成果之一。

努力进行体制创新。他按照“精简、统一、高效”的原则，进行了机关机构改革，把原来的28个科室划拨分离、精减重组为13个职能科室，机关人员由原来的326人减少到现在的105人，对管理人员、工程技术人员实行全员下岗、公开聘用、竞争上岗，逐步推行了量化考核、质效工资制，建立起了人员能上能下、能进能出、择优录用、分配能高能低的竞争机制。注重队伍建设，推行岗位交流制，长期开展岗位练兵、技术比武等活动，鼓励大中专毕业生到生产一线去锻炼，挤出100多万元重奖优秀人才，使一大批员工成为管理强将、生产骨干、攻关能手、技术大拿。3年中，有3名同志被提拔为矿副总工程师，有18名同志被聘用到重要的管理岗位上。大胆推行主辅分离，对多种经营工作实行了“一业为主，多业并举，大胆放开，多种成分并行”的方针，先后组建了金马股份汽运公司、金鑫股份托管厂、金鑫纯净水厂等；对后勤单位采取了模拟法人承包经营，对幼儿园、浴室等七家单位面向社会进行了租赁经营。

2. 强管理重人本，推进企业文化建设

摸索建设适合煤矿企业自身特点的企业文化，初步构建起了自己的战略经营体系，形成了自己的企业精神、价值理念、质量理念、经营理念、安全理念、管理理念，把这些理念渗透到企业方方面面的管理中。把社会公共管理中的就近管理运用到企业管理中，形成了以“想、看、干、管”为核心的工种岗位就近管理法和“检查—教育—惩处—反馈—再检查—再教育—再惩处—再反馈”的就近管理督查程序，把管理责任与管理目标下移，使每一个员工成为生产主体、管理主体、安全主体和监督主体，从而建立起了一种责权明确，标准严细，事事有人管，人人有事干的管理机制。大力推行了“双定”（人的定位、物的定置）管理和现场量化评估考核管理，建立了“十抓十重”的工作模式，实行了“五在现场”工作法（全面落实掌握情况在现场、解决问题在现场、形成决策在现场、密切干群在现场、创造业绩在现场），树立了“安全是最大效益”的观念，实行了“一盯（盯住安全重点环节）、两卡（隐患三定整改卡和安全定量考核卡）、三严查（严格坚持安全隐患分级动态排查，严格坚持了现场督查、严肃事故追查）”的安全管理，强化生产现场动态达标管理，抓达标重规范强检查，促进了安全生产现场管理水平的提高。树立了产品就是人品的质量管理理念，从思想认识、工作、生产三个源头抓起，使原煤中的杂物平均在50kg/万t以下，使大中公司出口日本煤中的杂物创下了国内出口煤杂物6kg/万t以下的最好记录。全面实行成本预算管理，严控大踪材料配件、搬家费用、非生产性支出，有效地控制了成本。同时，他按照全方位管理的思想，在全矿建立起了科学的总揽全盘的一体化考核管理构架，对全矿生产经营等各项工作和每项指标全部进行一体化量化考核，无论是生产、安全、利润，还是生活后勤、精神文明，无论是单位部门还是个人，坚持月度同检查、同奖罚，与工资全额挂钩，月考核月兑现。通过具有自身理念的企业文化与煤矿管理的相融合，形成了一套有效的约束激励机制，做到了人的行为规范与生产现场的标准管理相统一，从而发挥出了人员与设备的最佳效能和效率。

3. 强创建重治理，提高员工生活质量

在围绕经济中心任务抓生产促发展的同时，郭海注重以坚实而过细的思想政治工作为基础，以丰富多彩的文明建设为载体，以良好的民心工程为重点，积极改善和提高员工的生活质量。通过大力发展生产，增加经济效益来提高员工的收入，到2002年员工年均收入达到了13332元，同比增长了29.1%。在全面推进生活后勤服务标准化管理与就近公共化管理的同时，3年多来，投入了2000多万元资金，对乘车、吃水、供暖等设备进行了增设，实施了“形象、文化、灯光、平安、阳光、小区、绿化”工程，从环境卫生入手，加大治理力度，努力改善矿容矿貌，从而使矿山白天绿起来，夜晚亮起来，环境美起来。这一系列的事实犹如无形的磁场凝聚人心，犹如无声的战鼓振奋士气，创造了一个团结活泼、健康向上的矿山新局面。

窑街煤电有限责任公司一矿矿长

杨元生

一、简介

杨元生，男，汉族，中共党员，甘肃永登人，1952年9月出生，大专文化，高级工程师，中国管理科学学会高级会员。

1970年4月在窑街矿务局二矿参加工作，先后担任技术员、副科长、科长、总工程师、副矿长等职务，1999年10月调任窑街煤电公司一矿矿长，2003年元月任窑街煤电公司总经理助理、金河煤业公司经理。

他撰写的多篇论文在《煤炭企业管理》、《现代采矿与新技术》等刊物上发表，本人被评为“九五”期间甘肃省煤炭工业优秀科技工作者和“为科技进步做出突出贡献的公民”，多次荣获煤电公司劳动模范、安全标兵、优秀党员等荣誉称号，2002年被评为全国煤炭工业优秀矿长。

二、事迹

窑街煤电公司一矿是一座设计能力年产90万t的中型矿井。当岁月之舟载着一矿驶入市场经济大潮，接受最严峻考验的时候，一矿人在矿长杨元生同志的带领下，用无畏、挑战、奋起、搏击的精神，积极实践“三个代表”重要思想，顽强拼搏，克服困难，谱写了一曲艰苦创业之歌。3年时间，使一矿得到了长足发展，成为全公司的“排头兵”。

1999年10月，带着上级组织的重托和三千多名职工的厚望，杨元生同志担任一矿矿长。时值一矿正处于历史上最困难时期，井下资源枯竭，生产条件恶化，安全非常被动，煤炭市场疲软，经营十分艰难，在困境中负重爬坡。面对诸多困难，杨元生同志和班子成员以高度的责任感和“人一之，我十之；人十之，我百之”的苦干精神，精心绘制了用三年时间实现“振兴一矿、发展一矿”的蓝图，由此展开了具有一矿特色的“三大工程”攻坚战。

1. 狠抓安全管理，坚持在夯实企业发展基础上下功夫

杨元生同志从长期煤矿工作的实践中得出一条基本认识：安全是煤矿搞好各项工作的保证和基础，也是实践“三个代表”重要思想的最好体现。为此，杨元生同志把狠抓安全管理、夯实安全基础作为增能提效、促进发展的根本途径，组织实施了强化安全的系统工程。一是加大了对安全生产的投入，在经济困难的情况下，投资1200多万元，健全矿井瓦斯抽放系统、安全监测系统、地面运输系统，大大提高了矿井防灾抗灾能力。二是制定完善了以安全质量结构工资为主的一系列安全管理制度，形成了全员、全方位、全过程抓安全生产的目标管理体系。三是坚持以人为本，分层次、多工种、有重点地进行全员安全技术培训，完成各类培训12000多人次，增强了职工按章操作的自觉性。2000年以来，矿井杜绝了各类重大事故发生，连年实现公司下达的安全生产奋斗目标，连续28个月安全生产无事故，创造了近10年的最好水平。

2. 勇于改革创新，坚持在增强企业发展后劲上花气力

面对矿井资源枯竭和如何长远发展的两难境地，杨元生同志用改革创新的精神，一手抓老区挖潜，一手抓技术改造，坚持走三条路子，使举步维艰的老矿焕发出了勃勃生机。一是走强化管理的路子。坚持实施承包经营、激励约束、加压驱动、检查考核的经营机制，把成本管理与生产任务、效益、收入实行“三挂钩”，形成了矿、科、队、班组四级经营管理体系；积极推行岗位技能工资，分配向生产一线和技术管理岗位倾斜，调动了职工的积极性；实现内部资产重组和劳动力资源合理配置，充分发挥人、财、物资源集中优势。二是走科技兴矿的路子。制定科技兴矿规划，设立科技奖励基金，建立科技攻关队伍，大力推广应用新技术新工艺，3年完成科技项目64项、“五小”成果89项。三是走技术改造的路子。加快设计能力90万t的新采区技术改造步伐，完成技改投资近8000万元，巷道进尺超过9000m。通过新采区、新机制，促进矿井产量达到120万t，彻底解决全矿职工的出路问题，使企业走上可持续发展的道路。

3. 重视文明建设，坚持在促进企业协调发展上做文章

杨元生同志十分重视矿区精神文明建设，在抓好安全生产经营等工作的同时，和班子成员大力开展精神文明建设。狠抓职工群众的思想道德、科学文化、形势政策、普法宣传教育，加强企业文化建设，每年开展的大型文艺演出、花卉展、灯展等演展赛，多次在省、公司组织的比赛中取得好成绩；着力改善矿容矿貌，矿区的绿化面积超过14000m^2；努力提高职工群众的生活水平，职工人均收入保持了年增长10%的速度；投资安装井下斜井人车、修建地面架空人行走廊，极大地减轻了职工的劳动强度；坚持实行矿务公开，不断提高企业民主管理水平，充分调动了职工群众的积极性，企业两个文明建设呈现出协调发展、共同进步的良好势头。

面对企业改革发展的新任务，杨元生同志把过去的成绩看作今后的起点。2003年年初，又提出了

"2322"发展目标，决心带领全矿职工群众，在党的十六大精神的鼓舞下，用创新的思维，科学的态度，务实的作风，向着"产量破百万、安全无事故、效益双千万、收入上台阶"的目标迈进，努力做一名实践"三个代表"的带头人。

兖州煤业股份有限公司

济宁三号煤矿矿长

李位民

一、简介

李位民，1960年出生，中共党员，硕士研究生（在读博士），工程技术应用研究员，现为山东兖矿集团济宁三号煤矿矿长、党委副书记。参加工作以来一直从事煤矿生产技术及管理。先后取得科技成果20余项，现代化管理成果30余项，在国内外发表及出版论文专著几十余篇（部）。先后被授予"中国企业经营模范"、"中国杰出企业管理人才"、"山东省煤炭系统专业技术拔尖人才"等荣誉称号，被聘为青岛建筑工程学院兼职教授、山东煤炭协会第四届理事会理事等。

二、事迹

渔歌唱晚，如今的微山湖上已不再是静悄悄，南来北往如梭的各种船只笛声如歌，歌颂着当年抗日烽火中铁道游击队的事迹，更歌颂着当今太平盛世和人民的幸福安康。

微山湖畔崛起的济三煤矿，被吴邦国同志赞誉为"中国最好的煤矿，世界上最好的煤矿之一"。执掌这座现代化煤矿帅鞭的，却是土生土长的微山人李位民。

李位民大学毕业后，就与煤炭企业结下了不解之缘。工作之余又在继续攻读博士学位，并被青岛建筑工程学院聘为兼职教授。1996年12月调入济三煤矿担任总工程师、副矿长、矿长以来，以实际行动践行"三个代表"重要思想，把济三矿建成了科技创新工业园、高效生产工业园、旅游观光工业园、"安全型、环保型、效益型"绿色生态型矿井，代表了我国煤炭工业先进生产力的发展方向，成为我国向世界展示现代化矿井的窗口。他本人也多次荣获集团公司优秀共产党员、改革先进工作者、劳动模范、山东省煤炭系统专业技术拔尖人才、中国煤炭行业"十佳职业经理人"、"中国企业经营模范"、全国煤炭系统优秀矿长等荣誉称号。

煤矿生产安全为天。李位民怀着强烈责任感，把对职工的生命安全作为自己的第一责任。在强根固本，依法治矿的实践中，强化了各项安全法律法规的贯彻落实，构建了全新的安全管理网络体系。创新使用了"三镜"工作方式，即排查现场隐患时用"显微镜"，在抓好重大隐患排查治理的同时，决不放过任何细小事故苗头；事故分析处理时用"放大镜"，对影响安全生产的所有事故都进行放大升级处理，以严厉的处罚力度，有效控制各类事故的重复发生；制定安全规划时用"望远镜"，做到部署超前、防范超前，实现安全生产长治久安。

学识学历加经验，使李位民具备了较强的技术创新能力和科学决断的工作魄力。他始终以科学严谨的态度，大胆引进吸收消化国内外先进采矿技术，科学改进施工工艺，围绕完善综采放顶煤生产工艺，不断优化生产布局，填补了我国立井开拓的多项技术空白，确保了"三年三大步"奋斗目标的实现：2001年全矿产煤510.8万t，实现了当年投产、当年达产、当年盈利2亿元，创出了中国煤炭生产史上的奇迹；2002年全矿年产煤803万t，比设计产量超出了300万t，等于再建了一个特大型煤矿；2003年全矿产煤1008万t，成为世界上第一个年产1000万t的井工煤矿。

人无信不立，企无信不兴。李位民深悟其理，积极倡导以"建诚信济三煤矿，做诚信济三人，创国际知名品牌"为主题，构建成岗位诚信、工作诚信、质量诚信、市场诚信、经营诚信为一体的全矿诚信格局。时时、事事、处处讲诚信蔚成风气，提升了济三煤矿的知名度和美誉度。尤其为使煤矿的主导产品煤炭的质量取信于客户、取信于市场，主抓煤质规范化管理。完善了矿、职能部门、区队、班组四级监督控制网络体系，层层落实了煤质管理责任，确保了煤炭质量生产源头、井下运输、提升、洗选、外运全过程受控，对部分关键环节、除杂设施进行了优化改造，增强了除杂效果，精煤万吨含杂降到了1.1kg以下，达到国际领先水平，维护了"兖矿煤"的品牌形象。

为实施科技兴矿战略，李位民注重发挥全矿科技人才的合力优势，建立了科技管理体系，使科技管理工作走上了正规化、制度化轨道。造就了一大批既有较高的理论水平又有丰富实践经验的科技人才。围绕高精尖技术运用攻关，相继完成了原煤生产系统、主井提升系统及储装运、洗选系统等重要环节的技术改造，系统的可靠性进一步增强，为矿井持续稳产高产提供了技术支撑，构筑起持续均衡高产平台。科研项目《高效洁净安全特大型现代化矿井的创建与实践》获国家煤炭科技进步特等奖，《煤矿立井无轨辅助运输系统》荣获了山东省科技进步二等奖、《WCQ—3型轻型无轨胶轮车》荣获了煤炭科技进步三等奖，矿井荣获了"煤炭工业科技进步双十佳矿井"、"煤炭工业科技创新型矿井"等荣誉称号。

李位民很有个性。他不唯书、不唯上，只唯实，把深化改革作为矿井发展的内在动力，持续稳步推进矿井内部改革。从精干高效、干事创业实际需要出发，确立了"多创效益是能人，真抓实干是好人，无所作为是庸人，违法乱纪是坏人”的用人原则，形成了公开、公平、公正的岗位竞争机制，营造了良好的用人环境。创新工资分配形式，合理拉开单位之间、个人之间的收入差距，确保了激励机制有效发挥，推动了矿井的快速发展。矿井投产3年累计产煤2320多万吨，实现销售收入45亿元，上缴利税16.9亿元，全员效率52t/工，跨入了世界采矿领先行列。

枣庄矿业（集团）有限责任公司

新安煤矿矿长

赵文启

一、简介

赵文启，男，1955年11月19日出生，山东滕州市西岗镇人，大专文化程度，工程师，现任枣庄矿业集团公司新安煤矿矿长。

1975年12月在枣庄矿务局山家林煤矿参加工作，先后在山家林矿、田屯矿、朱子埠矿从事采煤工作。赵文启同志从一名采煤工人到班组长、工区副区长、支部书记、区长、生产科科长、安监处副处长、生产副矿长、矿长，30年来，一直战斗在煤矿生产的第一线，同煤炭结下了不解之缘，具有丰富的煤矿生产管理经验、强烈的爱矿敬业精神及勇于创新的改革意识，多次被评为优秀共产党员、先进生产工作者、劳动模范，两次荣获振兴枣庄立功奖章，2001年被评为山东省煤炭行业“十佳矿长”，2002年被中国煤炭行业协会授予“全国煤炭行业优秀矿长”称号，所在煤矿2002年被评为山东省“十佳煤矿”、山东省思想政治工作优秀企业、全国煤炭工业“双十佳煤矿”、行业级高产高效矿井，2003年被评为山东省文明单位。

二、事迹

新安煤矿是枣庄矿业集团公司为解决新老矿井接续，采用“新井新机制”自筹资金建设的一座现代化矿井。

该矿于1998年8月1日正式开工，2002年1月1日，矿井正式建成投产。在投产时间短、工作起步晚、基础比较薄弱、矿井机构精简的情况下，矿长赵文启及其班子成员在2002年带领全矿员工，创造了辉煌的业绩。

1. 全力组织煤炭生产，实现矿井生产能力的新突破。

2002年，集团公司下达给新安煤矿的产量计划142万t，这对于刚刚投产的矿井来说，压力相当大。针对矿井生产实际，矿长赵文启提出了上半年“小步快跑”和下半年“大步进取”思路。上半年先后组织了掘进会战、安装会战，在掘进区队开展了以“比进尺、比安全、比质量、比文明”为主题的生产竞赛活动，对重点迎头的掘进签订了军令状，“三大员”交纳风险抵押金，实行目标管理，从而加快了掘进速度，保证了正常的生产接续。为提高生产效率，从5月份对综采队采取了一队两面的管理模式，大大提高了劳动生产率和管理效率，产量逐月提升，到12月1日提前30天胜利完成了集团公司今年下达的增产目标，全年生产原煤168.8万t，较设计能力提高达100多万吨。

2. 精心打造新安煤炭品牌，提升企业效益。

作为一个刚刚投产的矿井，为了促进企业的长远发展，赵文启同志主持研究制定了煤炭产品营销策略，提出了打造新安煤炭品牌的目标，合理配采，建立了煤质考核控制体系，成立了煤质化验室，制定下发了煤质管理意见，着力推出“新安品牌”，树立产品信誉，并向用户承诺提供优良的产品和真诚的服务。在他的倡议下，下半年又开展了ISO9001质量认证贯标工作，从而促进了煤质平稳，实现了煤炭质量的稳定提高，赢得了较高的市场信誉，建立了较为稳定的客户群体。全年实现了产销平衡，完成销售收入35887万元。

3. 积极深化企业改革，打造全新的经营理念。

首先是规范管理，从建章立制抓起，制定了《新安煤矿管理规范》，做到工作有标准，事事有人管。修改完善了分线经营承包办法，建立内部市场，矿长与分线负责人分别签订了承包合同，实现压力传递。其次是严格成本管理，分解成本指标，对材料费指标实行节奖超罚，增强各单位的成本意识。员工逐步树立了“既关心挣钱，又关心花钱，省下的就是赚下的”成本观。在材料、设备采购上，工程施工上，推行竞价招标的办法，为矿节约了大量资金。严格控制非生产性支出，加强材料费的控制考核，同时认真进行考核核算，矿考核办公室每月都对各项指标完成情况进行测算，认真考核、分析，并召开矿长办公会进行研究，找原因、定奖惩、拿措施，有力地促进了全矿经营工作的健康运行，原煤生产线去年材料费较年初计划就节约达650万元。三是大力推进干部人事制度改革、劳动用工制度改革、工资分配制度改革，减少机关人员，完善了劳务输入用工管理办法，工资分配推行承包经营、计件工资、包岗工资等灵活多样的分配形式；积极推行“三条线”管理的考核办法，规范了管理，全年上交利税两亿元。

4. 着力培育安全文化，推进矿井安全生产。

安全是煤矿的“天字号”大事。矿长赵文启把安全工作作为各项工作的重中之重，纳入“建设企业文化，塑造企业形象”工程之中，提出了“安全如逆水行舟，不进则退；安全管理只有更好，没有最好；安全周期只有起点，没有终点”的安全理念，高扬安全生产的旗帜，着力培育安全文化，深入扎实地开展安全宣教“13法”活动，高境界定位，高效能运作，高标准实施，使这些安全理念深深地根植于每个员工心中。矿上每周一党政工团实行拉网式安全大检查，覆盖井上井下，并提醒基层区队和现场施工人员能够时刻注意按章作业，按规程施工，矿井质量标准化保持了行业级，促进了安全目标的实现和生产任务的顺利完成。通过努力，2002 年这个矿胜利实现安全生产，杜绝了重伤以上人身和重大非人身事故发生。

5. 建设“六大文化工程”，塑造全新企业形象。

矿长赵文启在全力抓好安全生产经营的同时，积极支持协助矿党委大力加强企业文化建设，推进了矿井超常规跨越式发展。确立了“改革创新、务实求效，敬业奉献，超越自我”的企业精神和“集员工智慧，铸新安辉煌”的核心理念，提出了“新新安、新理念、新实践、新跨越”的发展观，同时提出了价值观、安全观、质量观、服务观、作业观、成本观、教育观。大力实施政治核心工程、环境形象工程、灵魂塑造工程、品牌锻造工程、安全文化工程、区队建设工程“六大工程”，建立起了企业文化动态立体化网络，赋予企业文化以丰富的内涵，整体提升了企业核心竞争力，有力地推进了全矿两个文明建设。

在赵文启矿长的领导下，2002 年全矿实现了当年投产、当年超产超盈、当年通过 ISO9001：2000 质量体系认证，当年被评为集团公司双文明单位、枣庄市文明单位，被山东省煤炭工业局评为“2000～2002 年度山东煤炭工业先进单位”，被中国煤炭工业协会命名为行业级高产高效矿井，“全国双十佳煤矿”，一举成为集团公司的利税大户，走在了全国同类矿井的前列。

一分耕耘，一分收获。2001 年，矿长赵文启荣获山东省“十佳矿长”称号，2002 年又被授予“振兴枣庄立功奖章”，被中国煤炭工业协会评为“全国煤炭工业优秀矿长”，并当选为枣庄市七届政协委员。

双鸭山矿业集团有限公司
集贤煤矿矿长

吴 业 臣

一、简介

吴业臣，男，1957 年生人，汉族，中共党员，大学文化，研究生在读，高级经济师，历任采煤工人、生产调研员、井口副书记、书记、井长、纪委书记、党委副书记、党委书记、矿长等工作。现任双鸭山矿业集团公司集贤煤矿矿长。2001 年被集团公司党委集团公司评为党风廉政建设工作先进个人。2002 年被集团公司党委集团公司评为先进（生产）工作者，安全生产先进个人。2002 年被省总工会、省安监局评为“安康杯”竞赛先进个人。2002 年度被评为全国煤炭行业优秀矿长。

二、事迹

说起吴业臣，双煤人都非常熟识。他与煤矿结下了不解之缘，从采煤工人、调度员、井长到矿长，在煤矿一干就是 30 多年。他思维敏捷、思想深刻、善于琢磨问题，敢于决策，他在管理上的独到之处，在任岭西矿矿长时已崭露头角。但是显示出他非凡智慧和才干的，还是他到集贤煤矿任矿长之后……

1. 选准出路，科技兴矿、建设高产高效矿井的导航者

由于历史原因，集贤煤矿煤炭生产形成了东西南北四条大巷，采区分散，运输战线长，生产用人多的生产格局，吴业臣同志提出：集贤煤矿如果不能改变这种四面出击、分散型生产的格局和采掘机械化程度较低的状况，集贤煤矿就无法求得发展。依靠科技兴企，尽快调整生产布局走高产高效之路是集贤煤矿求发展的惟一出路。为此，近 3 年来，他一方面着重于井下生产布局的调整，加紧实施生产重心战略东移计划，收缩西胶带集中运输的生产模式已经开始运行。另一方面，加紧实施科技兴企战略，不断提高科技含量，提高单产单进。3604 采煤队于 2002 年 1 月创出 70668t 的高档普采公司最高纪录。603 掘进队于 2002 年 7 月创出了梭车半煤岩月进 261m 的全省新水平。短短 3 年，使采煤机械化程度从 2000 年的 87.9%，提高到现在的 96.6%。通过对主、副绞提升系统电控改造，解决了多年来制约生产的“瓶颈”问题。科技兴企战略和生产重心东移战略的加紧实施，加快了高产高效矿井建设的步伐。

2. 锐意进取，开拓创新，活化企业经营机制的改革者

一向注重学习的习惯赋予了吴业臣充满活力的思维观念。锐意进取，开拓创新，成为他工作轨迹的一大亮点。一是在经营机制上创新。实施了“目标经营、职责考核、工效挂钩”为主线的经营考核机制。实施了以“提高一块，增产增效；控制一块，降成提效；创收一块，提质增效；回收一块，防失增效；精简一块，减人提效”为主要内容的目标经营管理机制。二是在管理制度上创新。2002 年一年间，便出台 40 余项新的管理制度，包括安全管理、生产管理、成本管理、标准化管理等项制度。有效地控制了生产成本。2002 年吨煤成本比计划下降了 4.13 元/t，2003 年吨煤成本比计划下降了 4.69 元。三是在技术改革上创新。16 层顶板支护问题始终是困扰生产发展和影响成本控制的重大问题。作为采煤工出身的“出煤专家”，与技术人员反复论证，决定改进支护方式，用 π 型钢和铰接顶梁取代坑木，解决了坑木消耗过大的问题。这项支护方式的改进有效降低了生产成本。

3. 发展生产，提高效益，“三个代表”重要思想的实践者

进入 20 世纪 90 年代末，集贤煤矿受内外部环境影响和企业内部诸多因素的影响，生产经营形势陷入极其被动局面。产量严重滑坡，企业大幅度亏损，矿井处于半停产状态。吴业臣到任以后，他把落实“三个代表”重要思想的着力点放在发展煤炭生产上，致力于解放和发展生产力，不断提高员工的生活水平。2001 年，集贤煤矿首次以 130.78 万 t（超计划 21 万 t）的原煤产量实现了 120 万 t/年的达产目标，企业实现减亏 100 万元；人均月工资比上年提高 105.75 元。2002 年原煤生产又实现了大发展，以 151 万 t（超计划 29 万 t）的生产总量夺得双矿集团公司原煤生产“第一大矿”；企业实现了大幅度减亏，比计划减亏 399 万元，同比减亏 793 万元；可观的经济效益，使员工得到了实惠，月工资比上年提高了 90 元。2003 年度员工人均年工资达到 8126 元。2003 年，原煤产量又实现了新的跨越，以年产 165 万 t，超产 31 万 t，同比超产 14 万 t 的好成绩，再创历史最高水平。企业减亏 782 万元，同比减亏 845 万元，人均月收入比上年增涨 170 元。在生产经营蒸蒸日上的同时，矿井质量标准化总体水平得以快速发展。2001、2002 年连续两年被评为省级质量标准化十佳明星矿，尤其是 2002 年，以 2852 分的总成绩获明星矿验收全省第一名，2003 年集贤煤矿被评为全国煤炭行业文明矿。

4. 恪尽职守，心系矿工，广大职工群众的拥护者

吴业臣同志出生于一个贫困的工人家庭，他也当过采煤工人，所以非常理解煤矿工人的疾苦。他现在当上了矿长，并没有忘记那些和自己当年一样的阶级兄弟，他常常在想当官为什么?应该做什么?身后留什么?职工群众在想什么？需什么？盼什么？正因为这样，他不搞什么形象工程、政绩工程，也从不炫耀自己的工作成就。一些知名度高、权威性强的各大新闻媒体纷纷来函来电，要有偿报道集贤煤矿近 3 年来取得的巨大成就，但都被他挽言谢绝。但他对解决职工群众生活中的实际问题毫不吝啬。仅 2002 年，矿就投资 650 余万元，彻底维修了水源井，解决了矿区吃水难的问题；彻底改造了闭路电视线路，解决了多年电视收视效果不好和部分群众看不上电视的问题；彻底改造了居民住宅和工业厂房楼内管网，改善了职工冬季取暖问题……。他坚持搞企务公开，每个月从集团公司算回多少工资，集团公司给多少零花钱，用于干什么，都在党政班子联席会上摆的一清二楚。在矿办公楼院内设立了矿务公开栏，把全矿各单位的工资分配及矿各指挥科室的经营账目置于阳光之下。想职工群众之所想，办职工群众之所盼的思维方式和行为准则，真心体现了权为民所用，利为民所谋，与此同时，吴业臣同志也得到了广大职工群众的一致认可、拥护和回报。在 2001 年集团公司组织部门开展的中级管理人员测评中，他以 99.375 分名列党政班子成员榜首，在 2002、2003 年度的测评中，均获取优异成绩。

潞安矿业（集团）公司石圪节煤业公司总经理

孙玉福

一、简介

孙玉福，男，1961 年 8 月生，河北东光人，中共党员，太原理工大学工程硕士，成绩优异的高级工程师。1982 年大学毕业后分配到山西潞安矿务局参加工作，先后担任局生产处技术员、五阳煤矿总工程师室副主任（主持工作）、五阳煤矿集中生产办副主任（主持工作）、五阳煤矿总工程师、集团公司安监局总工程师等职，现任山西潞安石圪节煤业有限责任公司总经理、潞安环保能源开发股份有限公司石圪节洗煤厂厂长、司马矿井建设筹备处处长，同时兼任中国煤炭工业劳动保护科学技术学会常务理事，山西省青年企业家协会常务理事等社会职务。

二、事迹

孙玉福同志参加工作以来，勤奋努力，勇于创新，由于业绩突出，他逐步从一名普通的职工成长为潞安矿业（集团）公司的一名优秀中层干部。2001 年 7 月，孙玉福同志担任了潞安矿业（集团）公司石圪节煤矿（现改制为山西潞安石圪节煤业公司）矿长。

石圪节是一个已有 70 多年开采历史的老矿，被誉为“中国煤炭战线一枝花”。1963 年被敬爱的周恩来总理树为全国工交战线勤俭办企业五面红旗之一。上世纪 90 年代初江泽民、李鹏等 11 位党和国家领导人为石圪节题词，号召全国学习石圪节精神。但近年来，随着开采年限的延长，石圪节井下的煤炭资源已近枯竭，生产条件日趋恶化，生产成本逐步增大，生产经营困难重重。面对严峻的经营形势，孙玉福和公司领导一班人在对市场情况作出深入细致的调研基础上，结合企业自身的实际情况，审时度势，创造性地提出了“实施第三次创业”的战略构想。石圪节第三次创业的中心任务是建设“新型绿色石圪节”，其标志是 3+1 格局，即到 2005 年年末建成洁净能源生产基地、苗木花卉生态农业基地、高新技术健康产业基地和形成石圪节特色的企业文化。建设新型绿色石圪节的奋斗目标是到 2005 年实现销售收入 5 个亿，其中多经销售收入 1.5～2 个亿。其规划是 1 年全面奠基，2 年初见成效，3 年实现目标。

2003 年以来，围绕“建设新型绿色石圪节”这个

目标，孙玉福同志组织全体石圪节人狠抓了安全生产，新井建设，多元化发展，企业文化建设等重点工作。在集团公司的关心支持下，司马矿井如期顺利开工，基本建设有序进行。2003年12月26日，风井已揭露煤层。与此同时，孙玉福站在可持续发展的高度，大力开发高、新、绿多元化产业。在他的主持下，该公司先后调研上马了“瑞福莱生物酿造公司”、“斯瑞海纳米涂料公司”和“火凤凰果膜包衣公司”等高新技术项目。此外，他还对原有的几家多经厂点进行了大力扶持。尤其是对电线电缆厂进行了技术改造，技改后该厂当年销售收入就突破千万元(达1225万元)，产值比上年翻了一番。2003年，石圪节共有多经企业7个，年销售收入6334万元，比上年增加2500多万元。

为了确保旧井的经济效益，最大限度挖掘旧井资源潜力，孙玉福同志组织实行了“双同步双掘进集中化”的生产组织模式，超额完成了各项生产经营指标。全员工效达7.195t/工，创历史最好水平，两煤生产也创近8年最好水平。推行安全生产的“五个一体化”管理（安全与生产、安全与机电、安全与技术、安全与文化、安全与创新)，努力建设本质安全型矿井，实现了安全的奋斗目标。

孙玉福还十分注重企业文化建设和精神文明建设，制定了企业文化建设总体方案，初步形成了以“矿旗、矿徽、创业歌”和“新型绿色石圪节战略”为主要内容的企业文化建设新内涵。在他和班子其他成员的共同努力下，矿区精神文明建设成绩斐然。连续多年保持国家级文明单位称号，连续12年荣获山西省“文明单位”称号，并被省企工委命名为“文明单位标兵”。公司的精神文明“四三”工作法被作为先进经验在全省推广。

孙玉福参加工作以来，先后被评为集团公司、市先进工作者、劳动模范，并荣获山西省煤炭系统优秀科技工作者、山西省经济结构调整优秀青年带头人、山西省优秀青年企业家、山西省杰出青年企业家、全国煤矿优秀矿长等光荣称号。

福建省永安煤业有限责任公司

仙亭煤矿矿长

郑盛端

一、简介

郑盛端，男，出生于1968年7月，1988年7月毕业于福建省煤炭工业学校采矿工程专业；1998年9月～2001年7月参加山东科技大学成教学院大专班经济管理专业函授学习；2002年9月至今，参加了中共中央党校理论本科班经济管理专业学习。1988年7月参加工作，先后在原永安矿务局半罗山煤矿、经济开发公司、水泥厂、斑竹坑煤矿、丰海煤矿等单位历任技术员、生产股副股长、团总支书记、经营部主任、供销科长、生产股长、安监站站长、副矿长等职，1999年11月任东坑仔煤矿矿长，2001年10月任永安煤业公司仙亭煤矿矿长至今。

自参加工作以来，他年年被所在矿井、矿务局、公司评为先进(生产)工作者，1992年被永安团市委授予“新长征突击手”称号，2000年被中共永安市委授予“优秀共产党员”荣誉，2001年被永安煤业公司评为劳动模范。

二、事迹

“没有最好，只有更好”是福建省永安煤业公司仙亭煤矿矿长郑盛端同志的座右铭。他自2000年担任矿长以来，勇于改革，励精图治，积极推行一流管理，推动企业管理包新，以“精、细，严、实、新”的管理新风，创造了高产、低耗、高效的矿井经营业绩。

1. 严格成本控制——企业经营的神经中枢

“成本控制是企业经营的神经中枢”，郑矿长如是说。面对矿井用人多、战线长、系统复杂的状况，郑矿长紧紧握住成本控制这一中枢环节，按照公司下达的成本指标，采用成本倒逼的方法，将成本进行层层分解，把成本的压力传递到股队、班组和每一位员工身上，做到人人肩上有指标。按照“精干高效”的原则，每年对各岗位人员进行重新核定，按照产量、工作量，采取倒算法进行定岗定员，压缩非生产性人员，清退混岗和富余人员，减少工资支出。严格规范资金管理，实行收支两条线管理，各项资金使用均实行计划、审核、报批等制度；对井下工程项目做到有可行性论证、有投入产出分析、有经济技术比较，对专项工程和主巷工程推行项目负责制，对地面土建、房屋修缮工程实行预算包干制。对矿山物资、设备集中管理，成立租赁车间，模拟市场运作。推行局扇电力总功率考核措施，对工业用水用电实行“避峰就谷”生产；加强材料消耗管理，建立井下材料使用情况台账，及时回收利用和修旧利废，使材料消耗逐年下降。

2. 狠抓科技进步——夯实基础增强后劲

作为一名从工程技术人员成长起来的矿长，郑盛端同志深知科技对一个矿井发展的重要性，他积极组织工程技术人员在掘进工作面中推行“小班两茬炮”作业方式和掘进中孔爆破技术，当年就使全矿平均单进水平提高20m。在回采工作面中率先推行块段储量承包机制，有效培养了采煤队职工的资源危机意识和责任意识，提高了矿井的资源利用率。引进掘进中深孔爆破技术、光面爆破技术，牵头研制了道岔远程控制器、移动天轮自动加油车等装备，改进了矿井生产工艺。在井下生产中，他同工程技术人员一道，摸索出了一套南方煤矿薄硬煤层开采技术，采煤工效提高18%。采取了多台风钻同时打眼、多段雷管爆破等方法，单进水平提高15%以上。先后对井下五个采区供电检漏系统、井上下除尘系统、井下通讯系统、副斜井人车系统、地面工业广场系统、地面主扇风机双机双回路系统等进行技术改造，使一批先进技术在矿区得到广泛运用，大大增强了矿井的技术实力。同时，还根据用户对煤炭的不同要求，对特殊煤种进行专储专运，并把不同煤质的煤按比例进行配制，既增加了煤炭品种，又提高了商品煤的附加值，目前仙亭煤矿的煤炭品种达9个，商品煤供不应求，矿井已连续两年实现“零”库存。

3. 勇于改革创新——使矿井生机勃勃

“惟有创新才是企业发展的不竭动力”。郑盛端任矿长后，紧紧抓住工资分配这一“牛鼻子”，对工资分配制度进行了全面改革。将全矿每个职工的月工资收入与全矿生产经营情况相挂钩，与岗位责任制完成情况捆绑考核，真正做到收入能高能低，并大胆地对排矸、抽风机房、矿灯房、澡堂等岗位实行岗位承包，彻底打破了大锅饭。其次是改革用人机制，实行岗位末位淘汰机制，对连续两个季度被考核为末位的管理人员、职工进行岗位调换，易岗易薪，真正做到“能者上、庸者下”。第三是建立了激励机制，鼓励员工大胆创新，对有突出贡献的专业技术人员进行重奖，真正使投入与贡献挂钩，调动了全体员工的积极性和创造性。

辛勤耕耘换来丰硕的成果。近年来，仙亭矿连续保持永安煤业公司“双文明单位”称号。自1996年以来，郑盛端年年被公司评为先进工作者、劳模，并于2003年荣获全国煤炭工业优秀矿长的荣誉称号。

济宁市太平煤矿矿长

王砚和

一、简介

王砚和，大学文化，高级经济师。1968年泰安煤矿学校毕业后参加工作，历任潍坊市五井煤矿采煤工区技术员、党办主任，济宁市煤炭冶金局安全科长，济宁市煤炭冶金工业公司办公室主任、企管教育科科长，济宁市太平煤矿矿长、党委书记，济宁矿业集团副总经理兼太平煤矿矿长，现任鲁泰煤业公司副董事长兼太平煤矿矿长职务。

二、事迹

王砚和同志作为国有企业的当家人，认真贯彻执行党的基本路线和方针政策，努力实践“三个代表”重要思想。10年来，以王砚和矿长为首的矿领导班子带领全矿干部职工，坚持以质量标准化建设为基础，以安全生产为重点，以提高经济效益为中心，以增加职工收入、提高职工生活质量为根本出发点，大力弘扬“我与企业共生存”的矿魂精神，励精图治、开拓创新，先后组织了“三次创业”，完成了“四大工程”(希望工程、安居工程、管理工程、精神文明建设系统工程)，使太平煤矿焕发出新的生机和活力。原煤产量由建井初期设计的年产30万t，经改扩建达百万吨以上。2001年实现年产112.4万t，2002年实现原煤年产量111.6万t，2003年实现原煤产量110万t，销售收入2.2亿元，实际利税7000万元，职工人均年收入达到2.2万元。王砚和同志在搞好企业生产经营的同时，精心研究企业管理，他撰写的《太平煤矿由弱变强靠什么》在《求是》杂志2002年第一期专题刊发。并多次在《党建》、《中国经贸导刊》、《中国市场经济报》、《山东经济战略研究》、《山东企业管理》等报刊发表文章。

进入新世纪，王砚和和他的战友们又提出新的发展规划：以弘扬艰苦奋斗与科技创新相结合的时代精神为主线，解放思想，与时俱进，走可持续发展共同富裕的路子，加快实施“发展太平模式，创造义桥速度”总战略，实现“三转变”、“一扩张”。太平模式是指时代精神，现代制度，科学管理，技术创新，规模扩张，多业并举。义桥速度指生产规模150万t，建设周期18个月。“三转变”是指：①通过改制，实现投资主体的一元化向多元化转变；②大力发展非煤产业，实现单一产品的生产经营向多产业生产经营的转变；③在条件成熟时，实现由生产经营向资本运作的转变。“一扩张”就是通过建新矿、发展非煤产业，实现一矿变“三矿两厂一基地”，达到规模扩张，适时成立年销售收入过10亿元的企业集团。“三矿”即以太平煤矿为依托，今明两年建成义桥煤矿，并力争从2003年下半年在汶上县苑庄乡再与汶上县共同出资筹建一对矿井，3个矿生产规模由太平矿目前年产30万t扩张到360万t。“两厂”即确保运作好在济宁高新区的两个公司：①加快占地326亩、投资2亿多元的山东国科生物技术有限公司的建设步伐，尽快实现规模生产；②壮大现已投产的济宁太平人和经贸有限责任公司的生产规模。一基地：即在烟台经济开发区设立太平煤矿职工休养基地。

几年来，太平矿先后荣获集团经济效益支柱企业、济宁市文明单位、优秀政工企业、安全工作先进单位、全国煤炭工业优秀企业、全国煤炭工业双十佳煤矿等荣誉称号。王砚和矿长本人先后荣获山东省煤炭局优秀科技干部、济宁市“五一”劳动奖章、山东省煤炭工业优秀科技干部、山东省煤炭工业劳动模范、山东省“富民兴鲁”劳动奖章、山东省煤炭工业十佳矿长、全国煤炭工业双十佳矿长等十几项荣誉称号，2003年4月荣获全国“五一”劳动奖章。2003年5月在全矿职工代表大会上王砚和同志被褒奖为“矿山砥柱”。

靖远煤业有限责任公司

魏家地煤矿矿长

梁习明

一、简介

梁习明，男，汉族，1959年5月出生于甘肃定西，1978年参加工作，中共党员，大学文化，在职硕士研究生，机电高级工程师，历任技术员、主任工程师，1993年3月任靖煤公司魏家地煤矿机电、生产副矿长，1998年2月任矿长，2004年4月任靖远煤业有限责任公司副总经理，是甘肃省白银市人大常委，中国煤炭工业协会理事，甘肃青年企业家协会理事。

2002年荣获全国煤炭工业优秀矿长、甘肃省安全生产先进个人、科技进步先进个人、靖煤公司劳动模范、优秀共产党员。

二、事迹

在煤炭工业的建设、发展过程中涌现出了一批又一批优秀人才，甘肃靖煤公司魏家地煤矿矿长梁习明就是其中优秀的代表之一。在他的身上有一种精神感人至深，这种精神源于一个优秀企业家肩负的神圣职责，这种精神源于他朴实无华的人格，就是创新精神、创业精神。梁习明出生于苦瘠甲天下的甘肃定西农村，1978年大学毕业后参加煤矿工作，从机电技术员干起，先后担任靖远矿务局机动处主任科员，魏家地煤矿机电、生产副矿长，1998年3月任矿长、高级工程师，2004年4月任靖煤公司副总经理。2002年度荣获全国煤炭工业优秀矿长。

1. 坚持科技兴矿　夯实企业基础

1993年3月，梁习明受原靖远矿务局重托，出任魏家地煤矿机电、生产副矿长，开始了他人生艰难拼搏奋进的历程。魏家地煤矿是1989年建成移交投产、年设计生产能力为150万t的大型矿井，属煤与瓦斯突出矿井，是全国煤炭系统35个安全管理重点矿井之一。1990年装备综采一套，因地质条件限制，至1995年底累计生产原煤160万t，经营累计亏损4100万元。时因经营惨淡，管理混乱，事故频发，职工信心丧失殆尽，矿井面临倒闭关停之境。梁习明坚信人生没有过不去的坎。他大胆提出改革采煤方法，依靠科技进步打造高产高效矿井建设的战略思路。他作为技术研究的主要承担人和技术鉴定组织工作的负责人，完成了《缓倾斜具有煤与瓦斯突出易燃特厚软煤层综采放顶煤技术研究》，经省级专家技术鉴定，国内著名专家钱鸣高、戚颖敏，原煤炭部总工程师尚海涛等技术鉴定委员评审后认为，“该项技术已达到国内外先进水平”。该项技术的应用，1996年当年生产原煤71万t，实现经营利润152.2万元，矿井一举扭亏为盈，甩掉了连续6年巨额亏损的帽子。同时，该项技术成果获甘肃省科技进步二等奖。此外双突矿井瓦斯防治技术研究成果、瓦斯直供锅炉燃气综合利用技术，工作面切眼大断面锚网，锚索支护技术，煤巷综合防灭火等10多项技术研究成果先后经专家鉴定，获甘肃省科技进步三等奖、甘肃省煤炭工业局科技进步一、二、三等奖。撰写的《高产高效现代化矿井建设发展思路》一文获省煤炭工业局科技论文一等奖。

2. 坚持科技创新　实现矿井跨越发展

1997年，由于煤炭市场无序竞争、小煤窑疯狂开采，受市场冲击煤炭滞销，煤价下跌，加之当年连续发生两起重大伤亡事故，给企业造成了严重的经济损失和不良的社会影响，经济形势步履蹒跚，工资拖欠，人心涣散。一时间，整个矿井如临大厦将倾之境。1998年2月，原靖远矿务局经过认真研究、考察、筛选，决定由梁习明同志出任魏家地煤矿矿长。带着上级的嘱托和矿区1万余名职工家属的期望，他带领一班人，大力推进科技兴矿战略，走高产高效矿井建设的路子，强化企业内部改革，坚持科技创新、管理创新、制度创新。在矿井技术装备上，先后投资2800万元，进行生产技术更新改造，装备了具有国内领先水平的KJ-95型矿井环境瓦斯集中监测系统，工业电视监控系统，SK—60型瓦斯抽放系统，SZ—Ⅱ型防灭火束管监测系统，PSA—500型氮气防灭火系统，中央风井黄土灌浆等安全保障系统。在安全管理上坚持安全“金字塔”管理格局，严格“一通三防”为重点的安全管理，加快技术装备、管理机制、监督检查、安全信息、培训教育、职业健康等六个安全保障体系建设，建立安全长效机制，形成了独具特色的安全生产管理模式，创造了“双突”矿井连续6年多，截止到2004年5月31日实现安全生产2491天无重伤以上事故，无瓦斯、煤尘、火害困扰矿井显著成绩。承办了甘肃省煤矿瓦斯治理现场会议，重点交流了魏矿的安全管理先进经验，会议要求在全省煤矿推广魏矿的安全管理模式和先进经验。

在生产组织管理上，他始终坚持优化设计、科学管理、集中生产，安全高效集约化生产的原则。井下运输经技术改造实现了从工作面到中央煤仓及千米掘进皮带运输；综放工作面跨上山走向长1170m表外开采技术、孤岛无煤柱开采技术，多回收煤炭资源170多万t，增加经济收入2.2亿元，实现了矿井的跨越式发展，原煤产量2001年78万t，2002年102万t，2003年150万t，创最高单产16.53万t，日产7423t最好水平。

在经营管理上，全面推行班组经济核算和大包经营管理模式，建立了矿内部经营结算中心，完善了经营预算、绩效、考评、价格、结算管理体系和经验检查、赔偿、仲裁、考核管理机制，建立了井口物资供应超市，变供领关系为买卖关系，有效地引进了市场经济激励约束机制。被靖煤公司作为企业经营管理先进经验进行推广，并以文件形式提出了“远学邯钢、近学魏矿”的响亮口号。坚持向科学技术要效益，他率领工程技术人员，对全矿耗能设备进行技术攻关改造，仅矿井优化通风技术改造一项成果，年节约电耗 90 万元。近 3 年累计实现利润 2955 万元，其中，2003 年经济运行质量保持了快速发展的良好势头，煤炭产量、销量、利润、职工收入均稳步增长，全年生产原煤 150 万 t，煤炭销售 150 万 t，销售收入 1.80 亿元，实现经营利润 1062 万元，职工年人均收入 1.50 万元。原煤综合成本 93.96 元/t，综放工作面直接成本控制在 11.31 元/t，回采工效达到 38t/（工・日），全员工效达到 10.43 t/（工・日），2002 年荣获中煤协会全国煤炭工业“双十佳”煤矿、全国煤炭行业文明矿、全国十佳设备管理先进单位、行业级质量标准化矿井、行业级高产高效矿井；被甘肃省委、省政府命名为省级文明单位；被甘肃煤矿安全监察局授予全省煤矿安全生产先进单位，被树为全省安全管理样板矿井，2002 年十大科技成果获奖单位；是白银市文明单位标兵、绿化环保和安全文明小区建设先进单位。

梁习明矿长一门心思扑在工作上，夜以继日地忘我工作，从没有享受过一个节假日，3 年来，平均每月下井 12 次以上，平均每年奉献工作日 103 个，他率先垂范，严于律己，宽以待人，以身作则，以自身的人格魅力感化人、鼓舞人，影响并带动了矿班子成员和全体职工，形成了全公司一流的团结务实，勤政廉洁，精干高效，善于管理，坚强有力的矿领导班子，造就了一支技术精湛，工作作风扎实，特别能吃苦，特别能战斗的职工队伍，为企业的发展打下了坚实的基础。

3. 坚持机制创新　增强企业活力

梁习明常说，人才是企业的灵魂，不能够正确把握人才的合理流动，就是一个企业家的失败。在人事制度、劳动用工、工资分配制度改革上，他针对魏家地矿的实际，经过反复认真的酝酿、研究、考察、修订，率先出台了《岗位绩效工资改革方案》，打破了沿袭半个多世纪的等级工资制，全面实行了岗位绩效工资制，极大地调动了职工群众的生产经营积极性。出台了《管理人员和科队级干部竞聘上岗、创先争优、尾数淘汰考核办法》，建立了管理干部能上能下，工资能增能减机制，促进了管理人员的学习热情，使其不断更新知识，始终使企业管理趋于领先水平。坚持矿务公开，大从经营收支、企业重大决策、投资，财会人员、经营核算员、教师、护士的考试评聘，小到全矿职工工资奖金收入全方位、全面的实行公开公布，极大的增强了企业职工参政议政的主人翁意识，杜绝了腐败浪费等问题，营造了人人关注生产经营，我为降成本、增效益做贡献的良好氛围。

4. 坚持以人为本　创建企业文化

近年来，在梁习明的倡导下，魏家地煤矿坚持“以人为本，以德治矿”的企业文化建设，尊重知识，尊重人才，更新知识，注重学习，建立学习型企业，走出了“教育、建设、管理、发展”紧密融合，同步运行，与时俱进，培育发展的企业文化建设的新路子。在企业精神文明建设中，把加强党的建设、领导班子和职工队伍建设放在首位，纳入经济考核责任制，坚持同安排、同检查、同考核。以培育“四有”职工为目标，大力创建职工文化阵地，职工培训教育中心、电教室、图书室、阅览室、灯光球场等文化设施齐全完备，各种文艺演展赛活动丰富多彩。职工学文化、学技术蔚然成风，近年来，先后有 860 名职工报考各类大中专院校，有 620 名职工取得了大中专学历证书，与高校联合办学，开办综合机械化采煤、计算机应用大专班 3 个，在校学员 124 人。梁习明特别注重矿区绿化、美化、净化、亮化环境建设，先后投资近 340 余万元用于植树造林、种草种花和园林化建设。全矿共有绿化面积 366.63 亩，绿化覆盖率 30.82%，人均占有绿化面积 30.48m^2，使矿区形成春有花、夏有荫、秋有果、冬有青，亭台楼阁古色古香，鲜花盛开，绿树成荫的花园式矿井。

“路漫漫其修远兮”，魏家地矿这个镶嵌在腾格里沙漠上的明珠，正阔步走向美好的未来，初步形成了团结高效一流的领导班子和职工队伍；绿化、美化、净化、亮化环境一流的花园式矿井，安全稳定一流的全省煤矿样板矿井，企业文化一流的现代化矿井，为新世纪谱写着壮丽的篇章。

福建煤电股份有限公司苏一煤矿矿长

陈文阶

一、简介

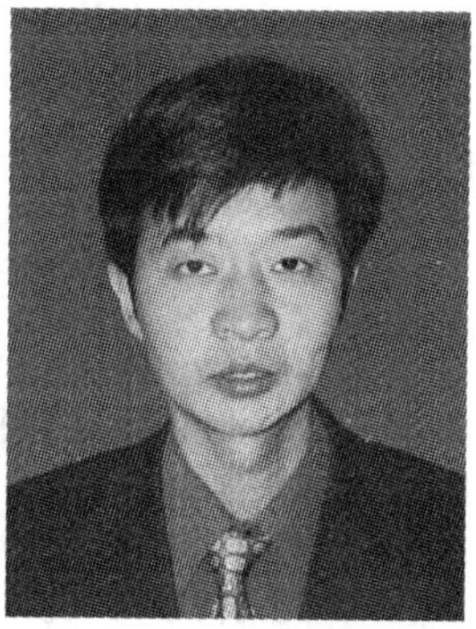

陈文阶，男，汉族，福建永春人，1967 年 1 月生，中共党员，1987 年 7 月参加工作，大专学历，工程师，现任福建煤电股份有限公司苏一煤矿矿长。先后获得福建煤电公司“优秀生产经营管理者”、“创建高产高效矿井先进个人”、龙岩市优秀共产党员及 2002 年度全国煤炭工业优秀矿长荣誉称号。

二、事迹

近年来，福建煤电公司苏一煤矿连年被公司评为“双文明建设”先进单位、“高产高效矿井”等诸多荣誉。取得如此骄人的业绩，倾注了该矿矿长陈文阶无数心血和汗水，职工们都发自肺腑地说：没有陈矿长，苏一煤矿不可能有今天的辉煌，职工的日子也没有这般甜润，我们需要的就是这样一心为企业谋发展，为职工谋福利的好领导。

陈矿长受命于危难之际，3 年前，由于该矿采掘接替严重失调，生产经营全面陷入困境，为了尽快扭转这一被动局面，公司领导决定委时任副矿长的他主持行政工作。当时很多人都担心瘦高个儿的他无法担此重任，但有着多年基层领导工作经验和 3 年工商管理学习经验的他，化压力为动力，全身心投入生产经营工作中。一方面，他每天带领生产技术骨干深入井下工作现场，全面了解生产一线急需解决的问题，排查环节之间影响生产的原因，并连续多次召开经济分析会，对照项目成本层层分解核算，仔细分析影响生产成本的因素，探讨有效控制成本的方法。另一方面，他在查明影响生产经营工作的原因后，集思广益，对症下药，积极采取有效管理举措，全面摆脱生产经营的困境。针对采掘接替紧张的局面，他果断地采取了生产技术指导超前、科学调整采掘布局和采掘加价合理平衡的做法，很快地缓解了采掘接替紧张问题。针对原先吨煤成本居高不下的现象，陈矿长创造性地将吨煤成本划块分解成小单位进行核算，并推行工程技术人员与采掘直接成本挂钩考核的办法，使该矿吨煤成本有效地控制在计划指标内。同时，针对原运输线受制约的因素，他果断推行了运输岗位承包责任制和划片管理制度，实现了运输线多拉跑、服务一条龙的喜人局面。就任不到 3 个月时间，该矿被动的生产经营工作就得到改变，每月都能顺利完成生产计划任务，且每月的产量均比以往跃升了 20%，开创了生产经营工作的新局面，彻底实现了扭亏为盈。

在生产管理过程中，他月平均下井天数大大超过公司规定下井天数，而且井下跑迎头，爬采面的时间也是最长的。在他榜样作用的感召下，该矿生产技术人员自觉形成了周末自觉轮流下井，精心指导一线生产的良好现象。遇到“急、难、险”的生产工作时，陈矿长更是率先垂范地奋战在最前线。2002 年 9 月 4 日，该矿七采区＋200 回风巷掘进到 600 多米时，遇见顶板冒落不止的罕见高顶现象，为安全通过高顶控制区和不影响生产进度，9 月 5 日早班，他顾不上头天在井口调度 24 小时值班的劳累，第一个到七采区＋200 回风巷带头跟班处理冒顶，当时由于高顶区随时都有矸石冒落，在场的工人都不敢上工作迎头处理，当他们见到陈矿长亲入现场负责处理，且带头扛上撑木爬上迎头时，都感动得二话没说跟着干起来，在他模范带头的作用下，罕见的高顶区很快顺利通过。去年该矿组织的中晚班安全查岗，他每次都选择在深夜下井查岗，按规定每月只要有一次夜班查岗即可，但他并没有这样做，他说夜班查岗虽然辛苦劳累，但夜班时间职工容易发生“三违”现象，所以夜班查岗的效果较好。打那以后，该矿安全部门没出台任何补充规定，其他人员都自觉地在夜班时间下井查岗，近年以来该矿井下“三违”现象显著减少，实现了良好的安全效果。

管理细而严是陈矿长一贯的做法，他说企业是一个大摊子，生产经营的环节过程多而复杂，如果管理不严格不到位，企业就很难有效益，职工也就没有福利可言。今年春节发放职工保勤奖，一些矿井采取节后一次性发放的做法，但他却采取了与职工出勤天数和产量完成情况挂钩发放的做法，当时有人说何必把保勤奖的发放搞得太细，结果一季度下来，该矿在整个煤电公司完成产量最好、职工队伍最为稳定。他还经常主持召开生产技术探讨交流会，对巷道布置、采掘布局、作业工序方面进行细致分析，尽量避免因技术管理造成的无效进尺和丢煤现象，近年来该矿均未出现因管理不到位而浪费成本现象。为全面做好成本管理，他还创造性地实行了矿领导包保成本指标的做法，把每位矿领导的收入与分管工作的项目成本进行挂钩考核，使该矿近年以来各项成本费用均得到较好控制。陈矿长还根据现有生产系统和资源条件，创新地通过技术改造，科技找煤，采区接替和新采区建设，使该矿井型利用率最大化和生产布局合理化，生产能力得到有效提高，矿井发展后劲确保持续稳定。

作为一名优秀共产党员，陈矿长在作风建设上更是以身作则，廉洁奉公。了解陈矿长为人的职工都深有感触，他们个个都说陈矿长是职工的贴心人。该矿机电队职工廖永康家去年不幸遇车祸，陈矿长率先带头捐上 1000 元为他解燃眉之急；该矿外来工陈敦贵突遇意外事故致残，陈矿长定期将自己的奖金拿出来，为陈敦贵献爱心；他还与该矿特困退休职工吴金莲家挂钩结对进行帮扶，每学期拿出部分工资扶持其子女入学，受到了全矿职工的高度好评。

陈文阶同志荣获 2002 年度煤炭工业优秀矿长称号。

神华集团准格尔能源有限责任公司
黑岱沟露天煤矿矿长

田 爱 民

田爱民任黑岱沟露天煤矿矿长以来，以高度的主人责任感，开拓进取的创新意识，无私奉献的敬业精神，团结带领全矿职工，坚持以提高经济效益为中心，深化内部改革，加强经营管理，各项经济指标一年上一个台阶。2000 年生产原煤 484 万 t，2001 年生产原煤 641 万 t，2002 年生产原煤 1021 万 t，从而使黑岱沟露天煤矿跨入千万吨级特大型露天煤矿。

一、锐意改革，强化管理，各项指标在全国同类露

天煤矿中名列前茅

1. 以提高经济效益为中心，不断强化成本管理，努力节支降耗，生产成本在全国同类露天煤矿中最低

每年年初，准能公司为黑岱沟露天煤矿下达成本指标后，田爱民带领矿一班人认真研究和分析成本构成要素，逐一进行分解，层层落实到部门、队、班组，直至工作岗位，落实成本指标做到了“横向到边，纵向到底”，形成了全员、全过程、全方位的成本控制体系。对各单位、部门核定成本费用后，严格奖惩兑现，实行月考核、季兑现，有效地激发了职工节支降耗的积极性，出现了全员控制成本的大好局面。2000 年，公司核定成本为 46.24 元/t，实际成本指标为 45.53 元/t，2001 年公司核定成本指标为 47.93 元/t，实际成本为 47.38 元/t，2002 年公司核定成本指标为 46.93 元/t，实际成本为 45.82 元/t，三年共计节约成本 2260 万元，这些成本费用仅为全国其他同类型露天煤矿的 1/2～2/3。

2. 精兵简政，主辅分离，极大地提高了劳动生产率

为将生产、生产服务和生活服务从布局和管理体制上彻底分开，近年来黑岱沟露天煤矿不断深化改革，将后勤、绿化等生产、生活服务职能剥离出去，使煤炭生产主业人员大幅度减少，提高了露天煤矿的全员工效。

一是将选煤、生产、生活服务人员从露天煤矿中分离出去，精干了主业。

二是矿内部大力实施机构重组，矿机关科级建制由 15 个缩减为 8 个，矿机关科级干部由 34 名缩减为 15 名，矿机关工作人员由 131 人减为 39 人，身兼数职，一专多能，推诿扯皮现象大为减少，工作效率显著提高，达到了精干高效的目的。

三是通过分配制度改革，增加了工资分配中与个人工作业绩挂钩比例，极大地调动了职工的生产积极性和主观能动性，提高了生产效率。

四是加强职工培训，不断提高职工的技术业务素质，提高了工作效率。

通过采取一系列措施，原煤生产人员效率由 2000 年的 16.22t/工提高到 2002 年的 32.59t/工，生产效率提高了 1 倍，2003 年 1～5 月份原煤生产人员效率为 67.29t/工。

3. 安全管理扎实有效，成绩突出

安全管理是煤炭企业永恒的主题，田爱民一直将安全工作当作“天字号”工程来对待，始终以高度的政治责任感和对国家财产、人民生命安全高度负责的态度狠抓安全生产工作，能够正确处理安全与生产、安全与效益、安全与改革、安全与稳定的关系，充分认识到保证了安全生产就是最大的效益。具体做法是：制定了各类安全管理制度和各类设备的安全操作规程；建立起一级向一级负责、层层落实、层层负责的安全责任体系；露天煤矿率先实行了安全风险抵押制度、反“三违”制度和隐患排查制度；实行了重点部位、重点岗位的重点管理制度；加大对职工的安全培训；积极开展群众性安全活动，形成党、政、工、团齐抓共管的局面。在他的领导下，3 年来没有发生死亡事故，随着生产规模的逐年增大事故等级逐年下降，安全工作一年上一个新台阶。

二、实施科技兴矿战略，推进露天煤矿的技术创新

黑岱沟露天煤矿的开采工艺为综合开采工艺，上部黄土采用德国进口的单台小时能力为 $3100m^3$ 的轮斗挖掘机—胶带运输机的连续工艺，中部岩层采用美国进口的 $32m^3$ 单斗挖掘机配 154T 自卸卡车的间断工艺，下部煤层采用国产 $14m^3$ 单斗挖掘机配 108T 自卸卡车至坑边破碎站—胶带运输机的半连续工艺，开采工艺先进，技术领先。煤质属特低磷、低硫、高灰熔点的长焰煤，是化工、发电用的优质动力煤，符合国家环保政策要求，被誉为“绿色煤炭”。

田爱民牢固树立“科学技术是第一生产力”的思想观念，紧紧围绕科技进步，促进科技成果向生产领域转化，先后完成了轮斗系统组合台阶开采研究、增加东排土场下排高度方案、北排土场扩容和出入沟改造、修改西排土场设计境界、内排土场排土桥方案、非工作帮残煤井工开采等一系列重大科研项目，并全部应用于生产领域，每年可为露天煤矿节约成本五千多万元，降低了生产成本，提高了市场竞争力。

三、在党的领导下，积极推行矿务公开，增加各项工作的透明度

田爱民自担任矿长以来，作为矿党委委员，他全力配合党委开展以增强领导班子合力、党组织的战斗力、职工队伍的凝聚力为内容的“三力”工程建设，认真贯彻党的路线、方针、政策，坚持党的领导，从而使黑岱沟露天煤矿在两个文明建设过程中取得了骄人成绩，被内蒙古自治区命名为“文明企业”。

与此同时，他积极推行矿务公开。凡在生产经营重大决策中和涉及职工切实利益的问题上，采取多种形式进行公开，如每年年初召开职工代表大会，设置公开栏和信访接待日等，通过这些方式，进一步提升了职工参与管理的主观能动性，密切了干群关系，受到了职工的拥护和认可。

黑岱沟露天煤矿在田爱民的领导下，三年的建设和发展取得了可喜的成绩，职工收入每年以 20%左右的速度增长，但他不满足于此，正在带领全矿职工对黑岱沟露天煤矿进行扩建，使其生产能力达到 2000 万 t/a，逐步将黑岱沟露天煤矿建设成为中国第一、世界一流的露天煤矿。

开滦（集团）有限责任公司

荆各庄矿业分公司经理

刘双勇

一、简介

刘双勇，男，汉族，1958年3月生人，天津宁河人，1973年8月参加工作，1982年10月加入中国共产党，1992年7月毕业于北京煤干院采煤管理专业；2001～2003年参加河北省委党校经济管理专业学习，大学文化，高级工程师。历任采区工人、副队长、队长、矿调度室主任、副矿长、副经理、矿长、现任荆各庄矿业公司经理。

二、事迹

刘双勇同志自2001年初担任开滦集团公司荆各庄矿业分公司经理以来，致力创新，精于管理，追求卓越，勇做市场经济的领航人，带领员工在困境中顽强拼搏，积极进取，使公司不断实现新发展，连续几年实现高产、高效和安全生产。

1. 坚持科技兴矿，使企业始终保持了较高的生产能力

刘双勇同志始终树立科学技术是第一生产力的观点，面对荆各庄矿经过几十年的开采、储量萎缩趋势明显的情况，他每年谋划总体工作思路时，总是坚持把依靠科技进步，储量挖潜工作摆在重中之重的位置，把生产方式由粗放型向集约型转变，并身体力行，和生产、技术线的同志们一起研究探索应用有利于储量挖潜工作的先进采煤方式和生产技术，使综采架顶放煤、轻型支架放煤等各类型放煤工艺在荆各庄矿大放异彩，科学技术贡献率明显提高，为实现精收细采，提高资源回收率，保持较高的生产水平发挥了极为重要的作用，为企业获得较高的经济效益提供了可靠的保证。

2. 坚持机制创新，全方位搞好成本控制

发展重在创新，提出正确的发展目标是重要的，找到实现目标的最佳途径同样重要。这几年，刘双勇作为企业的当家人，为搞好成本控制，敢于创新，运用机制，强化成本控制，探索出了一条有利于实现降低成本目标的有效途径。他提出在工作面实施资产运营新理念，对遏制工作面各种材料的流失、浪费现象具有极为重要的作用，现在已成为了该公司一个独具特色的经营管理模式，每年降低成本创效益可达1200万元。为实现经营责任、经营管理、经营压力由区科向班组传递，他提出具有特色的经营管理模式——班组核算，有效地调动了每个班组以及全体员工主动参与经营，自觉承担经营风险，努力实现节支降耗的积极性。他大力推行以加大材料、电力这两项主要成本构成因素消耗情况对工资提取的制约力度为内容的材料、电力费用二次考核机制；将公司所控制使用的全部费用在量化基础上全部分解到各责任人和有关职能部门负责人的职能部门资金责任负责管理机制；以公司、区科和班组层层实行费用预算，三级并存，共同发挥作用的费用预算管理机制等等，在全公司形成了运转通畅、管理有序、全员、全过程、全方位、全因素的成本控制体系，有效的调动了广大员工节支挖潜积极性，提高了降低成本工作的推动力，使成本年年都控制在了较低的水平。

3. 坚持以人为本，大力构建安全生产长效机制

良好的安全形势是实现经济发展的保证，在这个问题上，作为公司安全工作的第一责任者，刘双勇认为抓安全重在治本，要在安全形势上实现长治久安，就必须要紧紧抓住长效机制建设这个根本。近几年来，他把长效机制建设作为总揽全局工作的一项根本性任务来抓，对各个单位实施了安全绩效考核和群体安全风险考核；对全体管技人员实施了安全责任制考核，使公司在安全考核工作上形成了一套完善、科学、有力的长效机制；在职工的安全管理上，他坚持以人为本，把重视和开发人的积极因素放在首位，实施了以自我教育机制、自我激励机制、自我监督机制和交互管理机制为内容的自律管理，使广大职工在安全工作中主动发挥了主角作用；他注重管理手段的现代化，建立安全管理信息平台，将信息技术引入安全管理，实现了安全管理信息化；结合安全工作实际，对安全生产流程实施了优化和再造，基本实现了生产过程中的安全控制科学、规范的管理。他在长效机制建设上提出并坚持实施的这些有力举措，全方位提升了公司的安全管理水平，进一步强化了员工的安全责任意识，有力地巩固和发展了公司的安全好形势。

枣庄矿业（集团）蒋庄煤矿矿长

赵厚选

一、简介

赵厚选，现任枣庄矿业(集团)公司蒋庄煤矿矿长，现年48岁，本科学历，1973年11月参加工作，1976年10月加入中国共产党。历任枣矿集团山家林煤矿掘进区队党支部副书记、书记，矿纪委副书记、书记、党委书记、矿长等职务。2001年2月至今任蒋庄煤矿矿长。先后荣获了山东省煤炭系统优秀纪检干部、党风廉政建设先进个人、山东省煤炭系统劳动模范、首届全省煤矿“双十佳”矿长、全国五一劳动奖章等荣誉称号。2003年当选为山东省第十届人大代表。在蒋庄矿工作3年期间，连续上缴利润4.5亿多元，各项工作不断刷新超越自我，取得了令人瞩目的成绩。

二、事迹

作为矿井安全生产的第一责任人，赵厚选每当谈起安全，总是意味深长地说："安全是煤矿天字号的大事，是矿井的最大效益，是职工的最大福利，它关系到千家万户的幸福，无论如何都不能有丝毫松懈！"他始终以"如履薄冰、胆战心惊"的危机意识，立足防范，夯实基础，率先提出了以"三基"（基础、基层、基本功）建设打造"平安矿井"，全方位构建安全管理长效机制的构想。为此，他始终坚持关口前移抓质量，重心下移抓班组，筑牢质量基础，激活基层细胞，通过创新实施主导工序链式管理、全员"三三二二"安全结构工资、安全质量班评估管理和安全隐患追问分析等一系列先进管理手段，实现了质量标准化建设由注重治标向标本兼治的深刻转变；通过不定期召开质量标准化促进会、现场会的形式，选典树标，奖优罚劣，大搞"样板头面"、"样板工程"创建，实现了质量标准化建设由井下单位向生产、辅助、地面所有岗位的全方位延伸；通过强化班组长的物资、精神、政治三重激励手段，建立健全程序化、数据化、精细化的班组流程控制体系，探索出了一条以打牢"双基"为根本的"本安型"矿井建设之路。矿井也因此被省煤炭工业局命名为2003年度首批"全省煤矿安全生产'双基'建设先进单位"，其经验在全省推广。

赵厚选深信，煤矿要想持续发展、永葆活力，就必须走科技兴煤之路。他不惜投入，全面启动了科技攻关、技术创新工作规划，大力实施科技成果转化为生产力的发展战略，积极引导广大工程技术人员研究、开发和应用新技术、新工艺、新设备、新材料，不断优化采区设计，简化生产流程，靠超前开拓南七新采区保大接续，靠实施重点迎头目标管理保小接续，靠推广应用轻型支架、电牵引煤机、综掘机等新装备提高工效，提高生产科技含量。即使在2003年头多面广、条件差、环节复杂等诸多不利条件下，矿井依然创出了原煤班产3500t，月产24.5万t，年产277万t的历史新纪录。

他认为，一个矿的煤炭资源是有限的，要想保持矿井的可持续长远发展，必须大力发展非煤。3年来，他胸怀全局，放眼长远，卧薪尝胆，大刀阔斧，积极引领"大非煤"发展观念，聘请专家教授对非煤发展号脉把诊，勾画矿井非煤5年发展蓝图；精简机构，优化厂点及人员重组，强化内部改革。以煤为依托，自主开发了刮板输送机、托辊、风筒、金属网、电焊条、高分子材料等40多个生产服务项目。继2002年总装机容量2×12MW的矸石热电厂建成发电以来，2003年又建成投产了年产3000万块的粉煤灰免烧砖厂，使电厂废弃灰渣资源变废为宝，形成了煤、电、建材、机械加工为一体的综合性企业。2003年非煤年收入、产值近亿元，非煤产业逐步成为矿井的"半壁江山"。

他常说："我们的工作，只有身入基层、心入群众，设身处地地为职工解决吃、穿、住、行等最基本的生活保障问题，才能赢民心、集民智、聚民力。"作为一矿之长的他，始终把增加职工收入、改善生活环境、提高生活质量作为身体力行"三个代表"的"三大工程"。2003年，他通过定期召开职工代表大会，下到基层倾听职工代表意见，深入一线听取职工群众的呼声，切实掌握了社区的线路、厕所、垃圾等脏乱差的热点问题，果断实施了"五项治理"、"六项整治"活动，整治线路、改造厕所、清除垃圾，改善住宿、供暖、医疗、学校和供水、供汽、供电条件，关心伤残职工、工病亡遗属、特困户，使广大职工吃、住、行和医疗费报销等热点问题在较短的时间内得到了解决，全矿上下呈现出一派人心思上、人心思干、人心思进，团结拼搏的崭新局面。

赵厚选对企业文化建设有着自己独到的见解。他常讲："只有通过企业文化建设快速提升企业的核心竞争力，才能在激烈的竞争中处于不败之地。"为此，他组织实施了"211"企业文化建设系统工程，及时导入学习型组织创建、REM精细化管理、"6S"文明规范等先进管理经验，形成了具有蒋庄特色的企业理念、企业愿景、安全文化、管理文化，在全矿范围内形成了"自我约束、自我激励、自我完善、自我发展"的良好氛围，有效激发了全员工作热情，不仅挖掘了人才潜能，开拓了职工境界，还使文明之花处处绽放光辉。矿井先后荣获了山东省文明单位、山东省思想政治工作先进单位和山东省先进基层党组织、全国文明煤矿等20多项省部级荣誉称号。

作为一矿之长，尽管平时工作繁杂、头绪多，但在党风廉政建设和反腐败斗争方面，他始终以廉洁勤政为生活准则，从严要求自己，并给自己立下了一个人生信条：清清白白做事、堂堂正正做人。他经常白天下井、开会、谈工作，晚上在办公室工作或学习到深夜，每天工作达十几个小时，一年中从未歇过周末、节假日，以率先垂范的榜样力量和人格形象影响带动了周围同志，在全矿形成了雷厉风行、令行禁止的良好作风。对腐败现象他深恶痛绝，时刻注意艰苦奋斗、廉洁奉公，个人生活中因陋就简，不搞特殊化，从未利用手中的权力为自己和亲属办过一件私事。对违反纪律法规的干部处理上不徇私情，不顾情面，不留其位。正是他的人格魅力和模范行动，团结了班子、稳定了队伍、凝聚了力量，使矿井迈上了持续、健康、稳定发展之路。

"路漫漫其修远兮，吾将上下而求索"。目前，赵厚选又在勾画着蒋庄矿新的发展蓝图，正信心百倍地带领全矿干部职工家属朝着更高的目标迈进。

煤矿事故案例分析

乐平涌山原发达一矿“8·14”煤与瓦斯突出事故

2002年8月14日22时30分左右，乐平涌山原发达一矿（以下简称发达一矿）主井－160m水平五煤东翼平巷迎头发生一起煤与瓦斯突出事故，死亡13人，直接经济损失80万元左右。

一、矿井基本情况

发达一矿为非法生产经营的乡镇煤矿，6个农民出资合股开办。位于乐平市涌山镇里冲坞，即乐平涌山矿区15勘探线以西20m至220m的范围之内，煤系属三叠系上统安源组，矿井采用立井开拓，有3个采煤工作面，开采强突出煤层5煤，高落式采煤，井下涌水主要来自地表降水。

发达一矿始建于1993年，原由乐平市涌山镇监管。当时有两个井口，即发达二井和风井，发达二井于1996年烧毁被迫自行关闭，1998年初新打主井，当年与风井形成基本系统。1998年6月又买下相邻的961井，经过2年修建沟通主风井后，于2000年6月报经涌山镇执法中队同意，一并划入发达一矿。从此，发达一矿有3口井，即主井、风井和961井，其中，961井与乐平矿务局涌山矿－120m水平贯通。由于发达一矿在涌山煤矿井田范围之内，属国务院“四个一律关闭”对象，2001年9月乐平市政府组织关闭时，只关闭了主井和961井，且未达到关闭矿井“六条标准”的要求。

因发达一矿开采范围在乐平矿务局涌山煤矿26采区上部，关闭后－120m水平以下的井下积水严重威胁涌山煤矿26采区，2001年10月涌山煤矿提出报告，经乐平矿务局签署意见转景德镇市煤矿安全整治领导小组批准，将发达一矿无条件提供给乐平矿务局涌山矿排水，从此，发达一矿由涌山煤矿监管。交接后，涌山煤矿只利用了961井排水，而发达一矿业主趁机对主井和风井进行修复，组织非法生产，形成了发达一矿以向涌山煤矿提供961井用于排水作为掩护，另外两井从事非法生产的局面。

二、事故经过

8月14日21时40分左右，作业人员升井在地面绞车房起爆放炮。22时左右，13位作业人员陆续下井，22时30分左右，井口突然冒出一股“烟尘”，情况异常。10多分钟以后，待到主井恢复进风，值班股东胡长焰匆忙下井，约10多分钟后，胡长焰上井讲井下的人都完了。6个股东随即组织人员将13具尸体运到地面后，胡长焰在出井前把井下－120m水平的挡水坝扒开，放水淹没－160m生产水平事故现场。

接到事故报告后，在外省考察工作的省委书记孟建柱、省长黄智权作出指示和部署，常务副省长彭宏松立即委派省政府秘书长王飚率有关部门的负责同志连夜赶赴事故现场。事故调查期间，凌成兴副省长亲临现场指导，事故调查结束后，多次听取专题汇报。

三、事故原因

这是一起由于对非法井监管责任不落实，出现空档，煤矿业主非法生产导致的事故。

（1）直接原因。煤与瓦斯滞后突出。开采强突出煤层，没有采取“四位一体”防突措施，采煤迎头空洞过大，也没有及时支护，放炮震动后，在煤的自重及瓦斯压力的共同作用下，大量煤与瓦斯瞬间压出，造成矿井风流逆转，井下作业人员窒息死亡。

（2）主要原因。发达一矿非法生产。在发达一矿作为排水井得到批准以后，发达一矿业主一方面把961井无偿让给涌山煤矿排水，另一方面对主井和风井进行修复，组织非法生产。煤出井口后及时转走，并派人在路口望风，一有动静，迅速通知井口生产人员撤离。

（3）重要原因。涌山煤矿对发达一矿的监管责任不落实。由于涌山煤矿只需利用961井排水，而对主井和风井如何处置，在企业上报和政府下批过程中，均没有明确的意见，也没有在现场交接。涌山煤矿接到政府将发达一矿移交给涌山煤矿的批文之后，既没有提出异议，又没有落实对主井和风井的监管责任。

四、事故处理结果

2002年12月，国家煤矿安全监察局批复结案，认定是责任事故。由乐平市政府采取强制措施依法没收发达一矿非法所得；由发达一矿股东全部承担善后处理及调查所发生一切费用；发达一矿故意破坏事故现场，由煤矿安全监察机构罚款15万元；共处理13个责任人，其中：股东胡某等3人对事故负有主要责任，移交司法机关追究刑事责任；另外3个股东胡某等对事故负有重要责任，按照江西省劳动教养管理委员会江西省公安厅关于印发《关于惩治非法生产经营烟花爆竹、非法开采煤矿活动的暂行规定》的规定依法处理；乐平矿务局副局长马某等6人与发达一矿业主内外勾结，收受贿赂，检察机关已对其立案审查，待司法机关处理后，给予相应的处分；景德镇市煤炭工业管理办公室负责人张某，给予留党察看一年的处分。

宜丰县煤矿"4·2"特大瓦斯爆炸事故

2002年4月2日17时20分，宜春市宜丰县新庄镇宜丰县煤矿新兴井－277m水平13号煤层上山三平巷处，发生一起特大瓦斯爆炸事故，造成16人死亡，直接经济损失69.2万元。

一、矿井基本情况

宜丰县煤矿始建于1972年，属新庄镇镇办集体企业。停产整顿后通过验收，新的"四证"正在办理之中。矿井开采上三叠纪煤层群，矿井采用立井一暗立井开拓，低瓦斯矿井，新兴井、新建井出煤，新立井抽风，全负压通风，两级提升，生产环节多，通风较困难。

二、事故经过

4月2日晚班（16～24时），新兴井安排14人下井两处作业，另有中班未出班2人。17时左右，井口生产组长黄学文在副矿长冷细苟处开完安全工作会后准备下井，因井下等着用材料未能下井，等下完材料，再走进罐笼内准备下井时，听到一声巨响，接着井下有股风往上冲，感觉井下出了事，黄学文跑出罐笼立即报告。此后，煤矿组织地面人员下井自行救抢，因暗立井有害气体浓度太高无法进入，宜春市矿山救护队于21时30分左右到达事故矿井，21时55分下井，克服较大困难，4月3日7时左右井下抢救工作全部结束。

事故发生后，常务副省长彭宏松到现场作了指示，副省长凌成兴作了批示，江西煤矿安全监察局、省公安厅、省总工会的负责同志及时赶赴现场指导救灾和处理善后工作。4月4日善后处理工作完毕。

三、事故原因

（1）直接原因。恢复整改期间，维修和准备施工13号煤层回风上山，因煤层巷道瓦斯涌出，风量严重不足，瓦斯积聚达到爆炸浓度，矿灯失爆引起爆炸。

（2）主要原因。主扇已坏，以11kW局部通风机代主要通风机，－227m水平的风门未按规定设置且被打开，造成风流短路，瓦斯积聚。

（3）重要原因。相应的安全技术规范和安全管理措施没有得到完全落实。13号煤层回风上山施工未设计、编制相应安全措施；瓦斯管理和瓦斯检查制度不落实。

（4）矿井部分掘进面较长时间风量不足，通风设施不完备，瓦斯检查制度不严格，未引起该矿有关人员重视，思想麻痹是这次事故的原因之一。

四、事故处理结果

2002年6月国家煤矿安全监察局批复结案，认定为责任事故，共处理15个责任人，其中：矿长、法定代表人黄某等4人，移送司法机关依法追究刑事责任；分管煤炭安全生产工作的副县长张某等11人分别处以党政纪处分或经济处罚。

云南省文山县德厚镇余兴红无证煤矿"1·14"特大瓦斯爆炸事故

2002年1月14日12时50分，文山县德厚镇水结村余兴红无证煤窑发生一起特大瓦斯爆炸事故，死亡25人，伤10人，直接经济损失80.11万元。

一、事故经过

2002年1月14日早晨8时30分左右，矿主余兴红下井查看生产情况，安排代正权起动了安在井下的小鼓风机。9时左右，周围农村的人互相邀约来到该矿下井挖煤、背煤，男女共37人，分3个工作点。10时35分，当地德厚降压站因检修停电，部分背煤的村民出井休息，12时22分恢复供电后又下井接着干。12时40分，井下报告采煤迎头的一个灯泡（普通白炽灯）忽明忽暗，接触不良，余兴红未采取措施。12时50分左右，井下发生了瓦斯爆炸。事故发生后，矿主余兴红立即组织人员自行入井抢救出部分受伤人员，后电话报告德厚镇政府。14时56分，镇政府接到报告后，组织镇政府的干部职工及镇卫生院的医务人员赶往现场。县委、县政府接报后，将受伤的10人用救护车送往县医院救治。州、县两级专业技术人员及时投入抢救，于1月15日早上7时，抢救出全体伤员和遇难人员。此次事故共死亡25人，伤10人。

二、事故原因分析

（1）事故矿井为独眼井，未安装主要通风机，不能有效排除井下瓦斯。

（2）井下采用多台非防爆民用鼓风机进行局部通风，且安装位置不当，形成循环风，导致瓦斯积聚。

（3）矿井大量使用非防爆非矿用电缆、电气设备，且均为明电、明刀闸开关、明接头，线路破损到处可见，极易因接触不良、短路或漏电产生火花。

（4）由于一号采煤迎头作业人员在更换灯泡过程中，扯动电缆，使破损电缆短路产生火花引爆瓦斯。

(5) 矿主余兴红无视国家法律和有关政策，未办理任何合法手续，擅自掏开已被关闭的矿井，组织非法开采。矿井无任何设计、安全设施、安全装备，无任何安全管理制度、规章，所有从业人员均未经培训，不具备起码的安全生产条件。

(6) 村、镇两级机构对村民管理不严，对非法开采活动不予及时制止和报告，特别是在煤矿安全专项整治工作期间，对私挖乱采活动不制止、不报告，致使关闭非法矿井不彻底，死灰复燃矿井普遍存在，以致发生事故。

(7) 县矿管局、煤管所作为取缔非法煤矿的职能部门，在经常性取缔非法矿井和煤矿安全专项整治炸封非法矿井过程中措施不力，未按小煤矿关闭工作的“六条”标准，关死关实，导致关闭工作不彻底。

(8) 县人民政府由于领导班子人事变动，由副县长陈国忠主持工作，2001 年 11 月 19 日前没有按上级规定成立煤矿安全专项整治领导机构，制定实施方案，也没有召开会议布置，对关闭非法矿井工作监督检查不力。事故发生前，政府领导未到现场检查过，关闭小煤矿检查验收工作走形式，导致无证非法矿井长期存在或死灰复燃。

(9) 上级政府及有关部门监督检查不力，指导服务不够。

三、事故处理结果

这是一起特大责任事故。

(1) 非法煤矿矿主在未办理任何合法证照的前提下组织非法开采活动，矿井不建立任何安全管理制度，最终酿成特大事故。在此次事故中，矿主应承担主要直接责任，由司法机关追究其刑事责任和相关民事责任。

(2) 矿主之妻参与井下开采和经营，造成矿井独眼井生产，电缆设备失爆，最终酿成事故，在此次事故中负直接责任，由司法机关追究其刑事责任和相关的民事责任。

(3) 矿主内弟（2 人）作为骨干，亲自带人从事采掘活动，事故前亲自处理故障照明线路，留下爆炸火源，安装供电线路及非防爆设备，造成环境的不安全状态。2 人在此次事故中应负直接责任。鉴于其已在事故中死亡，不再追究。

(4) 文山县德厚镇水结村党支部书记，对矿主长期非法开采，既不坚决制止，又不向上级汇报，致使该矿井及其矿区数十个非法小窑长期非法开采，工作严重失职、酿成特大事故，应负主要领导责任。给予撤销职务、开除党籍处分。

(5) 文山县德厚镇水结村村委会副主任，在没有村委会主任的情况下负责全村工作，对矿井长期非法开采不予坚决制止，对该矿井未予果断停止供电，也未向上级汇报，工作失职酿成特大事故，应对此次事故负主要领导责任。按程序罢免村委会副主任，开除党籍。

(6) 文山县厚德镇党委书记，对该矿井及其矿区数十个非法小窑非法开采活动不予坚决制止，不认真贯彻上级政府关闭非法矿井政策，工作失职，酿成特大事故，负主要领导责任。给予撤销职务处分。

(7) 文山县德厚镇镇长，未认真贯彻执行国务院关闭非法矿井政策，工作失职，以致酿成事故，给予行政记大过处分。

(8) 文山县厚德镇副镇长，作为分管企业的副镇长，严重失职，以致酿成事故，负主要领导责任。给予撤销职务处分。

(9) 文山县德厚镇企业办公室主任，对该矿井及其矿区数十个非法矿井，既未采取措施关闭，也未向上级汇报，工作失职，以致酿成特大事故，负主要领导责任。给予撤销职务处分。

(10) 文山县政府主持工作副县长，未按规定成立煤矿安全专项整治工作领导机构，未召开会议研究整顿事项，未行文部署整顿工作，未制定实施方案和检查验收标准，未制定县乡整治工作责任制，致使该县煤矿安全专项整治工作流于形式，工作有严重失职行为，签发了不实的煤矿安全专项整治工作验收报告，使该矿井及其矿区数十个非法小煤窑得以长期存在，以致酿成事故，负主要领导责任。给予撤销职务处分。

(11) 文山县分管安全工作的副县长，虽然对煤矿安全专项整治工作进行了研究和布置，但没有制定强有力的措施，致使非法矿井的取缔关闭工作不彻底，负有一定的领导责任。给予行政记过处分。

(12) 文山县矿产资源局局长，作为分工关闭非法矿井职能部门的领导，负有主要领导责任。给予撤销职务处分。

(13) 文山县煤管所所长，负有主要领导责任。给予撤销职务处分。

(14) 文山县经贸委副主任，负有一定的领导责任，给予行政记过处分。

河北省承德市暖儿河煤矿“1·26”瓦斯爆炸事故

2002 年 1 月 26 日 9 时 48 分，承德市暖儿河煤矿发生瓦斯爆炸事故，在事故抢救中（27 日 12 时 30 分）再次发生瓦斯爆炸。第一次爆炸造成 19 人死亡，第二次爆炸造成 10 人死亡、12 人受伤。此次事故共造成 29 人死亡，直接经济损失 243 万元

一、事故经过

2002 年 1 月 26 日早 8 点班，该矿共入井 92 人，其中 413 采煤工作面（事发地点）出勤 24 人。他们 8 时左右到达工作面开始回收作业，完成任务后往外走，当走到距平硐出口 1500m 处时，感到双耳突然气压增大，约 2min 后听不到任何声响。调度室在 9 时 48 分左右接到井下打来电话，说可能是 413 采煤工作面发生了瓦斯爆炸，威力很大，即刻电话通知救护队及有关人员。矿救护队 9 时 50 分接报后，12 人立即出动，在南二大巷口电话处设立井下基地，安排一个小队待机，

另一小队进去侦察。经过2次分别从进、回风巷侦察，发现通往413采煤工作面的通道全都冒顶了，无法进入灾区。经清理维修后，23时救护队进入413工作面运输巷，至23时30分，先后发现17具遇难者尸体，27日晨4时20分，发现第18名遇难人员尸体，尚有1人没找到，27日下午继续寻找。中午12点班又安排25人到413工作面外进风巷清理维修。约12时30分还未到达作业地点时发生了第二次爆炸，使走在前面的9人当场死亡，13人受伤后被赶来的救护队及时救出送往医院（其中1人救治无效死亡）。至此，该事故共造成29人死亡。

二、事故原因分析

（1）第一次爆炸的爆源点在413采煤工作面运输巷以里采空区处，该处存在瓦斯积聚的条件，据调查，过去此处瓦斯浓度时常超限，有时达10%以上；引爆火源是作业人员未执行一炮三检，且在此地处理大块岩石时违章放糊炮，产生火焰，引起瓦斯爆炸。这是造成瓦斯爆炸的直接原因。

（2）413采煤工作面采用落后的落垛式采煤法，且通风管理措施不当，造成运输巷以里瓦斯积聚。

（3）矿井通风能力不足。矿井供风能力小于实际所需风量，不能有效排除生产过程中涌出的有害气体。

（4）煤矿安全生产专项整治工作不认真、不彻底，许多安全隐患没有得到解决，如原装备的瓦斯监控系统自2000年8月停止使用后再未装备，413采煤工作面瓦斯大，且没有安装使用瓦斯超限断电仪，事故时只在回风巷使用一个瓦斯监测探头；掘进工作面没有按规定装备甲烷风电闭锁装置和断电仪等。

（5）未按照规定配备和管理自救器。第一次爆炸时，遇难人员均未带自救器。

（6）对职工安全教育不够，查处违章力度小，违章作业屡屡发生。这次事故就是因违章放炮而导致瓦斯爆炸。

（7）矿安全管理体制不利于安全生产。矿长作为本企业安全第一责任者，不是矿安委会主任，且很少亲自组织安全检查，很少参加安全会议。

（8）矿救护队队员配备不足，人员老化，装备落后，不符合救护规程的规定。

（9）引起第二次瓦斯爆炸的直接原因是，第一次瓦斯爆炸后在灾变区域内形成的隐性火源引爆413采煤工作面17号切眼以里积聚的瓦斯。由于灾区情况十分复杂，17号切眼以里又是采空区，救护人员无法全面查清灾区的情况，特别是无法查清17号切眼以里隐性火源的情况。

三、事故处理结果

该次特大瓦斯爆炸事故发生后，及时成立了事故调查组，同时聘请了省内外7名专家参与分析论证。经事故调查组分析认定，有11人对事故负有责任。依据事故责任的大小，分别作出了处理。除2人在事故中死亡不予追究责任外，其余9人受到了相应的行政处分，其中承德市副市长，市煤炭工业局党委书记、局长、副局长、总工程师，分别受到行政警告、记过、记大过和严重警告处分。另外，对该矿罚款10万元。

重庆市南桐矿务局南桐煤矿一井“1·31”特大煤与瓦斯突出事故

2002年1月31日14时30分，重庆市南桐矿务局南桐煤矿一井6408东上段采煤工作面发生特大煤与瓦斯突出，突出煤炭约1780t，涌出瓦斯约20万m^3，造成死亡21人、重伤1人、轻伤5人的特大事故，直接经济损失约165万元。

一、事故经过

2003年1月31日凌晨5时30分，在采煤141队排班室，由该队书记主持召开了有26人参加的早班班前会，强调了安全事项，详细介绍了夜班现场情况，安排早班只采机巷以上7～70m范围，值班班长作了具体安排。排班后，全体人员入井。

该工作面回采后，上分段直接顶未冒落，1月30日，矿决定按初采措施强制放顶。31日早班，矿安排掘进队打眼工对工作面上分段实施强制性放顶措施，下分段正常采煤。8时30分，掘进队打眼工到工作面，发现顶板正来压，不能安全实施强制放顶，就到回风石门等候，准备待顶板来压停止后再执行强制放顶措施。10时左右，直接顶冒落，距回风巷33.6m以下采空区被矸石充填，距回风巷16～33.6m的采空区被矸石充填一半，距回风巷0～16m之间的直接顶已垮落，但因矸石下滑而未被充填。强制放顶人员发现工作面顶板来压直接顶已冒落，认为没有必要（也不能）再采取人工强制放顶，给一井调度分站汇报后于11时30分出班。

下分段因第六台刮板输送机故障至10时30分检修后采煤。因时间紧，值班班长撤调下分段上面2把风镐的人员，加强下面3把风镐采煤。扒煤工因事经值班长同意，于10时30分离开工作面出井。

大约14时30分，机电一队中班维修钳工等3人进班到－100m水平八石门第二部溜子处，发现刮板输送机运输司机口吐白沫，3名钳工（均因吸入高浓度瓦斯受伤）合力将该司机拖出石门，并向一井调度分站汇报。同时，上中班的采煤141队队长从±0水平风巷进入检查工作时，刚打开±0水平六石门风门就因吸入高浓度的瓦斯受伤而迅速撤出，并向一井调度分站汇报。

14时34分，矿调度室接一井调度分站汇报，迅速向矿领导和矿务局总调度室汇报。值班矿领导决定灾区及南翼所有采掘头面停电、撤人，矿救护队下井探险、抢救。

二、事故原因分析

(1) 工作面切割以东和上部的煤体属一井和南桐矿务局鱼田堡煤矿的井田隔离煤柱。煤柱处于邻矿4号层、下部保护层和本层采空区周边三重集中应力叠加的高应力区，具有严重突出危险性，工作面布置对特殊环境认识不足、考虑不周，按常规进行布置，潜在突出危险。

(2) 工作面处在直接顶初次垮落范围(8～12m)，上分段已推进了13m，直接顶尚未冒落，未及时实施强制放顶措施。采场上覆岩层压力作用直接顶开始冒落，导致采空区上隅角的煤壁破坏、垮塌，引起深部高瓦斯、高应力的原始煤体发生突出。

(3) 上分段煤层倾角变陡，煤层中有1.5m厚的软分层，煤质比较松软，有效保护屏障十分脆弱。

(4) 回风巷掘进标高超过设计的标高1.58m，削弱了有效保护屏障。

(5) 矿井瓦斯监测系统不能及时将井下瓦斯变化情况传送到地面，又未按《煤矿安全规程》规定对每个下井人员配备隔离式自救器，贻误了宝贵的抢救时间，是事故危害扩大的一个原因。

三、事故处理结果

根据有关法律法规和规章规定，对事故单位和11名责任人作出了行政处罚及处理。其中行政处分10人，党纪处分1人。被处理的矿(处)级干部6人，矿务局副局级以上3人。行政撤职1人，行政降级2人，行政记大过3人，行政记过2人，行政警告2人，党内警告1人。

辽宁省阜新市清河门区河西镇三道壕煤矿“2·28”矿井特大火灾事故

2002年2月28日18时30分，阜新市清河门区河西镇三道壕煤矿主井井底平巷与运煤下山叉口往下50m处，发生特大火灾责任事故，造成21人死亡，2人受伤。直接经济损失113.7万元，间接经济损失10万元。

一、事故经过

该矿2001年通过整顿验收，2002年2月7日放假停止生产，2月22日恢复开工。22～28日主要进行排水、维修巷道及拉底、调铁道工作。2月28日四点班，立井共18人入井，斜井共10人入井。23时45分，斜井0点班入井，乘车到下部车场时与四点班升井人员相遇，并帮助4点班工人将昏倒的3名工人抬到平板车上升井。斜井副井长听到四点班升井人员汇报井下有烟雾，3人被熏倒的情况后，立即带1名工人下井，让下部车场附近人员立即坐车升井，后追赶走在前面的3名工人。在掘进工作面巷道追上3人，便一起往回返，走得快的2人走到回风上山上部被烟熏倒，经抢救脱离危险；走得慢的3人被烟熏倒死亡。到3月15日3时，陆续将21名遇难人员找到，事故抢救工作结束。

二、事故原因分析

(1) 主井运煤下山与旧巷之间的楔形煤柱受压力作用出现裂隙、破碎，破碎煤体氧化自然发火，产生大量有毒有害气体，致使井下作业人员中毒伤亡。

(2) 该矿安全思想意识淡薄，重效益、轻安全，安全生产技术管理混乱。该矿没有成文的安全生产制度，没有安全领导机构，安全管理无章可循。无技术负责人，技术资料不全，图纸不及时填绘。专项整治验收合格后，管理严重滑坡，拆除了立井防坠装置，用自制平板车从斜井运送人员，井下电话损坏也不及时修理。全矿只有1名瓦检员和2台光学瓦斯检测仪，不能满足安全生产需要。

(3) 该矿主井和副井同时生产，同时提升，各自为政，分别各由1名井长和2名副井长管理，互不通气，不利于安全生产。

(4) 该矿忽视安全培训、教育，管理人员及工人安全生产素质低，新工人不进行岗前安全培训。矿长、井长、瓦斯检查员都不清楚“一通三防”、“一炮三检”等基本的煤矿安全常识，作业人员自我保安及群体保安意识淡薄，发现烟雾不撤离，缺乏自救的基本知识。

(5) 各级管理部门对“一通三防”工作重视不够，对瓦斯及矿井火灾危害性认识不足。各部门一直认为清河门地区是低瓦斯地区，煤层自然发火也不严重，放松了对该地区“一通三防”的管理。

三、事故处理结果

(1) 对主、斜井井长分别给予行政处罚。对镇乡镇企业管理办公室主任、镇党委副书记、镇长给予行政撤职处分。镇党委书记给予党内严重警告处分。

(2) 对区煤炭管理办公室主任、副主任，分别给予行政记大过、降级处分。对区长、副区长分别给予行政警告、记过处分。对区党委书记，给予党内警告处分。

(3) 对市煤炭工业生产安全监察办公室主任、副主任，分别给予行政警告、记过处分。

河南省禹州市新峰矿务局二矿“3·29”瓦斯爆炸事故

一、事故经过

2002年3月29日11时25分许，河南省禹州市新峰矿务局二矿三采区31080回风巷掘进工作面发生瓦斯爆炸事故，造成23人死亡，3人受伤，直接经济损失186.5万元。

二、事故原因分析

(1) 直接原因：一是三采区轨道下山失修严重，通风阻力大，回风不畅；二是通风设施设置不合理，风流短路，局部通风机吸循环风；三是风机停风，风筒脱落，电缆短路，造成停电停风，瓦斯积聚。

（2）恢复通风不久，在电缆短路故障没有排除的情况下，违章送电，产生火花，引起瓦斯爆炸。

（3）矿井通风管理混乱。

（4）机电管理混乱。

（5）瓦斯管理失控。

（6）矿井安全欠账多，安全设备配备不足。

（7）新峰矿务局对所属二矿安全上次监督检查不力。

（8）禹州市政府对新峰矿务局监督管理不严，安全责任制度落实不到位。

三、事故处理结果

（1）4名直接责任人遇难，不再追究刑事责任。

（2）对1名瓦斯检查员给予开除公职处分，对事故前两班安全员给予开除留用察看处分，调离现工作岗位。

（3）对矿调度室值班员给予行政降级处分。

（4）对矿安全科办事员给予行政降级处分，调离现工作岗位。

（5）对矿技术科科长给予行政记大过、党内警告处分。

（6）对矿机电科科长给予行政撤职、党内严重警告处分。

（7）对掘进队队长给予行政撤职、党内严重警告处分，对掘进队支部书记给予党内严重警告处分。

（8）对副总工程师给予行政撤职处分。

（9）对机电副矿长给予行政撤职、党内严重警告处分。

（10）对矿长、总工程师给予行政撤职、党内严重警告处分。

（11）对矿党委书记给予党内严重警告处分。

（12）对新峰矿务局副局长给予行政记过处分。

（13）对新峰矿务局局长给予行政记大过处分。

（14）对禹州市副市长给予行政记过处分。

（15）责成禹州市市长、新峰矿务局党委书记写出深刻检查，由许昌市政府通报批评。

江西省宜春市宜丰县新庄镇宜丰县煤矿“4·2”特大瓦斯爆炸事故

2002年4月2日17时20分，宜春市宜丰县新庄镇宜丰县煤矿新兴井－277m水平13号煤层上山三平巷处，发生一起特大瓦斯爆炸事故，造成16人死亡，直接经济损失69.2万元。

一、事故经过

2002年4月2日晚班(16～24时)，新兴井安排14人下井两处作业，另有中班未出井2人。17时左右，井口生产组长开完安全工作会后准备下井，因井下等着用材料未能下井。等下完材料，再走进罐笼内准备下井时，听到一声巨响，接着井下有股风往上冲，感觉井下出了事，立即跑出罐笼报告。此后，煤矿组织地面人员下井自行抢救，因暗立井有害气体浓度太高无法进入。宜春市矿山救护队于21时30分左右到达事故矿井，21时55分下井，4月3日7时左右，井下抢救工作全部结束。

事故发生后，江西煤矿安全监察局、省公安厅、省总工会的负责同志及时赶赴现场指导救灾和处理善后工作。4月4日，善后处理工作完毕。

二、事故原因分析

（1）恢复整改期间，维修和准备施工13号煤层回风上山，因煤层巷道瓦斯涌出，风量严重不足，瓦斯积聚达到爆炸浓度，矿灯失爆引起爆炸。这是事故发生的直接原因。

（2）主要通风机已坏，以11kW局部通风机代主要通风机，－227m水平的风门未按规定设置且被打开，造成风流短路，瓦斯积聚，是发生事故的主要原因。

（3）相应的安全技术规范和安全管理措施没有得到完全落实。13号煤层回风上山施工无设计，未编制相应安全措施；瓦斯管理和瓦斯检查制度不落实，是发生事故的重要原因。

（4）矿井部分掘进面较长时间风量不足，通风设施不完备，瓦斯检查制度不严格，未引起该矿有关人员重视，思想麻痹是这次事故的原因之一。

三、事故处理结果

2002年6月，国家煤矿安全监察局批复结案，认定为责任事故。

（1）矿长、法定代表人等4人，移送司法机关依法追究刑事责任。

（2）分管煤炭安全生产工作的副县长等11人分别处以党、政纪处分，或经济处罚。

黑龙江省鸡西矿业（集团）有限责任公司东海煤矿“4·8”特大瓦斯爆炸事故

2002年4月8日17时35分，鸡西矿业(集团)有限责任公司东海煤矿发生一起特大瓦斯爆炸事故，死亡24人，伤37人，直接经济损失114.3万元。

一、事故经过

4月2日12时，东海煤矿五采区194队采煤工作面工人在上转角砌石墙取料时，违章放糊炮引起采空区瓦斯燃烧。发现火情后，现场工人立即用乳化液泵站液压枪直接灭火，将明火扑灭。16时，194队采煤工作面瓦检员发现回风巷及上转角处有烟，立即向采区调度室报告，接到报告后，矿、集团公司领导先后赶到现场，采用直接注水方案灭火。至19时，火情反而加大，灭火工作失败。7日7时，公司、矿决定采用风门密闭形式封闭工作面，至16时25分完成了封闭工作。4月8日7时，封闭工作面的采空区内发生瓦斯爆炸，将回风巷的密闭风门冲毁，进风巷密闭风门冲开，没有造成人员伤亡。9时左右，五采区通风段长方志刚接到调度室通知后入井，看到进风巷风门冲开，未向有关领导汇报，就擅自将风门关上。10时30分，矿领导派矿救护队入井探察。11时30分，入井探察的救护队员汇报，在距回风巷岔口以里10m处检测，一氧化碳、瓦斯为零（由于进风巷关闭风门后，灾区处于无风状态，测得的数据已不是有害气体的实际情况）。救灾指挥部决定对上下两巷，用编织袋装黄泥、沙子砌墙进行封闭。16点班，矿里组织近150人准备分成上巷、下巷两组运料、施工加固密闭。16时，人员陆续入井，上巷十几人在救护队员的监护下施工密闭，30余人运料；下巷12人施工密闭，20余人运料。17点35分，正在施工加固墙时，采空区内瓦斯爆炸。事故发生后，省、市、矿业公司各级领导迅即赶到事故现场，组织抢险救灾和善后处理工作。至9日6时，经过11小时45分的紧急抢救，井下遇难的24名矿工全部找到，并运至井上进行了妥善处置，37名受伤职工全部送往医院进行抢救和治疗。

二、事故原因分析

这是一起责任事故。

（1）事故的直接原因，是194队工人违章放糊炮引起采空区内瓦斯燃烧，形成火区；由于救灾措施不当，采空区内残火没有得到及时扑灭；封闭采面后，由于采空区内瓦斯积聚至爆炸界限，发生瓦斯爆炸，爆炸冲击波将回风巷密闭风门冲毁，将进风巷密闭风门冲开；通风段长未经指挥部同意，擅自关闭采面下巷风门，造成该工作面风流短路，采空区内瓦斯再次积聚达到爆炸界限，采空区内残火引起瓦斯爆炸，导致正在施工的人员遇难。

（2）安全意识淡薄，安全管理不到位，工人违章作业。采面工人违章放糊炮，导致采空区瓦斯燃烧，给这次瓦斯爆炸事故埋下祸根。

（3）对采空区高顶瓦斯危害及性质分析预测不到位，没能及时排放采空区高顶瓦斯。

（4）对火区灾情调查分析不到位，采取的救灾措施针对性差，没能及时控制消灭火区灾情，导致采空区多次发生小规模瓦斯爆炸。

（5）矿业公司、东海煤矿及五采区各级领导对封闭火区的安全工作重视程度不到位，没能按《煤矿安全规程》等有关法律、法规规定制定有效的封闭火区方案，落实有关责任制和责任人。

三、事故处理结果

（1）通风段段长，未经请示汇报，擅自关闭下巷密闭风门，导致194队工作面无风，采空区内瓦斯积聚达到爆炸界限，是造成事故的直接责任者，鉴于其已在事故中死亡，不再追究其责任。

（2）砌石墙临时负责人，决定违章放糊炮并安放炸药、连炮线，是引起采空区瓦斯燃烧的直接责任者。给予开除处分，移交司法机关处理。

（3）2日当班瓦检员，没有严格履行职责，及时制止工人违章放糊炮行为，工作失职，给予开除留用2年处分。

（4）2日值班班长，负责本班的安全生产工作，对工人违章放糊炮负直接责任，给予开除留用1年处分。

（5）194采煤队队长，中共党员，是该采煤队安全生产第一责任者，对工人违章作业负直接领导责任。

（6）194采煤队党支部书记，中共党员，对全队职工平时安全教育不到位，职工安全意识差、素质低，负有主要领导责任，给予撤销党内职务处分。

（7）五采区副区长，中共党员，负责全区的安全监督管理工作，对工人违章作业负有监督不力责任。

（8）五采区副区长，中共党员，负责全区的生产（采煤）管理工作并主要负责194、195两个采煤队的领导工作，对194队工人违章放糊炮负有管理不到位责任。

（9）五采区区长，中共党员，五采区安全管理第一责任者，对采区工人违章放糊炮负主要领导责任，鉴于该区长于3月30日到任，任职时间较短，给予行政记过处分。

（10）五采区党总支书记，中共党员。对全区职工安全教育不到位，对安全生产责任和措施不落实的问题监督不力，负有主要领导责任，给予党内严重警告处分。

（11）东海矿副矿长，中共党员，负责全矿的安全管理工作。由于对该矿安全管理不到位，日常安全监督存在漏洞，对工人违章放糊炮负有领导责任，给予行政记过处分。

（12）东海矿副矿长，中共党员，负责全矿的生产安全工作。对工人违章放糊炮负有主要领导责任，对火灾性质判断不清负有一定责任，给予行政记大过处分，党内给予警告处分。

（13）东海矿总工程师，中共党员，负责全矿的技术管理工作。对事故负有技术方面的主要领导责任；对火灾性质判断不清，采取灭火措施不当，救灾指挥不力，负有领导责任，给予行政撤职处分，党内给予留党察看2年处分。

（14）东海矿矿长，中共党员，安全生产第一责任者，对事故负有主要领导责任；对火灾性质判断不清，采取抢险措施不当负有责任；对指挥监测人员与打密闭的作业人员一同工作，致使事故灾害扩大负有领导责任，给予行政撤职、撤销党内职务处分。

（15）东海矿党委书记，中共党员，对该矿职工安全教育不到位，对安全生产责任和措施不落实问题监督不力，负有主要领导责任，给予党内严重警告处分。

（16）矿业公司救护大队队长，中共党员，对救护队监测员与其他作业人员一同入井作业没提出要求，指挥不力，并提前离开指挥现场，致使灾害面扩大负有责任，给予行政撤职处分，党内给予留党察看1年处分。

（17）矿业集团公司总工程师，中共党员，负责全公司的技术管理工作。对火灾发生后性质判断不清，采取救灾措施不当，指挥抢险不力负有重要领导责任；对火源性质明确后，没有立即采取有效措施负有责任，给予行政记过处分。

（18）矿业集团公司副总经理，中共党员，负责全公司的生产安全工作。对火灾发生后性质判断不清，救灾措施不得当，现场指挥不力负有重要领导责任，给予行政记过处分。

（19）矿业集团公司副总经理，中共党员，负责全公司的安全工作。对这起事故在安全管理方面负有一定领导责任；对2次密闭施工安全防范措施不到位负有领导责任，给予行政记过处分。

（20）于佳华矿业集团公司董事长，中共党员，是矿业集团公司安全生产第一责任者，对贯彻落实党的安全生产方针和上级有关要求不力，对安全生产责任和措施不落实的问题监督不力，对事故负有重要领导责任，给予行政警告处分。

重庆市中梁山煤电气有限公司南井“4·22”特大煤与瓦斯突出事故

2002年4月22日18时，重庆中梁山煤电气有限公司南井＋140m南西五石门（以下简称“五石门”）掘进工作面发生煤与瓦斯突出，突出煤炭约2800t，涌出瓦斯约80.55万m^3，造成死亡15人、轻伤7人的特大事故，直接经济损失约120万元。

一、事故经过

2003年4月21日6时，对“五石门”K_{1a}煤层实施了第二次震动放炮揭煤，21日21时，掘进一队下井，瓦斯探头显示浓度为0.5%，一切正常。当班用手镐挖煤出渣，共掘进1.6m（未支护）。4月22日早班，先检修扒渣机后出渣，再手镐挖煤，当班掘进了1.2m（仍未支护）。14时30分左右，班长出班后向调度室汇报，“五石门”挖煤过程中，瓦斯浓度上升到0.7%～0.8%，向中班班长交代，注意瓦斯情况。4月22日中班，跟班队干在队值班室向各班讲了各工作面的施工要求，中班边挖边支护，若不能一次成巷，则先架临时支护，搞好敲帮问顶，必须用手镐掘进，再带一把手镐进去。同时告诉班长先到＋210m南东三石门碛头去检查后，再到“五石门”碛头来蹲点。中班进班掘进施工过程中，于18时发生了煤与瓦斯突出事故。

二、事故原因分析

（1）事故当班掘进作业人员严重违反《煤矿安全规程》、《防突细则》规定，违规动用风镐作业，是此次事故的直接原因。

（2）“五石门”地质构造比较复杂，有2条逆断层分别切割K_1煤层，加之K_1煤层厚、倾角大，地质构造作用使煤体松软，煤层本身具有严重突出危险，逆断层的切割加剧了K_1煤层的突出危险。掘进工作面未及时支护，致使煤体极易垮落。

（3）石门未能揭穿K_1煤层全厚，掘进剩余部分时，没有采取防突措施消除突出危险，复工直接掘进作业。

（4）防突技术管理混乱：①编制的“五石门”防突措施设计，预抽瓦斯的抽放孔未按《防突细则》和企业防治煤与瓦斯突出实施细则的要求控制石门下部边界以外2m范围的K_1煤层；第一次排放钻孔设计（没有会审签字）仍未达到石门周边外2～5m的控制范围；第二次实施排放钻孔没有设计，没有进行竣工验收。②效检工作不符合《防突细则》的要求，揭煤前效检孔应布置4个，4月11日布置的效检孔虽设计有4个，但实际施工2个。其效检结论应是具有突出危险，却错误地定性为无突出危险。③未按规定施工两个前探钻孔和准确提供地质资料。未按规定验证提供的地质资料，没有及时收集、补充、修改和完善地质资料。④违规下达实施震动炮措施。4月11日实施的效检实测K_1值超标，但效检结论为无突出危险。在采取了延长排放时间的措施后，未效检就进行第一次震动性放炮揭煤；第二次揭煤前，打了5个排放孔，未进行效检，就下达了实施震动放炮揭煤措施。⑤未按《防突细则》规定，装药实施震动性放炮。

（5）安全管理不力，现场管理混乱。存在对防突措施编制审批和执行不符合规定、掘进剩余部分煤体时不采取防突措施、违规动用风镐、不及时进行支护等问题，安全管理和监督不力，现场失控。

（6）没有严格按规定装备压风自救器，突出后风流逆转，高浓度瓦斯进入水平进风大巷，使该大巷的人员无自救器而造成危害扩大。

三、事故处理结果

根据有关规定，对事故单位和13名责任人作出了行政处罚及处理。其中行政处分11人、党纪处分2人。被处理的矿（处）级4人、公司副职以上3人。其中：行政留用察看1年3人，行政撤职1人，行政降级1人，行政记大过4人，行政记过2人，党内撤职1人，党内严重警告1人。

四川省攀枝花煤业（集团）有限责任公司花山煤矿“4·24”特大瓦斯爆炸事故

2002年4月24日19时15分，四川省攀枝花煤业（集团）有限责任公司花山煤矿发生一起特大瓦斯爆炸事故，死亡23人，重伤4人，直接经济损失281.5万元。

一、事故经过

2002年4月24日19时15分，攀枝花煤业（集团）公司花山煤矿三区一队跟班队长林长久用4235运输巷的电话向三区调度汇报4235工作面情况时，突然被一股气浪冲倒，随即向三区调度汇报。随后，立即赶到+1218m石门察看情况，发现+1218m石门胶带机头巷道顶板冒落，4235工作面人员未出来，判定发生了瓦斯爆炸，于19时45分用4235回风巷电话向矿调度作了汇报。矿调度接到汇报后，立即通知矿领导及有关人员。矿领导和集团公司领导接到汇报后，立即成立了抢险救灾指挥部和现场指挥部。研究确定了抢险救灾方案和安全措施。攀西矿山安全救护大队于20时10分到达花山煤矿井口，分别从4234工作面运输巷和+1380m风石门进入灾区侦察，并组织施救。到25日13时20分，将全部遇难人员救出，抢救工作结束。

二、事故原因分析

（1）这起事故是由于4234采煤工作面6号超前掘进的工人违章放炮引起的特大瓦斯爆炸责任事故。

（2）作业人员放炮前断开风筒，造成瓦斯积聚；放炮时未使用水炮泥，黄泥封堵长度严重不足；未执行“一炮三检制”，放炮时爆破产生火焰引起瓦斯爆炸，这是事故发生的直接原因。

（3）矿、区、队干部安全第一的思想不牢，安全生产责任制不落实，存在重生产、轻安全的倾向；安全管理不到位，现场管理混乱，隐患整改不及时、不彻底；技术管理不到位，采掘部署不合理，通风系统的可靠性差，采煤方法落后；安全装备不到位，安全投入不足，矿井抗灾能力不强；安全教育培训不到位。

三、事故处理结果

（1）给予花山煤矿通风区一队队长开除留用处分。

（2）给予花山煤矿矿长、总工程师、通风区区长、三采区区长、三采区副区长等5人行政撤职处分。

（3）给予攀枝花煤业（集团）有限责任公司安监局副局长兼通风处长、花山煤矿副矿长、安监处长、通风区副区长、三采区副区长等5人行政记大过处分。

（4）给予攀枝花煤业（集团）有限责任公司副总经理、总工程师、安监局副局长等3人行政记过处分。

（5）给予花山煤矿党委代书记党内严重警告处分。

（6）花山煤矿三采区二队长、副队长，由司法机关追究刑事责任。

（7）鉴于当班掘进班长、掘进工人（3人）、瓦检员已在事故中死亡，不再追究责任。

（8）对攀枝花煤业（集团）公司处以5万元的处罚。

（9）攀枝花煤业（集团）有限责任公司其他有关责任人员和单位，由攀枝花煤业（集团）有限责任公司按照企业内部安全管理规定处理。

（10）责成攀枝花煤业（集团）有限责任公司、攀枝花市经贸委、攀枝花市经贸委副主任向攀枝花人民政府写出书面检查。

（11）责成攀枝花市人民政府向四川省人民政府写出书面检查。

贵州省毕节地区威宁县草海镇海草沟煤窑“5·4”特大瓦斯爆炸事故

2002年5月4日11时10分，威宁县草海镇北镇管理区黎银村海草沟煤窑（非法）发生特大瓦斯爆炸事故，死亡23人，重伤4人，直接经济损失约80万元。

一、事故经过

海草沟煤窑为非法煤窑，系4名当地农民联合开办，独眼井生产，2001年11月出煤，井下无通风设施和安全设备，管理混乱。2002年5月4日，该煤窑井下共有36人作业，11时10分，发生局部瓦斯爆炸，21人死亡，15人生还（其中4人重伤）。听到井下发生爆炸后，附近2名农民因有亲属在井下作业，于是盲目冒险入井抢救，窒息死亡。经事故调查组现场勘察认定，此次事故为局部瓦斯爆炸事故，爆炸点在井底水仓处。这起事故是由于非法矿主违法私挖滥采，有关人员失职渎职而导致的责任事故。

二、事故原因分析

（1）井下无风造成局部瓦斯积聚，作业人员所携充电式应急灯失爆产生火花，引发瓦斯爆炸，是事故发生的直接原因。

（2）矿主无证非法开采，独眼井生产。在不具备基本安全条件，无任何通风设施、安全设备和安全措施的情况下，盲目冒险违章指挥作业，且作业人员未经任何安全培训。

（3）草海镇、北镇管理区及事故矿井所在村的各级领导干部没有认真履行监督管理职责，对长期存在的、严重的非法开采现象失察。

（4）威宁县国土资源局、草海镇国土所，作为县政府明确的牵头负责取缔无证非法开采的县、镇两级职能部门，未能建立有效的发现和防范非法煤窑的监控机制，在取缔无证非法开采方面措施不力，执法不严。对全县无证非法煤矿情况不明，工作严重失职。

（5）威宁县煤炭管理部门没有严格执行省政府煤炭“五统一”管理政策。据调查，全县多数煤炭验票站对无证煤窑的产品收取了税费。

（6）中共威宁县委、县政府主要领导对煤矿安全生产重要性认识不足，对国家关闭整顿小煤矿政策认识不到位，措施不力，行动迟缓；对取缔、关闭无证非法煤窑工作迟缓、收效甚微；此外，县委、县政府主要领导还应对收取无证煤窑产品税费，对为非法煤矿提供市场的土法炼锌炼焦点取缔不力、查处不严的问题负有责任。

黑龙江省双鸭山市宝清县加成煤矿“5·23”特大矿井火灾事故

2002年5月23日10时10分，双鸭山市宝清县加成煤矿发生一起特大矿井火灾事故，死亡17人，直接经济损失约146万元。

一、事故经过

5月23日7时30分，加成煤矿井长孙吉臣安排工作，8时左右，20名工人入井，分别在3个工作面作业。其中一个班5人在二段平巷安装电爬犁；一个班4人在三段绞车窝子掘通风眼；一个班5人在三段下山辅轨道；另有井长1人，电工1人，绞车司机2人，铁道木匠2人。

中午12时左右，生产井长李伟（真名褚国新）在井上发现主井冒烟，知道发生了事故，他一边让副矿长温少红报警，一边从副井下井找人。走到距主井约40m处时，发现昏倒的2名工人，李伟先后将2人拖到一段水泵附近后，也昏倒了。16时左右，井上又有2名工人入井发现他们，并携李伟等3人向副井方向撤离。

消防队于16时左右赶到现场，经过一段时间抢救，无法扑灭井下火灾，报矿山救护队请求救护。

事故发生后，省、市有关领导先后赶到事故现场，调集双鸭山矿业集团公司矿山救护队进行抢救。成立了抢险救灾指挥部，指挥抢险救灾工作。救护队经过近12小时的全力抢救，井下遇难的17名矿工尸体全部找到并运至井上进行了妥善安置，抢险救灾工作全部结束。

二、事故原因分析

经调查，认定这是一起责任事故。

（1）这起事故的直接原因是主井筒内电缆短路起火引燃木棚，造成火灾。

（2）矿井机电管理混乱。一是未按规定购买和使用正规厂家产品，而图省钱使用了不合格电缆。二是没有机电专业技术人员，维护检修不及时，致使电气过电流保护装置失灵，当电缆出现短路时过电流保护装置未起作用，酿成火灾事故。

（3）新工人未经培训上岗作业。一是未按规定对工人进行入井前教育培训，致使工人没有安全意识和抗灾自救能力，以致工人发现停电和烟雾后仍玩扑克，不知应尽快撤离。二是该矿未进行应急灾变自救演练，火灾发生后，工人不知如何逃生，致使多人死亡。

（4）违反《煤矿安全规程》规定，工人未佩戴自救器入井。按照市、县煤炭局的要求，该矿配备了20台自救器，但未使用，导致火灾发生后工人逃生时中毒死亡，灾害扩大。

（5）事故报告不当、不及时，延误了抢救时机。一是事故发生后不知向谁报告，找119消防队无法入井抢救。二是该矿未签订矿山救护协议，不能及时得到救护队的救护。三是未及时报告市、县政府部门和煤炭管理部门，耽误了对遇险人员的抢救。

三、事故处理结果

（1）井下当班井长，负责当班井下安全生产管理工作，入井未按规定携带自救器，火灾发生后，选择错误的逃生路线，带领工人接近火区，致使灾害扩大，造成多人死亡，负有直接责任。鉴于本人在事故中遇难，不再追究其责任。

（2）加成煤矿副矿长，负责矿井地面安全保卫工作，矿井火灾发生后，事故报告、采取救灾措施不当，对救灾不及时及灾害扩大负有直接责任，移交司法机关处理。

（3）加成煤矿安全生产矿长，负责全矿安全生产管理工作，对工人不进行安全培训，矿井火灾报告不当和采取抢险措施不利，导致特大事故的发生，负有直接责任，移交司法机关处理。

（4）加城煤矿矿长，安全生产第一责任者，对职工不进行安全培训，未进行矿井灾害逃生演习，购买不合格产品并投入矿井使用，对事故的发生、扩大负有主要责任，移交司法机关处理。

（5）加城煤矿主要投资、经营者之一，受法人代表委托行使全面管理职责，对工人不进行安全培训，不进行安全装备，不进行灾害逃生演习，购买不合格产品并投入矿井使用，对事故的发生、扩大负有主要责任，移交司法机关处理。

（6）宝清县煤炭局安检科科长、中共党员，负责全县煤矿安全监督管理工作，对煤矿的日常监督管理工作不到位，责任制不落实，对工人安全培训工作检查力度不够，对事故的发生，负有直接领导责任，给予行政撤职、党内严重警告处分。

（7）宝清县煤炭局总工程师，负责全县煤炭企业“一通三防”工作。对煤矿救灾预案监督落实不到位，对事故负有责任，给予行政记过处分。

（8）宝清县煤炭局主管安全工作的副局长、中共党员，负责全县煤炭企业安全监督管理工作，对安全监督管理不到位，责任制不落实，工人培训不到位，负有直接领导责任，给予行政撤职、党内严重警告处分。

（9）宝清县煤炭局局长、中共党员，是全县煤矿安全生产第一责任者，对煤矿安全监督管理不到位，责任制不落实，安全培训不到位，负有主要领导责任，给予行政降级、党内严重警告处分。

（10）宝清县副县长、中共党员，主管全县煤矿安全生产和煤炭行业管理工作，对煤矿监督管理不到位，责任制不落实，工人培训不到位，负有重要领导责任，给予行政记大过、党内严重警告处分。

（11）宝清县县长，全县安全生产第一责任者，对事故负有领导责任，给予行政警告处分。

（12）双鸭山市煤炭局副局长，中共党员，负责全市煤炭企业安全和行业管理工作，对煤矿安全监督管理不到位，工人培训不到位，负有监督指导不到位责任，给予行政记过处分。

湖北省巴东县绿葱坡镇窑坡老煤矿“5·30”特大水害事故

2002年5月30日，恩施自治州巴东县绿葱坡镇窑坡老煤矿南二巷采煤工作面发生透老窑水事故，造成9名现场作业人员和6名施救人员窒息死亡，直接经济损失100多万元。

一、事故经过

2002年5月30日晚班（13时30分至19时0分），窑坡老煤矿有26人下井作业，其中安全员1人，过磅员1人，采煤工6人，运输工17人，维修工1人。在南二巷工作面有5人采煤，14人运输，另有5人在北一巷作业。当班17时左右，安全员邓习刚到工作面进行检查后出井。18时30分，由南二巷（全煤巷）掘进头与上部采空区贯穿突水，水经回采工作面有9人被困，不能自救（因巷道低，只有0.9m高，加上煤渣水堵塞），人员撤退困难，冲下来的水和煤渣又堵塞回风上山。至此，该处处于无风状态。在平巷运输及工作的16名工人，看到透水后，逃出井外。大约19时，矿安全员邓习刚接到井下透水、9人被困的报告后，慌忙带领5人下井施救，由于措施不力（未带自救器和瓦检仪），到灾区遇大量有害气体，一并窒息死亡，从而造成死亡15人的特大事故。

事故发生后，县、州、省政府和有关部门主要负责人先后赶往现场，指挥事故抢救及善后处理工作。经过多方努力，5月31日上午10时，井下15名遇难者全部出井。

事故发生时间以井下工人出井报告时间推断，为2002年5月30日下午6时左右。事故发生在窑坡老煤矿总回风巷730m处（风井口至南二巷）。透水点为上山采煤窑上端。

二、事故原因分析

（1）该矿在南二巷违章回采总回风巷上方保安煤柱，与上部采空。区贯穿透水，并涌出大量有害气体，造成作业人员二氧化碳窒息死亡。

（2）矿主石永兴违反国家和省有关乡镇煤矿停产整顿期间未经省政府批准不得恢复生产的规定，擅自组织生产，违章指挥，造成事故的发生。

（3）该矿采区布置不合理，南二巷采煤工作面没有采用负压通风，仅用局部通风机通风，透水后，煤渣堵塞回风上山，使采区形成循环风，不能及时排除有害气体。

（4）县、镇有关主管部门监管不力，对该矿擅自组织生产，没有采取断然的制止措施。

（5）安全员邓习刚因不明井下情况，盲目施救，措施不当，增加了死亡人数。

经调查认定，这是一起违反国家和省有关乡镇煤矿停产整顿的规定，矿井在未获批准复产的情况下擅自生产，矿主盲目指挥，工人违章作业而导致透水的重大责任事故。

三、事故结果

（1）矿主作为该矿安全生产第一责任者，在整顿期间未经批准，擅自组织生产，并违章回采保安煤柱，导致事故发生，对此次事故负有直接责任。

（2）该矿安全员盲目施救，措施不当，对事故增加死亡人数负有直接责任，鉴于该人已死亡，免于追究。

（3）绿葱坡镇副镇长，分管煤矿安全生产工作，对窑坡老煤矿违规生产，没有坚决制止，对县有关部门停产整改的指令没有督促落实，对此次事故负有主要领导责任，给予行政降级处分。

（4）绿葱坡镇镇长，对小煤矿安全生产工作领导不力，工作不落实，对此次事负有重要领导责任，给予行政记大过处分。

（5）绿葱坡镇党委书记，对小煤矿安全生产工作监督检查不力，对此次事故负有重要领导责任，给予党内严重警告处分。

（6）巴东县工业行办主任，对小煤矿安全生产工作管理不力，整改措施不落实，对此次事故负有重要管理责任，给予行政降级处分。

（7）巴东县副县长，在代管安全生产工作期间，对国家和省有关乡镇煤矿停产整顿的精神贯彻不力，对此次事故负有领导责任，给予行政警告处分。

辽宁省朝阳市北票煤业有限责任公司冠山煤矿“5·30”特大瓦斯爆炸伤亡事故

2002年5月30日12时40分左右，北票煤业有限责任公司冠山煤矿－660m水平东三石门三层大巷掘进工作面发生一起特大瓦斯爆炸伤亡事故，造成15人死亡，重伤1人，轻伤8人，直接经济损失160万元。

一、事故经过

2002年5月30日二班，第六掘进队共出勤17人，其中安排7人到－660m水平东三石门三层大巷掘进，5人到－660m东三石门三层大巷一号眼工作面掘进。当班瓦检兼放炮员1人，负责两个掘进工作面的瓦检和放炮工作。同时，采区机电队按照矿生产办安排，11人到－660m水平东二石门四层运输巷，从三层大巷局部通风机处由运输巷向里敷设电缆，11时40分左右，电工按照电气班长安排打开六掘队28kW局部通风机馈电开关，进行接线，接线前由电工到变电所停电并留在变电所。

三层大巷掘进工作面在局部通风机停风前，工作面打了10多个炮眼。工作面在局部通风机停风后，继续用风动凿岩机将工作面剩余炮眼打完。该工作面开始装药，一次联线，分两次放炮，12 时 40 分，发生瓦斯爆炸事故。

二、事故原因分析

（1）因－660m 水平东二石门四层大巷停电，致使向三层大巷供风的 28kW 局部通风机停风，造成三层大巷瓦斯积聚，瓦斯浓度达到爆炸界限；作业人员未按规定使用水炮泥，封泥长度不符合《煤矿安全规程》规定；在瓦斯超限且无风状态下放炮，引爆瓦斯。

（2）该矿安全生产管理混乱。采区机电队经常不按北票煤业有限责任公司有关停送电规定作业，随意停供电。事故当班在－660m 水平东二石门四层大巷作业时，停电停风前未向矿调度汇报，也不通知通风队、掘进队，矿有关领导不知道该地点停风。掘进人员在停风后不按规定撤人，在无风工作面继续打眼、放炮。作业规程审批把关不严，规章制度不健全。

（3）通风瓦斯管理问题较多。该事故地点一台局部通风机同时向两个作业的掘进工作面供风；现场人员随意停开局部通风机；采掘工作面瓦斯检查和放炮工作由一人承担，没有做到“三人联锁放炮”；在放炮时没执行“一炮三检”制度，放炮时起爆距离不符合要求；局部通风机未按规定安设甲烷传感器，班组长没有配置便携式甲烷检测仪。

（4）职工队伍整体素质较低。该矿对职工缺少必要的安全技术培训和安全教育，有的管理人员重生产、轻安全，职工安全意识淡薄。

（5）北票煤业有限责任公司安全管理监督不力，对规章制度贯彻执行不到位。

三、事故处理结果

（1）对采掘队队长、副队长，机电队队长、副队长，通风队队长、副队长，矿生产办副主任、副总工程师、总工程师兼安全矿长、机电副矿长分别给予行政处罚，同时给予机电、通风队长解聘的处理。

（2）对生产副矿长兼生产办主任、矿长兼书记解除聘用职务，并给予行政处罚。

（3）对北票煤业有限责任公司生产副总经理兼总工程师、董事长兼总经理分别给予行政记大过处分。

黑龙江省鸡西矿业(集团)有限责任公司城子河煤矿“6·20”瓦斯爆炸事故

2002 年 6 月 20 日 9 时 45 分，鸡西矿业（集团）有限责任公司城子河煤矿发生一起特大瓦斯爆炸事故（有煤尘参与），造成 124 人死亡，24 人受伤。直接经济损失 984.8094 万元。

一、事故经过

2002 年 6 月 20 日 8 时 30 分，鸡西矿业（集团）公司和城子河煤矿有关人员入井对城子河煤矿进行质量标准化达标验收。在对西二采区检查验收过程中，部分人员已经检查完毕正在坐车返回，部分人员，包括集团公司总经理赵文林及有关处室人员、城子河煤矿矿长赵永金、党委书记张继存和随行的电视台记者等正在 145 综采队工作面检查工作时，于 9 时 45 分发生了爆炸事故。至 7 月 3 日，在事故中遇难的 124 人全部找到。

二、事故原因分析

经调查，事故的发生时间是 2002 年 6 月 20 日 9 时 45 分，爆源点在城子河煤矿西二采区排水巷距积水水面 14m 处的巷道内，是一起瓦斯爆炸事故，局部煤尘参与了爆炸。

经调查认定，这是一起责任事故。

（1）事故的直接原因，是西二采区排水巷局部通风机停风，造成瓦斯积聚达到爆炸浓度，工人启动联锁开关送电时，由于潜水泵插销开关虚插失爆，产生电火花引起瓦斯爆炸，局部煤尘参与了爆炸。

（2）没有正确处理安全与生产的关系，对安全监察机构和安全大检查中提出的问题不认真整改。

（3）矿井用工管理混乱，安全培训不到位。

（4）“一通三防”管理和技术管理混乱。

（5）机电管理制度形同虚设，责任制不落实。

（6）安全欠账严重。

三、事故处理结果

（1）城子河煤矿排水巷 3 名电工（属外包工），负责该作业点的电气工作。在井下作业时，违反《煤矿安全规程》规定，对事故发生负有直接责任，移送司法机关，分别依法追究刑事责任。

（2）城子河煤矿排水巷施工主任、段长（属外包工），负责该作业点施工组织工作，对事故的发生负有直接责任，移送司法机关，依法追究刑事责任。

（3）城子河煤矿排水巷施工队生产队长（属外包工），负责该作业点生产施工组织工作，对事故的发生负有直接责任。鉴于其已在事故中遇难，不再追究责任。

（4）城子河煤矿通风区瓦斯检查员，负责排水巷的瓦斯检查工作。当排水巷局部通风机停风、瓦斯积聚超限时未采取有效措施。对事故的发生负有直接责任。鉴于其已在事故中遇难，不再追究责任。

（5）城子河煤矿副总工程师兼机运管理科科长，负责全矿机电运输技术管理工作，对事故负有主要领导责任。鉴于其已在事故中遇难，不再追究责任。

（6）城子河煤矿排水巷施工队队长、外包工队队长，负责该作业点生产施工组织和管理，对事故负有直接责任，移交司法机关，依法追究刑事责任。

（7）城子河煤矿通风区三段段长、党支部委员，负责西二采区通风、瓦斯、煤尘及通风设施管理工作，对事故负有主要责任，给予开除公职处分。

（8）城子河煤矿通风区监测段段长，负责全矿通风安全监控系统的安装、运行、维护管理工作，对事故负有主要责任，给予开除公职处分，并移交司法机关，依法追究刑事责任。

(9) 城子河煤矿通风区副区长，负责西部采区的质量标准化及全矿的通风管理工作，对事故负有重要责任，给予行政降级处分。

(10) 城子河煤矿副总工程师兼通风区区长、党支部书记，负责全矿“一通三防”工作，对事故负有主要责任，给予行政撤职处分。

(11) 城子河煤矿安监科科长，对该矿“一通三防”管理、机电管理混乱及现场隐患严重监督检查不力，对事故负有重要责任，给予行政记大过处分。

(12) 鸡西矿业（集团）公司安监部驻城子河煤矿安监处处长，对该矿“一通三防”管理、机电管理混乱，现场隐患监督检查不力，对事故负有重要领导责任，给予行政记大过处分。

(13) 鸡西矿业（集团）公司安监部部长，对城子河煤矿“一通三防”，管理、机电管理混乱，现场隐患监督检查不力，对事故负有重要领导责任，给予行政记过处分。

(14) 城子河煤矿总工程师，负责全矿“一通三防”和技术管理工作，对事故负有主要领导责任，给予行政撤职处分。

(15) 城子河煤矿副矿长，负责全矿机电运输业务管理工作，对事故负有主要领导责任，给予行政撤职处分。

(16) 城子河煤矿副矿长，负责全矿开拓掘进工作。西二采区掘进面管理混乱，工作失职，对事故的发生负有重要领导责任，给予行政记大过处分。

(17) 城子河煤矿副矿长，负责全矿安全管理工作。该矿“一通三防”、机电管理混乱，存在事故隐患，对事故的发生负有重要领导责任，给予行政记大过处分。

(18) 城子河煤矿副矿长，负责全矿生产管理工作，代表矿长与外包队签订劳动合同时没有落实安全生产责任制，该矿用工和生产管理混乱，对事故的发生负有重要领导责任，给予行政降级处分。

(19) 城子河煤矿矿长，负责全矿生产安全工作，是全矿安全生产第一责任人。对该矿“一通三防”、用工、机电和技术管理混乱，导致事故发生，负有主要领导责任。鉴于其已在事故中遇难，不再追究责任。

(20) 城子河煤矿党委书记，对该矿落实党的安全生产方针监督保障不力，对事故的发生负有主要领导责任。鉴于其已在事故中遇难，不再追究责任。

(21) 鸡西矿业（集团）公司机电装备部副部长（主持工作），负责全公司矿井机电运输业务管理工作。对城子河煤矿机电管理混乱，导致事故发生，负有重要领导责任。鉴于其已在事故中遇难，不再追究责任。

(22) 鸡西矿业（集团）公司副总工程师，负责全公司机电运输业务领导工作。对城子河煤矿机电管理混乱问题整改不力，对事故的发生负有重要领导责任，给予行政记大过处分。

(23) 鸡西矿业（集团）公司通风救护部主任工程师，负责“一通三防”技术管理工作。对城子河煤矿“一通三防”管理混乱问题督促整改不力，对事故的发生负有重要领导责任，给予行政记过处分。

(24) 鸡西矿业（集团）公司通风救护部副部长（主持工作），负责全公司煤矿“一通三防”业务管理工作。对城子河煤矿“一通三防”管理混乱，导致事故发生负有重要领导责任，给予行政记大过处分。

(25) 鸡西矿业（集团）公司总工程师，负责全公司煤矿技术及“一通三防”领导工作。对城子河煤矿“一通三防”管理混乱，导致事故发生负有重要领导责任，给予行政记大过处分。

(26) 鸡西矿业（集团）公司副总经理，负责全公司安全工作。对城子河煤矿“一通三防”和机电管理混乱、导致事故发生负有重要领导责任，给予行政记大过处分。

(27) 鸡西矿业（集团）公司副总经理，负责全公司生产组织工作。对城子河煤矿生产管理混乱、存在事故隐患督促整改不力，对事故的发生负有重要领导责任，给予行政记大过处分。

(28) 鸡西矿业（集团）公司副董事长、总经理。全公司贯彻安全生产方针不到位，没有认真吸取东海煤矿“4·8”瓦斯爆炸事故教训，对城子河煤矿“一通三防”、机电、用工管理混乱，导致事故发生，负有主要领导责任，鉴于其已在事故中遇难，不再追究责任。

(29) 鸡西矿业（集团）公司董事长、党委书记，法定代表人。未能履行监督保障职能，保证党的安全生产方针政策在全公司贯彻落实。2002 年以来所主持的 4 次董事会没有认真研究安全生产工作，对事故的发生负有主要领导责任，给予行政撤职处分。

(30) 国务院第 29 次党组会议决定，给予黑龙江省人民政府分管安全生产工作的副省长记过处分。

河北省蔚县涌发煤矿“6·24”洪水淹井事故

一、事故经过

2002 年 6 月 24 日 16 时 50 分至 18 时 30 分，张家口市蔚县北部山区突降大到暴雨（降雨量在 6.0～36.0mm），引起山洪暴发，洪水涌入蔚县涌泉庄乡涌发煤矿，造成井下 16 名矿工被困。经多方全力抢救，16 名矿工全部遇难死亡，直接经济损失 122.5 万元。

事发当班（下午 2 点班），共下井 17 人，跟班人员吴峰下井检查。大约 18 时左右，吴峰巡查完上井，便看到因暴雨引发的洪水直冲矿区，冲垮主斜井井口、部分房屋和绞车房。此时主斜井正在提运的 4 个装煤矿车至井口时因绞车失控，溜下斜井筒内，洪水夹带着矿车、木柱、铁轨等杂物沿主斜井冲入井下，持续时间约 30min 左右。经估算，灌入井下的水量约 25000m^3。因淤积和井筒塌冒，主斜井从170m以下堵塞，使井下16名工人被困。由于斜井筒塌方严重，抢救十分困难，直到7月16日夜11时30分，才从邻矿打通涌发煤矿的采空区，救护队通过采空区的空隙钻进涌发矿的巷道，经搜寻，于17日3时30分查找到12名遇难者尸体，已经高度腐烂。经专家论证分析，其余4名遇难者在洪水下来的当时就被淹死，可能淤埋在井底附近或被冲进采空区。继续抢救遇难者的尸体要付出很大代价，救护人员要冒很大风险，因此，在做好遇难者家属工作的情况下，停止了抢救工作。抢救工作共历时23天。

二、事故原因分析

造成淹井事故的直接原因是：涌发煤矿斜井口建在河道边，井口高程低于当地历年最高洪水位，矿渣填堵了部分河道。因短时大到暴雨引发的山洪，沿汤庄子沙河下来后，漫过田地从其斜井口灌入井下，冲垮斜井筒支架，造成井筒塌冒，将16名矿工堵在井下，其中4人被淹死、12人因窒息而死亡。

主要原因有：

（1）该矿违反《煤矿安全规程》的有关规定，在井口高程低于当地历年最高洪水位的情况下，未采取任何防排水措施，致使洪水从斜井口灌入井下。

（2）该矿独眼井生产，洪水将斜井冲垮后，井下作业人员没有逃生之路。

（3）该矿在全国煤矿安全生产专项整治期间，不执行有关部门关于停止生产的指令，在矿井不具备基本安全生产条件的情况下，仍安排工人下井作业。

（4）该矿“四证”不全，不具备基本安全生产条件，属于“四个一律关闭”矿井，县、乡两级政府及有关部门不坚持原则，把关不严，非但未及时组织对其予以关闭，在其主要问题未进行整改的情况下还通过了县级验收，在市级验收没有通过的情况下，既没有及时关闭矿井，又没有监控住人员下井，放纵了该矿的违法生产行为。

三、事故处理结果

事故发生后，经事故调查组认真调查，认定属于责任事故。对有责任的17人进行了处理，其中5人移交司法机关依法追究其刑事责任，其余12人给予行政处分。

（1）给予涌泉庄乡企管会主任行政撤职处分。

（2）给予涌泉庄乡党委副书记撤销党内职务处分。

（3）给予涌泉庄乡副乡长行政撤职处分。

（4）给予涌泉庄乡乡长行政降级处分。

（5）给予涌泉庄乡党委书记党内严重警告处分。

（6）给予蔚县煤炭生产安全监督局副局长行政记过处分。

（7）给予蔚县煤炭生产安全监督局党委副书记撤销党内职务处分。

（8）给予原蔚县煤炭工业管理局局长行政记过处分。

（9）给予蔚县国土资源局副书记行政警告处分。

（10）给予蔚县副县长行政记过处分。

（11）给予蔚县县长通报批评处分。

（12）责令蔚县县委书记向张家口市委写出书面检查。

吉林省白山市江源县富强煤矿“7·4”特大瓦斯煤尘爆炸事故

一、事故经过

2002年7月3日上午，白山办事处、江源县安委会办公室联合去白山市江源县富强煤矿执法监察，针对该矿正在违规组织生产，存在大量不安全隐患，向该矿下达了停产处理决定书，并强制将在井下作业的32名人员在11点40分之前撤到地面，但该矿于当日16时又擅自组织生产。7月4日0时，该井井长张兴林安排39人入井，分6个工作面进行采掘作业。2时12分，当班地面绞车司机听到轰的一声响，从大绳口看到井口非常亮，有火光。晚大班班长在主井口工棚也听到爆炸声，看见主井井口门冒黑烟，断定井下发生爆炸事故。

事故发生后，事故单位没有按规定及时向有关部门报告。7月4日4时20分，相邻煤矿人员向白山办事处报告，称富强煤矿发生瓦斯爆炸事故。白山办事处经与江源县煤炭局核实后，立即向吉林煤矿安全监察局报告，同时通知通化矿务局派救护队进行抢险。松树矿救护中队于6时50分到达事故现场。吉林省、白山市、江源县各领导和矿务局领导闻讯后也立即赶赴现场，积极组织事故抢救工作。

鉴于全矿井通风系统被破坏、原入风的主斜井垮落严重，无法从主井入井实施抢救，7月4日17时25分，事故抢救领导小组决定进行矿井反风，从副井入井探险抢救。到7月31日6时止，历时24天，共维修巷道1000多m，出货1000多矿车，共找到31名遇难者。由于爆源处巷道冒落十分严重，难以恢复，经事故抢救领导小组研究，报请省政府批准后，中止了寻找遇难者的工作，有8人仍埋在井下。

二、事故原因分析

（1）事故的直接原因是1号工作面在回采过程中，放炮崩透采空区，放炮产生的火焰引起采空区瓦斯爆炸，煤尘参与爆炸。

（2）富强煤矿通风系统不合理：①主要通风机和局部通风机的风量不匹配；②一机吹两头；③每个片盘没有实现分区通风，每个工作面均没有独立的通风系统。

（3）采用非正规的采煤方法，没有按规定履行报批手续。

（4）开采布局不合理。多水平、多作业面作业，无序开采。

(5) 长期非法越界开采，擅自非法组织生产，拒不执行煤矿安全监察机构下达的监察指令。

(6) 有关部门未能认真履行职责。在国家深化小煤矿整治期间，没有及时制止富强煤矿违法生产；对该矿长期越界开采的行为制止不力。

贵州省六盘水市水城县玉舍乡陶家湾煤窑"7・24"特大瓦斯爆炸事故

一、事故简述

2002 年 7 月 24 日 19 时，水城县玉舍乡群益村陶家湾煤窑（非法）发生特大瓦斯爆炸事故，死亡 22 人，重伤 1 人，轻伤 6 人，10 人生还（其中 1 人重伤、6 人轻伤），直接经济损失 80 多万元。

二、事故原因分析

(1) 该煤窑为独眼井开采，不具备安全生产基本条件，井下长期无风或循环风作业，无法排放瓦斯，造成瓦斯积聚达到爆炸界限。

(2) 作业人员违章带电检修潜水泵产生火花，引起瓦斯爆炸。

(3) 非法煤窑业主利欲熏心，无视国家有关法律法规，非法盗采国家煤炭资源；在矿井不具备安全生产条件的情况下，冒险组织工人下井作业；对乡政府下达的关闭矿井指令置若罔闻，仍继续擅自非法开采，最终酿成事故。

(4) 玉舍乡供电所、合法有证的支都煤矿、私营煤炭产品经营者和汽车运输业主，违反黔府发［2001］6 号文精神和省政府"六不准"规定，为非法煤窑提供电力、准运证，收购和运输非法煤窑的煤炭产品，为非法煤窑提供了生存基础。

(5) 玉舍乡党委、政府对清理非法开采和制止已关闭的非法煤窑死灰复燃工作监督不到位、工作不深入，对玉舍乡境内存在的大量非法开采严重失察。

(6) 水城县、玉舍乡国土资源管理部门在取缔非法开采方面措施不力，执法不严；对非法开采和已关闭非法煤窑死灰复燃现象监督管理不力。

(7) 水城县煤炭管理部门、玉舍乡煤管站在执行省政府"五统一"管理政策方面存在漏洞，对煤炭产品准运证的发放、监管和查验把关不严，使煤炭产品准运证能从合法煤矿流失到无证煤窑。

(8) 水城县委、县政府在贯彻执行党中央、国务院关于安全生产的一系列方针政策方面，落实不到位；取缔非法煤窑和依法打击非法生产煤炭行为不力，措施不到位，工作失职；有关执法工作人员工作不深入实际，在执法过程中未能及时发现非法开采，工作失察。

山西省阳泉市盂县西潘乡煤矿"11・8"特大瓦斯爆炸事故

一、事故简述

2002 年 11 月 8 日 13 时 20 分，山西省阳泉市盂县西潘乡煤矿发生一起特大瓦斯爆炸事故，造成 26 人死亡，3 人受伤，直接经济损失 189.4 万元。

二、事故原因分析

经调查，认定这是一起责任事故。此次事故发生地点是：9 号煤坑北区 9701 掘进工作面和波及到的南区 9061 采区运输巷和掘进工作面。

(1) 瓦斯积聚的原因是井下北区 9701 掘进工作面更换局部通风机电缆，停风造成 9701 掘进工作面北巷正巷、横贯和副巷南北头的瓦斯积聚。

(2) 事故直接原因是井下更换局部通风机电缆，局部通风机停风造成 9701 掘进工作面瓦斯大量积聚，达到爆炸浓度，此时违章修理头灯，灯头正负电极短路产生电火花，引爆北区 9701 掘进工作面积聚的瓦斯，爆炸后的冲击波摧毁北区风桥，使风流短路，大量有害气体进入南区 9601 采区运输巷和 9601 掘进工作面，造成 26 人死亡，这是事故发生的直接原因。事故的类别为瓦斯爆炸。

(3) 事故间接原因：一是该矿现场管理混乱，"一通三防"管理工作存在漏洞；二是安全管理不到位，租赁后以包代管，安全责任不落实，规章制度执行不严；三是市、县煤炭管理部门对该矿"一通三防"工作督促不力，检查不到位，致使该矿存在的不安全隐患未能及时消除；四是市、县政府在深化煤矿安全专项整治工作中监管力度不够。

三、事故处理结果

总安全员、安全员、跟班队长、电工对事故的发生负有直接责任。鉴于此 4 人已在事故中死亡，不予追究；对另外 13 名事故责任人分别作出了处理建议；阳泉市人民政府就本次事故的发生向山西省人民政府作出深刻书面检查；根据《山西省劳动保护暂行条例》第 44 条有关规定，给予西潘乡煤矿罚款 5 万元行政处罚。

贵州省黔南州荔波县三岔河煤矿"12・23"特大瓦斯爆炸事故

2002 年 12 月 23 日 1 时 20 分，荔波县立化镇三岔河煤矿（有证，已通过省级验收）发生一起特大瓦斯爆炸事故，造成 17 人死亡（当场死亡 15 人，2 名重伤人员经抢救无效死亡)，直接经济损失50余万元。

一、事故经过

三岔河煤矿属私营煤矿，2002年8月通过省级验收。2002年12月23日0点，该矿中夜班交接，井下有人员19人。1时20分，在未进行瓦斯排放的情况下，在一下山掘进工作面实施放炮，引发瓦斯爆炸。

二、事故原因分析

(1) 二联络巷与一下山交叉点附近局部瓦斯积聚达到瓦斯爆炸浓度。

(2) 放炮时，爆破母线采用裸露明接头，铜芯线熔断产生火花引爆积聚瓦斯。

(3) 事故矿井未按《煤矿安全规程》及时制定采掘作业规程。事故当班为多出煤，违章在二联络巷上山掘进出煤。

(4) 事故矿井以包代管，安全投入不足，对主管部门的多次整改指令置之不理，违章蛮干。通过省级验收后，辞退专业技术人员，违章指挥，管理混乱，特殊工种人员无证上岗，安全隐患严重。

(5) 荔波县煤炭局有关领导和负责煤矿安全“包保”工作的人员对发现的重大隐患监控整改的措施不力，对煤矿从业人员和特种作业人员的安全教育培训和持证上岗要求不严。

(6) 荔波县矿业秩序较为混乱，煤炭管理体制不顺，分工不够明确，煤矿安全专项整治工作不力，致使重大事故频发。没有按规定向煤矿足额返还维简费，煤炭“五统一”管理没有提上议事日程，煤炭生产、销售脱节，政出多门。为此，2002年贵州煤矿安全监察局林东办事处曾三次向县人民政府提出了《加强和改进煤矿安全管理建议书》，但未得到足够重视。

走煤炭新型工业化道路的若干思考

范维唐

"走新型工业化道路"是党中央作出的重大战略决策。深入思考走新型工业化道路的重要性及其途径,对于煤炭工业持续健康发展具有十分重要的意义。

一、走新型工业化道路是实现煤炭工业现代化的必然选择

(一) 新型工业化的基本内涵

十六大报告明确提出:"坚持以信息化带动工业化,以工业化促进信息化,走出一条科技含量高、经济效益好、资源消耗低、环境污染少、人力资源优势得到充分发挥的新型工业化路子。"其内涵极其丰富。

对煤炭工业来讲,科技含量高,就是要坚持科技创新,加快科技进步以及先进科技成果的推广应用,把煤炭工业发展建立在科技进步的基础上,提高科学技术在煤炭经济增长中的贡献率。要大力推进信息化,并通过信息技术的广泛应用,带动煤炭工业在高起点上迅速发展。

经济效益好,就是要注重产品质量,培养名牌产品,适应市场变化,提高资金投入产出率,优化资源配置,降低生产成本,提高行业竞争力。

资源消耗低,就是要合理开发和利用资源,大力提高能源、原材料利用效率,减少资源占用与消耗。

环境污染少,就是要广泛推行清洁生产、文明生产方式,发展绿色、环保产品,加强环境和生态保护,使煤炭经济建设与生态环境建设相协调。

人力资源丰富优势得到充分发挥,就是要提高劳动者素质,扩大就业,利用我国劳动力成本低廉的条件,提高经济竞争力。

安全生产好,就是要加强安全监管,尽快弥补安全投入欠账,依靠科技进步,抓好安全技术改造,消除重大安全事故隐患,最大限度地搞好安全生产,保护煤矿工人的生存权。

总之,煤炭新型工业化道路,是在新的历史条件和时代进步背景下,充分运用最新科学技术和依靠科技进步的工业化,是提高经济效益和市场竞争力的工业化,是走可持续发展道路的工业化,是发挥人力资源优势、适当扩大就业机会的工业化,是大力改善安全生产的工业化。

(二)实现煤炭工业现代化必须走新型工业化道路

经过半个世纪的努力,我国煤炭工业已经基本建成了比较完整的,并有一部分现代化水平的工业体系。但是,煤炭工业现代化建设的任务还远没有完成,总体上看还是粗放型的,还处于较低水平。突出表现在:

1. 经济结构不合理

产业集中度低。企业组织结构小而散,大中型矿井平均年产仅80万t,小煤矿平均年产不足1万t。2002年我国前5家最大的煤炭企业市场占有率仅在16%左右。

产品结构单一。全国规模以上煤炭企业非煤产品收入不足总收入的1/3,多数企业仍是单一产业、单一产品。全国煤炭洗选比例仅在35%左右。

技术装备总体水平低。煤矿机械化、半机械化和手工作业并存。全国采煤机械化程度不足40%,小煤矿基本沿用原始落后的采煤方法和笨重的体力劳动。

劳动力素质低。煤矿从业人数多,超过世界其他产煤国家的总和。不少从业人员处于文盲、半文盲状况。煤矿全员工效仅为发达国家的1/10左右。

2. 资源有效供给不足

煤炭资源人均占有量少。我国人均占有煤炭可采储量仅略多于世界平均水平的一半。精查储量不足。在已发现的煤炭资源中,勘探程度低,可供利用少,优质环保型资源少,不能满足新井建设要求。

资源与经济发展逆向分布。西部煤炭储量大,但经济不发达,自然条件恶劣,生态环境十分脆弱,加之受铁路运输、能源转化等外部条件制约,资源优势和生产能力得不到发挥。经济发达地区资源少，占压煤炭储量不断增加，开采难度加大，地面建设与地下开采矛盾突出。资源利用率低。小煤矿平均回采率不到15%，对资源破坏严重。由于小煤矿的破坏和对高灰高硫煤的限制，国有煤矿有1/3的储量提前报废，进一步加剧了资源不足的矛盾。

3. 环境制约突出

矿区生态环境脆弱。煤炭开发中对生态和环境破坏，产生了大量社会问题。

4. 发展后劲不足

新井建设跟不上。“九五”期间新开工的煤矿项目规模小，分别是前3个五年的1/3左右，直接影响今后煤炭生产规模和供给能力。未来可能出现煤炭供求缺口。据预测，2005年煤炭供求缺口在2亿t左右。

人才断层。由于长期经济困难，企业新的人才招不来，现有人才留不住，流失严重。有的企业已经出现了人才断层。

5. 企业改革滞后

部分国有煤炭企业还未进行公司制改造，已经改制的也大多是单一的国有独资形式。上市公司“一股独大”，企业内部未形成规范的法人治理结构和现代企业运行机制。三项制度改革进展不大，相当多的企业没有迈出实质性步伐。企业管理比较粗放，内部约束机制不健全，“跑冒滴漏”比较严重。

6. 经济效益差

国有重点煤矿补贴前亏损。经过多年努力，虽然全行业实现账面整体扭亏，但国有重点煤炭企业补贴前仍总体亏损，亏损面在60%以上。全行业尚未摆脱困境。

国有企业欠账多，职工生活困难。由于多年的经济困难，煤炭企业大量潜在亏损尚未得到处理，生产、安全和职工生活等方面积累了大量欠账。国有大中型煤矿44%的矿井存在水平接续问题，通风安全投入欠账约40亿元。国有重点煤矿职工人均收入大大低于全国平均水平。目前累计拖欠在岗职工工资53亿元。部分职工家庭生活十分困难。

7. 安全生产形势严峻

近几年，我国煤矿因公死亡人数都在6000人左右，百万吨死亡率居高不下。2002年，我国煤矿百万吨死亡率4.64，其中乡镇煤矿高达11.73，大大高于发达国家。

8. 国际市场挑战日益严峻

煤炭进口增加。从国外进口煤炭已由过去的每年200万t左右，增加到2002年的1081万t。与煤炭消耗相关的产品进口增加。石油、天然气等优质能源和钢材、建材、化工等高耗能产品进口增加，直接或间接减少国内煤炭消费。

与世界先进水平差距拉大。国外主要产煤国家煤炭企业向大型化、集团化发展，生产技术在实现综合机械化基础上，开始向遥控和自动化发展，洁净煤技术已进入工业化应用阶段，进一步拉大了我国煤炭工业与世界先进水平的差距。

这些问题严重制约煤炭工业健康发展。要有效地解决前进中的问题，实现可持续发展就必须走新型工业化道路。

二、坚定不移地走新型工业化道路，实现煤炭工业可持续发展

从我国煤炭工业发展实际出发，走新型工业化道路，实现可持续发展，必须做好以下几项工作：

（一）努力发展煤炭工业信息化

信息化是在社会生产和社会生活各方面应用现代信息技术，深入开发、广泛利用信息资源，加速现代化的过程。

煤炭信息化建设涉及煤炭勘探、生产、加工、转化和经营管理以及安全生产等各个方面。当今，世界先进产煤国家正在通过积极发展信息技术，抢占世界煤炭经济竞争的制高点。

改革开放以来，信息技术已经成为我国一些煤矿生产管理、市场营销、安全监测等环节的重要手段，在煤炭教学、科研、设计、制造、地质、选矿等领域的应用已取得一定效果。但从整体看，目前煤炭信息化应用水平较低、研发人员缺，还不能适应发展的要求。

煤炭工业要抓住机遇，利用现代信息技术加快技术创新、管理创新和体制创新，提高生产效率和经济效益，确保安全生产，提高企业的竞争力，实现产业优化升级。

煤炭信息化建设要以企业为基础，着力推进大中型企业信息化建设。充分运用现代信息技术，改造生产工艺，实现生产过程自动化；改善企业经营管理，实现企业管理科学化、规范化和信息化；改进信息系统，实现知识管理网络化；改变营销手段，实现商务运营电子化。信息技术的普遍应用，将极大地提高劳动生产率，降低资源消耗和生产成本，减少环境污染，成为推动煤炭工业发展的强大动力。

（二）大力推进产业结构优化升级

1.坚持用高新技术和先进适用技术改造提升煤炭工业

运用高新技术和先进适用技术改造煤炭产业，增加科技含量，促进产品更新换代，提高产品质量和经济效益，是加快煤炭工业现代化的必然要求和重大举措。

近几年，煤炭工业技术改造工作力度加大，一批重点企业的技术创新能力大大提高。如，神华集团神东公司采用国外高新技术和设备创造工作面单产874万t的国际煤炭开采新水平，兖矿集团采用国外技术与国产化先进设备相结合创造工作面单产606万t新水平，陕西彬县利用先进适用技术改造煤矿的经验都收到了明显效果，企业竞争能力进一步增强。但从总体上看，改造和提升煤炭产业的任务还十分艰巨。

2. 振兴煤炭装备制造业

装备制造业是煤炭工业持续发展的基础和发动机。煤炭工业生产技术水平和竞争能力的高低，在很大程度上取决于煤炭装备制造业提供的技术装备的性能和水平。没有强大的装备制造业，不用先进的装备制造业武装、改造煤炭产业，提升煤炭装备和生产技术水平，要实现煤炭工业现代化是不可能的。

改革开放以来，我国煤炭工业技术装备的设计和制造能力有了明显增强，但与发达国家比还有较大差距。

振兴我国煤炭装备制造业，一是要以采煤机械重要基础件为重点，增强重大装备的开发能力，提高装备的可靠性，推进机电一体化，提高装备工业自动化水平；二是要依托重点技术改造和重大工程项目，为煤炭工业提供先进和成套的技术装备；三是要加快老煤炭机械制造业的调整和改造。

3. 正确处理“三个”关系

在推进煤炭产业结构优化升级过程中，一定要从我国煤炭工业实际情况出发，重视和正确处理以下几个关系。

正确处理大中小煤矿的关系。要加快发展大煤矿、提高中型煤矿，改造小煤矿。积极推动大煤矿广泛采用先进技术装备，加快矿井现代化建设。鼓励中型煤矿用先进技术和装备改造矿井，提高生产能力。争取在2010年前，将煤炭生产结构由目前的5：2：3调整到6：2：2。要重视改造小煤矿。目前，小煤矿产量和就业人数仍占有较大比例，在相当长的时期内小煤矿在我国煤炭供给中仍发挥着重要作用。这是我国煤炭工业生产力发展水平和资源条件决定的。因此，我们在加快发展大煤矿的同时，不能忽视改造和发展小煤矿。

正确处理国有资本进与退关系。坚持有进有退、有所为有所不为。大型国有骨干企业，通过规范上市、法人互相参股、中外合资、债权转股权、内部职工持股和社会资本入股等多种形式，组建多元投资的有限责任公司或股份有限公司。对资源枯竭、资不抵债的企业，依法实施关闭破产；对现有净资产已经较少的老矿井、各类中小型企业，采取有效形式将国有资产有序退出，放手发展民营经济及个体和私营经济，多形式放开搞活。

正确处理煤炭主业与延长产业链，发展接续产业的关系。坚持以煤为本、做大做强煤炭主业，积极拓宽与煤相关产业、延长产业链，发展接续产业，推进产业、产品结构优化升级。

（三）实施科教兴煤战略

走新型工业化道路，必须发挥科学技术作为第一生产力的作用，注重依靠科技进步和提高劳动者素质，改善经济增长质量和效益。

1. 坚持科技创新

采用高新技术和先进适用技术，加大对煤矿现有技术装备的改造，增加科技含量。一是加大以实现煤矿高产高效为目标的矿井技术改造，优化生产布局，发展综采综掘技术。二是加大以预防安全事故、改善安全生产条件为目标的安全技术改造，增强矿井防灾抗灾能力。三是加大以推广应用洁净煤技术为目标的技术改造，提高煤炭深加工和综合利用技术水平。四是加大以信息化建设为目标的技术改造，促进信息技术在煤炭工业的推广应用。

2. 建立创新体系

一是建设以煤炭企业为主体的技术创新、技术开发以及科技服务体系，提升煤炭企业的科技水平。二是进一步推进产学研联合创新，攻克一批具有自主知识产权的核心技术，科研机构同煤炭企业合作，促进知识、科技成果的转化和应用。三是积极开展群众性技术革新活动。

3. 抓好人才引进和培养

调整政策，引进优秀人才。建立和发展面向全体职工的教育培训体系。推行关键岗位持证上岗制度。改革煤矿职工招聘办法。抓好煤炭企业与大专院校的联合办学，利用社会力量培养人才。

（四）实施可持续发展战略

资源是煤炭工业可持续发展的基础，煤炭工业走新型工业化道路必须把节约资源放在第一位。合理开发和使用煤炭资源，保证煤炭安全有效供应。

1. 加强勘探，扩大资源储备

建立完善煤炭资源勘查开发投融资体制，扩展融资渠道和融资方式，增加中央财政对煤炭资源地质勘探费投人，鼓励和支持商业性资源勘探。提高煤炭资源勘探程度，保障煤炭资源有效供给。

2. 调整布局，合理开发

稳定东部地区煤炭生产规模，加大中西部和西部地区开发力度，重点开发晋陕蒙区，积极开发西南区，适度开发新甘宁青区。依据资源条件，合理确定新建矿井规模，重点建设大中型矿井，适当限制小型矿井。坚持煤炭资源开发建设与区域经济发展相结合，与环境保护相一致，切实搞好环境、生态保护和资源综合利用，推动煤炭经济和矿区环境保护协调发展。

3. 实施大集团战略，保证煤炭安全有效供应

在市场和政策的扶持引导下，通过改组、联合、兼并、控股或参股等方式，支持优势大型煤炭企业重组改造中小煤炭企业，培育和发展大型或特大型煤炭企业。通过资产联结，实现与电力、煤化工、铁路、港口以及高耗能产业和高新技术行业、企业的联合重组，培育跨地区、跨行业、跨所有制、跨国经营的大型企业集团。

4. 严格标准，提高资源利用率

制定新的煤矿资源回采率标准和管理制度。坚决停止采用落后生产方式和资源回收率低的矿井生产。

5. 抓好建设，新建和改扩建一批高产高效矿井

贯彻国务院“加强煤炭基地建设，促进煤电联营，形成若干个亿吨级大型煤炭骨干企业”决定，按照高产高效原则，加强煤炭基本建设，重点建设一批大型煤炭基地建设。改造一批关系全局的重大项目。用大煤矿保大电力，使煤矿基本建设规模与国民经济持续发展相适应，增强发展后劲。

神华集团神东公司改革建矿设计思路，吨煤投资少、建设速度快、工期短（榆家梁矿只用了8个月时间，

大柳塔、补连塔两个矿只用了2年时间就产煤)、工效高(全员工效每工100t以上)、成本低。

6. 发挥优势，跨行业发展

依托煤炭资源，打破行业壁垒，大力发展煤电、煤化工、煤建材、煤焦化、煤气化等优势产业，延伸产业链，实现产业化。继续抓好与煤共伴生矿物的开采利用，合理配置资源，开拓新的经济增长点。发挥矿区劳动力资源优势，加快发展具有煤矿特色的第一、第三产业，提高在经济总量中的比重。

7. 推广洁净煤技术，发展煤炭深加工和综合利用

加强选煤厂的配套建设，提高原煤洗选率。鼓励煤炭企业建设大型坑口电厂，实现煤炭就地转化，变输煤为输电。搞好煤与煤矸石的综合利用，积极发展低热值燃料发电和煤矸石建材产品，扩大煤矸石利用范围和比重。发展焦化产品，实行焦化综合利用。搞好型煤和水煤浆产品的推广应用。大力开发煤炭气化、液化和焦化产品。积极支持煤炭液化的研究开发，努力实现产业化。积极进行煤层气的工业性开发试验，改善矿井安全，变废为宝，同时要探索煤炭地下气化开发的新途径。

(五) 坚持深化改革，扩大开放

改革开放是经济发展的巨大推动力。煤炭工业走新型工业化道路必须坚持深化改革开放。

1. 坚持改革，推动体制、制度、管理的不断创新

体制创新。一是积极推进国有煤炭企业的战略性改组，实现企业产权多元化。通过兼并、联合等形式进行资产重组和结构调整，着力培育实力雄厚、竞争力强的大型企业和企业集团。发挥这些企业在资本营运、技术创新、市场开拓等方面的优势，使之成为煤炭工业的支柱和参与国际竞争的主要力量；二是从实际出发，采取改组、联合、兼并、租赁、承包经营和股份合作制、出售等多种形式，放开搞活小型煤炭企业。三是对长期亏损、扭亏无望和资源枯竭的企业要实行破产、关闭。

制度创新。要按照产权清晰、权责明确、政企分开、管理科学的要求，建立和完善现代企业制度。一是要继续推进政企分开，从体制上、机制上，确保国有资产及其权益不受侵犯；二是完善公司法人治理结构，形成各负其责、协调运转、有效制衡的公司法人治理结构。三是面向市场着力转换企业经营机制。逐步形成企业优胜劣汰、经营者能上能下、人员能进能出、收入能增能减、技术不断创新、国有资产保值增值等机制。

管理创新。高度重视和切实加强企业管理，从严管理企业，实现管理创新。一是要学习先进管理经验；二是要积极推进管理信息化；三是加强企业管理的基础工作；四是健全决策体系和运营体系，使企业真正成为自主经营、自负盈亏的法人实体和市场主体。

2. 坚持对外开放，积极引进外资，扩大对外贸易

经济全球化要求我们必须加大对外开放力度，参与国际竞争。运用两个市场、两种资源，是走煤炭新型工业化道路，实现可持续发展的必然选择。

积极利用外资。在国家控制煤炭资源和调控建设规模的前提下，按照煤炭开发建设规划，鼓励国外大企业投资入股，参与煤炭资源的勘探和开发建设，参与煤炭经济结构调整及国有煤炭企业改组改造。把引进外资与引进先进技术、现代管理和专业人才结合起来，重点在矿井高产高效、安全生产和煤化工、煤炭液化等方面引进先进技术和关键设备，尽快提高国内企业在这些领域的技术水平和管理水平。

扩大对外投资和贸易。鼓励有比较优势的煤炭企业对外投资，到国外境外投资办煤矿、办实业，扩大劳务输出。加强出口煤基地建设，支持和鼓励煤炭企业扩大出口。抓好非煤产品的出口创汇，充分挖掘原有市场潜力，积极开发新的国际市场，集中优势扩大出口，培育一批在国际市场具有竞争力的名牌产品和知名企业，提高市场占有率。

三、营造公平竞争的外部环境是煤炭工业走新型工业化道路的必备条件

缺乏公平竞争的外部环境，是制约煤炭工业持续健康发展重要因素。

一是税费负担重。煤炭增值税比税改前增加了5.85个百分点，是工业领域税负最高的行业；铁路部门每年向煤炭企业收取铁路建设基金100多亿元(2002年扣除出口煤免征部分，煤炭企业缴纳铁路建设基金140多亿元)，增加了负担。

二是电煤结算价格长期低于市场平均水平。2002年放开电煤价格后，实际结算价格仍低于市场平均价。

三是煤炭企业社会负担沉重，分离企业办社会职能进展缓慢。

四是生产经营秩序不规范。非法和不具备基本安全条件的小煤矿死灰复燃，有些大中型煤矿超能力生产。社会信用体系不健全。用户肆意压价、拖欠煤款，有的煤矿盲目提价，个别煤矿和经营单位以次充好。

煤炭工业走新型工业化道路，不仅需要本行业自身努力，而且迫切需要一个良好的外部环境。国家应当建立相应的保障体系，完善相关政策，为煤炭行业创造一个公平竞争的环境。

(一) 健全完善“四大保证体系”

1. 健全煤炭宏观调控体系

一是推进铁路、电力等行业的深化改革，充分发挥市场在煤炭资源配置上的基础性作用。二是通过制定产业政策，引导煤炭生产和消费，调节市场供求，实现总供给与总需求的基本平衡。三是健全市场规则，规范市场，加强监管，建立公平竞争、规范有序的市场经济秩序。四是加强煤炭行业协会建设，努力为政府制定法规、政策提供依据，为企业提供优质服务。使协会真正沟通政府与煤炭企业之间联系，推动行业、为企业服好务。

2. 完善煤炭法律法规体系

一是修订完善现行《煤炭法》及相关配套法规，抓紧制定煤炭资源勘察、生产开发、稀缺煤种和重要煤种保护、煤矿井下作业职工意外伤害保险和特殊保护、矿

区保护等法规。二是加强煤炭行政执法。依法维护煤炭生产经营秩序，保护企业合法权益。三是建立健全煤矿安全法规体系，切实强化安全执法监察，构建煤矿安全生产长效机制。

3. 建立煤炭基础保证体系

一是加强资源调查、规划和管理，不断提高煤炭资源保护和合理利用水平。二是推进煤矿装备制造企业结构调整和优化重组，增强重大装备的开发能力，加速重大装备国产化水平。三是适应发展，合理配置教育资源，鼓励和支持大中专毕业生到煤炭行业工作，保证煤炭工业发展的人才需求。

4. 构建煤矿社会保障体系

一是完善城镇职工基本养老保险、基本医疗保险、失业保险和城市居民最低生活保障制度。二是加快分离煤炭企业办社会职能。三是拓宽社会就业渠道。完善就业培训和服务，提高劳动者的就业技能。

（二）完善相关政策

（1）推动组建大型煤炭企业集团。

（2）帮助煤炭企业解决历史遗留问题。出台明确的财政政策，加快分离企业办社会职能。支持企业处理不良资产。

（3）公平税负，减轻煤炭企业税收负担。按照国务院“不增加国有重点煤炭企业的税负水平，保持1993年3.35%的税负的原则”，对煤炭企业增值税政策进行调整。

（4）推进煤炭采矿权改革，实现资源有偿使用。

（5）支持以煤炭资源开采为主的城市和地区发展接续产业。依据《煤炭法》规定，设立煤矿转产基金，支持和引导煤炭企业调整产业结构，发展替代产业。

（6）支持煤电联营。

（7）尽快取消铁路发展基金。

走新型工业化道路是实现煤炭工业健康发展的必然和现实选择，坚定不移地走新型工业化道路，必将促进煤炭工业进一步与时俱进，奋发图强，为全面建设小康社会作出新的贡献。

关于煤炭工业实施大集团战略的思考

吴　吟

一、实施煤炭大集团战略是促进煤炭工业健康发展的根本性措施

1. 煤炭工业存在的主要问题

（1）企业组织结构分散。全国近3万家煤炭企业绝大多数为乡镇、个体煤矿。产量前4位的煤炭企业，市场占有率（集中度）不足14%，前8位为20%左右。

（2）生产结构失衡。我国乡镇、个体煤矿的产量曾经超过国有重点煤矿，占全国煤炭总产量的40%以上。目前，年产3万t以下小煤矿的产量仍占总产量的30%以上。“六五”以来，国家投资新开工矿井规模逐步减小，煤炭生产后劲不足。

（3）技术结构落后。一是技术和装备水平低，非机械化采煤占60%以上，大中型矿井生产设备老化。二是煤矿用人多、效率低，全员工效仅为发达国家的五十分之一。三是安全技术与装备水平低，事故隐患多，矿井防灾抗灾能力差。四是乡镇煤矿生产工艺落后，破坏和浪费资源现象十分严重。五是煤炭行业技术人才进得少、出得多、留不住。

（4）产权结构单一。产权制度改革滞后，支撑我国煤炭工业的骨干企业绝大多数为国有独资企业，部分上市公司也是国家控大股。行业竞争秩序混乱、税负重、行业利润率为负数，吸引外资能力差，很少有外商直接投资建煤矿。

（5）产品结构固化。一方面我国原煤入选比重不足40%，大量原煤未经加工直接燃烧；另一方面选煤厂能力利用率只有65%左右，能力大量闲置。用户出于自身利益的需要，不使用洗动力煤，增加了污染，影响了煤炭企业的经济效益。洁净煤技术开发和应用进展缓慢。

（6）产业结构链短。受计划经济时期“部门分割”的影响，原属于煤炭企业管理的铁路、港口、电厂、焦化厂等企业被人为地划分出去，影响了煤炭行业向关联行业延伸和发展的渠道。煤炭产业链短，高附加值产品少。

（7）矿区存在不稳定因素。受前一段时间市场供大于求的影响，煤炭企业经济效益不好，职工收入水平低。由于煤款被拖欠，部分企业拖欠职工工资，职工队伍不稳定。资源枯竭煤矿问题更多，矿区存在着不稳定因素。

（8）行业利益受损。煤炭行业受铁路运输的制约，缴纳铁路建设基金，部分铁路企业收取自备车运输费、铁路“点装费”等，严重影响煤炭企业的经济利益。电力行业长期具有垄断性质，电煤价格低于市场价格。在供大于求的情况下，用户一味地压价，煤款被大量拖欠。

（9）企业竞争不平等。煤炭开采受资源约束，资源所处的地理位置、赋存条件、运输渠道、距离消费市场的远近等等，影响煤炭企业的市场竞争力。不同类型煤矿的实际税负差距大，缺乏科学的方法公平各类煤炭企业的竞争环境。

2. 企业组织结构分散是煤炭工业的主要问题

以上列举的煤炭工业存在的诸多问题，折射出煤炭工业结构的严重不合理性。在以上问题中，有些是需要政府进行宏观调控的，如煤炭企业之间竞争环境不公平，洁净煤技术产业化进程缓慢等；有些是煤炭企业经济状况改善了，问题就可以自行解决的，如煤矿安全生产技术装备，煤矿职工收入低，矿区不稳定等；有些是优化了煤炭企业组织结构，问题就迎刃而解的，如行业利益受损严重，生产结构失衡等。在目前情况下，政府的宏观调控往往需要企业的强力推动，企业经济状况的好转更是有赖于市场竞争秩序的好转。因此，煤炭行业企业组织结构太分散是煤炭工业存在的主要问题。

3.发展大集团是解决煤炭工业主要问题的根本性措施

煤炭工业的主要问题是企业组织结构太分散，解决这一问题的根本方法，就是最大限度地减少竞争个体。发展煤炭大集团则是减少竞争个体，解决煤炭工业主要问题的根本性措施。

二、发展煤炭大集团的理论依据和实践基础

1. 理论依据

（1）生产集中度分析。美国经济学家迈克尔·波特通过大量实证调查，得出结论：在一个相对统一的市场中，生产相同产品的前四位企业的市场占有率（集中度）的总和要达到40%以上，该行业的竞争秩序才可能趋于正常。市场集中度低一定会出现无序竞争。

（2）产业利润率分析。正常的产业利润率应该是社会平均利润率。产业利润率为负数，说明该产业竞争无序或竞争过度。我国煤炭产业利润率长期是负值，1993～2000年平均为－6%左右。

（3）发达国家的工业发展实证分析。发达国家在工业化进程中，有一个明显的规律，即生产集中度随工业化的发展和产业结构升级而逐步提高。目前，我国处于工业化中期阶段，除垄断行业外，提高生产集中度符合经济发展规律。

（4）世界主要产煤国家实证分析。世界主要产煤国家生产集中度明显高于我国。2000年，澳大利亚前7位煤炭公司的产量占总产量的46%；美国的前6位煤炭企业的生产集中度为50%以上；南非萨索尔矿业公司一家的生产集中度为33%；印度煤炭有限公司占总产量的89%；德国除了褐煤，只有鲁尔公司生产硬煤，其相对生产集中度为100%。

2. 实践基础

近年来，我国在发展大公司和企业集团方面进行了积极的探索，如在电力、石油、化工、电信、民航等行业组建了为数不少的大公司和企业集团，取得了较好的效果。从煤炭工业发展历史上看，1949年前就有开滦、淮南等路矿企业集团；1964年试办“托拉斯”，组建了华东、贺兰山、渭北3个大公司；20世纪80年代前后组建了东北内蒙古煤炭工业联合公司；1988年成立能源部时，组建过中国统配煤矿总公司；特别是1995年国家批准在原精煤公司的基础上组建了集煤、电、路、港、航为一体的神华集团，为煤炭工业实施大集团战略积累了宝贵的经验。2001年10月16日，由西山、汾西、霍州三家大型煤炭企业联合组建的山西焦煤集团公司挂牌营业，一年多来，已在优化结构方面取得了明显成效。

三、实施煤炭大集团战略的思考

1. 组建煤炭大集团应考虑的主要因素

（1）资源因素。资源是煤炭企业生存和发展的物质基础，组建煤炭大集团必须要以丰富的煤炭资源为前提条件。另外，煤炭资源在煤种方面的差别，也应作为大集团组建时考虑的因素。

（2）运输因素。我国煤炭资源赋存状况和社会经济发展现状决定了北煤南运、西煤东调的运输格局，70%左右的煤炭需要通过铁路运输到达煤炭用户。吸纳具有相同运输通道的企业加入煤炭大集团，有利于协调各煤炭企业与铁路运输企业的关系，提高运输效率，降低交易费用。

（3）市场因素。组建大集团的根本目的就是为了提高煤炭产业市场集中度。尽可能将具有相同市场的煤炭企业组建到大集团中，可以在一个局部相对提高市场集中度，扩大大公司和企业集团的效果。

（4）隶属因素。1998年下半年，绝大多数国有重点煤矿下放到地方管理。组建煤炭大集团，应尽可能充分调动地方政府的积极性。现阶段，以重组省区内的煤炭企业为主。条件合适的，集中力量，组建跨省区、跨行业的大集团。

（5）企业因素。煤炭工业已拥有一批资源条件好、技术装备优、管理有基础、经济实力强、品牌信誉好的优势企业，如神华、兖矿、大同、山西焦煤、开滦、平顶山、淮南等。它们是组建煤炭大集团不可或缺的核心企业。

2. 组建煤炭大集团应遵循的原则

（1）有利于结构调整和优化升级。通过组建煤炭大集团，改变煤炭企业组织结构分散、产权结构单一、生产结构失衡、技术结构落后、产品结构固化的状况，促进煤炭工业结构调整和产业结构升级。

（2）有利于体制创新和机制创新。按照现代企业制度的要求组建煤炭大集团，把体制创新和机制创新作为增强煤炭大集团竞争力的基础。

（3）有利于强为基础和对外辐射。把提高核心竞争力作为企业集团重组、管理创新、技术创新和技术改造的重要目标，立足于把企业做优、做强，在优的基础上扩大，在强的基础上发展。

（4）有利于平衡内需和走向世界。煤炭大集团要成为平衡国内煤炭市场的重要力量，既满足国民经济发展对煤炭的需求，又能维护煤炭行业的正当利益。进一步开拓国际市场，走出国门，发展煤炭事业。

(5) 有利于企业发展和社会稳定。为大集团的发展创造良好的外部环境，集中资源，分离企业办社会的职能，关闭资源枯竭煤矿，分流富余人员，以此作为政府支持企业集团发展的工作重点。

3. 组建煤炭大集团的目标

煤炭工业"十五"规划提出，到"十五"末，形成1～2个煤炭年生产能力在1亿t以上、5～6个5000万t以上的大公司和企业集团，产业集中度明显提高，煤炭产量位居前8家的企业，市场占有率达到35%以上。形成2～3个煤、电、路、港、航综合经营、具有国际竞争力的特大型公司和企业集团。

4. 组建煤炭大集团的设想

(1) 巩固神华第一通道。神华集团是集煤、电、路、港、航为一体的特大型企业集团，作为第一条煤炭生产运输大通道，具备了较强的实力、较好的发展基础和扩大发展的经验。要在做优做强的基础上进一步做大，重组矿区周边的地方煤矿和相关联的企业，"滚雪球"式地发展。

(2) 构建北方第二通道。以大同煤矿集团公司为核心，联合周边地区煤矿，组建大集团，成为对煤炭供求平衡起关键作用的煤炭大集团。再与大秦线、沿大秦线的主要电厂、秦皇岛港紧密联合起来，形成北方第二条煤炭生产运输大通道。

(3) 扩大山西焦煤集团。山西焦煤集团公司组建一年时间，取得了令人振奋的业绩和较好地实现了组建意图，成为有较强竞争实力的煤炭大集团。以山西焦煤集团公司为核心，将晋中、晋南地区生产炼焦精煤、配煤的煤矿重组起来，形成更大规模、更具实力的煤炭大集团。

(4) 形成兖矿连片开发。兖州矿业集团拥有较强的核心能力，为充分发挥兖矿集团的作用，应将其矿区周边的煤炭资源，特别是巨野煤田交由其统一开发建设。更紧密地联系兖石铁路、日照港以及周围的电厂，在东部地区建成集煤、电、路、港、航一体化的大集团。

(5) 培育省区小型巨人。从资源分布和煤炭工业布局考虑，黑龙江、辽宁、河南、安徽、贵州等省可以分别依托本省的骨干企业，整合本地区煤炭企业，组建煤炭集团。这几个省的集团规模都可以考虑在5000万t左右，成为煤炭行业的小型巨人。

5. 煤炭大集团的内部构架

将几个大型煤炭企业的资产集中起来，在此基础上组建核心企业——集团公司，国家授予集团公司资产经营权。将煤炭企业改组为集团公司的子公司，构建核心企业与集团公司内企业母子公司关系。先从集团公司内统一销售入手，逐步实现供应、生产、人财物一条龙管理。使集团公司成为投资决策中心，各子公司成为利润中心，子公司下属生产单位成为成本管理中心。再联系相关企业，形成集团公司外围层。

6. 煤炭大集团战略的实施

组建煤炭大集团要由政府牵头，分层次运作。我国大中型煤矿绝大多数是国有企业，政府作为国有资产的所有者和管理者，应从维持煤炭工业健康发展，保证国民经济发展对煤炭需求出发，对煤炭企业实施战略性重组。考虑到国有重点煤矿已下放到地方政府管理，现阶段，中央政府应集中精力构建大同—大秦线—大秦线沿线电厂—秦皇岛港口—海运公司第二条通道。有关地方政府的工作重点是组建地区小型煤炭巨人。

四、实施煤炭大集团战略必要的支持条件

(1) 政府组织推动。我国政府肩负管理社会和管理国有资产的双重职能。在当前国有重点煤矿产权主体责任模糊，企业对市场的反应迟钝，再加上企业领导者受"宁当鸡头，不为凤尾"的传统观念的影响，靠企业自发地组建大公司和企业集团，则是旷日持久的事。因此，政府应当以资产所有者的身份，组织并推动煤炭大集团的组建。

(2) 核心企业主动。组建煤炭大集团是企业的行为，必须要有核心企业的主动性和积极性。核心企业通常有自己的优势、有实力，经济效益比较好，在行业中处于排头兵位置。这样的企业要做大，会遇到来自各阶层人员的阻力。因此，核心企业的主要领导人要有高度的责任心和事业心，要有敏锐、长远的眼光，要宽怀大度，调动一切积极因素，坚韧不拔地实现目标。

(3) 从属企业联动。组建大公司和企业集团是要把分散的资源集中起来，最大限度地发挥规模效益和降低交易费用。在组建过程中，最难办的是从属企业领导人的"位子"和"帽子"问题，这个问题解决得不好，大集团的组建就不可能成功。从属企业的领导人要从大局出发，站在党性的立场，听从组织指挥和安排，做发展煤炭大集团的促进派。

(4) 部门协调行动。我国处于向市场经济转轨时期，组建煤炭大集团的过程中，会碰到许多历史遗留问题和现实问题，如历史债务清算、资源枯竭矿井的退出、企业办社会职能的分离、下岗人员的安置等，这些问题企业是难以解决的。因此，政府各部门应协调各方面的力量，集中所掌握的资源，向组建煤炭大集团倾斜。

煤炭工业整合的基本思路

李 金 峰

一、产业分散是煤炭工业面临的主要问题

自 20 世纪 90 年代中期，煤炭工业由于不能适应经济体制转轨变型和经济结构调整的新形势，逐步陷入了由于产出总量严重过剩而导致的困境中难以自拔。主要表现在煤炭市场长期低迷，价格持续下滑，货款拖欠居高不下，全行业亏损严重等多个方面。煤炭工业经济长期处于低位运行，给煤炭工业造成了灾难性的影响和难以弥补的损失。

2001 年中后期，煤炭工业经济出现了复苏的迹象，煤炭供求关系趋于平衡，甚至在部分地区出现了一定程度的供应紧张，煤炭价格上涨，煤款拖欠规模开始下降。

2002 年前 3 季度，煤炭经济运行总体形势继续好转。全国煤炭产量和销量都大幅度增长，煤炭社会库存处于合理水平，煤炭市场供需基本平衡，煤炭坑口价格上升，煤款拖欠下降，煤炭工业成为了我国工业经济效益增长为数不多的亮点之一。

煤炭工业经济运行向好的重要原因主要包括两个方面：一是煤炭需求量增加，主要原因是国民经济保持高速增长，主要耗煤产品，如火电、钢铁、水泥等产量大幅度回升，以及煤炭出口跃上新台阶。二是煤炭供给量相对减少。2001 年以来国家加大了关井压产工作力度，使全国乡镇煤矿产量大幅下降，特别是华东、中南等地区乡镇煤矿产量的下降，导致该地区部分电厂的煤炭供应一度紧张。

但是，形势的暂时好转并不能说明我国煤炭工业已经走上了健康持续发展的轨道，部分煤炭企业超能力生产比较突出的情况尤其应引起各有关方面的高度重视。2002 年 1～9 月，国有重点煤矿中企业有 52 企业超原核定能力生产，占国有重点煤矿中企业总数的 46%，共计超能力生产 11100 万 t，超能力 39%。盲目超能力生产，增加了维护当前来之不易的市场局面的难度，甚至有可能再一次导致煤炭市场供大于求，把刚刚得以喘息的煤炭企业再次拖入困境之中。必须注意到我国煤炭产业组织集中度低、企业规模小、竞争个体过多的弊病并未因形势的暂时好转而得到实质性克服，近年来备受关注的煤炭工业的产量调控机制仍远未形成，煤炭工业生产不可避免地存在明显的盲目性。不从根本上扭转这种过度分散的企业组织结构状况，煤炭工业也就难以走出“过剩—缓和—再过剩”的恶性循环。为争夺有限的市场空间，煤炭企业之间的过度竞争不但具有激烈性、无序性、复杂性，而且具有长期性。

考察我国煤炭工业的发展轨迹，不难发现供过于求是导致煤炭工业陷入困境的直接原因，而煤炭产量的失控和盲目增长又是导致供求关系失衡的重要原因，同时也是产业过于分散的必然结果。营造“适紧”的供求关系环境，确保煤炭工业的可持续发展，必须重视解决煤炭工业面临的产业过于分散这一主要问题。

二、对煤炭工业进行以集中化为中心内容的整合是解决煤炭产出总量调控的根本性措施

从根本上解决煤炭产出总量的调控问题，在充分发挥行政性手段的作用的同时，必须着眼于从体制上做文章，遵循世界经济的发展规律，借鉴其他行业的经验，认真研究和制定科学的产业组织政策，调整和优化煤炭企业组织结构，构造全国煤炭工业的有机整体。

(1) 随着经济体制的转轨变型和市场竞争的日趋激烈，我国钢铁、水泥、石油、汽车、有色等行业如同煤炭行业一样，也面临企业规模小、市场竞争个体过多、行业集中度低的问题，并由此造成竞争过度、产品价格下降、企业效益下滑等严重后果。面对全球经济一体化进程的加快和市场经济的浪潮，特别是为应对加入 WTO 后面对国际市场的冲击，各行业为提高企业的市场竞争能力，都采取了应对措施；最突出的表现就是加快通过企业重组实现集中化发展为主要内容的整合进程。

(2) 第一次石油危机以来，世界煤炭工业的经营环境发生了重大变化，全球性煤炭总量过剩，世界煤炭市场供过于求，煤炭市场竞争加剧。经营环境的变化促使世界煤炭工业进行了大规模的结构调整，在市场经济国家，调整结构的最突出表现就是煤炭企业向集中化发展，以力求提高煤炭产业集中度，增强市场竞争能力。企业兼并和产权交易额的大幅增长是世界煤炭工业集中化发展的主要特征。

(3) 研究表明，至少在今后相当长的一段时期内，我国煤炭产业组织政策选择不仅不应该反对必要的集中，而且应该鼓励集中，走集团化发展的道路，推进以国有重点煤矿为主的各类煤矿的适度联合，通过提高产业集中度，减少竞争个体，从而解决竞争过度的问题，从而才有可能使调控煤炭产量由政府强制性要求转变为煤炭企业的自发行为。

(4) 电力工业体制改革更加剧了对煤炭工业进行有机整合、实现集中化发展的紧迫性。我国电力工业以

“厂网分开，竞价上网，打破垄断，引入竞争”为主要内容的体制改革已进入实施阶段。理顺电价机制、引入竞争机制是电力体制改革的核心。煤炭是电力工业的主要燃料，电力工业是煤炭的最大用户。电力工业体制的改革，必将对煤炭工业产生重大影响，一是煤炭市场价格将受到抑制，二是实现煤炭供求平衡的难度将进一步增大，三是对小煤矿的整治将面临更严峻的挑战。

所以，从长远看，适应市场经济的要求，煤炭工业的发展必须走大公司、大集团的路子，就是以市场为导向，以技术为支撑，以资本为纽带，以优势企业为主体，通过兼并、联合、重组等方式，建立跨地区经营、主业突出、实力雄厚、核心竞争力强的大型煤炭企业集团公司。

在我国煤炭工业的发展过程中，集中化发展作为体制改革的形式之一，一直是备受关注的问题，并进行了许多有益的尝试，如东煤公司、陕西省煤炭运销（集团）公司、华东煤炭销售联合体以及从一开始就按跨地区、跨行业和现代企业制度要求组建的神华集团等，尽管原有的各种联合和集中化发展的方式，还存在着诸多不足甚至缺陷，但实施适度的联合，实现煤炭工业的集中化发展，实践证明是有效的、可行的。无论是在当前煤炭供大于求，还是在通过国家的宏观调控实现了供求关系基本平衡的情况下，我国煤炭工业走集中化发展的道路，无疑都将对我国煤炭工业进而对国民经济的持续、健康、稳定发展有重要的战略意义和现实意义。重要的问题是要在对各种可能的集中化发展模式进行深入研究的基础上，选择一种成本最低、见效最快和最具操作性的集中化发展模式。

三、煤炭工业整合的模式选择

（一）煤炭工业整合的模式及其比较

针对我国煤炭企业的现状，探索煤炭工业以集中化发展为中心内容的整合道路，重点是力求解决竞争个体过多、煤炭产业分散进而解决煤炭产出总量的有效调控问题。借鉴世界上主要产煤国家和我国煤炭行业及其他行业集中化发展的成功经验，结合新形势下我国煤炭工业的实际状况，实现我国煤炭工业集中化发展的整合模式主要有以下几种：

1. 以省级行政区划为范围的整合模式

这一整合模式是以现行的省际区域为界限，将区域内所有合法生产经营的煤炭企业联合起来，实现以省为单位的煤炭工业的集中化发展。传统的行政管理习惯和现存的煤炭局（厅）等管理机构，特别是国有重点煤炭企业下放到省一级政府管理，各省政府将在推进煤炭企业的联合和集中化发展工作中发挥重要作用，为这一整合模式提供重要的支持和便利条件。因此，这一发展模式极具可操作性，并且简便易行。从我国现行的省际区划来看，这一发展模式的实施，将能够在减少竞争个体和提高煤炭产业集中度方面发挥重要作用，也必将为建立煤炭工业规范的竞争秩序、提高政府对煤炭工业宏观调控的有效性等方面奠定必要的基础。

但实施这一模式后，在我国的煤炭市场上还将有20多个竞争个体存在，与铁路、电力、石油石化等行业相比，集中度仍然不高。从国家整个煤炭工业的发展来讲，仍未从根本上解决减少竞争个体、克服过度竞争的问题。全行业采取步调一致的协调行动，仍然具有一定的难度。

2. 以资源规划区为范围的整合模式

这一整合模式是以京津冀、东北、华东、晋陕蒙（西）、中南、西南、新甘宁青等7个煤炭资源区为界限，将各规划区域内煤炭企业分别进行联合，从而实现以规划区为单位的煤炭工业的集中化发展，形成煤炭工业寡头竞争的格局。该模式也可以经济区划为范围实施。

与以省际区域为范围的发展模式相比，这一模式集中化层次更高、规模更大。同时顺应了我国煤炭资源的自然分布规律，为实现煤炭资源的合理配置创造了条件。由于实现了更大范围的集中化发展，煤炭产业的竞争个体大幅度减少，有利于政府对煤炭工业进行更为有效的宏观调控，有利于培育规范、有序的煤炭市场氛围。

在我国煤炭工业发展的历史进程中，曾经尝试过类似的发展模式，特别是东北内蒙古煤炭工业总公司的成功运作为这一模式的实施提供了宝贵的经验，也在一定程度上展示了这一模式的广阔前景。

在我国现阶段，政府行政管理对企业发展仍具有较大的影响力，经济发展地方一体化的趋势日益明显。资源规划区由于超出了省一级的行政区划范围，有的要横跨几个省，各个省的经济社会发展状况又各不相同，对煤炭工业的要求和寄予的希望更是存在较大差别，尤其是税收体制、工资体制、就业体制等对这一发展模式有一定制约，把各不同省份的煤炭企业纳入到一个整体中，其实施必然将面临大量的协调工作，所以实施起来也会有较大的难度。

3. 以煤炭品种为范围的整合模式

我国煤炭资源的品种较多，以不同的煤炭品种对煤炭企业进行分类整合，实现煤炭工业的集中化发展，是另一种可供选择的整合模式。山西焦煤集团公司正是采用了这种整合模式。

一般情况下，不同的煤炭品种，其用途也不尽相同，按煤炭品种在全国范围内分别组建对应的企业集团公司，特别是用量较大和专业性比较突出的焦煤、动力煤、无烟煤等组建企业集团公司，实现对口供应，无疑对煤炭市场的细分和调控煤炭流向大有益处；也能够更好地满足各类用户的不同需求，最大限度地提高煤炭资源的利用效率。

和前两种模式相比，按不同的煤炭品种实现集中化发展的思路，面临的困难和问题相对比较突出，一方面跨越的范围可能很大，甚至比煤炭资源规划区的范围还要大，不同省际之间的协调工作也变得更加复杂；另一方面，在现有的煤炭企业组织格局下，一个矿务局内的不同煤矿生产的煤炭品种可能都不一样，把一个企业或井田的不同部分分别划归不同的集团公司，操作难度显然很大；三是随着科技进步和煤炭利用技术的不断完善，各不同煤炭品种之间的替代性将可能提高，各煤炭品种面对的市场界限也随之变得越来越模糊，由此使得按不同煤炭品种分别组建集团公司实现市场细分、对口供应的初衷变得意义不大。所以比较而言，除山西省等某些特定地区外，这一发展模式理想化的色彩相对较浓，可操作性较差。

4. 煤电路港航多元发展的整合模式

长期以来，在传统计划经济体制下实行条块分割的经营管理方式，形成了煤炭企业只有从事煤炭单一品种生产的格局，甚至将煤炭企业已经建设和经营的铁路、港口、电厂等深加工及相关产业强行划归其他产业部门管理，导致了煤炭工业产业结构严重失调的不良后果。

煤电路港航一体化发展模式在打破行业分割制约与有效降低经营成本等方面的优越性，已被世界上许多先进的煤炭企业所证明。著名的德国鲁尔煤炭工业公司的发展就是这种模式成功的案例。我国正在建设中的神华集团是国务院借鉴世界发达国家一些先进的煤炭企业既经营煤矿又管理铁路、电厂、港口及船队的发展模式，于1995年批准成立的，是我国惟一一个在一开始就按照跨地区、跨行业和现代企业制度要求组建的以煤炭生产加工为基础、实行煤、路、电、港、航多元化发展的大型煤炭企业。

对我国现有的绝大部分煤炭企业来讲，采取这一发展模式有极大的难度。一方面，这种发展模式，由于涵盖了铁路、电力、港口等诸多不同的行业领域，需要配备大量高水平的综合性管理人才，在我国目前条件下，符合这种管理要求的人力资源非常稀少；另一方面，采取这种发展模式，必须对现有企业资产进行大规模的重组，需要大量的投入，对仍未有效克服生存危机的大多数煤炭企业，这无疑也不具备现实可行性；第三，现阶段煤炭供应严重过剩和煤炭行业经济效益不佳的状况，使得煤炭行业资产对其他相关行业缺乏足够的吸引力，进行跨行业资产重组的可能性不大。

但是，这一发展模式，对我国煤炭工业仍具有重要的指导意义。一是煤炭企业的发展，不应再局限于传统的单一产品经营思路，而是在坚持以煤炭生产为主的基础上，本着实事求是的原则，尽最大可能延伸产业链条，向相关行业渗透，向具有高科技含量、高附加值的煤炭液化与气化领域渗透，走多元化发展的道路。二是对部分区域的煤炭企业来讲，应注重发挥现有电力、铁路、港口等设施的作用，如以大秦运煤铁路专线与秦皇岛煤港为代表的各主要运煤通道，在其辐射范围内的各煤炭企业应树立联合意识，通过资本运营方式，向建立煤路港联合企业集团公司的目标努力。三是属新建的煤炭企业，只要具备条件，就应在方案设计时，重视并充分考虑煤炭企业未来多元化发展的各种有利因素。四是在进行科学论证的基础上，国家有关部门应把开拓新的经济运煤通道问题提上议事日程，以优化煤炭工业整体布局和更好地保证国民经济的健康、稳定发展。

（二）煤炭工业整合模式选择建议

1. 选择的原则

（1）科学与实用相结合的原则。我国煤炭工业的整合，要遵循世界经济发展规律，充分借鉴国际、国内其他行业及本行业已有的经验。与此同时，必须基于现实可能的前提下，充分考虑我国煤炭工业发展水平和实际情况，删繁就简，科学与实用相结合，以求最大限度地提高改革效率，降低改革成本与风险，保持煤炭工业的持续、稳定和健康发展。

（2）符合市场经济规律要求的原则。减少煤炭工业竞争个体，提高煤炭产业集中度，建立公平、公正、公开的竞争秩序，构造各类煤炭企业公平合理的竞争环境和构建煤炭工业合理的竞争结构是当前煤炭产业适应市场经济发展要求亟须正确处理和解决的重大问题。遵循市场经济规律，不断提高煤炭企业的整体素质和市场竞争能力，正确认识和处理好局部利益与整体利益、当前利益与长远利益的关系，建立规范的竞争秩序，形成全行业协调一致，共同面对市场挑战的格局。

（3）符合现代企业制度的原则。现代企业制度是国有企业改革的方向，实施煤炭工业的联合与集中化发展，组建企业集团公司，必须力求规范，按照现代企业制度的要求，建立健全约束、激励和监督机制，构造符合社会主义市场经济要求和具备自主经营、自负盈亏、自我发展、自我约束条件的现代企业。

（4）实现全方位联合的原则。实施联合和集中化发展，包括国有重点煤矿之间、国有重点煤矿和其他（主要是地方、乡镇、个体）煤矿之间以及煤矿与电力、运输、钢铁、港口等其他行业企业之间的联合，涉及人、财、物、产、供、销各个方面，以最终实现优化煤炭产业组织结构，减少竞争个体，规范竞争秩序，降低生产成本，调控产出总量，增强煤炭企业活力和提高经济效益的目标。

2. 建议采取的模式

结合国际经济集中化发展的经验、世界先进产煤国家煤炭工业的发展趋势、我国石油石化工业集中化发展情况，以及我国煤炭工业历史上集中化发展的尝试效果和对各种可能的集中化发展模式的优劣比较，现阶段我国煤炭工业的整合主要应以实现以资源规划区为范围的集中化发展为最终目标，在全国范围内组建京津冀、华东、东北、晋陕蒙（西）、中南、西南、新甘宁青七大煤炭工业集团公司。在这一大框架下，在各大煤炭工业集团公司内部，依据具体条件和实际情况，组建若干以煤种、以行政区划以及煤炭企业与电、路、港、航及其他企业联合的子公司。

各集团公司作为包含多种经济成分的股份公司，是自主经营、自负盈亏、自我发展、自我约束的法人实体和市场竞争主体，并代表出资者行使资产所有者权利，通过国家资产划拨、入股等方式建立与所属企业的资产纽带关系。

（三）操作步骤

煤炭工业以集中化发展为中心内容的整合，如果能够像我国石油石化行业、有色金属行业那样在国家的大力支持下一步到位，将是较为理想的结果。但由于煤炭行业的目前状况与石油石化、有色金属行业相比多有不同，国有重点煤炭企业面临的沉重的社会职能、历史债务、富余人员等负担的根本解决还有待时日，特别是煤炭市场长期低迷造成国有重点煤矿大面积亏损、大量小煤矿对煤炭行业发展造成的不良影响等都大大削弱了煤炭行业抵御波动和风险的能力。为稳妥起见，采取分步实施的方式不失为明智之举。

（1）以销售职能的集中化为突破口组建省一级煤炭运销公司。为了尽快扭转煤炭工业的严峻局面，首先在煤炭销售方面探索联合的途径，组建省一级地区性的煤炭运销集团公司，是改善竞争结构、减少竞争个体、保护煤炭企业利益的快捷和有效的措施。

各省煤炭运销公司的组建，在借鉴陕西省经验的基础上，对全省各类煤炭企业的煤炭运输销售实行严格统一管理。对于煤炭调出省，其煤炭运销公司的主要任务是在基本满足省内需求的基础上，重点对出省煤炭进行统一销售；对于煤炭调入省，其煤炭运销公司的主要任务是在优先消化省内煤炭合理产出量的基础上，统一采购和销售外省调入煤炭。煤炭调出省和煤炭调入省的煤炭运销公司，本着就近原则，根据煤炭的质量、品种的供需要求建立长期稳定的合作关系，以保证生产和需求的相对均衡。这一步骤的实施，将会使煤炭行业的市场竞争个体明显减少，并将在一定程度上解决竞争过度的问题。

（2）组建省一级煤炭工业集团公司。在省级煤炭运销公司运作（全省统一销售煤炭）的基础上，组建全省煤炭工业集团公司。在省级政府部门的大力支持下，以资产为纽带，将全省各类煤矿组织在一起，对全省各类煤矿的人、财、物，产、供、销实行统一管理，实现真正意义上的一个省一个市场竞争个体和协调行动的煤炭工业集发展雏形。

（3）组建资源规划区煤炭销售集团公司。为进一步提高煤炭行业的市场集中度，以京津冀、晋陕蒙（西）、东北、西南、华东、中南、新甘宁青等煤炭资源规划区为界限，对各规划区相应省份煤炭工业集团公司煤炭销售职能部门进行联合重组，组建更大区域、更大规模的煤炭运销集团公司，对规划区域内的煤炭运销进行统一协调管理。地区性煤炭运销集团公司的组建，基本上可以解决煤炭市场竞争个体过多和秩序混乱的问题，也在很大程度上把控制煤炭产出总量由政府行为转变为各煤炭企业的自发行为，从而有效解决煤炭产出总量和价格的调控问题。

（4）组建资源规划区范围的煤炭工业集团公司。地区性的煤炭运销公司的职能，仅限于煤炭销售的范围，自然要面临着如何处理好与生产企业的关系问题，这一问题解决的程度对最大限度地调动产销双方的积极性进而从根本上保护煤炭行业的整体权益有至关重要的影响，但由于集中联合的不完全性决定了这一问题的有效解决将面临极大的难度。资源规划区范围的煤炭工业集团公司是具备煤炭工业人、财、物、供、产、销等多重管理职能高度集中统一的煤炭工业集团公司。这一较高层次的煤炭工业集团公司的成立，标志着在煤炭资源规划区这样一个较大范围内最终实现煤炭生产与销售等全方位的有机联合，基本上构成了全国范围的煤炭工业集中化发展的格局，也预示着从此我国煤炭工业将步入一个全新的发展时期。

将我国煤炭工业进行整合以实现集中化发展的进程划分为4个阶段，仅仅是提供了一个思考和解决问题的大概思路，各个地区结合具体情况可以按照这一思路进行操作，可以越过某一阶段，也可以选择其他的集中化发展模式，总之不应受这一思路的局限。

（四）各管理层次应在各自管辖范围内发挥积极作用

（1）国家经济综合管理部门，应为煤炭企业跨行业经营提供必要的政策支持，为煤炭行业向其他相关行业的渗透创造条件。

（2）国家煤炭管理部门，侧重于在煤炭企业的跨地区运作方面做出努力。

（3）各产煤省煤炭管理部门，结合本省经济发展特点，积极着手研究本省煤炭工业集中化发展的实施方案和操作思路，对省内煤炭企业进行分类管理，对不具备发展条件的部分煤炭企业，为其退出煤炭行业提供必要保障，对发展前景较好的煤炭企业，推进其加快改革进程，并以联合销售作为全省煤炭工业集中化发展的起点，为实现全省和更大范围内的煤炭工业的集中化发展创造条件。同时，联合要遵循全方位原则，不应受煤炭行业的限制，依据国民经济战略调整的总体要求，与本省的地理区位优势和产业结构优势相结合，广泛联系其他相关行业企业，以最大限度地提高经济效益为目标。山东等沿海地区在现有基础上应积极寻求与路、港、航行业的联合，为占领更广泛的国际市场创造条件；陕西及西南地区，煤炭资源丰富，但距经济发达地区较远，为此，应注重与运输、电力等产业的联合，解决煤炭运输难题，变运煤为输电；山西、内蒙部分地区，充分发挥大秦运煤铁路与秦皇岛煤港的作用，实现煤、路、港的联合和共同发展；东北地区是我国重要的工业基地，煤炭工业的集中化发展要重视与当地大型钢铁、电力等工业企业的联合。

（4）各煤炭企业特别是国有重点煤矿，继续深化企业内部的各项改革，建设高产高效矿井，提高企业生产集约化程度和各项管理工作水平，加快建立和不断完善现代企业制度，为实现煤炭工业的集中化发展奠定微观基础。

中国煤炭液化产业化示范工程进展与展望

张 玉 卓

一、我国能源生产消费现状

我国是世界上能源生产和消费大国，尤其是世界上最大的煤炭生产国和消费国。近几年来，煤炭在我国一次能源生产和消费总量中均占70%以上。在未来30～50年内，中国一次能源生产、消费中煤炭所占的比重有可能仍将超过50%。同时我国也是一个石油消费大国。在我国一次能源中石油供需矛盾日益突出。1992年我国已成为产品油净进口国，1993年成为石油（原油加产品油）净进口国，1996年又成为原油净进口国。2001年我国的石油进口已达70Mt。我国能源生产总量见图1，能源消费总量见图2。

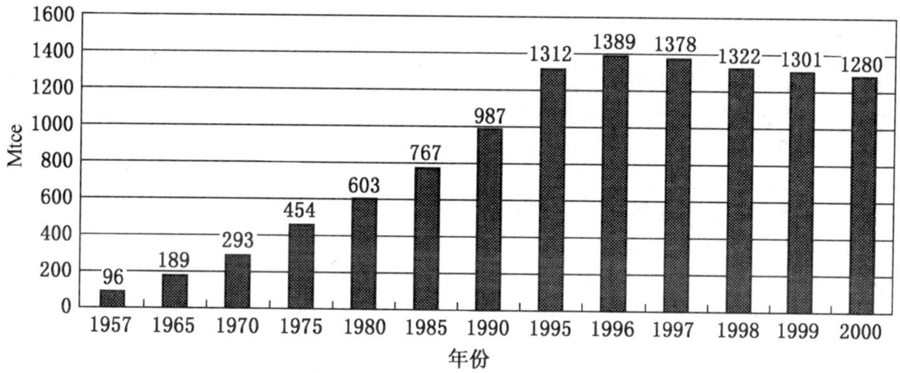

图1　我国能源生产总量

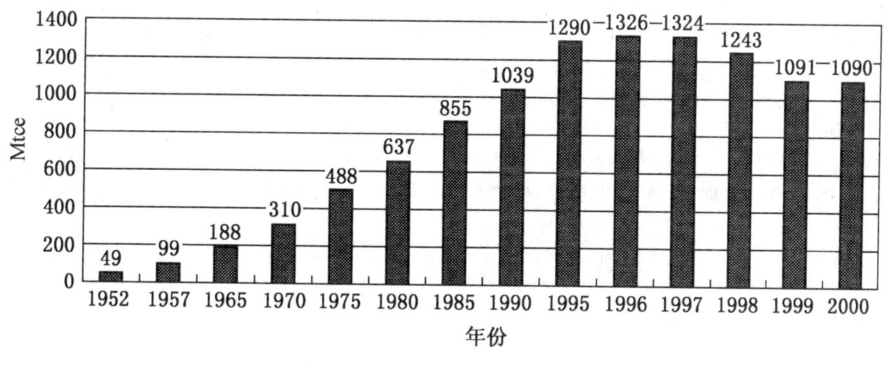

图2　我国能源消费总量

二、我国开展煤炭液化产业化示范工程目的及意义

（一）缓解石油供需矛盾

煤炭液化是缓解石油供需矛盾，保证能源安全的需要。与石油相比，我国有丰富的煤炭资源，大力开发替代石油的技术，多元化降低我国能源风险，及早考虑能源的多样化是大家的普遍共识。我国石油资源有限，随着我国经济的发展，石油消费量还将猛增，建设煤液化项目必将对缓解石油产品的供需矛盾开辟一条新的

途径。

石油是保障国家经济命脉和政治安全的重要战略物资。为了保障本国经济安全，世界各国均十分重视国家石油安全。我国石油资源的紧缺和安全问题仍然十分突出，建设煤液化示范工程对我国能源战略和石油安全具有重要意义。20 世纪 90 年代我国石油生产量与消费量见图 3。

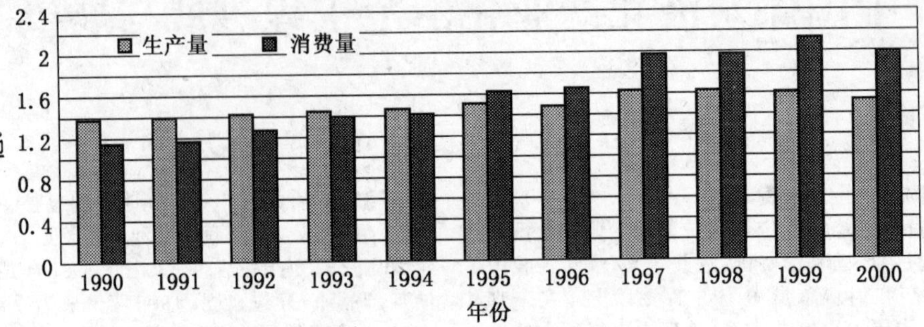

图 3　我国石油生产量与消费量

(二) 有利于产业结构调整

煤炭液化是煤炭转化的高技术产业。以新技术、新工艺、新产品改造传统产业，实现产业结构的升级换代和建立新的适应国民经济发展需求的产业是工业结构调整的方向。能源工业是国民经济的基础产业，煤炭又是我国能源工业的重点产业。我国发展煤炭液化技术和进行产业化发展，对推动中国煤炭工业的产业结构调整、行业技术进步、改造传统产业，具有多重意义。煤炭液化技术密集，其产业化发展还将带动煤化工技术的科研和技术开发，促进机械及化工装备制造业、工程施工业、催化剂产业的发展。

(三) 有利于保护环境

我国的环境污染，特别是大气污染与能源开发及消费有密切联系。二氧化硫、工业烟尘排放量与煤的燃烧有关。解决能源消费过程造成的环境污染问题应通过多种途径综合解决：如优化能源结构、提高能源质量、提高用能技术、污染物排放过程治理、通过节能减少能源消耗量等等。

能源环境问题是制约经济、社会发展的重要问题，关系到经济、社会的可持续发展。煤炭液化是煤炭洁净利用的重要途径之一，能有效控制污染，减少污染物排入量，对解决环境问题具有非常突出的意义。

(四) 可加快西部经济发展

我国煤炭生产主要集中在中、西部省区，在这些地区发展煤炭液化产业，对推动西部经济发展，实施西部大开发战略，促进东西部经济协调发展，均有现实和长远的意义。

三、国内外煤炭液化技术发展现状

煤炭液化技术是将煤转化成清洁的便于运输和使用的液体燃料（汽油、柴油、航空煤汽油、柴油、航空煤油等油等）或化工原料的一种先进的洁净煤技术。

直接液化：煤→油

间接液化：煤→合成气→油

(一) 煤炭直接液化

煤炭直接液化是曾经工业化的技术。1913 年德国 Bergius 发明煤高温高压加氢技术。1927 年德国 IG 公司开始建设第 1 座工业规模的直接液化厂，1931 年投入运转。二战期间，德国共拥有 12 座直接液化厂（表 1）。

在第二次世界大战前后美国、日本、法国、意大利、前苏联等国也相继进行了煤的直接液化技术研究。

表1　德国煤炭直接液化厂一览表

投产日期（年）	所在地名	原　料	/MPa	/ $(10^4 t \cdot a^{-1})$
1931	Leuna	褐煤和焦油	20	65
1936	Bohlen	褐煤和焦油	30	25
1936	Magdeberg	褐煤和焦油	30	22
1936	Scholven	烟　煤	30	28
1937	Welheim	沥　青	70	13
1939	Gelsenberg	烟　煤	70	40

续表

投产日期（年）	所在地名	原　　料	/MPa	/（$10^4t \cdot a^{-1}$）
1939	Zeitz	褐煤和焦油	30	28
1940	Lutzkendorf	煤焦油	50	5
1940	Politz	烟　　煤	70	70
1941	Wesseling	褐　　煤	70	25
1942	Brux	褐煤和焦油	30	60
1943	Blechhammer	烟煤和焦油	30	42

20 世纪 50 年代以后，中东地区大量廉价石油的开发，使煤炭直接液化失去了竞争能力和继续存在的必要，一度停滞。1973 年后，石油能源危机使煤炭液化技术又开始活跃起来。德国、美国、日本等工业发达国家，相继开发了一些煤炭直接液化新工艺，并完成了中间放大试验，为建立大规模工业生产厂打下了基础。典型的煤炭直接液化新工艺有：美国 HTI 工艺；德国 IGOR 工艺；日本 NEDOL 工艺。

1. 美国 HTI 工艺

美国 HTI 工艺是 H－Coal 工艺的改进型。美国 HTI 公司的前身是美国 HRI 公司，HRI 公司在 20 世纪 50 年代开发了 H－Oil 工艺，60 年代开发了著名的 H－Coal 煤直接液化工艺。1965 年 11 月，3kg/d BSU H－Coal 工艺连续装置试验，1966 年 3 月开始了 3t/d PDU 装置运转，1974 年 9 月设计 200～600t/d 的 PP 装置，1976 年 12 月动工，1980 年开始运转，1983 年运转结束。美国 HTI 工艺见图 4。

美国 HTI 工艺有如下工艺特点：全返混悬浮床反

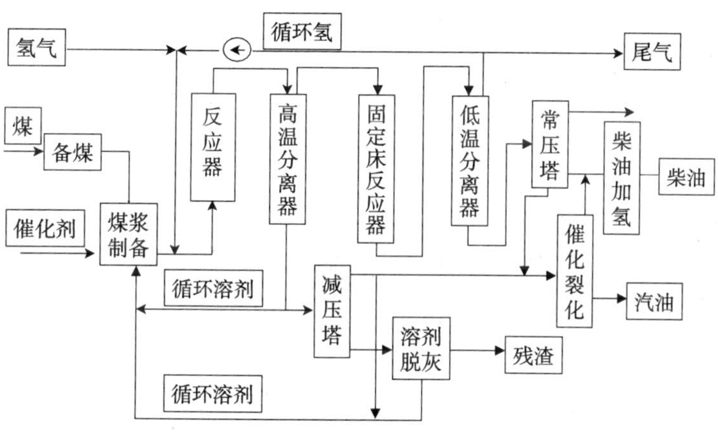

图 4　美国 HTI 工艺流程示意图

应器，采用 HTI 专利技术制备的铁系胶状高活性催化剂（GelCat™），在高温分离器后面串联有在线加氢固定床反应器，对液化油进行加氢稳定，采用临界溶剂萃取的方法，从液化残渣中最大限度回收重质，提高了液化油收率。

2. 德国 IGOR 工艺

德国 IGOR 工艺在原 IG 工艺基础上开发而成。70 年代在 Bergbau－Forschung（现称 DMT）建立了 0.5t/d 和 0.2t/d 连续装置。1981 年在 Bottrop 建设了 200t/d 规模的工业性试验装置，运行到 1987 年 4 月，从 17 万 t 煤中生产出超过 8.5 万 t 的蒸馏产品，约 22000 操作小时。德国 IGOR 工艺见图 5。

德国 IGOR 工艺特点：反应压力高，为 30MPa，催化剂采用天然含铁矿物——赤泥，液化油在线苛刻加氢精制，可一次得到杂原子含量极低的液化精制油，循环溶剂采用加氢油，供氢性能好，煤转化率高。

3. 日本 NEDOL 工艺

1973 年通产省实施阳光计划，开始煤炭直接液化的基础研究。1978～1983 年间，有多家日本公司（日本钢管、住友金属和三菱重工）从事煤炭直接液化工艺的研究开发，到 1983 年，这些工艺的试验规模为 0.1～2.4t/d，NEDOL 将这些工艺的特点组合在一起形成了 NEDOL 工艺。1983 年，在三井造船建立了 0.1t/d BSU 装置。1985 年开始设计建设 NEDOL1t/d 工艺支持装置。1991 年在东京茨城县鹿岛，开始了 150t/d 的 NEDOL 工艺工业性试验装置（Pilot Plant）

的建设，1996 年初完成建设并开始运转。至 1999 年 150t/d PP 装置完成预定的试验计划，2000 年装置全部拆除。日本 NEDOL 工艺见图 6。

日本 NEDOL 工艺特点：循环溶剂采用单独装置预加氢，溶剂性质和供氢性好，运转稳定。催化剂采用天然黄铁矿，轻油产出率高。

4. 不同工艺中试运转结果的比较

不同工艺中试运转结果的比较见表 2。

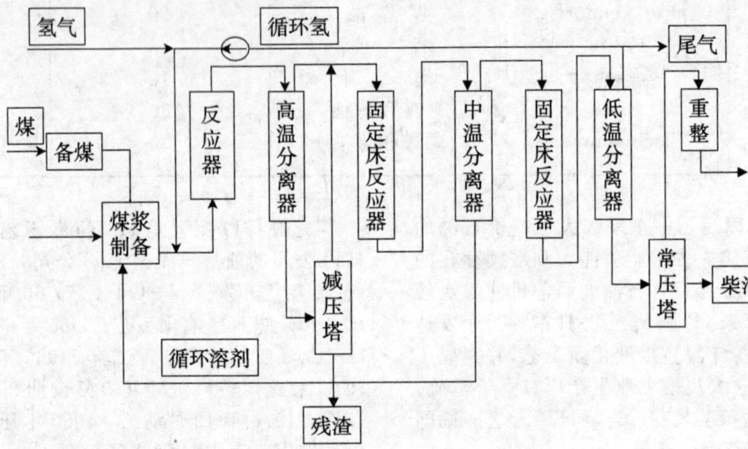

图 5 德国 IGOR 工艺流程示意图

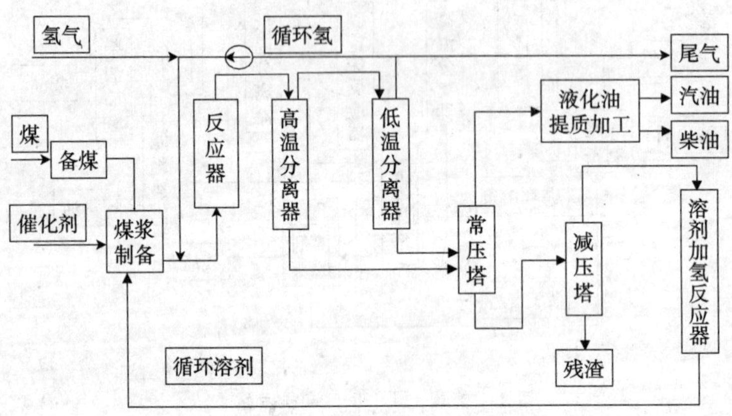

图 6 日本 NEDOL 工艺流程示意图

表 2 不同工艺中试运转结果的比较

国 家	工 艺	规模/（t·d^{-1}）	使用期/a	连续进煤/d	累计进煤/d	油收率/%
美国	H－Coal	200～600	1980～1982	44	—	51
美国	SRG－Ⅱ	50	1976～1981	—	—	44
美国	EDS	250	1980～1982	55	445	45
德国	IGOR	200	1981～1987	208	917	58
日本	NEDOL	150	1997～1998	80	259	58
日本	BCL	50	1987～1990	73	417	54

5. 我国煤炭直接液化技术发展现状

我国从20世纪70年代末开始开展煤炭直接液化技术研究，通过国际合作建立了0.1t/d BSU试验装置，完成了国内上百个煤种的液化试验，对其中27个煤种进行了0.1 t/d BSU运转试验。开发了高活性的煤液化催化剂。利用国产加氢催化剂，进行了煤液化油的提质加工研究。经加氢精制、加氢裂化和重整等工艺的组合，成功地将煤液化粗油加工成合格的汽油、柴油和航空煤油，为进一步工艺放大和建设工业化生产厂打下坚实的基础。

（二）煤炭间接液化

1. 国外煤炭间接液化技术发展现状

国外间接液化技术成熟、可靠，并早已实现工业化。二战期间德国建有间接液化生产厂，年生产能力67万t燃料油。目前南非建有3座间接液化厂，年处理煤炭4600万t，产品760多万t，其中油品占60%。马来西亚和新西兰各建有1座年产50～57万t油品的天然气基间接液化厂。典型的间接液化工艺见图7。

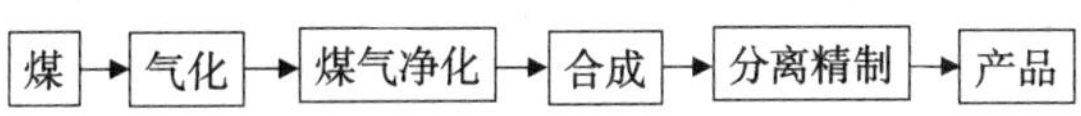

图7 典型的间接液化工艺

合成反应器有2种形式：固定床和浆态床，操作温度在250～350℃；操作压力为2.5～3MPa。主要产品：汽油、柴油、蜡、烯烃、醇类。

2. 国内煤炭间接液化技术发展现状

国内间接液化与直接液化基本同步进行，研究重点在合成催化剂和反应器的开发研究。目前建成了年产千吨级合成油工业中试装置，完成了年产万吨煤基合成油工艺设计。目前具备提供高性能商品催化剂条件，为该技术的工业化奠定了基础。

3. 煤炭液化产业化工作特色

煤炭液化是高风险产业。煤制油是技术密集型、资金密集型产业，同时煤制油产业是对环境影响大和资源要求高的产业，煤制油产业发展一定要避免技术重复引进和成为外国不成熟技术的试验厂。而企业大型化、规模化是工业化革命以来各生产领域的必由之路。

4. 直接液化、间接液化一体化

直接液化与间接液化2种工艺不能简单地以技术论优劣，也不能简单地从经济出发论优劣。二者有共性的一面，也有根本的区别，各有其适用范围。这2种工艺在技术和产品方面也有很强的互补性。从工艺特征、煤种选择、产品的市场适应性及对集成多联产系统的影响等方面分析，2种煤液化工艺没有彼此间的排他性，因此直接液化，间接液化应一体化发展。

我国发展煤液化产业要考虑技术及产品的多元化发展，无论是间接液化还是直接液化，当前十分紧迫的任务是要加快具备自主知识产权的核心技术及关键装备的开发。

四、神华煤炭液化产业化示范工程进展

神华煤液化产业化示范工程是由神华集团有限责任公司独资承建的世界上第1套采用新型煤直接液化工艺的大型煤液化示范工程。神华煤液化产业化示范工程将充分利用直接液化与间接液化的互补性，实现一体化发展。当前，神华直接液化示范工程已经全面开工建设，间接液化示范工程已经进入立项审批阶段。

（一）神华集团有限责任公司概况

神华集团有限责任公司是1995年10月成立的国有独资公司，是国务院直管的44家特大型骨干企业集团之一。她以能源交通为主导产业，集煤矿、电厂、铁路、港口和航运为一体，拥有包括神东煤炭公司、神东电力公司、神朔铁路公司、黄骅港务公司和新华航空公司等31家独资或控股子公司，总资产970亿元。2002年神华集团煤炭产量7773万t，发电能力600万kW，铁路1041km，港口吞吐能力3000万t。集团下一步战略是利用自身煤炭生产的资源优势，建立坑口煤液化厂，大力发展用煤炭生产燃料油的产业。

（二）神华煤液化项目规划

神华煤液化工程将采用分步实施战略。第一步：先期建设1条商业规模的煤直接液化生产线，达到加工煤炭6000t/d（干煤），年生产液化油100万t。该生产线要解决大型煤液化生产装置的全部技术和工程问题，实现长周期、安全平稳运转。第二步：在第一条煤直接液化生产线成功运转的基础上，建设另外4条同规模的煤直接液化生产线；与此同时，建设500万t规模的间接液化厂。2种工艺年产油品达1000万t。第三步：进一步扩大规模，年生产液化油达3000万t，使整个煤液化产业初具规模。

（三）神华煤液化项目工作进展

1997年9月，中美双方签署协议，开始基础研究工作。1997年11月～1998年11月，美国HTI公司在实验室分别完成了神华集团柠条塔煤和上湾煤的CFU小型连续装置试验工作。2000年7月，完成了上湾煤直接液化厂的预可行性研究报告，2000年8月HTI开始进行上湾煤的PDU工艺开发装置试验。2001年3月，国家计委和国务院批复同意立项。2001年7月神华聘请美国Bechtel公司进行技术可行性和风险性的技术咨询和评估。2001年9月，HTI提供煤液化核心技术工艺包。2001年10月，神华委托HTI公司对工艺包流程进行验证试验。2002年2月，神华在HTI工艺包基础上，完成神华煤直接液化厂的可行性研究工作。2002年3月，我国政府委托中国国际工程咨询公司组织国内专家审查，本项目可行性研究通过审查家审查。2002年8月，中国政府批准可行性研究报告。2002年8月开始建设场地的三通一平，建设工作全面开始。2003年3月，全厂总体设计和核心装置基础设计完成。

（四）神华煤液化示范装置概况

业主：神华集团有限责任公司。建设地点：中国内蒙古自治区神东矿区马家塔。厂区占地 69 公顷，其中生产装置占地 11.6 公顷。仓储装卸区占地 10 公顷。厂外工程占地 94.5 公顷，总计 173.5 公顷。

主要生产装置组成：催化剂制备装置；煤液化装置；加氢稳定装置；重整—抽提装置；加氢裂化装置；轻烃回收及脱硫装置；备煤装置；油渣制氢装置；空分装置；气体制氢装置；硫磺回收装置；尿素装置；含硫污水汽提装置。

产品方案：产品（万 t/a）：LPG 7.00，石脑油 32.09，柴油 62.08，液氨 1.15，硫磺 4.06，酚酚 0.35，产品合计 106.73 万 t/a。

煤液化厂址原貌、厂地平整施工现场和平整后的煤液化厂址见幻灯片。煤液化工程进厂公路已全面通车，施工用电系统已准备就绪。

（五）神华煤液化项目管理模式

为了有效地降低风险，本项目聘请国际著名国际工程公司承担项目管理，2002 年 12 月正式签署了 PMC 合同。

团队组成：PMC、国际工程公司、神华人员；IPMT 管理：神华成立精干的项目管理组对 IPMT 进行全面管理，同时把握项目的总体进度、项目投资、项目质量，确保项目可靠建成。

（六）神华煤液化示范装置计划总体进度安排

2003 年为采购和土建施工年：完成施工图设计；完成主要设备的采购订货；完成现场桩基、设备基础、地下管网；土建工程基本完工；各装置的土建全面开工。

2004 年为公用工程投入使用及超限设备就位年：完成以公用锅炉为核心的工程建设并投入使用；生产装置的超限设备于上半年基本就位；为机泵安装及配管仪表安装创造条件。

2005 年为试车和投用年：所有生产装置于上半年建成或基本建成；2 月起各生产装置相继中交进行试运转；煤液化装置于 10 月 1 日进行中交，标志着煤液化第一条生产线的全部工程建成；进行全面投料和生产阶段。

2006 年为生产考核和竣工验收年：组织设计达标考核；办理竣工验收工作；整条生产线进入正常生产运行阶段。

（七）神华煤间接液化示范工程项目规划及进展

神华煤间接液化示范工程项目总体规划：建设地点：陕西榆林大保档。建设规模：1500 万 t/a。建设周期：可研：2003 年，油品 300 万 t/a。一期：2008 年，油品 300 万 t/a。二期：2010 年，油品 500 万 t/a。远期：2020 年，油品 1500 万 t/a。投资主体：神华、中石化、陕西。直接液化与间接液化示范工程项目建设完成后将形成 3000 万 t/a 的油品生产能力。

神华煤间接液化示范工程项目工作进展：1999～2002 年进行了技术方案研究，完成了多元化投资方案，开展了各种形式国内外合作；2003 年 1 月完成项目建议书。

（八）神华煤液化示范工程的特点

该工程有如下特点：世界上首例利用煤直接液化新技术建设的商业化工程；国家煤液化产业化示范；直接液化与间接液化一体化发展；实施国际化人才战略，采用现代工程管理模式；引进、集成、优化国外技术，配套国内工程开发；工程示范与技术开发、成果转化相结合；技术创新与产业发展相结合；实现技术跨越式发展，加速产业化进程。

（九）神华煤液化示范工程技术经济风险

神华煤液化项目是技术含量高、初期投资大、风险高，但其预期的经济效益和社会效益都十分显著的项目，是我国 21 世纪能源开发利用的战略举措。神华集团在煤液化示范工程项目设计建设过程中，积极规避项目中的各种风险，从技术方案、工艺流程放大、工程建设、专利转让、法律和经济效益等方面，进行了项目建设风险的定量和定性分析，并采取了相应的措施，使各类风险减至最小。

初步研究成果表明，建设 1 座年产 100 万 t 油的煤炭直接液化厂，总投资达数十亿元人民币，全部投资内部收益率 8%～15%，投资回收期为 9～13 年，成品油生产成本 1400～1600 元/t，已显示出较好的经济效益。

从 1998 年开始，我国原油价格已与国际原油市场接轨，煤炭液化工厂的经济性将受到国际油价涨跌的影响。如果国际市场原油价格在 20～25 美元/桶之间波动，中国的煤炭液化厂将有一定的获利空间。当然，如果国际市场原油价格大于 25 美元/桶，在中国建设煤炭液化厂的前景就非常光明。

五、我国煤炭液化的前景展望

煤炭液化技术在我国有广阔的发展前景。

(1) 我国有丰富的可供煤炭直接液化的煤炭资源。在煤炭已探明储量中近一半可用于煤炭直接液化。这是煤炭液化产业化在我国发展的基础。

(2) 我国石油资源短缺。随着经济的高速增长，我国已从石油出口国成为石油进口国。寻找石油替代品，解决我国石油资源短缺是我国长远的能源政策，这是煤炭液化技术在我国发展的前提。

(3) 我国的煤炭液化技术研究进行了很长时间，已完成基础性研究，为煤炭液化技术在我国的发展打下了很好的基础。

中国煤化工产业概况及其在煤炭行业的发展

杜 铭 华

中国煤炭资源丰富，煤化工在能源、冶金、合成材料、精细或专用化学品等生产过程起着核心或重要配套产业的作用，是现代工业的重要基础和组成部分。随着国民经济和社会发展的需求，煤炭焦化、煤气化制取合成氨等传统煤化工将进一步得到发展，同时以获得洁净能源为主要目的的煤炭液化、煤基代用液体燃料、煤气化—电力等煤化工或煤化工能源技术也越来越引起关注，并成为新型煤化工产业化发展的主要方向。发展新型煤化工产业对煤炭行业调整产业结构、企业综合发展具有重要意义。

一、煤化工发展概况

(一) 煤炭焦化

焦化工业是发展最成熟、最具代表性的煤化工业，也是冶金工业高炉炼铁、机械工业铸造最主要的辅助产业。目前，全世界的焦炭产量大约为 3.2～3.4 亿 t/a，直接消耗原料精煤约 4.5 亿 t/a。受世界钢铁产量调整、高炉喷吹煤粉技术发展、环境保护以及生产成本增高等原因影响，工业发达国家的机械化炼焦能力处于收缩状态，焦炭国际贸易已达到 2500 万 t/a。

目前，中国焦炭产量约 1.2 亿 t/a，居世界第一，直接消耗原料煤占全国煤炭消费总量的 14%；全国有各类机械化焦炉约 750 座以上，年设计炼焦能力约 9000 万，其中炭化室高度为 4～5.5m 以上的大、中型焦炉产量约占 80%。中国大容积焦炉（炭化室高 6m）已实现国产化，煤气净化技术达到世界先进水平，干熄焦、地面烟尘处理站、污水处理等已进入实用化阶段，焦炭质量显著提高，主要化工产品精制技术已达到或接近世界先进水平。焦炭是中国的主要出口产品之一，出口量逐年上升，2000 年达到 1500 万 t，已成为世界最大的焦炭出口国。

从 20 世纪 80 年代开始，煤炭行业的炼焦生产得到逐步发展，其中有的建成向城市或矿区输送人工煤气为主要目的的工厂，有的以焦炭为主要产品。煤炭行业焦化生产普遍存在的问题是：

焦炉炉型小、以中小型焦炉为主，受矿区产煤品种限制、焦炭质量调整提高难度较大，采用干法熄焦、烟尘集中处理等新技术少，大多数企业技术进步及现代化管理与其他行业同类工厂相比有较大差距。近 10 年中国焦炭产量及出口量见表 1。

(二) 煤气化及合成技术

1. 煤气化

煤气化技术是煤化工产业化发展的最重要的单元技术。全世界现有商业化运行的大规模气化炉 414 台，额定产气量 446×106Nm³/d，前 10 名的气化厂使用鲁奇、德士古、壳牌 3 种炉型，原料是煤、渣油、天然气，产品是 F－T 合成油、电或甲醇等。

表 1 近 10 年中国焦炭产量及出口量

年 份	总产量/($10^4t\cdot a^{-1}$)	机焦比例/%	出口量/($10^4t\cdot a^{-1}$)
1990	7328	78	—
1993	9320	70	261
1995	12501	53	886
1997	13902	51	1145
1998	12818	52	1180
1999	1211	61	997
2000	12000	>70	1518

煤气化技术在中国被广泛应用于化工、冶金、机械、建材等工业行业和城市煤气，各种气化炉大约有 9000 多台，其中以固定床气化炉为主。近 20 年来，中国引进加压鲁奇炉、德士古水煤浆气化炉，用于生产合成氨、甲醇或城市煤气，其引进概况见表 2。

煤气化技术的发展和作用引起国内煤炭行业的关注，“九五”期间，兖矿集团与国内高校、科研机构合作，开发完成了 22t/d 多喷嘴水煤浆气化炉中试装置，并进行了考核试验，结果表明：有效气体成分达到 83%，碳转化率大于 98%，分别比相同条件下的德士古生产装置高 1.5%～2%、2%～3%；比煤耗、比氧耗均低于德士古 7%。该成果标志我国自主开发的先进气化技术取得突破性进展。

“十五”期间，以兖矿集团为第一承担单位，将进行 1000t/d 新型多喷嘴水煤浆气化炉的设计、开发和考核试验，作为国内第一座具有自主知识产权的水煤浆气流床煤气化工业示范装置，对推动该类技术向国际水平发展有重要作用。与该气化技术开发相配套的煤气燃气发电、合成甲醇的工业项目也在论证之中。

2. 煤气化—合成氨

以煤为原料、采用煤气化一合成氨技术是中国化肥生产的主要方式，目前中国有 800 多家中小化肥厂采用水煤气工艺，共计约4000台气化炉，每年消费原料煤（或焦炭）4000多万t，合成氨产量约占全国产量的60%。化肥用气化炉的炉型以UGI型和前苏联的Д型为主，直径2.2～3.6m不等，该类炉型老化、技术落后。加压鲁奇炉、德士古煤气化技术是近年来引进用于合成氨生产的主要炉型。国外以煤为原料生产化肥的很少，一般都以石油或天然气为原料。由于行业分隔的原因以及煤制合成氨近年来的市场起伏，除少数煤炭集团有煤气化合成氨化肥企业（或生产线）外，一般涉及较少。

表2　中国煤气化技术引进概况

厂　名	煤　种	规　模	煤气用途	开车年份	备　注
鲁南化肥厂	北宿烟煤	单炉耗煤400t/d	8 10^4t/a合成氨	1993	开1备（2）
上海焦化厂	神府烟煤	单炉耗煤500t/d	20 10^4t/a甲醇	1995	开3备1（4）
渭南化肥厂	华亭烟煤	单炉耗煤820t/d	30 10^4t/a合成氨	1996	开2备1（3）
淮南化肥厂	淮南烟煤	单炉耗煤500t/d	18t/a合成氨	2000	开2备1（3）
云南解化	云南褐煤	9台ϕ2.7m	合成氨	1974	—
山西化肥厂	潞安贫瘦煤	5台ϕ3.8m	30 10^4t/a合成氨	1987引进	1台国产
哈尔滨气化厂	依兰长焰煤	5台ϕ3.8m	城市煤气、甲醇	1995引进	1台国产
义马煤气厂	义马长焰煤	3台ϕ3.8m	城市煤气、甲醇	2001	—
兰州煤气厂	—	3台ϕ2.8m	城市煤气	1996引进	—

3. 煤气化—合成液体燃料（间接液化）

20世纪50年代，南非SASOL公司开始建设煤气化—合成燃料油的SASOL Ⅰ工厂，70年代末、80年代初相继建成SASOL Ⅱ、SASOL Ⅲ厂，形成目前世界上最大的煤气化—合成液体燃料企业。SASOL公司加工原料煤约4500万t/a，获合成产品约760万t/a，其中60%为燃料油。

我国从20世纪50年代就进行了间接液化技术的开发研究。80年代开始，中国科学院山西煤化所系统地进行了铁基催化剂费托合成生产汽油的技术开发，并完成了2000t/a规模的煤基合成汽油工业实验；在钴基催化剂合成工艺开发方面，90年代开始进行系统的研究与开发工作，并取得了阶段性结果，开发出三种型号合成柴油钴基催化剂。针对新型浆态床合成工艺的催化剂、反应器等进行了小型试验，“十五”期间已立项正在进行1000t/a级间接液化装置的开发和试验，并研制工业级煤基合成油工艺软件包。

在技术开发的同时，国内煤炭企业对引进成熟技术，建设煤间接液化工厂做了大量工作。平顶山煤业集团、宁夏太西集团就建设间接液化商业化示范工厂进行了煤种评价试验和建厂预可行性研究，并就引进技术、投融资、立项等做了大量前期工作，目前项目正在论证阶段。

4. 煤气化—其他产品合成技术

将煤通过气化的方法制得合成气后，合成不同专用化学品取决于合成技术。国内外对该类技术都有较多研究、开发，有的为商业化运行的技术。

甲醇是重要的化工原料，也可作为发动机代用燃料。世界甲醇生产能力3500万t/a，产量约2900万t/a。中国甲醇生产能力约为300万t/a，生产企业约140多家，其中50%以上为以煤为原料的工艺。与国外相比，国内甲醇装置规模小，生产工艺落后，特别是以煤为原料的工艺较复杂、成本偏高，因此缺乏竞争能力。

二甲醚作为另外一种代用液体燃料，其技术发展受到关注，有关研究认为二甲醚可以作为车用柴油替代燃料，也可以替代LPG作为民用燃料。世界二甲醚产量约15万t/a，主要由甲醇脱水工艺制得。近年来的技术发展是将合成原料气在一定条件下一步法合成得到二甲醚。通过煤气化合成技术制取甲醇、二甲醚的技术近年来受到国内煤炭企业的关注，兖矿集团、阳煤集团等就此进行了前期研究及工程前期工作。

（三）煤炭直接液化

通过对煤加热、加压氢化直接获得液体产品的工艺被称为直接液化。德国建立的以褐煤、烟煤为原料的直接液化工厂到二战结束前生产能力达到420万t/a。

20世纪70年代，德国、美国、日本等主要工业发达国家相继开发煤直接液化新工艺，并相继完成工业放大试验，为大规模工业生产打下了基础，具有代表的技术有德国IGOR工艺、美国氢煤（H—Coal）工艺、日本NEEOL工艺，这3种工艺都曾进行了百t/d级试验考核。全球煤直接液化技术开发概况见表3。

中国从20世纪70年代末开始煤炭直接液化技术研究，煤炭科学研究总院北京煤化所对27个煤种在0.1t/d装置上进行了53次运转试验，开发了高活性的煤液化催化剂，进行了煤液化油的提质加工研究，完成了将煤的液化粗油加工成合格的汽油、柴油和航空煤油的试验；“九五”期间分别同德国、日本、美国有关部门和公司合作完成了中国神华、黑龙江依兰、云南昭通建设煤直接液化厂的预可行性研究。

表 3 煤炭直接液化技术开发概况

开发国	工艺名称	开发时间/年	形成规模	技术特点
德国	Betgirs 法	1921	5t/d	试验装置
德国	Betgirs 法	1927	10 10^4t/a	褐煤,430～490℃、20～30MPa
英国	I.C.I 公司法	1929	100t/d	烟煤液化装置
德国	IG 法	1935～1939	12 套,423 10^4t/a	烟煤液化,70MPa,480℃
日本	(中国东北)	1936	3.3 10^4t 煤/a	烟煤液化试验工厂
日本	(朝鲜阿吾地)	1936	100t 煤/d	褐煤液化
美国	IG 法改进	1949	50t 煤/d	试验装置,生产汽油研究
美国	C.C.C 公司法	1952	300t 煤/d	30～40MPa,430～450℃,芳香族产品
原苏联,东德	Bergirs 法	1945～1973	生产研究	直接液化技术研究
德国	IGOR 二段法	1981～1987	200t 煤/d	470°、30MPa
美国	H－Coal 法	1979～1982	600t 煤/d	工业试验厂
日本	NEDOL 工艺	1996	150t 煤/d	430～460℃,1720MPa
前苏联	ST－S	1986～1990	7t 煤/d	试验装置
中国	NEDOL 工艺	1982	0.1t 煤/d	小型连续试验装置

作为中国解决石油供需矛盾的重要途径之一，近期来煤炭直接液化技术的发展和应用引起充分关注，一些产煤地区的地方政府和煤炭企业结合当地煤质特点,通过国内委托和国际合作的途径,探讨发展实现煤炭直接液化产业化的可行性，有的已进入工程前期准备阶段。国内煤炭直接液化研究\试验项目见表 4。

目前，神华集团煤直接液化一期 250 万 t/a 商业化示范厂建设已进入工程前期工作,预计 2005 年建成第一条生产线，年产品油 80 万 t/a。

(四) 煤气化联合循环发电 (1GCC)

表 4 国内煤炭直接液化研究、试验项目

项目名称	液化工艺	研究规模/ (10^4t·a^{-1})	完成内容
神华液化	直接液化	一期 250	工程准备
云南先锋液化	直接液化	100	可研论证
黑龙江依兰	直接液化	100	煤种试验、预可研
贵州液化	直接液化	100	煤种试验、预可研
黑龙江双鸭山	直接液化	100	煤种试验、可研中
锡林郭勒	直接液化	100	煤种试验、预研究
兖矿集团液化	直接液化	100	煤种、工艺试验、研究
肥城液化	直接液化	100	煤种试验、方案研究

IGCC 是以煤气化为龙头的联合循环发电系统，该技术系统将先进煤气化与发电技术嫁接，实现煤电技术的高效、低污染、大型化。

从 20 世纪 70 年代开始，一些工业发达国家开始有计划地开展 ICCC 技术的开发研究。德国、美国、荷兰、西班牙等国家相继建设了工业规模的 IGCC 示范机组，发电净效率可达 43%～45%，污染物排放量仅为常规燃煤电站的 1/10，耗水只有 1/2～1/3。当前的发展趋势是：大型化和进一步提高效率，降低初期投资，提高大规模商业运转的可靠性和利用率。

国内对 IGCC 的研究始于上世纪 80 年代初,90 年代组织开展了 IGCC 电站工程预可行性研究，对主要工艺进行了技术经济分析评估;“九五”期间，进行了工艺、煤气化、热煤气净化等方面的关键技术研究。目前，在山东烟台拟以引进方式建设 400MW 级 IGCC 示范电站的前期工作正在进行，国外 IGCC 示范电站概况见表 5。

兖矿集团结合开发多喷嘴水煤浆气化技术，将煤

表 5　国外 IGCC 示范电站概况

国别	净发电量 /MW	煤气化技术	供电效率 /%	时间 /年
荷兰	250	Shell	43	1993
西班牙	300	Prenflo	45	1996
美国	60	CE	45	1998
美国	260	Texaco	42	1996
美国	265	Destec	40	1995
美国	95	KRW	42	1997
美国	55/135	U-GAS	39	1998
美国	240	BG/L	42	1999
德国	310	HTW-CPF	45	2000

气化—小型联合循环发电—合成甲醇作为煤化工发展内容，发电容量为 70MW。目前已对工程可行性研究进行了论证。

(五) 多联产技术系统

多联产是近年来提出的能源转化和化工产品合成相结合的技术体系，其提出背景是：煤在世界范围未来能源中的重要地位，社会、经济发展对清洁、高效能源(如电力)的需求，与市场需求紧密配合的不同类型产品生产过程调节的灵活性和经济效益最大化，实现污染物低排放或无排放，实现资源综合利用和能源有效利用。

美国能源部提出的 Vision21 能源系统综合了发展趋势的需求，以煤气化为龙头，煤气用于制氢、氢用于高温燃料电池发电、电池余热供热、二氧化碳或其他污染物在原料(燃料)制备阶段得到分离和治理。壳牌公司提出的合成气园概念是以煤气化为核心，将生产化学品与联合循环发电相结合，同时还生产民用煤气和供热。更广义的多联产概念还将煤化工、合成工艺、冶金还原冶炼等组合成整体，或在煤矿区将能源转化和化工产品的生产、电力或热力输送形成一个综合整体。

在多联产系统中，原来单独生产的系统在重新组合中可能被简化、对原料的要求降低、通过不同工艺的互补而提高总体效率，最终使产品成本降低。中国国内科技界、产业界关注多联产技术的发展，并进行系统研究和相关单项技术的研究开发。一次通过法 FT 合成电力联产如图 1 所示，美国 Vision 21 能源系统如图 2 所示。

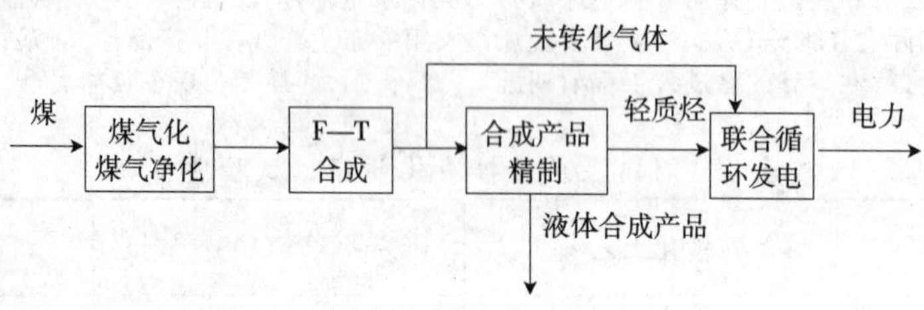

图 1　一次通过法 FT 合成—电力联产

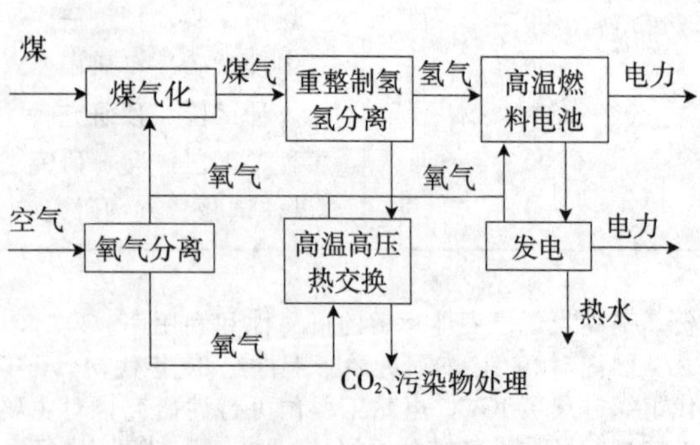

图 2　Vision 21 能源系统

二、中国煤化工发展的需求及特点

研究者们认为：世界已进入能源和化工原料多元化时代，不同国家或地区根据资源和经济发展需求选择现实、优势的原料和技术，以煤炭为原料生产化学品和通过转化生成高效洁净能源(电力、燃料油等)的技术将与石油和天然气化工形成并列竞争的趋势，煤化工在各成熟单项技术的支撑下，面临新的发展机遇。

中国能源建设需要解决的主要问题是：石油资源相对短缺、石油供需矛盾以及由此引起的能源安全问题；能源环境问题，特别是煤炭燃烧造成的大气环境污染问题；能够高效利用能源的先进技术和新装备。中国煤化工产业的发展将以发挥资源优势为基础，以优化能源结构、特别是以优化终端能源结构为方向，通过洁净、高效的途径，为国民经济发展和社会进步提供优质能源保障。未来中国煤化工发展特点如下。

(1) 在传统的产品型煤化工(炼焦、合成氨)以外，将以市场为导向，发展以能源转化型为主的煤化工产业，建设能源转化型和产品型联产的综合煤化工厂，如煤炭液化、煤气化—合成燃料与化工产品或电力、热力联产等。

(2) 规模大型化、采用先进技术。以全球经济一体化为背景，培育世界级煤化工大型企业，建立具有国际竞争能力的大型工厂，如百万 t 级产品的大型煤化工厂；采用国内外先进技术和现代装备，清洁生产和提供清洁产品，如现代液化工程、先进的合成反应工程等。

(3) 企业是推动技术进步的主体。在新的煤化工产业发展中，企业将成为新技术发展的主体，企业投资开发先进技术用于技术更新和技术进步，同时注重新技术在国内外市场上的商品化。

(4) 有利于工业产业结构调整，拉动内需和提供就业条件，发展先进新兴产业。

三、中国煤炭行业面临发展煤化工产业的机遇

随着市场经济的发展和全球经济一体化进展，中国煤炭行业、特别是大型煤炭企业面临着调整产业结构、产品结构的任务和机遇，发展煤化工应该是其中最为重要的途径。

(一) 煤炭液化将成为新型煤化工产业的重要方向

石油资源匮乏和国内石油供应不足已成为中国能源发展的一个严峻现实，依据煤质和其他综合条件，发展煤直接液化和间接液化，已成为国内煤炭企业和产煤地区关注的热点。

煤炭液化作为煤炭化学转化的高技术，其产业化将经历一个较长时期的发展，在此其中，需推动解决的问题有：结合资源、经济等条件，研究煤炭液化的技术发展规划和未来产业格局；结合引进先进技术，配套、完善、提高工业化整体成套技术和装备，在近期完成工程示范，同时开发具有自主知识产权工艺和关键装备；完善商业化工厂建设的投融资机制，拓宽国内外投融资渠道；研究、制定发展煤炭液化的政策体制；由国家、企业、科研等共同出资，建立国家级煤炭液化科研和工程技术开发基地，培育专业队伍。

中国煤炭液化产业化发展有望在 2005 年完成以引进技术为主的 1～2 个商业化示范，2010 年基本完成自主开发技术工程化应用示范，2010 年后逐步形成煤炭高技术转化新型产业。

(二) 煤炭气化在技术和工程发展中占有重要地位

开发先进煤气化技术对煤炭行业发展煤化工有重要意义。目前，国家有关高技术项目正在开发具有自主知识产权的煤气化技术，如多喷嘴水煤浆气化、干煤粉气流床气化等，国内引进技术的项目也在进行。煤炭企业发展煤气化技术需要在总结国内外先进技术的基础上，结合煤种、煤质特点，通过技术、经济研究，开发或采用适宜的工艺和炉型，如加压固定床气化对煤粘结性的控制和要求，液态排渣气化对煤灰熔点的要求等。以往煤炭气化技术的发展以化工行业为主，煤炭行业在研究开发、工程实施、人员等方面都较薄弱，需要加快综合力量的提高。

(三) 煤炭焦化

发达国家炼焦工业的收缩以及中国国内取消土焦、淘汰小型落后炼焦工艺都为发展先进、大型焦化工业提供了新的机会，预计到 2005 年中国机焦产量缺口为 2000 万 t/a，低灰、低硫优质焦炭在国内外市场均有很大的容量。煤炭行业具有原料、运输等优势，特别是拥有优质炼焦煤资源的企业或产煤地区，如山西、黑龙江七台河等地区，具有发展较大规模、生产优质或特色冶金焦、铸造焦的条件，可以抓住当前机遇，高起点、高水平推动焦化工业的发展。

(四) 有计划地发展其他煤化工技术

目前，国内发展煤气化合成化工产品或替代液体燃料的趋势很旺，如合成甲醇或进一步加工下游产品(醋酸、醋酐等)，合成二甲醚(一步法合成二甲醚技术正在开发中)。煤炭企业发展煤气化合成具有原料煤价格较低、有实施大规模工业化的实力等优势，但同时也需要充分注重国内外市场需求容量、产品应用的社会投入、单元技术的工业化成熟度以及与石油、天然气化工的竞争，应把产品目标尽量立足于国内市场短缺、替代进口上。

多联产是一项集多种能源产品和化工产品生产、多个单元工程组合、技术经济环境优化的煤化工—能源系统，具有灵活多样的系统组合方式，作为一种关系未来发展的概念系统，需要作许多基础研究和单元技术开发工作。煤炭行业发展多联产系统，原料方面可考虑将煤、煤层气、伴生矿物加工相结合，工艺方面将煤化工、发电、建材、冶金等相结合，产品方面形成化学品、液体燃料、电力、热力、煤气、建筑材料、金属材料等关联生产，达到资源、能源的充分利用和循环生产、环境最优化和经济效益最大化。

依托市场取向的管理创新理念
全面提高企业的核心竞争力

杨景才

神东煤炭公司坚持以发展为第一要务，贯彻高起点、高技术、高质量、高效率、高效益的“五高”方针，以市场为导向，以改革和科技进步为动力，合理配置人力资源，加强集约化生产，加快信息化进程，改善生态环境，依托市场取向的管理创新理念，全面提高企业核心竞争力，连续4年保持了企业的跨越式发展。

神东煤炭公司是神华集团的全资子公司。神华集团是1995年组建的国有独资公司，是中央直接管理的44户国有重要骨干企业之一，是一个以能源、交通为主，以电、油为延伸，多元化经营，跨地区、跨行业的企业集团，实行矿、电、路、港一体化建设和产、运、销一条龙经营。2001年，在国家财政部等5部委对169家中央直管企业的综合绩效评价中，神华集团位列第六，在煤炭企业中排名第一。神东煤炭公司于1998年在原神府、东胜两个精煤公司的基础上合并成立，负责开发建设神东煤田大型骨干矿井及其配套项目。

神府东胜煤田具有得天独厚的资源优势，煤田赋存面积约3万km^2，地质储量2200亿t；一、二期规划井田面积708.2km^2，地质储量86.25亿t，具有储量大、构造简单、赋存稳定、埋藏浅、瓦斯涌出量低的特点。神华煤属低灰、低硫、低磷、中高发热量的长焰煤和不粘结煤，是优质动力煤、冶金用煤和化工用煤。

神东矿区自上世纪80年代中期开发建设以来，经历了由计划经济向市场经济过渡的过程。随着国家经济形势的变化，1992年以后，我国煤炭由供不应求到供过于求，市场严重疲软，给煤炭行业造成了极大的困难。这样的市场形势，对于刚具有生产能力的神东公司来说，无疑增加了巨大的压力：一是市场疲软，煤价下滑。天津原煤离港价格由原来270元/t下滑到230元/t，扣除中间营运费用，1吨煤只能卖55元，财务负担使经营困难加剧。二是煤田远离用户市场，离沿海距离达千公里，运营成本高，售价处于劣势。三是神华工程启动的时候，正值国家投资体制由投资改革为贷款，1998年神东公司负债率高达87%。公司背负吨煤30元的还本付息压力，从2001～2010年10年间总计将要向国家还贷159亿元。四是在原设计建设规划思想与市场经济发展沿革过程中形成部分工程超前，运输尚未形成系统能力，生产能力过剩。五是煤田地属穷乡僻壤，人才短缺，经济技术落后，为了企业的发展又背起了企业办社会的经营压力。所有这些，给神东的发展带来极大的困难和严峻的挑战。进入1998年以后，沿着“十五大”为企业发展指明的方向，神东公司在神华集团的正确领导下，坚持“五高”方针，实施高产高效矿井建设，达到赶超世界先进水平的目标。

神东煤炭公司作为煤炭行业的年轻成员，始终把发展作为第一要务，遵循适合煤矿特点的基本规律，即安全＋适应市场＋高产高效＋环境治理＝可持续发展。也就是说神东公司的发展不能脱离煤炭行业的特殊性，首先是建立在安全的基础之上。通过科学合理开发资源，实施品牌战略，夺取开拓市场的主动权，提高企业的核心竞争力。为发挥资源优势和设备的效能，实施规模经营，推进高产高效建设，并加大环境治理力度，实现企业可持续发展。神东矿区开发十几年来，生产快速发展中认真贯彻国家开发方针政策，没有出现大的安全死亡事故，连续两年百万吨死亡率在0.077以下，处于世界先进水平。在市场销售疲软情况下，通过集团大力开拓国际市场，利用煤代油资金购买和控股电厂，争取到了每年400万kW的市场份额，连续4年以千万吨的速度发展。商品煤完成情况是1999年1108万t、2000年2160万t、2001年3568万t，2002年4804万t，今年将达到6200～6800万t，2005年达封9000～1亿t。经济效益逐年攀升，1998～2002年吨煤成本由71.75元降到67.89元；利润由3180万元提升到3.53亿元；还本付息由3.44亿元增长到12.06亿元。原煤生产人员效率由1998年的10.88t/工连续提高到1999年的18.96t/工，2000年的29.91t/工，2001年的54.94t/工，2002年的71.49t/工。矿区员工的收入也逐年递增，1998年人均年收入1.46万元，1999年人均收入1.67万元，2000年人均收入2.08万元，2001年人均收入2.64万元，2002年人均收入3.45万元。另外，我们从煤炭成本中吨煤提取0.45元用于环保绿化，至2002年底，累计完成生态建设投资11286万元，治理面积近134km^2，实现企业的可持续发展。神东煤炭公司的生产发展，增大了对国家的税收贡献，至2002年底，累计上缴税额13.90亿元。企业的发展，带动了地方财政收入的增加，收到了项目扶贫的效果。

成绩的取得，主要依赖于以下6个方面的管理创新理念，借助增强“六力”，提高企业的核心竞争力。

一、以市场为导向，增强企业的生产能力

从1998年神东煤炭公司成立以来，公司创造了连续4年原煤产量以千万吨速度递增的纪录，矿区闯出了可持续发展之路，公司的还本付息能力大幅度提高。从开建到2002年，神东矿区还本付息逐年提高，累计实现还本付息47.31亿元。公司今后几年内还本付息任务将逐年增加，2010年前将完成全部还本付息任务。量的积累，主要依托于高产高效。在2002年全国百名高产高效矿井中神东公司9个矿井无一例外，而且前10名中1～6名是神东公司的，第9名也是神东公司的，另外两个矿被评为行业级高产高效矿井。其中大柳塔矿自2000年以来连续3年保持了世界井工矿井的前列水平。大柳塔井2002年一井一面240人生产原煤1085.8万t，全员工效117.82t/工，平均单产水平72.86万t/个·月，最高日产47930t，最高月产106万t。上湾矿使用连采机短壁机械化开采和连续运煤系统，去年生产原煤334.8万t，创出了单套连采机的年产量世界水平，全员工效41.18t/工，平均单产18.7万t/个·月。

当然，神东公司并非靠增加矿井、增加设备、增加人员搞生产扩张，扩大生产规模。而是贯彻国家关井压产的方针，按照市场经济规律，实施“即进即退”战略丁应对市场疲软的挑战。“神华煤”进入市场，面对的是煤炭总量过剩、市场疲软的局面。国家三令五申关井压产，在行业中要实行集约化、规模化发展。公司以市场为导向，贯彻上级公司调整结构决策，优化投资项目，服从大局，相继停缓建了石圪台、上湾、武家塔、霍洛湾等4个矿井，合并了大柳塔和活鸡兔、马家塔和武家塔、康家滩和孙家沟等6个井为3个矿，同时加大了铁路港口的建设投资，加快了建设速度，使神华一期建设项目提前2年完成，节约50亿元。矿井通过立足现状，走改扩挖潜的道路，坚持高产高效，增大生产能力，随时应对市场的变化。把生产能力储藏在井下，通过提高单产水平，将神东公司一期规划投资146亿元减至2001年底114亿元，投资减少32亿元，而生产能力比一期规划能力翻了一番，将投入产出风险降到最低。例如，从1985年开始筹建的大柳塔井、活鸡兔井、补连塔矿、马家塔矿、乌兰木伦矿等5个矿井，原设计1280万t，经挖潜和实行技术改造后于2002年达到3620万t的能力，翻了近两番。大柳塔井原设计360万t，2000年我们通过创造性思维，建设一井一面年产800万t高产高效矿井模式取得了成效，当年345人生产原煤920万t，为矿区立足已有矿井，实现规模化生产、即进即退、高产高效创出了模式，积累了经验。

随着国家市场经济体制的逐步推进，我们越来越感到仅仅应对市场疲软是远远不够的，更重要的按照市场经济运行规律，坚持实事求是的思想路线，实施市场取向战略，努力增大市场份额，才能取得更大的胜利。我们坚持走了靠质量求发展的道路，按照“产环保煤炭、创神华品牌、重客户服务、求无限改进”的质量方针，全面塑造神华煤晶牌，适应市场的需要。神华煤具有得天独厚的煤质优势，原煤灰分6%～8%，全水分低于14%，平均硫分0.5%以下，含磷低于0.03%，发热量（收到基）高于5800×4.18kJ/kg，挥发分为32%～37%。但这样的煤质并非没有缺点，氧化钙高，灰熔低点，为开拓市场带来了非常大的压力。特别是进入1997年以后，国际国内煤炭市场竞争愈烈，供过于求，用户对煤质要求非常苛刻。迫于这样严峻的形势和公司的煤质情况，为利用国家出台的煤炭出口优惠政策，神东公司从1999年开始和地方合作经营了石炭二叠纪煤层的几个矿井，实现了市场用户对煤炭质量的要求，充分发挥资源的互补优势，扩大了市场。这种合作方式落实了国家整顿关闭小井的政策，在联营矿井的井—田范围内整顿关闭了20余个小井，改善了安全状况，解决了下岗人员再就业问题，吨煤10元的补偿和税费促进了地方经济的发展，实现了地企“双赢”的目的，探索出资源型项目建设的新模式，走出一条少投入、快产出、逐渐积累、自我滚动的发展新路。这样做的结果，一是克服了过去投人时不计成本，投产后背上很大财务包袱的弊端；二是塑造了神华煤品牌；三是实现了资源整合，提高了投资效益；四是贯彻了国家关井压产整顿周边小煤窑方针，使小井开采的资源实现了正规开发利用，带动了地方经济的繁荣和发展。

从1999年7月筹建第一个出口煤基地开始，公司已陆续建成了大海则、榆家梁、康家滩、哈拉沟、孙家沟5个出口煤配煤基地，突出体现了建设周期短、投资少、成本低、还本快的特点。投资4.2亿元，用10个月时间建成了榆家梁矿，吨煤投资仅42元，投资回收期为1.68年，建矿当年生产原煤665万t，第二年生产商品煤总量突破了1000万t。康家滩井用了3个多月的时间投产，96天建成年生产能力为120万t的矿井。大海则煤矿从1999年7月4日筹建到8月9日第一套连采机出煤，仅用36天便实现了矿井的正常生产。孙家沟井建设历时8个多月，由年产30万吨t能力扩建成年产800万t的矿井，在试生产的当月便生产原煤43.5万t，创造了神东公司井工矿试生产和建井的最好水平。

二、实施集约化经营，提高经济运行质量，增强市场竞争力

一是建立科学的成本控制体系，实现快发展、高效益。近几年来，我们坚持实施“责任成本目标考核办法”，将经营指标横向覆盖各单位、各部门，分标准、分层次全面控制；纵向实现单台设备、单人核算。为有效地提高员工的劳动积极性，我们将责任考核期限控制在最佳、最科学合理范围，及时掌握生产经营状况，按月度、季度、半年分期考核兑现，职工当月的报酬、奖罚与工作业绩紧紧相关，使职工的责任意识、成本意识明显增强，公司的成本控制效果显著。目前全公司剔除财务费用，吨煤成本66.60元，其中直接成本11.35元/t，其中：材料消耗5.43元，工资及附加4.26元，电力1.66元，远远低于全国同行业平均水平。

二是建立了内部市场模拟运作，实行专业化管理。公司推行的生产、生产服务、多种经营、生活后勤4条线逐步走向成熟，多种经营公司实现了自主经营、自负盈亏，形成了以服务矿山为主体，大力发展多种经营的产业链，去年完成产值4.45亿元，实现利润、折旧、维简2144万元。生活后勤自2000年改制以来，坚持实施有偿服务，服务质量进一步提高，满足了生产的需要和矿区职工的物质和文化生活需要，更重要的是生活后勤方面所占吨煤成本处于下降趋势，由成立前的3.24元下降到了2002年底的2.01元。2002年，为最大限度提高设备使用率，全过程保证设备完好，充分发挥先进设备的作用，我们实行了设备有偿使用制度，效果明显。现在全公司生产系统与为生产服务的单位都建立稳定的内部市场，依照市场规则运行，在提高企业程序化、法制化方面迈出了坚实的步伐。

三是公司的基础管理、财务管理实现了集中化，物资实现了集中采购，工程建设实行招投标管理。自1998年以来，公司成立了财务结算中心，基层单位实行集中报账制度，提高了资金周转速度和使用效率，有效地控制了财务成本。全矿区所有物资配件一律集中订货，并发挥监督制衡的作用，几年来累计节约采购费5000多万元。同时材料配件供应强化了计划性，降低了库存，由原来的领用制改为限额派送制，有效地降低了物耗成本。试行投运了资产全寿命管理的EAM系统，使资产得到有效利用，同时合理地降低了仓储成本。

四是提高成本中的技术含量，依靠科技进步提高效益。我们综合运用现代科学技术、信息技术和先进的管理技术，实现了煤矿矿井开拓部署、生产系统、开采工艺、技术装备与世界先进水平接轨，通过优化生产设计，动态调整生产接续，合理优化巷道断面，调整支护参数等措施，高度集成和研究开发软件，组成煤矿生产系统的综合自动化及实时监控系统，极大地解放了生产力，有效地提高了经济效益。

五是发扬艰苦奋斗的优良传统。“艰苦奋斗，开拓务实，争创一流”是神华的企业精神。矿区开发建设10余年来，我们的信条是不管发展多快，效益多好，艰苦奋斗的作风不能丢。发扬民主，提高决策的科学性，杜绝投资失误，提高投资效益，榆家梁等矿井投资少、见效快、滚动发展的建矿模式最能体现这一点。压缩非生产性项目，把有限的资金集中用到生产建设当中。倡导勤俭节约光荣、铺张浪费可耻，将艰苦奋斗贯穿于职工的思想意识当中。同时积极开源节流，提高经济运行质量。

三、建立适合矿区特点的管理新模式，合理配置人力资源，增强企业实力

(1) 高产高效建设取得显著成效。为充分发挥资源优势，我们因地制宜，一方面实施以大柳塔井和榆家梁矿为代表的一井一面年产1000万t的规模化、集约化的长壁开采方式，综采工作面设计和所有采煤设备的使用打破传统模式，实现与国际水平接轨。通过优化主要生产系统，依靠科技进步，大柳塔矿实行“六队三办一中心”，坚持“5772”工作制，去年一矿两井480人生产原煤1625万t，原煤生产工效达到117.82t/工，回采工作面效率595.31t/工，最高日产72675t，最高月产152.4万t。2000年，公司采用高新技术改造传统产业，实现“双高”矿井综合自动化，煤矿的采、掘、机、运、通、安全等系统实现自动化控制。大柳塔煤矿全矿的固定设备运行由集控室1人监控，信息化在煤炭产业中得到有效应用。同时我们全面启动EAM资产管理系统，构建信息平台，完善信息沟通渠道，公司企业管理向科学化的轨道迈进，从而实现提高“双效”的目标。截止到2002年底，公司原煤生产效率达到71.49t/工。综采工作面平均回采效率达到452.69t/工，旺采工作面达61t/工，掘进工作面效率达到1.92m/工。综采工作面单产50.11万t/月·面；连采工作面单月单进2000m。

另一方面实施以上湾、大海则、哈拉沟等矿为代表的连采配套方式，创造性地开发连续采煤机短壁机械化开采，采用连续运煤系统，在“三下”压煤技术研究方面取得了重大突破，提高了煤炭资源的回收率，回采率提高到75%以上，最高可达87%，比传统房柱式短壁回采工作面回采率平均提高了45%以上。加快了掘进和回采速度，并将湿式旋流除尘器配合涡流控尘技术应用于矿区连采工作面，除尘效率可达99.31%，保证了工作面安全生产。劳动组织方面，形成了一套全新的矿井生产管理模式，即全矿定员不超过100人，管理干部不超过8人，除5名矿领导外，设生产技术管理工程师1名，劳资管理员1名，政工师1名。实行机关无科室办公。全矿一个队，矿井一级直线式管理，年产量120万t以上。去年，利用短壁综合机械化开采方法生产原煤754.8万t，占矿区全年煤炭产量的14.6%。

(2) 从1998年开始我们积极探索和实践“精干主体，加强辅助，搞活多经，发展后勤”的工作思路，推进“四条线”专业化管理，实现与世界管理水平接轨。第一线是生产线，由9个矿井组成，按照用户要求进行原煤生产与加工，坚持精简效能的原则，充分利用和发挥现代化先进设备、设施和技术优势，形成神东矿区高产高效的生产系统。第二线是生产辅助线。主要由洗选加工中心、运销处、设备管理中心、维修中心、生产服务中心、热电厂、物资供应中心等单位组成。主要负责为生产一线提供物资供应、设备维护检修、生产用电等服务。生产辅助系统和生产一线是劳务关系，实行内部模拟市场管理。第三条线是多种经营线。通过独立核算，自负盈亏，采取多种经济形式改造，成为立足矿区，面向社会，以工业经济为主体、与主业相辅相成，协调发展的经济体系。第四条线是生产服务线。主要针对具有社会性服务特点的机构——生活、文体、教育培训、医疗、给排水、环保绿化、社保及离退休等单位实行统一管理，形成社会服务体系，通过建立内部模拟市场，为矿区提供有偿服务，形成产业化、社会化经营模式。通过专业化管理，神东矿区管理体制进一步理顺，人员结构趋于合理。到2002年底，全公司仅有10738人。人员配置是生产2441人，辅助生产2838人，多种经营2437人，生活后勤3022人。仅1813名井下生产人员实现年产4323万t商品煤，连续4年每年递增千万吨。

(3) 实施以人为本的经营战略，合理配置人力资源。我们的主要做法是，充分发挥职工的主观能动作用，以矿、厂为管理的基本单元，使每个职工在这个内聚力强、有效运转、互相协作的工作集体中获得自尊、自重，并感到公司是支持和重视他们的，也感到自己对公司具有一定的价值，让每一位职工认识到公司担负着重要使命和目标，每个职工的工作对公司来说都是不可或缺的，激发参与感。当公司取得成绩后，让每个人都有价值感、成就感。这就是我们管理的内聚力和源动力。

神东矿区的快速发展与人力资源的合理配置和充分利用现代化手段密不可分。一是推行EAM资产管理系统，以现代化办公手段提高了人员的工作效率；将员工的工作质量和贡献大小与选拔任用紧密挂钩。二是培养复合型人才。矿区快速发展和高产高效建设的特点，对人才的要求已打破过去一人一岗的配置模式。每一名操作人员按照岗位特点，必须实现一专多能，一人多岗，现在矿井生产人员一人要具备6种岗位操作证。三是建立学习型组织。我们每年选派公司级领导、矿（处）长到国外，增长见识，开阔眼界。分批选拔处级和后备干部到中国矿大和烟台煤干院系统学习，培养一专多能人才。公司与大专院校联合办学，同时经常组织学习班、研讨会，提高了全员整体素质。目前全公司具有大中专以上学历4045人，占全部职工的38%。这对公司的快速发展发挥了重要作用。

四、依靠科技进步，加快信息化进程，增强神东快速发展的动力

公司根据现代煤炭科技发展，结合矿区自然资源优势，努力推进现代化科技在矿区的广泛应用，并通过技术创新，使矿区生产力得到进一步发展。

首先，广泛应用引进先进设备。针对神东矿区赋存煤层开采煤硬度大的问题，为充分利用和发挥资源优势，公司认真详尽地进行了国内外设备性能的实践比选后，选择和应用引进先进的生产设备来实现高产高效发展。近年来公司先后从美、英、德等8个国家20多家公司引进了先进的生产设备95种1330台（套）。这些先进设备的应用，使矿区形成了运煤胶带连续化，辅助运输无轨胶轮化，巷道支护锚杆化，安全系统监测监控自动化，为神东公司的快速发展奠定了坚实的物质基础。

其次，高产高效矿井的实践与发展要求创新千万吨矿井群的设计与技术。通过跨省区的井田合并、重组及优化开采方案，使井型实现大型化。矿区4个主力矿井的每个矿井生产能力将达到年产1000万t以上，2个矿井达到800万t和300万t以上。

一是高产高效矿井模式的发展要求改革矿井开拓部署，取消盘区划分，实现条带式长距离工作面生产系统。矿井主要大巷沿煤层布置，在采煤设备大修周期允许的情况下，工作面回采推进长度5000m得到了成功应用，减少工作面搬家次数，降低了采区生产系统工程，实现了矿井集约化的生产布局。辅助运输采用无轨胶轮车，对巷道进行分段硬化，将人和材料直接运到工作面，减少了辅助生产环节，提高了工作效率。

二是创新综采工艺技术，工作面单产达66.92万t。开展浅埋藏、薄基岩、厚风积沙煤层矿压显现规律研究。与国内外厂家合作，对综采工作采煤机截割功率和连采机功率进行重新研究确定，经改进适合了矿区“硬煤”的需要；进一步改进并提高了综采工作面液压支架的支撑力；与煤科总院太原分院合作并成功实现了连采机和连续运煤系统国产化的研究与制造工作；为发挥最大生产能力，合理确定顺槽运输系统的胶带宽度，现已增大到1.4m，满足了矿区高速增长、快速发展的需要。

三是实现特大型矿井大容量智能化10kV直接井下供电。由于神东矿区井下供电面临的主要问题是：综采工作面全部采用进口高产高效机组，设备机组容量大，供电质量要求高。如果采用传统的固定式变电站供电，建站工程量大、工期长、投资高、吨煤成本中电费所占比例明显升高。为此，我们研制开发了新型的矿区移动地面开关柜，保证了供电技术和质量要求，适应了生产发展。

四是创新连续采煤短壁机械化开采成套技术。神东矿区从实现整体机械化生产的高度考虑，统一部署研究连续采煤机短壁机械化成套设备配套使用。1999年公司与煤科总院太原分院共同研制开发了履带行走式液压支架，在国内率先进行了短壁综合机械化开采工艺及技术研究。在现有房柱式和刀柱式短壁采煤方法的基础上，探索出了一套连续采煤机短壁机械化成套工艺技术。主要在短壁回采工作面布置、工作面配套设备、工作面回采工艺进行创新，并且提高了矿井资源回收率。目前，这种工艺在神东矿区出口煤基地得到推广，并取得了显著成效。

第三，创新综采工作面搬家工艺。神东矿区在1997年创造了“辅巷多通道、配以金属网钢丝绳联合支护和无轨支架搬运车”新工艺，实现了安全、快速、低耗、优质搬家。该工艺的创新思路是：改善撤架作业环境，人为创造撤架安全条件，提高撤架速度，缩短工作面回撤时间。“辅巷多通道”新工艺的主要特点为：工艺简单，操作方便；安全通道多，避灾路线短，从而增加了安全感；工作面实现了顶板管理，支架回撤实现了多头平行作业、分段放顶，从而最大限度地减少了工作面矿山压力显现的强度，使工作面剩余的支架免受明显的集中压力，改善了支架的承载状况，为快速搬家创造了良好的安全作业环境；由于预掘出工作面架前的回撤通道，并挂高强度网，缩短了撤架前的准备时间；如果煤层比较稳定，联络巷数量又较多的话，可避免支架回撤时调向 90°的作业，只需摆动一个较小的角度，就可把支架撤出来，而正对联络巷口的支架在顶板允许的情况下，则可以由胶轮车直接装车外运，从而也简化了作业程序和作业时间。材料消耗较相同工作搬家降低 50%以上。截至目前，神东公司按这一工艺组织综采工作面搬家次数已达 24 次，工作面搬家总量近 5000 余吨设备、运输距离十几公里，时间一般不超过 9 天，创搬家速度世界新水平。

第四，创新矿井辅助运输方式。公司辅助生产系统全部实现无轨胶轮车运输，运速快、运输能力高，装卸方便，既提高了效率，又精简了辅助运输人员。目前，公司各矿井的辅助运输只需 7～9 人就能完成辅运和人员运送的任务，而且辅运费在吨煤成本中仅 2～2.5 元，实现了高效低耗目标。

第五，广泛进行技术创新和技术升级。矿井综合自动化改造后，使煤矿的生产管理更加便捷、科学、高效，与生产系统相配套的辅助生产也装备了世界一流的生产设备。从 2001 年开始，我们继续适应发展要求，不断更新管理理念，创新思维，以追求经营效益最佳化为目标，采用国际上现代化的资产管理系统（EAM）为主要手段，实现管理升级。EAM 系统是以设备综合管理为主要内容，主要用于管理神东公司内部与生产有关的设备、配件、材料及相关的人力、资金等。主要包括设备管理、配件管理、设备跟踪管理、配件库存、利库功能、自动比价、采购计划自动生成及合同的集成化的计算机管理系统，是一个将企业管理理念、基础数据积累、业务流程优化、人力物力管理、计算机硬件和软件应用系统整合于一体的智能化企业资产管理体系。目前，公司近 40 亿元的设备资产和 6 亿元配件物资通过该系统来管理，实现了资源的优化配置。

第六，加快信息化建设，实施专业化服务，走产学研相结合之路。依托现代化企业建设理念，改变传统经营观念，利用国家的政策环境，实现产学研结合体制，提高企业双效。矿区大型矿井目前已全部完成综合自动化改造工程，井下供电、通风、水泵、皮带运输等生产辅助系统实现了无人值守的全自动运行。以大柳塔矿为例，矿调度室值班人员 1 人监控全矿 14000 多个点的运行状态。大柳塔矿通过综合自动化改造工程的实施，可靠性大大提高，减少了岗位人员，全员工效提高了 34%，取得了良好的经济效益。神东煤炭公司还建设了一个覆盖全矿区各单位的千兆宽带以太网，并通过专线与集团公司联成广域网，实现了数据共享，使公司的计划、财务、生产、调度、安监、设备、物资、运销、基建、人劳、档案等业务工作实现了网络化、自动化办公。神东煤炭公司还委托西安华光科技公司在矿区组建了神东自动化技术中心，形成了专业化技术服务体系。与煤科总院太原分院等技术研究机构和高等院校合作建立了技术创新基地，适应了安全高效的发展需要，改变了老企业大而全、小而全的传统做法，走出一条产学研相结合的技术创新道路。2002 年，全年累计完成国产化金额 8039 万元，是 2001 年的 2.38 倍，节约采购资金 50%。国产化大修设备 15 台 1405 万元，大修费用平均降低 40%。产学研相结合的办企做法，加快了对引进设备技术的消化吸收，加快了高效可靠设备的研制开发，降低了设备的采购成本，促进了设备制造技术的发展，逐渐缩小了同国际同行业的差距。如连续运煤系统的设备从立项到实际应用，通过与煤科总院太原分院共同研究，仅用 10 个月研制成功，并通过 3 个月试运行，各项指标达到设计要求，价格仅为进口设备的 50%。矿区为提高连续采煤机的效能，目前又增加了 5 套连续运煤系统设备的订货。

五、积极推进八步改革，增强企业活力

神东煤炭公司自 1998 年 8 月合并成立以来，之所以具有勃勃的生机和活力，年生产能力和市场占有份额不断地扩大，煤炭出口量达到商品煤总产量的 45%，成为全国最大的商品煤生产基地，发展速度创造了全国乃至世界煤炭史上的新纪录，依托的是不断更新理念、不断地创新意识、不断地追求新目标，赶超世界煤炭行业的先进指标，扛起振兴中国煤炭工业的旗帜。5 年中，我们在神华集团的领导下，管理体制及经营方略上迈出的八大步改革。

第一步，1998 年 8 月，神华集团将原来按地域划分的神府、东胜两个公司合并。矿区资产和人力资源得到优化配置，避免了重复建设，合理利用了资源，实现了统一管理，精简了机构和管理人员。撤并后，公司机关管理部门 13 个，机关定员 139 人。合并当年，职工总数由 11008 人减至 10334 人。

第二步，在两公司合并的基础上，为进一步精干主业，提高劳动生产效率，从主业分流 1300 多人，组建了集中统一的具有独立法人资格的神东多种经营公司，把与主业相关、社会性强的产业如建筑安装、工业生产加工、建筑材料制造、商业贸易等统一纳入多种经营管理。近 3 年的发展，神东多经企业逐步成为立足矿区、面向社会的独立经济实体，自主经营，自负盈亏。

第三步，剥离企业办社会职能，成立了公共事业发展公司。后勤服务线实行专业化、市场化管理。以后勤服务 3 年走向市场为目标，实行生活后勤集中统一管理，建立内部模拟市场，推行有偿服务，实现减人提效。2001 年初为进一步减负，公司将 2 所中学和 6 所小学移交地方政府管理，共剥离人员 265 人。现正在根据中央八部委的改制文件精神，按照神华集团的统一部署，继续深入推进企业改革工作。

第四步，以大柳塔煤矿年产 800 万 t 商品煤为示范，依靠科技进步和现代化管理，开创矿区高产高效建设新模式。2000 年大柳塔煤矿 345 人完成原煤生产 920.58 万 t，外运商品煤 863 万 t，矿井直接成本 7.25 元/t。2000 年末，大柳塔煤矿与活鸡兔煤矿成功合并，高产高效优势得到进一步发挥，当年生产原煤 1551 万 t，成为世界生产能力最大的同类型井工矿井。实现了集约化规模型经营管理模式，积累了企业发展经验。2002年，大柳塔矿一矿两井生产原煤1625万t，全员工效117.82t/工。

第五步，坚持投资少，见效快，滚动发展，建设出口配煤基地。投资4.2亿元，用10个月时间建成了榆家梁矿，吨煤投资仅42元，投资回收期为1.68年，2002年商品煤产量突破了1000万t。投资3669万元，仅用36天完成了大海则煤矿改扩建，由原地方矿井年产3～5万t建成年产商品煤120万t矿井，吨煤投资36.69元，投资回收期为2.99年。利用8个多月时间改扩建了山西省保德县孙家沟矿井，扩建后形成年产800万t的生产能力。

第六步，以大柳塔煤矿综合自动化改造为突破口，全面提高矿区现代化管理水平。大柳塔煤矿通过综合自动化改造，产量翻了两番。2001年，公司全面启动信息化工程，进一步加快了神东矿区自动化、现代化的发展步伐。

第七步，贯彻劳动法，进一步提高了劳动效率，推行矿井每周5天工作制。目前，神东煤炭公司在所有矿井推行了5天生产，2天集中检修工作制，既保障了员工的合法权益，又保证了设备维护与保养，提高了生产效率和设备开机率。

第八步，以建设高产高效矿区为目标，神东公司坚持同科研院所、高等院校结合，组建了产学研相结合的体制，充分发挥了科技在煤炭生产中的作用，促进了科技商用化的转换和矿区的快速发展。

六、坚持开发与治理并重，改善周边地区生态环境，增强企业可持续发展的能力

在坚持科学合理开发资源，矿区快速发展的同时，我们做到了项目开发与环保设施同时规划、同时建设、同时投用，坚持环境治理与开发建设并重的方针。用叶青董事长的话讲，这样做既是为了改善生态环境，又安置富余人员，同时若干年后可形成一个平行产业。从吨煤中提取0.45元专项环保资金，对矿区环境进行有计划的治理，综合治理沙漠荒地、小流域134km^2。实施了大面积常规防风固沙工程，确定了157km^{2}流动沙区为治理重点。实施了多项小流域水土保持防洪护矿综合治理工程，完成治理面积835.4亩。实施了水源保护治理工程。对生产生活用水水源地采取了水源保护治理工程。与中科院合作，在露天矿首采回填区进行种草和农作物种植试验获得成功。对2188亩复垦区进行全面规划。加大了矿区“三废”防治力度，污水处理达到了国家二级热电厂排放标准。井工矿原煤生产洗选过程中的煤尘污染采用全封闭生产工艺得到解决。兴建了小区集中供热、供气工程，有效地降低了烟尘对大气的污染。先后被有关部委命名为“全国绿化先进单位、环境保护先进单位、生态治理先进单位”。全国人大原环资委主任曲格平来矿区视察工作时感慨地说：“神东矿区不仅基本建设质量高、速度快，是全国矿业开发建设的样板，而且在环境保护和水土流失治理方面也是全国的一面旗帜”。

总之，在神华集团公司的正确领导下，坚持以发展为第一要务，依托市场取向的管理创新理念，借助“六力”，提高了企业的核心竞争力。2002年，集团公司又提出第二步发展战略，今年实现第五个千万吨增长，力争完成商品煤6800万t，2005年达到9000万t～1亿t。这无疑是对我们的严峻考验，我们坚信，只要以发展为第一要务，坚持高起点、快发展、高效益，一定会不断地继续完善和前进，实现新的超越。

沈阳煤业（集团）有限责任公司发展战略与实施方案的探讨

陈必成

一、问题的提出

改革开放以来，作为国有煤炭企业，无论是在管理体制还是在运营机制上，由于受计划经济的影响颇深，一直在困境中寻求振兴发展的道路。特别是国家将煤炭行业推向市场以后，煤炭企业遇到了前所未有的困难。通过近几年国家政策支持与企业自身的调整和改造，大部分企业实现了扭亏脱困的目标，摆脱了连年亏损的困难局面，逐步走上了健康发展的轨道。但是，要想实现长足发展，煤炭企业仍然面临着许多必须要克服的困难和矛盾。作为资源耗竭性产业，随着煤炭资源的逐步枯竭，企业面临的人员负担和转型任务十分艰巨。特别是大型国有煤炭企业正处于向现代企业制度过渡阶段，面对竞争激烈的国际、国内市场，怎样使企业在市场经济形势下发展和壮大，是每个煤炭企业工作者都必须要面对的实际问题。带着这样一个课题，我对沈阳煤业（集团）有限责任公司（以下简称沈煤集团）目前产业结构现状和生产经营状况进行了深入调查，对沈煤集团今后一个时期的发展方向、发展战略和实施方案进行了初步研究和探讨。

二、沈煤集团今后一个时期应该遵循的发展战略和实施方案

（一）发展战略的提出

沈煤集团是一个拥有2.6万名职工，资产总额40多亿元，年销售额13亿元，利税总额1亿元，以煤炭开采为主业的国有独资公司。沈煤集团地处辽宁省中部，由沈南、沈北两个矿区组成，现有煤炭生产矿井7对，设计年生产能力645万t。矿区主要煤种有肥煤、焦煤、瘦煤、气煤、无烟煤和褐煤（见表1）。沈煤集团下设基本建设、多种经营、机械制造、石膏矿业、生活后勤5个子公司和14个控股公司。

从沈煤集团目前的生产经营情况看，产业结构不合理，煤炭主业与非煤产业的产值比为3∶1，产业转型的任务十分繁重；企业包袱沉重，历史拖欠问题严重，紧张的资金形势始终制约着企业的发展；煤炭产品总量不足，难以支持非煤产业的快速发展；无论是煤炭产品还是非煤产品，产品质量偏低，缺乏市场竞争力。基于企业目前的实际状况，沈煤集团今后应该遵循的发展战略是：壮大主业，多元发展，优化结构，科学管理，强企富民。

表1　沈煤集团主要煤种及用途

生产矿井	煤　　种	主要煤种	主要用途
林盛煤矿	肥、焦、气	肥煤	炼钢
红菱煤矿	焦、肥、瘦	焦煤	炼钢
红阳三矿	瘦、贫瘦	瘦煤	炼钢和发电
西马煤矿	无烟煤	无烟煤	发电和民用
前屯煤矿	褐煤	褐煤	民用和发电
蒲河煤矿	褐煤	褐煤	民用和发电
清水煤矿	褐煤	褐煤	民用和发电

壮大主业，就是要结合目前煤炭产量偏低，规模效益不明显的具体情况，全面加快对煤炭生产布局和生产工艺进行调整和改造的步伐。特别是要采取有力措施，提高机械化生产程度和生产效率。通过2～3年时间的调整，确保现有矿井的煤炭产量达到650万t以上，精煤产量达到300万t以上，并保持10年以上的时间，依靠煤炭主业的利润回报支持非煤产业发展，为实现矿区产业转型提供资金支持。

多元发展，就是在壮大煤炭主业的基础上，加快非煤产业发展步伐，尽快形成矿区的替代产业，实现企业的可持续发展。今后一个时期，沈煤集团要以煤炭产业的发展支持矿区转产，全力加大非煤产业投入，确保在煤炭主业萎缩之前，形成替代产业，营造多元发展的产业格局。

优化结构，就是按照现代企业制度的要求，进一步完善企业的产权结构和运营机制，不断深化用人制度、用工制度和分配制度改革。本着精干高效的原则，进一步理顺企业内部的管理结构。按照市场的要求，不断优化产品结构，提高产品质量，增强企业的市场竞争力和抵御风险的能力。

科学管理，就是要不断强化企业内部管理，逐步实现企业管理的规范化、科学化。深入完善企业内部的监督制约机制，健全各项规章制度，逐步形成依法治企的管理格局。进一步强化集约化经营和集中管理力度，充分发挥集团公司的整体优势。深入实施科技兴企方针，全面推动科技进步和管理进步，加强安全和质量标准化管理，逐步实现现代企业制度所要求的管理体制和管理模式。

强企富民，就是在企业经济效益稳步增长的同时，搞好企业文化建设，不断提高企业员工的生活质量和生活水平，努力为职工群众解决实际困难，最终实现企业兴旺发达、职工安居乐业的目标。

（二）发展战略的实施方案

1．煤炭主业实现发展目标的思路与措施

由企业目前的实际情况所决定，在近5～10年的时间，沈煤集团的主导产业仍将是煤炭生产。因此，近一个时期沈煤集团实现发展的关键，就是要不断提高原煤生产总量，实现煤炭主业的长足发展，为提高非煤产业实力争取时间，提供资金支持。从沈煤集团目前的煤炭生产能力和煤炭地质储量看（见表2），通过改进生产工艺和改造部分矿井的生产环节，到2004年全公司的煤炭产量完全可以达到650万t的生产水平，并能维持10年以上的时间。通过对现有洗煤厂进行技术改造，加强生产管理，到2004年，精煤产量可以达到200万t以上的生产能力，到2010年可以实现年产300万t的目标。

要想在2～3年内实现原煤年产量650万t的目标，沈煤集团需要本着科学合理的原则，进一步调整现有的煤炭生产布局，加强生产组织和管理，积极组织技术人员进行科技攻关，不断改进采掘生产工艺，引进先进的采掘设备，提高机械化生产程度，为进一步提高煤炭产量提供可靠的保证。

（1）充分发挥机械化矿井的生产优势，为实现原煤产量发展目标提供保证。沈煤集团红阳三矿1998年投产，设计生产能力为150万t/a，到2001年末尚有可采储量9779.2万t。为了实现壮大煤炭主业的目标，沈煤集团要充分发挥红阳三矿机械化生产的优势，在生产、安全等各方面的投入上向红阳三矿倾斜，保证红阳三矿发挥高产高效矿井的作用。通过对红阳三矿地质赋存情况、可采储量及机械化生产程度等各种因素的综合分析，只要加强生产组织，合理安排好生产接续，保证有2个以上采煤工作面维持机械化生产作业，红阳三矿的原煤生产能力将会实现稳步提高，到2010年可以稳定在250万t的水平，并可保持相当长一段时间。

（2）科学调整生产布局，加强市场营销管理，为实现原煤产量发展目标创造有利条件。

表 2　沈煤集团 2001 年末煤地质储量　　单位：10^4t

单位名称	期末能利用储量	期末可采储量			备　注
		总计	实际可采量	“三下”压煤量	
全公司总计	156600.2	52015.5	43898.2	8117.3	
生产矿井累计	83003	43632.4	36261.9	73705	
林盛煤矿	10284	4754.7	2476.8	2277.9	精查
红菱煤矿	7115	4448.6	3569.8	878.8	精查
红阳三矿	15275.7	9779.2	9779.2	0	精查
西马煤矿	8103.3	4947.8	398.4	963.4	精查
前屯煤矿	2909.5	1703.6	1703.6	0	精查
蒲河煤矿	27058.3	1337.8	10087.4	3250.4	精查
清水煤矿	12257.2	4660.7	4660.7	0	精查
停产井（大桥矿）	15898.7	8383.1	7636.3	746.8	精查
可供建井计	58698.7				

针对红菱煤矿井田远景储量少、瓦斯大、开采成本高等实际情况，为提高矿井的生产能力和延长服务年限，沈煤集团可以把红阳三矿邻近红菱的井田划给红菱煤矿一部分，由红菱矿进行开采，既可减少瓦斯灾害对红菱矿的威胁，又能提高矿井产量，延长矿井的服务年限。通过研究和论证，红菱煤矿开发新区工程需投资 8000 万元，如果从明年开工建设，到 2004 年，红菱煤矿的原煤生产能力将会提高 50 万 t 以上，每年可生产原煤 150 万 t 以上。

根据前屯煤矿和清水煤矿的地质条件及煤层赋存状况，本着效益型生产的原则，沈煤集团应对煤质差、地质条件复杂、开采成本过高且多年亏损的前屯煤矿实施收缩开采，不再进行大的投入。同时，要对地质条件和煤质相对较好的清水煤矿进行改扩建。通过对清水煤矿改扩建进行可行性研究和论证，该项目完全可行，而且具有很高的投资回报率。经过 3 年时间的改扩建，清水煤矿的生产能力可达到 50 万 t 以上。

产品总量的大幅度上升，带来一个直接的问题就是销售问题，如果销售受阻，势必要影响产量的增长。因此，沈煤集团要按照 ISO9001 国际质量管理体系的要求，对煤炭产品生产全过程实施有效的质量监控，建立全方位的质量管理体系，以过硬的产品质量和周到的售后服务开拓销售市场，实现生产、销售平衡发展。

(3) 积极组织技术人员进行科技攻关，改进生产工艺，提高采掘机械化生产水平，推动和促进原煤产量发展目标的实现。目前，沈煤集团的采掘生产机械化程度、单产和单进水平都相对偏低。因此，要进一步充实和壮大科技人员队伍，组建专门的科研机构，建立有效的激励机制，围绕采掘生产工艺、支护方式及灾害治理等方面进行科技攻关。同时，要加大生产和科技投入，引进国内外先进的生产工艺和生产设备，提高各矿井采掘机械化生产程度和单产、单进水平，提高煤炭生产的科技含量，实现原煤生产的持续稳定发展。

(4) 坚持效益型生产的原则，努力提高精煤产量。如何通过成本与收益的比较，把资源用于最有效的用途，即实现资源配置的最优化，是每个企业共同面临的问题。特别是如何用有限的资金购买不同生产要素并生产不同产品，以实现利润最大化，是企业寻求发展的根本目标。对于沈煤集团来讲，提高精煤产量，增加煤炭产品附加值，是实现资源优化配置的有效途径。沈煤集团实现精煤年产量 300 万 t 的工作思路与具体措施是：

第一，加快技术改造步伐，提高现有选煤厂的生产能力。沈煤集团现有 4 座选煤厂的设计年生产能力为 300 万 t，但由于种种原因，目前尚无法实现满负荷运转。为此，沈煤集团要通过走出去、请进来的办法，广泛吸收选煤行业的先进经验和管理办法，集中力量对影响选煤生产的薄弱环节进行技术改造，力争在 2005 年以前达到选煤设计生产能力，为实现精煤产量发展目标提供根本保证。

第二，增加原煤入洗量，提高精煤产量。根据国内外的煤炭市场形势分析，洁净煤需求量将会逐年增加，为企业进一步提高精煤产量提供了机遇和市场空间。为此，沈煤集团要不断增加原煤入洗量，提高商品煤量中精煤的比例，尽可能地多产精煤，既可提高商品煤质量，有利于占领销售市场，又可增加煤炭附加值，提高企业的经济增长质量。

第三，实施科学管理，不断提高精煤回收率。目前，沈煤集团各选煤厂的精煤回收率差别很大，好的可以达到 75%以上，差的还不到 50%。有原煤质量的原因，也有选煤厂自身的原因。要通过全面加强原煤质量管理，对选煤厂的生产环节和工艺流程进行技术改造等手段，进一步提高精煤回收率，提高精煤产率，保证精煤产量发展目标的实现。

2. 非煤产业实现发展目标的思路与措施

煤炭是不可再生资源，作为资源耗竭性产业，要想实现企业的可持续发展，必须着力发展替代产业。为此，在壮大煤炭生产主业的同时，沈煤集团要把工作的重点逐步转移到非煤产业的发展上来。在最近5年的时间内，非煤产业产值要达到5亿元以上，用10年的时间使非煤产业与煤炭主业产值基本持平，达到12亿元以上。实现这个发展目标的工作思路与措施是：

(1) 提高石膏矿业公司的生产能力。今后一个时期，沈煤集团要对石膏公司加大扶持力度，开展有针对性的技术改造，挖掘生产潜力，改进采膏生产工艺，提高采膏机械化程度。就目前石膏公司的生产情况看，通过采取上述一系列措施，到2004年可以实现年产80万t水平，到2010年能够达到100万t以上的生产能力。如果按每吨石膏售价100元计算，石膏矿业公司就可实现产值1亿元以上。

(2) 对建材总厂实施技术改造，提高水泥产量。2001年，沈煤集团建材总厂生产水泥12万t。影响产量上升的主要原因就是生产环节不配套。通过对水泥生产的熟料车间、烧成车间进行改造，提高工时效率，并由原来的淡季停产改为淡季生产水泥熟料，最终实现全年生产，建材总厂的水泥生产能力将会有很大提高。如果从2003年开工进行改扩建，到2005年一期工程竣工后可以达到年产30万t水平，二期工程完工后产量可以达到40万t/a。按每吨水泥售价280元计算，可实现产值1亿元以上。

(3) 对石膏产品进行深加工，开发高科技含量、高附加值的新产品。沈煤集团目前生产的石膏中含有氮、磷、钾等多种化学元素，经专家论证，具备生产各种生物化肥的条件。目前，日本和国内已经拥有利用石膏为主要原料生产化学肥料的化肥厂，而且回报率比较高。通过初步论证和可行性研究，沈煤集团可以依托现有的石膏资源，筹建一座年生产能力为1万t的化肥厂，每年能够新增非煤产值5000万元以上。

(4) 发挥建设系统的施工能力，加大承揽社会工程力度，提高建设公司的施工产值。沈煤集团建设公司现有土建工程公司、安装工程公司和两个矿建工程公司，具备2亿元以上的年施工能力。2001年建设公司完成施工产值6300万元，主要原因是施工任务严重不足。因此，沈煤集团要通过改善施工装备等有效措施，进一步提高建设公司的市场竞争力，逐步打开社会建筑市场。通过2～3年的努力，建设施工产值可以达到1亿元以上。

(5) 提高机械制造公司的生产能力，拓宽产品销售市场。目前，沈煤集团机械制造公司生产加工的产品主要服务于本集团的各生产矿井，还没能打开社会市场，产品品种也比较单一，制约了机械制造公司的进一步发展。因此，沈煤集团要积极引进先进的生产线，开发研制具有社会市场前景的新产品，逐步打开社会市场。提高机械制造公司的设备修造能力，充分占领集团内部市场。通过2～3年时间的调整和改造，机械制造公司的机加产值完全能够达到5000万元以上。

(6) 进一步巩固和发展多种经营产业，提高多种经营公司所属单位和现有厂点的生产能力，使多种经营公司总产值在5年内增加1000万元以上，在10年内增加2000万元以上。2001年，沈煤集团多种经营公司实现总产值2.3亿元。今后，要通过改造生产工艺流程，开发研制新产品，提高多种经营公司现有厂点的生产能力，到2005年实现新增产值1000万元，到2010年实现新增产值2000万元以上。这样，到2010年多种经营产值就可实现2.5亿元以上的目标。

(7) 筹建沈北煤田煤炭地下气化工程。沈北煤田是具有40多年开采历史的老矿区，现有褐煤储量约8.4亿t。由于褐煤市场价格低，吨煤成本高，单靠原煤生产已经很难取得较好的经济效益。为更好地利用褐煤资源，实现沈北矿区煤炭工业的可持续发展，沈煤集团要利用目前国际、国内所拥有的煤炭地下气化技术，变矿山物理采煤法为煤炭地下气化(即化学采煤)，使沈北的煤炭资源更加经济、合理地开发和利用。经专家初步论证，沈北煤田具备实施煤炭地下气化工程的基础条件。如果抓紧进行立项等各种基础准备工作，此项工程有望于2年内开工建设，4～5年内建成投产。沈北煤田煤炭地下气化工程建成投产后，每年可地下气化煤炭10万t。按吨煤气化后产生煤气1600m^3计算，沈北煤田可年产煤气1.6亿m^3，可实现年产值1.5亿元以上。

(8) 筹建热电厂。结合沈南矿区煤炭含硫较高的实际，沈煤集团可以与地方政府合作，在沈南矿区筹建一座装机容量为2×1.2万kW的热电厂，既可解决沈南矿区煤炭含硫高、销售渠道不畅的实际困难，又可变输煤为输电，提高煤炭产品的附加值。如果热电厂建设成功，每年可实现产值2亿元以上。

(9) 充分利用煤矸石资源，筹建矸石砖厂。目前，沈煤集团各矿井煤矸石排放量非常大，不仅浪费了大量的土地资源，而且矸石山自然发火的治理费用也越来越高，给环保工作带来了相当大的压力。因此，沈煤集团应该积极利用国内已经成型的煤矸石制砖技术，筹建一座年产矸石砖8亿块的矸石砖厂，按每块砖0.20元计算，每年可实现产值1.5亿元以上，既有利于减少占地投入，又能为企业带来可观的经济效益。

通过实施上述9项措施，到2005年，沈煤集团非煤产业产值可以达到6亿元以上，到2010年，非煤产业产值可以达到12亿元左右，具体构成情况见图1。这样，就可以确保实现非煤产业基本与煤炭主业产值持平，达到10亿元以上的发展目标，初步实现矿区产业转型目标。

3. 深化内部改革，实施科学管理，加快建立现代企业制度

现代企业制度是适应市场经济要求的、依法规范的企业制度。其典型形式是公司，其基本特征是产权明晰，责任明确，政企分开，管理科学。拥有现代企业制度的企业才是现代企业，才能在市场经济形势下获得发展和壮大。构建现代企业，必须使企业具备所有权与经营权分离、拥有现代技术和现代化管理的企业特征。目前，沈煤集团已经与两个国有资产管理公司组建了沈阳矿业有限责任公司，初步具备了投资主体多元化的现代企业特征。但与现代企业制度相比，许多现行的管理机制和运营制度还不规范，也不够灵活。因此，今后一个时期，沈煤集团要加快建立现代企业制度步伐，进一步深化企业内部改革。

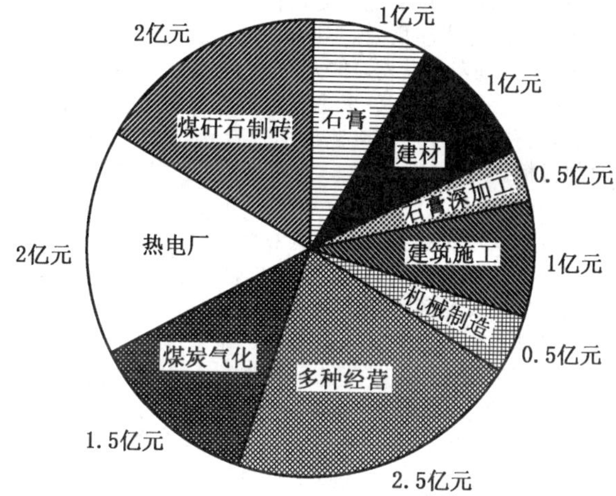

图 1　2010 年非煤产业构成

(1) 全面加快产权制度改革步伐，真正建立起投资主体多元化的产权模式。进行产权制度改革，是进一步完善市场经济体制，推进国有企业深化改革的一项重要举措，是明晰企业产权、增加员工与企业关联度的必要手段，是建立和完善现代企业制度的重要环节。目前看，由于产权制度改革的滞后，已经制约了沈煤集团的进一步发展。特别是由于投资主体比较单一，致使一些具有良好发展前景的新项目无法进行实质性操作。因此，进行产权制度改革，对于沈煤集团的进一步发展将会起到十分重要的推动和促进作用。

第一，要通过外出参观考察，学习借鉴其他单位在产权制度改革方面的工作经验，以便于更好地指导和推进自身产权制度改革工作。

第二，要以地面生产经营单位为重点，选择资产少、包袱轻的小单位重点突破，并逐步推开。而且要做到，每个改制单位都必须严格按照规范进行操作，确保产权制度改革取得实效。

第三，要明确产权制度改革的形式和范围。根据沈煤集团的实际，应以规范破产和股份制为主要形式，对二级单位进行产权制度改革。例如，对于资源枯竭的烟台矿、大桥矿和前屯矿可实施破产，对建材总厂、机械制造公司、地质公司、安装工程公司、建筑工程公司等单位可进行股份制改造，对新上的非煤项目要全部实行股份制，以灵活多样的产权形式，增强企业活力和市场竞争力。

第四，在产权制度改革的具体操作过程中，要注重解决好国有资产的保值增值、产权界定以及企业人员变更身份后的稳定问题。

(2) 从3项制度改革入手，深化企业的用人制度、用工制度、分配制度改革，建立起符合现代企业制度要求、符合市场经济形势的用人制度、用工制度和分配制度。不断深化和完善 3 项制度改革，建立科学合理的用人、用工和分配制度，是国有企业内部机制改革的重要组成部分，也是最大限度地调动企业员工生产积极性、发挥创造力的重要手段。而能否建立起行之有效的约束和激励机制，又是 3 项制度改革中的重点和关键。尽管沈煤集团在 3 项制度改革方面做了一些有益的尝试，但与现代企业制度要求还有一定差距。社会生产的最基本要素或基本资源，就是人力和物力。在一切资源中，人力资源是第一宝贵的，自然成了现代管理核心，不断提高人力资源开发与管理水平，不仅是企业发展、提高竞争力的需要，也是一个国家、一个民族、一个地区长期兴旺发达的重要保证。人力资源管理的最终目标，就是通过合理的开发和管理，实现人力资源的精干高效，这也是我国劳动人事制度改革的根本目标。因此，沈煤集团今后一个时期要以 3 项制度改革为重点，全面加强人力资源的开发与管理，实现人力资源的最优化目标。

第一，要进一步完善用人制度。在公司内部全面推行管理人员竞争上岗制度的基础上，打破行业界限，向社会广泛招聘高级管理人员，引进和吸纳社会人才，并建立相应的约束机制和激励机制，充分发挥高级管理人员的作用。

第二，要进一步完善用工制度。在继续推行全员劳动合同管理办法的基础上，打破干部和工人界限，实行全员竞聘上岗，真正形成全体员工能进能出的新机制。同时，要切实加大对员工培训的投入，全面提高企业员工的综合素质。

第三，要进一步完善分配制度。在坚持以按劳分配为主体的分配方式的基础上，逐步向按贡献大小即劳动成果转化率为主的分配方式过渡，并通过设立员工突出贡献奖等手段，调动和激发广大员工的积极性。

第四，对企业管理人员，特别是中层管理干部，要全部实行竞聘上岗。加强对干部的考核与监督，把人员考核作为干部任用的依据，作为人员调配和职务升降的依据，作为确定劳动报酬的依据，在企业内部真正建立起管理者能上能下的新机制。

(3) 不断优化产品结构。优化产品结构，提高产品质量，增强产品市场竞争力，是一个企业立于不败之地的根本。从目前的国际质量标准看，质量已经不再仅仅由标准规范来衡量，而是以顾客是否满意为标准。凡是顾客提出的要求都可被看作是质量要求。所以，质量逐渐成为一个很广泛的概念，各种因素都可能成为质量因素，质量管理在企业中发挥的作用也越来越突出。沈煤集团在努力开发高附加值、高科技含量的新产品的同时，要采取有力措施提高产品质量，建立科学、合理、符合市场需求的产品结构。目前看，沈煤集团的主导产品仍然是煤炭，而且产品含硫量又比较大，缺乏足够的市场竞争力，其他非煤产品的科技含量也比较低，产品质量急需较大改善。因此，沈煤集团要坚持实施科技兴企方针，切实加强产品质量管理，进一步优化产品结构，加快开发生产具有广阔市场前景的高质量的新产品。

第一，建立完善的质量管理体制。质量不仅仅是质量部门的事，而是每个员工、每个职能科室共同的职责。质量是各个部门一项规范的日常工作，不能为了质量而追求质量，质量工作要落实到各项具体工作的全过程。

第二，提升质量管理部门职能。质量管理部门要成为一名循循善诱的导师，积极地在企业中倡导注重质量之风，负责制定企业自身的质量保证方法以及相关的应用培训和咨询等。质量管理部门的一项重要工作就是检查企业内各个部分的质量表现和质量计划完成情况，当然，产品质量是重要的监控指标。

第三，要加快开发高附加值的非煤产品，并不断壮大生产规模，切实提高产品质量，依靠优良的产品占领市场。最终形成符合市场需求、科学合理的产品结构，从而促进矿区替代产业的不断发展和壮大。

第四，研究制定企业技术创新战略。企业技术创新战略是指企业在技术创新领域内重大的带有全局性的或决定全局的谋划。企业技术创新战略的确定和实施，对企业的竞争力、发展前途会起到决定性的作用。制定技术创新战略必须明确企业目标和总体战略对技术创新的要求，必须把握国内外技术发展和市场需求所提供的机遇，准确判断技术和市场竞争形势及企业所处的地位，分析企业自身的技术能力和相应的支撑条件。因此，制定技术创新战略，必须依据企业目标和总体战略要求，依据市场竞争态势和压力，依据企业的技术能力和条件。就沈煤集团而言，应该按照长远发展战略的要求，制定切合实际的技术创新战略。保持处于竞争优势地位的煤炭生产主业的先进性，使煤炭产品结构不断改进以适应市场需要，不断改进工艺以提高产量、降低成本，从而巩固优势，扩大地盘。对处于竞争劣势的非煤产业，则应在充分考虑资源特点和地缘优势的基础上，以独特的技术和工艺出奇制胜，实现壮大非煤产业的目标。

（三）发展战略实施后的效果预测

（1）通过长远发展战略的有效实施，到 2010 年，沈煤集团的煤炭产品产量、非煤产业主导产品产量、企业总销售额及利税额都会有明显提高。煤炭生产主业产量发展目标预测见图 2；非煤产业主导产品产量发展目标预测见图 3；企业总销售额与企业利税预测见表 3；煤炭主业与非煤产业产值预测见图 4。

图 2　煤炭生产主业产量发展目标预测

（2）产业结构将得到有效调整和完善。通过大力发展非煤产业，使煤炭主业与非煤产业的产值比从 2001 年的 3∶1 逐步缩小到 2010 年的 1∶1，即煤炭主业与非煤产业产值基本持平。并随着煤炭资源的萎缩和枯竭，非煤产业逐步占据主导地位，最终实现矿区产业转型和企业的可持续发展。

（3）产权结构将进一步趋于合理。通过深入开展产权制度改革，使现在的国有独资体制逐步转化为以多元投资为主体的产权模式。

（4）实现国有资产的保值增值。确保国有资产到 2010 年增加到 45 亿元以上。

（5）企业员工收益。员工人均收入从 2001 年的 9985 元到 2010 年提高到 30000 元。

如果按照上述发展战略的要求，认真组织实施，沈煤集团在未来 10 年内将会发展成为一个年产原煤超过 650 万 t、非煤产业产值超过 10 亿元、总销售额 25

亿元以上的大型现代企业集团。届时，沈煤集团的产业结构将更加科学，管理工作更加规范，产权结构更加合理，一个充满生机和活力的现代企业集团将展现在世人面前。

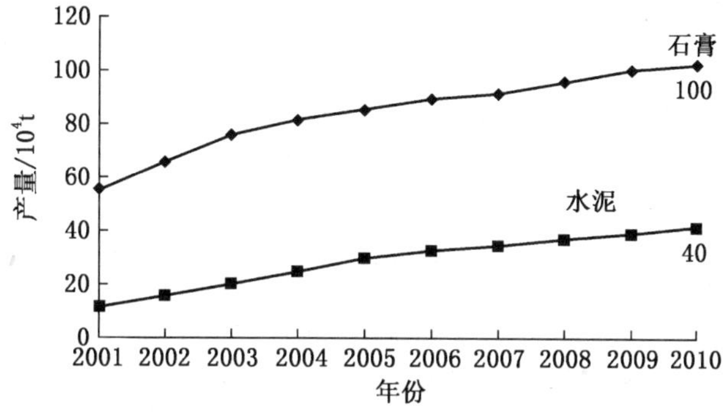

图 3　非煤产业主导产品产量发展目标预测

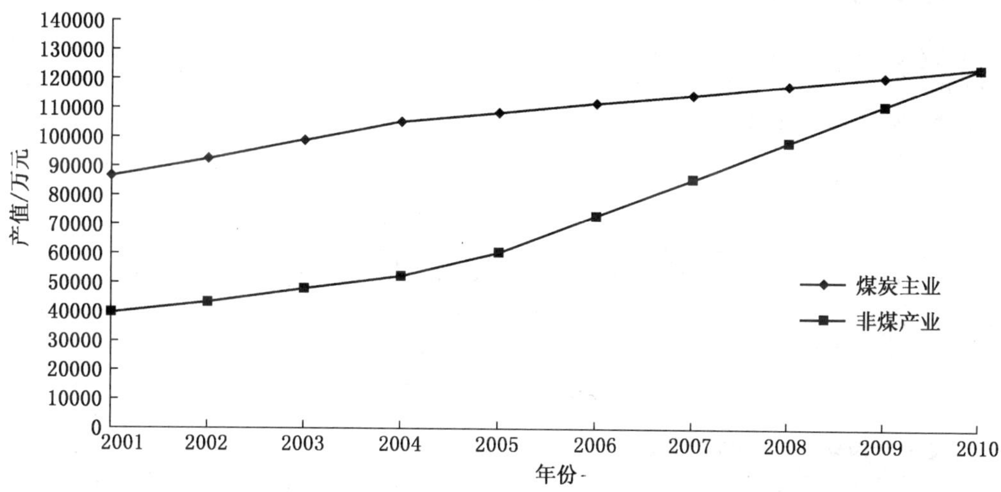

图 4　煤炭主业与非煤产业产值预测

三、实施发展战略面临的问题

与其他国有煤炭企业一样，在改革与发展的道路上，沈煤集团还面临着一些具体的矛盾和问题，只有这些问题得到真正解决，沈煤集团的长远发展战略才能得到有效实施，才能实现预期目标。

(1) 煤炭产品脱硫问题。由企业当前的具体条件所决定，实现非煤产业的长足发展和企业的可持续发展目标，必须要有煤炭生产主业的支持。目前，影响沈煤集团壮大煤炭主业的一个主要问题就是原煤含硫高，难以适应销售市场的要求。国内外又没能在原煤脱硫技术方面取得突破，西方国家采取的措施也是在煤炭燃烧过程中进行脱硫，我们的行业管理部门也可以在这方面进行尝试，减少含硫问题对煤炭生产企业的制约。

(2) 进行产业转型、发展非煤产业的资金问题。发展非煤产业，开发非煤项目都离不开资金支持。一方面，国家和地方政府应该在政策上向煤炭企业倾斜，帮助老矿区实现产业转型；另一方面，沈煤集团通过自身煤炭主业的发展，创取最佳的经济效益，为发展非煤产业提供资金支持；还要充分利用股份制等产权形式进行社会融资，保证非煤产业实现健康发展。

(3) 产权制度改革和 3 项制度改革，是沈煤集团也是国有煤炭企业建立现代企业制度、实现振兴发展的必由之路，国家和政府部门要在相关政策的研究制定方面、在具体的工作指导方面给予企业有力的支持和帮助，单靠企业自身很难完成产权制度改革和建立现代企业制度的重任。

四、结论

表 3　煤炭主业、非煤产业总销售额与企业利税预测

年度	产量 /万 t	煤炭产品售价 /万 t	煤炭产品销售额 /万元	非煤炭产品销售额/万元	销售额合计 /万元	利税总额 /万元
2001	585	170	88724	39662	128386	8718
2002	610	155	94550	44162	138712	13210
2003	630	160	100800	48662	149462	14962
2004	650	165	107250	53162	160412	17229
2005	650	170	110500	61162	171662	19016
2006	650	175	113750	74162	187912	21154
2007	650	180	117000	87162	204162	23291
2008	650	185	120250	100162	220412	25429
2009	650	190	123500	113162	236662	27566
2010	650	195	126750	126162	252912	29704

(1) 煤炭工业转型是国有煤矿企业共同面临的难题，国家和企业都应充分认识此项工作的艰巨性和紧迫性。

(2) 在市场经济形势下，作为资源耗竭性产业，煤炭生产企业必须结合自身的具体情况，研究和确定企业的长远发展战略，以长远发展目标统领和指导企业的各项工作，确保在煤炭资源枯竭之前形成替代产业，实现企业的可持续发展。

(3) 在国有煤炭企业转型、建立现代企业制度过程中，企业自身的努力是根本，是基础；国家与政府部门的干预和帮助是保证，是必不可少的重要条件。

入世后的中国煤炭市场

万善福　周景军

一、WTO 对中国煤炭市场产生的影响

1. 煤炭进出口贸易将更加活跃

从国际市场形势来看，世界煤炭贸易呈高速增长态势。据有关部门预测，未来几年世界煤炭贸易量将以每年 3.6%的速度增长，到 2004 年，世界煤炭贸易量将达到 6.28 亿 t。而随着资源的逐步减少、开采难度加大和劳动力成本的不断提高，世界煤炭工业生产规模正在逐步萎缩，今后几年国际市场煤炭资源将趋于紧张。

我国是煤炭生产大国，煤炭生产能力居世界首位。但由于受到各种主客观因素影响，我国煤炭出口量长期处于较低水平。但近年来，为鼓励煤炭出口，国家采取了提高出口退税率、降低煤炭铁路运费、港杂费、商检费和外贸煤炭优先保证运力等一系列优惠政策，使我国煤炭出口贸易高速增长。2001 年我国煤炭出口量达到 8000 万 t 以上，分别占国内煤炭生产总量和世界煤炭贸易总量的 10%和 20%左右。入世后，随着外贸经营权由审批向登记制度的转变，将会有更多的企业取得煤炭进、出口经营权。我国目前以中煤为主、五矿、神华、山西地方四家公司代理（自营），煤炭出口的垄断格局将逐步打破，煤炭进出口贸易的透明度将大大提高，市场秩序将更加规范，煤炭生产企业从事煤炭出口贸易的经济效益和积极性也会大大提高。我国煤炭出口将迎来一个快速增长的新阶段。

2. 煤炭消费企业将能够在更广阔的市场上优化资源配置

WTO 是一个更大、更开放的市场。加入 WTO，将使国内煤炭市场与国际市场逐步融为一体，而这种融合的最终结果就是煤炭价格的逐步趋同、统一和互动。这就意味着国内煤炭市场价格将逐步稳定在一个合理的范围之内，并受到国际市场价格的调整，国内煤炭市场将逐步与国际市场实现全面接轨。入世后，随着关税减让和非关税壁垒的逐步取消，虽然受运距和运输费用成本影响，美国、澳大利亚等煤炭出口大国对我国国内煤炭市场难以构成威胁，但近在咫尺的越南、印尼等东南亚煤炭输出国，却比较容易在南部沿海市场形成

相对于国内煤炭企业的质量价格比上的优势，这就为东南沿海煤炭消费企业根据质量价格比的实际情况，在国际市场上采购煤炭，优化煤炭资源结构、降低燃料成本创造了条件。与此同时，关税的降低和配额、许可证限制的逐步取消，将使国内石油、天然气市场与国际市场接轨，国内市场油、气价格将会逐步降低。石油、天然气等清洁能源进口数量增加，将在一定程度上替代煤炭产品，抑制煤炭需求，我国能源供应将在一个更加开放的国际市场体系中实现优化配置。国际市场石油、天然气和煤炭价格的波动，将直接对国内能源消费结构和包括煤炭在内的各种能源的供需关系和价格体系产生影响，煤炭市场将被注入更多的不确定因素。

3. WTO 对国内煤炭消费行业的影响

我国国内煤炭消费需求主要集中在电力、冶金、建材、化工、城市民用领域。

冶金、化工行业是受到 WTO 影响较大的行业之一。其中冶金工业能源消耗约占全国能源消耗的 11% 左右。我国大、中型冶金企业直接煤炭消费总量约为 1 亿 t/a。我国化工行业煤炭消费基本稳定在 8000 万 t 左右。近年来，国际钢材市场不景气，国内各大钢铁集团的生产经营均受到不同程度的影响。入世后，我国对一些主要钢铁、石化产品的进口关税将进一步减让，特别是进口配额的逐步取消对国内冶金行业、化工工业将是一次严峻的考验。

电力工业是我国煤炭产品最大的工业用户，2001 年我国发电装机容量已经达到 3.38 亿 kW，电力用煤占国内煤炭消费总量的 50%左右。“十五”期间，国民经济的发展及布局特征将会以高新技术产业为主，稳定第二产业、积极发展第三产业。这种经济结构调整，将会减少煤炭的直接消费，煤炭的利用主要转化为电能。据有关部门预计，“十五”期间我国年发电增幅在 56%左右，按“九五”电煤消耗水平同比计算，到 2005 年、2010 年电煤消费量将分别达到 7.3 亿 t 和 8.8 亿 t。考虑发电结构调整、环保因素影响、节能技术进步以及全国联网改善发电结构、提高电厂及电网的运营效率等综合因素，电煤最低消耗预计分别为 6.5 亿 t 和 7.6 亿 t 左右。近年来，我国电力工业高速发展，“十五”期间仍将保持较高的增长速度，其煤炭需求不会受到 WTO 的直接冲击，是未来几年煤炭消费需求的主要增长点。

建材行业生产能耗占全国能耗的比重为 9%左右，其中煤炭消耗所占比重为 70%。从 1995 年以来的统计数据来看，建材行业煤炭需求呈逐年下降趋势。由于多数建材产品运输成本高、附加值低，入世后，国际市场建材产品对国内市场的冲击相对有限，国外建材企业将有可能更多地采取到国内投资办厂、对国内建材企业进行兼并等手段参与国内市场竞争，国内建材企业也有可能抓住机遇将更多的产品打入国际市场。目前我国大型基础设施重点工程建设投资力度加大、将住房建设作为新的经济增长点等经济发展战略也将对建材行业产生积极影响，因此，入世对国内建材行业有可能是一个利好，但国际资本输入也必将加剧国内市场的竞争，并导致技术和生产工艺的创新和进步。如：目前国内水泥厂广泛采用的湿法生产线生产每吨熟料消耗煤炭 300kg 左右，而采用先进的干法生产线生产每吨熟料煤炭消耗仅为 155kg，节能效率接近 50%。我国建材行业仍有较大的节能降耗空间，随着节能技术的不断进步，建材行业煤炭消耗仍将呈下降趋势。

近年来，居民生活煤炭消费呈明显的下降趋势。2001 年我国城市煤气普及率已达 60%，目前我国正在大力发展天然气、液化石油气、城市煤气、城市集中供热、热循环利用等供城镇居民使用的清洁能源，到 2005 年我国城市燃气普及率将达到 86%；家用电器的普及，将促使居民生活用煤消费更多地转化为电力消费，这一切都将进一步减少居民生活直接用煤比重。

4. WTO 将对中国产生全方位、深层次的深远影响

WTO 对中国的影响将是全方位、深层次的。它包括经济体制、政治制度、经营理念、管理模式以及人的思想观念、就业观念等各个方面，甚至会对整个经济基础乃至在更高层次上造成巨大冲击，从某种意义上说，入世将是中国社会经济的又一次革命，煤炭行业自然无法避免。如何应对 WTO，是摆在国内企业面前的一道无法回避的重要课题。已引起国内企业界高度重视，纷纷研究对策、制定应对措施，力求充分利用 WTO 规则，获取最大经济效益，或把入世的负面影响降至最低。国内企业（特别是国有企业）迎接入世存在的最大问题，就是法人治理结构不完善，以及由此而造成的管理水平低、用人多、效率低、资产质量差等一系列问题。而要解决这些问题，除了我国政府正在着手实施的转变政府职能、改善企业经营环境等措施外，关键是要尽快建立完善的法人治理结构、完善企业内部管理，使企业真正按照市场机制运行，成为市场经济的主体。这个问题说起来比较简单，但真正做起来却并非易事。几十年计划经济体制形成了强大的惯性，虽历经 20 年改革开放的洗礼，国企与市场经济的距离仍然相当遥远，如果我们不能在有限的过渡期内完成经济体制的根本转变，过渡期后，WTO 的冲击将会是真正的冲击。

二、国家能源结构调整战略和对煤炭工业的产业政策，将对国内煤炭市场产生更大的影响

1. 煤炭行业内部竞争加剧

与进口煤相比，国内煤炭生产总量和市场价格将会对国内煤炭市场产生更大的影响。近年来，大型重点煤炭生产企业的生产规模不断扩张，新的大型、特大型现代化煤矿正在不断建成投产、或积极筹备当中，神华、兖矿、淮南等一批新兴煤炭企业正在崛起，两年内国有重点煤矿新建、改扩建矿井将新增生产能力 6400 万 t。与此同时现有生产矿井通过挖潜改造，生产能力也在以惊人的速度增长。2002 年 1～5 月全国煤炭生产总量 48785.4 万 t，比上年同期增产 7128.3 万 t。以此推算全年预计增产 17100 万 t 以上。未来几年，大型

重点煤炭生产企业煤炭生产总量将继续保持高速增长。

在国内煤炭生产总量快速增长的同时，运输条件的改善也将对煤炭市场格局产生重大影响。神华集团西煤东运通道的建成，将为山西、内蒙等西部省份每年增加近亿t的铁路运力，我国正在进行的铁路运输体制改革和大型基础设施建设（特别是公路、铁路建设）将进一步改善西部地区的运输条件。曾经严重制约西部煤炭企业发展的运输"瓶颈"正逐步被打破，其巨大的煤炭生产潜力将越来越充分地释放出来，并对东南沿海煤炭市场和出口煤市场形成强大冲击。

2. 水电、核电、天然气等新型清洁能源将对煤炭市场发起挑战

"十五"期间我国计划建成5条油气长输管路。其中：输气管道4条，输油管道1条，总长度8000km，形成我国的天然气管网。除规划中的国内天然气管线工程以外，我国还计划分别引进中亚及西伯利亚地区的天然气，供东北和华东地区。2001年底，我国水电装机容量已达到8270万kW，居世界第二位，在建机组规模超过2300万kW。另外，有796万kW水电建设计划已经在国务院通过，预计"十五"水电开工规模将达到1000万kW，而我国水电可开发装机容量为37853万kW，年发电量可达19200亿kWh，水电发展尚大有潜力可挖。核电、太阳能发电、天然气发电工业的发展也十分迅猛，到2005年计划预测电力装机容量3.9亿kW，其中火电2.86亿kW，水电9500万kW，核电870万kW，太阳能发电120万kW，天然气发电投产660.5万kW。火电的市场份额将逐年下降，今后5～10年间电煤市场将面临严峻考验。

3.科技进步和节能技术的发展将大幅度降低单位产品能源消耗

目前，我国已成为世界上第三大能源生产国和第二大能源消费国。改革开放以来我国节能工作取得了巨大成绩，为保证国民经济实现可持续发展、保障能源安全，今后国家仍将把节能工程放在能源发展战略的首要位置。国民经济的发展和人民生活水平的提高，将主要通过高效利用能源加以实现。因此，我国今后在经济持续、快速、健康发展的同时，能源消费弹性系数偏低是正常的。从当前国内能源实际利用效率来看，我国节能潜力巨大。中国主要用能产品的单位产品能耗比发达国家平均高出40%左右。我国火电厂供电煤耗比国际先进水平高出27.4%；我国吨钢可比能耗平均比国际先进水平高出47.3%；我国每吨水泥熟料燃料消耗比国际先进水平高出58.1%。中国的产值能耗也是世界上最高的国家之一。我国每公斤标准煤能源产生的国内生产总值为0.36美元，日本为5.58美元；法国为3.24美元；韩国为1.56美元；印度为0.72美元；世界平均值为1.86美元，世界平均值是中国的5.2倍；日本是中国的15.5倍；连印度也是中国的2倍。随着社会节能、环保意识的增强，各种先进的节能技术正在大规模推广应用，"十五"期间我国节能潜力巨大。随着节能技术手段的不断进步和相关法律、法规的逐步完善，今后能源特别是煤炭需求将不会出现过快增长，入世后，受国际经济增速放缓因素影响，某一时期内国内煤炭需求出现负增长，也是正常现象。

4. 环保因素影响

随着社会环保意识的增强，国家环境治理力度不断加大，煤炭在大城市的市场份额将逐步减少，如：上海市2002年起每年将减少煤炭用量35%，增加燃气项目，新的用煤项目不再审批，江苏、浙江等省也逐步控制煤炭用量，一些煤炭消费企业受西气东输的影响将被迫转产。这一切说明煤炭作为一种经济廉价的能源，虽然在当前的能源市场结构中仍占据主导地位。但21世纪，保护环境和可持续发展将成为人类社会和经济发展的主旋律，随着各种清洁能源的不断开发、利用和洁净煤技术的发展，直接燃烧利用的煤炭在能源市场的比重将会有所下降，出于对西气东输等清洁能源良好的环保效益和工程投资的回收考虑，政府将有可能通过采取优惠税率、限制燃煤质量、实行更加严格的污染物排放标准、增加对固体污染物排放的收费标准等行政手段对能源市场进行干预。以此来提高天然气等清洁能源的市场竞争能力，减少燃煤消费需求。

三、中国煤炭市场的发展趋势

1. 富煤、贫油、少气的能源结构，决定了煤炭在我国能源消费结构中的基础地位

从能源储量的总体构成来看，我国呈富煤、贫油、少气的局面，是世界上少数几个以煤炭为主要能源的国家。虽然煤炭在能源消费总量中的比重呈下降趋势，但在相当长的一段时间内，以煤为主的能源结构不会发生变化。"九五"期间，我国国内经济增长速度平均达到8.3%，"十五"期间我国经济仍将保持相对稳定的增长速度，预计国民经济增长速度在7%左右，经济增长势必拉动包括煤炭在内的能源需求的增长。1999年我国一次能源消费结构中煤炭、原油、天然气、水电比例分别为67.1∶23.4∶2.8∶6.7。随着环保要求的不断提高和洁净能源的开发利用，预计到2005年比例调整为60∶25∶5∶10。虽然煤炭在能源消费结构中所占比重呈下降趋势，但随着我国经济的高速发展和能源需求总量的不断增长，煤炭消费需求绝对量仍将呈上升趋势。据有关专家预测，"十五"期间，国内煤炭需求总量年均增长2000万t左右，2005年、2010年、2015年，全国煤炭需求量将分别达到11亿t、12亿t和12.8亿t。煤炭作为主要能源的战略地位始终不可动摇。

2. 煤炭资源结构将发生根本性转变

国家煤炭产业结构调整的目标是到2005年，煤炭总产量控制在11亿t左右，其中大、中型煤矿产量比重由目前的37%提高到50%以上。这一目标与我国目前煤炭行业的宏观政策和当前煤炭市场实际是相吻合的。1997年我国国有重点煤矿、国有地方煤矿和乡镇、个体煤矿煤炭产量分别占煤炭生产总量的40%、17%和43%，经过几年来的治理整顿和结构调整，2001年

这一比例已调整为60%、21%和19%。虽然今后部分小煤矿将逐步通过验收、恢复生产，乡镇、地方煤矿的生产能力将在一定程度上得到恢复，但其生产规模与4年前已不可同日而语。

在国家关井压产的宏观经济政策和资源逐步匮乏、开采难度加大等各种主客观环境因素的综合作用下，小煤矿在国内煤炭市场将逐步退居次要地位，与此同时，以神华集团为代表的一批煤炭行业大型"航母"正在积极筹建，其他大型重点煤炭企业，也在加紧筹备新矿井建设和改扩建工程，随着煤炭产业结构调整的逐步深入，大型重点煤炭生产企业的市场份额和市场地位将进一步提高，这就使大型重点煤炭企业间横向联合、以垄断对垄断调控煤炭市场成为可能。煤炭市场将由重点、地方、个体煤矿三分天下的局面，逐步演化为以大型重点煤炭企业为主导、其他形式煤炭企业为补充的市场格局。新的竞争将在新的市场背景下重新展开。

3. 煤炭企业两极分化，煤炭市场面临重新洗牌

当前，国内重点煤炭企业正在两极分化。一方面，一些老煤炭工业基地正面临着资源枯竭、生产萎缩、社会负担沉重的困境；另一方面，一些新兴的大型、特大型煤炭工业企业正如雨后春笋般蓬勃发展。运输条件的改善更是使西部煤炭生产企业在新一轮的市场竞争中如鱼得水。煤炭企业的新旧更替是煤炭市场发展的必然趋势，优胜劣汰将成为市场发展的必然。其结果必将是对国内、国际煤炭市场份额的再分配。因此，如何在不断变化着的新的市场格局中合理定位、找到适合企业特点的生存和发展空间，将成为摆在每个煤炭企业面前的不容回避的重大课题。

4. 供需基本平衡、资源相对充足、竞争更加激烈将成为煤炭市场发展的主旋律

"十五"初期，在国家关井压产的宏观经济政策影响下，煤炭市场整体上将呈现出供需基本平衡、受煤炭资源地理布局及运输条件等因素影响，局部地区在一定的季节和时间范围内，资源相对偏紧的基本格局。然而市场经济不是短缺经济，煤炭作为关乎国计民生的重要工业能源，一个供需基本平衡、资源相对充足的稳定的煤炭市场，是我国国民经济持续健康发展的基础，也必将成为国家对煤炭行业宏观调控的目标。电力系统改革、电网改造、西电东输、西气东送以及大力发展水电、核电、天然气等清洁能源的国家能源工业发展战略，将使我国能源市场格局更趋合理，能源资源开发布局调整和能源运输方式的综合开发、利用，对今后的能源供应将会产生更大的影响，特别是中国加入WTO后，国内煤炭市场将与国际市场逐步融为一体，国内煤炭生产企业和消费行业可以充分利用国内、国际两个市场，优化调整煤炭资源配置、以市场化的手段化解市场供需矛盾。不同能源之间和煤炭行业内部的竞争也将会进一步加剧。煤炭运输问题逐步缓解、能源供应增加和WTO对国内经济的冲击，有可能会在一定时期内影响煤炭供需平衡，形势将不容乐观。

总之，WTO是一柄双刃剑，从经济发展总的趋势来看，加入WTO对中国经济的发展无疑将起到积极的促进作用。但与人类社会的发展道路一样，中国经济的腾飞也必将经历一个螺旋上升的过程。WTO在中国的运行过程，是一个由欠完善的市场经济向完善的市场经济体制转变的过程。而在这个转变过程中，国内经济必然会经历一个痛苦的阵痛期。入世初期，由于过渡期的存在，国内经济可能不会受到大的影响，受国际煤炭市场转暖、煤炭出口渠道放宽等因素影响，煤炭出口量可能还会有所上升，对煤炭行业来说总体上是利大于弊，但随着过渡期的结束，国内一些主要煤炭消费行业如冶金、化工等将受到较大影响，WTO对其他行业的冲击也可能会反作用于电力工业，对电煤需求产生消极影响，煤炭市场可能会受到较大冲击。未来的市场竞争，归根结底是企业素质和整体实力的较量。煤炭行业既要对煤炭市场保持足够的信心，也要抓住机遇加大改革力度、提高企业整体素质和市场竞争能力，建立起稳定、可靠、安全的市场体系、用户结构和信用机制，做好迎接挑战的充分准备，确保企业在未来激烈的市场竞争中立于不败之地。

世界煤炭工业前景和安全生产发展趋势

21 世纪全球煤炭工业走势

一、世界能源现状

随着工业的增长，21 世纪世界对能源和矿产的需求都将大幅度提高。预计从 1993 年到 2010 年世界能源年均增长 2.2%。

如果没有能源和原材料，世界文明将无以存在，而世界人口的增长将导致对能源和矿产需求的持续增长。世界一次能源的 76%仍然来自化石燃料，石油占 33%，煤炭占 23%，天然气占 20%。相反，相对规模大、造价高的核电站提供的能源只占 6%，大规模的水电工程提供的能源占 4%，而新的可再生能源如太阳能、风能、水电及地热能等只占 2%。而核电是在所在国政府大力支持下用了 50 年的时间才达到 6%的市场份额。

据有关资料显示，原油储备在 21 世纪的头几十年还可保证供应，原油产量的峰值将出现在 2010 年。即使是世界储量最丰富的化石能源——煤炭，其已探明的储量为 19400 亿 t，也只能持续开采大约 225 年的时间，并在 2150 年产量达到最高。然而，在这个能源日益匮乏的世界，煤炭仍然担当了从石油供应的萎缩到即将到来的核能时代的桥梁作用。核能发电将增长，但是其过程是缓慢的，而且伴随着相应的危险。太阳能和地热能带来的危险性小，但在其商业应用方面还存在着技术和经济问题。太阳能的商业化，还有很长的路要走。

二、煤炭开采

1. 露天开采

煤炭价格的上涨将加快成本较高、回采率也更高的开采方法的应用，如深层露天开采和长壁开采。但是由于在人口密集地区很多露天矿开采的环境管理费用很高，有的甚至达生产成本的 50%，所以很多煤矿将转向地下开采。环境保护问题贯穿于露天开采的全程，从开采前当地居民的搬迁，到开采过程中与水有关的问题，上覆层表土剥离的问题，以及最后矿区复垦问题，等等。2000 年以后，煤炭开采浪费现象将减少，煤炭资源将得到全面利用。煤矿将为不同的消费者提供多样化的产品，而且将不再遗弃劣质煤或含碳和热能的其他产品。

2. 地下矿开采

虽然 1996 年世界 12 大主要煤炭生产国的机械化长壁开采的总产量为 9.05 亿 t，但只是世界煤炭总产量的 25%。世界现存的深煤层优质煤只有通过长壁方法才能安全开采。

长壁开采以其更高的回采率、安全性和生产率等优势必将成为厚度 1～5m 或 6m 煤层的开采方法。采用连续采煤机、梭车和给料破碎机的房柱式开采法在近期还将继续应用，但是随着遥控煤柱回收方法的采用，回采率将大大提高。遥控连续采煤机将成为重要的开采机器。

地下矿的投资将继续增加，而且煤炭企业将把主要的资金用于提高机械化水平和生产率。由于开采深度的增加、总体资源的减少、生产成本的提高和国际竞争的加剧，促使煤矿提高生产率和资源回收率。虽然仍有新的矿藏，但是勘测和开采的成本都大幅度提高了。劳动力成本通常占总成本的 50%～80%。开采和选煤的成本也将因为政府法律、环保规则和开采深度的影响而增加。采用较高生产率大规模开采的大矿将成为未来采矿业的主角。未来非爆破技术将成为主流开采方法，机械化开采的发展速度将更快。机械化开采的成本将高于现在钻孔爆破法开采的成本，但是它将成为解决未来劳动力短缺的惟一途径。

采矿业未来将朝着自动化和遥控方向发展，这样会带来更高的生产率、回采率和安全性。在露天矿采用无人驾驶轮式装载机；在地下矿采掘矿柱区域采用遥控的无轨胶轮车，由坐在地面控制台的操作员遥控装载和运输；由计算机控制的通风系统发送并接收通风设备命令，通过安装在矿井里的传感器监视环境参数，并且通过数字或模拟信号自动控制风扇的启动和关闭、风门的打开与闭合，以及控制风扇转速，这些都已经成为现实。大多数先进的长壁工作面系统都采用了计算机控制的采煤机和掩护支架，对传感器发送到计算机上的信息作出反馈，这向全自动长壁开采工作面迈进了一大步。现在计算机维护管理程序能自动设定维护任务、产生部件需求和工作负荷预报，而且能保存大量的设备服务记录。由于有些煤矿的维护费用接近总预算支出的30%，很多设备生产商和软件开发商已经为井下钻机和运输卡车提供改进了的故障诊断装置。所有这些事例都说明自动化已经实际应用于采矿工业的每一部分。即使以现在的发展速度看，自动化也将在很多方面给未来的采矿业带来很大变化。

三、煤层气开发利用和煤炭地下气化

1. 煤层气

随着几个国家将开采更深的煤层以补充国内能源的不足，世界范围内的煤层气开发和商业化应用正在迅速发展。由于煤层气开发技术的不断进步，使其开采和应用达到空前高的水平。美国和澳大利亚的一些煤矿正在从煤层排放中收集沼气并且出售用其发的电。很多国家在这方面正加大投资，如中国、波兰和南非，未来几年很多其他国家将采取同样措施。

2. 煤炭地下气化

另一种很有前途的技术就是煤炭地下气化。在有空气、氧气或水蒸气的条件下，煤炭在地下发生气化反应生成燃气及其他产品。在俄罗斯，地下煤气化已经进入工业化应用阶段。但煤炭地下气化目前还存在问题，主要是由于该系统生成挥发性气体，气化效率不高。煤炭地下气化的发展趋势有2个方向：一是为提高成品气热能和气化效率而改进现有技术；二是向深层煤气化方向发展。

人们对在商业应用上可行的地下煤气化工艺评估很积极，而且这项技术在很多发达国家已经很先进了。由于世界市场廉价油和气的供应问题，现在该技术的利润和研发水平还不高。只有在资源和消费以及其他的经济因素都适合时，煤炭地下气化才会有大的发展，尤其在深层煤和劣质煤的地下气化方面。

四、环境威胁

提倡增加煤炭应用而代替萎缩的石油供应的人应该注意燃煤会增加污染，而且会造成未来成本的极大增加。1992年联合国在里约热内卢达成了“关于气候变化的框架协议”，呼吁减少人类排放的温室气体，这些气体被普遍认为是全球变暖的主要因素。全球每年大约排放2000亿t的二氧化碳，其中1900亿t是自然生成的，而100亿t是人为产生的。人类的行为很可能造成气候的显著变化和海平面的升高，应该受到警告。我们的目标是稳定大气含量中的温室效应气体，这要求在世界范围内降低燃料的使用这样就不得不出台一些如征收碳税等严格的政策。在英国已经开始在用电清单中征收10%的化石燃料税。但这可能给世界特别是发达国家，尤其是美国采煤业的发展带来很大威胁，随着很多煤矿煤炭产量的降低和可能关闭煤矿的增加，煤炭开采成本将大大增加。

随着能源消耗和化石燃料使用的增加，酸雨问题日益严重。由于硫或多或少地存在于所有的煤炭当中，燃煤过程的硫化物排放是造成酸雨的重要原因。硫化物和酸的排放已经成为所有发达或工业国家面临的严峻问题。虽然酸的排放问题还主要存在于欧洲和北美，但中国华南地区出现了极高的含酸量说明这个问题在发展中国家也将变得严重起来。虽然在大多数发达国家近20年来硫的排放量已显著降低，而在包括中国和印度在内的依靠煤炭的发展中国家的未来却仍然堪忧。由于缺少有效的降低硫排放的措施，到2010年时东南亚国家二氧化硫的排放量将为现在的3倍。当空气中硫的含量达到污染最严重时的中欧和东欧的最大含量的2倍时，空气质量将恶化。

（陈玉环摘译）

世界煤炭前景和十大煤炭公司经营战略

黄盛初

煤炭工业产业结构调整、企业重组和提高企业竞争力是我国当前煤炭工业的重大战略性问题。大煤炭公司重组，跨地区、跨国经营可以带动行业产业结构调整和市场竞争力的提高。高产高效建设和减人提效是降低生产成本、提高竞争力的关键。中国煤炭工业协会2002年9月21～23日在成都召开全国高产高效矿井建设经验交流会，命名表彰100座高产高效矿井，标志着我国高产高效矿井建设发展到一个新的水平。

最近10年来，随着经济全球化加剧，世界大煤炭公司采取重组和对外扩张战略，确保经营效益持续增长和竞争优势。与此同时，随着开采技术深度的增加，各产煤国地下煤矿产量所占比例呈增长趋势。世界大煤炭公司都增加高产高效矿井投人，长壁开采技术向大型化和智能化方向发展,生产效率不断提高。本文以世界权威机构研究报告和煤炭信息研究院课题研究成果为基础,分析世界煤炭生产和消费趋势,以及世界大煤炭公司经营战略,深入研究长壁开采技术最新进展,同时介绍国外高产高效典型矿井长壁开采技术和经验，祈望对我国煤炭工业战略重组和高产高效矿井建设有所借鉴。

一、世界煤炭生产与消费趋势

世界煤炭生产取决于市场需求、资源条件和生产技术。在过去10年中各国煤炭生产发展很不平衡。澳大利亚、印度、美国和南非煤炭产量呈强劲增长趋势，分别增长约1亿t，南非增长约50Mt，俄罗斯和德国均下降1亿t以上，英国和波兰也分别下降6000万t左右。中国煤炭产量减少对世界煤炭产量有重大影响，中国煤炭产量1996年达到13.74亿t，最近几年采取关井压产，到2000年产量下降为约10亿t。总体而言，在过去10年中世界煤炭产量呈下降趋势，由1990年的48.86亿t下降到2000年的42.98亿t。

世界各地区煤炭消费趋势大相径庭。从1985～1999年北欧和西欧煤炭消费下降了35%，主要是由于使用大量天然气所替代。在前苏联和东欧国家，由于经济崩溃或产业结构调整，从1985年到1999年煤炭消费量下降了48%。在多数国家，在这一时期煤炭消费则呈增长趋势。但总的趋势是，世界煤炭消费量在能源构成中所占比例趋于下降，由1985年的27%下降到1999年的22%。据国际能源机构和美国能源部能源信息局预测，世界煤炭消费量主要变化趋势如下：

(1) 在未来的20年内，世界能源消费量年平均增长率为2.0%，世界煤炭需求量呈低增长趋势，年平均增长率为1.7%，天然气年增长率则高达2.7%。

(2) 世界煤炭消费量将由2000年的42.98亿t增长到2020年的58亿t，增加15亿t。其中亚洲煤炭消费增长量达13.2亿t，主要是燃煤电厂用煤增加。中国和印度两国煤炭消费量增长占世界煤炭总消费量增长的73%。

(3) 煤炭在世界一次能源消费构成中所占比例将由1999年的22%下降到2020年的20%。

(4) 世界煤炭贸易量将由1999年的5.48亿t增加到2020年的7.04亿t。

二、国外10大煤炭公司经营战略

在过去10年间，世界煤炭工业进入了全球化时代，跨国公司并购活动加剧。1995年，世界最大的煤炭公司是美国皮博迪集团，年产煤1.3亿t，居第二和第三位的是赛普路斯—阿马科斯煤炭公司和英格威煤炭公司，年产量分别为75Mt和70Mt。5年后，赛普路斯—阿马科斯煤炭公司被德国鲁尔集团公司所并购，而英格威煤炭公司则成为比利顿公司的一个子公司，去年比利顿公司又与BHP合并，成为必和必拓公司。皮博迪集团仍保持世界第一大产煤公司的地位，2000年产煤176.11Mt，比1995年增长了35%。

2000年国外10大煤炭公司生产与经营主要指标见表1（按当年产量排序）。10大公司中有9个公司盈利，只有阿奇公司出现亏损。煤炭产量和总收益最高的是皮博迪集团，利润最高的是力拓公司，煤炭出口量最多的是BHP集团，煤炭出口量占产量比重最高的是格伦科雷公司。世界10大煤炭公司均采取多元化经营战略，在公司经营总收入中煤炭份额只占20%以下，如比利顿为18%、力拓16.5%、BHP14%、安格尔6%。在纽约证券所上，固本阿奇、力拓和BHP公司股票自2000年以来呈现明显上涨趋势。

2000年，国外10大煤炭公司主要投资市场是美国、澳大利亚和南非，在这3个国家的煤炭开采业中占绝对优势（表2）。如比利顿、安格尔、格伦科雷和萨索尔4个公司的煤炭产量占南非煤炭总产量的87%。

表1　2000年世界10大煤炭公司生产与经营主要指标

集团或公司	储量/Mt	产量/Mt	出口量/Mt	出口量 产量/%	总收益 /亿美元	利润（亏损） /亿美元	雇员人数
皮博迪	86.18	176.10	10.50	6.00	27.11	1.932	6000
力　拓	38.00	132.00	25.40	19.24	16.50	2.410	34399
阿　齐	35.00	106.70	4.00	3.75	14.00	−0.123	3745
鲁　尔	—	97.00	7.00	7.22	—	—	—
比利顿	—	68.60	34.00	49.56	10.98	1.330	30000
安格尔	38.00	64.80	23.10	35.65	8.89	1.690	—
固本能源	45.00	63.10	9.00	14.26	21.00	1.070	6758
BHP	—	54.10	35.00	64.70	18.30	1.200	35000
萨索尔	—	50.90	3.50	6.29	4.80	0.640	30000
格伦科雷	20.00	39.10	31.00	79.28	350	—	—
合　计	—	852.00	182.50	21.42	—	—	—

表 2　2000 年世界 10 大公司的主要市场

集团或公司	美国	澳大利亚	南非
皮博迪	156.8	11.1	
力　拓	101.1	24.1	
阿　齐	106.3		
鲁　尔	58.1	5.5	
比利顿		5.25	59.4
安格尔		8.2	55.2
固本能源集团	61.8		
BHP	14.2	32	
萨索尔			50.9
格伦科雷		15.7	19.3
产量合计/Mt	498.3	101.8	184.8
占该国煤炭总产量比例/%	51	46	87

10 大煤炭公司中，在美国开采煤炭资源的有 6 个公司，2000 年产煤 500Mt，占美国煤炭总产量的 51%。排在第一位的是皮博迪集团，产煤 176Mt，占美国煤炭总产量的 16.1%。阿齐煤炭公司位居第二，产煤 106.7Mt，占 11%。其次是力拓集团，产煤 101Mt，占 10.2%。固本能源集团排第四位，产煤 63.1Mt，占 7%。最近几年德国鲁尔集团进入美国并成功地迅速发展，2000 年在美国生产煤炭 58.1Mt，占 6%。BHP 集团在美国的煤炭产量是 14.2Mt。鲁尔集团是通过买进赛普路斯—阿马科斯煤炭公司的煤矿而成为在美国重要煤炭公司。力拓集团则是通过其子公司肯纳科特能源集团成为拥有美国西部煤炭资源的一个重要的煤炭公司。除固本能源集团外，在过去几年中上述公司都向美国西部煤矿进行大量投资。如，2000 年怀俄明州产煤 315Mt，其中 86%是由上述公司生产的。

在澳大利亚，BHP 集团、力拓集团、格伦科雷公司、皮博迪集团、安格尔公司、鲁尔集团和比利顿 7 家大公司产煤 109Mt，占澳大利亚煤炭总产量的 46%。澳大利亚今后的发展趋势是减少煤炭公司个数，但所产煤炭还将略有增长。2001 年，皮博迪把其在澳大利亚的煤矿出售给力拓集团。格伦科雷公司买进了尤兰矿。BHP 集团已与比利顿公司合并为必和必拓公司。目前在澳大利亚的大煤炭公司已由 7 个减少为 5 个。

这些大公司在澳大利亚的煤炭产量分布比较均匀，在昆士兰州和新南威尔士州的产量均为 55Mt。在新南威尔士州产煤最多的是格伦科雷公司，在昆士兰州最大的煤炭公司是 BHP 集团。2000 年，在南非的比利顿煤炭公司、安格尔煤炭公司、格伦科雷公司和萨索尔矿业公司 4 家公司共产煤 185Mt，占南非煤炭总产量的 87%。南非生产的煤炭每年供应本国埃斯科姆电力公司发电用煤 85～90Mt，其余进入国际煤炭市场或销售给当地民用。萨索尔矿业公司是萨索尔集团独资的子公司，是南非第三大煤炭公司，煤炭产品主要用于萨索尔集团的合成汽油和石化产品的生产。

三、开采技术发展新趋势

1. 美国长壁工作面调查

美国地下煤矿产量占全国煤炭产量已超过 50%。美国有 53 座煤矿装备了 57 个长壁工作面，基本上一个矿装备一个长壁工作面，有 4 个煤矿各装备 2 个长壁工作面。固本能源集团共有 16 个长壁工作面。每矿平均年生产能力由 10 年前的 1.31Mt 增长到目前的 1.73Mt。

美国长壁工作面设备供应商主要是美国乔依采矿设备公司、德国 DBT 公司和长壁开采设备联合公司。DBT 公司去年宣布并购朗艾道公司。长壁开采设备进一步向大型化、大功率方向发展。采煤机平均功率为 920kW，有 4 个工作面装备采煤功率超过 1500kW，有 30 个长壁工作面设备电压为 4160V。必和必拓公司在圣胡安南部新墨西哥 1 号煤矿安装了全美国最现代化大型设备，采煤机为乔依 7LS－5 型，功率 1566kW，电压 4160V，开采煤层厚度 4.57m，采高 4m，支架为乔依 2/1100 二柱掩护式支架，输送机为乔依 48TIB3×1150 型，宽度 1100mm。

2. 澳大利亚长壁产量继续增长

2000 年 7 月 1 日至 2001 年 6 月 30 日，澳大利亚 34 个长壁开采矿井共产煤 81.9Mt，比上一年度增长 4%。有 11 个长壁开采矿井位于昆士兰州，总产量 34.3Mt，每个矿井平均年产量 3.1Mt。有 23 个矿井位于新南威尔士州，总产量 39.45Mt，每个矿井平均年产量为 1.7Mt。澳大利亚有 6 个矿井超过 4Mt。澳大利亚长壁开采矿井的下一个目标是工作面年产量突破 6Mt。奥奇北矿、纽兰兹矿、莫兰巴北矿在 2001 年就已经提出实现工作面年产量 6Mt 的目标，安格尔公司莫兰巴北矿最有希望突破 6Mt。第二个能实现这一目标的矿将是力拓公司克斯特雷矿。

3. 长壁开采设备发展趋势

（1）采煤机。近年来，采煤机的截割速度一直在增加。目前采煤机的截割速度一般在 0.2～0.25m/s。一些新研究开发出来的采煤机的截割速度达到了 0.4～0.6m/s。采用计算机人工智能控制的采煤机以及具备超前防护功能液压支架的应用，使长壁工作面的生产能力和效率持续得到改善。内置式多功能微处理机和控制系统的使用，是近几年在采煤机控制技术方面取得的重大进步。微处理机的应用功能的增加使采煤机生产能力和性能大为改进。另外，人工智能装置的采用，使采煤机增加了动态控制与故障处理能力。安装在采煤机上的计算机人工智能系统，可根据煤层地质条件的实际变化情况，自动地改变采煤机的运行状态参数。采煤机截割速度、截割滚筒和挡煤板的位置、截割速度等可通过程序来进行控制。

而今，在采煤机的控制技术方面，普遍要求实现红外线监控，并具有图像/数字传输系统。目前市场的发展趋势正在朝着图像/数字传输系统方向发展，以实现在地面自动控制工作面采煤机采煤作业。

（2）工作面液压支架。工作面液压支架设计使用寿命要求大于60000个循环。在设计和制造支架时，应用有限元分析法、动态与静态加载测试等研究分析手段来验证其可靠性和稳定性。支架形式普遍采用二柱式，立柱的直径也增加到400mm以上。大型支架立柱的直径在掩护支点至立柱柱窝间的中心距达到1.75m时，必须具有足够的支护强度。为满足在采煤机的截割深度大于1000mm的要求，不仅需要增加支架顶梁的长度，也要求增加支架的支护强度，于是就有必要增加支架立柱的直径，以满足增加支撑力的要求。

（3）工作面输送机。长壁工作面输送机不仅是运输煤炭的设备，也是采煤机运行的轨道。随着长壁采煤工作面长度的增加和煤炭产量的不断增长，工作面输送机链的直径也不断增大。现阶段，高产长壁工作面输送机溜槽宽度通常为1342mm，采用直径为ϕ42mm双边链，总装机功率2220kW。这种输送机用于长度为300m的工作面，小时运输量可达到5000t。为保证高产长壁工作面输送机达到这一运输能力，就必须能满足输送机全载起动运行时具有较高的起动电压和起动功率。

四、国外典型高产高效矿井

1. 美国二十英里矿

美国二十英里矿位于科罗拉多州西北部，一直保持美国长壁开采高产高效纪录，1999年产量为7.1Mt，2000年产量为5.9Mt，2001年产量为6.82Mt，全矿只有271名矿工和81名管理人员，共352人，包括选煤厂在内。

二十英里矿于1983年投产，开始时采用房柱式开采，产量规模很小。1987年开始进行矿井改造，采用长壁开采盘区布置，1989年第一个长壁工作面投产，至2001年底累计产煤56.9Mt，二十英里矿原属于赛普路斯一阿马科斯公司，1999年由德国鲁尔集团所并购。

（1）地质条件和储量。二十英里矿位于科罗拉多州北部至怀俄明州南部的格林河煤田，属上白垩纪，煤层厚度为2.6～9m，煤层倾角10°或以下，开采深度为300～400m。矿井煤炭储量为100Mt，按目前的生产规模，生产寿命可至2019年。

（2）盘区开拓。二十英里矿有2套掘进系统。每套掘进系统包括：一台乔依12CM12连续采煤机，2台Fletcher锚杆机，乔依梭车。掘进巷道宽度6m，高2.9m，使用1.8m长树脂锚杆支护，必要时增加钢丝绳桁架锚杆加强支护。

（3）开采技术。二十英里矿按一矿一面生产系统布置。第一个长壁采区位于井田西翼，共9个工作面，从1989年开始，到1996年采完。然后开采东翼采区，共8个工作面，到2001年初采完。目前转移到北翼采区，共15个工作面。当条件适宜时，为提高效率和降低成本，高产工作面长度有进一步增长趋势。引进长壁开采技术初期，工作面长度为195m，目前已加大到305m，工作面盘区长度达3.3～5.5km。

工作面设备采用朗艾道公司Electra3000型采煤机，德国DBT公司液压支架和输送机。采煤机截深为900mm，截割速度为40m/min，采用计算机智能监控系统控制。每天2班生产，长壁工作面设备总投资为2730万美元。二十英里矿创造了多项产量纪录，1999年创造世界长壁工作面高产纪录，当年产量为7.6Mt。

2. 澳大利亚莫兰巴北矿

莫兰巴北矿位于马凯市以西180km处，距南面莫兰巴镇15km。该矿位于鲍恩煤田，生产优质焦煤，平均灰分8.5%，水分10%，产品出口国际市场。

莫兰巴北矿的长壁工作面于1999年1月中旬建成投产，第一年生产原煤4.2Mt，在其后的5年内煤炭产量逐渐增加，到2003年原煤产量达到6Mt。在不久的将来，这座现代化煤矿煤炭产量将达到7～8Mt，人均年生产效率为36000～37000t，成为世界上生产效率最高的3座煤矿之一。

（1）工作面布置。GM煤层的平均厚度为5～6m，长壁工作面的最大采高4.5m，留0.4～0.9m煤作为护顶煤。长壁工作面宽度260m，第一个盘区长度2.4km，最大的盘区长度为3km。软泥岩顶底板可能是最大的地质限制条件。为此底板采用了混凝土集料加固，特别是对人行道底板的加固。煤巷掘进时，顶板留2m厚的护顶煤，以提供一个安全进行顶板锚杆安装的平面。

（2）长壁工作面设备。长壁工作面是莫兰巴北矿的生产中心，因此购买长壁工作面设备的方案制定非常严格，以保证煤质、技术和安全条件得到满足。

设备购买分两个阶段：首先购买采煤机、液压支架、工作面输送机和转载机等主要设备，制定招标准则并选择设备供应商，乔依公司中标并提供成套设备，采煤机功率为1510kW，支架支撑力为2×980t，输送机功率为2×800kW。当这些设备计划购买之后，再购买液压设备、电气设备和运输巷的各种设备。投产一个长壁工作面需要一笔很大的投资，整个工作面设备购置费约5000万澳元，安装和模拟试验费等附加费用240万澳元。

长壁工作面设备安装于1998年11月23日开始至12月23日完毕。工作面于1999年1月19日正式投产，并继续进行设备的调试和检查，直到1月底结束。到1999年底，长壁工作面的日产量已达到25000t原煤。预计该矿年煤炭产量将从投产的第1年生产原煤4Mt增加到今后5年内的6Mt。

五、结论和建议

从本文讨论中可以得出如下几点结论和建议：

（1）尽管近年来世界煤炭产量有所下降，但预测今后20年内世界煤炭需求将呈增长趋势。到2020年，全世界煤炭需求量年平均增长率为1.7%，在未来20年中净增15亿t，其中亚洲国家占13.2亿t。

（2）2000年世界10大煤炭公司总产量为8.52

亿 t，占世界煤炭产量的 20%以上。10 大公司有很强实力，有 9 个公司经营盈利。当前经济全球化趋势进一步加剧，10 大煤炭公司调整经营战略，其投资重点主要集中在美国、澳大利亚和南非。

（3）公司重组、向外扩张和多元化经营是世界大煤炭公司确保经营效益持续增长和保持竞争优势的重要战略。BHP 和比利顿合并而成世界第三大矿业公司。德国鲁尔公司在国内经过 10 余年产业结构调整而未能走出困境，而瞄准美国和澳大利亚市场而成功进入并迅速扩张，仅在美国年产量就发展到 58.1Mt，鲁尔公司目前在全世界范围内掌握的煤炭总产量达 125Mt（产量和贸易量）。近年来，世界大煤炭公司对投资中国煤炭行业表示极大兴趣，10 家大煤炭公司有 4 家在同煤炭信息院接触，为投资中国煤矿开展前期调研。建议国内有实力的煤炭企业集团研究应对策略，探索与国外大煤炭公司合作模式，对于推进我国煤炭企业重组，振兴煤炭行业和参与国际竞争有重要意义。世界银行也在关注中国煤炭行业投资前景。最近，煤炭信息研究院和日本、美国和英国知名咨询公司组成的专家组将共同承担世界银行援助项目“中国煤炭工业管理体制和投资环境”研究项目，为外国公司投资中国煤矿提供支持。

（4）美国和澳大利亚煤矿长壁开采发展趋势是高强度集中生产，基本采用一矿一面生产系统，美国长壁开采矿井平均年产量为 1.73Mt，澳大利亚则为 2.4Mt，澳大利亚有 3 个矿井提出突破年产 6Mt 水平。采煤机、液压支架和输送机等长壁开采设备向强力、大功率方向发展，采用人工智能控制系统控制。实现工作面开采作业自动化。美国二十英里矿和澳大利亚莫兰巴北矿是世界顶级高产高效典型矿井，长壁工作面技术装备和生产效率均属世界最先进水平，建议我国高产高效矿井建设要注意借鉴美国和澳大利亚经验。世界大煤炭公司重视增加高产高效矿井投入。我国高产高效矿井建设要调整策略，重点依靠大企业集团，并从而推动行业技术进步。

南非煤炭工业概况

伊恩·罗宾逊

南非目前每年生产大约 3 亿 t 的硬煤，销售约 2.3 亿 t。作为煤炭生产国，它排名世界第 5 位，位居美国、中国、俄罗斯和澳大利亚之后。但是作为煤炭出口国它却仅次于澳大利亚，在世界上排名第 2。安哥拉美国集团的一个分部安哥拉煤炭公司和比灵顿－BHP 集团公司的一个分部英格威（Ingwe）煤炭公司是主要的生产商。其他规模大的生产商还包括生产合成燃料和石化产品的萨索尔（Sasol）公司、杜依科（Duiker）矿业公司、艾兹唯（Eyesizwe）和库巴（Kumba）资源公司。随着南非煤炭储量品质的下降，南非选煤工程师的作用将变得越来越重要。在煤矿与市场的连接方面，选煤工程将发挥更大的作用。

在南非丰富的煤炭储量中，威特班克—海维尔德（Witbank－Highveld）煤田占有重要地位。南非的出口煤大部分来自这个煤田，而该煤田的开采历史已有 1 个多世纪了。理查德湾煤炭码头（RBCT）是南非重要的出口码头，几乎所有南非的煤炭都是从这个码头通过 1 条专用的煤炭铁路出口的，只有少量煤炭是通过玛谱托（Maputo）和渡班（Durban）码头出口的。为了满足一些小规模生产商的要求，政府已决定将 RBCT 码头的年处理能力从 7200 万 t 扩建至 8200 万 t。这可能是 RBCT 码头的最后一次扩建，它为南非的煤炭出口规模有效地划定了一个界限。

RBCT 码头的扩建将使威特班克－海维尔德煤田高品质煤炭的储量快速减少，在其煤田范围内的一些出口煤矿，其服务年限已大大缩短。

南非出口煤的重点已经从低灰煤（混合炼焦煤）转向动力煤。随着原煤品质的降低，在最大限度提高煤炭产量的同时必须要生产出质量符合出口要求的煤炭，因此成本核算已变得更加重要。更多的煤矿将从单一出口的煤矿转型为生产多品种煤炭的煤矿，同时会对废弃的矸石进行综合利用。重点是改进细粒煤和超细煤的洗选。

南非煤炭工业已经认识到威特班克－海维尔德煤田的重要性，并制定了“煤炭技术 2020 规划”。这是由采矿行业、CSIR 矿业技术部门（Miningtek）、政府、工人以及威特沃特斯兰德（Witwatersrand）和普利陀利亚（Pretoria）的多所大学，在 1998 年 11 月提出的 1 个合作研究规划。通过应用先进技术来延长威特班克－海维尔德煤田的开采寿命是这个规划最重要的任务之一。

尽管用于煤炭出口市场的高品质煤炭储量正在减少，南非仍然是 1 个能源充足的国家，并且仍有大量的煤炭储量用于满足国内市场的各种需要。

南非国内的 3 个主要的煤炭需求市场是：电力，萨索尔公司（用煤生产燃料和石化产品）和其他国内市场（工业、冶金、商业及家用煤炭市场，矿业用煤）。在其他国内市场销售最多的是经过筛分的煤（＋6mm）。

南非冶金用煤的储量是有限的。艾斯科公司为了维持钢铁生产，除了从这些国内资源公司中得到供应外，还从库巴资源公司的施康蒂尼矿(Tshikondeni)和格鲁泰路克矿（Grootegeluk）进口了一些炼焦煤。铁合金工业所需的低磷煤和无烟煤资源也是有限的。不管怎样，南非仍有丰富的煤炭资源供应国家公共事业公司埃斯考姆(Eskom)公司和合成燃料及石化产品的生产商萨索尔公司。南非用电的价格在1.3～1.8美分/kWh之间，是世界上最便宜的电价，并由此引发了在该地区大规模铝工业的发展。不过，随着埃斯考姆公司对公众的咨询作出更多的反馈，以及新添设备的费用包含到了电价中，人们预计南非的电价将有所上升。

萨索尔公司使用低品位、高灰分(25%～33%)煤生产合成燃料和石化产品。大多数的煤是由它的附属公司——萨索尔矿业公司从工厂附近的煤矿提供的。可是，来自莫桑比克彭德（Mozambique）和泰玛尼（Temane）的天然气将在萨索尔的工厂代替大量的用作生产原料的煤炭。

萨索尔公司已决定改造位于萨索尔博格（Sasolbrug）的萨索尔化学工业（SCI）工厂，使之完全使用天然气做原料。2000年萨索尔矿业公司关闭了为SCI提供原料的地下矿——西格玛(Siegma)煤矿，并将在很短的几年内停止沃德尔沃特(Wonderwater)露天矿的生产。在赛昆达（Secunda）的萨索尔合成燃料工厂也将用天然气来代替煤炭，并且所有未来的发展将建立在天然气的基础上。萨索尔工厂原料向天然气的转换，将使萨索尔矿业公司提高其煤矿的煤炭出口量。

（赵爱东编译）

澳大利亚煤炭出口分析与展望

［澳］L·布瑞姆

一、澳大利亚煤炭出口优势明显但也面临挑战

2002年，澳大利亚煤炭行业的结构日趋合理化，新技术的普遍运用和煤炭生产能力的提高，使得澳大利亚2002年煤炭出口价格更具有竞争性。

强化出口煤矿的所有权和管理已经成为澳大利亚降低生产运营成本，保持国际竞争能力的一个重要因素。澳大利亚是煤炭生产成本最低的国家之一，如果不把货币贬值的影响计算在内，在1999～2001年期间，澳煤的FOB价降低了5%。

由于煤矿形成了大规模的联合操作，煤矿之间的协同经营已经得到很好的发展。这种协同经营，能增强煤矿运行的灵活性，通过集中管理降低杂项开支，达到规模经济，提高资本使用率。澳大利亚昆士兰州的矿山运营成本每年以11%的平均速度下降，使得澳大利亚动力煤到日本的CIF价格降低了6.2%。全球对澳大利亚优质煤的需求日渐增长，使得澳大利亚在国际煤炭市场继续保持领先地位。

如果澳大利亚能继续保持自1994年以来一直维持的11%的年平均增长率，在强化矿山所有权的同时提高资本设备使用效率，成本逐渐降低的澳大利亚煤炭的出口优势将更为明显。澳大利亚出口煤的种类和目的国见表1，澳大利亚部分港口出口能力见表2，澳大利亚部分港口扩建计划见表3。到2006～2007年之前，澳大利亚的煤炭产量计划达到2.95亿t，年增长率为2%。在同一时期，澳大利亚的煤炭出口预计以每年2.5%的速度增长，到2006～2007年预计将达到2.23亿t。

但是，一些能源大国例如中国、印度、印度尼西亚和俄罗斯，正在提高煤炭生产效率，他们可能会对澳大利亚在国际煤炭市场的绝对优势提出挑战。

澳大利亚农业和资源经济局（ABARE）指出，中国计划对大批效率低的小煤矿进行合理化改造，并把520个国有重点煤矿企业合并成7大地域性集团。印度是澳大利亚的另一个重要的煤炭进口商，目前也计划对其国内的煤炭工业进行改革。印度尼西亚由于矿山运营成本也在下降，其出口煤在日本市场也变得更有竞争性。

由于传统的煤炭供应国和新兴的发展中国家，如中国，提高了其煤炭出口能力，预计国际煤炭交易市场的竞争，特别是动力煤市场的竞争在近期将会变得激烈。

二、澳大利亚动力煤出口受到影响

全球的硬煤消耗预计会随着亚洲经济和日本经济的增长而稳步地增长。由于电力行业生产的日益扩张，以及煤炭与其他燃料比较起来更具有竞争性，电力行业将为煤炭出口的增长提供更多的动力。预计澳大利亚在亚洲动力煤市场的份额将从2000年的43%增加到2010年的52%。同时，煤炭买主更愿意购买现货煤，签订短期供煤合同。看来，保证长期可靠的煤炭供应，并不是一个非常重要的因素。

煤炭的商品化及其他能源对煤的替代，因主要进口国(日本和韩国)的公用电力事业正在加快撤销管制的改革而得到很快的发展。随后，电力供应的竞争也要求降低燃料费用。在某种程度上，对煤的替代在技术上

是可行的，公用事业部门可以按煤炭的技术参数，而不是煤炭的品牌去购买煤，从而增加燃料供应的灵活度。煤炭供应渠道众多，同时煤炭与其他燃料的竞争加快了煤炭商品化的进程。

在这种情况下，澳大利亚动力煤出口增加的机会仍然存在，但是规模却缩小了。

三、澳大利亚炼焦煤出口优势明显

据预测，到2007年之前，国际市场炼焦煤的需求量，会以每年平均1%的增长速度增加。预计在2003～2004年，由于世界钢铁生产的复苏，煤炭需求会有较大增长。而煤炭出口将随着世界钢铁生产的复苏而增加，增加量主要来自澳大利亚，中国和俄罗斯同样也会占一定的份额。

与过去10年的走势一样，对炼焦煤的需求预计将

表1　澳大利亚出口煤量　　单位：Mt

澳大利亚煤炭出口总量	1997～1998年	1998～1999年	1999～2000年	2000～2001年
动力煤总量	79	84	79	88
日　　本	40	39	43	50
韩　　国	16	14	11	13
中国台北	10	9	9	9
欧　　盟	4	11	5	7
炼焦煤总量	84	85	97	106
日　　本	33	34	40	43
印　　度	9	8	9	9
韩　　国	6	5	5	6
欧　　盟	14	16	19	21

表2　澳大利亚部分港口出口能力　　单位：Mt

出口港口的存煤能力	1997～1998年	1998～1999年	1999～2000年	2000～2001年
纽卡斯尔（新南威尔士州）	65	68	66	67
肯布拉港（新南威尔士州）	11	8	7	9
布里斯班（昆士兰州）	2	2	2	2
杰拉尔顿（昆士兰州）	26	27	30	35
黑泊特（昆士兰州）	25	24	28	29
多瑞葡贝（昆士兰州）	27	30	37	41
奥尔博斯特（昆士兰州）	7	10	9	11
出　口　总　量	162	170	177	194

表3　澳大利亚部分港口扩建计划　　单位：Mt

港　　口	出　　口	出口能力	计划扩建	竣工日期	扩建后的存煤能力
纽卡斯尔（新南威尔士州）	67	89	11	2005	100
肯布拉港（新南威尔士州）	9	16			
布里斯班（昆士兰州）	3	5			
杰拉尔顿（昆士兰州）	36	35	5	2003	40
黑泊特（昆士兰州）	33	40			
多瑞葡贝（昆士兰州）	39	40	14	2003	54
奥尔博斯特（昆士兰州）	11	12			

比动力煤的需求增长速度要慢一些。

在炼焦煤市场，一个明显的特点是，煤的配比（以及煤的品牌）会根据特定的高炉操作的技术和经济参数的需要进行配制。这些将更适合稳定的煤炭供应的安排，因为保持操作稳定性和保持操作一致性对确保工厂效率和生产力最大化非常关键。

作为炼焦煤的供应方，澳大利亚在这方面有非常明显的优势。澳大利亚在亚太地区的主要竞争对手是加拿大和美国。由于煤炭储量逐渐减少以及较高的生产成本，加拿大和美国正逐渐失去在该地区的市场占有率。

据预测，在未来一段时间内，炼焦煤市场仍然会维持严峻的形势。

四、澳大利亚煤炭出口地区情况分析

1. 昆士兰州是出口煤炭最多的地区

昆士兰州是澳大利亚煤炭出口最多的州。截止到2002年6月30日的财政年度显示，昆士兰地区出口了1.175亿t的煤到世界32个国家，进口国主要集中在亚洲。

由于生产能力的提高、矿山扩建以及露天矿开采条件的改善，该州原煤产量达到了1.73亿t，其中洁净煤的产量创造了1.383亿t的新纪录。在过去的5年中，昆士兰州的矿山运营成本每年下降了11%，主要是因为昆士兰州的露天采矿的生产能力提高，产量增加了14.5%，达到1.346亿t；而井工开采的矿山产量只增加了0.14%，达到3830万t。在后两年里，露天矿的就业工作岗位增加了722个，达到6128个工作岗位。而在同一时期，地下开采的工作岗位却减少了大约227个，只有2339个工作岗位。

昆士兰州在国际海运煤炭贸易市场大约占有20%的份额。作为昆士兰州最大的出口商品，煤炭出口价值总计40亿美元（FOB值），比上年同期增加了大约8.28亿美元，其中炼焦煤8100万t，动力煤3650万t。

2002年，欧洲共进口了2690万t的煤，其中昆士兰州煤炭占22.9%，而日本仍是昆士兰出口煤的最大用户，进口了4770万t。在同一时期，韩国从昆士兰进口了760万t的炼焦煤和590万t的动力煤，比上一年增长了22%，成为昆士兰州第二大用户。印度是昆士兰的第三大用户，同样增加了昆士兰州炼焦煤和动力煤的进口。

到2002年6月为止，在昆士兰州矿场和港口总共贮存的煤炭数量达800万t。到2002年9月，煤炭总出口量达到1.237亿t。

目前，全球的海运动力煤出口将以每年2亿t的速度增长，昆士兰州正在开发新的露天煤矿和地下开采的矿山，新近勘探成功的煤田将使昆士兰州的煤炭储量大大增加，预期将增加其煤炭出口市场份额。

2. 新南威尔士州是活跃的煤炭出口地区

目前，新南威尔士州拥有56个煤矿，自1995年以来，新南威尔士州政府已经投资了6000万美元，鼓励对采矿业的勘探和投资。

2001年6月～2002年6月期间，新南威尔士州生产了1.142亿t的洁净煤。产量最大的煤矿分别是：申格顿（位于猎人谷的上游），产量为7020万t；纽卡斯尔（位于猎人谷的下游），产量为1700万t；西部产量为1590万t；南部产量为1110万t。

在同一时期，新南威尔士州出口了7750万t煤，其中炼焦煤2040万t，动力煤5710万t。日本进口最多，其次是韩国和台湾地区。在此期间，新南威尔士州煤出口的估计价值为28亿美元，其中日本进口了15亿美元的煤，台湾地区4.14亿美元，韩国3.37亿元，墨西哥6500万美元，印度6500万美元，中国5900万美元，德国5000万美元，其他地区3.11亿美元。

新南威尔士州港口公布的有关出口能力的数字表明，卡林顿的出口能力为每年2500万t，纽卡斯尔为6400万t，肯布拉港为1600万t。

新南威尔士州政府致力于鼓励和支持该州的煤炭工业，每年州政府要注入60亿美元的资金投入到经济发展之中，其中，对矿山生产和开发的投入几乎占了80%。在以后的5年内，新南威尔士州正计划开发大约有24个煤炭项目。如果这些项目得到实施，其累计投资额将达11.8亿美元，并且可以增加2500个新的工作岗位。

同时，新南威尔士州政府大力支持肯布拉港煤码头，使吨煤港口租赁费用降低60%，从而推动该地区的煤炭出口。

新南威尔士州的铁轨基础结构公司(NSWRIC)调整维修计划，从而最大限度地减少对煤炭运输的影响。同时澳大利亚皇家化学会已经制定了一个金额为1.48亿美元的基本建设工程计划，该计划会对煤炭产业链产生重要的影响。

猎人谷地区的煤炭运输效率预计将快速提高，该地区将计划投资1480万美元修建铁轨管理网络。该铁轨管理系统将在以后的3年中建成，届时铁路的运力大大加强，每年可以向纽卡斯尔港口输送1亿t煤，比其现在的运力增加了30%。

（《Coal Age》，2003，No.2 郭茜编译）

加入世贸组织的产煤国

世界主要产煤国家大部分为WTO成员国，按照经济状况和煤炭资源开采的难易程度来划分，可将其分为三类，第一类为煤炭资源开采条件较好的经济发达国家，第二类为煤炭资源开采条件一般的经济发达国家，第三类为发展中国家。在经济全球化的进程中，由于各国实行的政策不同，结果亦有差异，其经验与教训值得记取。

1. 第一类产煤国

澳大利亚、南非和美国是世界三大煤炭出口国，也是关贸总协定（即GATT，WTO的前身）的创始成员国。他们的经验主要有三点：鼓励出口、减员提效、投资与兼并。

(1)鼓励出口。澳大利亚联邦政府对中小型出口公司采取出口市场开发费用补偿的政策，鼓励本国煤炭出口。南非自上世纪20年代初就开始规划建设大型现代化港口和铁路运输系统。如今南非理查兹湾煤炭码头为世界之最，出口能力在6000万t以上。

(2)减员提效。在第一类产煤国中，工资成本占煤炭成本总额的40%左右。为降低煤炭成本，这些国家在增加工资成本的同时，大幅度削减职工人数，提高劳动生产率。减员后，各国劳动生产率均有提高，如1998年，澳大利亚年人均产煤量达10800t；南非人均达3700t；美国人均达11900t。劳动生产率高还有利于降低直接生产成本。

(3)投资与兼并。近年来，国际上一些大公司通过投资和兼并调整结构，使其具有足够的规模采取更全球化的投资策略，提高竞争力。目前，在美国、澳大利亚和南非，全国煤炭产量的半数来自少数竞争能力强和多元化的生产公司，1998年南非的7个年产量500万t以上的煤矿所产煤炭占总产量的51.3%；1999年美国煤炭产量在前十位的大公司的产煤量占总产量的62.5%。

2. 第二类产煤国

在西欧国家中现在只剩下4个产煤国：英国、德国、西班牙和法国。这四国均为WTO成员国。英国、德国、西班牙和法国都是依靠政府财政补贴才使得生产成本很高的煤炭工业得以生存。而这四个国家中，德国和英国的做法更具有代表性。

20世纪90年代初，德国能源专家仍然坚持煤炭是德国能源供应的支柱，要求联邦政府继续对本国硬煤给予财政补贴。但到了1994年，德国动力煤每吨成本价为311马克，而进口动力煤价格每吨仅为973马克时，政府支付的硬煤高额补贴成为沉重的财政负担。1997年，德国联邦政府和有关煤炭公司达成协议，所有硬煤矿井均由一个私营公司——鲁尔公司经营，到2005年之前关闭8座矿井，剩下的10座矿井总生产能力为3000万t，财政补贴逐渐减少到2005年的55亿马克。

英国政府为了彻底摆脱煤矿的巨额亏损，于1992～1994年间实施煤矿私有化计划。1994年，英国对国有煤矿进行公开拍卖。煤矿私有化后，生产成本均降低12%，利润达1.89亿英镑。

印度和印度印尼西亚是GATT/WTO的成员国，尽管都属于发展中国家，但其煤炭工业的发展道路颇为不同。

印度于20世纪70年代将绝大多数煤矿收归国有，由国家拨款进行煤矿建设和亏损补贴。对煤炭产品实行统一管理、计划分配、国家定价。

1900年，印度推行改革，但进展缓慢。1994年，印度政府允许国内钢铁、电力和水泥工业以合资形式开发煤炭资源，但合资股份至少为26%。新煤田的开发实施竞争招标的办法，国营和私营企业均允许投标。国外投资者合资股份可以超过50%，但需经印度政府的外国投资促进局批准。从1994年开始，印度逐步降低煤炭进口关税，将动力煤进口税从85%降至35%，焦炭从85%降至25%。1999年，动力煤进口税再降至10%，炼焦煤降至3%。同时，印度于1994年开始逐步削减对煤炭工业的亏损补贴，并对煤炭公司累积的260亿卢比亏损额给予一次性销账。

印度尼西亚政府从1981年开始将煤炭资源的开发权向国外投资商和私人开放。为争取外资开发本国矿产资源，印度尼西亚推行开发承包制，其主要内容是：政府规划出一定数量的矿产资源，由国家矿产公司代表与外国投资公司签订承包开发合同，矿区建设所需投资，完全由外方公司承担，投产后，外方每年向政府缴纳矿区使用费和所得税。从投产后的第5年开始，政府每年收回一定比例的股份，直到国有股占51%为止，收回期一般为5年。政府从1981年开始在煤炭行业推行开发承包制，经过十几年的发展和完善，煤炭开发承包制企业已经成为印度尼西亚煤炭工业的骨干。

印度尼西亚是WTO首批成员国之一。为吸引投资，使采矿企业更有吸引力，印度尼西亚实行了新的税制，收入超过500万盾的部分的公司所得税，按30%税率缴纳，而过去的税率在投产的头10年为35%，10年后为45%。另外，从申请到签订合同所需的时间缩短到6个月。

2002 年俄罗斯煤炭产供销简况

俄罗斯 2002 年煤炭总产量为 2.534 亿 t，其中俄罗斯联邦动力部所属煤矿产煤 2.5 亿 t，与 2001 年同比减少 1600 万 t 煤。所减少的煤炭发生在 7 个经济区中的 5 个。东西伯利亚是减产最多的地区，共少产煤炭 1500 万 t。增产地区为西西伯利亚和远东，分别增长煤炭 410 万 t 和 190 万 t。

2002 年，俄罗斯煤炭供应量为 2.344 亿 t，与 2001 年同比减少 1760 万 t。除了向较远的国外供煤量未减少外，所有市场部门的供煤指标均缩减了。

这一年，按营业资料统计，俄罗斯煤炭出口总额为 4100 万 t，与 2001 年同比增加 650 万 t。俄罗斯进口的煤炭量减少 570 万 t，总共进口煤炭 2080 万 t。2002 年俄罗斯全部用户用煤量（含进口煤量）为 2.07 亿 t，2001 年为 2.37 亿 t。到 2003 年元月 1 日发电厂的煤炭库存量为 1740 万 t，2002 年同比为 1910 万 t，其中俄罗斯本国的煤炭为 1510 万 t。

在国内市场所有部门对煤炭需求量急剧减少的条件下，为了稳住煤炭产量，2002 年多数煤炭公司采取了保持煤炭批发价格增长的措施。2002 年 12 月烟煤动力公司煤炭价格平均增长率与 2001 年 12 月同比为 103%～104%。

由于从事采煤的劳动人员减少以及与煤炭批发价（增长 107%）相比开采成本超前增长达 117%，使整个部门出现生产亏损额上升。预计总的生产亏损额将达到 25 亿卢布。其中煤炭生产公司达到 12 亿卢布。

与此同时，还可以看到 2002 年第四季度煤炭生产和需求形势已开始稳定。根据季度总结资料，煤炭产量已超过 2001 年同比水平的 150 万 t，供给发电厂和出口的煤量已经增加。

美国煤炭资源概况

美国是世界上煤炭资源最丰富的国家之一，1800m 深度以浅的地质资源总量约为 3.6 万亿 t，1993 年探明储量 4300 亿 t，在探明储量中，烟煤占 51.0%，次烟煤占 38%，褐煤占 9.47%，无烟煤占 1.6%，适于露天开采的占 32.7%。煤炭资源赋存广泛，地区分布比较均衡。全美 50 个州中，有 38 个州赋存煤炭，含煤面积达 11810km^2，占国土面积的 13%。1996 年可采储量居世界第一位。

煤炭储量主要集中在科罗拉多、伊利诺依、蒙大拿、宾夕法尼亚、俄亥俄、西弗吉尼亚、怀俄明和肯塔基州 8 个州，其储量占全美的 84%，其中蒙大拿州占 25.4%的探明储量，怀俄明州列第二，占 14.8%，伊利诺依州第三，占 14.3%。

美国最重要的阿巴拉契亚煤田，生成于 2.2～3.2 亿年前，属二叠纪宾夕法尼亚统；中西部各煤田，成煤年 3300 万～1.4 亿年前，属白垩纪和第三纪；阿拉斯加州煤田则属侏罗纪，成煤年代距今在 1.35～1.75 亿年间。

美国按地理位置将煤炭资源分为 3 大地区，即东部阿巴拉契亚地区，中部地区和西部地区。以上 3 个地区在探明储量占百分比分别为 22.6%、28.1%和 49.3%。

美国适于炼焦的煤炭资源较为丰富，约占探明储量的 35%；但低挥发分烟煤储量有限，只占探明储量的 1.1%，炼焦煤的主要产地是阿巴拉契亚煤田，西部也有一些重要的烟煤产区。

无烟煤资源有限，主要集中于宾夕法尼亚，阿拉斯加、新墨西哥、犹他州、弗吉尼亚也有少部分储量。

从地理分布上看，虽然在 50 个州中有 38 个发现了煤炭，但煤炭储量集中在科罗拉多、伊利诺依、蒙大拿、宾夕法尼亚、俄亥俄、西弗吉尼亚、怀俄明和肯塔基州 8 个州，这 8 个州的煤炭储量占全美的 84%；其中蒙大拿拥有全国 25.4%的探明储量，怀俄明州列第二，占 14.8%，伊昨诺依居第三，占 14.3%，见下页表。

若以密西西比河为界划分，西部较东部资源丰富，占全国储量的 55%，且适于露天开采的储量为东部的 3 倍。东部多优质炼焦煤、动力煤和无烟煤，热值较高（288.42MJ/KG），灰分低，不过含硫量高（2%～3%）；西部煤质相对较差，多为次烟煤和褐煤，热值低（255.72MJ/kg），但含硫量较低（1%左右）。

美国分州煤炭地质储量表

州别	判明储量（距地表0～915m）					预测储量（0～915m）	0～915m查明储量与预测储量之和	深部（915～1830m）预测储量
	烟煤	次烟煤	褐煤	无烟煤	合计			
亚拉巴马 AC	120	0	18	0	138	182	320	54
阿拉斯加 AK	176	1004			1180	1179	2359	45
亚利桑那 AR	192		0	0	192	0	192	0
阿肯色 AS	15	0	3	4	22	36	58	0
科罗拉多 CO	989	179	0.2	0.7	1169	1463	2632	1306
佐治亚 GA	0.2	0	0	0	0.2	0.5	0.7	0
伊利诺依 IL	1324	0	0	0	1324	907	2231	0
印第安纳 IN	298	0	0	0	298	200	498	0
衣阿华 IA	59	0	0	0	59	127	186	0
堪萨斯 KS	170	0		0	170	36	206	0
肯塔基 KY	583	0	0	0	583	472	1055	0
肯塔基东部	256	0	0	0	256	218	474	0
肯塔基西部	327	0	0	0	327	254	581	0
马里兰 MD	11	0	0	0	11	4	15	0
密歇根 MN	2	0	0	0	2	4	6	0
密苏里 MS	283	0	0	0	283	159	442	0
蒙大拿 MT	21	1640	1020	0	2645	1633	4278	0
新墨西哥 NM	97	459	0	0	557	595	1152	671
北卡罗林那 NC	1	0	0	0	1	0.2	1.2	0
北达科他 ND	0	0	3180	0	3180	1633	4813	0
俄亥俄 OH	400	0	0	0	400	56	430	0

澳大利亚煤炭资源概况

澳大利亚能源结构以煤炭为主，煤炭占澳大利亚能源产量的70%，一次能源消费量的44.1%。1983～1984年度澳大利亚煤炭出口量超过美国，成为世界最大煤炭出口国，至今仍保持这一地位。1995～1996年度，澳大利亚生产煤炭2.91t，排名世界第6大煤炭生产国。

澳大利亚煤炭资源极其丰富，可采煤炭储量909.4亿t，占世界可采煤炭总储量的8.8%，其中无烟煤和烟煤可采储量45.34Gt，次烟煤和褐煤可采储量45.6Gt，位居美国、中国之后排世界第三位。澳大利亚煤炭储量可供开采364年，人均可采储量5038.2t，这两项指标均居世界第一位。澳大利亚主要煤田有：鲍恩煤田、悉尼煤田和拉特罗布谷煤田。

澳大利亚的煤田和煤产地主要分布在东部太平洋沿岸200km范围内的一系列盆地中。优质炼焦煤主要分布在新南威尔士州的悉尼煤田和昆士兰州的鲍恩煤田及克拉伦斯－莫尔顿煤田。次烟煤主要分布在南澳大利亚和西澳大利亚。褐煤主要分布在维多利亚。

维多利亚州主要生产褐煤，褐煤全部用于国内发电。目前，4个矿区总计产煤6740万t，生产的褐煤供应维多利亚州6座燃煤电站，这些电站总装机容量为6310MW。澳大利亚硬煤发电量为20314MW，褐煤发电量为6310MW。国内煤炭产量（硬煤和褐煤）提供澳大利亚62%的发电需求。2001～2002财政年度，仅昆士兰州硬煤总产值就达87.4亿澳元。

澳大利亚烟煤资源

澳大利亚拥有760亿t以上已探明的烟煤资源(见右表),以目前的生产速度足够持续200年以上。在新南威尔士和昆士兰州比较丰富，其占到澳大利亚烟煤生产的95%以上。

在新南威尔士，烟煤在广大的悉尼—古尼达盆地的东部和西部边缘附近被进行开采。

昆士兰州大部分烟煤来自于鲍恩盆地，从柯林斯威尔向南延伸到布莱克沃特和莫拉以及新兰德、布莱尔在布里斯班以西 Millmerran 地区其他大量的煤炭储量有潜力被开发发电用煤。

2000年澳大利亚现场探明的烟煤资源

单位：Mt

州	地下	露天	总计
新南威尔士	20493	11631	32114
昆士兰州	20976	15300	36276
澳洲南部	2450	3095	5545
澳洲西部	1178	892	2070
塔斯马尼亚岛	499	24	523
总计	45586	30942	76528

南非煤炭资源概况

南非煤炭资源丰富，可采储量排在中国、美国、独联体和印度之后，居世界第五位，占世界总可采储量的10.6%。可采储量中，低级烟煤占81.5%，高级烟煤占13.1%、无烟煤占5.4%。南非煤炭资源集中在东部地区。普玛兰加和北部省的煤炭储备一般为烟煤，煤层较厚；夸祖鲁/纳塔尔省有无烟煤，煤层相对较薄。南非境内煤层主要集中在干燥的弗赖海特台地。其余如北部省煤田，其海拔超过干燥台地海拔，比东开普省东北部的煤田还要高。

南非含煤地层属二叠纪。冰川对成煤地层起重要作用。东部煤田煤炭的变质程度较西部煤田高，西部煤田的煤炭水分与挥发分比东部煤田大，东部地区边缘主要煤种是无烟煤。局部地区的煤层有火成岩侵入，煤的变质程度较其他地区高，特别在德兰士瓦东部煤田、乌特勒支煤田、克利普河谷煤田、弗勒海特煤田，火成岩侵入现象很普遍，许多煤层由于火成岩侵入，发育成无烟煤；也有相当一部分煤炭资源被火成岩侵入彻底破坏，或者变成贫煤。

北部省地区的煤层中，混有大量泥岩；煤层和炭质泥岩密密相间，形成煤与夹石互层，或薄或厚，极不规则，开采难度大。但煤中镜质组分较高，发育较好，是很好的炼焦配煤。南非已开采的煤田，大多是近水平煤层或缓倾斜煤层，断层比较少，最大落差200m左右。由于火成岩侵入，常见煤层位移。多数煤田煤层赋存较浅，90%以上埋深在200m以内围岩不稳定，易破碎。

在南非，煤炭占能源生产的98%和能源消费的78%。煤炭是南非仅次于黄金的第二大外汇来源。

德国煤炭资源概况

德国煤炭资源丰富，据英国石油公司《1997年世界能源统计评论》的数据，1996年德国烟煤和无烟煤可采储量为240亿t，褐煤可采储量为433亿t，总可采储量为673亿t，占世界煤炭总可采储量的6.5%，在各国煤炭可采储量排行表中列第6位。按照德国目前的开采规模，其煤炭储量可供开采286年，可采期仅次于澳大利亚，列第二位。

德国煤炭分类十分简单，分硬煤和褐煤两大类。硬煤主要是烟煤，无烟煤所占比例很少。硬煤埋藏深，用井工开采。褐煤埋藏浅，用露天开采。

德国的煤炭资源开成于古生代、中生代和新生代。古生代煤层主要为烟煤，也有部分无烟煤，分布在西部北威州的广大地区。南方萨尔州有小的含煤区。中生代煤层从次烟煤到无烟煤，但储量很少。新生代次烟煤和褐煤在西部的莱茵河地区和东部地区分布很广。

俄罗斯煤炭资源概况

俄罗斯煤炭资源丰富，其探明可采储量占世界总储量的 12%，仅次于美国和中国，居第三位。预测储量超过 5000 亿 t。

俄罗斯煤炭品种比较齐全，从长焰煤到褐煤，各类煤炭均有。其中炼焦煤不仅储量大，而且品种也全。主要的炼焦煤产地有库兹巴斯、伯朝拉、南雅库特和伊尔库茨克火煤田。

俄罗斯煤炭资源的最大缺陷是地区分布极不平衡，3/4 以上分布在俄罗斯的亚洲部分，欧洲部分储量地理分布如下：46.5%的储量在俄罗斯中部，即库兹巴斯煤田；23%的储量在克拉斯诺亚尔斯尔斯克边区，几乎都是褐煤，适于露天开采。此外还有一部分动力煤分布在科米共和国（82 亿 t），罗斯托夫州（65 亿 t）和伊尔库茨克州（55 亿 t）。

目前煤炭是俄罗斯东西伯利亚、西西伯利亚、远东和乌拉尔等几个大型地理经济区的主要燃料。像远东地区的滨海边区长期以来燃料供应短缺，致使经济发展受到制约，对劳动力就业、居民的生活水平产生了不利的影响。所以煤炭在这些地区仍起着极其重要的作用。

加拿大煤炭资源概况

加拿大煤炭资源比较丰富，煤资源储量有 850 亿 t，90%分布在西部省份。绝大部分可采储量分布在阿尔伯塔省和不列颠哥伦比亚省，分别占加拿大可采总储量的 61.37%和 31.55%。

优质烟煤主要在不列颠哥伦比亚省与阿尔伯塔省的交界处和不列颠哥伦比亚省北部，次烟煤主要在阿尔伯塔省南部，褐煤在萨斯喀彻温省。近年来，在大西洋地区的省也发现了少量的煤资源。加拿大西部省份的煤普遍含硫量低。大西洋地区生产的也主要是烟煤，但含硫量较高，为 1%～10%，加拿大生产的煤一半用于出口。加拿大能源消费结构的变化，也对煤的消费带来影响，目前煤基本上用于发电，从而大大减少了煤的消耗量。

含煤区主要在加拿大的东西两端，东部发育的是古生代煤层，而西部落基山地带和与之毗连的平原区则主要发育中生代和新生代煤层。

乌克兰煤炭资源概况

煤炭工业是乌克兰重要的工业部门之一。整个煤炭行业包括煤矿、选煤厂、基建单位、煤机厂、生产与科研及设计院所等，共有 1000 多个企事业单位，截止到 1996 年底，总人数约 68 万人。

乌克兰是独联体中仅次于俄罗斯联邦的第二大产煤国。煤炭资源量为 117Gt，其中硬煤为 110Gt，占 93.7%，褐煤为 7.3Gt，占 6.3%。探明储量为 57.1Gt（占 48.7%）。该国的煤炭集中在三个煤田，即东部的顿涅茨克煤田（简称顿巴斯）、西部的里沃夫－沃伦煤田及中部的第聂伯煤田。目前，乌克兰正在开采和储备开发的 $A+B+C_1$ 级平衡表内储量为 23.7Gt。

印度煤炭资源概况

印度是世界上居中国和美国之后的第三产煤大国。在印度，煤炭被认为是最重要的发电资源。

印度煤炭资源丰富，对国家经济发展起重要的作用。印度煤炭主要赋存于晚古生化于叠纪（一般称为“冈瓦纳煤系”）和第三纪，这与欧洲和北美大部分重要煤矿床赋存于石炭纪地层中有所不同。

印度99%煤炭资源蕴藏在二叠纪，集中分布于印度半岛东南部1/4的国土上，其余3/4国土实际上没有任何重要矿床。主要煤田沿现代主要河谷分布，呈孤立盆地。其沿喜马拉雅山麓有小型透镜状煤层赋存外，印度全国大约有50个煤田，其面积变化大，小的煤田几平方公里，大的1500km；能对比的煤层数由2～3层到44层；可采煤层厚度变化从0.5m到160m。大部分煤是烟煤，灰分高（一般20%～35%），硫分（最高为0.7%）和含磷（约0.1%）低。

第三纪煤田大约有20个，面积小，其资源量仅占印度煤炭资源量的1%。二叠纪煤田主要分布于西孟加拉帮，比哈尔帮，安得拉邦，奥里萨邦，马哈拉施特拉邦和北方邦等地。还有一些次要煤田分布于阿萨姆邦和查谟，其成煤年代属于第三纪。

褐煤主要分布于泰米尔纳德邦和拉贾斯坦邦。1990年印度地质调查所分布的印度煤炭资源里，以煤层厚度0.9m以上，埋深1200m以浅，达到186044Mt，大部分煤层厚度为1.2～60m，最厚135m。1997年印度地质调查所最新分布的印度煤炭资源量为204652Wt，其中证实储量72733Mt，占煤炭资源总量的35.5%；设想储量89835Mt，占43.9%；推测储量42083Mt，占20.6%。

炼焦煤资源量为30200Mt（其中主焦火花5300Mt，中焦煤23300Mt，半焦煤1600Mt），占总资源量的14.8%；非炼焦煤和第三纪煤174400Mt，占85.2%。

褐煤资源量最早（1972年）统计为2299Mt。经过20多年的进一步勘探，又发现了一些新的褐煤田。目前印度有褐煤资源量24405Mt，其中奈维利储量3300Mt，占13.5%。1995年1月，在日本东京举行的第16次世界能源大会上分布的印度煤炭可采储量为69900Mt，占世界煤炭可采储量的6.8%，储量产量比为227年。

越南煤炭资源概况

越南煤炭的储量丰富且品种多、质量好。总储量达220亿t，品种有无烟煤、褐煤、泥煤、肥煤，其中无烟煤储量最大。

越南广宁煤田的无烟煤是世界上质量最好的无烟煤之一，从露头到300m深的储量约为33亿t，可采70多年。除广宁外，太原和广南省及其他地区也有无烟煤。谅山省主要生产褐煤，含硫量在1%以下。越南的肥煤分散在莱州、山萝、和平、太原、义平和义安等地。泥煤资源总储量约为60亿t，分布在北部、中部和南部，质量为中等。泥煤可用来制有机肥和发电。

在越南，煤炭不仅是热电站的主要燃料，同时也是建筑材料、化工、运输、食品加工等行业的重要燃料。作为出口商品，煤炭可赚取外汇。

印度尼西亚煤炭资源概况

1. 地质情况

印尼的含煤地层属始新世到上新世。始新统一般为陆相砾岩与砂岩。中巨港层包括中新统上部—上新统下部地层，总厚1200m，由泥质岩、海绿石砂岩、凝灰质砂岩组成，含有褐煤和含油层。上巨港层由凝灰岩与凝灰砂岩组成，夹有薄煤层和班脱岩。含煤地层变位轻微，倾角很少超过20°。在各个岛上有工业意义的含煤层位不同。始新统中的煤为黑色致密烟煤，至上新统中变为次烟煤。在更年轻的侵入活动影响下，除烟煤外，还可见到变质程度更高的无烟煤和天然焦。

大部分煤为第三纪，烟煤和次烟煤为始新世和中新世，而褐通常为中新世，煤层厚度从 0.3m 以下到 70m，通常为 5～15m，特厚层为劣质煤，埋藏较浅，倾角较缓，煤质较硬，围岩较软，涌水量不大，瓦斯含量较低。

2. 煤炭储量

印尼缺乏炼煤资源，但最近发现，东加里曼丹一些地区的煤有炼焦特性，苏门答腊翁比林商挥发分烟煤的自由膨胀指数高达 4，为“软”炼焦煤。

印尼无烟煤储量为 1 亿 t，占总储量的 0.36%；烟煤 52 亿 t，占 14.38%；次烟煤 97 亿 t，占 26.63%；褐煤 216 亿 t，占 58.63%。

3. 煤质

一般来说，印尼煤炭具有主高水分、低灰分、低硫分、高挥发分等特性。次烟煤热值高（23.83～30.17MJ/kg），挥发分高（37%～42.14%），低硫（0.1%～0.85%）。褐煤热值 18.16%24.37MJ/kg，挥发分 24.1%～48.8%，硫分 0.1%～0.75%。

波兰煤炭资源概况

波兰煤炭资源丰富，煤炭储量在欧洲占第三位，居世界第八位。

波兰境内已发现大小煤田共 40 个，其中储量在 10Mt 以上的有 25 个。在 40 个煤田中，褐煤田 37 个，硬煤田 3 个。硬煤田虽然数量少，但储量都很大，且煤炭质量好，分布集中，工业价值高。褐煤田数量虽然较多，但储量一般都在 10 亿 t 以下，而且分布较为零散。就全国煤田分布情况看，主要煤田集中在南部与捷克和斯洛伐克接壤地带，其次是中南部的波兹南和罗兹等省及西部的热洛纳一古腊省，北半部煤田很少，仅比得哥煦省有几个小煤田。

波兰具有重要工业意义的是石炭纪硬煤产地和新第三纪松散褐煤产地。

罗马尼亚煤炭资源概况

罗马尼亚煤炭资源生成于古生代、中生代和新生代，分布广泛，赋存于喀尔巴阡山麓或山谷。大多数古生代和中生代煤层地质构造复杂。古生代无烟煤分布在西南部日乌河流域。中生代烟煤和次烟煤分布在南部日乌河上游约比特罗山地区。新生代次烟煤和褐煤分布最广，主要位于奥尔侍尼亚地区。

罗马尼亚煤炭地质储量为 40 亿 t，其中褐煤 30 亿 t、烟煤 10 亿 t。褐质量较差，发热量 66.96～83.70MJ/kg，灰分 32%～49%，水分 36%～50%，硫分0.9%～2.3%，挥发分 25%～30%。烟煤属弱粘结性炼焦煤，发热量为 125.55～169.40MJ/kg，灰分 40%～80%，水分 11%，硫分 2.5%。

主要煤田：

(1) 纪乌煤田：该煤田位于北纬 45°，东经 23°，属第三纪，面积 300km²，为罗马尼亚重要煤田。有开采价值的煤层多层，厚 0.7～50m。煤系地层赋存浅，倾角平缓。可采储量 7.5 亿 t，为高挥发分次烟煤，灰分低，硫分高，水分低。

(2) 其他煤田：阿尔马什煤田，位于西北部为交烟煤，有 3 个可采煤层，倾角平缓，厚 1.2m。

科莫内什蒂煤田为罗马尼亚东部惟一已开发煤田。煤层约 30 层，其中可采煤层 4～5 层，煤质较好。

哥伦比亚煤炭资源概况

哥伦比亚是南美洲煤炭资源最丰富的国家。除北部边境地区以外，大部分煤田都分布在海拔 2000～3000m 交通不便的山区。东科迪勒拉山脉煤田数量最多，含煤地层属第三纪和上白垩统。每个煤田有 3～10 层可采煤层，厚度为 0.8～2.5m。

在西科迪勒拉山脉和东科迪勒拉山脉，煤的变质程度以南部煤田马斯特里赫特组和渐新世地层为最高，向北逐渐变低。在安山岩侵入体的接合处，煤炭经常变为天然焦。

哥伦比亚煤的特点是含有大量亮煤和极少量的丝炭与菌核体。煤种从褐煤到无烟煤，绝大部分是烟煤和次烟煤。

哥伦比亚煤炭地质储量约为220亿。全国储量的大约一半赋存在北方沿岸，集中在瓜吉拉半岛。全国有35个煤田，已开发的煤田有8个。

哥伦比亚储量主要集中在瓜希拉省，占总储量的55%，塞萨尔省占19%，昆迪纳马卡省和博亚卡省各占9%，科尔多瓦省占8%。最大的煤田是瓜希拉煤田和塞萨尔煤田。这两个煤田地质条件复杂，煤质优良，为低硫、低灰煤。

土耳其煤炭资源概况

土耳其有经济价值的含煤地层属石炭纪、二叠纪、老第三纪和新第三纪。北部古生代含煤岩系发育，局部可见侏罗纪地层。新生代含煤地层几乎都分布在安卡拉以南，北部少见。石炭纪煤层在北部的宗古尔达克煤田。此外，在东部迪亚巴克尔市与埃尔祖鲁姆市之间一些不大的背斜和兹罗山地，发现了石炭纪煤层，由杂色黏土和沥青砂岩组成的威斯特法伦组的拉古诺湖地层，赋存着一层烟煤，厚1～3m。在南部，覆盖在泥盆纪地层之上的早二叠世含煤地层中也有两层烟煤，厚度变化在0.1～1m。

土耳其硬煤的总地质储量为32亿t，褐煤200亿t。硬煤探明储量12亿t，褐煤探明储量83.6亿t。

捷克煤炭资源概况

捷克的煤炭资源主要生成于古生代和新生代。古生代煤层主要分布在捷克的中部煤田和东北部与主要分布在波兰境内的上西里西亚煤田连成一体的煤田，煤种为烟煤和无烟煤，构造复杂。新生代煤层分布于西北部和南部，为次烟煤和褐煤，构造简单。

捷克的煤炭品种齐全，有优质炼焦煤、烟煤、褐煤及劣质松散年轻褐煤。煤炭发热量为8.5～35MJ/kg，灰分3%～35%，硫份0.4%～3.5%，适应多种用途。

捷克烟煤和褐煤地质储量总计约达182.0亿t，其中，褐煤地持储量为95.85亿t，可利用储量为65.45亿t，实际可采储量为30.20亿t。

捷克烟煤地质储量为86.07亿t，可采储量为13.24亿t。现在烟煤矿区地质储量为28.42亿t，可采储量为5.29亿t。

韩国煤炭资源概况

韩国的煤炭资源几乎全是无烟煤，成煤年代为石炭纪晚期，二叠、三叠纪的平安系和中新世的大同系含煤地层较多。平安系煤炭储量约占90%，主要煤田分布在玉川地槽江陵－海南一带。煤层褶曲较多，开采困难。大同系煤田主要在中部和西部赋存不规则。此外，其他地方还有少数小煤田。

韩国无烟煤资源的特点如下：

1. 煤层地质构造复杂，大部分煤层厚度在1.5m以下，倾角超过30°。

2. 无烟煤灰分高（30%～40%），硫分低（0.3%～0.7%）。

3. 煤炭发热量低，在25.08MJ/kg以上的占5.6%，16.72～20.9MJ/kg的占2.5%，12.54～16.72MJ/kg的占40.4%，12.54MJ/kg以下的占30.6%，平均约18.81MJ/kg。

韩国无烟煤资源大部分赋存在晚二叠纪，有三陟、江蒙、钟城、迎郁、丹阳、闻庆、宝为鹰和湖南等煤田。早侏罗纪的煤田有忠南、丹阳和闻庆煤田的一部分以及永川和金浦等。

西班牙煤炭资源概况

1. 主要煤田

在西班牙，石炭纪和始新世—渐新世的煤炭具有工业意义。石炭纪煤系主要分布在西班牙北部的坎塔布达山脉，其北部为石炭纪地层。这里有西班牙主要的阿斯图里亚斯煤田。阿斯图里亚斯和莱昂煤田生成于石炭纪，煤田规模较大，但由于褶曲、断层及侵蚀影响，分割成许多小的含煤区，成煤程度高，从烟煤到无烟煤，挥发分较低，但灰分较高。

特鲁埃尔省煤田生成于白垩纪，为多煤层，并由断层分割成许多小的含煤区，煤层呈倾斜状，断层少，为硬褐煤，硫分高。拉克鲁尼亚省煤田生成于第三纪中新世，分成两个独立的煤盆地，为软褐煤。

西班牙煤炭资源品种齐全，从软褐煤到无烟煤都有，但煤田小而分散。硬煤煤田主要位于北部，褐煤煤田位于西北部和中东部。总储量的95%分布在阿斯图里亚斯、莱昂、特鲁埃尔、帕伦西亚和拉克鲁尼亚省；98%的硬煤储量赋存在阿斯图里亚斯、莱昂和帕伦西亚省；79%的硬褐煤赋存在东部的特鲁埃尔和巴塞罗纳省；84%的软褐煤储量埋藏在西北部拉克鲁尼亚。

(1) 阿斯图里亚斯煤田：面积 3000km^2。含煤地层厚 2800m，有 75 个煤层，其中厚度为 0.6～1.5m 的煤层有 35 层。煤种从长焰至无烟煤都有。煤炭总地质储量 36 亿 t。

(2) 坎塔布连煤田：长 20km，宽 6～7km。正在开采的萨贝罗煤产地有总厚度为 20m 的 8 个煤层。古达拉煤产地有 20 多个厚度为 0.8～2m 的煤层。煤种为贫煤和无烟煤，储量 3.6 亿 t。

(3) 普韦托利亚诺煤田：分布在摩勒纳山的东北坡。有 8 个厚度 2.6m 以下的气煤煤层，储量 30.0Mt。

(4) 贝尔梅斯煤田：分布在摩勒纳山的西南坡。有 6～10 个厚度为 3～7m 的可采煤层，煤种为硬煤，储量为 0.3～1.5 亿 t。

2. 煤质

西班牙煤质较差，灰分和硫分较高，发热量低。

哈萨克斯坦煤炭资源概况

哈萨克斯坦煤炭资源丰富，煤炭储量仅次于俄罗斯和乌克兰。煤炭地质储量为 164.4Gt，A+B+C_1 级储量为 35.1Mt，C_2 级储量为 4.2Gt，炼焦煤的 A+B 级储量有 2200Mt，占前苏联的 17%。80 年代煤炭年产量高达 143.1Mt。

哈萨克斯坦的煤炭资源主要分布在北部，主要煤田有埃基巴斯图兹、卡拉干达、迈丘边和图尔盖等。目前采煤业集中在埃基巴斯图兹和卡拉干达煤田，其他煤田产量很少。该国的煤层赋存条件很好，2/3 的煤炭储量埋藏深度在 600m 以内，可露天开采。煤炭工业的发展潜力较大。

巴基斯坦煤炭资源概况

巴基斯坦整个煤炭储量估计在 1850 亿 t。这些包括最近在塔尔所发现的巨大的低硫煤储量，如表 1 所

表 1 各煤矿煤炭储量

省份/煤田	储量/百万 t					
	已测量	所显示	所推断	所假设	总 计	状 况
巴洛奇斯坦						
Duki	14	11	26	—	51	已开发

续表

省份/煤田	储量/百万 t					
	已测量	所显示	所推断	所假设	总 计	状 况
Macr-Abegum	9	—	14	—	23	已开发
Sor-Range-Degari	15	—	19	—	34	已开发
Pir Ismail Ziarat	2	2	8		12	已开发
Khost-Sharigh-Harnai	13	—	63	—	76	已开发
小 计	53	13	130	—	196	
旁遮普						
Makerwal	5	7	10	—	22	已开发
Salt Range	43	13	0	178	234	已开发
小 计	48	21	10	178	236	
SINDH						
Lakra	244	629	455	—	1,328	已开发
Sonda-Thatta	60	511	2197	932	3,700	未开发
Jherruck	106	310	907	—	1,323	未开发
Ongar	18	77	217	—	312	未开发
印度河东部	51	170	1,556	—	1,777	未开发
Meting-Jhimpir	15	53	93	—	161	已开发
倍德河	3	13	—	—	16	未开发
塔尔煤炭	3,177	10,323	81,725	80,213	175,506	未开发
小 计	3,904	12,086	87,150	81,213	184,123	
西北边省						
Hangu	1	5	76	—	82	未开发
小 计	1	5	76	—	82	
总 计	4,006	12,125	87,366	81,391	184,657	

资料来源：巴基斯坦能源年鉴 2000。

说明：

已测量—是指接近的和原始证明的具有高度地质保证的资源。

所显示—是指具有一个适度地质保证的已鉴别的部分。

所推断—是指具有一个较低地质保证的已鉴别的部门。

所假设—是指要么类似于存在于相同煤田所适度认可的未发现的资源的一种非煤储量，要么正处于地质条件调查的区域。

示。表 2 列出了各省煤炭储量的细目。

本地煤炭储量是以不同的湿度水平、含碳量、硫分和灰分为特征并且属于褐煤和次烟煤种类。

巴基斯坦煤炭的化学分析结果见表 3。

表 2 各省的煤炭资源

单位：10 亿 t

省份	储量	省份	储量
Sindh 省	184.123 （塔尔 175）	巴洛奇斯坦省	0.195
		西北边省	0.81
旁遮普省	0.256	总计	184.655

表 3 本地煤炭的化学分析

煤田	近似分析/%			元素分析/%			发热量/（4.18kJ·kg^{-1}）		
	水分	挥发性可燃物质	灰分	固定碳	碳	硫	氯	总值	净值
Sor Range	14.7	36.4	7.1	41.8	51.2	5.0	0.02	5534	5235
Sinjidi	10.6	35.9	19.8	33.7	51.2	4.0	0.01	4865	4602
Deghari	12.1	35.5	18.0	34.4	50.9	2.2	0.02	4907	4622
Pir Ismail Ziarat	10.7	38.1	8.1	43.1	60.2	4.1	0.02	5865	5571
Duki	6.2	33.4	17.6	42.9	57.6	6.0	0.03	5571	5316
Makerwal	3.6	37.6	20.8	38.0	—	6.11	0.08	5587	—
Padhrar	4.2	33.5	21.8	38.7	—	9.96	0.04	5519	—
Katha	5.2	31.8	32.0	31.0	—	5.64	0.06	4454	—
NiIi	3.5	25.0	47.0	24.5	—	5.26	0.05	3398	—
Ratucha	3.9	23.2	50.0	22.9	—	7.82	0.07	2857	—
Lakhra（北部）	26.9	25.9	24.3	22.9	34.4	4.3	0.15	3222	2915
Lakhra（中部）	24.9	30.3	17.4	27.5	41.4	4.2	0.11	3926	3617
Lakhra（南部）	22.7	32.0	14.2	31.2	45.1	6.1	0.28	4292	3991
Jhimpir-Meting	12.25	33.98	31.23	22.5	—	—	—	3961	—
Sonda	13.4	30.3	27.5	26.7	不详	不详	不详	不详	不详
Thar	48.57	68.7	8.33	—	—	1.57	—	5500	5200

委内瑞拉煤炭资源概况

委内瑞拉煤炭总储量约102亿t，其中硬煤57亿t,其余为褐煤。探明储量30亿t,可采储量4.17亿t。瓜萨雷煤田是委内瑞拉最大的产煤区,总储量85亿t，探明储量20亿t，其中5亿t可露天开采。

委内瑞位有5个煤田产煤，瓜萨雷煤田产量占全国的80%。瓜萨雷煤田位于委内瑞拉西北部的苏利亚州，距该国第二城市马拉开波100km。煤田长50km，宽3km，有23层煤，适于露天开采。为优质烟煤，低硫（0.7%），低灰（7.5%），低水分（7%），挥发分34.5%，热值29.26MJ/kg。

该煤田有4座煤矿，帕索黛阿布洛矿、索凯矿、米纳诺特矿和卡奇里矿。这4座矿由两家公司经营。瓜萨雷煤炭公司经营帕索黛阿布洛矿和索凯矿，瓜希拉煤炭公司经营米纳诺特矿和卡奇里矿。

近年来，委内瑞拉开始进入国际煤炭市场，1996年出口4.3Mt，成为拉丁美洲仅次于哥伦比亚的第二煤炭出口国，2/3销往欧洲，1/3销往美国，少量销往加勒比海地区。煤炭出口迅速发展的主要原因是低硫、高质量和开采成本低。

基础设施是阻碍扩大煤炭出口的主要因素之一。1996～2005年将投资16亿美元，改造现有煤矿，建设新的基础设施，包括修建到马拉开波的75km铁路，在帕拉鲁建一深水港。

未来10年，委内瑞拉煤产量可达29.0Mt。政府采取降低税收等措施吸引外资。

新西兰煤炭资源概况

新西兰是位于南太平洋中的小国，人口只有300多万。按照新西兰的国家规模，其煤炭资源可使用1000年。

新西兰有褐煤、次烟煤和少量优质烟煤资源。褐煤主要赋存在南岛，分布在中奥塔哥和索思兰地区，南北岛均蕴藏次烟煤，南岛的西海岸地区有少量优质烟煤。

采煤以国营的新西兰煤炭有限公司为主，其产量占煤炭总产量的75%，产量的一半为优质炼焦煤。该公司1987年成立，负责国有煤矿开采许可证的发放和资产评估，并从事国内外煤炭业务，主要是煤炭开采和市场营销。

该公司共有10个煤矿，大部分生产动力煤。斯托克顿露天矿是该公司最大的煤矿，年产炼焦煤1.0Mt，主要供出口。

新西兰煤炭公司与澳大利亚泛大陆矿业公司合资，实施“新西兰煤炭出口计划”，大大促进了煤炭出口。计划进一步对现有铁路和港口等基础设施进行投资，在韦斯特波特附近建煤炭出口港。

按照新西兰的国家规模，其煤炭资源可使用1000年。新西兰将煤炭作为下个世纪的战略性能源储备，限制其开发利用。

国外安全生产发展趋势及安全战略目标

胡予红　蓝晓梅　黄盛初

一、国外常用安全事故统计指标

目前，世界各国采用的安全事故指标不统一，最常用的几种统计指标如下（表1）：

1. 绝对死亡人数指标

这个指标在世界上使用比较广泛，其优点是统计、计算简单，直观。缺点是不同行业、不同规模企业的安全状况相对严重程度没有可比性。因工伤事故造成的伤亡严重程度对比困难。

2. 10万人死亡率指标

事故死亡人数与从业人数的比值，单位：人/10万人。这一指标统计、计算简便，具有较好对比性。国际劳工组织为便于对不同国家和地区间进行比较，大力推荐使用10万人死亡率指标。但这个指标未全面考虑工作量和工作时间，如某个人属企业在籍职工，一年中或许只工作了一天，也被列入计算，因而可能影响安全状况评价的精确程度。

与之对应的指标还有千人死亡率和百人死亡率指标。

3. 100万工时死亡率和20万工时死亡率指标

100万工时死亡率指标使用比较广泛。美国在1990年以前，普遍采用100万工时死亡率指标。随着美国事故死亡率大幅下降，1990年以后改用20万工时死亡率指标，这一指标虽与100万工时死亡率意义相同，但更为严格。如按美国劳工部规定，每人工作1小时为1个工时，每天工作8小时，每年工作按225天左右计算，则20万工时大体相当于100个全职人员工作1年的时间（每周工作40小时，每年50周），因此20万工时死亡率相当于因全勤工作的100人死亡率指标。

二、国外安全生产发展趋势

表1　世界部分国家采用安全事故统计指标

	绝对死亡人数	10万人死亡率	100万工时死亡率	20万工时死亡率	10万工时死亡率	1000人死亡率	死亡率百分比
国际劳工组织	✓	✓					
美　国	✓		✓	✓			
澳大利亚	✓	✓	✓				✓
英　国	✓	✓					
德　国	✓		✓		✓		
加拿大	✓		✓				
日　本	✓		✓				
印　度	✓				工厂	矿山	
韩　国	✓	✓				✓	
南　非	✓					✓	
巴　西	✓	✓					✓
波　兰	✓		✓			✓	
俄罗斯	✓					✓	
香　港	✓					✓	
台　湾	✓	✓				✓	

20世纪90年代以来，世界各国工伤事故10万人死亡率总体呈下降趋势，工业发达国家工伤事故10万人死亡率一般在6以下，并呈逐年缓慢下降趋势（表2）。最低的是英国，已降到1以下，美国、法国、德国均在5以下；发展中国家一般在10左右。俄罗斯等独联体国家，目前的工伤事故10万人死亡率一般在13左右，而部分发展中国家10万人死亡率曾高达20～30。

1. 日本

战后的日本对政治、经济和社会体制等方面进行了全面改革，并于1947年4月正式颁布以保护劳动者为目的《劳动基准法》。但随着日本经济高速增长和就业人数飞速增加，在20世纪50～60年代曾出现事故高峰。从日本1950～2002年职业死亡人数变化曲线图，可以将其安全状况粗略分为4个阶段，简要分析如下：

第一阶段，1950～1960年。是日本战后复兴的新产业发展时期，工人人数和劳动时间增长，职业死亡人数也随之增加，到1960年由于职业死亡的人数已突破6000人，1961年达到最高峰，为6712人（图1）。

第二阶段，1961～1965年。是日本经济进入高速增长的时期，经济增长率高，从业人数也显著增加，此时开始减少劳动时间，以及技术革新，职业事故得到控制，进入平台区。

第三阶段，1965～1971年，此时日本的经济活动仍持续地以高水平方式扩大，机械设备的大型化、高速化、新的原材料的引进等，使得职业事故趋于稳定和下降趋势，但此时职业性疾病却开始增加。

第四阶段，1971年以后，特别是1972年颁布了

表 2　1990～1999 年世界部分国家和地区职业死亡率

单位：人/10 万人

年　份	1990	1992	1994	1995	1996	1997	1998	1999	2000	2001
澳大利亚		7	7	6	5	5	5	4	4	4
加拿大	8.5	7.8	6.4	5.6	6.1	7.1	6.7	6.7	7.1	
美　国		5	5	5	5	5	5	4	4	
法　国	8.4	7.1	5.6	4.9	5.3	4.8	4.5	4.5		
德　国	5.07	4.68	4.63	4.24	3.96	3.68	3.42	3.42	3.05	
意大利	11	10	8	7	7	7	8	7	7	
西班牙	14.2	12.1	10.6	10.1	9.8	10.1	9.8	9.5		
瑞　典			6.2	2.3	2.3	2.3	1.7	1.7	1.5	
英　国	1.6	1.3	1.0	1.1	0.9	0.9	0.8	0.7	0.9	
白俄罗斯	9.3	9.0	8.9	8.9	8.1	8.0	7.4	7.4	6.4	5.8
俄罗斯联邦	12.9	13.1	13.3	13.8	15.5	14.8	14.2	14.4		
乌克兰	11.7	12.6	12.0	11.6	10.9	9.9	10.2	9.2		
埃　及	15	14	12	11	9	11	9	8	7	7
中国香港	9.9	6.7	8.0	9.8	8.8	8.0	10.2	8.0	6.6	5.3
韩　国	29.6	34.4	36.8	33.7	32.7	33.3	29.2	30.8	25	26.6
泰　国	30.9	24.5	19.2	19.4	17.7	17.1	15.4	11.5	11.3	

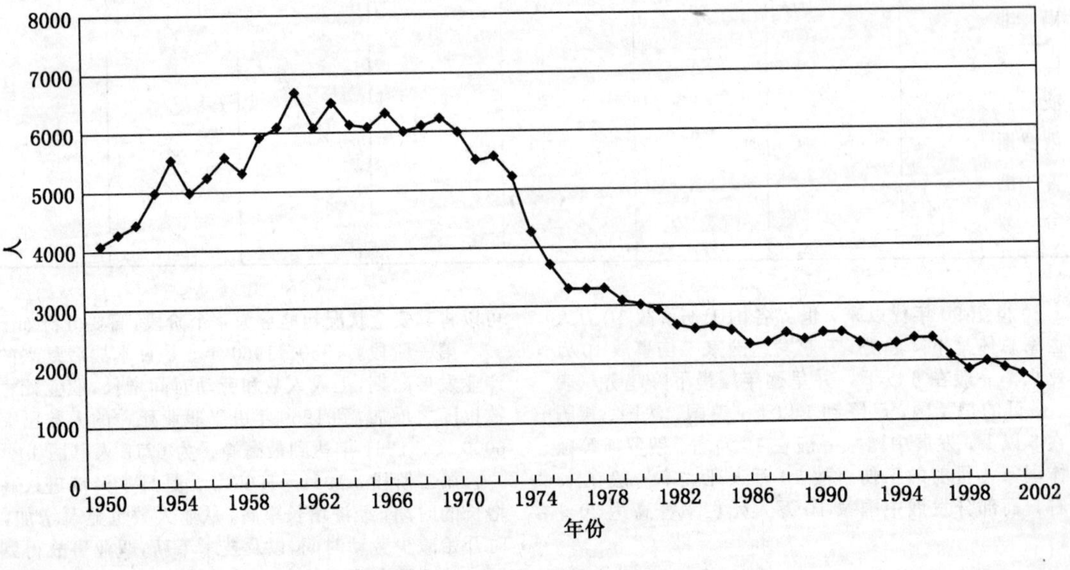

图 1　1950～2002 年日本职业死亡人数变化情况

《劳动安全健康法》后的前几年中，职业死亡人数更是明显下降。到 1981 年职业死亡人数已降为 3000 人以下，以后死亡人数开始稳定地减少，到 1998 年降为 2000 人以下。

2. 巴西

从 1994 年开始，巴西政府实施以控制通胀为目标的稳健经济政策，加速宏观经济结构调整，积极推进私有化进程，扩大就业。工会注册就业人数由 1996 年的

1890 万人增加到 2000 年的 2037 万人。与此同时，安全状况显著改善，事故死亡人数由 1996 年的 4488 人减少到 2000 年的 3094 人，下降了 1394 人；10 万人死亡率由 1996 年的 23.74 下降到 2000 年 15.9，平均每年下降 9%（表 3）。

巴西生产安全统计指标主要有事故起数、工伤人数、工伤致残人数、事故死亡人数、百人事故率、10 万人死亡率、1000 起事故死亡率。1997～1999 年，巴西受金融危机影响，事故起数和事故死亡人数也曾出现上升趋势（图 2）。1999 年以后，随着巴西全国经济趋于好转，社会安定，到 2000 年所有生产安全指标均已明显下降。到 2000 年事故伤亡总数中，轻伤占 81%，住院治疗 14%，致残 4%，死亡 1%。

表 3　巴西安全生产主要指标

年　份	1996	1997	1998	1999	2000
注册职工人数	18905308	19116447	19222602	19407732	20774196
事故起数	395445	421343	414341	387820	343996
工伤人数	375495	362712	333234	345034	304352
工伤致残人数	18233	17669	15923	16757	14999
事故死亡人数	4488	3469	3793	3896	3049
百人事故率	2.09	2.20	2.16	2.00	1.69
10 万人死亡率	23.74	18.15	19.73	20.07	15.19
1000 起事故死亡率	10.0	7.88	9.28	9.26	8.22

在巴西 13 个行业中就业人数最多的是建筑业、农产品加工业和畜牧业，绝对死亡人数最多的也是这 3 个行业，2000 年分别死亡 325 人、150 人和 111 人。2000 年 10 万人事故死亡率最高的是冶金、矿业和建筑业，分别为 37.11、29.16 和 26.38。

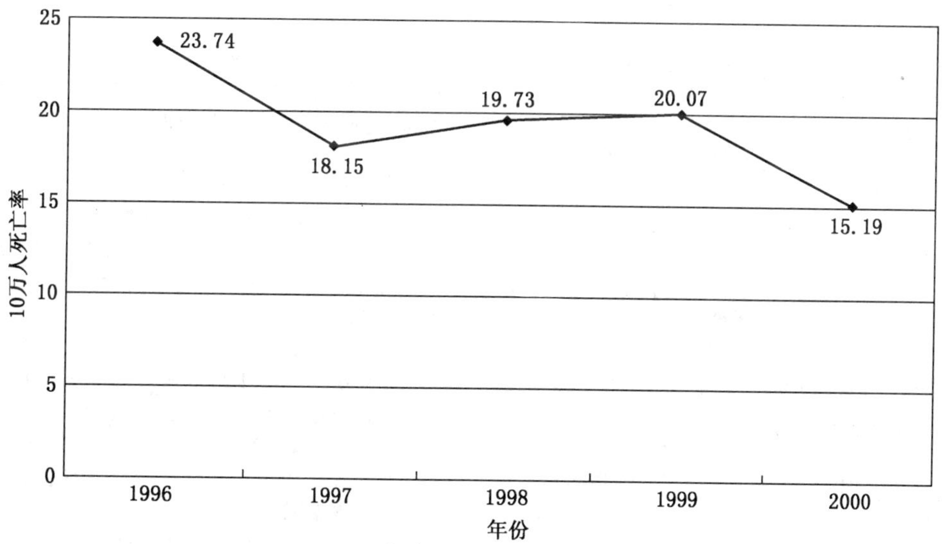

图 2　巴西 10 万人死亡率变化趋势

3. 美国

19 世纪末到 20 世纪初，美国经济进入初期发展阶段，煤矿事故死亡人数增长较快，由 1900 年的 1489 人快速增长到 1907 年的 3242 人（图 3）。此后，随着技术水平与经济的不断发展，煤矿事故死亡人数呈缓慢下降趋势，这一过程一直延续到 1930 年，当年煤矿死亡人数仍高达 2063 人。二战以后，美国经济进入新的发展时期，事故死亡人数出现明显下降趋势，1970 年以后，美国经济达到高度发展阶段，安全生产发展到比较完善的阶段，重特大恶性事故的发生概率几乎为零，每年的煤炭产量达 10 亿 t 左右，煤矿事故死亡仅 30 人左右。

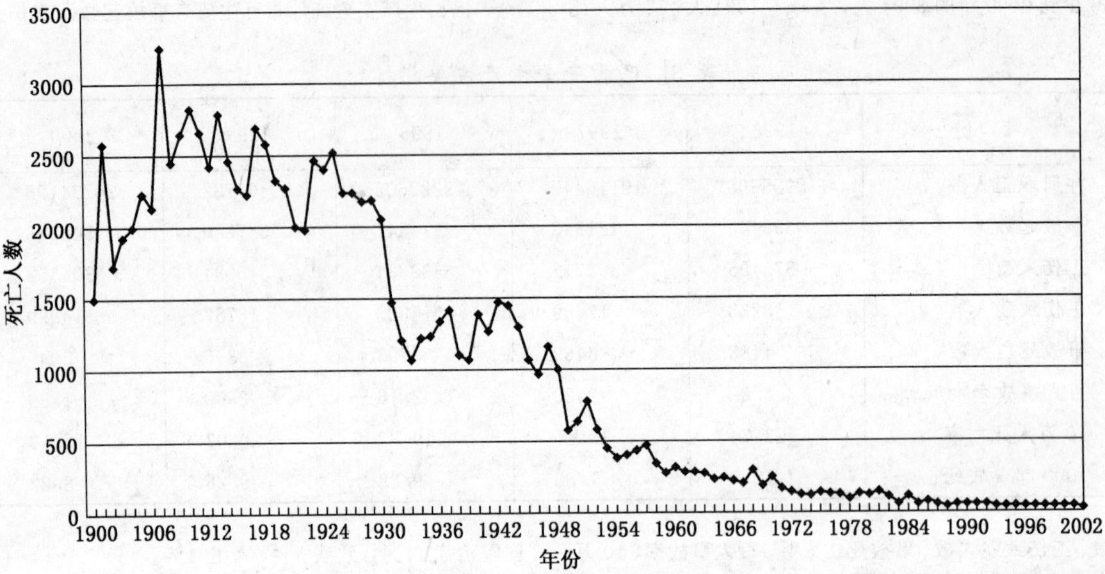

图 3　1900～2002 年美国煤矿死亡人数变化趋势

4. 韩国

20 世纪 60 年代韩国经济发展处于初级阶段，工伤事故率相对较低，1970 年职业死亡人数仅 639 人。70 年代开始经济处于高速发展阶段，职业伤亡事故随之增加，90 年代年最高死亡人数曾达 2742 人，而最近几年职业伤亡人数开始呈下降趋势。

三、国外安全控制指标

美国、澳大利亚、英国等都提出了全国安全生产控制指标（5 年计划或 10 年计划）。美国矿山的控制指标开始是以前 5 年的平均数为基准计算下一年度的控制指标，从 2003 年度开始有所改变；澳大利亚和英国是在目前的水平上制定下一年度的控制目标。巴西根据各州安全事故特点，确定各州的安全监察重点行业。

1. 英国安全与健康控制指标

2000 年 6 月英国政府和安全与健康委员会颁布了“重振安全与健康”战略计划，提出 2010 年安全战略目标如下：

(1) 到 2010 年将 10 万工人因工作致伤病的工作日损失降低 30%；

(2) 到 2010 年将因工致病率降低 20%；

(3) 到2010 年将因工死亡和重伤事故率降低 10%；

(4) 到 2004 年将上述指标完成一半。

2. 澳大利亚 2002～2012 年度安全控制指标

澳大利亚国家安全与健康委员会公布的 2002～2012 年职业安全与健康战略计划：

(1) 到 2012 年 6 月 30 日使目前的死亡事故率至少降低 20%，到 2007 年 6 月 30 日至少降低 10%；

(2) 到 2012 年 6 月 30 日使目前的工伤事故率至少降低 40%，2007 年 6 月 30 日至少降低 20%。

3. 美国矿山安全与健康控制指标

(1) 1997～2002 财政年度控制指标。美国矿山安全与健康监察局于 1997 年 9 月制定了第一个矿山安全与健康战略计划，其执行期限是 1997～2002 财政年度，制定依据是《1993 年政府行为成果法》。在此项计划中 2000 年的执行目标是：

矿山安全控制指标：使每年矿山事故死亡人数比前 5 年平均值降低 5%。其计算基准：1994～1998 年和 1995～1999 年财政年度的死亡人数每年平均分别为 92 人和 88 人，以 5 年滚动平均为基准可消除年与年之间的波动。

职业病控制指标：

使煤矿超出标准的呼吸性粉尘样品比例比 1998 年的指标数据减少 5%；使非煤矿山中超出标准的硅尘样品比例比 1998 年的指标数据减少 5%；

使非煤矿山中超出标准的噪音样品比例比 1998 年的指标数据减少 5%。

(2) 2003～2008 年财政年度执行计划。20 世纪，美国矿山的安全状况发生了奇迹般的变化，2001 年和 2002 年财政年度所有矿山的死亡人数均降低到历史最低点，均为 71 人。所以从 2003 年财政年度开始，矿山安全与健康监察局使用新的安全指标，即用死亡事故率替代原来的绝对死亡人数。用完全工伤事故率替代原来的工时损失工伤事故率，将原来不曾包括的非工时损失工伤事故率也包括了进去，使其统计范围更加全面准确。这项执行计划的控制指标如下：

矿山伤亡控制指标：

使矿山的死亡事故率平均每年减少15%；

使2005财政年度的完全工伤事故率减少至2000年基准水平50%以下。

职业病控制指标：

使煤矿超出标准的呼吸性粉尘样品比例每年减少5%；

使非煤矿山中超出标准的硅尘样品比例每年减少5%；

使非煤矿山中超出标准的噪音样品比例每年减少5%；

4. 巴西各州安全监察重点行业

巴西劳工部安全与健康监察局每年要制定安全与健康监察计划，确定各州安全与健康监察重点。全国26个州和1个特区，根据各州安全状况的不同，劳工部安全监察局确定的安全监察重点行业包括食品加工、冶金、木材、能源和水电、采矿和纺织服装6个行业。

四、结论和建议

从上面分析可以得出如下几点结论和建议：

(1) 绝对死亡人数指标是安全事故统计的基础指标，10万人死亡率和100万工时死亡率指标具有较好的对比性，建议中国安全事故统计采用10万人死亡率指标和100万工时死亡率指标，加强企业工时统计基础工作。

(2) 20世纪90年代以来，世界各国工伤事故10万人死亡率总体呈下降趋势，日本、美国、巴西和韩国历史上安全状况变化趋势经历了从上升到趋于稳定下降过程，这与社会经济发展的不同阶段密切相关。分析研究安全生产与社会经济发展之间的内在规律，对于制定中国安全生产战略具有指导意义。

(3) 美国、英国和澳大利亚等国都制定了安全生产战略计划，有明确的安全控制指标，建议研究制定中国安全生产控制指标，并作为各级政府和有关部门安全生产绩效的考核依据。

世界主要国家职业安全事故统计指标与安全状况比较

彭　成

一、安全事故统计指标

1. 职业伤害定义

职业伤害指经雇主或授权人安排在工作场所作业的职员，在作业期间因受物理、化学、生物等因素导致的突然爆发（爆炸）意外能量（热能、电能、动能）产生的冲击、碰撞、挤压、切割、中毒等作用，导致对身体的伤害。由这种事故造成人身伤害或死亡称为职业性伤亡事故。

2. 世界常用工伤、伤亡事故统计指标

目前，世界各国采用的职业伤亡事故指标不统一，不同的国家采用不同的统计指标来考评事故伤害程度的严重性。最常用的几种统计指标是：

(1) 事故伤亡人数的绝对数，单位：人；

(2) 10万人伤亡率，单位：人/10万人；

(3) 100万工时伤亡率，单位：人/100万工时；

(4) 20万工时伤亡率，单位：人/20万工时；

(5) 千人伤亡率，单位：人/1000人；

(6) 伤亡率百分比，单位：%。

3. 几种常用工伤、伤亡事故统计指标的优点

(1) 伤亡人数绝对指标。目前，这个指标在世界上使用比较广泛，其优点是统计、计算简单、直观。缺点是不同规模、不同行业间的企业间因工伤事故造成的伤亡严重程度对比困难。

(2) 10万人伤亡率指标。工伤事故人数与从业人员人数的比值。这种工伤指标，统计、计算简便，具有较好的对比性。国际劳工组织为达到对不同国家或地区间，对工伤事故造成的伤亡严重程度进行直观比较，且易于操作，推荐使用10万人伤亡率指标。但是这个指标，只简单考虑从业人数的误差，而未全面考虑工作量、工作时间多少的影响，如某个人，一年只工作了一天，也被列入计算之列，可见准确度存在一定的影响。因此，不适宜用于企业、行业间要求进行精确比较的场合。与之对应的指标还有：千人伤亡率和100人伤亡率指标，均存在同样问题。

(3) 100万工时伤亡率和20万工时伤亡率指标。这种工作指标体系主要在美国、澳大利亚和日本等国使用。

$$100万工时伤亡率=\frac{伤亡人数}{工作时间}\times 10^6$$

美国在1980年前后，普遍采用100万工时伤亡率指标，后来由于职业伤亡率下降，采用这一统计指标计算出来的数据偏小，尤其经过圆整处理后，差别过小，在比较时不直观，于是在20世纪90年代后，改为用20万工时伤亡率指标来统计工伤事故伤亡率。

$$20\text{万工时伤亡率}=\frac{\text{伤亡人数}}{\text{工作时间}}\times 2\times 10^5$$

美国劳工部规定，每人工作 1h 为 1 个工时，每天工作 8h，年工作日按 225 天左右计算，则 20 万工时大体相当于 100 个全职人员工作 1 年的时间（每周工作 40h，每年 50 周）。

(4) 1000 人伤亡率和伤亡率百分比指标。这种工伤指标，统计、计算简便，具有较好的对比性。使用这两种伤亡率统计指标的国家不少，主要有日本、波兰等。但由于未考虑工作时限长短的影响，因而，这种工伤指标只宜用于国家或地区间对工伤事故造成的伤亡严重程度进行直观性比较时用，如果企业、行业间要求进行比较精确比较的场合就存在一定问题。

4. 部分国家和地区采用的工伤事故统计指标

目前，世界不同国家及地区采用的工伤事故统计指标各不相同，劳工组织有关工伤事故统计报告一律采用 10 万人伤亡率指标。表 1 是部分国家及地区采用工伤事故统计指标的情况。

二、世界主要国家及地区安全状况比较

由表 2 可见，自 20 世纪 90 年代以来，世界工伤事故 10 万人死亡率总体呈下降趋势，工业发达国家工伤事故 10 万人死亡率一般在 6 以下，并呈逐年缓慢下降趋势，最低的是英国，已降到 1 以下，美国、法国、德国均在 5 以下，发展中国家一般在 10 左右。俄罗斯等独联体国家，目前的工伤事故 10 万人死亡率一般在 13 左右。美国已于 1998 年开始，不采用 10 万人工伤事故死亡统计指标，采用单一的 20 万工时伤亡率指标来评价行业的事故严重度。

中国工程院最新研究成果（《我国安全生产形势、差距与对策课题》），我国的工伤事故 10 万人死亡率 1999 年为 8.1，近几年呈逐年缓慢下降的趋势。

自 20 世纪 90 年代以来，韩国的工伤事故 10 万人死亡率一直稳定在 3.0 左右，已接近世界领先水平（表 2），与之形成鲜明对比的是泰国的 10 万人死亡率偏高，但呈快速下降势头，已由 90 年代初的 30.9 下降到 1999 年 11.5。

三、与职业伤亡有关的死亡统计情况

国际劳工组织 121 号公约（工伤事故津贴公约）规定，从业人员，不管什么原因，凡工作时间内在工作地点或工作地点附近，或在工人因工作需要而去其他任何地方发生的事故，应计入职业事故。

中国台湾地区规定，雇员在上、下班前后 1 小时内，从日常居住地往返作业场所间，必经途中所发生事故而致伤害者；人员因公差由日常居住处所或就业场所出发，至公差毕返回日常居住处所或就业场所期间发生事故而致之伤害，均视为职业伤害。

美国职业事故的统计，将职业事故死亡按致因进行分类，具体为：①交通事故；②违背法规；③作业对

表 1　部分国家及地区采用工伤事故统计指标的情况

国家和地区组织	绝对伤亡人数	10 万人伤亡率	100 万工时伤亡率	20 万工时伤亡率	10 万工时伤亡率	1000 人伤亡率	伤亡率百分比
国际劳工组织	✓	✓					
美　国	✓			✓			
澳大利亚	✓	✓	✓				✓
英　国	✓	✓					
德　国	✓						
加拿大	✓		✓				
日　本	✓		✓				
印　度	✓				工厂	矿山	
韩　国	✓	✓					
南　非	✓				✓		
波　兰	✓		✓			✓	
俄罗斯	✓						
中国香港	✓					✓	
中国台湾	✓						